PROMENADES

à travers le monde francophone

JAMES G. MITCHELL

CHERYL TANO

VISTA®
HIGHER LEARNING

Boston, Massachusetts

Creative Director: José A. Blanco

Chief Content and Innovation Officer: Rafael de Cárdenas López

Publisher: Sharla Zwirek

Editorial Director: Judith Bach

Editorial Development: Émilie Brodeur, Megan Mahoney, Sarah Wu

Project Management: Rosemary Jaffe

Rights Management: Jorgensen Fernandez, Annie Pickert Fuller, Kristine Janssens

Technology Production: Egle Gutiérrez, Lauren Krolick, Santiago Trujillo

Design: Andrea Cubides, Paula Díaz, Daniela Hoyos, Radoslav Mateev, Gabriel Noreña, Andrés Vanegas

Production: Oscar Díez, Sebastián Díez, Andrés Escobar, Daniel Lopera, Daniela Peláez, Juliana Tobón

Student Text ISBN: 978-1-54332-689-5
Instructor's Annotated Edition ISBN: 978-1-54332-692-5

Library of Congress Control Number: 2020935707

3 4 5 6 7 8 9 TC 25 24 23 22 21

Printed in Canada.

To the Student

Welcome to **PROMENADES**, a unique introductory French program from Vista Higher Learning. In French, the word **promenades** means *strolls*. The major strands in **PROMENADES** are strolls planned to help you learn French and explore the cultures of the French-speaking world in the most user-friendly way possible. In light of this goal, here are some of the features you will encounter in **PROMENADES**.

- A unique, easy-to-navigate design built around color-coded strands that appear either completely on one page or on two facing pages

- Abundant illustrations, photos, charts, graphs, diagrams, and other graphic elements, all created or chosen to help you learn

- Integration of a specially shot video, in each lesson of every unit of the student text

- Clear, concise grammar explanations, which support you as you work through the practice activities

- Practical, high-frequency vocabulary for use in real-life situations

- Ample guided vocabulary and grammar exercises to give you a solid foundation for communicating in French

- An emphasis on communicative interactions with a classmate, small groups, the whole class, and your instructor

- Systematic development of reading and writing skills, incorporating learning strategies and a process approach

- A rich, contemporary cultural presentation of the everyday life of French speakers and the diverse cultures of the countries and areas of the entire French-speaking world

- Exciting integration of culture and multimedia, through TV commercials or short films thematically linked to each unit

- A full set of completely integrated print and technology ancillaries to make learning French easier

- Groundbreaking, text-specific technology that can be accessed on the go

PROMENADES has 13 units, each with two lessons (A and B), followed by an end-of-unit **Savoir-faire** strand and a list of active vocabulary. To familiarize yourself with the textbook's organization, features, and ancillary package, turn to page xv and take a stroll through the **PROMENADES at-a-Glance** section.

TABLE OF CONTENTS

		contextes	roman-photo	lecture culturelle

structures	synthèse	savoir-faire

TABLE OF CONTENTS

		contextes	roman-photo	lecture culturelle

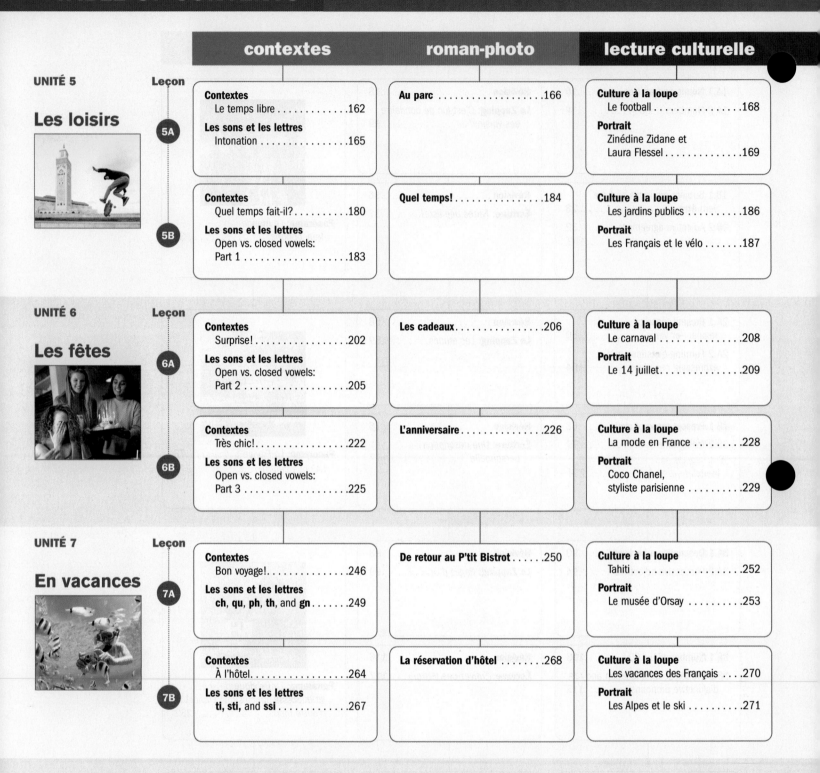

structures	synthèse	savoir-faire

TABLE OF CONTENTS

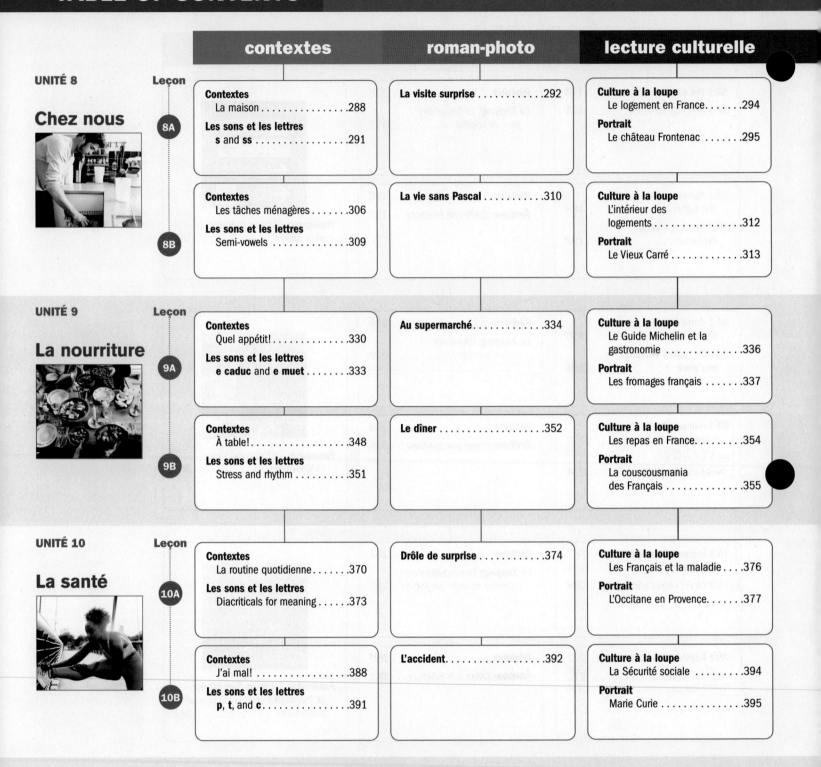

structures	synthèse	savoir-faire

TABLE OF CONTENTS

		contextes	roman-photo	lecture culturelle

structures	synthèse	savoir-faire

The **Vista Higher Learning Supersite** is the only online learning environment created specifically for world language acquisition, developed based on input from thousands of language students just like you. The Supersite makes language learning comfortable and accessible, helping you to be successful.

Because learning never stops, the Supersite is now mobile-friendly, allowing you to do your classwork and homework anywhere from your mobile devices. Simply visit vhlcentral.com and find your course, and you're ready to complete classwork and homework, including chats and audio-recording activities.

Learning Is Just a Click Away
Discover the Supersite for PROMENADES

Plenty of Practice Learning a new language takes practice. With the Supersite, you have plenty of program-specific, theme-based practice activities right at your fingertips.

Safe Environment Language learning can be intimidating for many students. With a clear interface, innovative tools, and seamless textbook-technology integration, the Supersite will help you reach your goals in a safe digital space.

Engaging Media With episodic storyline videos, authentic cultural videos, synchronous video chat activities, and audio-synch readings narrated by native speakers, the Supersite has everything you need to practice and learn the language and culture you are studying.

Grammar and Vocabulary Tools Interactive Grammar Tutorials pair grammar instruction with fun explanations and examples, while the Vocabulary Tools and Tutorials features help you learn vocabulary with audio and interactive flashcards for useful review and practice.

Communication Tools An essential aspect of learning a language is the ability to communicate with others in the target language. The Supersite provides powerful tools to help you practice speaking the language:

- **Video Virtual Chat** activities give you the opportunity to develop your listening and speaking skills while building confidence as you interact with virtual native speakers.

- **Partner Chat** activities allow you to carry out a video conversation with one of your classmates according to the assignment.

- **Forums** are online discussion boards that allow students to post text or audio information and respond to their classmates' posts.

New Features and Technology

Panorama Videos

The all-new **Panorama culturel** videos provide authentic visuals and voice-over narration for select paragraphs on the **Panorama** spreads. Each interactive video contains an integrated viewing activity that checks comprehension and prepares you for deeper reflection.

Vocabulary Tutorials

The **Contextes** section has new Vocabulary Tutorial activities in which select lesson vocabulary terms are illustrated by photos with audio. Additionally, a game-like cumulative matching activity provides an engaging review of the new terms.

Chat Activities

Video Virtual Chat activities provide you with opportunities to develop your listening and speaking skills and to build confidence as you practice with video recordings of native speakers. Unlike other listening activities where students can easily pause and repeat, Video Virtual Chats require you to answer questions in real time—just as you'll do when you engage in conversations with fluent speakers in the target language. You'll also benefit from nonverbal and articulatory cues that are essential for production and pronunciation.

Partner Chat activities enable students to work in pairs to synchronously record a conversation in the target language to complete a specific activity. This collaboration facilitates spontaneous and creative communication in a safe environment.

Chats are available in the **Contextes**, **Structures**, and **Synthèse: Révision** strands.

Pronunciation Tutorials with Speech Recognition

Pronunciation Tutorials require you to engage with the material via interactive quick checks throughout each tutorial. Real-time feedback via embedded Speech Recognition gives you an opportunity to reflect on language patterns and increases your awareness of pronunciation for more effective speaking and listening skills.

Program Components

Students

- **Student Edition (SE)**

  The SE is available in hardcover, loose-leaf, and digital formats.

- **Student Activities Manual (Workbook, Video Manual, and Lab Manual)**

  Workbook activities provide additional practice of the vocabulary and grammar in each textbook lesson and the cultural information in each unit's Panorama section. The Video Manual includes pre-viewing, viewing, and post-viewing activities for the **Roman-photo** and **Flash culture** videos. The Lab Manual contains activities for each textbook lesson that build listening comprehension, speaking, and pronunciation skills in French.

- **Lab Audio**

  The Lab Program MP3s provide the recordings to be used in conjunction with the activities in the Lab Manual.

- **Textbook Audio**

  The Textbook MP3s contain the recordings for the listening activities in **Contextes**, **Les sons et les lettres**, and **Vocabulaire** sections.

- **Grammar Tutorials**

  Interactive, animated grammar tutorials pair grammar rules with fun examples and interactive questions to check understanding of concepts.

- **Online Student Activities Manual (WebSAM)**

  Incorporating the **Roman-photo** and **Flash culture** videos, as well as the complete Lab Program, this component delivers the Workbook, Video Manual, and Lab Manual online with automatic scoring.

- **PROMENADES, Fourth Edition, Supersite**

  The Supersite (vhlcentral.com) gives you access to a wide variety of interactive activities for each section of every lesson of the student text; auto-graded exercises for extra practice of vocabulary, grammar, video, and cultural content; reference tools; **Le Zapping** TV clips and short films; the complete **Roman-photo** and **Flash culture** Video Program; the Textbook MP3s; and the Lab Program MP3s.

- **vText Virtual Interactive Text**

  The vText provides the entire student edition textbook with note-taking and highlighting capabilities. It is fully integrated with the Supersite and other online resources.

Icons

These icons in the Fourth Edition of **PROMENADES** alert you to the type of activity or section involved.

Icons legend		
🔊 Listening activity/section	Ⓢ	Additional content found on the Supersite: audio, video, and presentations
⬮ Activity also on the Supersite	👥	Chat activity on the Supersite
👥 Pair activity	🧩	Information Gap activity
👥 Group activity	📝	Feuille d'activités

UNIT OPENERS
outline the content and features of each unit.

Au café
UNITÉ 4

Leçon 4A

CONTEXTES
pages 122–125
- Places and activities around town
- Oral vowels

ROMAN-PHOTO
pages 126–127
- **Star du cinéma**

LECTURE CULTURELLE
pages 128–129
- Popular leisure activities

STRUCTURES
pages 130–137
- The verb **aller**
- Interrogative words

SYNTHÈSE
pages 138–139
- **Révision**
- **Le Zapping**

Leçon 4B

CONTEXTES
pages 140–143
- Going to a café
- Nasal vowels

ROMAN-PHOTO
pages 144–145
- **L'heure du déjeuner**

LECTURE CULTURELLE
pages 146–147
- Café culture
- **Flash culture**

STRUCTURES
pages 148–155
- The verbs **prendre** and **boire**
- Partitives

SYNTHÈSE
pages 156–157
- **Révision**
- **Écriture**

SAVOIR-FAIRE
pages 158–159
- **Panorama:** Le Québec

Communicative Goals
You will learn how to:
- Discuss cafés
- Express plans for the near future
- Talk about eating and drinking
- Investigate café culture in francophone communities

Pour commencer
- Où est cette personne?
  a. au musée   b. au café   c. au cinéma
- Que fait-elle?
  a. Elle travaille.   b. Elle étudie.   c. Elle boit.
- Quelle heure est-il?
  a. midi   b. 21h00   c. minuit

Pour commencer activities jump-start the units, allowing you to use the French you know to talk about the photos.

Content thumbnails give you an at-a-glance summary of the vocabulary, grammar, cultural topics, and language skills on which you will focus.

Communicative Goals highlight the real-life tasks you will be able to carry out in French by the end of the unit.

Supersite

Supersite resources are available for every section of the unit at **vhlcentral.com.** Icons show you which textbook activities are also available online, and where additional practice activities are available. The description next to the (S) icon indicates what additional resources are available for each section: videos, audio recordings, readings, presentations, and more!

Supersite features vary by access level. Visit **vistahigherlearning.com** to explore which Supersite level is right for you.

CONTEXTES
presents and practices vocabulary in meaningful contexts.

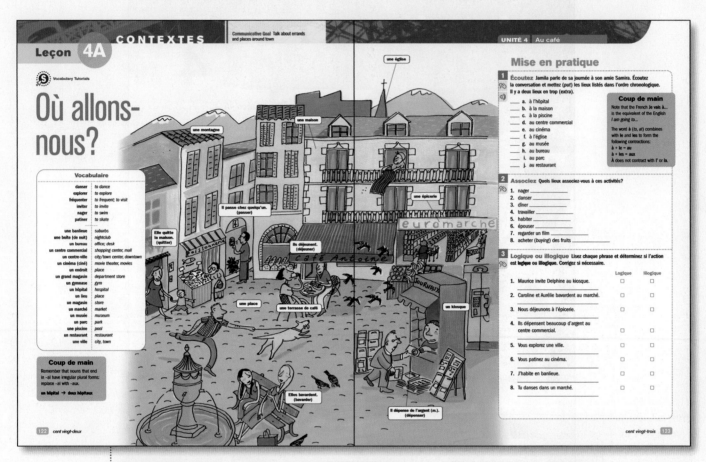

Communicative Goals highlight the real-life tasks you will be able to carry out in French by the end of the section. Corresponding I CAN statements at the end of the section provide evidence of what you can do and act as helpful tools for keeping track of progress.

Illustrations introduce high-frequency vocabulary in context.

Mise en pratique always includes a listening activity, as well as other activities that practice the new vocabulary in meaningful contexts.

Vocabulaire boxes call out other important theme-related vocabulary in easy-to-reference French-English lists.

Coup de main provides handy, on-the-spot information that helps you complete the activities.

Ⓢupersite

- Audio recordings of all vocabulary items
- Vocabulary Tools flashcards and customizable study lists with audio
- Vocabulary Tutorials and a game-like cumulative matching activity
- Audio for **Contextes** listening activity
- Textbook activities
- Additional activities for extra practice

Supersite features vary by access level. Visit **vistahigherlearning.com** to explore which Supersite level is right for you.

CONTEXTES

has a page devoted to communication activities. **Les sons et les lettres** presents the rules of French pronunciation and spelling.

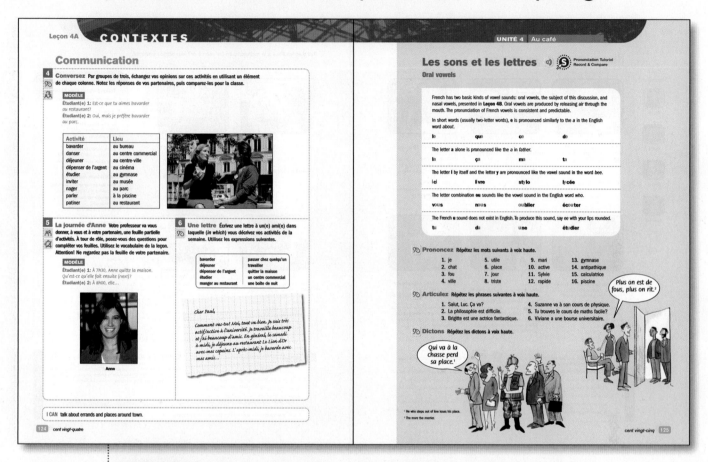

Communication activities allow you to use the vocabulary creatively in interactions with a partner, a small group, or the entire class. Practice real-life skills in communicative activities like polls, Information Gap activities, games, and more.

The audio icon at the top of the page indicates when an explanation and activities are recorded for convenient use in or outside of class.

Explanation Rules and tips to help you learn French pronunciation and spelling are presented clearly with abundant model words and phrases.

Practice Pronunciation and spelling practice is provided at the word and sentence levels. The final activity features illustrated sayings and proverbs so you can practice the pronunciation or spelling point in an entertaining cultural context.

Supersite

- Partner and Video Virtual chat activities for conversational skill-building and oral practice
- Additional online-only practice activities
- **Les sons et les lettres** Pronunciation Tutorials with speech recognition
- Record and compare audio activities

Supersite features vary by access level. Visit **vistahigherlearning.com** to explore which Supersite level is right for you.

ROMAN-PHOTO
tells the story of a group of students living in Aix-en-Provence, France.

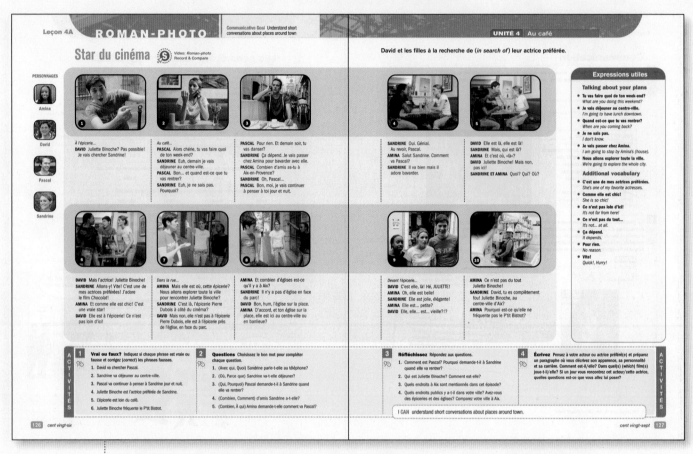

Communicative Goals highlight the real-life tasks you will be able to carry out in French by the end of the section. Corresponding I CAN statements at the end of the section provide evidence of what you can do and act as helpful tools for keeping track of progress.

Personnages The photo-based conversations take place among a cast of recurring characters—four college students, their landlady (who owns the café downstairs), and her teenage son.

Roman-photo **video episodes** The **Roman-photo** episode appears in the **Roman-photo** part of the Video Program.

Conversations The conversations reinforce vocabulary from **Contextes**. They also preview structures from the upcoming **Structures** section in context and in a comprehensible way.

Expressions utiles These expressions organize new, active words and expressions by language function so you can focus on using them for real-life, practical purposes.

Supersite

- Streaming video of the **Roman-photo** episode
- End-of-video **Reprise** section where key vocabulary and grammar from the episode are called out
- Record and compare activities
- Textbook activities
- Additional activities for extra practice

Supersite features vary by access level. Visit **vistahigherlearning.com** to explore which Supersite level is right for you.

LECTURE CULTURELLE
explores cultural themes introduced in **CONTEXTES** and **ROMAN-PHOTO**.

Communicative Goals highlight the real-life tasks you will be able to carry out in French by the end of the section. Corresponding I CAN statements at the end of the section provide evidence of what you can do and act as helpful tools for keeping track of progress.

Culture à la loupe presents a main, in-depth reading about the lesson's cultural theme. Full-color photos bring to life important aspects of the topic, while **Stratégie** boxes offer helpful techniques that you can use to improve your reading skills.

Charts with statistics and/or intriguing facts support and extend the theme-based information.

Le monde francophone puts the spotlight on the people, places, and traditions of the countries and areas of the French-speaking world.

Portrait profiles people, places, and events throughout the French-speaking world, highlighting their importance, accomplishments, and/or contributions to the cultures of the French-speaking people and the global community.

Musique à fond profiles musicians of the French-speaking world.

Ⓢupersite

- **Musique à fond** activity
- *Flash culture* streaming video (one per unit)
- **Sur Internet** research activity
- Textbook activities
- Additional activities for extra practice

Supersite features vary by access level. Visit **vistahigherlearning.com** to explore which Supersite level is right for you.

STRUCTURES

presents French grammar in a graphic-intensive format.

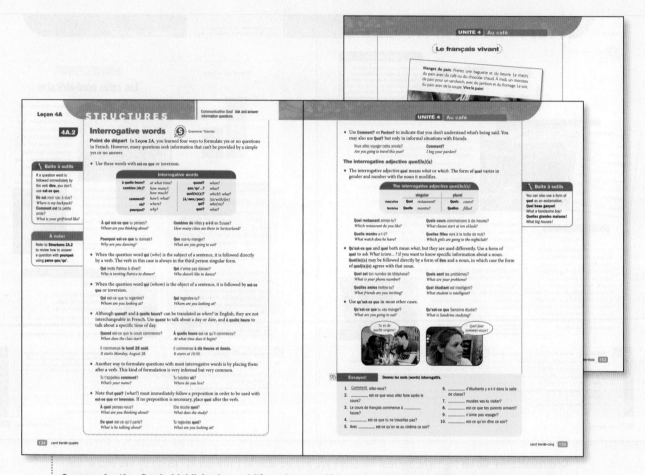

Communicative Goals highlight the real-life tasks you will be able to carry out in French by the end of the section. Corresponding I CAN statements at the end of the section provide evidence of what you can do and act as helpful tools for keeping track of progress.

Grammar explanations Two full pages are devoted to most grammar points, allowing for presentations that are thorough and intuitive.

Le français vivant pages appear with select grammar points and feature a print ad for a product related to the lesson's theme.

Graphic-intensive design Photos from the **Roman-photo** episodes consistently integrate the lesson's video episode and **Roman-photo** strand with the grammar explanations.

Sidebars The **À noter** sidebars cross-reference related grammar content in both previous and upcoming lessons. The **Boîte à outils** sidebars alert you to other important aspects of the grammar point.

Essayez! offers you your first practice of each new grammar point. It gets you working with the grammar point right away in simple, easy-to-understand formats.

Supersite

- Grammar presentation
- Interactive, animated grammar tutorials with related activities
- **Essayez!** activities with auto-grading

Supersite features vary by access level. Visit **vistahigherlearning.com** to explore which Supersite level is right for you.

STRUCTURES
provides directed and communicative practice.

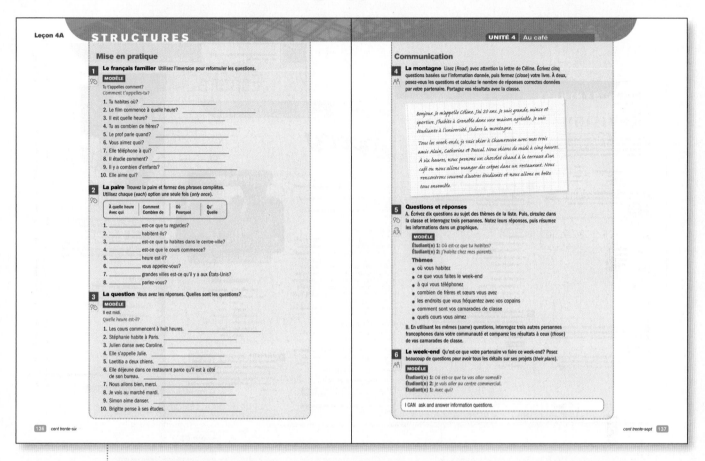

Grammar activities Two full pages are devoted to grammar activities, allowing for more practice and better transitions between activities.

Mise en pratique activities provide a wide range of guided exercises in contexts that combine current and previously learned vocabulary with the current grammar point.

Communication activities offer opportunities for creative expression using the lesson's grammar and vocabulary to complete real-life tasks like polls, surveys, games, and more. You do these activities with a partner, in small groups, or with the whole class.

Additional activities The Activity Pack provides additional discrete and communicative practice for every grammar point. It also includes handouts for the **Feuilles d'activités** and Information Gap activities presented in the textbook. Your instructor will distribute these handouts for review and extra practice.

Supersite

- Textbook activities
- Additional activities for extra practice
- Partner and Video Virtual chat activities for conversational skill-building and oral practice

Supersite features vary by access level. Visit **vistahigherlearning.com** to explore which Supersite level is right for you.

SYNTHÈSE

pulls the lesson together with cumulative practice in **Révision** and wraps up with **Le Zapping** and **Écriture** features.

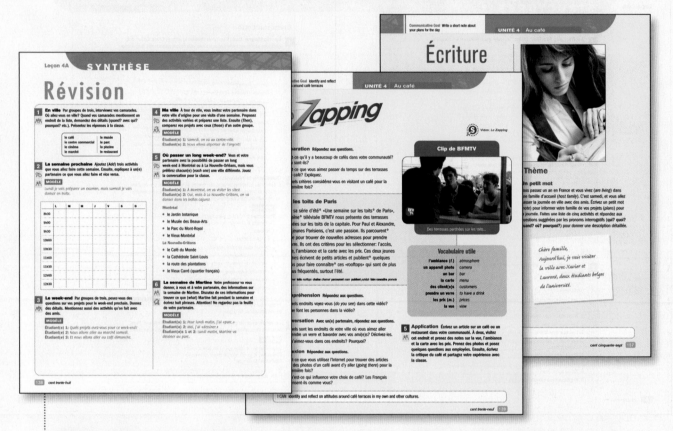

Révision activities integrate the lesson's two grammar points with previously learned vocabulary and structures, providing consistent, built-in review as you progress through the text.

Pair and group icons call out the communicative nature of the activities. Situations, role-plays, games, personal questions, interviews, and surveys are just some of the types of activities that you will engage in.

Information Gap activities engage you and a partner in problem-solving situations. You and your partner each have only half of the information you need, so you must work together to accomplish the task at hand.

Le Zapping features authentic video clips in French—commercials, news reports, an online ad campaign, a recipe, and two short films—supported by background information, a preparation activity, and useful vocabulary. Post-viewing activities practice interpretive, interpersonal, and presentational communication, as well as provide opportunities for intercultural reflection and community engagement.

Écriture provides useful strategies that prepare you for the writing topic, as well as suggestions for approaching it.

ⓢupersite

- Partner and Video Virtual chat activities for conversational skill-building and oral practice
- Review activities in the Activity Pack
- Streaming video of **Le Zapping**
- Composition engine for **Écriture**
- Textbook and extra practice activities

Supersite features vary by access level. Visit **vistahigherlearning.com** to explore which Supersite level is right for you.

SYNTHÈSE
Le Zapping court métrage
Units 6 and 12 feature short films
by contemporary francophone filmmakers.

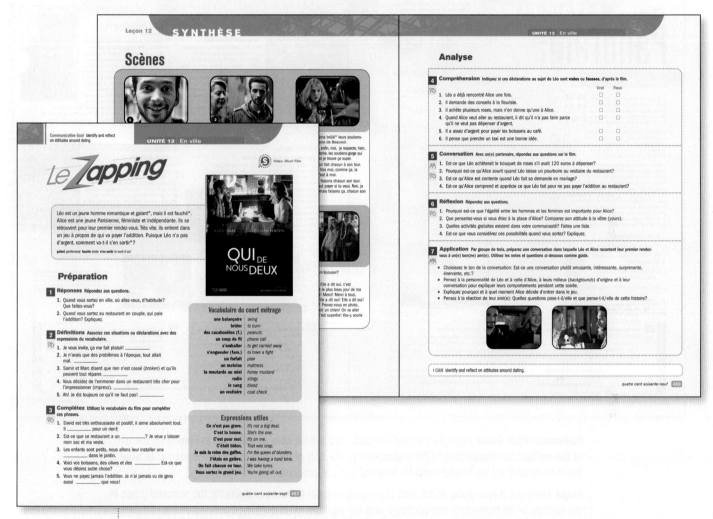

Expressions utiles highlight phrases and expressions useful in understanding the film.

Vocabulaire du court métrage features the words that you will encounter and use while doing the activities in the short film section.

Préparation Pre-viewing exercises set the stage for the short film and provide key background information, facilitating comprehension.

Scènes A synopsis of the film's plot with captioned video stills prepares you visually for the film.

Analyse Post-viewing activities go beyond checking comprehension, allowing you to discover broader themes.

Supersite

- Streaming video of **Le Zapping** short films
- Textbook and extra practice activities

Supersite features vary by access level.

SAVOIR-FAIRE

Panorama presents the French-speaking world.

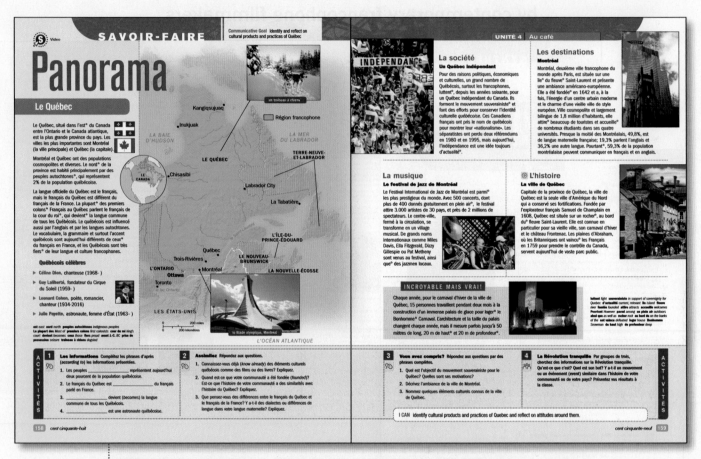

Communicative Goals highlight the real-life tasks you will be able to carry out in French by the end of the section. Corresponding I CAN statements at the end of the section provide evidence of what you can do and act as helpful tools for keeping track of progress.

Maps point out major cities, rivers, and other geographical features and situate the featured place in the context of its immediate surroundings and the world.

Introduction paragraphs provide insight into the geography and history of the featured francophone country or region.

Readings explore different facets of the featured location's culture, such as history, landmarks, fine art, literature, and aspects of everyday life.

Incroyable mais vrai! highlights an intriguing fact about the featured place or its people.

Activities check comprehension of the key information and prompt intercultural reflection.

Supersite

- Interactive **Panorama culturel** videos with integrated viewing activities
- **Sur Internet** research activities
- Textbook activities

Supersite features vary by access level. Visit **vistahigherlearning.com** to explore which Supersite level is right for you.

SAVOIR-FAIRE

Lecture, found in the book's last two units, develops reading skills in the context of the unit's theme.

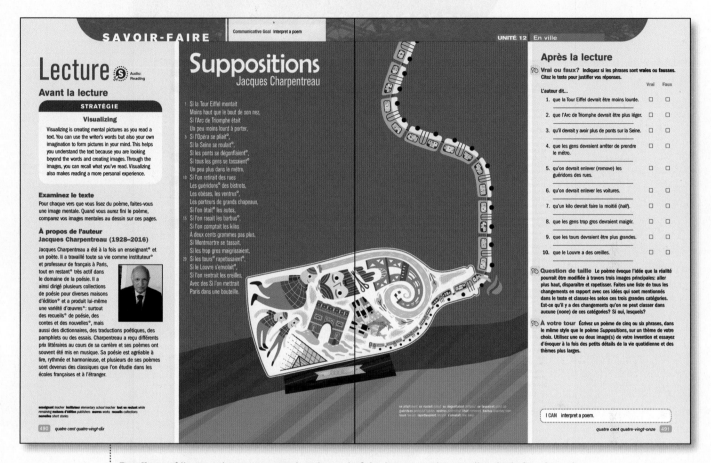

Readings of literary pieces, presented at the end of the last two units, are directly tied to the unit theme and recycle vocabulary and grammar you have learned.

Avant la lecture presents valuable reading strategies and pre-reading activities that strengthen your reading abilities in French.

Après la lecture includes post-reading activities that check your comprehension of the reading.

Ⓢupersite

- Textbook activities
- Additional activities for extra practice
- Audio sync readings in Unit 12 and Unit 13

Supersite features vary by access level. Visit **vistahigherlearning.com** to explore which Supersite level is right for you.

VOCABULAIRE
summarizes all the active vocabulary of the unit.

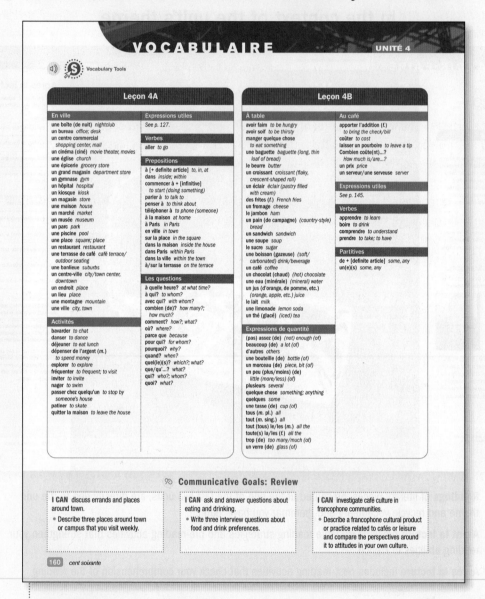

VOCABULAIRE   UNITÉ 4

Vocabulary Tools

Leçon 4A

En ville

une boîte (de nuit) *nightclub*
un bureau *office; desk*
un centre commercial
  shopping center, mall
un cinéma (ciné) *movie theater, movies*
une église *church*
une épicerie *grocery store*
un grand magasin *department store*
un gymnase *gym*
un hôpital *hospital*
un kiosque *kiosk*
un magasin *store*
une maison *house*
un marché *market*
un musée *museum*
un parc *park*
une piscine *pool*
une place *square; place*
un restaurant *restaurant*
une terrasse de café *café terrace/*
  outdoor seating
une banlieue *suburbs*
un centre-ville *city/town center,*
  downtown
un endroit *place*
un lieu *place*
une montagne *mountain*
une ville *city, town*

Activités

bavarder *to chat*
danser *to dance*
déjeuner *to eat lunch*
dépenser de l'argent (m.)
  to spend money
explorer *to explore*
fréquenter *to frequent; to visit*
inviter *to invite*
nager *to swim*
passer chez quelqu'un *to stop by*
  someone's house
patiner *to skate*
quitter la maison *to leave the house*

Expressions utiles

See p. 127.

Verbes

aller *to go*

Prepositions

à [+ definite article] *to, in, at*
dans *inside; within*
commencer à + [infinitive]
  to start (doing something)
parler à *to talk to*
penser à *to think about*
téléphoner à *to phone (someone)*
à la maison *at home*
à Paris *in Paris*
en ville *in town*
sur la place *in the square*
dans la maison *inside the house*
dans Paris *within Paris*
dans la ville *within the town*
à/sur la terrasse *on the terrace*

Les questions

à quelle heure? *at what time?*
à qui? *to whom?*
avec qui? *with whom?*
combien (de)? *how many?;*
  how much?
comment? *how?; what?*
où? *where?*
parce que *because*
pour qui? *for whom?*
pourquoi? *why?*
quand? *when?*
quel(le)(s)? *which?; what?*
que/qu'...? *what?*
qui? *who?; whom?*
quoi? *what?*

Leçon 4B

À table

avoir faim *to be hungry*
avoir soif *to be thirsty*
manger quelque chose
  to eat something
une baguette *baguette (long, thin*
  loaf of bread)
le beurre *butter*
un croissant *croissant (flaky,*
  crescent-shaped roll)
un éclair *éclair (pastry filled*
  with cream)
des frites (f.) *French fries*
un fromage *cheese*
le jambon *ham*
un pain (de campagne) *(country-style)*
  bread
un sandwich *sandwich*
une soupe *soup*
le sucre *sugar*
une boisson (gazeuse) *(soft/*
  carbonated) drink/beverage
un café *coffee*
un chocolat (chaud) *(hot) chocolate*
une eau (minérale) *(mineral) water*
un jus (d'orange, de pomme, etc.)
  (orange, apple, etc.) juice
le lait *milk*
une limonade *lemon soda*
un thé (glacé) *(iced) tea*

Expressions de quantité

(pas) assez (de) *(not) enough (of)*
beaucoup (de) *a lot (of)*
d'autres *others*
une bouteille (de) *bottle (of)*
un morceau (de) *piece, bit (of)*
un peu (plus/moins) (de)
  little (more/less) (of)
plusieurs *several*
quelque chose *something; anything*
quelques *some*
une tasse (de) *cup (of)*
tous (m. pl.) *all*
tout (m. sing.) *all*
tout (tous) le/les (m.) *all the*
toute(s) la/les (f.) *all the*
trop (de) *too many/much (of)*
un verre (de) *glass (of)*

Au café

apporter l'addition (f.)
  to bring the check/bill
coûter *to cost*
laisser un pourboire *to leave a tip*
Combien coûte(nt)...?
  How much is/are...?
un prix *price*
un serveur/une serveuse *server*

Expressions utiles

See p. 145.

Verbes

apprendre *to learn*
boire *to drink*
comprendre *to understand*
prendre *to take; to have*

Partitives

de + [definite article] *some, any*
un(e)(s) *some, any*

Communicative Goals: Review

I CAN discuss errands and places around town.

  • Describe three places around town or campus that you visit weekly.

I CAN ask and answer questions about eating and drinking.

  • Write three interview questions about food and drink preferences.

I CAN investigate café culture in francophone communities.

  • Describe a francophone cultural product or practice related to cafés or leisure and compare the perspectives around it to attitudes in your own culture.

160 *cent soixante*

Vocabulary Active vocabulary from the unit is brought together, grouped by lesson and section into easy-to-study thematic lists.

Communicative Goals: Review This self-assessment gives you the opportunity to check your understanding of the unit's communicative goals and identify any areas where you need further review and practice.

Supersite

• Audio recordings of all vocabulary items
• Customizable study lists
• Communicative Goals Review activity

Supersite features vary by access level. Visit **vistahigherlearning.com** to explore which Supersite level is right for you.

THE *ROMAN-PHOTO* EPISODES

Fully integrated with your textbook, the **PROMENADES** Video Program contains twenty-six dramatic episodes, one for each lesson of the text. The episodes present the adventures of four college students who are studying in the south of France at the **Université Aix-Marseille**. They live in apartments above **Le P'tit Bistrot**, a café owned by their landlady, Valérie Forestier. The video tells their story and the story of Madame Forestier and her teenage son, Stéphane.

The **Roman-photo** strand in each textbook lesson is an abbreviated version of the dramatic episode featured in the video. Therefore, each **Roman-photo** strand can be done before or after viewing the corresponding video episode, or as a stand-alone section.

As you watch each video episode, you will first see a live segment in which the characters interact using vocabulary and grammar you are studying. As the video progresses, the live segments carefully combine new vocabulary and grammar with previously taught language. You will then see a **Reprise** segment that summarizes the key language functions and/or grammar points used in the dramatic episode.

THE CAST
Here are the main characters you will meet when you watch the Roman-photo video:

 Of Senegalese heritage
Amina Mbaye

 From Washington, D.C.
David Duchesne

 From Paris
Sandrine Aubry

 From Aix-en-Provence
Valérie Forestier

 Of Algerian heritage
Rachid Khalil

 And, also from
Aix-en-Provence
Stéphane Forestier

VIDEO PROGRAM

LE ZAPPING TV CLIPS AND SHORT FILMS

A TV clip or a short film from the French-speaking world appears in the A-lesson of each unit. The purpose of this feature is to expose you to the language and culture contained in authentic media pieces.

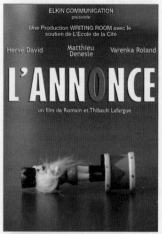

Leçon 1A
C'est fun de connaître ses voisins!

Leçon 2A
Les études

Leçon 3A
Pages d'Or

Leçon 4A
Sur les toits de Paris

Leçon 5A
Le retour des jeux de société

Leçon 6A
L'Annonce (short film)

Leçon 7A
Des auberges de jeunesse nouvelle génération

Leçon 8A
Vivre à la ferme

Leçon 9A
Le far breton

Leçon 10A
S'aimer mieux

Leçon 11A
Le smartphone musical

Leçon 12A
Qui de nous deux (short film)

Leçon 13A
Des poules pour l'environnement

THE *FLASH CULTURE* SEGMENTS

In each unit, a **Flash culture** segment allows you to experience the sights and sounds of France, the French-speaking world, and the daily life of French speakers.

Hosted by the **PROMENADES** narrators, Csilla and Benjamin, these segments transport you to a variety of venues: schools, parks, public squares, cafés, stores, cinemas, outdoor markets, city streets, festivals, and more. The narrations were carefully written to reflect the vocabulary and grammar covered in **PROMENADES**. They also incorporate mini-interviews with French speakers in various walks of life.

The footage was filmed to capture rich, vibrant images that will expand your cultural perspectives with information directly related to the content of your textbook.

vText provides an interactive textbook that links directly with Supersite practice activities, audio, and video. Plus, all online resources are located on one platform so you can complete assignments and access resources quickly and conveniently.

- Links on the vText page to all mouse-icon textbook activities, audio, and video

- Note-taking capabilities for students

- Easy navigation with searchable table of contents and page number browsing

- Access to all Supersite resources

ACKNOWLEDGMENTS

On behalf of its authors and editors, Vista Higher Learning expresses its sincere appreciation to the instructors nationwide who reviewed materials from **PROMENADES**, Third Edition. Their input and suggestions were vitally helpful in forming and shaping the Fourth Edition in its final, published form.

Reviewers

Ella Allen
Washington University, MO

Savanna Alliband-McGrew
Las Positas College, CA

Melanie P. Arham
Longwood University, VA

Saima Ashraf-Hassan
George Mason University, VA

Jody L. Ballah
UC Blue Ash College, OH

Emily Bentzen
John Tyler Community
College, VA

Dr. Patricia E. Black
CSU Chico, CA

Dr. Nancy M. Blain
McNeese State University, LA

Marcelline Block
LIM College, NY

Evelyne M. Bornier
Auburn University, AL

Dr. Melanie Bowman
Longwood University, VA

Dr. Kathleen Bradley
Pima Community College, AZ

Dr. Brichko
West Valley College, CA

Claire-Marie Brisson
The University of Virginia
& Hampden-Sydney
College, VA

P. Buffam
Chaffey Community
College, CA

Jan Burlingham
Santa Rosa Junior College, CA

Heidi Collins
Mid Michigan College, MI

Carolyn Cresswell
Conestoga College, ON

Julie Crohas
Auburn University, AL

Olivia Donaldson, PhD
University of Maine at
Farmington, ME

Heather S. Dravk
Messiah College, PA

Odile Duffman
ESCC, VA

Andrzej Dziedzic
University of Wisconsin, WI

Rodrigo Figueroa
Eastern New Mexico
University, NM

Sara Fischer
CU Boulder, CO

Dr. Andrew Gard
El Camino College, CA

Solange Garnier-Fox
American University, MD

Hasmik Gharaghazaryan
Richland College, TX

Brandon L. Guernsey
St. Mary's College of
Maryland, MD

Diana Hajali
Texas A&M University, TX

James W. Hammerstrand
Truman State University, MO

Hillery Haney
Grand Rapids Community
College, MI

Claire Hicks, PhD
UW Parkside, WI

Julia Huzieff
Colorado State University, CO

Rebecca Jackson
Tulsa Community College, OK

Dr. Joyce Jsnca-Aji
Coe College, IA

Stephanie Krueger
Lone Star College, TX

Dr. José Francisco Mazenett
Delaware County Community
College, PA

Carie L. McClendon
Lander University, SC

Mihai Miroiu, PhD
Elmira College, NY

Francisco A. Montaño, PhD
Lehman College, NY

Madeline Muravchik
George Mason University, VA

Massimo Musumeci
Community College of
Philadelphia, PA

Barbara Nissman-Cohen
Penn State Harrisburg, PA

Kory Olson
Stockton University, NJ

Gloria Pastorino
Fairleigh Dickinson University, NJ

Philippe Patto
San Diego City College, CA

Nathalie Petrasko von Kornya
SWCC, CA

Kaitlyn Pullin
J. Sargent Reynolds, VA

Erag Ramizi
Manhattan College/Pace
University, NY

Valérie Rasmussen, Lecturer
University of Texas at El Paso, TX

Alisha Reaves
University of Notre Dame, IN

Patricia E. Redisi
Richard J. Daley College, IL

Amal Rida
California State University,
Fresno, CA

Shirley Saad
University of San Diego, CA

Carol L. Saltzman
George Mason University, VA

Marie Sauret
Penn State, PA

Maryann Seeley
SUNY Adirondack College, NY

Louise Seguin
Conestoga College, ON

Amy Smith
Muskegon Community
College, MI

Dr. Caroline Strobbe
The Citadel, SC

Françoise Sullivan
Tulsa Community College, OK

Eve Taylor
Fresno City College, CA

Dr. Audrey Viguier
Truman State University, MO

Dr. Ying Wang
Pace University, NY

David Young
Fayetteville Technical Community
College, NC

Salut!

Communicative Goals

You will learn how to:

- Greet people in French
- Say good-bye
- Identify yourself and others
- Describe people and things
- Investigate francophone cultures

Pour commencer

- What are these people saying?
  a. Excusez-moi.   b. Bonjour!   c. Merci.
- How many people are there in the photo?
  a. un   b. deux   c. trois
- What do you think is an appropriate title for either of these two people?
  a. Monsieur   b. Madame   c. Mademoiselle

Leçon 1A

Communicative Goal Identify words and phrases in greetings and introductions

 Vocabulary Tutorials

Ça va?

Vocabulaire

Bonsoir.	Good evening.; Hello.
À bientôt.	See you soon.
À demain.	See you tomorrow.
Bonne journée!	Have a good day!
Au revoir.	Good-bye.
Comme ci, comme ça.	So-so.
Je vais bien/mal.	I am doing well/badly.
Moi aussi.	Me too.
Comment t'appelles-tu? (*fam.*)	What is your name?
Je vous/te présente... (*form./fam.*)	I would like to introduce (name) to you.
De rien.	You're welcome.
Excusez-moi. (*form.*)	Excuse me.
Excuse-moi. (*fam.*)	Excuse me.
Merci beaucoup.	Thanks a lot.
Pardon.	Pardon (me).
S'il vous/te plaît. (*form./fam.*)	Please.
Je vous en prie. (*form.*)	Please.; You're welcome.
Monsieur (M.)	Sir (Mr.)
Madame (Mme)	Ma'am (Mrs.)
Mademoiselle (Mlle)	Miss
ici	here
là	there
là-bas	over there

GEORGES Ça va, Henri?
HENRI Oui, ça va très bien, merci. Et vous, comment allez-vous?
GEORGES Je vais bien, merci.

PAUL Merci!
JEAN Il n'y a pas de quoi.

MARIE À plus tard, Guillaume!
GUILLAUME À tout à l'heure, Marie!

JACQUES Bonjour, Monsieur Boniface. Je vous présente Thérèse Lemaire.
M. BONIFACE Bonjour, Mademoiselle.
THÉRÈSE Enchantée.

Mise en pratique

1 **Écoutez** Listen to each of these questions or statements and select the most appropriate response.

1. Enchanté. ☐	Je m'appelle Thérèse. ☐
2. Merci beaucoup. ☐	Je vous en prie. ☐
3. Comme ci, comme ça. ☐	De rien. ☐
4. Bonsoir, Madame. ☐	Moi aussi. ☐
5. Enchanté. ☐	Et toi? ☐
6. Bonjour. ☐	À demain. ☐
7. Pas mal. ☐	Pardon. ☐
8. Il n'y a pas de quoi. ☐	Moi aussi. ☐
9. Enchanté. ☐	Très bien. Et vous? ☐
10. À bientôt. ☐	Mal. ☐

2 **Chassez l'intrus** Circle the word or expression that does not belong.

1. a. Bonjour.
   b. Bonsoir.
   c. Salut.
   d. Pardon.

2. a. Bien.
   b. Très bien.
   c. De rien.
   d. Comme ci, comme ça.

3. a. À bientôt.
   b. À demain.
   c. À tout à l'heure.
   d. Enchanté.

4. a. Comment allez-vous?
   b. Comment vous appelez-vous?
   c. Ça va?
   d. Comment vas-tu?

5. a. Pas mal.
   b. Excuse-moi.
   c. Je vous en prie.
   d. Il n'y a pas de quoi.

6. a. Comment vous appelez-vous?
   b. Je vous présente Dominique.
   c. Enchanté.
   d. Comment allez-vous?

7. a. Pas mal.
   b. Très bien.
   c. Mal.
   d. Et vous?

8. a. Comment allez-vous?
   b. Comment vous appelez-vous?
   c. Et toi?
   d. Je vous en prie.

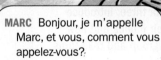

MARC Bonjour, je m'appelle Marc, et vous, comment vous appelez-vous?
ANNIE Je m'appelle Annie.
MARC Enchanté.

3 **Conversez** Madeleine is introducing her classmate Khaled to Libby, an American exchange student. Complete their conversation, using a different expression from **CONTEXTES** in each blank.

MADELEINE (1) _____!

KHALED Salut, Madeleine. (2) _____?

MADELEINE Pas mal. (3) _____?

KHALED (4) _____, merci.

MADELEINE (5) _____ Libby. Elle est de (*She is from*) Boston.

KHALED (6) _____, Libby. (7) _____ Khaled.
(8) _____?

LIBBY (9) _____, merci.

KHALED Oh, là, là. Je vais rater (*I am going to miss*) le bus. À bientôt.

MADELEINE (10) _____.

LIBBY (11) _____.

SOPHIE Bonjour, Catherine!
CATHERINE Salut, Sophie!
SOPHIE Ça va?
CATHERINE Oui, ça va bien, merci. Et toi, comment vas-tu?
SOPHIE Pas mal.

Communication

4 **Conversation** With a partner, complete these conversations. Then act them out.

Conversation 1 Salut! Je m'appelle François. Et toi, comment t'appelles-tu?

_____

Ça va?

_____

Conversation 2 _____

Comme ci, comme ça. Et vous?

_____

À demain, alors (_then_).

_____

Conversation 3 Bonsoir, je vous présente Mademoiselle Barnard.

_____

Enchanté(e).

_____

Très bien, merci. Et vous?

_____

5 **C'est à vous!** How would you greet these people, ask them for their names, and ask them how they are doing? In small groups, write a short dialogue for each item and act them out. Pay attention to the use of **tu** and **vous**.

1. **Madame Colombier**   2. **Estelle**

3. **Monsieur Marchand**   4. **Marie, Guillaume et Geneviève**

6 **Présentations** Form groups of three. Introduce yourself, and ask your partners their names and how they are doing. Then, join another group and take turns introducing your partners.

MODÈLE

Étudiant(e) 1: _Bonjour. Je m'appelle Fatima. Et vous?_
Étudiant(e) 2: _Je m'appelle Fabienne._
Étudiant(e) 3: _Et moi, je m'appelle Antoine. Ça va?_
Étudiant(e) 1: _Ça va bien, merci. Et toi?_
Étudiant(e) 3: _Comme ci, comme ça._

I CAN identify words and phrases used to greet and introduce people.

Les sons et les lettres

Pronunciation Tutorial
Record & Compare

The French alphabet

The French alphabet is made up of the same 26 letters as the English alphabet. While they look the same, some letters are pronounced differently. Here is the French name of each letter.

lettre	exemple	lettre	exemple	lettre	exemple
a (a)	adresse	j (ji)	justice	s (esse)	spécial
b (bé)	banane	k (ka)	kilomètre	t (té)	table
c (cé)	carotte	l (elle)	lion	u (u)	unique
d (dé)	dessert	m (emme)	mariage	v (vé)	vidéo
e (e)	euro	n (enne)	nature	w (double vé)	wagon
f (effe)	fragile	o (o)	olive	x (iks)	xylophone
g (gé)	genre	p (pé)	personne	y (i grec)	yoga
h (hache)	héritage	q (ku)	quiche	z (zède)	zéro
i (i)	innocent	r (erre)	radio		

Notice that some letters in French words have accents. You'll learn how they influence pronunciation in later lessons. Whenever you spell a word in French, include the name of the accent after the letter.

accent	nom	exemple	orthographe
´	*accent aigu*	**identité**	*I-D-E-N-T-I-T-E-accent aigu*
`	*accent grave*	**problème**	*P-R-O-B-L-E-accent grave-M-E*
^	*accent circonflexe*	**hôpital**	*H-O-accent circonflexe-P-I-T-A-L*
¨	*tréma*	**naïve**	*N-A-I-tréma-V-E*
¸	*cédille*	**ça**	*C-cédille-A*

Comparaisons

Notice that all of these example words are cognates, meaning their spelling and meaning are the same or similar in French and English.

- Compare the pronunciation of the French and English versions of each word. What differences do you notice?

L'alphabet Practice saying the French alphabet and example words aloud.

Ça s'écrit comment? Spell these words aloud in French. For double letters, use **deux: ss=deux s.**

1. judo
2. yacht
3. forêt
4. zèbre
5. existe
6. clown
7. numéro
8. français
9. musique
10. favorite
11. kangourou
12. parachute
13. différence
14. intelligent
15. dictionnaire
16. alphabet

Dictons Practice reading these sayings aloud.

Grande invitation, petites portions.[1]

Tout est bien qui finit bien.[2]

Lundi   Mardi

[1] *Great boast, small roast.*
[2] *All's well that ends well.*

ROMAN-PHOTO

Au café

 Video: *Roman-photo*
Record & Compare

PERSONNAGES

Amina

David

Monsieur Hulot

Michèle

Rachid

Sandrine

Stéphane

Valérie

Au kiosque...
SANDRINE Bonjour, Monsieur Hulot!
M. HULOT Bonjour, Mademoiselle Aubry! Comment allez-vous?
SANDRINE Très bien, merci! Et vous?
M. HULOT Euh, ça va. Voici 45 (quarante-cinq) centimes. Bonne journée!
SANDRINE Merci, au revoir!

À la terrasse du café...
AMINA Salut!
SANDRINE Bonjour, Amina. Ça va?
AMINA Ben... ça va. Et toi?
SANDRINE Oui, je vais bien, merci.
AMINA Regarde! Voilà Rachid et... un ami?

RACHID Bonjour!
AMINA ET SANDRINE Salut!
RACHID Je vous présente un ami, David Duchesne.
SANDRINE Je m'appelle Sandrine.
DAVID Enchanté.

STÉPHANE Oh, non! Madame Richard! Le professeur de français!
DAVID Il y a un problème?

STÉPHANE Oui! L'examen de français! Présentez-vous, je vous en prie!

VALÉRIE Oh... l'examen de français! Oui, merci, merci, Madame Richard, merci beaucoup! De rien, au revoir!

ACTIVITÉS

1 **Vrai ou faux?** Indicate whether each statement is vrai or faux.

1. Sandrine et Amina sont (*are*) amies.
2. David est français.
3. David est de Washington.
4. Stéphane est étudiant (*student*) à l'université.
5. Michèle est au P'tit Bistrot.
6. Madame Richard est le professeur de Stéphane.

2 **Complétez** Complete each quote from the episode using a word from the list.

ai	est
bienvenue	voici
capitale	

1. _____ à Aix-en-Provence.
2. Il est de Washington, la _____ des États-Unis.
3. _____ 45 (quarante-cinq) centimes. Bonne journée!
4. J'_____ cours de sciences politiques.
5. David _____ un étudiant américain.

Les étudiants se retrouvent (*meet*) au café.

DAVID Et toi..., comment t'appelles-tu?
AMINA Je m'appelle Amina.
RACHID David est un étudiant américain. Il est de Washington, la capitale des États-Unis.
AMINA Ah, oui! Bienvenue à Aix-en-Provence.
RACHID Bon..., à tout à l'heure.
SANDRINE À bientôt, David.

À l'intérieur (inside) du café...

MICHÈLE Allô. Le P'tit Bistrot. Oui, un moment, s'il vous plaît. Madame Forestier! Le lycée de Stéphane.
VALÉRIE Allô. Oui. Bonjour, Madame Richard. Oui. Oui. Stéphane? Il y a un problème au lycée?

RACHID Bonjour, Madame Forestier. Comment allez-vous?
VALÉRIE Ah, ça va mal.
RACHID Oui? Moi, je vais bien. Je vous présente David Duchesne, étudiant américain de Washington.

DAVID Bonjour, Madame. Enchanté!
RACHID Ah, j'ai cours de sciences politiques dans 30 (trente) minutes. Au revoir, Madame Forestier. À tout à l'heure, David.

Expressions utiles

Introductions

- **David est un étudiant américain. Il est de Washington.**
  David is an American student. He's from Washington.

- **Présentez-vous, je vous en prie!**
  Introduce yourselves, please!

- **Bienvenue à Aix-en-Provence.**
  Welcome to Aix-en-Provence.

Speaking on the telephone

- **Allô.**
  Hello.

- **Un moment, s'il vous plaît.**
  One moment, please.

Additional vocabulary

- **Regarde! Voilà Rachid et... un ami?**
  Look! There's Rachid and... a friend?

- **J'ai cours de sciences politiques dans 30 (trente) minutes.**
  I have Political Science class in thirty minutes.

- **Il y a un problème au lycée?**
  Is there a problem at the high school?

Il y a... *There is/are...*	**Voilà...** *There's...*
Il/Elle est *He/She is...*	**bon** *well; good*
Voici... *Here's...*	**centimes** *cents*

---

3 **Bonjour!** Answer the following questions.

1. How do the characters in this episode greet each other? Describe all the physical gestures they use.

2. Now, focus on the verbal aspects of each interaction. Say which characters use formal address and which ones use informal address.

3. Explain why the characters interact in the ways you described. What attitudes do these interactions reflect?

4 **Conversez** In groups of three, write a conversation where you introduce an exchange student to a friend. Then present your conversation to the class.

I CAN understand greetings, introductions, and short interactions among acquaintances.

ACTIVITÉS

CULTURE À LA LOUPE

La poignée de main ou la bise?

French and francophone friends and relatives usually exchange a kiss (la bise) on alternating cheeks whenever they meet and again when they say good-bye. Friends of friends may also kiss on the cheek when introduced, even though they have just met. This is particularly true among students and young adults. It is not unusual for men of the same family to exchange **la bise**; otherwise, men generally greet one another with a handshake (**la poignée de main**). The number of kisses varies from place to place in France. In some regions, two kisses (one on each cheek) is the standard while in others, people may exchange as many as four kisses. Whatever the number, each kiss is accompanied by a slight kissing sound.

Unless they are also friends, business acquaintances and co-workers usually shake hands each time they meet and do so again upon leaving. A French handshake is brief and firm, with a single downward motion.

Coup de main

If you are not sure whether you should shake hands or kiss someone, or if you don't know which side to start on, you can always follow the other person's lead. When in doubt, start on your right.

STRATÉGIE

Approaching a reading

When you first approach a reading, examine elements such as titles, photos, and tables, and ask yourself how they support the text. Look at the readings on these two facing pages and answer these questions on a separate sheet of paper:

- What information about the reading do the photos convey?
- What might the word **bise** mean?

A C T I V I T É S

1 Vrai ou faux? Indicate whether each statement is **vrai** or **faux**. Correct the false statements.

1. Francophone business acquaintances usually kiss one another on the cheek.
2. French people may give someone they've just met **la bise**.
3. **Bises** exchanged between French men at a family gathering are common.
4. The number of kisses given can vary from one region to another.
5. It is customary for kisses to be given silently.

2 Réfléchissez Answer the following questions.

1. How do francophones greet family, friends, and coworkers?
2. How do your own greeting styles compare with the ones described in the reading?
3. Would you adjust your greeting style if you were introduced to someone from a francophone culture? Why or why not?
4. Do you think a francophone student would adjust their greeting style when visiting your community? Why or why not?

COMBIEN DE° BISES?

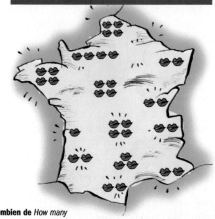

Combien de *How many*

LE MONDE FRANCOPHONE

Les bonnes manières

It's important to respect cultural norms when interacting with others.

Dos and don'ts in the francophone world:

France Always greet shopkeepers upon entering a store and say good-bye upon leaving.

Cambodia Greet others traditionally with your palms together and raised in front of you.

French Polynesia/Tahiti Shake hands with everyone in a room, unless the group is large.

Vietnam Remove your hat in the presence of older people and monks to show respect.

Ivory Coast Avoid making prolonged eye contact, as it is considered rude to stare.

● Why do socially acceptable behaviors vary among different French-speaking cultures?

PORTRAIT

Aix-en-Provence: ville d'eau, ville d'art°

Aix-en-Provence is a vibrant university town rich in cultural heritage. Its main boulevard, **le cours Mirabeau**, separates the urban **Quartier Mazarin** from the winding streets of **la vieille ville** (*old town*), which is known for its sidewalk cafés, numerous fountains, and daily vegetable and flower market.

Founded by the Romans in 122 BC, Aix was called **Acquae Sextiae** (*The Waters of Sextius*) because of the natural hot springs that supplied its fountains and baths. The city's long history is preserved in its landscape, which is punctuated with architectural treasures, including chapels, castles, and shrines. Hikers appreciate the hilltop villages and forested scenery visible from the top of **la Montagne Sainte-Victoire.**

For centuries, artists have been drawn to Provence for its natural beauty and unique quality of light. Paul Cézanne, artist and native of Provence, painted many of his works, including the famous *Grandes Baigneuses*, in his **atelier** (*studio*) located just outside the city. Today, Aix is known for its dedication to the arts, hosting numerous cultural festivals every year, including **le Festival International d'Art Lyrique, Aix en Musique,** and **Danse à Aix.**

ville d'eau, ville d'art *city of water, city of art*

---

3 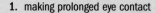 **Les bonnes manières** In which places might these behaviors be particularly offensive?

1. making prolonged eye contact
2. greeting someone with a **bise** when introduced
3. wearing a hat in the presence of older people
4. failing to greet a salesperson
5. failing to greet everyone in a room

4   **À vous** In small groups, practice meeting and greeting people in French in various social situations.

1. Your good friend from Provence introduces you to her close friend.
2. You walk into your neighborhood bakery.
3. You arrive for an interview with a prospective employer.

A C T I V I T É S

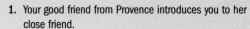
I CAN identify and reflect on social practices related to greetings and introductions in my own and other cultures.

STRUCTURES

1A.1

Nouns and articles Grammar Tutorial

Point de départ A noun designates a person, place, or thing. As in English, nouns in French have number (singular or plural). However, French nouns also have gender (masculine or feminine).

masculine singular	masculine plural	feminine singular	feminine plural
le café	**les cafés**	**la bibliothèque**	**les bibliothèques**
the café	*the cafés*	*the library*	*the libraries*

- Nouns that designate a male are usually masculine. Nouns that designate a female are usually feminine.

masculine		feminine	
l'acteur	*the actor*	**l'actrice**	*the actress*
l'ami	*the (male) friend*	**l'amie**	*the (female) friend*
le chanteur	*the (male) singer*	**la chanteuse**	*the (female) singer*
l'étudiant	*the (male) student*	**l'étudiante**	*the (female) student*
le petit ami	*the boyfriend*	**la petite amie**	*the girlfriend*

- Some nouns can designate either a male or a female regardless of their grammatical gender; in other words, whether the word itself is masculine or feminine.

un professeur
  a (male or female) professor

une personne
  a (male or female) person

- Nouns for objects that have no natural gender can be either masculine or feminine.

masculine		feminine	
le bureau	*the office; desk*	**la chose**	*the thing*
le lycée	*the high school*	**la différence**	*the difference*
l'examen	*the test, exam*	**la faculté**	*the faculty*
l'objet	*the object*	**la littérature**	*literature*
l'ordinateur	*the computer*	**la sociologie**	*sociology*
le problème	*the problem*	**l'université**	*the university*

- You can usually form the plural of a noun by adding **-s**.

	singular		plural	
typical masculine noun	**l'objet**	*the object*	**les objets**	*the objects*
typical feminine noun	**la télévision**	*the television*	**les télévisions**	*the televisions*

- However, in the case of words that end in **-eau** in the singular, add **-x** to the end to form the plural. For most nouns ending in **-al**, drop the **-al** and add **-aux**.

le bureau → **les bureaux**
the office *the offices*

l'animal → **les animaux**
the animal *the animals*

Boîte à outils

As you learn new nouns, study them with their corresponding articles. This will help you remember their gender.

Boîte à outils

The final **-s** in the plural form of a noun is not pronounced. Therefore **ami** and **amis** sound the same. You can determine whether the word you're hearing is singular or plural by the article that comes before it.

- When you have a group composed of males and females, use the masculine plural noun to refer to it.

les amis
the (male and female) friends

les étudiants
the (male and female) students

- The English definite article *the* never varies with number or gender of the noun it modifies. However, in French the definite article takes four different forms depending on the gender and number of the noun that it accompanies: **le, la, l'** or **les**.

	singular noun beginning with a consonant		singular noun beginning with a vowel sound		plural noun	
masculine	**le tableau**	*the painting/ blackboard*	**l'ami**	*the (male) friend*	**les cafés**	*the cafés*
feminine	**la librairie**	*the bookstore*	**l'université**	*the university*	**les télévisions**	*the televisions*

- In English, the singular indefinite article is *a/an*, and the plural indefinite article is *some*. In French, the singular indefinite articles are **un** and **une**, and the plural indefinite article is **des**. Unlike in English, the indefinite article **des** cannot be omitted in French.

	singular		plural	
masculine	**un instrument**	*an instrument*	**des instruments**	*(some) instruments*
feminine	**une table**	*a table*	**des tables**	*(some) tables*

Il y a **un ordinateur** ici.
There's a computer here.

Il y a **des ordinateurs** ici.
There are (some) computers here.

Il y a **une université** ici.
There's a university here.

Il y a **des universités** ici.
There are (some) universities here.

- Use **Qu'est-ce que c'est?** to ask what something is. Use **c'est** followed by a singular article and noun or **ce sont** followed by a plural article and noun to identify people and objects.

Qu'est-ce que c'est?
What is that?

C'est une librairie.
It's a bookstore.

Ce sont des bureaux.
They're offices.

Boîte à outils

In English, you sometimes omit the definite article when making general statements.

I love French.

Literature is difficult.

In French, you must always use the definite article in such cases.

J'adore le français.

La littérature est difficile.

Essayez!   Provide the correct article for each noun.

le, la, l' ou les?

1. ___le___ café
2. _____ bibliothèque
3. _____ acteur
4. _____ amie
5. _____ problèmes
6. _____ lycée
7. _____ examens
8. _____ littérature

un, une ou des?

1. ___un___ bureau
2. _____ différence
3. _____ objet
4. _____ amis
5. _____ amies
6. _____ université
7. _____ ordinateur
8. _____ tableaux

STRUCTURES

Mise en pratique

1 **Les noms** Indicate whether each noun is masculine singular, feminine singular, masculine plural, or feminine plural.

1. amie
2. chanteur
3. animaux
4. personne
5. télévisions
6. étudiantes
7. café
8. acteurs

2 **Les mots** Provide the correct indefinite article for each word.

1. _____ petit ami
2. _____ chanteuse
3. _____ ordinateur
4. _____ instruments
5. _____ objet
6. _____ chose
7. _____ table
8. _____ librairies

3 **Les singuliers et les pluriels** Make the singular nouns plural, and the plural nouns singular.

1. l'actrice
2. les lycées
3. les différences
4. la chose
5. le bureau
6. le café
7. les librairies

8. la faculté
9. les acteurs
10. l'ami
11. l'université
12. les tableaux
13. le problème
14. les bibliothèques

4 **L'université** Complete the sentences with an appropriate word from the list. Don't forget to provide the definite articles.

bibliothèque	examen	ordinateurs
petit ami	sociologie	université

1. À (a) _____, (b) _____ sont (*are*) modernes.
2. Marc, c'est (c) _____ de (*of*) Marie. Marc étudie (*studies*) la littérature.
3. Marie étudie (d) _____. Elle (*She*) est à (e) _____.
4. Sylvie étudie pour (*for*) (f) _____ de français.

Communication

5 **Qu'est-ce que c'est?** In pairs, take turns describing the images. Your partner will identify the corresponding image. After you have described and guessed all images, write down the description for each one and check each other's work.

A.

▶ **MODÈLE**

Étudiant(e) 1: *C'est un ordinateur.*

Étudiant(e) 2: *Image A.*

B. _____

C. _____

D. _____

E. _____

F. _____

G. _____

6 **Un jeu (*game*)** In pairs, take turns choosing a category from the word bank and providing an example (or several, if the category is plural) to your partner, who will try to guess the category you chose. Your partner is allowed one guess. Each correct guess is worth one point. Switch roles and continue.

actrices	animal	chanteurs	examen	objets
amis	café	chanteuse	instrument	universités

MODÈLE

Étudiant(e) 1: UCLA, Rutgers, Harvard, Purdue
Étudiant(e) 2: *Ce sont des universités.*

7 **Pictogrammes** In groups of four, someone draws a person, object, or concept for the others to guess. Whoever guesses correctly draws next. Continue until everyone has drawn at least once.

> **I CAN** name familiar objects and people.

STRUCTURES

1A.2 Numbers 0–60 Grammar Tutorial

Point de départ Numbers in French follow patterns, as they do in English. First, learn the numbers **0–30**. The patterns they follow will help you learn the numbers **31–60**.

Numbers 0–30					
0–10		**11–20**		**21–30**	
0	zéro				
1	un	11	onze	21	vingt et un
2	deux	12	douze	22	vingt-deux
3	trois	13	treize	23	vingt-trois
4	quatre	14	quatorze	24	vingt-quatre
5	cinq	15	quinze	25	vingt-cinq
6	six	16	seize	26	vingt-six
7	sept	17	dix-sept	27	vingt-sept
8	huit	18	dix-huit	28	vingt-huit
9	neuf	19	dix-neuf	29	vingt-neuf
10	dix	20	vingt	30	trente

Comparaisons

Most French and francophone people count numbers on their fingers starting with the thumb for *one*; then they use the thumb and index finger for *two*; the thumb, index, and middle fingers for *three*; and so on.

- Which finger do you start with? In what situations do people count on their fingers?

- When counting a series of numbers, use **un** for *one*.

  un, deux, trois, quatre...
  one, two, three, four...

- When *one* is followed by a noun, use **un** or **une** depending on whether the noun is masculine or feminine.

  un objet   **une** télévision
  an/one object   *a/one television*

- Note that the number **21** (**vingt et un**) follows a different pattern than the numbers **22–30**. When **vingt et un** precedes a feminine noun, add **-e** to the end of it: **vingt et une**.

  vingt et un objets   **vingt et une** choses
  twenty-one objects   *twenty-one things*

- Notice that the numbers **31–39**, **41–49**, and **51–59** follow the same pattern as the numbers **21–29**.

Numbers 0–30					
31–34		**35–38**		**39, 40, 50, 60**	
31	trente et un	35	trente-cinq	39	trente-neuf
32	trente-deux	36	trente-six	40	quarante
33	trente-trois	37	trente-sept	50	cinquante
34	trente-quatre	38	trente-huit	60	soixante

- As with the number **21**, to indicate a count of **31**, **41**, or **51** for a feminine noun, change the **un** to **une**.

  trente et **un** objets   trente et **une** choses
  thirty-one objects   *thirty-one things*

  cinquante et **un** objets   cinquante et **une** choses
  fifty-one objects   *fifty-one things*

- Use **il y a** to say *there is* or *there are* in French. This expression doesn't change, even if the noun that follows it is plural.

Il y a un ordinateur dans le bureau.
There is a computer in the office.

Il y a des tables dans le café.
There are tables in the café.

Il y a une table dans le café.
There is one table in the café.

Il y a dix-huit objets sur le bureau.
There are eighteen objects on the desk.

Il y a deux amies.

Il y a trois étudiants.

- In most cases, the indefinite article (**un**, **une**, or **des**) is used with **il y a**, rather than the definite article (**le**, **la**, **l'**, or **les**).

Il y a un professeur de biologie américain.
There's an American biology professor.

Il y a des étudiants français et anglais.
There are French and English students.

- Use the expression **il n'y a pas de/d'** followed by a noun to express *there isn't a...* or *there aren't any....* Note that no article (definite or indefinite) is used in this case. Use **de** before a consonant sound and **d'** before a vowel sound.

before a consonant

before a vowel sound

Il n'y a pas de tables dans le café.
There aren't any tables in the café.

Il n'y a pas d'ordinateur dans le bureau.
There isn't a computer in the office.

- Use **combien de/d'** to ask how many of something there are.

Il y a **combien de tables**?
How many tables are there?

Il y a **combien d'ordinateurs**?
How many computers are there?

Il y a **combien de librairies**?
How many bookstores are there?

Il y a **combien d'étudiants**?
How many students are there?

Essayez!   **Provide the French word for each number below.**

1. 15 ___quinze___
2. 6 _____
3. 22 _____
4. 5 _____
5. 12 _____

6. 8 _____
7. 30 _____
8. 21 _____
9. 1 _____
10. 17 _____

11. 44 _____
12. 14 _____
13. 38 _____
14. 56 _____
15. 19 _____

STRUCTURES

Mise en pratique

1 **Logique** Provide the number that completes each series. Then, write out the number in French.

MODÈLE

2, 4, ___6___, 8, 10; ___six___

1. 9, 12, _____, 18, 21; _____
2. 15, 20, _____, 30, 35; _____
3. 2, 9, _____, 23, 30; _____
4. 0, 10, 20, _____, 40; _____
5. 15, _____, 19, 21, 23; _____
6. 29, 26, _____, 20, 17; _____
7. 2, 5, 9, _____, 20, 27; _____
8. 30, 22, 16, 12, _____; _____

2 **Il y a combien de...?** Provide the number that you associate with these pairs of words.

MODÈLE

lettres: l'alphabet **vingt-six**

1. mois (*months*): année (*year*)
2. états (*states*): USA
3. semaines (*weeks*): année
4. jours (*days*): octobre
5. âge: le vote
6. Noël: décembre

3 **Numéros de téléphone** Write out the following phone numbers in French and then read them out loud. Next, cover up your notes and try reading the numbers out loud again.

MODÈLE

Le bureau, c'est le zéro un, vingt-trois, quarante-cinq, vingt-six, dix-neuf.

1. *bureau:* 01.23.45.26.19
2. *bibliothèque:* 01.47.15.54.17
3. *café:* 01.41.38.16.29
4. *librairie:* 01.10.13.60.23
5. *faculté:* 01.58.36.14.12
6. *résidence universitaire:* 01.22.19.57.36
7. *resto U:* 01.53.17.33.21

Comparaisons

French phone numbers are recited using double, not single digits, unless the number pair begins with **zéro**.

- How do you recite your own phone number? Why do you think this difference exists?

Communication

4 **Sur le campus** In pairs, take turns asking questions and making statements about your school based on the cues provided.

MODÈLE

bibliothèques: 3
Étudiant(e) 1: *Il y a combien de bibliothèques?*
Étudiant(e) 2: *Il y a trois bibliothèques.*

1. professeurs de littérature: 22
2. étudiants dans (*in*) la classe de français: 15
3. télévision dans la classe de sociologie: 0
4. ordinateurs dans le café: 8
5. employés dans la librairie: 51
6. tables dans le café: 21
7. tableaux dans la bibliothèque: 47
8. personne dans le bureau: 1

5 **Description** Ask questions to find out what things are in your partner's room. Use their responses to draw a sketch of the room. Use numbers and pay attention to the gender of each noun.

MODÈLE

Étudiant(e) 1: *Il y a une table?*
Étudiant(e) 2: *Non, il n'y a pas de table. Il y a deux bureaux.*

animaux	ordinateur
bureau	tableau
étudiants	tables
instruments	télévision

6 **Observations** In groups of three, take turns naming some things or people that you see or don't see in the classroom. Specify the number of things you can see. See who can take the most turns without running out of observations.

MODÈLE

Étudiant(e) 1: *Il y a un étudiant français.*
Étudiant(e) 2: *Il n'y a pas de télévision.*
Étudiant(e) 3: *Il y a...*

7 **Présentez-vous** Introduce yourself and exchange phone numbers with three other students in your class. Recite your phone number the French way, reading the numbers as double, not single, digits. Read each classmate's number back to them to be sure you got it right.

MODÈLE

Étudiant(e) 1: *Bonjour. Je m'appelle Andrea Perrault, 78.16.28.74.99. Comment t'appelles-tu?*
Étudiant(e) 2: *Enchanté. Je m'appelle Gabriel Turner, 81.43.87.12.38.*

I CAN say how many items or people there are.

Révision

1 **Des lettres** In small groups, take turns choosing nouns from this lesson. Slowly spell the noun you chose while the others try to guess it. See who can give the quickest answers.

2 **Catégories** In pairs, take turns choosing a French word or expression you learned in this lesson for your partner to guess. You provide the number of letters in the word, and your partner will guess one letter at a time. Fill in the correct guesses until your partner is ready to guess the full word. He or she must also say which of the categories below the word falls in.

MODÈLE

un nom masculin

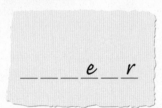

_ _ _ _ e _ _ r

- un nom féminin
- un nom masculin
- un nombre entre (*number between*) 0 et 30
- un nombre entre 31 et 60
- une expression

3 **C'est… Ce sont…** In pairs, choose an image and describe it to your partner, who will guess which image you chose based on your description. Note that some of the images could be described in more than one way.

MODÈLE

Étudiant(e) 1: *C'est une librairie.*
Étudiant(e) 2: *Image 1.*

1.

2. _____   4. _____

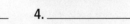

3. _____   5. _____

4 **Les présentations** Introduce yourself to a classmate, then introduce yourself and your partner to another pair of students. Switch roles, and keep going until you've met everyone. Use the words provided in your conversations.

ami	étudiant
c'est	petit(e) ami(e)
ce sont	professeur

5 **S'il te plaît** Help your partner find these places by providing the building (**le bâtiment**) and room (**la salle**) for each item.

MODÈLE

Étudiant(e) 1: *Pardon… l'examen de sociologie, s'il te plaît?*
Étudiant(e) 2: *Ah oui… le bâtiment E, la salle dix-sept.*
Étudiant(e) 1: *Merci beaucoup!*
Étudiant(e) 2: *De rien.*

Bibliothèque d'anglais ....Bâtiment C Salle 11

Bureau de Mme Girard ....Bâtiment A Salle 35

Bureau de M. Brachet..........Bâtiment J Salle 42

Café ....Bâtiment H Salle 59

Littérature française ....Bâtiment B Salle 46

Examen de littérature ....Bâtiment E Salle 24

Examen de sociologie ....Bâtiment E Salle 17

Salle de télévision ....Bâtiment F Salle 33

Salle des ordinateurs ....Bâtiment D Salle 40

6 **Mots mélangés** You and a partner each have half the words of a wordsearch (**des mots mélangés**). Without looking at each other's worksheets, take turns picking a number and a letter from the grid and saying them in French to your partner, who must tell you if a letter appears in the corresponding space. If so, write the letter in that space and go again. If there is no letter in that space, your partner should answer **rien** (*nothing*) and take a turn. Continue until you both have all eight words.

Le Zapping

1 Préparation Answer these questions.

1. Do you know your neighbors? Are you friends with any of them?

2. When you greet new people, what words and gestures do you use? Does your behavior vary depending on the situation?

3. In this video, neighbors meet for the first time over coffee. What French greetings and gestures do you think they will use?

C'est fun de connaître ses° voisins!

Founded in Ontario in 1964, Tim Hortons is Canada's largest quick service restaurant chain, serving 5 million beverages per day. Named after its founder and professional hockey player Tim Horton, the company prides itself on its high quality baked goods and fresh coffee, brewed every 20 minutes. Tim Hortons is also committed to several social initiatives and charitable organizations that support communities in Canada, such as the Tim Hortons Foundation Camps and Timbits Minor Sports Programs. In this TV ad, you will see community engagement in action as Tim Hortons team members bring neighbors together over coffee.

Annonce *Ad* **ses** *one's*

Annonce° de Tim Hortons

Comment vous vous appelez?

Vocabulaire utile

un café	*coffee*
un(e) voisin(e)	*neighbor*
rencontrer	*to meet*
connaître	*to know someone*
parler	*to talk*

2 Compréhension Answer these questions.

1. What words do the neighbors use to greet one another?

2. What gestures do the neighbors use to greet one another?

3. How do their greetings and gestures differ depending on their age and personality?

3 Conversation Answer these questions.

1. How do the relationships between the neighbors in the video compare with those between people in your neighborhood?

2. How are the greetings and introductions in the video similar to or different from those you would use in the same situation?

3. What is the message of this ad? What perspective does it present?

4. How do you think people in your community would react to an initiative like this? How does the perspective presented in this ad compare to attitudes in your own community?

4 Application Introduce yourself to a classmate using some of the words and actions from the video. Then, recreate the video with students, teachers, and staff at your school. Set up a table with coffee and have pairs of people get to know one another for the first time. Ask them to reflect on attitudes and behaviors related to this initiative.

5 Réflexion What does it feel like to watch a video without understanding all the words? Do you think you'll be able to understand more of this video in the future? Set a reminder for yourself to come back and watch this video again at the end of the semester to reflect on your progress.

I CAN understand the message of a short TV ad using visuals and familiar context.

Leçon **1B**

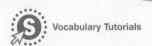
Vocabulary Tutorials

En classe

Vocabulaire	
Qui est-ce?	*Who is it?*
Quoi?	*What?*
une calculatrice	*calculator*
une montre	*watch*
une porte	*door*
un résultat	*result*
une salle de classe	*classroom*
un(e) camarade de chambre	*roommate*
un(e) camarade de classe	*classmate*
une classe	*class (group of students)*
un copain/ une copine (*fam.*)	*friend*
un(e) élève	*pupil, student*
une femme	*woman*
une fille	*girl*
un garçon	*boy*
un homme	*man*

une horloge

un crayon

un sac à dos

une fenêtre

un livre

un cahier

un dictionnaire

un stylo

une feuille de papier

une corbeille à papier

Mise en pratique

1 Écoutez Listen to Madame Arnaud as she describes her French classroom, and check off the items she mentions.

1. une porte ☐
2. un professeur ☐
3. une feuille de papier ☐
4. un dictionnaire ☐
5. une carte ☐
6. vingt-quatre cahiers ☐
7. une calculatrice ☐
8. vingt-sept chaises ☐
9. une corbeille à papier ☐
10. un stylo ☐

2 Chassez l'intrus Circle the word that does not belong.

1. étudiants, élèves, professeur
2. un stylo, un crayon, un cahier
3. un livre, un dictionnaire, un stylo
4. un homme, un crayon, un garçon
5. une copine, une carte, une femme
6. une porte, une fenêtre, une chaise
7. une chaise, un professeur, une fenêtre
8. un crayon, une feuille de papier, un cahier
9. une calculatrice, une montre, une copine
10. une fille, un sac à dos, un garçon

3 C'est... List as many items in the illustration as you can. Don't forget to include an indefinite article.

une carte

une chaise

1. _____
2. _____
3. _____
4. _____
5. _____
6. _____
7. _____
8. _____
9. _____
10. _____
11. _____
12. _____

CONTEXTES

Communication

4 **Qu'est-ce qu'il y a dans mon sac à dos?** Make a list of six different items that you have in your bag or backpack, then recite them to your partner, who will write them down. Go over the results as a class, and identify the most common item.

Dans mon (*my*) sac à dos, il y a...

1. _____
2. _____
3. _____
4. _____
5. _____
6. _____

Dans le sac à dos de _____Marie_____, il y a...

1. _____
2. _____
3. _____
4. _____
5. _____
6. _____

5 **Qu'est-ce que c'est?** Walk around the classroom, point at four different items, and ask your partner to identify them. Then switch roles. Write down the eight items you identified in the spaces provided.

> **MODÈLE**
> **Étudiant(e) 1:** *Qu'est-ce que c'est?*
> **Étudiant(e) 2:** *C'est un stylo.*

1. _____
2. _____
3. _____
4. _____

5. _____
6. _____
7. _____
8. _____

6 **Sept différences** Your instructor will give you and a partner two different drawings of a classroom. Do not look at each other's worksheets. Find seven differences between your picture and your partner's by asking each other questions and describing what you see.

> **MODÈLE**
> **Étudiant(e) 1:** *Il y a une fenêtre dans ma (my) salle de classe.*
> **Étudiant(e) 2:** *Oh! Il n'y a pas de fenêtre dans ma salle de classe.*

7 **Pictogrammes** As a class, play pictionary.

- Take turns going to the board and drawing words you just learned.
- The person drawing may not speak and may not write any letters or numbers.
- The person who guesses correctly in French what the **grand(e) artiste** is drawing will go next.
- Your instructor will time each turn and tell you if your time runs out.

I CAN identify school supplies and familiar objects.

Les sons et les lettres

Pronunciation Tutorial
Record & Compare

Silent letters

Final consonants of French words are usually silent.

français̸   **spor̸t̸**   **vous̸**   **salu̸t̸**

An unaccented **-e** (or **-es**) at the end of a word is silent, but the preceding consonant *is* pronounced.

français̸e̸   **américain̸e̸**   **orang̸e̸s̸**   **japonais̸e̸s̸**

The consonants **-c**, **-r**, **-f**, and **-l** are usually pronounced at the ends of words. To remember these exceptions, think of the consonants in the word **careful**.

parc   **bonjour**   **actif**   **animal**

lac   **professeur**   **naïf**   **mal**

Prononcez Practice saying these words aloud.

1. traditionnel
2. étudiante
3. généreuse
4. téléphones
5. chocolat
6. Monsieur
7. journalistes
8. hôtel
9. sac
10. concert
11. timide
12. sénégalais
13. objet
14. normal
15. importante

Articulez Practice saying these sentences aloud.

1. Au revoir, Paul. À plus tard!
2. Je vais très bien. Et vous, Monsieur Dubois?
3. Qu'est-ce que c'est? C'est une calculatrice.
4. Il y a un ordinateur, une table et une chaise.
5. Frédéric et Chantal, je vous présente Michel et Éric.
6. Voici un sac à dos, des crayons et des feuilles de papier.

Dictons Practice reading these sayings aloud.

Aussitôt dit, aussitôt fait.[2]

Mieux vaut tard que jamais.[1]

[1] *Better late than never.*

[2] *No sooner said than done.*

ROMAN-PHOTO

Les copains

Video: *Roman-photo*
Record & Compare

PERSONNAGES

Amina

David

Michèle

Stéphane

Touriste

Valérie

À la terrasse du café...

VALÉRIE Alors, un croissant, une crêpe et trois cafés.
TOURISTE Merci, Madame.
VALÉRIE Ah, vous êtes... américain?
TOURISTE Um, non, je suis anglais. Il est canadien et elle est italienne.
VALÉRIE Moi, je suis française.

À l'intérieur du café...

VALÉRIE Stéphane!!!
STÉPHANE Quoi?! Qu'est-ce que c'est?
VALÉRIE Qu'est-ce que c'est! Qu'est-ce que c'est! Une feuille de papier! C'est l'examen de maths! Qu'est-ce que c'est?
STÉPHANE Oui, euh, les maths, c'est difficile.

VALÉRIE Stéphane, tu es intelligent, mais tu n'es pas brillant! En classe, on fait attention au professeur, au cahier et au livre! Pas aux fenêtres. Et. Pas. Aux. Filles!
STÉPHANE Oh, oh, ça va!!

À la table d'Amina et de David...

DAVID Et Rachid, mon colocataire? Comment est-il?
AMINA Il est agréable et très poli... plutôt réservé mais c'est un étudiant brillant. Il est d'origine algérienne.

DAVID Et toi, Amina. Tu es de quelle origine?
AMINA D'origine sénégalaise.
DAVID Et Sandrine?

AMINA Sandrine? Elle est française.
DAVID Mais non... Comment est-elle?
AMINA Bon, elle est chanteuse, alors elle est un peu égoïste. Mais elle est très sociable. Et charmante. Mais attention! Elle est avec Pascal.
DAVID Pfft, Pascal, Pascal...

ACTIVITÉS

1 **Identifiez** Based on what you know about their personalities and opinions, indicate which character (Amina, David, Michèle, Sandrine, Stéphane, or Valérie) would be most likely to say each of the following things.

1. En classe, on fait attention au professeur!
2. Me mère est très impatiente!
3. J'ai (*I have*) de la famille au Sénégal.
4. Je suis une grande chanteuse!
5. Pfft, Pascal, Pascal...

2 **Complétez** Use words from the list to describe these people in French. Refer to the video scenes and a dictionary as necessary.

1. Michèle always looks on the bright side. _____
2. Rachid gets great grades. _____
3. Amina is very honest. _____
4. Sandrine thinks about herself a lot. _____
5. Sandrine has a lot of friends. _____

égoïste
intelligent
optimiste
sincère
sociable

Amina, David et Stéphane passent la matinée (*spend the morning*) au café.

Au bar...

VALÉRIE Le croissant, c'est pour l'Anglais, et la crêpe, c'est pour l'Italienne.

MICHÈLE Mais, Madame. Ça va? Qu'est-ce qu'il y a?

VALÉRIE Ben, c'est Stéphane. Des résultats d'examens, des professeurs... des problèmes!

MICHÈLE Ah, Madame, du calme! Je suis optimiste. C'est un garçon intelligent. Et vous, êtes-vous une femme patiente?

VALÉRIE Oui... oui, je suis patiente. Mais le Canadien, l'Anglais et l'Italienne sont impatients. Allez! Vite!

VALÉRIE Alors, ça va bien?

AMINA Ah, oui, merci.

DAVID Amina est une fille élégante et sincère.

VALÉRIE Oui! Elle est charmante.

DAVID Et Rachid, comment est-il?

VALÉRIE Oh! Rachid! C'est un ange! Il est intelligent, poli et modeste. Un excellent camarade de chambre.

DAVID Et Sandrine? Comment est-elle?

VALÉRIE Sandrine?! Oh, là, là. Non, non, non. Elle est avec Pascal.

Comparaisons

Cognates are words that share similar meanings and spellings in two or more languages.

- Make a list of all the cognates you recognize on this page, then provide their English equivalents. Do you use these words often?

Expressions utiles

Describing people

- **Vous êtes/Tu es américain?**
  You're American?

- **Je suis anglais. Il est canadien et elle est italienne.**
  I'm English. He's Canadian, and she's Italian.

- **Et Rachid, mon colocataire? Comment est-il?**
  And Rachid, my roommate (in an apartment)? What's he like?

- **Il est agréable et très poli... plutôt réservé mais c'est un étudiant brillant.**
  He's nice and very polite... rather reserved, but a brilliant student.

- **Tu es de quelle origine?**
  (Of) What heritage are you?

- **Je suis d'origine algérienne/sénégalaise.**
  I'm of Algerian/Senegalese heritage.

- **Elle est avec Pascal.**
  She's with (dating) Pascal.

Asking questions

- **Ça va? Qu'est-ce qu'il y a?**
  Are you OK? What is it?/What's wrong?

Additional vocabulary

- **Ah, Madame, du calme!**
  Oh, ma'am, calm down!

- **On fait attention à...**
  One pays attention to...

- **Mais attention!**   • **lors**
  But watch out!   *so*

- **Allez! Vite!**   • **mais**
  Go! Quickly!   *but*

- **Mais non...**   • **un peu**
  Of course not...   *a little*

---

3 **Observez** Answer the following questions.

1. What items does Stéphane have in his backpack? List them in French.

2. Write down one French word to describe each character, based on the information in the episode.

3. How does Stéphane feel about school? Why? How does your attitude compare to his?

4 **Conversez** In pairs, choose the words from this list you would use to describe yourselves. What personality traits do you have in common? Share your answers with the class.

brillant	modeste
charmant	optimiste
égoïste	patient
élégant	sincère
intelligent	sociable

I CAN identify people and objects related to academic life.

A C T I V I T É S

CULTURE À LA LOUPE

Qu'est-ce qu'un francophone typique?

What is your idea of a typical French person?
Do you picture a man wearing a **béret**? How about a graceful and stylish woman? While real francophone people fitting one aspect or another of these cultural stereotypes do exist, rarely do you find individuals who fit all aspects.

Francophones live all over the world, but France is home to more of them than any other country. France is a multicultural society with no single, national ethnicity. While the majority of francophone people are of Celtic or Latin descent, France has significant North and West African (e.g., Algeria, Morocco, Senegal) and Indo-Chinese (e.g., Vietnam, Laos, Cambodia) populations as well. Long a **terre d'accueil°**, France today has over ten million foreigners and immigrants. The official language in France is French, but there are also significant populations that speak English, Spanish, and German. Regional languages such as Provençal, Breton, and Basque are also spoken in some areas. France continues to maintain a strong concept of its culture through the preservation of its language, history, and traditions, but it is undoubtedly enriched by the contributions of its immigrant populations.

terre d'accueil *a land welcoming of newcomers*

STRATÉGIE

Reading comprehension

Whether you're reading English or French, it's possible you'll run into words you don't know. Make an effort to read through the entire text once without stopping, then go back and look up any words you didn't understand. If necessary, highlight unfamiliar words as you read so you can easily find them afterwards. Once you're familiar with the pronunciation and meaning of them, read the text again more thoroughly.

A C T I V I T É S

1 **Vrai ou faux?** Indicate whether each statement is **vrai** or **faux**. Correct any false statements.

1. Cultural stereotypes are generally true for most people in France.
2. Francophones live all over the world.
3. Many immigrants from North and West Africa live in France.
4. France has been receiving immigrants from other countries for many years.
5. Immigrant cultures have little impact on French culture.

2 **Réfléchissez** Answer the following questions.

1. What stereotypes exist about people in your country? Are any of them accurate? Explain.
2. How do stereotypes of francophones compare to stereotypes of people in your community?
3. Are there immigrants in your community? How are cultures affected by immigration?
4. How can you identify a stereotype? What can you do to evaluate it?

Immigrants in France by birthplace

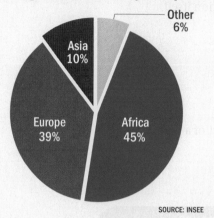

- Other 6%
- Asia 10%
- Europe 39%
- Africa 45%

SOURCE: INSEE

Marianne

Marianne, a young woman wearing a soft, conical cap or helmet, is a symbol that embodies the French Republic. She represents fundamental French values, expressed in the national motto: **liberté**, **égalité°**, **fraternité°**. Her image first appeared in the late 18th century during the French Revolution, when the name Marie-Anne came to represent "the people." Later, the Republic adopted her as the official symbol on its seal. However, Marianne's origins date back to ancient Rome. At that time, democracy was often represented by a woman's face and freedom was symbolized by the conical Phrygian cap. Over time, Marianne has become the most widely used symbol of France. Sculptures of Marianne appear in every town hall across the country and variations of her image appear on everything from official government documents to postage stamps.

égalité equality **fraternité** brotherhood

Les langues

Many francophone countries are multilingual, some with several official languages.

Switzerland German, French, Italian, and Romansh are all official languages. German is spoken by about 64% of the population and French by about 23%.

Belgium There are three official languages: French, Dutch, and German. Walloon, the local variety of French, is used by one-third of the population. Flemish, spoken primarily in the north, is used by roughly two-thirds of Belgians.

Morocco Classical Arabic is the official language. Most people speak the Moroccan dialect of Arabic. About 15 million people speak Berber. French is the unofficial third language.

- How many official languages does your country have? How does multilingualism affect a community?

Stromae

Birthdate: March 12, 1985
Birthplace: Brussels, Belgium
Occupation: composer-singer

Awards:
2016 D6Bels Music Awards: Concert of the year

His songs, a mixture of hip-hop and electronic music, address current topics with humor and irony.

Go to **vhlcentral.com** to find out more about **Stromae** and his music.

---

3 **Complétez** Complete the sentences.

1. _____ is a symbol of France.
2. _____ is the motto of the French Republic.
3. The Phrygian bonnet symbolizes _____.
4. _____ is a Belgian variety of French.
5. 45% of immigrants in France come from _____.

4 **Et vous?** List some stereotypes that exist about people in your country or community. How do those stereotypes compare to the real people in your community? Do they fairly represent you and your peers? In small groups, interview three people in your school or community about stereotypes and ask them to reflect on how attitudes and perspectives are influenced by them.

A C T I V I T É S

I CAN identify and reflect on stereotypes in my own and other cultures.

STRUCTURES

1B.1 Subject pronouns and the verb *être*

 Grammar Tutorial

Point de départ In French, as in English, the subject of a verb is the person or thing that carries out the action. The verb expresses the action itself.

SUBJECT ⟷ VERB

Le professeur **parle français.**
The professor *speaks French.*

Subject pronouns

- Subject pronouns replace a noun that is the subject of a verb.

SUBJECT PRONOUN ⟷ VERB

Il **parle français.**
He *speaks French.*

> ### Boîte à outils
>
> In English, you sometimes use the pronoun *it* to replace certain nouns.
>
> *The exam is long.*
>
> *It is long.*
>
> In French, there is no equivalent neuter pronoun. You must use **il** or **elle** depending on the gender of the noun it is replacing.
>
> **L'examen est long.**
>
> **Il est long.**

French subject pronouns				
	singular		**plural**	
first person	**je**	*I*	**nous**	*we*
second person	**tu**	*you*	**vous**	*you*
third person	**il**	*he/it (masc.)*	**ils**	*they (masc.)*
	elle	*she/it (fem.)*	**elles**	*they (fem.)*
	on	*one*		

- Subject pronouns in French show number (singular vs. plural) and gender (masculine vs. feminine). When a subject consists of both males and females, use the masculine form of the pronoun to replace it.

Rémy et Marie dansent très bien.
Ils dansent très bien.
They dance very well.

M. et Mme Diop sont de Dakar.
Ils sont de Dakar.
They are from Dakar.

- Use **tu** for informal address and **vous** for formal. **Vous** is also the plural form of *you*, both informal and formal.

Comment vas-**tu**?
How's it going?

Comment allez-**vous**?
How are you?

Comment t'appelles-**tu**?
What's your name?

Comment vous appelez-**vous**?
What is/What are your name(s)?

- The subject pronoun **on** refers to people in general, just as the English subject pronouns *one*, *they*, or *you* sometimes do. **On** can also mean *we* in a casual style. **On** always takes the same verb form as **il** and **elle**.

En France, **on** parle français.
In France, they speak French.

On est au café.
We are at the coffee shop.

The verb *être*

- **Être** (*to be*) is an irregular verb; its conjugation (set of forms for different subjects) does not follow a pattern. The form **être** is called the infinitive; it does not correspond to any particular subject.

être (to be)			
je suis	*I am*	**nous sommes**	*we are*
tu es	*you are*	**vous êtes**	*you are*
il/elle est	*he/she/it is*	**ils/elles sont**	*they are*
on est	*one is*		

- Note that the **-s** of the subject pronoun **vous** is pronounced as an English *z* in the phrase **vous êtes**.

  Vous êtes à Paris.
  You are in Paris.

  Vous êtes M. Leclerc? Enchantée.
  Are you Mr. Leclerc? Pleased to meet you.

C'est and *il/elle est*

- Use **c'est** or its plural form **ce sont** plus a noun to identify who or what someone or something is. Remember to use an article before the noun.

C'est un téléphone.
That's a phone.

Ce sont des photos.
Those are pictures.

- When the expressions **c'est** and **ce sont** are followed by proper names, don't use an article before the names.

C'est Amina.
That's Amina.

Ce sont Amélie et Anne.
That's Amélie and Anne.

- Use **il/elle est** and **ils/elles sont** to refer to someone or something previously mentioned.

  La bibliothèque? **Elle est** moderne.
  The library? It's modern.

  Nathalie et Félix? **Ils sont** intelligents.
  Nathalie and Félix? They are intelligent.

- Use the phrases **il/elle est** and **ils/elles sont** to tell someone's profession. Note that in French, you do not use the article before the profession.

  Voilà M. Richard. **Il est** acteur.
  There's Mr. Richard. He's an actor.

  Elles sont chanteuses.
  They are singers.

> **Boîte à outils**
>
> Use **c'est** or **ce sont** instead of **il/elle est** and **ils/elles sont** when you have an adjective qualifying the noun that follows:
>
> **C'est un professeur intelligent.**
> *He is an intelligent professor.*
>
> **Ce sont des actrices élégantes.**
> *Those are elegant actresses.*

Essayez! Fill in the blanks with the correct forms of the verb *être*.

1. Je _____suis_____ ici.
2. Ils _____ intelligents.
3. Tu _____ étudiante.
4. Nous _____ à Québec.
5. Vous _____ Mme Lacroix?
6. Marie _____ chanteuse.

STRUCTURES

Mise en pratique

1 **Répétez** Rewrite each sentence using a subject pronoun.

MODÈLE

Chantal est étudiante.
Elle est étudiante.

1. Les professeurs sont en Tunisie.
2. Mon (*My*) petit ami Charles n'est pas ici.
3. Moi, je suis chanteuse.
4. Nadège et moi, nous sommes à l'université.
5. Tu es un ami.
6. L'ordinateur est dans (*in*) la chambre.
7. Claude et Charles sont là.
8. Lucien et toi (*you*), vous êtes copains.

2 **Où sont-ils?** Form a sentence with the elements provided, but replace the subject of the sentence with the appropriate subject pronoun.

MODÈLE

Sylvie / être / au café
Elle est au café.

1. Georges / être / à la faculté de médecine
2. Marie et moi / être / dans (*in*) la salle de classe
3. Christine et Anne / être / à la bibliothèque
4. Richard et Vincent / être / là-bas
5. Véronique, Marc et Anne / être / à la librairie
6. Jeanne / être / au bureau
7. Hugo et Isabelle / être / au lycée
8. Martin / être / au bureau

3 **Identifiez** Complete each sentence according to the image, using **c'est**, **ce sont**, **il/elle est**, or **ils/elles sont**.

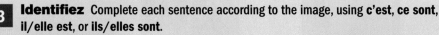

1. _____ un acteur.

2. _____ ici.

3. _____ copines.

4. _____ chanteuse.

5. _____ là.

6. _____ des montres.

Communication

4 **Assemblez** In pairs, take turns using the verb **être** to combine elements from section A and section B. Talk about yourselves and people you know.

A		B	
Singulier:	**Pluriel:**	**Singulier:**	**Pluriel:**
Je	Nous	agréable	agréables
Tu	Mes (*My*) profs	d'origine ...	copains/copines
Mon (*My*) prof	Mes camarades de	difficile	difficiles
Mon/Ma (*My*)	chambre	étudiant(e)	étudiant(e)s
camarade de chambre	Mes cours	sincère	sincères
Mon cours		sociable	

5 **Qu'est-ce que c'est?** In pairs, take turns choosing an image below and describing it to your partner, who will guess which one it is. Continue until all photos have been described.

▶ **MODÈLE**

Étudiant(e) 1:
C'est Taylor Swift.
Elle est chanteuse.
Étudiant(e) 2: *Image 1.*

1. _____

 2. _____

 3. _____

 4. _____

 5. _____

6. _____

7. _____

6 **On est comment?** In pairs, take turns describing these famous people using the phrases **C'est, Ce sont, Il/Elle est,** or **Ils/Elles sont** and words from the box. You can also use negative phrases to describe them.

talentueux	actrice(s)	chanteuse(s)
chanteur(s)	adorable(s)	élégant(e)
optimiste(s)	danseur(s)	acteur(s)

1. Ariana Grande
2. Rihanna et Beyoncé
3. Michelle Obama
4. Leonardo DiCaprio
5. Bruno Mars
6. Meryl Streep

7 **Enchanté** You and your roommate are in the campus bookstore. You run into a classmate whom you don't know. In a brief conversation, introduce yourselves, ask how each person is, and say something about yourselves using a form of **être**.

I CAN say what objects and people are.

STRUCTURES

1B.2

Adjective agreement 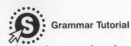 Grammar Tutorial

Point de départ Adjectives are words that describe people, places, and things. In French, adjectives are often used with the verb **être** to point out the qualities of nouns or pronouns.

*Le cours est **difficile**.*

*Je suis **optimiste**.*

- Many adjectives in French are cognates; that is, they have the same or similar spellings and meanings in French and English.

Cognate descriptive adjectives

agréable	*pleasant*	**intelligent(e)**	*intelligent*
amusant(e)	*fun*	**intéressant(e)**	*interesting*
brillant(e)	*brilliant*	**occupé(e)**	*busy*
charmant(e)	*charming*	**optimiste**	*optimistic*
désagréable	*unpleasant*	**patient(e)**	*patient*
différent(e)	*different*	**pessimiste**	*pessimistic*
difficile	*difficult*	**poli(e)**	*polite*
égoïste	*selfish*	**réservé(e)**	*reserved*
élégant(e)	*elegant*	**sincère**	*sincere*
impatient(e)	*impatient*	**sociable**	*sociable*
important(e)	*important*	**sympathique**	*nice*
indépendant(e)	*independent*	**(sympa)**	
		timide	*shy*

- In French, most adjectives agree in number and gender with the nouns they describe. Most adjectives form the feminine by adding a silent **-e** (no accent) to the end of the masculine form. Adding a silent **-s** to the end of masculine and feminine forms gives you the plural forms of both.

	masculine	feminine
singular	*patient*	*patiente*
plural	*patients*	*patientes*

Henri est **élégant.**
Henri is elegant.

Claire et Lise sont **élégantes.**
Claire and Lise are elegant.

- If the masculine form of the adjective already ends in an unaccented **–e**, do not add another one for the feminine form.

MASCULINE SINGULAR	NO CHANGE	FEMININE SINGULAR
optimiste	⟷	**optimiste**

- French adjectives are usually placed after the noun they modify when they don't directly follow a form of **être**.

  Ce sont des **étudiantes brillantes.**
  They're brilliant students.

  Bernard est un homme **agréable et poli.**
  Bernard is a pleasant and polite man.

- Here are some adjectives of nationality. Note that the **-n** of adjectives that end in **-ien** doubles before the final **-e** of the feminine form: **algérienne, canadienne, italienne, vietnamienne.**

Adjectives of nationality

algérien(ne)	*Algerian*	**japonais(e)**	*Japanese*
allemand(e)	*German*	**marocain(e)**	*Moroccan*
anglais(e)	*English*	**martiniquais(e)**	*from Martinique*
américain(e)	*American*	**mexicain(e)**	*Mexican*
canadien(ne)	*Canadian*	**québécois(e)**	*from Quebec*
espagnol(e)	*Spanish*	**sénégalais(e)**	*Senegalese*
français(e)	*French*	**suisse**	*Swiss*
italien(ne)	*Italian*	**vietnamien(ne)**	*Vietnamese*

- The first letter of adjectives of nationality is not capitalized.

Il est américain.

Elle est française.

- An adjective whose masculine singular form already ends in **-s** keeps the identical form in the masculine plural.

  Pierre est **un ami sénégalais.**
  Pierre is a Senegalese friend.

  Pierre et Yves sont **des amis sénégalais.**
  Pierre and Yves are Senegalese friends.

- To ask someone's nationality or heritage, use **Quelle est ta/votre nationalité?** or **Tu es/Vous êtes de quelle origine?**

  Quelle est votre nationalité?
  What is your nationality?

  Je suis de nationalité canadienne.
  I'm Canadian.

  Tu es de quelle origine?
  What is your heritage?

  Je suis d'origine italienne.
  I'm of Italian heritage.

Essayez! **Write in the correct forms of the adjectives.**

1. Marc est ___timide___ (timide).
2. Ils sont _____ (anglais).
3. Elle adore la littérature _____ (français).
4. Ce sont des actrices _____ (suisse).
5. Marie n'est pas _____ (mexicain).
6. Les actrices sont _____ (impatient).
7. Elles sont _____ (réservé).
8. Il y a des universités _____ (important).
9. Christelle est _____ (amusant).
10. Les étudiants sont _____ (poli) en cours.
11. Mme Castillion est très _____ (occupé).
12. Luc et moi, nous sommes _____ (sincère).

STRUCTURES

Mise en pratique

1 **Nous aussi!** Jean-Paul is bragging about himself, but his younger sisters Stéphanie and Gisèle believe they possess the same attributes. Provide their responses.

MODÈLE

Je suis amusant.
Nous aussi, nous sommes amusantes.

1. Je suis intelligent. _____
2. Je suis sincère. _____
3. Je suis élégant. _____
4. Je suis patient. _____
5. Je suis sociable. _____
6. Je suis poli. _____
7. Je suis charmant. _____
8. Je suis optimiste. _____

2 **Les nationalités** You are with a group of students from all over the world. Indicate their nationalities according to the cities they come from.

MODÈLE

Monique est de (*from*) Paris.
Elle est française.

1. Les amies Fumiko et Keiko sont de Tokyo.
2. Hans est de Berlin.
3. Juan et Pablo sont de Guadalajara.
4. Wendy est de Londres.
5. Jared est de San Francisco.
6. Francesca est de Rome.
7. Aboud et Moustafa sont de Casablanca.
8. Jean-Pierre et Mario sont de Québec.

3 **Voilà Mme...** Describe each person in the illustration using the adjectives you just learned.

MODÈLE

Voilà M. Duval. Il est sénégalais.

M. Duval
Catherine et Jeanne
M. Forestier
Georges et Denise
Mme Malbon

Communication

4 **Interview** Circle the three adjectives that best describe you, then interview your partner to find out what adjectives they chose. How many traits do you have in common? Share your number (0–3) with the class, and figure out which pair(s) of students share(s) the most traits.

MODÈLE

pessimiste
Étudiant(e) 1: *Tu es pessimiste?*
Étudiant(e) 2: *Non, je suis optimiste.*

- agréable
- charmant
- impatient
- indépendant
- optimiste
- patient

- pessimiste
- réservé
- sincère
- sociable
- sympa
- timide

5 **Des personnes notables** With a partner, see if you can name a prominent or famous person from each of the places provided. Use the adjectives you just learned.

MODÈLE

Justin Bieber est canadien.

- canadien(ne)
- espagnol(e)
- français(e)
- italien(ne)

- japonais(e)
- mexicain(e)
- québécois(e)
- sénégalais(e)

6 **Ils sont comment?** In pairs, take turns describing each item below. Tell your partner whether you agree (**C'est vrai**) or disagree (**C'est faux**) with the descriptions.

MODÈLE

Johnny Depp
Étudiant(e) 1: *C'est un acteur désagréable.*
Étudiant(e) 2: *C'est faux. Il est charmant.*

1. Beyoncé et Céline Dion
2. les étudiants de Harvard
3. John Legend
4. la classe de français
5. le président des États-Unis (*United States*)
6. Tom Hanks et Morgan Freeman

7 **Au café** In groups of three, take turns describing your bosses (**patrons**), coaches (**entraineurs**), and professors.

I CAN describe people, places, and things.

Révision

1 **Festival francophone** With a partner, choose two characters from the list and act out a conversation between them. They could be friends, colleagues, or people meeting for the first time. After you act out your scene for the class, ask your classmates to describe how you greeted and addressed each other and explain why.

Angélique, Sénégal

Abdel, Algérie

Laurent, Martinique

Sylvain, Suisse

Hélène, Canada

Daniel, France

Mai, Viêt-Nam

Nora, Maroc

2 **Tu ou vous?** How would the conversations between the characters in **Activité 1** differ if you changed the context? Write out a new conversation between two different characters and ask another pair to act it out for the class. Remember to use appropriate greetings, gestures, and forms of address.

3 **En commun** In pairs, tell your partner the name of a friend. Use adjectives to say what you and that friend both (**tous les deux**) have in common. Then, share with the class what you learned about your partner and his or her friend.

> **MODÈLE**
>
> *Charles est un ami. Nous sommes tous les deux amusants. Nous sommes patients aussi.*

4 **Comment es-tu?** Survey as many classmates as possible to ask if they would use the adjectives listed to describe themselves. Then, decide which two students in the class are most similar.

> **MODÈLE**
>
> **Étudiant(e) 1:** *Tu es timide?*
> **Étudiant(e) 2:** *Non. Je suis sociable.*

Adjectifs	Nom
1. timide	Éric
2. impatient (e)	
3. optimiste	
4. réservé (e)	
5. charmant (e)	
6. poli (e)	
7. agréable	
8. amusant (e)	

5 **Nous sommes...** Using the information you gathered in **Activité 4**, write sentences about which traits are shared between various classmates, including yourself.

> **MODÈLE**
>
> *Carole et moi, nous sommes timides.*

6 **Mes camarades de classe** Write a brief description of the students in your French class. What are their names? What are their personalities like? What is their heritage? Use all the French you have learned so far. Your paragraph should be at least eight sentences long. Remember, be complimentary!

7 **Les descriptions** Your instructor will give you and your partner two different sets of illustrations. Each person in your set of illustrations has something in common with a person in your partner's set. Find out what it is without looking at your partner's sheet.

> **MODÈLE**
>
> **Étudiant(e) 1:** *Jean est à la bibliothèque.*
> **Étudiant(e) 2:** *Gina est à la bibliothèque.*
> **Étudiant(e) 1:** *Jean et Gina sont à la bibliothèque.*

Écriture

STRATÉGIE

Writing in French

Why do we write? All writing has a purpose. For example, we may write a poem to reveal our innermost feelings, a letter to share information, or an essay to persuade others to accept a point of view. People are not born proficient writers, however. Writing requires time, thought, effort, and a lot of practice. Here are some tips to help you write more effectively in French.

DO

▶ **Try to write your ideas in French**

▶ **Try to make an outline of your ideas**

▶ **Decide what the purpose of your writing will be**

▶ **Use the grammar and vocabulary that you know**

▶ **Use your textbook for examples of style, format, and expressions in French**

▶ **Use your imagination and creativity to make your writing more interesting**

▶ **Put yourself in your reader's place to determine if your writing is interesting**

AVOID

▶ **Translating your ideas from English to French**

▶ **Simply repeating what is in the textbook or on a web page**

▶ **Using a bilingual dictionary until you have learned how to use one effectively**

Thème

Faites une liste!

Imagine that several French-speaking students will be spending a year at your school. You've been asked to put together a list of people and places that might be useful and of interest to them. Your list should include:

- Your name, address, phone number(s) (home and/or mobile), and e-mail address

- The names of two or three other students in your French class, their addresses, phone numbers, and e-mail addresses

- Your French teacher's name, office and/or mobile phone number(s), e-mail address, and office hours

- Your school library's phone number and hours

- The names, addresses, and phone numbers of three places near your school where students like to go (a bookstore, a coffee shop or restaurant, a theater, a skate park, etc.)

NOM: *Madame Smith (professeur de français)* ☎

ADRESSE: *McNeil University* ✉

NUMÉRO DE TÉLÉPHONE: *645-3458 (bureau)*

NUMÉRO DE PORTABLE: *919-0040*

ADRESSE E-MAIL: *absmith@yahoo.com*

NOTES: *Heures de bureau: 8h00–9h00*

NOM: *Skate World*

ADRESSE: *8970 McNeil Road*

NUMÉRO DE TÉLÉPHONE: *658-0349*

NUMÉRO DE PORTABLE: *–*

ADRESSE E-MAIL: *skate@skateworld.com*

NOTES: *––*

I CAN write a list including names, phone numbers, and basic information.

Panorama

Le monde francophone

Le monde francophone est vaste. Le français est parlé par presque° 300 millions de personnes dans le monde dans 106 pays° et territoires. C'est une langue officielle dans 32 États et gouvernements et dans beaucoup d'organisations internationales. Le français est étudié par plus de° 50 millions de personnes, et c'est la quatrième° langue sur Internet.

Organisation internationale de la Francophonie

La langue française est parlée...

- ▶ en Belgique
- ▶ au Cameroun
- ▶ au Canada
- ▶ en République Démocratique du Congo
- ▶ en Côte d'Ivoire
- ▶ au Gabon

- ▶ en Haïti
- ▶ à Madagascar
- ▶ au Sénégal
- ▶ en Suisse
- ▶ à Tahiti
- ▶ au Viêt-Nam

Francophones célèbres

- ▶ **Céline Dion**, Québec, chanteuse (1968–)
- ▶ **René Magritte**, Belgique, peintre° (1898–1967)
- ▶ **Ousmane Sembène**, Sénégal, cinéaste° et écrivain° (1923–2007)
- ▶ **Leïla Slimani**, Maroc, journaliste et écrivaine (1981–)

parlé par presque *spoken by almost* **pays** *countries* **étudié par plus de** *studied by more than* **quatrième** *fourth* **peintre** *painter* **cinéaste** *filmmaker* **écrivain** *writer*

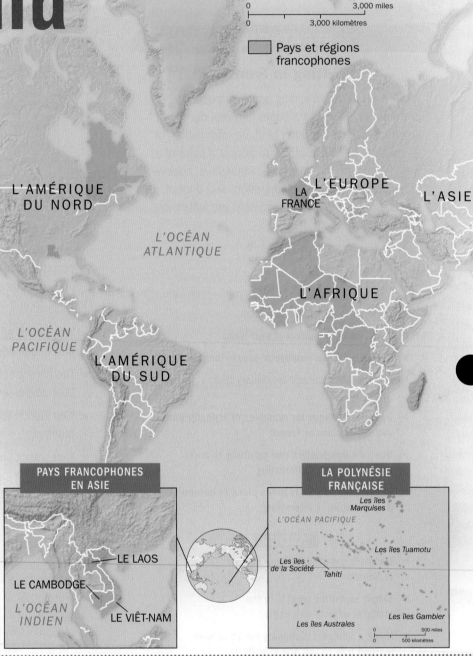

3,000 miles
3,000 kilomètres

☐ Pays et régions francophones

L'AMÉRIQUE DU NORD

L'EUROPE
LA FRANCE

L'ASIE

L'OCÉAN ATLANTIQUE

L'AFRIQUE

L'OCÉAN PACIFIQUE

L'AMÉRIQUE DU SUD

PAYS FRANCOPHONES EN ASIE

LE LAOS
LE CAMBODGE
L'OCÉAN INDIEN
LE VIÊT-NAM

LA POLYNÉSIE FRANÇAISE

Les îles Marquises
L'OCÉAN PACIFIQUE
Les îles Tuamotu
Les îles de la Société
Tahiti
Les îles Gambier
Les îles Australes

500 miles
500 kilomètres

ACTIVITÉS

1 **Les informations** Complete the sentences.

1. _____ de personnes parlent français dans le monde.
2. Le français est parlé dans _____ pays et territoires.
3. Le français est la quatrième langue sur _____.
4. _____ est un peintre belge.
5. _____ est une chanteuse québécoise.

2 **Assimilez** Answer the questions.

1. Are you surprised by any of the information presented here? Explain.
2. Do you know any other interesting facts or information about French language and culture?
3. Do you think the geographical distribution of the French language applies to the culture as well? Why or why not?
4. Why is French spoken in certain countries and not others? Choose one of the francophone countries or regions on the map and find out about the history of French in that area.

La société

Le français au Québec

Au Québec, province du Canada, le français est la langue officielle, parlée par 95% (quatre-vingt-quinze pour cent) de la population. Les Québécois veulent° préserver l'usage de la langue; l'affichage° en français est obligatoire dans les lieux° publics. Le français est aussi la langue co-officielle du Canada: les employés du gouvernement doivent° parler anglais et français.

Les destinations

Haïti, première République noire

En 1791, un ancien esclave°, Toussaint Louverture, organise une rébellion pour l'abolition de l'esclavage en Haïti, ancienne colonie française. Après avoir gagné° le combat, Toussaint Louverture se proclame° gouverneur de l'île d'Hispaniola (Haïti et Saint-Domingue) et abolit l'esclavage. Il est plus tard° capturé par l'armée française et renvoyé° en France. Son successeur, Jean-Jacques Dessalines, lui-même° ancien esclave, vainc° l'armée en 1803 et proclame l'indépendance d'Haïti en 1804. C'est la première République noire du monde et le premier pays occidental° à abolir l'esclavage.

ⓟ Les destinations

La Louisiane

Ce territoire au sud° des États-Unis a été nommé° «Louisiane» en l'honneur du Roi° de France Louis XIV. En 1803 (mille huit cent trois), Napoléon Bonaparte vend° la colonie aux États-Unis pour 15 millions de dollars, pour empêcher° son acquisition par les Britanniques. Aujourd'hui° en Louisiane, entre 150.000 et 200.000 personnes parlent° le français cajun. La Louisiane est connue° pour sa° cuisine cajun, comme° le jambalaya, ici sur° la photo.

Les traditions

La Journée° internationale de la Francophonie

Chaque année°, l'Organisation internationale de la Francophonie (O.I.F.) coordonne la Journée internationale de la Francophonie. Dans plus de 100 (cent) pays et sur cinq continents, on célèbre la langue française et la diversité culturelle francophone avec des festivals de musique, de gastronomie, de théâtre, de danse et de cinéma. Le rôle principal de l'O.I.F. est la promotion de la langue française et la défense de la diversité culturelle et linguistique du monde francophone.

INCROYABLE MAIS VRAI!

La langue française est une des rares langues à être parlées sur° cinq continents. C'est aussi la langue officielle de beaucoup d'organisations internationales comme° l'OTAN°, les Nations unies, l'Union européenne, et aussi les Jeux° Olympiques!

veulen *want* **l'affichage** *posting* **lieux** *places* **doivent** *must* **ancien esclave** *former slave* **Après avoir gagné** *After winning* **se proclame** *proclaims himself* **plus tard** *later* **renvoyé** *sent back* **lui-même** *himself* **vainc** *defeats* **pays occidental** *Western country* **au sud** *in the South* **a été nommé** *was named* **Roi** *King* **vend** *sells* **empêcher** *to prevent* **Aujourd'hui** *Today* **parlent** *speak* **connue** *known* **sa** *its* **comme** *such as* **sur** *in* **Journée** *Day* **Chaque année** *Each year* **parlées sur** *spoken on* **l'OTAN** *NATO* **Jeux** *Games*

---

3 **Vous avez compris?** Complete the sentences.

1. Au Canada, les employés du gouvernement doivent parler _____, les langues officielles du Canada.

2. _____ est responsable de la promotion de la diversité culturelle francophone.

3. Le français est parlé sur _____ continents.

4 **Chez vous** Does anyone celebrate **la Journée internationale de la Francophonie** in your community? Make a flyer to raise awareness of the event, which takes place every year on March 20. Collaborate and interact with others in your school to promote celebration of the French language and francophone cultural diversity in your own community. Use what you learned in this unit to engage and inform others.

I CAN identify francophone cultural products and practices and reflect on perspectives related to them.

Leçon 1A

Les présentations

Comment vous appelez-vous? (*form.*) *What is your name?*
Comment t'appelles-tu? (*fam.*) *What is your name?*
Enchanté(e). *Delighted.*
Et vous/toi? (*form./fam.*) *And you?*
Je m'appelle... *My name is...*
Je vous/te présente... (*form./fam.*) *I would like to introduce (name) to you.*

Identifier

c'est/ce sont *it's/they are*
Combien...? *How much/many...?*
ici *here*
là *there*
là-bas *over there*
Il y a... *There is/are...*
Qu'est-ce que c'est? *What is it/this/that?*
voici *here is/are*
voilà *there is/are*

Bonjour et au revoir

À bientôt. *See you soon.*
À demain. *See you tomorrow.*
À plus tard. *See you later.*
À tout à l'heure. *See you later.*
Au revoir. *Good-bye.*
Bonne journée! *Have a good day!*
Bonjour. *Good morning.; Hello.*
Bonsoir. *Good evening.; Hello.*
Salut! *Hi!; Bye!*

Expressions de politesse

De rien. *You're welcome.*
Excusez-moi. (*form.*) *Excuse me.*
Excuse-moi. (*fam.*) *Excuse me.*
Il n'y a pas de quoi. *It's nothing; You're welcome.*
Je vous en prie. (*form.*) *Please.; You're welcome.*
Merci beaucoup. *Thank you very much.*
Monsieur (M.) *Sir (Mr.)*
Madame (Mme) *Ma'am (Mrs.)*
Mademoiselle (Mlle) *Miss*
Pardon. *Pardon (me).*
S'il vous/te plaît. (*form./fam.*) *Please.*

Comment ça va?

Ça va? *What's up?; How are things?*
Comment allez-vous? (*form.*) *How are you?*
Comment vas-tu? (*fam.*) *How are you?*
Comme ci, comme ça. *So-so.*
Je vais bien/mal. *I am doing well/badly.*
Moi aussi. *Me too.*
Pas mal. *Not badly.*
Très bien. *Very well.*

Expressions utiles

See p. 7.

Le campus

une bibliothèque *library*
un café *café*
une faculté *university; faculty*
une librairie *bookstore*
un lycée *high school*
une université *university*
une différence *difference*
un examen *exam, test*
la littérature *literature*
un problème *problem*
la sociologie *sociology*
un bureau *desk; office*
un ordinateur *computer*
une table *table*
un tableau *blackboard; painting*
la télévision *television*
une chose *thing*
un instrument *instrument*
un objet *object*

Les personnes

un(e) ami(e) *friend*
un(e) étudiant(e) *student*
un(e) petit(e) ami(e) *boyfriend/girlfriend*
une personne *person*
un acteur/une actrice *actor*
un chanteur/une chanteuse *singer*
un professeur *teacher, professor*

Numbers 0–60

See p. 14.

Leçon 1B

Le campus

une salle de classe *classroom*
un dictionnaire *dictionary*
un livre *book*
un résultat *result*
une carte *map*
une chaise *chair*
une fenêtre *window*
une horloge *clock*
une porte *door*
un cahier *notebook*
une calculatrice *calculator*
une corbeille (à papier) *wastebasket*
un crayon *pencil*
une feuille de papier *sheet of paper*
une montre *watch*
un sac à dos *backpack*
un stylo *pen*

Les personnes

un(e) camarade de chambre *roommate*
un(e) camarade de classe *classmate*
une classe *class (group of students)*
un copain/une copine (*fam.*) *friend*
un(e) élève *pupil, student*
une femme *woman*
une fille *girl*
un garçon *boy*
un homme *man*

Identifier

Qui est-ce? *Who is it?*
Quoi? *What?*

Expressions utiles

See p. 25.

Subject pronouns

See p. 28.

Être

See p. 29.

Descriptive adjectives

agréable *pleasant*
amusant(e) *fun*
brillant(e) *brilliant*
charmant(e) *charming*
désagréable *unpleasant*
différent(e) *different*
difficile *difficult*
égoïste *selfish*
élégant(e) *elegant*
impatient(e) *impatient*
important(e) *important*
indépendant(e) *independent*
intelligent(e) *intelligent*
intéressant(e) *interesting*
occupé(e) *busy*
optimiste *optimistic*
patient(e) *patient*
pessimiste *pessimistic*
poli(e) *polite*
réservé(e) *reserved*
sincère *sincere*
sociable *sociable*
sympathique (sympa) *nice*
timide *shy*

Adjectives of nationality

algérien(ne) *Algerian*
allemand(e) *German*
américain(e) *American*
anglais(e) *English*
canadien(ne) *Canadian*
espagnol(e) *Spanish*
français(e) *French*
italien(ne) *Italian*
japonais(e) *Japanese*
marocain(e) *Moroccan*
martiniquais(e) *from Martinique*
mexicain(e) *Mexican*
québécois(e) *from Quebec*
sénégalais(e) *Senegalese*
suisse *Swiss*
vietnamien(ne) *Vietnamese*

Communicative Goals: Review

I CAN greet people appropriately, identify myself and others, and say good-bye.
- Write a text message where you greet a new classmate, introduce yourself, and then say good-bye.

I CAN name and describe people and things.
- Write three sentences about what people and items there are in your classroom.

I CAN investigate greetings in francophone communities.
- Describe a francophone cultural product or practice related to greetings and compare the perspectives around it to attitudes in your own culture.

À la fac

Communicative Goals
You will learn how to:
- Talk about classes and your schedule
- Ask and answer questions about daily activities
- Investigate university life in francophone cultures

Pour commencer
- What are these people looking at?
  a. un cahier   b. un ordinateur   c. un dictionnaire
- How do these people look in the photo?
  a. intelligentes   b. sociables   c. égoïstes
- Which word describes what they are doing?
  a. arriver   b. voyager   c. étudier

Vocabulary Tutorials

Les cours

Vocabulaire

J'aime bien...	I like...
Je n'aime pas tellement...	I don't like... very much
être reçu(e) à un examen	to pass an exam
l'art (*m.*)	art
la chimie	chemistry
le droit	law
l'éducation physique (*f.*)	physical education
la géographie	geography
la gestion	business administration
les lettres (*f.*)	humanities
la philosophie	philosophy
les sciences (politiques / po) (*f.*)	(political) science
une bourse	scholarship, grant
un cours	class, course
un devoir; les devoirs	homework
un diplôme	diploma, degree
l'école (*f.*)	school
les études (supérieures) (*f.*)	(higher) education; studies
le gymnase	gymnasium
une note	grade
un restaurant universitaire (un resto U)	university cafeteria
difficile	difficult
facile	easy
inutile	useless
utile	useful
surtout	especially; above all

la biologie

l'architecture (*f.*)

Je déteste la physique! (détester)

J'adore le stylisme de mode! (adorer)

le stylisme de mode

la physique

E=MC²

les mathématiques (*f.*)

x = 2+2   3(x+2)/(a-b)

l'informatique (*f.*)

C++

Mise en pratique

1 Écoutez Listen to the conversation between Aurélie and Hassim, then indicate which person is most likely to use the books listed below: Aurélie (**A**), Hassim (**H**), both (**A & H**), or neither (**X**).

1. informatique et statistiques _____
2. l'économie de la France _____
3. l'architecture japonaise _____
4. histoire de France _____
5. études freudiennes _____
6. la géographie de l'Europe _____
7. l'italien, c'est facile! _____
8. le droit international _____

2 Associez Which classes, activities, or places do you associate with these words?

1. ____ manger (*eating*)
2. ____ un ordinateur
3. ____ le français
4. ____ une calculatrice
5. ____ le sport
6. ____ Aristote
7. ____ E=MC²
8. ____ Napoléon

a. les mathématiques
b. la physique
c. l'histoire
d. un restaurant universitaire
e. l'informatique
f. l'éducation physique
g. la biologie
h. la philosophie
i. les langues étrangères
j. l'art

3 Conversez Complete the conversation by filling in the blanks according to your own situation.

— Salut, comment ça va?

— _____

— Ça va très bien, merci. Est-ce que tu aimes le cours de maths?

— _____

— Moi aussi. Tu aimes l'histoire?

— _____

— Pourquoi?

— _____

— Mon cours préféré (*favorite*) est le français. Et toi?

— _____

— Bon, à bientôt.

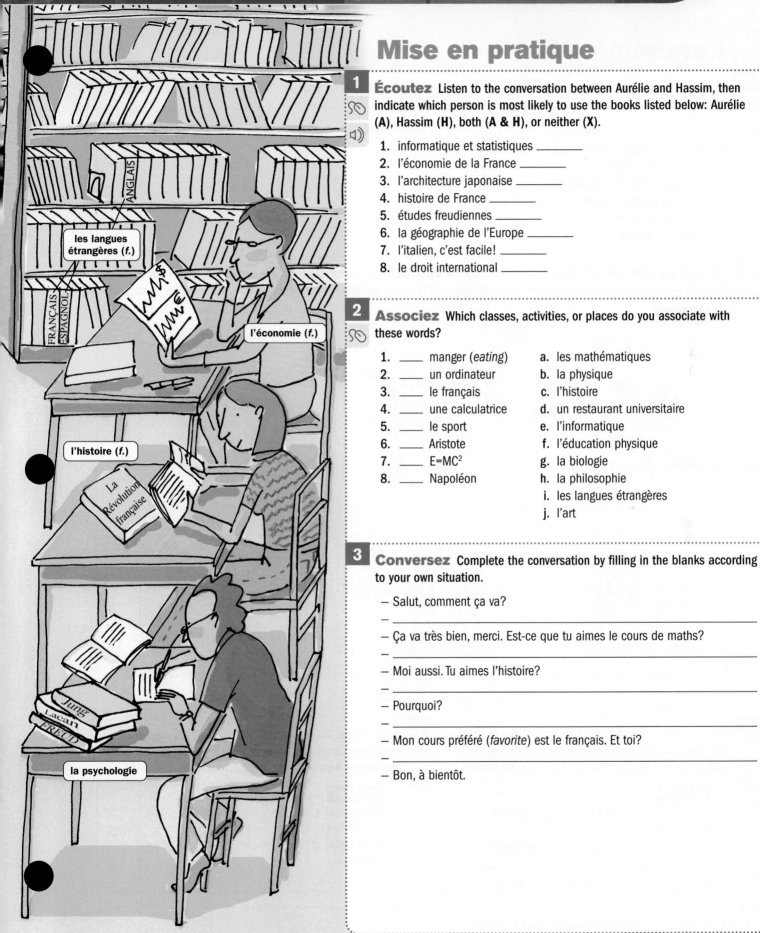

les langues étrangères (f.)

ANGLAIS

FRANÇAIS

ESPAGNOL

l'économie (f.)

l'histoire (f.)

La Révolution française

la psychologie

Jung

Lacan

FREUD

Communication

4 **Et toi?** Read each statement and indicate whether it is **vrai** or **faux** based on your own opinion. Then, compare your answers with a classmate. Do you mostly agree or disagree? Discuss your results with the class.

	Vrai	Faux
1. Je déteste manger au restaurant universitaire.	☐	☐
2. La mode, c'est inutile.	☐	☐
3. La chimie, c'est un cours difficile.	☐	☐
4. Je déteste les sciences po.	☐	☐
5. Je n'aime pas tellement l'art.	☐	☐
6. J'adore les langues étrangères.	☐	☐

5 **Qu'est-ce que c'est?** Write a caption for each image, stating where the students are and how they feel about their classes. Then, in small groups, take turns reading your captions out loud and guessing which image they refer to.

MODÈLE
C'est le cours de français.
Le français, c'est facile.

Nietzsche, philosophe allemand…

1. _____

2. _____

3. _____

4. _____

5. _____

6. _____

6 **Vous êtes…** Imagine what subjects these celebrities liked and disliked as students. In pairs, take turns playing the role of each one and guessing the answer.

MODÈLE
Étudiant(e) 1: J'aime la physique et la chimie.
Étudiant(e) 2: Vous êtes Marie Curie!

- Coco Chanel
- Vincent Van Gogh
- Frank Lloyd Wright
- Neil deGrasse Tyson
- Bill Gates
- Serena Williams

7 **Sondage** Your instructor will give you a worksheet to conduct a survey (**un sondage**). Go around the room to find people who study the subjects listed.

MODÈLE
Étudiant(e) 1: Jean, est-ce que tu étudies (do you study) le droit?
Étudiant(e) 2: Oui. J'aime bien le droit. C'est un cours utile.

I CAN identify words and phrases related to academic life.

Les sons et les lettres

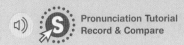

Pronunciation Tutorial
Record & Compare

Liaisons

In French, the final sound of a word sometimes links with the first letter of the following word. Consonants at the end of French words are generally silent but are usually pronounced when the word that follows begins with a vowel sound. This linking of sounds is called a liaison.

À tout à l'heure!   Comment allez-vous?

An **s** or an **x** in a liaison sounds like the letter **z**.

les étudiants   trois élèves   six élèves   deux hommes

Always make a liaison between a subject pronoun and a verb that begins with a vowel sound; always make a liaison between an article and a noun that begins with a vowel sound.

nous aimons   ils ont   un étudiant   les ordinateurs

Always make a liaison between **est** (a form of **être**) and a word that begins with a vowel or a vowel sound. Never make a liaison with the final consonant of a proper name.

Robert est anglais.   Paris est exceptionnelle.

Never make a liaison with the conjunction **et** (*and*).

Carole et Hélène   Jacques et Antoinette

Never make a liaison between a singular noun and an adjective that follows it.

un cours horrible   un instrument élégant

Prononcez Practice saying these words and expressions aloud.

1. un examen
2. des étudiants
3. les hôtels
4. dix acteurs
5. Paul et Yvette
6. cours important
7. des informations
8. les études
9. deux hommes
10. Bernard aime
11. chocolat italien
12. Louis est

Un hôte non invité doit apporter son siège.[2]

Articulez Practice saying these sentences aloud.

1. Nous aimons les arts.
2. Albert habite à Paris.
3. C'est un objet intéressant.
4. Sylvie est avec Anne.
5. Ils adorent les deux universités.

Dictons Practice reading these sayings aloud.

Les amis de nos amis sont nos amis.[1]

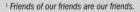

[1] *Friends of our friends are our friends.*

[2] *An uninvited guest must bring his own chair.*

ROMAN-PHOTO

Trop de devoirs!

Video: *Roman-photo*
Record & Compare

PERSONNAGES

Amina

Antoine

David

Rachid

Sandrine

Stéphane

ANTOINE Je déteste le cours de sciences po.
RACHID Oh? Mais pourquoi? Je n'aime pas tellement le prof, Monsieur Dupré, mais c'est un cours intéressant et utile!
ANTOINE Tu crois? Moi, je pense que c'est très difficile, et il y a beaucoup de devoirs. Avec Dupré, je travaille, mais je n'ai pas de bons résultats.

RACHID Si on est optimiste et si on travaille, on est reçu à l'examen.
ANTOINE Toi, oui, mais pas moi! Toi, tu es un étudiant brillant! Mais moi, les études, oh, là, là.
DAVID Eh! Rachid! Oh! Est-ce que tu oublies ton coloc?

RACHID Pas du tout, pas du tout. Antoine, voilà, je te présente David, mon colocataire américain.
DAVID Nous partageons un des appartements du P'tit Bistrot.
ANTOINE Le P'tit Bistrot? Sympa!

SANDRINE Salut! Alors, ça va l'université française?
DAVID Bien, oui. C'est différent de l'université américaine, mais c'est intéressant.
AMINA Tu aimes les cours?
DAVID J'aime bien les cours de littérature et d'histoire françaises. Demain on étudie *Les Trois Mousquetaires* d'Alexandre Dumas.

SANDRINE J'adore Dumas. Mon livre préféré, c'est *Le Comte de Monte-Cristo*.
RACHID Sandrine! S'il te plaît! *Le Comte de Monte-Cristo*?
SANDRINE Pourquoi pas? Je suis chanteuse, mais j'adore les classiques de la littérature.
DAVID Donne-moi le sac à dos, Sandrine.

Au P'tit Bistrot...

RACHID Moi, j'aime le cours de sciences po, mais Antoine n'aime pas Dupré. Il pense qu'il donne trop de devoirs.

ACTIVITÉS

1 **Vrai ou faux?** Indicate whether each statement is **vrai** or **faux** based on the episode.

1. Rachid et Antoine n'aiment pas le professeur Dupré.
2. Antoine aime bien le cours de sciences po.
3. L'université française est différente de l'université américaine.
4. Stéphane aime la chimie.
5. Antoine a (*has*) beaucoup de devoirs.

2 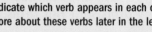 **Indiquez** Read the sentences from the episode and indicate which verb appears in each one. You will learn more about these verbs later in the lesson.

1. Rachid! Oh! Est-ce que tu oublies ton coloc?
2. Nous partageons un des appartements du P'tit Bistrot.
3. Donne-moi le sac à dos.
4. Moi, j'étudie l'anglais.

    a. donner (*give*)
    b. étudier (*study*)
    c. oublier (*forget*)
    d. partager (*share*)

Antoine, David, Rachid et Stéphane parlent (*talk*) de leurs (*their*) cours.

RACHID Ah... on a rendez-vous avec Amina et Sandrine. On y va?

DAVID Ah, oui, bon, ben, salut, Antoine!

ANTOINE Salut, David. À demain, Rachid!

SANDRINE Bon, Pascal, au revoir, chéri.

RACHID Bonjour, chérie. Comme j'adore parler avec toi au téléphone! Comme j'adore penser à toi!

STÉPHANE Dupré? Ha! C'est Madame Richard, mon prof de français. Elle, elle donne trop de devoirs.

AMINA Bonjour, comment ça va?

STÉPHANE Plutôt mal. Je n'aime pas Madame Richard. Je déteste les maths. La chimie n'est pas intéressante. L'histoire-géo, c'est l'horreur. Les études, c'est le désastre!

DAVID Le français, les maths, la chimie, l'histoire-géo... mais on n'étudie pas les langues étrangères au lycée en France?

STÉPHANE Si, malheureusement! Moi, j'étudie l'anglais. C'est une langue très désagréable! Oh, non, non, ha, ha, c'est une blague, ha, ha. L'anglais, j'adore l'anglais. C'est une langue charmante....

---

3 **Observez** Answer the following questions.

1. What are some of the courses the characters take? How does your course load compare to theirs?

2. How do the discussions of courses in this episode compare to discussions you have with your classmates about schoolwork? Do you share similar concerns and attitudes with the characters?

4 **Conversez** In small groups, create a short skit similar to the scenes in video stills six through ten in which you discuss your own classes and opinions. Act out the skit for the class using props, or film it and post it online.

I CAN understand short conversations about school and studies.

ACTIVITÉS

 Video: *Flash culture*

CULTURE À LA LOUPE

À l'université

SORBONNE

At the end of high school, French students take an exam to determine if they may continue on to study in a university. Some French universities are city-based, lacking campuses and offering few extra-curricular activities like organized sports. Others boast both a more defined campus and a great number of student **associations**. Many students live with their families, but others live in a **résidence universitaire**, or in an apartment.

In 1999, 29 European countries, including France, decided to reform their university systems in order to create a more uniform European system. France began implementing these reforms in 2005. As a result, French students' degrees (**diplômes**) are now accepted in most European countries. It is also easier for French students to study in other European countries for a semester, and for other European students to study in France, because studies are now organized by semesters. Students are awarded a **Licence°** after six semesters (usually three years). If they continue their studies, they can earn a **Master°** after the fifth year and then proceed to a **Doctorat°**. If students choose technical studies, they receive a **BTS (Brevet de Technicien Supérieur)** after two years.

In addition to universities, France has an extremely competitive, elite branch of higher education called **les grandes écoles°**. These schools train most of the high-level administrators, scientists, businesspeople, and engineers in the country. There are about 300 of them, including **ENA (École Nationale d'Administration)**, **HEC (Hautes° Études Commerciales)**, and **IEP (Institut d'Études Politiques, «Sciences Po»)**.

Licence *the equivalent of a Bachelor's degree* Master *Master's degree* Doctorat *Ph.D.* grandes écoles *competitive, prestigious university-level schools* Hautes *High*

STRATÉGIE

Personal experiences

New words and concepts in French won't catch you off guard if you associate them with something you've experienced personally. Use what you infer about a reading's topic from studying the photos, titles, and captions on the page, and consider your own experiences in that area. Later, as you read the selection carefully and understand the topic better, continue making associations and comparisons drawn from personal experiences.

1 **C'est vrai?** Indicate whether each statement is **vrai** or **faux**. Correct the false statements.

1. French universities don't have extra-curricular activities.
2. French university students can earn a **Licence** after only three years of study.
3. A **BTS** is a degree in technical studies.
4. The **grandes écoles** are less competitive than universities.
5. The **grandes écoles** train high-level engineers.

2 **Réfléchissez** Answer the following questions.

1. Describe French university degrees. What are they called and how long does it take to earn each one?
2. What are the **grandes écoles** and what do students study at them? Can you think of any similar institutions in your country?
3. Based on the information in the reading, how does the French higher education system compare to your own? How do attitudes around higher education in your culture compare to attitudes in French culture?

Étudiants dans les grandes écoles en France

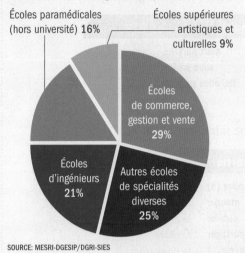

Écoles paramédicales (hors université) 16%

Écoles supérieures artistiques et culturelles 9%

Écoles de commerce, gestion et vente 29%

Écoles d'ingénieurs 21%

Autres écoles de spécialités diverses 25%

SOURCE: MESRI-DGESIP/DGRI-SIES

LE MONDE FRANCOPHONE

Le lycée

Le «lycée» n'existe pas partout°.

En Afrique francophone, on utilise les termes de *lycée*, d'*athénée* et de *baccalauréat*.

En Belgique, le lycée public s'appelle une *école secondaire* ou un *athénée*. Un lycée privé° s'appelle un *collège*.

En Suisse, les lycées s'appellent *gymnases*, *écoles préparant à la maturité* ou *écoles de culture générale*. Les élèves reçoivent° un certificat du secondaire II.

- Comment s'appellent les différents lycées dans votre communauté? Qu'est-ce que ces noms signifient?

partout *everywhere* **lycée privé** *private high school* **reçoivent** *receive*

PORTRAIT

Immersion française au Canada

UNIVERSITÉ LAVAL
École d'architecture

Au Canada, l'anglais et le français sont les langues officielles, mais le Nouveau-Brunswick est la seule province officiellement bilingue. Juste 18% des Canadiens parlent le français et l'anglais. Pourtant°, il existe plusieurs° programmes d'immersion française qui encouragent le bilinguisme dans le pays. Certains élèves° d'école primaire ou secondaire (lycée) choisissent de suivre tous leurs cours° en français. Au Nouveau-Brunswick, 32% des élèves font leurs études en français. Au Québec, une province majoritairement francophone, mais qui a une communauté anglophone importante, 22% des élèves sont inscrits° dans un programme d'immersion française.

Il y a aussi des programmes d'immersion similaires pour les études supérieures, comme par exemple le «Français pour non-francophones» à l'Université Laval au Québec. Fondée° au XVIIᵉ (dix-septième) siècle° à Québec, l'Université Laval est l'université francophone la plus ancienne° du continent américain. Les études offertes sont diverses et d'excellente qualité: les sciences humaines, la littérature, la musique, la foresterie, les technologies, l'horticulture, et même° l'education physique!

Pourtant *However* **plusieurs** *several* **Certains élèves** *Some students* **tous leurs cours** *all of their classes* **sont inscrits** *are enrolled* **Fondée** *Founded* **siècle** *century* **la plus ancienne** *the oldest* **même** *even*

Comparaisons

In French, the suffix **-ième** can be added to most numerals to make them into ordinal numbers. It is abbreviated using a superscript **-e**, as seen in the reading. For example: 4e (quatrième) = 4th.

- Can you come up with another ordinal number in French based on this explanation? How do French ordinal numbers compare to English ones?

---

3 **Vrai ou faux?** Indicate whether each statement is **vrai** or **faux**.

1. En France, la majorité des étudiants étudient dans les universités.
2. En Afrique francophone, on n'utilise jamais (*never*) le terme *lycée*.
3. Les langues officielles au Canada sont l'anglais et le français.
4. Québec est la seule province canadienne officiellement bilingue.
5. L'Université Laval offre une grande diversité de cours.

4 **Les cours** Research francophone universities around the world and choose two to investigate further. Make a list in French of at least five courses taught at each. How do they compare to the courses offered at your institution? Are there any courses you would be interested in taking?

A C T I V I T É S

I CAN identify and reflect on cultural products and practices related to education in my own and other cultures.

STRUCTURES

2A.1 Present tense of regular -er verbs · Ⓢ Grammar Tutorial

- The infinitives of most French verbs end in **-er**. To form the present tense of regular **-er** verbs, drop the **-er** from the infinitive and add the corresponding endings for the different subject pronouns. This chart demonstrates how to conjugate regular **-er** verbs.

parler (to speak)			
je parle	*I speak*	**nous parlons**	*we speak*
tu parles	*you speak*	**vous parlez**	*you speak*
il/elle/on parle	*he/she/it/one speaks*	**ils/elles parlent**	*they speak*

- Here are some other verbs that are conjugated the same way as **parler**.

Common -er verbs			
adorer	*to love; to adore*	**habiter (à)**	*to live (in)*
aimer	*to like; to love*	**manger**	*to eat*
aimer mieux	*to prefer (to like better)*	**oublier**	*to forget*
arriver	*to arrive*	**partager**	*to share*
chercher	*to look for*	**penser (que/qu'...)**	*to think (that...)*
commencer	*to begin, to start*	**regarder**	*to look (at)*
dessiner	*to draw; to design*	**rencontrer**	*to meet*
détester	*to hate*	**retrouver**	*to meet up with; to find (again)*
donner	*to give*	**travailler**	*to work*
étudier	*to study*	**voyager**	*to travel*

- Note that **je** becomes **j'** when it appears before a verb that begins with a vowel sound.

  J'habite à Bruxelles.
  I live in Brussels.

  J'étudie la psychologie.
  I study Psychology.

- With the verbs **adorer**, **aimer**, and **détester**, use the definite article before a noun to tell what someone loves, likes, prefers, or hates.

  J'aime mieux **l'**art.
  I prefer art.

  Marine déteste **les** devoirs.
  Marine hates homework.

- Use infinitive forms after the verbs **adorer**, **aimer**, and **détester** to say that you like (or hate, etc.) to do something. Only the first verb should be conjugated.

  Ils **adorent travailler** ici.
  They love to work here.

  Ils **détestent étudier** ensemble.
  They hate to study together.

- The present tense in French can be translated in different ways in English. The English equivalent for a sentence depends on its context.

  Éric et Nadine **étudient** le droit.
  Éric and Nadine study law.

  Éric and Nadine are studying law.

  Éric and Nadine do study law.

  Nous **travaillons** à Paris.
  We work in Paris.

  We are working in Paris.

  We do work in Paris.

- Sometimes the present tense can be used to indicate an event in the near future, in which case it can be translated using *will* in English.

  Je **retrouve** le professeur demain.
  I will meet up with the professor tomorrow.

  Elles **arrivent** à Dijon demain.
  They will arrive in Dijon tomorrow.

🔧 Boîte à outils

To express yourself with greater accuracy, use these adverbs: **assez** (*enough*), **d'habitude** (*usually*), **de temps en temps** (*from time to time*), **parfois** (*sometimes*), **quelquefois** (*sometimes*), **rarement** (*rarely*), **souvent** (*often*), **toujours** (*always*).

- Verbs ending in **-ger** (**manger, partager, voyager**) and **-cer** (**commencer**) have a spelling change in the **nous** form, which is made in order to maintain the same sound that the **c** and the **g** make in the infinitives **commencer** and **manger**. All the other forms are the same as regular **-er** verbs.

manger
je mange
tu manges
il/elle/on mange
nous mangeons
vous mangez
ils/elles mangent

commencer
je commence
tu commences
il/elle/on commence
nous commençons
vous commencez
ils/elles commencent

Nous **voyageons** avec une amie.
We are traveling with a friend.

Nous **commençons** les devoirs.
We are starting the homework.

- Unlike the English *to look for,* the French **chercher** requires no preposition before the noun that follows it.

Nous **cherchons les stylos**.
We are looking for the pens.

Vous **cherchez la montre**?
Are you looking for the watch?

Est-ce que tu oublies ton coloc?

Nous partageons un des appartements du P'tit Bistrot.

Essayez! Complete the sentences with the correct present tense forms of the verbs.

1. Je ___*parle*___ (parler) français en classe.
2. Nous _____ (habiter) près de (*near*) l'université.
3. Ils _____ (aimer) le cours de sciences politiques.
4. Vous _____ (manger) en classe?!
5. Le cours _____ (commencer) à huit heures (*at eight o'clock*).
6. Marie-Claire _____ (chercher) un stylo.
7. Nous _____ (partager) un crayon en cours de maths.
8. Tu _____ (étudier) l'économie.
9. Les élèves _____ (voyager) en France.
10. Nous _____ (adorer) le prof d'anglais.
11. Je _____ (rencontrer) Laure parfois au gymnase.
12. Tu _____ (donner) des cours de musique?

STRUCTURES

Mise en pratique

1 **Complétez** Complete the conversation with the correct forms of the verbs.

ARTHUR Tu (1) _____ (parler) bien français!

OLIVIER Mon colocataire Marc et moi, nous (2) _____ (retrouver) un professeur de français et nous (3) _____ (étudier) ensemble. Et toi, tu (4) _____ (travailler)?

ARTHUR Non, j' (5) _____ (étudier) l'art et l'économie. Je (6) _____ (dessiner) bien et j' (7) _____ (aimer) beaucoup l'art moderne. Marc et toi, vous (8) _____ (habiter) à Paris?

2 **Phrases** Form sentences using the words provided. Conjugate the verbs and add any necessary words.

1. je / oublier / devoir de littérature
2. nous / commencer / études supérieures
3. vous / rencontrer / amis / à / fac / ?
4. Hélène / détester / travailler
5. tu / chercher / cours / facile
6. élèves / arriver / avec / dictionnaires

3 **Après l'école** Say what these people are doing after (**après**) school.

▶ **MODÈLE**

Nathalie cherche un livre.

1. André _____ à la bibliothèque.

2. Édouard _____ Caroline au café.

3. Jérôme et moi, nous _____.

4. Julien et Audrey _____ avec Simon.

5. Robin et toi, vous _____ avec la classe.

6. Je _____.

4 **Le verbe logique** Complete the following sentences logically with the correct form of an –er verb.

1. Je _____ la gestion. C'est très difficile!
2. Qu'est-ce que tu _____ dans le sac à dos?
3. Nous _____ souvent au resto U.
4. Tristan et Irène _____ toujours les clés (*keys*).
5. Le film _____ dans dix minutes.
6. Yves et toi, vous _____ que Martine est charmante?
7. M. et Mme Legrand _____ à Paris.
8. On n'aime pas _____ la télévision.

Communication

5 **Activités** Which of these activities do you and your partner both do? Ask each other questions to determine which activities you both do, and take notes. Then, report the results to the class and see which activities are most popular overall. Use **tous** (*m.*)/**toute**s (*f.*) **les deux** (*both of us*) to tell the class what you both do.

> **MODÈLE**
>
> **Étudiant(e) 1:** *Moi, je mange au resto U. Et toi?*
> **Étudiant(e) (2):** *Moi aussi, je mange au resto U.*
> **Étudiant(e) 1:** *Alors, nous mangeons tous les deux au resto U.*

manger au resto U	étudier la philosophie
partager un appartement	étudier à la bibliothèque
retrouver des amis	dessiner en classe
au café	partager vos notes de cours
travailler	

6 **Les études** Which of these academic subjects do you prefer? Rank them in order according to your preferences. Your partner will ask you questions to find out how you ranked them. Then switch roles and figure out your partner's ranking. Use **adorer**, **aimer (mieux)**, and **détester**. Gather results for the whole class and summarize the data together.

> **MODÈLE**
>
> **Étudiant(e) 1:** *Tu aimes la chimie?*
> **Étudiant(e) 2:** *Non, je déteste la chimie. J'aime mieux les langues.*
> **Étudiant(e) 1:** *Moi aussi... J'adore les langues.*

l'histoire
la science
la littérature
les mathématiques
les langues étrangères

7 **Un sondage** In groups of three, survey your partners to find out how frequently they do certain activities. First, prepare a chart with a list of eight activities. Then take turns asking your partners how often they do each one, and record each person's response. Gather all of your data and figure out your group's average for each activity. Compare results with another group.

> **MODÈLE**
>
> **Étudiant(e) 1:** *Moi, je dessine rarement. Et toi?*
> **Étudiant(e) 2:** *Moi aussi, je dessine rarement.*
> **Étudiant(e) 3:** *Moi, je dessine parfois.*

Activité	souvent	parfois	rarement
dessiner		Sara	David Clara
voyager	Clara David Sara		

8 **Adorer, aimer, détester** In groups of four, ask each other if you like to do these activities. Then, use adjectives to tell why you like them or not.

> **MODÈLE**
>
> **Étudiant(e) 1:** *Tu aimes voyager?*
> **Étudiant(e) 2:** *Oui, j'adore voyager. C'est amusant! Je voyage souvent.*
> **Étudiant(e) 3:** *Moi, je déteste voyager. C'est désagréable! Je voyage rarement.*

dessiner	regarder la télévision
étudier le week-end	retrouver des amis
manger au restaurant	travailler à la bibliothèque
parler avec les professeurs	voyager

> **I CAN** discuss daily actions and activities.

STRUCTURES

2A.2

Forming questions and expressing negation

Point de départ You have already learned how to make statements about yourself and others. Now you will learn how to ask questions, which are important for gathering information, and how to make statements and questions negative.

Forming questions

Grammar Tutorial

- There are four principal ways to ask a question in French. The first and simplest way to ask a question when speaking is to make a statement but with rising intonation. In writing, simply put a question mark at the end. This method is considered informal.

  Vous habitez à Bordeaux?
  You live in Bordeaux?

  Tu aimes le cours de français?
  You like French class?

- A second way is to place the phrase **Est-ce que...** directly before a statement. This turns it into a question. If the next word begins with a vowel sound, use **Est-ce qu'**. Questions with **est-ce que** are somewhat formal.

  Est-ce que vous parlez français?
  Do you speak French?

  Est-ce qu'il aime dessiner?
  Does he like to draw?

- A third way is to end a statement with a tag question, such as **n'est-ce pas?** (*isn't that right?*) or **d'accord?** (*OK?*). This method can be formal or informal.

  Nous mangeons à midi, **n'est-ce pas**?
  We eat at noon, don't we?

  On commence à deux heures, **d'accord**?
  We're starting at two o'clock, OK?

- A fourth way is to invert the order of the subject pronoun and the verb and place a hyphen between them. If the verb ends in a vowel and the subject pronoun begins with one (e.g., **il**, **elle**, or **on**), insert -**t**- between the verb and the pronoun to make pronunciation easier. Inversion is considered more formal.

  Vous parlez français.
  You speak French.

  Parlez-vous français?
  Do you speak French?

  Il mange avec Jules.
  He's eating with Jules.

  Mange-t-il avec Jules?
  Is he eating with Jules?

- Only subject pronouns can be inverted. If the subject is a noun rather than a pronoun, place the noun at the beginning of the question followed by the inverted verb and pronoun.

  Les étudiants mangent au restaurant.
  The students are eating at a restaurant.

  Les étudiants mangent-ils au restaurant?
  Are the students eating at a restaurant?

  Nina arrive demain.
  Nina arrives tomorrow.

  Nina arrive-t-elle demain?
  Does Nina arrive tomorrow?

- The inverted form of **il y a** is **y a-t-il**. **C'est** becomes **est-ce**.

  Y a-t-il une horloge dans la classe?
  Is there a clock in the class?

  Est-ce le professeur de lettres?
  Is he the humanities professor?

- Use **pourquoi** to ask *why?* Use **parce que** (**parce qu'** before a vowel sound) to answer *because*.

  Pourquoi retrouves-tu Sophie ici?
  Why are you meeting Sophie here?

  Parce qu'elle habite près d'ici.
  Because she lives near here.

- You can use **est-ce que** after **pourquoi** to form a question. With **est-ce que**, you don't use inversion.

  Pourquoi détestes-tu la chimie?
  Why do you hate Chemistry?

  Pourquoi est-ce que tu détestes la chimie?
  Why do you hate Chemistry?

> **⚙ Boîte à outils**
>
> You can use any question word before **est-ce que**.
> Example: **Que** as in **Qu'est-ce que c'est?**

Expressing negation

- To make a sentence negative in French, place **ne** (**n'** before a vowel sound) before the conjugated verb and **pas** after it.

  Je **ne dessine pas** bien.
  I don't draw well.

  Elles **n'étudient pas** la chimie.
  They don't study Chemistry.

- In the construction [*conjugated verb + infinitive*], **ne** (**n'**) comes before the conjugated verb and **pas** after it.

  Abdel **n'aime pas étudier**.
  Abdel doesn't like to study.

  Vous **ne détestez pas travailler**?
  You don't hate to work?

- In questions with inversion, place **ne** before the inversion and **pas** after it.

  Abdel **n'aime-t-il pas** étudier?
  Doesn't Abdel like to study?

  Ne détestez-vous pas travailler?
  Don't you hate to work?

- Use these expressions to respond to a statement or a question that requires a *yes* or *no* answer.

Expressions of agreement and disagreement

oui	*yes*	**(mais) non**	*no (but of course not)*
bien sûr	*of course*	**pas du tout**	*not at all*
moi/toi non plus	*me/you neither*	**peut-être**	*maybe, perhaps*

  Vous mangez souvent au resto U?
  Do you eat often in the cafeteria?

  Non, pas du tout.
  No, not at all.

- Use **si** instead of **oui** to contradict a negative question.

  Ne parles-tu pas à Daniel?
  Aren't you talking to Daniel?

  Si!
  Yes (I am)!

Essayez! Rewrite these statements as questions using **est-ce que**.

1. Vous mangez au resto U. _Est-ce que vous mangez au resto U?_____
2. Ils adorent les devoirs. _____
3. La biologie est difficile. _____
4. Tu travailles. _____

Rewrite these statements as questions using inversion.

5. Vous arrivez demain. _Arrivez-vous demain?_____
6. L'étudiante oublie le livre. _____
7. La physique est utile. _____
8. Il y a deux salles de classe. _____

STRUCTURES

Mise en pratique

1 **L'inversion** Restate the questions using inversion.

1. Est-ce que vous parlez espagnol?
2. Est-ce qu'il étudie à Paris?
3. Est-ce qu'ils voyagent avec des amis?
4. Est-ce que tu aimes les cours de langues?
5. Est-ce que le professeur parle anglais?
6. Est-ce que les étudiants aiment dessiner?

2 **Mais non!** Rewrite these statements in the negative using **ne/n'** and **pas**.

1. Elle adore l'éducation physique.
2. Jack et Enzo partagent la télévision.
3. Nous dessinons bien.
4. Sandra mange ici.
5. Mes camarades de classe étudient beaucoup.
6. Vous voyagez en France.

3 **N'est-ce pas?** Ask a question using inversion based on the elements provided. Put them in the correct order and make all necessary changes.

> **MODÈLE**
>
> il / ne / regarder / pas / le tableau
> *Ne regarde-t-il pas le tableau?*

1. tu / ne / aimer / pas / la chimie
2. nous / ne / être / pas / agréable
3. elle / ne / étudier
4. Sylvie et Anne / ne / voyager / pas
5. vous / ne / partager / pas
6. ils / ne / dessiner / pas / bien

4 **Les questions** Ask the questions that correspond to these answers. Provide both an **est-ce que/qu'** question and an inversion question for each item.

> **MODÈLE**
>
> Nous habitons sur le campus.
> *Est-ce que vous habitez sur le campus? / Habitez-vous sur le campus?*

1. Il mange au resto U.
2. J'oublie les examens.
3. François déteste les maths.
4. Nous adorons voyager.
5. Les cours ne commencent pas demain.
6. Les étudiantes arrivent en classe.

Communication

5 **Au café** In pairs, take turns asking and answering questions about the drawing. Use verbs from the list.

MODÈLE

Étudiant(e) 1: *Monsieur Laurent parle à Madame Martin, n'est-ce pas?*
Étudiant(e) 2: *Mais non. Il déteste parler!*

Anne et Sylvie Didier André

Madame Martin Monsieur Laurent

arriver	manger
chercher	oublier
dessiner	partager
étudier	rencontrer

6 **Questions** Get to know your partner by asking questions based on the cues provided. Modify or add elements as needed. Then, give a 1-minute presentation to tell the class what you found out about your partner. Modify or add elements as needed.

MODÈLE aimer / l'art

Étudiant(e) 1: *Est-ce que tu aimes l'art?*
Étudiant(e) 2: *Oui, j'adore l'art.*

1. habiter / à l'université
2. étudier / avec / amis
3. penser qu'il y a / cours / intéressant / à la fac
4. cours de sciences / être / facile
5. aimer mieux / biologie / ou / physique
6. retrouver / copains / au resto U

7 **Confirmez** In groups of three, discuss whether the statements are true of your school. Correct any untrue statements by making them negative. Then discuss your responses with another group.

MODÈLE

Les profs sont désagréables.
Pas du tout, les profs ne sont pas désagréables.

1. Les cours d'informatique sont inutiles.
2. Il y a des étudiants de nationalité allemande.
3. Nous mangeons une cuisine excellente au resto U.
4. Tous (*All*) les étudiants habitent sur le campus.
5. Les cours de chimie sont faciles.
6. Nous travaillons pour obtenir un diplôme.

I CAN ask and answer questions about daily life.

Révision

1 Des styles différents In pairs, compare these two very different classes. Then, tell your partner which class you prefer and why.

2 Les activités Your professor wants to get to know you. In pairs, take turns asking and answering questions based on the vocabulary from the lesson. React to your partner's answers and write them down. For homework, write a paragraph describing your partner to the professor.

MODÈLE

Étudiant(e) 1: *Est-ce que tu étudies le week-end?*
Étudiant(e) 2: *Non! Je n'aime pas travailler le week-end.*
Étudiant(e) 1: *Moi non plus. J'aime mieux travailler le soir.*

- adorer le resto U
- être reçu(e) à un examen difficile
- étudier au café
- oublier les devoirs
- parler espagnol
- travailler le soir à la bibliothèque
- voyager souvent
- ...

3 Le campus What aspects of your school could use improvement? In pairs, prepare ten questions inspired by the list and what you know about your campus. Together, survey as many classmates as possible to find out what they like and dislike on campus, and report the results to the class.

MODÈLE

Étudiant(e) 1: *Est-ce que tu aimes travailler à la bibliothèque?*
Étudiant(e) 2: *Non, pas trop. Je travaille plutôt au café.*

bibliothèque	étudiant	resto U
bureau	gymnase	salle de classe
cours	librairie	salle d'ordinateurs

4 Pourquoi? Survey as many classmates as possible to find out how they feel about the academic subjects provided. Ask them to explain their opinion. Tally the responses and take notes. Then make a report including data charts and student comments.

MODÈLE

Étudiant(e) 1: *Est-ce que tu aimes la philosophie?*
Étudiant(e) 2: *Pas tellement.*
Étudiant(e) 1: *Pourquoi?*
Étudiant(e) 2: *Parce que c'est trop difficile.*

1. la biologie
2. la chimie
3. l'histoire de l'art
4. l'économie
5. la gestion
6. les langues
7. les mathématiques
8. la psychologie

a. agréable
b. amusant
c. désagréable
d. difficile
e. facile
f. important
g. inutile
h. utile

5 Les conversations In pairs, act out a short conversation between the people shown in each drawing. They should greet each other, describe what they are doing, and discuss their likes or dislikes. Choose your favorite skit and role-play it for another pair.

MODÈLE

Étudiant(e) 1: *Bonjour, Aurélie.*
Étudiant(e) 2: *Salut! Tu travailles, n'est-ce pas?*

6 Les portraits Your instructor will give you and a partner a set of drawings showing the likes and dislikes of eight people. Discuss each person's tastes. Do not look at each other's worksheet.

MODÈLE

Étudiant(e) 1: *Sarah n'aime pas travailler.*
Étudiant(e) 2: *Mais elle adore manger.*

1 Préparation Answer these questions.

1. What is the average yearly tuition cost for a four-year university in your country?

2. What educational costs, besides tuition, are associated with student life in your community?

Annonce° d'E.Leclerc

Regarde! Je suis accepté, là!

Les études

Founded in Brittany, France in 1949 by Édouard Leclerc, the **hypermarché** chain E.Leclerc now has hundreds of locations in France and around Europe. It was the first French chain to apply wholesale prices to retail, resulting in savings for consumers. As you will see in this ad, costs associated with education in France can add up. When supermarket savings aren't enough, certain public entities offer financial aid to help pay for school and associated costs. Many French students are eligible for discounts on housing, public transportation, and even vacation.

Annonce *Ad*

Vocabulaire utile

la cité U	*residence hall*
compter	*to count*
un coût	*cost*
les frais de scolarité (*m.*)	*tuition*
le logement	*housing*
la nourriture	*food*
le prix	*price*
la vie étudiante	*student life*

2 Compréhension Indicate which expenses are mentioned in the video.

_____ les livres   _____ les transports

_____ l'ordinateur   _____ les examens

_____ le mobile   _____ la télévision

3 Conversation Discuss these questions with a partner.

1. Review the expenses mentioned in the video. Do the same educational costs exist in your community? Are any items missing from the list, in your opinion?

2. What is the message of this ad? Discuss your reaction to the message.

4 Réflexion Answer these questions.

1. What obstacles exist in your community for people seeking to enroll in college or university courses? Make a list.

2. How do expectations around educational costs in your community compare to the situation in the video? Do students generally expect their parents to help them pay for school? Explain.

5 Application In groups of three, choose one of the types of financial aid available in France from the list below. Who offers this aid and what does it cover? Who is eligible and what are the criteria? Does a similar type of aid exist in your community? Present your results using as much French as you can.

- aide au mérite
- aide au logement
- aide d'urgence
- aide pour projets culturels et artistiques

I CAN identify and reflect on attitudes around education costs.

Leçon **2B**

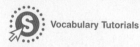
Vocabulary Tutorials

Une semaine à la fac

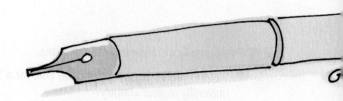

Vocabulaire

demander	to ask
échouer	to fail
écouter	to listen (to)
enseigner	to teach
expliquer	to explain
trouver	to find; to think
Quel jour sommes-nous?	What day is it?
un an	year
une/cette année	one/this year
après	after
après-demain	day after tomorrow
un/cet après-midi	a/this afternoon
aujourd'hui	today
demain (matin/ après-midi/soir)	tomorrow (morning/ afternoon/evening)
un jour	day
une journée	day
un/ce matin	a/this morning
la matinée	morning
un mois/ce mois-ci	month/this month
une/cette nuit	a/this night
une/cette semaine	a/this week
un/ce soir	an/this evening
une soirée	evening
un/le/ce week-end	a/the/this weekend
dernier/dernière	last
premier/première	first
prochain(e)	next

assister au cours d'économie

passer l'examen de maths

téléphoner à Marc

préparer l'examen de maths

dîner avec Annette

Mise en pratique

samedi | *dimanche*

visiter Paris avec Annette

rentrer à la maison

1 **Écoutez** You will hear Lorraine describing her schedule. Listen carefully and indicate whether the statements are **vrai** or **faux**.

	Vrai	Faux
1. Lorraine étudie la chimie le mardi et le jeudi matin.	☐	☐
2. Elle étudie l'histoire le mardi et le jeudi matin.	☐	☐
3. Le professeur de mathématiques explique bien.	☐	☐
4. Elle trouve le cours de mathématiques facile.	☐	☐
5. Lorraine rentre à la maison le soir.	☐	☐
6. Le soir, Lorraine regarde la télévision, écoute de la musique ou téléphone à Claire et Anne.	☐	☐
7. Elle étudie le week-end.	☐	☐
8. Lorraine étudie à l'université le soir.	☐	☐
9. Lorraine adore dîner avec sa famille le week-end.	☐	☐
10. Lorraine travaille dans (*in*) une librairie.	☐	☐

2 **La classe de Mme Arnaud** Complete this paragraph by selecting the correct verb from the list below. Make sure to conjugate the verb. Some verbs will not be used.

demander	expliquer	rentrer
écouter	passer un examen	travailler
enseigner	préparer	trouver
étudier	regarder	visiter

Madame Arnaud (1) _____ à l'université. Elle (2) _____ un cours de français. Elle (3) _____ les verbes et la grammaire aux étudiants. Le vendredi, en classe, les étudiants (4) _____ une vidéo en français ou (*or*) (5) _____ de la musique française. Ce week-end, ils (6) _____ pour (*for*) (7) _____ un examen très difficile lundi matin. Je (8) _____ beaucoup pour ce cours, mais mes (*my*) amis et moi, nous (9) _____ la classe sympa.

3 **Quel jour sommes-nous?** Complete each statement with the correct day of the week.

1. Aujourd'hui, c'est _____.
2. Demain, c'est _____.
3. Après-demain, c'est _____.
4. Le week-end, c'est le _____.
5. Le premier jour de la semaine en France, c'est le _____.
6. Les jours du cours de français sont _____.
7. Mon (*My*) jour préféré de la semaine, c'est le _____.
8. Je travaille à la bibliothèque le _____.

Communication

4 **Conversez** Interview a classmate.

1. Quel jour sommes-nous?
2. Quand assistes-tu au cours de maths?
3. Quand rentres-tu à la maison?
4. Est-ce que tu prépares un examen cette semaine?
5. Est-ce que tu écoutes la radio? Quel genre de musique aimes-tu?
6. Quand téléphones-tu à des amis?
7. Est-ce que tu regardes la télévision le matin, l'après-midi ou (or) le soir?
8. Est-ce que tu dînes dans un restaurant ce mois-ci?

5 **Tu étudies...?** Find out your partner's class schedule and write it down. Then swap schedules to see if you understood correctly. Are you taking any of the same classes?

- ask his or her name
- ask what classes he or she is taking
- ask on which days of the week he or she has class
- ask at which times of day (morning, afternoon, or evening) he or she has class

6 **Bataille navale** Your instructor will give you a worksheet. Choose four spaces on your chart and mark them with a battleship. In pairs, formulate questions by using the subjects in the first column and the verbs in the first row to find out where your partner has placed his or her battleships. Whoever "sinks" the most battleships wins.

> **MODÈLE**
>
> **Étudiant(e) 1:** Est-ce que Luc et Sabine travaillent le week-end?
> **Étudiant(e) 2:** Oui, ils travaillent le week-end.
> *(if you marked that square)*
> Non, ils ne travaillent pas le week-end.
> *(if you didn't mark that square)*

	enseigner	travailler
Marie		
Luc et Sabine		

7 **Le week-end** Fill out the schedule below with your typical weekend activities. Use the verbs you know. Compare your schedule with a classmate's, and talk about the different activities that you do and when. Be prepared to discuss your results with the class.

	Moi	Lucie
Le vendredi soir		
Le samedi matin		
Le samedi après-midi		
Le samedi soir		
Le dimanche matin		
Le dimanche après-midi		
Le dimanche soir		

I CAN identify words and phrases related to daily activities.

Les sons et les lettres

Pronunciation Tutorial
Record & Compare

The letter r

The French **r** is very different from the English *r*. In English, an *r* is pronounced in the middle and toward the front of the mouth. The French **r** is pronounced in the throat.

You have seen that an **-er** at the end of a word is usually pronounced **-ay**, as in the English word *way*, but without the glide sound.

chante**r**	mange**r**	explique**r**	aime**r**

In most other circumstances, the French **r** has a very different sound. Pronunciation of the French **r** varies according to its position in a word. Note the different ways the **r** is pronounced in these words.

rivière	litté**r**atu**r**e	o**r**dinateu**r**	devoi**r**

If an **r** falls between two vowels or before a vowel, it is pronounced with slightly more friction.

ra**r**e	ga**r**age	Eu**r**ope	**r**ose

An **r** sound before a consonant or at the end of a word is pronounced with slightly less friction.

po**r**te	bou**r**se	ado**r**e	jou**r**

🗣 **Prononcez** Practice saying the following words aloud.

1. crayon
2. professeur
3. plaisir
4. différent
5. terrible
6. architecture
7. trouver
8. restaurant
9. rentrer
10. regarder
11. lettres
12. réservé
13. être
14. dernière
15. arriver
16. après

🗣 **Articulez** Practice saying the following sentences aloud.

1. Au revoir, Professeur Colbert!
2. Rose arrive en retard mardi.
3. Mercredi, c'est le dernier jour des cours.
4. Robert et Roger adorent écouter la radio.
5. La corbeille à papier, c'est quarante-quatre euros!
6. Les parents de Richard sont brillants et très agréables.

🗣 **Dictons** Practice reading these sayings aloud.

Quand le renard prêche, gare aux oies.[2]

Qui ne risque rien n'a rien.[1]

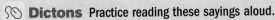

---

[1] Nothing ventured, nothing gained.

[2] When the fox preaches, watch your geese.

ROMAN-PHOTO

On trouve une solution.

Video: *Roman-photo*
Record & Compare

PERSONNAGES

Amina

Astrid

David

Rachid

Sandrine

Stéphane

À la terrasse du café...

RACHID Alors, on a rendez-vous avec David demain à cinq heures moins le quart, pour rentrer chez nous.

SANDRINE Aujourd'hui, c'est mercredi. Demain... jeudi. Le mardi et le jeudi j'ai cours de chant de trois heures vingt à quatre heures et demie. C'est parfait!

AMINA Pas de problème. J'ai cours de stylisme...

AMINA Salut, Astrid!
ASTRID Bonjour.
RACHID Astrid, je te présente David, mon (*my*) coloc américain.
DAVID Alors, cette année, tu as des cours très difficiles, n'est-ce pas?

ASTRID Oui? Pourquoi?
DAVID Ben, Stéphane pense que les cours sont très difficiles.
ASTRID Ouais, Stéphane, il assiste au cours mais... il ne fait pas ses (*his*) devoirs et il n'écoute pas les profs. Cette année est très importante, parce que nous avons le bac...
DAVID Ah, le bac...

Au parc...

ASTRID Stéphane! Quelle heure est-il? Tu n'as pas de montre?

STÉPHANE Oh, Astrid, excuse-moi! Le mercredi, je travaille avec Astrid au café sur le cours de maths...

ASTRID Et le mercredi après-midi, il oublie! Tu n'as pas peur du bac, toi!

STÉPHANE Tu as tort, j'ai très peur du bac! Mais je n'ai pas envie de passer mes (*my*) journées, mes soirées et mes week-ends avec des livres!

ASTRID Je suis d'accord avec toi, Stéphane! J'ai envie de passer les week-ends avec mes copains... des copains qui n'oublient pas les rendez-vous!

RACHID Écoute, Stéphane, tu as des problèmes avec ta (*your*) mère, avec Astrid aussi.

STÉPHANE Oui, et j'ai d'énormes problèmes au lycée. Je déteste le bac.

RACHID Il n'est pas tard pour commencer à travailler pour être reçu au bac.

STÉPHANE Tu crois, Rachid?

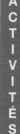

A C T I V I T É S

1

Vrai ou faux? Choose whether each statement is **vrai** or **faux**.

1. Astrid pense que le bac est impossible.
2. La famille de David est allemande.
3. Le mercredi, Stéphane travaille avec Astrid au café sur le cours de maths.
4. Rachid est optimiste.
5. Stéphane dîne chez Rachid samedi.

2

Quand? In this lesson, you will learn how to discuss schedules and appointments. As a preview, match the classes and plans from the episode with the correct times.

1. cours de chant
2. cours de stylisme
3. travaille sur le cours de maths au café
4. dîner chez Rachid

a. le mercredi après-midi
b. dimanche prochain
c. le mardi et le jeudi après-midi
d. jeudi de deux heures à quatre heures vingt

Les amis organisent des rendez-vous.

RACHID C'est un examen très important que les élèves français passent la dernière année de lycée pour continuer en études supérieures.

DAVID Euh, n'oublie pas, je suis de famille française.

ASTRID Oui, et c'est difficile, mais ce n'est pas impossible. Stéphane trouve que les études ne sont pas intéressantes. Le sport, oui, mais pas les études.

RACHID Le sport? Tu cherches Stéphane, n'est-ce pas? On trouve Stéphane au parc! Allons-y, Astrid.

ASTRID D'accord. À demain!

RACHID Oui. Mais le sport, c'est la dernière des priorités. Écoute, dimanche prochain, tu dînes chez moi et on trouve une solution.

STÉPHANE Rachid, tu n'as pas envie de donner des cours à un lycéen nul comme moi!

RACHID Mais si, j'ai très envie d'enseigner les maths...

STÉPHANE Bon, j'accepte. Merci, Rachid. C'est sympa.

RACHID De rien. À plus tard!

Expressions utiles

Talking about your schedule

- **Alors, on a rendez-vous demain à cinq heures moins le quart pour rentrer chez nous.**
  So, we're meeting tomorrow at quarter to five to go home (our home).

- **J'ai cours de chant de trois heures vingt à quatre heures et demie.**
  I have voice (singing) class from three-twenty to four-thirty.

- **J'ai cours de stylisme de deux heures à quatre heures vingt.**
  I have fashion design class from two o'clock to four-twenty.

- **Quelle heure est-il?** • **Tu n'as pas de montre?**
  What time is it?   *You don't have a watch?*

Talking about school

- **Nous avons le bac.**
  We have the bac.

- **Il ne fait pas ses devoirs.**
  He doesn't do his homework.

- **Tu n'as pas peur du bac!**
  You're not afraid of the bac!

- **Tu as tort, j'ai très peur du bac!**
  You're wrong, I'm very afraid of the bac!

- **Je suis d'accord avec toi.**
  I agree with you.

- **J'ai d'énormes problèmes.**
  I have big/enormous problems.

- **Tu n'as pas envie de donner des cours à un(e) lycéen(ne) nul(le) comme moi.**
  You don't want to teach a high school student as bad as myself.

Useful expressions

- **C'est parfait!**
  That's perfect!
- **Ouais.**
  Yeah.
- **Allons-y!**
  Let's go!
- **C'est sympa.**
  That's nice/fun.
- **D'accord.**
  OK, all right.

---

3 **Réfléchissez** Answer the following questions.

1. Quels (*Which*) cours sont mentionnés dans cet épisode? Est-ce que vous prenez (*take*) des cours similaires?

2. Est-ce que vous parlez de vos cours avec vos copains? Est-ce que vous aidez (*help*) vos copains à étudier?

3. Qu'est-ce que le bac? Expliquez l'attitude d'Astrid et de Stéphane au sujet du bac.

4 **À vous!** Which **Roman-photo** character do you identify with the most? What aspects of your personalities and perspectives are similar? Write a short paragraph.

MODÈLE

Je suis comme (like) Rachid parce que...

A C T I V I T É S

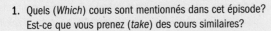

I CAN understand short conversations about courses and schedules.

LECTURE CULTURELLE

Les cours universitaires

French university courses often consist of lectures in large halls called **amphithéâtres**. Some also include discussion-based sessions with fewer students. Other than in the **grandes écoles** and specialized schools, class attendance is not mandatory in most universities. Students are motivated to attend by their desire to pass. Course grades may be based upon only one or two exams or term papers, so students generally take their studies seriously. They often form study groups to discuss the lectures and share class notes. This practice encourages open exchange of ideas and debate, a tradition that continues well past university life in France.

The start of classes each year is known as the **rentrée universitaire** and takes place at the beginning of October. The academic year is divided into two semesters. Four to six classes each semester is typical.

Students take exams throughout the semester, a practice known as **contrôle continu**°. At final exams in May or June, they can retake other exams they might have failed during that year or the preceding year. French grades range from 0–20, rather than from 0–100. Scores over 17 or 18 are rare and even the best students do not expect to score consistently in the near-perfect range. A grade of 10 is a passing grade, and is therefore not the equivalent of a 50 in the American system. If you plan to study abroad for credit, ask the foreign institution to provide your school with grade equivalents.

contrôle continu *continuous assessment*

Barème de notation

NOTE AMÉRICAINE	NOTE FRANÇAISE
A+	14–20
A	11–13
B	9–10
C	8
D	7
F	0–6

● Comparez les deux systèmes. Lequel (*which one*) préférez-vous?

Les équivalents précises des notes françaises varient selon l'institution.

1 **Vrai ou faux?** Indicate whether each statement is **vrai** or **faux**. Correct the false statements.

1. Class attendance is optional in some French universities.
2. The French university system discourages note sharing.
3. The **rentrée universitaire** happens each year in August.
4. Scores of 18 or 19 are very rare.
5. The final exams in May or June are called the **contrôle continu**.

2 **Réfléchissez**

1. Do you take any classes in large lecture halls? What about smaller, discussion-based classes? Which format do you prefer? Explain.
2. Is attendance mandatory for most of your classes? How do you think this policy affects student attitudes? Do you think French students have similar attitudes to yours? Explain.
3. How often do you take exams? What attitudes do French university students have regarding exams? How do those attitudes compare to your own?

STRATÉGIE

False cognates

Cognates can help you read French. However, beware of false cognates (**les faux amis**). For example, **librairie** means *bookstore*, not *library*. **Coin** means *corner*, not *coin*. In the **Portrait** reading, you'll find several instances of the verb **passer**. Although **passer** can mean *to pass*, it is a false cognate in the context of this reading.

- What do you think **passer** means in the context of the **Portrait** reading?

LE MONDE FRANCOPHONE

Le français langue étrangère

Voici quelques° écoles du monde francophone où vous pouvez aller° pour étudier le français.

En Belgique Université de Liège

En France Université de Franche-Comté–Centre de linguistique appliquée, Université de Grenoble, Université de Paris IV-Sorbonne

À la Martinique Institut Supérieur d'Études Francophones, à Schoelcher

En Nouvelle-Calédonie Centre de Rencontres et d'Échanges Internationaux du Pacifique, à Nouméa

Au Québec Université Laval, Université de Montréal

Aux îles Saint-Pierre et Miquelon Le FrancoForum, à Saint-Pierre

En Suisse Université Populaire de Lausanne, Université de Neuchâtel

quelques *some* pouvez aller *can go*

PORTRAIT

Le bac

Au lycée, les élèves ont des cours communs, comme le français, l'histoire et les maths, et aussi un choix° de spécialisation. À la fin° du lycée, à l'âge de dix-sept ou dix-huit ans, les jeunes Français passent un examen très important: le baccalauréat. Le bac est nécessaire pour continuer des études supérieures.

Les lycéens° passent des bacs différents: le bac L (littéraire), le bac ES (économique et social) et le bac S (scientifique) sont des bacs généraux. Il y a aussi des bacs techniques et des bacs technologiques, comme° le bac STI (sciences et technologies industrielles) ou le bac SMS (sciences et techniques médico-sociales). Il y a même° un bac technique de la musique et de la danse et un bac hôtellerie°! Entre 70 (soixante-dix) et 80 (quatre-vingts) pour cent des élèves passent le bac avec succès.

choix *choice* **À la fin** *At the end* **lycéens** *high school students* **comme** *such as* **même** *even* **hôtellerie** *hotel trade*

🎵 MUSIQUE À FOND

Francis Cabrel

Date de naissance: 23 novembre 1953
Lieu de naissance: Agen, France
Métier: auteur-compositeur-interprète

Il est très connu en France et ses ventes (*sales*) de disques sont évaluées à plus de 21 millions d'exemplaires (*copies*).

Go to vhlcentral.com to find out more about **Francis Cabrel** and his music.

---

3 **Quel bac?** Which **bac** best fits the following interests?

1. la littérature
2. le tourisme
3. la médecine
4. le ballet

a. le bac technique de la musique et de la danse
b. le bac littéraire
c. le bac sciences et techniques médico-sociales
d. le bac hôtellerie

4 **Et vous?** Answer the following questions.

1. Did you take any specialized courses or choose a concentration in high school? What are some advantages and disadvantages of doing so? How do you think this practice affects student attitudes?

2. How do you think expectations and attitudes around grades at your school compare to those of francophone students? Why?

I CAN identify and reflect on cultural products and practices related to courses and exams in my own and other cultures.

A C T I V I T É S

STRUCTURES

2B.1

Present tense of *avoir*

 Grammar Tutorial

Point de départ The verb **avoir** (*to have*) is used frequently in French. You will have to memorize each of its present tense forms because they are irregular.

Present tense of *avoir*			
j'ai	*I have*	**nous** avons	*we have*
tu as	*you have*	**vous** avez	*you have*
il/elle/on a	*he/she/it/one has*	**ils/elles ont**	*they have*

On a rendez-vous avec David demain.

Cette année, nous avons le bac.

- Liaison is required between the final consonants of **on**, **nous**, **vous**, **ils**, and **elles** and the first vowel of forms of **avoir** that follow them. When the final consonant is an **-s**, pronounce it as a z before the verb forms.

  On a un prof sympa.
  We have a nice professor.

  Vous avez deux stylos.
  You have two pens.

  Nous avons un cours d'art.
  We have an art class.

  Elles ont un examen de psychologie.
  They have a Psychology exam.

- Keep in mind that an indefinite article, whether singular or plural, usually becomes **de/d'** after a negation.

J'ai **un** cours difficile.
I have a difficult class.

Je n'ai pas **de** cours difficile.
I do not have a difficult class.

Il a **des** examens.
He has exams.

Il n'a pas **d'**examens.
He does not have exams.

- The verb **avoir** is used in certain idiomatic or set expressions where English generally uses *to be* or *to feel*.

Expressions with *avoir*			
avoir... ans	to be... years old	**avoir froid**	to be cold
avoir besoin (de)	to need	**avoir honte (de)**	to be ashamed (of)
avoir de la chance	to be lucky	**avoir l'air**	to look like, to seem
		avoir peur (de)	to be afraid (of)
avoir chaud	to be hot	**avoir raison**	to be right
		avoir sommeil	to be sleepy
avoir envie (de)	to feel like	**avoir tort**	to be wrong

Boîte à outils

In the expression **avoir l'air** + [*adjective*], the adjective does not change to agree with the subject. It is always masculine singular, because it agrees with **air**. Examples:

Elle a l'air charmant.
She looks charming.

Ils ont l'air content.
They look happy.

Il a chaud.

Ils ont froid.

Elle a sommeil.

Il a de la chance.

- The expressions **avoir besoin de**, **avoir honte de**, **avoir peur de**, and **avoir envie de** can be followed by either a noun or a verb.

J'**ai besoin d'**une calculatrice.
I need a calculator.

J'**ai besoin d'**étudier.
I need to study.

Laure **a peur des** serpents.
Laure is afraid of snakes.

Laure **a peur de** parler au professeur.
Laure is afraid to talk to the professor.

Essayez! **Complete the sentences with the correct forms of avoir.**

1. La température est de 35 degrés Celsius. Nous _____avons_____ chaud.

2. En Alaska, en décembre, vous _____ froid.

3. Martine écoute la radio et elle _____ envie de danser.

4. Ils _____ besoin d'une calculatrice pour le devoir.

5. Est-ce que tu _____ peur des insectes?

6. Sébastien pense que je travaille aujourd'hui. Il _____ raison.

7. J' _____ cours d'économie le lundi et le mercredi.

8. Mes amis voyagent beaucoup. Ils _____ de la chance.

9. Mohammed _____ deux cousins à Marseille.

10. Vous _____ un grand appartement.

STRUCTURES

Mise en pratique

1 **On a...** Use the correct forms of **avoir** to form questions from these elements. Use inversion and provide an affirmative or negative answer as indicated.

MODÈLE

tu / bourse (oui)
As-tu une bourse? Oui, j'ai une bourse.

1. nous / dictionnaire (oui)
2. Luc / diplôme (non)
3. elles / montres (non)
4. vous / copains (oui)
5. Thérèse / téléphone (oui)
6. Charles et Jacques / calculatrice (non)
7. on / examen (non)
8. tu / livres de français (non)

2 **C'est évident** Describe these people using expressions with **avoir**.

1. J' _____ étudier.

2. Vous _____.

3. Tu _____.

4. Elles _____.

3 **Assemblez** Use the verb **avoir** and combine elements from the two columns to create sentences about yourself, your class, and your school. Make any necessary changes or additions.

A	B
Je	cours utiles
L'université	bourses importantes
Les profs	professeurs brillants
Mon (*My*) petit ami	ami(e) mexicain(e) / anglais(e)
Ma (*My*) petite amie	/ canadien(ne) / vietnamien(ne)
Nous	étudiants intéressants
	resto U agréable
	école de droit

Communication

4 **Besoins** Your instructor will give you a worksheet. Ask different classmates if they need to do the activities listed. Take notes and share your findings with the class.

MODÈLE

regarder la télé

Étudiant(e) 1: Tu as besoin retrouver un(e) ami(e) aujourd'hui?
Étudiant(e) 2: Oui, j'ai besoin de retrouver un(e) ami(e) aujourd'hui.
Étudiant(e) 3: Non, je n'ai pas besoin de retrouver un(e) ami(e) aujourd'hui.

Activités	Oui	Non
1. retrouver un(e) ami(e) aujourd'hui	Anne	Louis
2. étudier ce soir		
3. passer un examen cette semaine		
4. trouver un cours d'informatique		
5. travailler à la bibliothèque		
6. commencer un devoir important		
7. téléphoner à un(e) copain/copine ce week-end		
8. parler avec le professeur		

5 **C'est vrai?** Interview a classmate by transforming each of these statements into a question. Be prepared to report the results of your interview to the class.

MODÈLE J'ai deux ordinateurs.

Étudiant(e) 1: Tu as deux ordinateurs?
Étudiant(e) 2: Non, je n'ai pas deux ordinateurs.

1. J'ai peur des examens.
2. J'ai vingt et un ans.
3. J'ai envie de visiter Montréal.
4. J'ai un cours de biologie.
5. J'ai sommeil le lundi matin.
6. J'ai un(e) petit(e) ami(e) égoïste.

6 **Interview** Interview a classmate about university life and take notes. Then get together with another pair and explain what you learned about your partner to them.

1. Qu'est-ce que (*What*) vous étudiez?
2. Est-ce que vous avez d'excellentes notes?
3. Est-ce que vous avez envie de partager une chambre?
4. Est-ce que vous mangez au resto U?
5. Est-ce que vous retrouvez des amis à la bibliothèque?
6. Est-ce que vous avez des cours le matin?
7. Est-ce que vous habitez sur le campus?

I CAN discuss basic feelings and needs.

STRUCTURES

2B.2

Telling time Grammar Tutorial

Point de départ Use the verb **être** with numbers to tell time.

- There are two ways to ask what time it is.

  Quelle heure est-il?
  What time is it?

  Quelle heure avez-vous / as-tu?
  What time do you have?

- To tell time on the hour, use [*number*] + **heures**. Use **une heure** for one o'clock.

Il est **six heures**.   Il est **une heure**.

- Express time from the hour to the half-hour by stating the number of minutes it is past the hour.

Il est quatre heures **cinq**.   Il est onze heures **vingt**.

- Use **et quart** to say that it is fifteen minutes past the hour.
  Use **et demie** to say that it is thirty minutes past the hour.

Il est une heure **et quart**.   Il est sept heures **et demie**.

- To tell time from the half hour to the hour, use **moins** (*minus*) and subtract the number of minutes or the portion of an hour from the next hour.

Il est trois heures **moins dix**.   Il est une heure **moins le quart**.

- To say at what time something happens, use the preposition **à**.

  Céline travaille **à sept heures moins vingt**.
  Céline works at 6:40.

  On passe un examen **à une heure**.
  We take a test at one o'clock.

- **Liaison** occurs between numbers and the word **heure(s)**. Final **-s** and **-x** in **deux**, **trois**, **six**, and **dix** are pronounced like a z. The final **-f** of **neuf** is pronounced like a v.

  Il est **deux heures**.
  It's two o'clock.

  Il est **neuf heures** et quart.
  It's 9:15.

- You do not usually make a **liaison** between the verb form **est** and a following number that starts with a vowel sound.

  Il **est onze** heures.
  It's eleven o'clock.

  Il **est une** heure vingt.
  It's 1:20.

  Il **est huit** heures et demie.
  It's 8:30.

Expressions for telling time			
À quelle heure?	*(At) what time/ when?*	**midi**	*noon*
de l'après-midi	*in the afternoon*	**minuit**	*midnight*
du matin	*in the morning*	**pile**	*sharp, on the dot*
du soir	*in the evening*	**presque**	*almost*
en avance	*early*	**tard**	*late*
en retard	*late*	**tôt**	*early*
		vers	*about*

Il est **minuit** à Paris.
It's midnight in Paris.

Il est six heures **du soir** à New York.
It's six o'clock in the evening in New York.

- The 24-hour clock is often used to express official time. Departure times, movie times, and store hours are expressed this way. Only numbers are used to tell time this way. Expressions like **et demie**, **moins le quart**, etc. are not used.

  Le train arrive à **dix-sept heures six**.
  The train arrives at 5:06 p.m.

  Le film est à **vingt-deux heures trente-sept**.
  The film is at 10:37 p.m.

J'ai cours de trois heures vingt à quatre heures et demie.

Stéphane! Quelle heure est-il?

- In French, the hour and minutes are separated by the letter **h**, which stands for **heure**, whereas in English a colon is used.

  3:25 = **3h25**   11:10 = **11h10**   5:15 = **5h15**

> ### Boîte à outils
> In French, there are no words for *a.m.* and *p.m.* You can use **du matin** for *a.m.*, **de l'après-midi** from noon until about 6 p.m., and **du soir** from about 6 p.m. until midnight.

> ### À noter
> As you learned in **Leçon 1A**, when you say 21, 31, 41, etc. in French, the *one* agrees with the gender of the noun that follows. Therefore, **21h00** is **vingt et une heures**.

Essayez! Complete the sentences by writing out the correct times according to the cues.

1. (1:00 a.m.) Il est __une heure__ du matin.
2. (2:50 a.m.) Il est _____ du matin.
3. (8:30 p.m.) Il est _____ du soir.
4. (10:08 a.m.) Il est _____ du matin.
5. (7:15 p.m.) Il est _____ du soir.
6. (12:00 p.m.) Il est _____ .
7. (4:05 p.m.) Il est _____ de l'après-midi.
8. (4:45 a.m.) Il est _____ du matin.
9. (3:20 a.m.) Il est _____ du matin.
10. (12:00 a.m.) Il est _____.

STRUCTURES

Mise en pratique

1 **Quelle heure est-il?** Give the time shown on each clock or watch.

MODÈLE

Il est quatre heures et quart de l'après-midi.

1. _____ 2. _____ 3. _____ 4. _____

5. _____ 6. _____ 7. _____ 8. _____

2 **À quelle heure?** Respond to these text messages from your friends using the cues provided.

MODÈLE

À quelle heure est-ce qu'on étudie? (about 8 p.m.)
On étudie vers huit heures du soir.

1. À quelle heure est-ce qu'on arrive au café? (at 10:30 a.m.)
2. À quelle heure est-ce que vous parlez avec le professeur? (at noon)
3. À quelle heure est-ce que tu travailles? (late, at 11:15 p.m.)
4. À quelle heure est-ce qu'on regarde la télé? (at 9:00 p.m.)
5. À quelle heure est-ce que Marlène et Nadine mangent? (around 1:45 p.m.)
6. À quelle heure est-ce que le cours commence? (very early, at 8:20 a.m.)

3 **Transformez** Write out the times. Don't use the 24-hour clock.

MODÈLE

21h30
Il est neuf heures et demie du soir.

1. 7h22   3. 15h05   5. 22h50
2. 2h15   4. 13h45   6. 10h

4 **Départ à...** Tell what each of these times would be on a 24-hour clock.

MODÈLE

Il est trois heures vingt de l'après-midi.
Il est quinze heures vingt.

1. Il est dix heures et demie du soir.
2. Il est deux heures de l'après-midi.
3. Il est huit heures et quart du soir.
4. Il est minuit moins le quart.
5. Il est six heures vingt-cinq du soir.
6. Il est trois heures moins cinq du matin.

Comparaisons

Do you ever use the 24-hour clock? What are the advantages and disadvantages of using it? Why do you think French people use it for things like movie times and travel times? How does this practice relate to attitudes around timing?

Communication

4 **Télémonde** Read the French TV guide provided and choose two programs to watch on Friday. With a partner, say what channel you'll be watching at a particular time and let your partner say what program corresponds to it. Then switch roles.

MODÈLE

Étudiant(e) 1: À dix heures dix du soir, je regarde Antenne 4.

Étudiant(e) 2: Alors, tu regardes la comédie dramatique.

VENDREDI		
Antenne 2	**Antenne 4**	**Antenne 5**
15h30 Pomme d'Api (dessins animés)	**14h00** Football: match France-Italie	**18h25** Montréal: une ville à visiter
17h35 Reportage spécial: le sport dans les lycées	**19h45** Les informations	**19h30** Des chiffres et des lettres (jeu télévisé)
20h15 La famille Menet (feuilleton télévisé)	**20h30** Concert: orchestre de Nice	**21h05** Reportage spécial: les Sénégalais
21h35 Télé-ciné: L'inspecteur Duval (film policier)	**22h10** Télé-ciné: Une chose difficile (comédie dramatique)	**22h05** Les informations

5 **Où es-tu?** In pairs, take turns asking where (**où**) your partner usually is on these days at these times. Use the places provided or come up with your own. Take notes, then share your findings with another pair.

MODÈLE

Étudiant(e) 1: Où es-tu samedi à midi?

Étudiant(e) 2: Le samedi à midi, je suis au resto U.

au lit (*bed*)	chez mes (*my*) parents
au resto U	chez mes copains
à la bibliothèque	chez mon (*my*) petit ami
en ville (*downtown*)	chez ma (*my*) petite amie
au parc	
en cours	

1. le samedi: à 8h00 du matin; à midi; à minuit
2. en semaine: à 9h00 du matin; à 3h00 de l'après-midi; à 7h00 du soir
3. le dimanche: à 4h00 de l'après-midi; à 6h30 du soir; à 10h00 du soir
4. le vendredi: à 11h00 du matin; à 5h00 de l'après-midi; à 11h00 du soir

6 **Activités** Write a log of all your activities on the busiest day of the week using the 24-hour clock. Tell your partner about some of the activities you do, and say what you'd rather be doing at those times.

MODÈLE

À vingt-deux heures, je commence mes devoirs, mais j'ai envie de manger une pizza.

I CAN ask and answer questions about time of day.

Révision

1 **J'ai besoin de...** In pairs, take turns saying which items you need tomorrow. Your partner will guess why you need them. How many times did each of you guess correctly?

MODÈLE

Étudiant(e) 1: J'ai besoin d'un cahier et d'un dictionnaire pour demain.
Étudiant(e) 2: Est-ce que tu as un cours de français?
Étudiant(e) 1: Non. J'ai un examen d'anglais.

un cahier	un livre de physique
une calculatrice	une montre
une carte	un ordinateur
un dictionnaire	un stylo
une feuille de papier	un téléphone

2 **À l'université** To complete your degree, you need two language classes, a science class, and an elective. Take turns deciding what classes you need or want to take based on the course list provided. Your partner will tell you the days and times so you can write down your schedule.

MODÈLE

Étudiant(e) 1: J'ai besoin d'un cours de maths, peut-être «Initiation aux maths».
Étudiant(e) 2: C'est le mardi et le jeudi après-midi, de deux heures à trois heures et demie.
Étudiant(e) 1: J'ai aussi besoin d'un cours de langue...

Les cours	Jours et heures
Allemand	mardi, jeudi; 14h00-15h30
Biologie II	mardi, jeudi; 9h00-10h30
Chimie générale	lundi, mercredi; 11h00-12h30
Espagnol	lundi, mercredi; 11h00-12h30
Gestion	mercredi; 13h00-14h30
Histoire des États-Unis	jeudi; 12h15-14h15
Initiation à la physique	lundi, mercredi; 12h00-13h30
Initiation aux maths	mardi, jeudi; 14h00-15h30
Italien	lundi, mercredi; 12h00-13h30
Japonais	mardi, jeudi; 9h00-10h30
Les philosophes grecs	lundi; 15h15-16h45
Littérature moderne	mardi; 10h15-11h15

3 **Les cours** Your partner will tell you what classes he or she is currently taking. Make a list, including the times and days of the week. Then, talk to as many classmates as you can, and find at least two students who take at least two of the same classes as your partner.

4 **On y va?** Walk around the room and find at least one classmate who feels like doing each of these activities with you. For every affirmative answer, record the name of your classmate and agree on a time and date. Do not speak to the same classmate twice.

MODÈLE

Étudiant(e) 1: Tu as envie de retrouver des amis avec moi?
Étudiant(e) 2: Oui, pourquoi pas? Samedi, à huit heures du soir, peut-être?
Étudiant(e) 1: D'accord!

chercher un café sympa	regarder la télé française
dîner au resto U	retrouver des amis
écouter de la musique	travailler à la bibliothèque
étudier le français cette semaine	visiter un musée

5 **Au téléphone** Three high school friends are attending different universities. In pairs, imagine a conversation where they discuss the time, their classes, and likes or dislikes about campus life. Then, role-play the conversation for the class and vote for the best skit.

MODÈLE

Étudiant(e) 1: J'ai cours de chimie à dix heures et demie.
Étudiant(e) 2: Je n'ai pas de cours de chimie cette année.
Étudiant(e) 1: N'aimes-tu pas les sciences?
Étudiant(e) 2: Si, mais...

6 **La semaine de Patrick** Your instructor will give you and a partner different incomplete pages from Patrick's day planner. Your partner has the information that you are missing, and vice versa. Take turns saying what activities Patrick does at different times in the week to fill the blanks in his schedule. Do not look at each other's worksheets.

MODÈLE

Étudiant(e) 1: Lundi matin, Patrick a cours de géographie à dix heures et demie.
Étudiant(e) 2: Lundi, il a cours de sciences po à deux heures de l'après-midi.

Écriture

Brainstorming

In the early stages of writing, brainstorming can help you generate ideas on a specific topic. You should spend ten to fifteen minutes brainstorming and jotting down any ideas about the topic that occur to you. Whenever possible, try to write down your ideas in French. Express your ideas in single words or phrases, and jot them down in any order. While brainstorming, do not worry about whether your ideas are good or bad. Selecting and organizing ideas should be the second stage of your writing. Remember that the more ideas you write down while you are brainstorming, the more options you will have to choose from later when you start to organize your ideas.

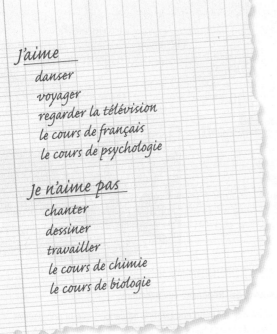

J'aime
- danser
- voyager
- regarder la télévision
- le cours de français
- le cours de psychologie

Je n'aime pas
- chanter
- dessiner
- travailler
- le cours de chimie
- le cours de biologie

Thème

Une description personnelle

Write a description of yourself to post on a web site in order to find a francophone e-pal. Your description should include:

- your name and where you are from
- the name of your university and where it is located
- the courses you are currently taking and your opinion of each one
- some of your likes and dislikes
- where you work if you have a job
- any other information you would like to include

Bonjour!

Je m'appelle Xavier Dupré. Je suis québécois, mais j'étudie le droit à l'université de Lyon, en France. J'aime...

I CAN write a description of myself including basic information about daily life and preferences.

Panorama

La France

Localisé au centre de l'Europe de l'Ouest°, la France est un pays° composé de treize régions et de 65 millions d'habitants, et est membre de l'Union européenne. En 2002 (deux mille deux), l'euro a remplacé° le franc français comme° monnaie° nationale. La France est le pays le plus° visité du monde° avec plus de° 89 millions de touristes chaque° année qui apprécient l'histoire, la culture, l'art et la gastronomie du pays. La population française est diverse, composée de Français et de personnes de partout dans le monde, mais surtout de l'Afrique, de l'Asie et des Caraïbes°, endroits° correspondant aux anciennes° colonies et aux territoires d'outre-mer° de la France aujourd'hui°.

Villes° principales par population

▶ **Paris** – 2.000.000   ▶ **Toulouse** – 475.000
▶ **Marseille** – 860.000   ▶ **Nice** – 343.000
▶ **Lyon** – 515.000

Français célèbres

▶ **Émile Zola,** écrivain° (1840–1902)

▶ **Pierre-Auguste Renoir,** peintre (1841–1919)

▶ **Camille Claudel,** sculptrice (1864–1943)

▶ **Claudie André-Deshays,** médecin, première astronaute française (1957–)

de l'Ouest *Western* pays *country* a remplacé *replaced* comme *as* monnaie *currency* le plus *the most* monde *world* plus de *more than* chaque *each* Caraïbes *Caribbean* endroits *places* anciennes *former* outre-mer *overseas* aujourd'hui *today* Villes *Cities*

LA FRANCE

LE ROYAUME-UNI
LA MER DU NORD
LA MANCHE
LA BELGIQUE
LES ARDENNES
Lille
Le Havre
Rouen
la Seine
la Marne
Caen
Strasbourg
le Mont-St-Michel
Versailles **Paris**
LES VOSGES
le Rhin
Rennes
Nantes
la Loire
Bourges
Poitiers
la Saône
LE JURA
LA SUISSE
L'OCÉAN ATLANTIQUE
Limoges
Clermont-Ferrand
Lyon
le Rhône
L'ITALIE
Bordeaux
la Garonne
LE MASSIF CENTRAL
LES ALPES
Toulouse
Nîmes
Aix-en-Provence
MONACO
Marseille
PYRÉNÉES
LA CORSE
ORRE
PAGNE
LA MER MÉDITERRANÉE

le château de Chenonceau

0   100 miles
0   100 kilomètres

le pont° du Gard

1 **Les informations** Complétez les phrases.

1. La France est composée de _____ régions.
2. La France est membre de _____.
3. La monnaie de France est _____.
4. La ville principale de France est _____.
5. Les langues de France sont de deux familles°: _____ et _____.
6. La première astronaute française est _____.

2 **Assimilez** Répondez aux questions.

1. Comment l'Union européenne influence-t-elle la perspective mondiale des Français? Votre pays est-il membre d'une organisation équivalente?
2. Est-ce qu'il y a beaucoup de touristes dans votre communauté? Comment le tourisme affecte-t-il les perspectives des locaux?
3. Quelles (*What*) sont des similarités entre (*between*) les populations de la France et de votre pays? Des différences?

La géographie

L'Hexagone

Surnommé «l'Hexagone» à cause de° sa forme géométrique, le territoire français a trois fronts maritimes: l'océan Atlantique, la mer° Méditerranée et la Manche°; et trois frontières° naturelles: les Pyrénées, les Ardennes et les Alpes et le Jura. À l'intérieur du pays, le Massif central et les Vosges ponctuent° un relief composé de vastes plaines et de forêts. La Loire, la Seine, la Garonne, le Rhin et le Rhône sont les fleuves° principaux de l'Hexagone.

▷ La technologie

Le Train à Grande Vitesse

Le chemin de fer° existe en France depuis° 1827 (mille huit cent vingt-sept). Aujourd'hui, la SNCF (Société nationale des chemins de fer français) offre la possibilité aux voyageurs de se déplacer° dans tout° le pays et propose des tarifs° avantageux pour des personnes de tous les° âges. Le TGV (Train à Grande Vitesse°) roule° à plus de 300 (trois cents) km/h (kilomètres/heure) et emmène° les voyageurs dans les grandes villes françaises.

Les arts

Le cinéma, le 7e art!

L'invention du cinématographe par les frères° Lumière en 1895 (mille huit cent quatre-vingt-quinze) marque le début° du «7e (septième) art». Le cinéma français donne naissance° aux prestigieux César° en 1976 (mille neuf cent soixante-seize), à des cinéastes talentueux comme° Jean Renoir, François Truffaut et Luc Besson, et à des acteurs mémorables comme Catherine Deneuve, Marion Cotillard, Jean Dujardin et Audrey Tautou.

L'économie

L'industrie

Avec la richesse de la culture française, il est facile d'oublier que l'économie en France n'est pas limitée à l'artisanat°, à la gastronomie ou à la haute couture°. En fait°, la France est une véritable puissance° industrielle et se classe° parmi° les économies les plus° importantes du monde. Ses° activités dans des secteurs comme la construction automobile (par exemple, Peugeot, Citroën, Renault), l'industrie aérospatiale (avec Airbus) et l'énergie nucléaire (avec Électricité de France) sont considérables.

INCROYABLE MAIS VRAI!

Être «immortel», c'est réguler et défendre le bon usage du français! Les Académiciens de l'Académie française sont élus à vie° et s'appellent les «Immortels». Depuis° 1635 (mille six cent trente-cinq), ils décident de l'orthographe correcte des mots° et publient un dictionnaire. Attention, c'est «courrier° électronique», pas «e-mail»!

à cause de *because of* **mer** *sea* **Manche** *English Channel* **frontières** *borders* **ponctuent** *punctuate* **fleuves** *rivers* **chemin de fer** *railroad* **depuis** *since* **se déplacer** *travel* **dans tout** *throughout* **tarifs** *fares* **tous les** *all* **Train à Grande Vitesse** *high-speed train* **roule** *rolls, travels* **emmène** *takes* **frères** *brothers* **début** *beginning* **donne naissance** *gives birth* **César** *equivalent of the Oscars in France* **comme** *such as* **artisanat** *craft industry* **haute couture** *high fashion* **En fait** *In fact* **puissance** *power* **se classe** *ranks* **parmi** *among* **les plus** *the most* **Ses** *Its* **élus à vie** *elected for life* **Depuis** *Since* **mots** *words* **courrier** *mail*

3 Vous avez compris? Complétez les phrases.

1. La _____ est la compagnie qui déplace les voyageurs en France en train.

2. Le cinématographe est inventé par _____ en 1895.

3. Un «immortel» est un membre de _____.

4. L'Académie française décide de l'orthographe des mots et publie _____ de la langue française.

4 À vous Pourquoi l'Académie française régule-t-elle la langue française? Est-ce qu'il y a un groupe équivalent pour l'anglais? Faites (*Make*) une liste de trois nouveaux mots ajoutés (*words added*) à la dernière (*latest*) édition du dictionnaire de l'Académie française. Décidez pourquoi (*why*) ces mots sont pertinents aujourd'hui (*today*). Présentez votre liste et votre raisonnement (*reasoning*) à la classe.

A C T I V I T É S

I CAN identify French cultural products and practices and relate them to perspectives in my own and other cultures.

Leçon 2A

Vocabulaire supplémentaire

J'adore... *I love...*
J'aime bien... *I like...*
Je n'aime pas tellement...
  I don't like... very much.
Je déteste... *I hate...*
être reçu(e) à un examen
  to pass an exam

L'université

l'architecture (f.) *architecture*
l'art (m.) *art*
la biologie *biology*
la chimie *chemistry*
le droit *law*
l'économie (f.) *economics*
l'éducation physique (f.) *physical
  education*
la géographie *geography*
la gestion *business administration*
l'histoire (f.) *history*
l'informatique (f.) *computer science*
les langues (étrangères) (f.)
  (foreign) languages
les lettres (f.) *humanities*
les mathématiques (maths) (f.)
  mathematics
la philosophie *philosophy*
la physique *physics*
la psychologie *psychology*
les sciences (politiques/po) (f.)
  (political) science
le stylisme de mode (m.)
  fashion design
une bourse *scholarhip, grant*
un cours *class, course*
un devoir; les devoirs *homework*
un diplôme *diploma, degree*
l'école (f.) *school*
les études (supérieures) (f.)
  (higher) education; studies
le gymnase *gymnasium*
une note *grade*
un restaurant universitaire
  (un resto U) *university cafeteria*

Adjectifs et adverbes

difficile *difficult*
facile *easy*
inutile *useless*
utile *useful*
surtout *especially; above all*

Expressions utiles

See p. 47.

Des questions et des opinions

bien sûr *of course*
d'accord *OK, all right*
Est-ce que/qu'...? *Question phrase*
(mais) non *no (but of course not)*
moi/toi non plus *me/you neither*
ne... pas *no, not*
n'est-ce pas? *isn't that right?*
oui/si *yes*
parce que *because*
pas du tout *not at all*
peut-être *maybe, perhaps*
Pourquoi? *Why?*

Verbes

adorer *to love; to adore*
aimer *to like; to love*
aimer mieux *to prefer*
arriver *to arrive*
chercher *to look for*
commencer *to begin, to start*
dessiner *to draw; to design*
détester *to hate*
donner *to give*
étudier *to study*
habiter (à) *to live (in)*
manger *to eat*
oublier *to forget*
parler (au téléphone) *to speak
  (on the phone)*
partager *to share*
penser (que/qu') *to think (that)*
regarder *to look (at), to watch*
rencontrer *to meet*
retrouver *to meet up with;
  to find (again)*
travailler *to work*
voyager *to travel*

Leçon 2B

L'université

assister à *to attend*
demander *to ask*
dîner *to have dinner*
échouer *to fail*
écouter *to listen (to)*
enseigner *to teach*
expliquer *to explain*
passer un examen *to take an exam*
préparer *to prepare (for)*
rentrer (à la maison) *to return (home)*
téléphoner à *to telephone*
trouver *to find; to think*
visiter *to visit (a place)*

Expressions de temps

Quel jour sommes-nous? *What day
  is it?*
un an *a year*
une/cette année *one/this year*
après *after*
après-demain *day after tomorrow*
un/cet après-midi *an/this afternoon*
aujourd'hui *today*
demain (matin/après-midi/soir)
  tomorrow (morning/afternoon/evening)
un jour *a day*
une journée *a day*
(le) lundi, mardi, mercredi, jeudi,
  vendredi, samedi, dimanche
  *(on) Monday(s), Tuesday(s),
  Wednesday(s), Thursday(s), Friday(s),
  Saturday(s), Sunday(s)*
un/ce matin *a/this morning*
la matinée *morning*
un mois/ce mois-ci *a month/this
  month*
une/cette nuit *a/this night*
une/cette semaine *a/this week*
un/ce soir *an/this evening*
une soirée *an evening*
un/le/ce week-end *a/the/this
  weekend*
dernier/dernière *last*
premier/première *first*
prochain(e) *next*

Expressions utiles

See p. 65.

Expressions avec avoir

avoir *to have*
avoir... ans *to be... years old*
avoir besoin (de) *to need*
avoir chaud *to be hot*
avoir de la chance *to be lucky*
avoir envie (de) *to feel like*
avoir froid *to be cold*
avoir honte (de) *to be ashamed (of)*
avoir l'air *to look like, to seem*
avoir peur (de) *to be afraid (of)*
avoir raison *to be right*
avoir sommeil *to be sleepy*
avoir tort *to be wrong*

Telling time

Quelle heure est-il? *What time is it?*
Quelle heure avez-vous/as-tu? *What
  time do you have?*
Il est... heures. *It is... o'clock.*
une heure *one o'clock*
et quart *fifteen minutes past the hour*
et demie *thirty minutes past the hour*
moins dix *ten minutes before the hour*
moins le quart *fifteen minutes before
  the hour*
À quelle heure? *(At) what time/when?*
de l'après-midi *in the afternoon*
du matin *in the morning*
du soir *in the evening*
en avance *early*
en retard *late*
midi *noon*
minuit *midnight*
pile *sharp, on the dot*
presque *almost*
tard *late*
tôt *early*
vers *about*

🔊 Communicative Goals: Review

I CAN discuss schedules and daily activities related to academic life.

• Write three sentences describing a typical day in your life.

I CAN ask and answer questions about frequent actions, feelings, and needs.

• Write three questions asking what someone typically feels and needs at certain times of the day.

I CAN investigate education in francophone communities.

• Describe a French cultural product or practice related to education and compare the perspectives around it to attitudes in your own culture.

La famille et les copains

Communicative Goals

You will learn how to:

- Discuss family and friends
- Describe people and locations
- Express ownership and relationships
- Investigate family life in francophone cultures

Pour commencer

- Combien de personnes y a-t-il?
- Qui sont ces personnes?
- Où sont ces personnes?
- Ont-elles l'air agréable ou désagréable?

Leçon 3A

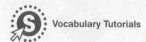
Vocabulary Tutorials

La famille de Marie Laval

Luc Garneau

mon grand-père (*my grandfather*)

Sophie Garneau

ma tante (*aunt*), **femme** (*wife*) **de Marc**

Marc Garneau

mon oncle (*uncle*), **fils** (*son*) **de Luc et d'Hélène**

Jean Garneau

mon cousin, petit-fils (*grandson*) **de Luc et d'Hélène, frère** (*brother*) **d'Isabelle et de Virginie**

Isabelle Garneau

ma cousine, sœur (*sister*) **de Jean et de Virginie, petite-fille** (*granddaughter*) **de Luc et d'Hélène**

Virginie Garneau

ma cousine, sœur de Jean et d'Isabelle, petite-fille de Luc et d'Hélène

Bambou

le chien (*dog*) **de mes** (*my*) **cousins**

Vocabulaire

divorcer	*to divorce*
épouser	*to marry*
aîné(e)	*elder*
cadet(te)	*younger*
un beau-frère	*brother-in-law*
un beau-père	*father-in-law; stepfather*
une belle-mère	*mother-in-law; stepmother*
un demi-frère	*half-brother; stepbrother*
une demi-sœur	*half-sister; stepsister*
les enfants (*m., f.*)	*children*
un(e) époux/épouse	*husband/wife*
une famille	*family*
une femme	*wife; woman*
une fille	*daughter; girl*
les grands-parents (*m.*)	*grandparents*
les parents (*m.*)	*parents*
un(e) voisin(e)	*neighbor*
un chat	*cat*
un oiseau	*bird*
un poisson	*fish*
célibataire	*single*
divorcé(e)	*divorced*
fiancé(e)	*engaged*
marié(e)	*married*
séparé(e)	*separated*
veuf/veuve	*widowed*

Hélène Garneau

ma grand-mère
(*my grandmother*)

Juliette Laval

Robert Laval

ma mère (*mother*),
fille (*daughter*) de
Luc et d'Hélène

mon père (*father*),
mari (*husband*)
de Juliette

Véronique Laval

Guillaume Laval

Marie Laval

ma belle-sœur
(*sister-in-law*)

mon frère
(*brother*)

Marie Laval,
fille de Juliette
et de Robert

Matthieu Laval

Émilie Laval

mon neveu
(*nephew*)

ma nièce
(*niece*)

petits-enfants (*grandchildren*)
de mes parents

Mise en pratique

1 **Écoutez** Listen to each statement made by Marie Laval, and then indicate whether it is **vrai** or **faux**, based on her family tree.

	Vrai	Faux		Vrai	Faux
1.	☐	☐	6.	☐	☐
2.	☐	☐	7.	☐	☐
3.	☐	☐	8.	☐	☐
4.	☐	☐	9.	☐	☐
5.	☐	☐	10.	☐	☐

2 **Qui est-ce?** Match the definition in the first list with the correct item from the second list. Not all the items will be used.

1. ____ le frère de ma cousine
2. ____ le père de mon cousin
3. ____ le mari de ma grand-mère
4. ____ le fils de mon frère
5. ____ la fille de mon grand-père
6. ____ le fils de ma mère
7. ____ la fille de mon fils
8. ____ le fils de ma belle-mère

a. mon grand-père
b. ma sœur
c. ma tante
d. mon cousin
e. mon neveu
f. mon demi-frère
g. mon oncle
h. ma petite-fille
i. mon frère

3 **Choisissez** Fill in the blank by selecting the most appropriate answer.

1. Voici le frère de mon père. C'est mon _____ (oncle, neveu, fiancé).
2. Voici la mère de ma cousine. C'est ma _____ (grand-mère, voisine, tante).
3. Voici la petite-fille de ma grand-mère. C'est ma _____ (cousine, nièce, épouse).
4. Voici le père de ma mère. C'est mon _____ (grand-père, oncle, cousin).
5. Voici le fils de mon père, mais ce n'est pas le fils de ma mère. C'est mon _____ (petit-fils, demi-frère, voisin).

4 **Complétez** Complete each sentence with the appropriate vocabulary word.

1. Voici ma nièce. C'est la _____ de ma mère.
2. Voici la mère de ma tante. C'est ma _____.
3. Voici la sœur de mon oncle. C'est ma _____.
4. Voici la fille de mon père, mais pas de ma mère. C'est ma _____ .
5. Voici le mari de ma mère, mais ce n'est pas mon père. C'est mon _____ .

Communication

5 **Entrevue** With a classmate, take turns asking each other these questions. Write down your partner's answers, then report what you learned to the class.

1. Combien de personnes y a-t-il dans ta famille?
2. Comment s'appellent tes parents?
3. As-tu des frères ou des sœurs?
4. Combien de cousins/cousines as-tu? Comment s'appellent-ils/elles? Où habitent-ils/elles?
5. Quel(le) (*Which*) est ton cousin préféré/ta cousine préférée?
6. As-tu des neveux/des nièces?
7. Comment s'appellent tes grands-parents? Où habitent-ils?
8. Combien de petits-enfants ont tes grands-parents?

Coup de main

Use these words to help you complete this activity.

ton *your* (m.) → **mon** *my* (m.)
ta *your* (f.) → **ma** *my* (f.)
tes *your* (pl.) → **mes** *my* (pl.)

6 **Qui suis-je?** Your instructor will give you a worksheet. Walk around the class and ask your classmates questions about their families. When a classmate gives one of the answers on the worksheet, write his or her name in the corresponding space. Be prepared to discuss the results with the class.

> **MODÈLE** Je suis marié(e).
> **Paul:** Est-ce que tu es mariée?
> **Jacqueline:** Oui, je suis mariée. *(You write "Jacqueline".)*/ Non, je ne suis pas mariée. *(You ask another classmate.)*

Réponse	Noms
1. Je n'ai pas de frère.	_____
2. J'ai deux sœurs.	_____
3. Mes parents sont divorcés.	_____
4. Ma grand-mère est veuve.	_____

7 **L'arbre généalogique** Create a family tree for one side of your partner's family. Ask questions to determine how many people there are in each generation, then ask their names and fill them in. Then switch roles.

> **MODÈLE**
> **Étudiant(e) 1:** *Comment s'appelle ton grand-père?*
> **Étudiant(e) 2:** *Il s'appelle Louis Durand.*

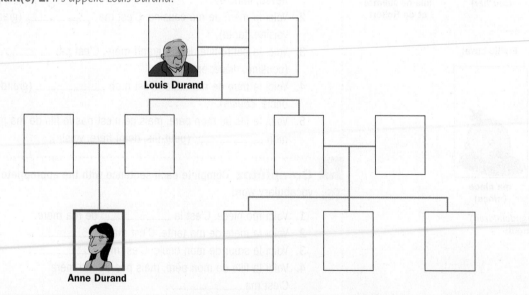

I CAN identify words and phrases related to family, friends, and pets.

Les sons et les lettres

Pronunciation Tutorial
Record & Compare

L'accent aigu and l'accent grave

In French, diacritical marks (*accents*) are an essential part of a word's spelling. They indicate how vowels are pronounced or distinguish between words with similar spellings but different meanings. **L'accent aigu** (´) appears only over the vowel **e**. It indicates that the **e** is pronounced similarly to the vowel *a* in the English word *cake*, but shorter and crisper. The French **é** lacks the *y* glide heard in English words like *day* and *late*.

étudier	réservé	élégant	téléphone

L'accent aigu also signals some similarities between French words and English words. Often, an **e** with **l'accent aigu** at the beginning of a French word marks the place where the letter *s* would appear at the beginning of the English equivalent.

éponge	épouse	état	étudiante
sponge	*spouse*	*state*	*student*

L'accent grave (`) over the vowel **e** indicates that the **e** is pronounced like the vowel *e* in the English word *pet*.

très	après	mère	nièce

Although **l'accent grave** does not change the pronunciation of the vowels **a** or **u**, it distinguishes words that have a similar spelling but different meanings.

la	là	ou	où
the	*there*	*or*	*where*

Prononcez Practice saying these words aloud.

1. agréable
2. sincère
3. voilà
4. faculté
5. frère
6. à
7. déjà
8. éléphant
9. lycée
10. poème
11. là
12. élève

Articulez Practice saying these sentences aloud.

1. À tout à l'heure!
2. Thérèse, je te présente Michèle.
3. Hélène est très sérieuse et réservée.
4. Voilà mon père, Frédéric et ma mère, Ségolène.
5. Tu préfères étudier à la fac demain après-midi?

Dictons Practice reading these sayings aloud.

Tel père, tel fils.[1]

À vieille mule, frein doré.[2]

[1] Like father, like son.

[2] For an old mule, a golden bit.

ROMAN-PHOTO

L'album de photos

Video: *Roman-photo*
Record & Compare

PERSONNAGES

Amina

Michèle

Stéphane

Valérie

MICHÈLE Mais, qui c'est? C'est ta sœur? Tes parents?

AMINA C'est mon ami Cyberhomme.

MICHÈLE Comment est-il? Est-ce qu'il est beau? Il a les yeux de quelle couleur? Marron ou bleue? Et ses cheveux? Ils sont blonds ou châtains?

AMINA Je ne sais pas.

MICHÈLE Toi, tu es timide.

VALÉRIE Stéphane, tu as dix-sept ans. Cette année, tu passes le bac, mais tu ne travailles pas!

STÉPHANE Écoute, ce n'est pas vrai, je déteste mes cours, mais je travaille beaucoup. Regarde, mon cahier de chimie, mes livres de français, ma calculatrice pour le cours de maths, mon dictionnaire anglais-français...

STÉPHANE Oh, et qu'est-ce que c'est? Ah, oui, les photos de tante Françoise.

VALÉRIE Des photos? Mais où?

STÉPHANE Ici! Amina, on peut regarder des photos de ma tante sur ton ordinateur, s'il te plaît?

AMINA Ah, et ça, c'est toute la famille, n'est-ce pas?

VALÉRIE Oui, ça c'est Henri, sa femme Françoise et leurs enfants: le fils aîné Bernard, et puis son frère Charles, sa sœur Sophie et leur chien Socrate.

STÉPHANE J'aime bien Socrate. Il est vieux, mais il est amusant!

VALÉRIE Ah! Et Bernard, il a son bac aussi et sa mère est très heureuse.

STÉPHANE Moi, j'ai envie d'habiter avec oncle Henri et tante Françoise. Comme ça, pas de problème pour le bac!

STÉPHANE Pardon, maman. Je suis très heureux ici avec toi. Ah, au fait, Rachid travaille avec moi pour préparer le bac.

VALÉRIE Ah, bon? Rachid est très intelligent... un étudiant sérieux.

A C T I V I T É S

1 **Vrai ou faux?** Indicate whether each statement is vrai or faux.

1. Amina communique avec sa (*her*) tante par ordinateur.
2. Stéphane n'aime pas ses (*his*) cours au lycée.
3. La tante de Stéphane s'appelle Françoise.
4. Henri est le frère de Stéphane.
5. Rachid n'est pas un bon étudiant.

2 **Vocabulaire** Which word best describes Stéphane on each of the following occasions?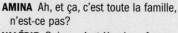

1. on his 87th birthday _____
2. after finding 20€ _____
3. while taking the bac _____
4. on his way to a party _____
5. at the theater _____

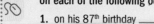
> beau (*handsome*)
> heureux (*happy*)
> intellectuel (*intellectual*)
> sérieux (*serious*)
> vieux (*old*)

Stéphane et Valérie regardent des photos de famille avec Amina.

À la table d'Amina...

AMINA Alors, voilà vos photos. Qui est-ce?

VALÉRIE Oh, c'est Henri, mon frère aîné!

AMINA Quel âge a-t-il?

VALÉRIE Il a cinquante ans. Il est très sociable et c'est un très bon père.

VALÉRIE Ah! Et ça c'est ma nièce Sophie et mon neveu Charles! Regarde, Stéphane, tes cousins!

STÉPHANE Je n'aime pas Charles. Il est tellement sérieux.

VALÉRIE Il est peut-être trop sérieux, mais, lui, il a son bac!

AMINA Et Sophie, qu'elle est jolie!

VALÉRIE ... et elle a déjà son bac.

AMINA Ça oui, préparer le bac avec Rachid, c'est une idée géniale!

VALÉRIE Oui, c'est vrai. En théorie, c'est une excellente idée. Mais tu prépares le bac avec Rachid, hein? Pas le prochain match de foot!

3 **Observez** Answer the following questions.

1. Avec qui Amina communique-t-elle en ligne (*online*)?
2. Qui sont les personnes sur les photos? Comment s'appellent-elles?
3. Que pense Valérie de son neveu Bernard?
4. Est-ce que vos copains connaissent (*know*) votre famille? Comparez votre situation à celle de (*that of*) Stéphane.

4 **Décrivez** Present one of your family members to the class. Use adjectives you already know, as well as some of the new adjectives from the episode. Which **Roman-photo** character is your family member most similar to? What are their interests? How do they like school? What is their personality like?

I CAN understand short conversations about family and relationships.

A C T I V I T É S

S Video: *Flash culture*

CULTURE À LA LOUPE

La famille

Comment sont les familles francophones?
Les familles en France sont-elles différentes des familles américaines?

Il n'y a pas de réponse simple à ces questions. Les familles aujourd'hui sont très diverses. On a célébré 235.000 (deux cent trente-cinq mille) mariages en France en 2018. L'âge des mariés augmente chaque° année: en moyenne°, les femmes se marient° à 36,0 ans et les hommes à 38,4 ans. La France autorise le mariage entre personnes de même sexe depuis 2013.

La structure familiale traditionnelle existe toujours en France, mais il y a des structures moins traditionnelles, comme les familles monoparentales, où° l'unique parent est souvent divorcé, séparé ou veuf. Il y a aussi des familles recomposées qui combinent deux familles, avec un beau-père, une belle-mère, des demi-frères ou des demi-sœurs. Certains couples choisissent° le Pacte Civil de Solidarité (PACS), qui offre certains droits° et protections aux couples non-mariés.

Géographiquement, les membres d'une famille d'immigrés peuvent° habiter près ou loin° les uns des autres°. En général, ils préfèrent habiter les uns près des autres, mais il existe aussi des familles d'immigrés séparées entre° le pays d'origine et le pays de résidence.

Alors, oubliez les stéréotypes des familles francophones. Elles sont grandes et petites, traditionnelles et non-conventionnelles; elles changent et sont toujours les mêmes°.

augmente chaque *increases each* en moyenne *on average* se marient *get married* où *where* choisissent *choose* droits *rights* peuvent *can* près ou loin *near or far* les uns des autres *from one another* entre *between* mêmes *same*

Coup de main

Remember to read decimal places in **French** using the French word **virgule** (*comma*) where you would normally say *point* in English. To say *percent*, use **pour cent**.

STRATÉGIE

Predicting content from visuals

When you read in French, look for visual clues, such as photos and illustrations, that will orient you to the content and purpose of the reading. Some visuals summarize data in a way that is easy to comprehend; these include graphs, charts, and lists. Look at the visuals in this section and write down some key words and ideas about the content. Discuss with a classmate, then read the selections.

A C T I V I T É S

1 **Complétez** Complete the sentences based on the reading.

1. En France, _____ augmente chaque année.
2. Dans _____, l'unique parent est souvent divorcé ou veuf.
3. _____ combinent deux familles, avec un beau-père, une belle-mère, des demi-frères ou des demi-sœurs.
4. _____ offre certains droits et protections aux couples qui ne sont pas mariés.

2 **Réfléchissez** Répondez aux questions.

1. Quelle opinion avez-vous du mariage? Et vos parents, que pensent-ils? Expliquez.
2. Quels types de familles existent dans votre communauté? Est-ce qu'il y a beaucoup de familles non-traditionnelles?
3. Qu'est-ce que c'est, le PACS? Y a-t-il un équivalent dans votre pays?
4. À votre avis, comment la perspective des Français sur le mariage ressemble-t-elle aux attitudes dans votre communauté?

État matrimonial en France

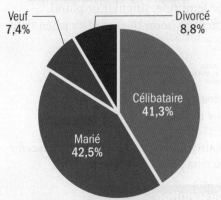

- Veuf 7,4%
- Divorcé 8,8%
- Célibataire 41,3%
- Marié 42,5%

SOURCE: INSEE, ESTIMATIONS DE POPULATION 2018

LE MONDE FRANCOPHONE

Les fêtes° et la famille

Dans plusieurs pays° du monde il y a une fête spéciale pour honorer les parents. **La Fête des mères** et **la Fête des pères** sont célébrées de façon similaire en France, au Québec, en Suisse et en Belgique. Il n'y a pas de fête pour les parents dans la plupart° des pays francophones d'Afrique.

La Fête des mères

En France le dernier° dimanche de mai ou le premier° dimanche de juin
En Belgique le deuxième° dimanche de mai
Au Canada le deuxième dimanche de mai

La Fête des pères

En France le troisième° dimanche de juin
En Belgique le deuxième dimanche de juin
Au Canada le troisième dimanche de juin

fêtes *holidays* **plusieurs pays** *many countries* **plupart** *majority*
dernier *last* **premier** *first* **deuxième** *second* **troisième** *third*

PORTRAIT

Les Noah

Joakim et Yannick Noah

Dans° la famille Noah, le sport est héréditaire. À chacun son° sport: pour° Yannick Noah, c'est le tennis. Il est champion junior à Wimbledon en 1977 et participe aux championnats du Grand Chelem° dans les années 1980. Son père Zacharie, né° au Cameroun, était footballeur° dans l'équipe° l'UA Sedan-Torcy quand ce club a remporté la Coupe de France en 1961. Et le fils de Yannick, Joakim, est joueur° de basket-ball aux États-Unis. Joakim, qui est de nationalités française, suédoise, et américaine, gagne° le *Final Four NCAA* en 2006 et en 2007 avec les Florida Gators. Ensuite, il joue en NBA, notamment pour les Chicago Bulls et les Knicks de New York.

En plus de leur talent sportif, les Noah ont un intérêt pour les arts: Joakim et sa mère crée en 2010 *Noah's Arc Foundation*, une organisation qui encourage les jeunes à s'exprimer° physiquement et artistiquement. Et Yannick, nommé° la personnalité préférée des Français pendant plusieurs années, est aussi chanteur. À partir de 1990, même s'il° continue à participer à la vie sportive du tennis français comme entraîneur° de l'équipe de France, il décide de vivre° sa seconde passion: la musique. Son style est un mélange° de soul et pop avec des rythmes afro, et sa musique remporte° un franc° succès.

Dans *In* **À chacun son** *To each his* **pour** *for* **Chelem** *Slam*
né *born* **était footballeur** *was a soccer player* **équipe** *team*
joueur *player* **gagne** *wins* **s'exprimer** *express themselves*
nommé *named* **même s'il** *even as he* **entraîneur** *coach*
vivre *live out* **mélange** *mix* **remporte** *achieves* **franc** *clear*

Comparaisons

In French, family names are not made plural by adding **-s** as in English. To refer to all the members of a particular family, use **les** or **la famille** followed by their surname.

les Noah
la famille Noah

- Are any special conventions used with family names in your culture?

---

3 **Vrai ou faux?** Indicate whether each statement is **vrai** or **faux**.

1. Le tennis est héréditaire chez les Noah.
2. Yannick Noah est aussi chanteur.
3. Joakim Noah est joueur de basket-ball aux États-Unis.
4. La Fête des mères est différente en France d'au Québec.
5. Au Canada, la Fête des pères est en mai.

4 **À vous** Décrivez les membres de votre famille. Est-ce que vous partagez certaines intérêts ou talents? Comparez les intérêts des membres de votre famille à ceux de la famille Noah. Écrivez six phrases.

ACTIVITÉS

I CAN identify and reflect on cultural products and practices related to family life in my own and other cultures.

STRUCTURES

3A.1

Descriptive adjectives  Grammar Tutorial

Point de départ As you learned in **Leçon 1B**, adjectives describe people, places, and things. In French, unlike English, the forms of most adjectives will vary depending on whether the nouns they describe are masculine or feminine, singular or plural. Furthermore, French adjectives are usually placed after the noun they modify when they don't directly follow a form of **être**.

SINGULAR MASCULINE NOUN ⟷ SINGULAR MASCULINE ADJECTIVE

Le **père** est **américain**.
The father is American.

PLURAL MASCULINE NOUN ⟷ PLURAL MASCULINE ADJECTIVE

As-tu des **cours** **faciles**?
Do you have easy classes?

- You've already learned several adjectives of nationality and some adjectives to describe your classes. Here are some adjectives used to describe physical characteristics.

Adjectives of physical description			
bleu(e)	*blue*	**joli(e)**	*pretty*
blond(e)	*blond*	**laid(e)**	*ugly*
brun(e)	*dark (hair)*	**marron**	*brown (not for hair)*
châtain	*brown (hair)*	**noir(e)**	*black*
court(e)	*short*	**petit(e)**	*small, short (stature)*
grand(e)	*tall, big*	**raide**	*straight (hair)*
jeune	*young*	**vert(e)**	*green*

- Notice that, in the examples below, the adjectives agree in gender (masculine or feminine) and number (singular or plural) with the subjects. Generally add **-e** to make an adjective feminine. If an adjective already ends in an unaccented **-e,** add nothing. To make an adjective plural, generally add **-s.** If an adjective already ends in an **-s,** add nothing.

Elles sont **blondes** et **petites**.
They are blond and short.

L'examen est **long**.
The exam is long.

Je n'aime pas **les cheveux raides**.
I don't like straight hair.

Les tableaux sont **laids**.
The paintings are ugly.

- Use the expression **de taille moyenne** to describe someone or something of medium size.

Victor est un homme **de taille moyenne**.
Victor is a man of medium height.

C'est une université **de taille moyenne**.
It's a medium-sized university.

- The adjective **marron** is invariable; in other words, it does not agree in gender and number with the noun it modifies. The adjective **châtain** is almost exclusively used to describe hair color.

Mon neveu a les **yeux marron**.
My nephew has brown eyes.

Ma nièce a les **cheveux châtains**.
My niece has brown hair.

Some irregular adjectives				
masculine singular	feminine singular	masculine plural	feminine plural	
beau	belle	beaux	belles	*beautiful; handsome*
bon	bonne	bons	bonnes	*good; kind*
fier	fière	fiers	fières	*proud*
gros	grosse	gros	grosses	*fat*
heureux	heureuse	heureux	heureuses	*happy*
intellectuel	intellectuelle	intellectuels	intellectuelles	*intellectual*
long	longue	longs	longues	*long*
naïf	naïve	naïfs	naïves	*naive*
roux	rousse	roux	rousses	*red-haired*
vieux	vieille	vieux	vieilles	*old*

À noter

In **Leçon 1B,** you learned that if the masculine singular form of an adjective already ends in **-s (sénégalais),** you don't add another one to form the plural. The same is also true for words that end in **-x (roux, vieux).**

- The forms of the adjective **nouveau** (*new*) follow the same pattern as those of **beau.**

  MASCULINE PLURAL
  J'ai trois **nouveaux** stylos.
  I have three new pens.

  FEMININE SINGULAR
  Tu aimes la **nouvelle** horloge?
  Do you like the new clock?

- Other adjectives that follow the pattern of **heureux** are **curieux** (*curious*), **malheureux** (*unhappy*), **nerveux** (*nervous*), and **sérieux** (*serious*).

Position of certain adjectives

- Certain adjectives are usually placed *before* the noun they modify. These include: **beau, bon, grand, gros, jeune, joli, long, nouveau, petit,** and **vieux.**

  J'aime bien les **grandes familles.**
  I like large families.

  Joël est un **vieux copain.**
  Joël is an old friend.

- Other adjectives that are also generally placed before a noun are: **mauvais(e)** (*bad*), **pauvre** (*poor* as in *unfortunate*), **vrai(e)** (*true, real*).

  Ça, c'est un **pauvre** homme.
  That is an unfortunate man.

  C'est une **vraie** catastrophe!
  This is a real disaster!

Boîte à outils

When **pauvre** and **vrai(e)** are placed after the noun, they have a slightly different meaning: **pauvre** means *poor* as in *not rich*, and **vrai(e)** means *true.*

Ça, c'est un homme **pauvre.**
That is a poor man.

C'est une histoire **vraie.**
This is a true story.

- When placed before a *masculine singular noun that begins with a vowel sound,* these adjectives have a special form.

  beau ▶ bel ▶ un **bel** appartement
  vieux ▶ vieil ▶ un **vieil** homme
  nouveau ▶ nouvel ▶ un **nouvel** ami

- The plural indefinite article **des** changes to **de** when the adjective comes before the noun.

  ADJECTIVE BEFORE NOUN
  J'habite avec **de bons amis.**
  I live with good friends.

  ADJECTIVE AFTER NOUN
  J'habite avec **des amis sympathiques.**
  I live with nice friends.

Essayez! **Provide all four forms of the adjectives.**

1. grand _grand, grande, grands, grandes_
2. nerveux _____
3. roux _____
4. bleu _____
5. naïf _____
6. gros _____
7. long _____
8. fier _____

STRUCTURES

Mise en pratique

1 **Ressemblances** Complete each sentence with the appropriate form of the adjective.

MODÈLE

*Julie est jolie. Ses nièces sont **jolies** aussi.*

1. Jean est curieux. Sa sœur est _____ aussi.
2. Carole est blonde. Son cousin est _____ aussi.
3. Sylvie est fière. Son fils est _____ aussi.
4. Christophe est vieux. Sa demi-sœur est _____ aussi.
5. Céline est naïve. Ses frères sont _____ aussi.
6. Anissa est rousse. Son mari est _____ aussi.

2 **Au contraire** Complete each sentence with the appropriate antonym.

1. Sophie est triste. Au contraire, sa nièce est _____.
2. Albert est laid. Au contraire, ses frères sont _____.
3. Martin est jeune. Au contraire, son oncle est _____.
4. Anne est grande. Au contraire, ses demi-sœurs sont _____.
5. Mei est mince (*thin*). Au contraire, son mari est _____.
6. Abdel est bon. Au contraire, sa belle-mère est _____.

3 **Une femme heureuse** Write sentences using the elements provided. Make all necessary changes, and remember that some adjectives precede the noun they modify.

MODÈLE

Christine / avoir / trois enfants / beau
Christine a trois beaux enfants.

1. Christine / être / une femme / heureux

   _____

2. Elle / avoir / des amis / sympathique

   _____

3. Elle / habiter / dans un appartement / nouveau

   _____

4. Elle / avoir / des collègues / amusant

   _____

5. Elle / avoir / des chiens / bon

   _____

6. Ses voisins / être / poli

   _____

7. Elle / être / intelligent et joli

   _____

8. Elle / avoir / famille /grand

   _____

Communication

4 **Descriptions** In pairs, take turns describing these people and things using the expressions **c'est** and **ce sont** with adjectives. Your partner will say which image you are describing.

MODÈLE

Étudiant(e) 1: *C'est un cours difficile.*
Étudiant(e) 2: *C'est la photo numéro un!*

1.

2.

3.

4.

5.

6.

7.

5 **Comparaisons** In pairs, take turns comparing these brothers and their sister. Make as many comparisons as possible, then share them with the class.

MODÈLE

Géraldine et Jean-Paul sont grands mais Tristan est petit.

Jean-Paul   **Tristan**   **Géraldine**

6 **Qui est-ce?** Choose the name of a classmate. Your partner must guess the person by asking up to 10 **oui** or **non** questions. Then, switch roles.

MODÈLE

Étudiant(e) 1: *C'est un homme?*
Étudiant(e) 2: *Oui.*
Étudiant(e) 1: *Il est de taille moyenne?*
Étudiant(e) 2: *Non.*

7 **Les bons copains** Interview two classmates to learn about one of their friends, using descriptive adjectives. Then report to the class what you learned.

MODÈLE

Est-ce que tu as un(e) meilleur(e) ami(e)? Comment est-ce qu'il/elle s'appelle?

I CAN describe people and things.

STRUCTURES

3A.2

Possessive adjectives 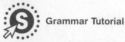 Grammar Tutorial

Point de départ In both English and French, possessive adjectives express ownership or possession.

Possessive adjectives

masculine singular	feminine singular	plural	
mon	ma	mes	*my*
ton	ta	tes	*your (fam. and sing.)*
son	sa	ses	*his, her, its*
notre	notre	nos	*our*
votre	votre	vos	*your (form. or pl.)*
leur	leur	leurs	*their*

C'est ta sœur? Tes parents?

Voilà vos photos.

- Possessive adjectives are always placed before the nouns they modify.

  C'est **ton** père?
  Is that your father?

  Non, c'est **mon** oncle.
  No, that's my uncle.

  Voici **notre** mère.
  Here's our mother.

  Ce sont **tes** livres?
  Are these your books?

- In French, unlike English, possessive adjectives agree in gender and number with the nouns they modify.

  mon frère   **ma** sœur   **mes** grands-parents
  my brother   *my sister*   *my grandparents*

  ton chat   **ta** nièce   **tes** chiens
  your cat   *your niece*   *your dogs*

- Note that the forms **notre, votre,** and **leur** are the same for both masculine and feminine nouns. They only change to indicate whether the noun is singular or plural.

  notre neveu   **votre** famille   **nos** enfants
  our nephew   *your family*   *our children*

  leur cousin   **leur** cousine   **leurs** cousins
  their cousin   *their cousin*   *their cousins*

- The masculine singular forms **mon, ton,** and **son** are used with all singular nouns that begin with a vowel *even if they are feminine.*

  mon amie   **ton** école   **son** histoire
  my friend   *your school*   *his story*

- In English, the owner's gender is indicated by the use of the possessive adjectives *his* or *her*. In French however, the choice of **son**, **sa**, and **ses** depends on the gender and number of the noun possessed, *not* the gender and number of the owner.

  son frère = *his/her brother*   **sa** sœur = *his/her sister*   **ses** parents = *his/her parents*

  Context will usually help to clarify the meaning of the possessive adjective.

  J'aime **Nadine** mais je n'aime pas **son** frère.   **Rémy** et **son** frère sont trop sérieux.
  I like Nadine but I don't like her brother.   *Rémy and his brother are too serious.*

Possession with *de*

- In English, you use *'s* to express relationships or ownership. In French, use **de (d')** + [*the noun or proper name*] instead.

  C'est le petit ami **d'Élisabeth**.   C'est le petit ami **de ma sœur**.
  That's Élisabeth's boyfriend.   *That's my sister's boyfriend.*

  Tu aimes la cousine **de Thierry**?   J'ai l'adresse **de ses parents**.
  Do you like Thierry's cousin?   *I have his parents' address.*

- When the preposition **de** is followed by the definite articles **le** and **les**, they contract to form **du** and **des**, respectively. There is no contraction when **de** is followed by **la** and **l'**.

  de + le ▶ du   de + les ▶ des

  L'opinion **du** grand-père est importante.   La fille **des** voisins a les cheveux châtains.
  The grandfather's opinion is important.   *The neighbors' daughter has brown hair.*

  Le nom **de l'**oiseau, c'est Lulu.   J'ai le nouvel album **de la** chanteuse française.
  The bird's name is Lulu.   *I have the French singer's new album.*

On peut regarder des photos de ma tante?

Elle a déjà son bac.

Essayez! **Provide the appropriate form of each possessive adjective.**

mon, ma, mes
1. __mon__ livre
2. _____ librairie
3. _____ professeurs

ton, ta, tes
4. _____ ordinateurs
5. _____ télévision
6. _____ stylo

son, sa, ses
7. _____ table
8. _____ problèmes
9. _____ école

notre, nos
10. _____ cahier
11. _____ études
12. _____ bourse

votre, vos
13. _____ soirées
14. _____ resto U
15. _____ devoirs

leur, leurs
16. _____ résultat
17. _____ classe
18. _____ notes

Mise en pratique

1 **Complétez** Complete the sentences with the correct possessive adjectives.

MODÈLE

Karine et Léo, vous avez _____VOS_____ (your) stylos?

1. _____ (My) sœur est très patiente.
2. Marc et Julien adorent _____ (their) cours de philosophie et de maths.
3. Nadine et Gisèle, qui est _____ (your) amie?
4. C'est une belle photo de _____ (their) grand-mère.
5. Nous voyageons en France avec _____ (our) enfants.
6. Est-ce que tu travailles beaucoup sur _____ (your) ordinateur?
7. _____ (Her) cousins habitent à Paris.

2 **Identifiez** Identify the owner(s) of each object.

▶ **MODÈLE**

Ce sont les cahiers de Sophie.

Sophie

Christophe
1. _____

Paul
2. _____

Stéphanie
3. _____

Georgette
4. _____

Jacqueline
5. _____

Christine
6. _____

3 **Qui est-ce?** Look at the Mercier family tree and explain the relationships between these people.

MODÈLE

Hubert: Marie et Fabien
C'est leur père.

1. Marie: Guy
2. Agnès et Hubert: Thomas et Mégane
3. Thomas et Daniel: Yvette
4. Fabien: Guy
5. Claire: Thomas et Daniel
6. Thomas: Marie

Hubert **Agnès**

Yvette **Fabien** **Marie** **Guy**

Thomas **Lucie** **Daniel** **Mégane** **Claire**

Communication

4 **Ma famille** Use these cues to interview as many classmates as you can to learn about their family members. Then, tell the class what you found out.

MODÈLE

mère / parler / espagnol
Étudiant(e) 1: Est-ce que ta mère parle espagnol?
Étudiant(e) 2: Oui, ma mère parle espagnol.

1. sœur / travailler / dans un bureau

_____

2. frère / être / célibataire

_____

3. cousins / avoir / un chien

_____

4. cousin / voyager / beaucoup

_____

5. père / adorer / le sport

_____

6. parents / être / divorcés

_____

5 **Tu connais?** In pairs, take turns telling your partner if someone among your family or friends has these characteristics. Be sure to use a possessive adjective or **de** in your responses.

MODÈLE

français
Mes cousins sont français.

1. naïf
2. beau
3. petit
4. sympathique

5. optimiste
6. grand
7. blond
8. mauvais

9. curieux
10. vieux
11. roux
12. intellectuel

6 **Portrait de famille** In groups of three, take turns describing your family. Listen carefully to your partners' descriptions without taking notes. After everyone has spoken, two of you describe the other's family to see how well you remember.

MODÈLE

Étudiant(e) 1: *Sa mère est sociable.*
Étudiant(e) 2: *Sa mère est blonde.*
Étudiant(e) 3: *Mais non! Ma mère est timide et elle a les cheveux châtains.*

I CAN express ownership and relationships.

Révision

1 **Expliquez** In pairs, take turns randomly calling out one person from column A and one from column B. Your partner will explain how they are related.

MODÈLE

Étudiant(e) 1: *ta sœur et ta mère*
Étudiant(e) 2: *Ma sœur est la fille de ma mère.*

A	B
1. sœur	**a.** cousine
2. tante	**b.** mère
3. cousins	**c.** grand-père
4. demi-frère	**d.** neveu
5. père	**e.** oncle

2 **Les yeux de ma mère** List five physical (hair, eyes, and height) or personality traits that you share with other members of your family. Be specific. Then, in pairs, compare your lists. Take notes so you can present your partner's list to the class.

MODÈLE

Étudiant(e) 1: *J'ai les yeux bleus de mon père et je suis fier/fière comme mon grand-père.*
Étudiant(e) 2: *Moi, je suis impatient(e) comme ma mère.*

3 **Les familles célèbres** In groups of four, play a guessing game. Imagine that you belong to one of these famous families or a famous family of your choice. Start describing your new family to your partners. The first person who guesses which family you are describing and where you fit in is the winner. He or she should describe another family.

> La famille de Will Smith
> La famille Kardashian
> La famille de *Modern Family*
> La famille Weasley
> La famille Simpson

4 **La famille idéale** Survey your classmates to find out how many students think a large or small family is ideal, and their ideal number of children and pets. Tally the results and discuss as a class.

MODÈLE

La famille idéale est-elle grande? Petite? Combien d'enfants y a-t-il dans la famille idéale? Un? Deux? Trois? Et combien de chiens?

5 **Le casting** You need to cast your classmates in a new comedy about the family shown here. In pairs, discuss the family and your classmates to find an actor to play each character. Share your ideas with the class.

MODÈLE

Étudiant(e) 1: *Pour la mère, il y a Émilie. Elle est rousse et elle a les cheveux courts.*
Étudiant(e) 2: *Ah, non. La mère est brune et elle a les cheveux longs. Y a-t-il une actrice brune?*

La famille

le fils   la fille   le père   la mère   le cousin

6 **Qui?** Pitch a new TV show based on the family shown here. Name the characters and describe how they are related to each other. Describe their personalities and how they will interact with each other in the first episode. Make sure it's entertaining so that networks will be interested in it.

7 **Les différences** Your instructor will give you and a partner each a drawing of a family. Find the six differences between your picture and your partner's.

MODÈLE

Étudiant(e) 1: *La mère est blonde.*
Étudiant(e) 2: *Non, la mère est brune.*

Le Zapping

 Video

1 **Préparation** Answer these questions.

1. Vos parents sont-ils généreux? Comment? Qu'est-ce qu'ils donnent à leurs enfants?

2. Êtes-vous généreux/généreuse? Comment? Qu'est-ce que vous donnez à vos ami(e)s? Et à votre famille?

Publicité°: Pages d'Or°

—Pour toi, je décrocherais la Lune°.

Pages d'Or

The **Pages d'Or** of Belgium is a company that offers a range of services that connect businesses with potential customers. Technology is the principal means used by **Pages d'Or** to reach a wide customer base. The **Pages d'Or** website, downloadable PDFs, smartphone and tablet applications, and digital television listings allow consumers to find businesses quickly for the services they need.

publicité *ad* **Pages d'Or** *Golden Pages* **je décrocherais la Lune** *I would give you the moon*

Vocabulaire utile

combien	*how much*
une grue	*crane*
C'est bien trouvé.	*Now that's a good choice.*

2 **Compréhension** Answer these questions.

1. Qui (*Who*) sont les deux personnes dans la publicité?

2. Pourquoi l'homme téléphone-t-il pour obtenir (*to obtain*) une grue?

3. Comment trouve-t-il le numéro de téléphone?

3 **Conversation** In small groups, discuss the following.

1. Utilisez le vocabulaire de cette leçon pour décrire le père et l'enfant dans la publicité.

2. Décrivez les méthodes que vous utilisez pour trouver le cadeau (*gift*) idéal pour les personnes que vous aimez.

4 **Application** Describe a time when you used an outside resource to do something special for someone to show him or her how much you cared. Use as much French as you can in your presentation.

5 **Réflexion** Research **Pages d'Or** of Belgium online and take notes. Do you know of any similar services in your country? Would you use such a service? Explain why or why not. Write six sentences.

I CAN identify and reflect on attitudes around family and gifts.

Leçon 3B

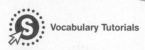 Vocabulary Tutorials

Comment sont-ils?

Vocabulaire

actif/active	*active*
antipathique	*unpleasant*
courageux/courageuse	*brave*
cruel(le)	*cruel*
doux/douce	*sweet; soft*
ennuyeux/ennuyeuse	*boring*
étranger/étrangère	*foreign*
faible	*weak*
favori(te)	*favorite*
fou/folle	*crazy*
généreux/généreuse	*generous*
génial(e) (géniaux *m., pl.*)	*great*
gentil(le)	*nice*
lent(e)	*slow*
méchant(e)	*mean*
modeste	*modest*
pénible	*annoying*
prêt(e)	*ready*
sportif/sportive	*athletic*
un(e) architecte	*architect*
un(e) artiste	*artist*
un(e) athlète	*athlete*
un(e) avocat(e)	*lawyer*
un(e) dentiste	*dentist*
un homme/une femme d'affaires	*businessman/woman*
un ingénieur	*engineer*
un(e) journaliste	*journalist*
un médecin	*doctor*

Ils sont paresseux.

Il est rapide.

Il est fort.

Il est travailleur.

le propriétaire

discrète (discret *m.*)

fatiguée (fatigué *m.*)

jaloux (jalouse *f.*)

inquiète (inquiet *m.*)

triste

Mise en pratique

1 **Écoutez** You will hear descriptions of three people. Listen carefully and indicate whether the statements about them are **vrai** or **faux**.

Nora   Ahmed   Françoise

	Vrai	Faux
1. Nora est avocate.	☐	☐
2. Nora habite au Québec.	☐	☐
3. Nora est sportive.	☐	☐
4. Ahmed est médecin.	☐	☐
5. Ahmed est un peu jaloux.	☐	☐
6. Ahmed aime le sport.	☐	☐
7. Ahmed habite avec ses parents.	☐	☐
8. Françoise est médecin.	☐	☐
9. Françoise est mère de famille.	☐	☐
10. Françoise est étudiante à l'université.	☐	☐

2 **Les contraires** Complete each sentence with the opposite adjective.

1. Ma grand-mère n'est pas cruelle, elle est _____.
2. Mon frère n'est pas travailleur, il est _____.
3. Mes cousines ne sont pas faibles, elles sont _____.
4. Ma tante n'est pas drôle, elle est _____.
5. Mon oncle n'est pas lent, il est _____.
6. Ma famille et moi, nous ne sommes pas antipathiques, nous sommes _____.
7. Mes parents ne sont pas méchants, ils sont _____.
8. Mon oncle n'est pas heureux, il est _____.

3 **Les célébrités** Match these famous people with their professions. Not all of the professions will be used.

_____ 1. Oprah Winfrey
_____ 2. Claude Monet
_____ 3. Paul Mitchell
_____ 4. Thurgood Marshall
_____ 5. Serena Williams
_____ 6. Katie Couric
_____ 7. Alicia Keys
_____ 8. Frank Lloyd Wright

a. médecin
b. journaliste
c. musicien(ne)
d. coiffeur/coiffeuse
e. artiste
f. architecte
g. avocat(e)
h. homme/femme d'affaires
i. athlète
j. dentiste

la coiffeuse (coiffeur *m.*)

Il est drôle.

un musicien (musicienne *f.*)

Communication

4 **Les professions** In pairs, take turns choosing a photo and saying what the people's professions are. Your partner will say which photo you're describing.

MODÈLE

Étudiant(e) 1: *Elles sont avocates.*
Étudiant(e) 2: *C'est l'image numéro un.*

1.

2.   3.   4.   5.

6.   7.   8.   9.

5 **Conversez** Interview a classmate and take notes. After the interview, tell the class the most interesting thing you learned about your partner.

1. Quel âge ont tes parents? Comment sont-ils?
2. Y a-t-il un(e) avocat(e) dans ta famille? Qui (*Who*)?
3. Qui est ton/ta cousin(e) préféré(e)? Pourquoi?
4. Qui n'est pas ton/ta cousin(e) préféré(e)? Pourquoi?
5. As-tu des animaux familiers (*pets*)? Quel est ton animal familier favori? Pourquoi?
6. Qui est ton professeur préféré? Pourquoi?
7. Qui est gentil dans la classe? Pourquoi?
8. Quelles professions aimes-tu? Pourquoi?

Coup de main

When asked **pourquoi**, answer with **parce que** (*because*).

6 **Quelle surprise!** You run into your French instructor ten years after you graduated and want to know what his or her life is like today. With a partner, prepare a conversation where you:

- greet each other
- ask each other's ages
- ask what each other's professions are
- ask about marital status and for a description of your significant others
- ask each other if you have children, and if so, describe them

7 **Les petites annonces** Write a **petite annonce** (*personal ad*) where you describe yourself and your ideal roommate. Include details such as profession, age, and personality. Your instructor will post the ads. In groups, take turns guessing who wrote them.

MODÈLE

Moi, je suis artiste. Je suis très gentille. Ma camarade de chambre idéale est artiste ou musicienne. Elle...

I CAN identify words and phrases related to descriptions and professions.

Les sons et les lettres

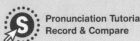

L'accent circonflexe, la cédille, and le tréma

L'accent circonflexe (^) can appear over any vowel.

aîné	drôle	diplôme	pâté

L'accent circonflexe indicates that a letter, frequently an **s**, has been dropped from an older spelling. For this reason, **l'accent circonflexe** can be used to identify similarities between French and English words.

hospital → hôpital   forest → forêt

L'accent circonflexe is also used to distinguish between words with similar spellings but different meanings.

mûr	mur	sûr	sur
ripe	*wall*	*sure*	*on*

La cédille (¸) is only used with the letter **c**. It is always pronounced with a soft **c** sound, like the s in the English word *yes*. Use a **cédille** to retain the soft **c** sound before an **a**, **o**, or **u**. Before an **e** or an **i**, the letter **c** is always soft, so a **cédille** is not necessary.

garçon	français	ça	leçon

Le tréma (¨) is used to indicate that two vowel sounds are pronounced separately. It is always placed over the second vowel.

égoïste	naïve	Noël	Haïti

Prononcez Practice saying these words aloud.

1. naïf
2. reçu
3. châtain
4. âge
5. français
6. fenêtre
7. théâtre
8. garçon
9. égoïste
10. château

Articulez Practice saying these sentences aloud.

1. Comment ça va?
2. Comme ci, comme ça.
3. Vous êtes française, Madame?
4. C'est un garçon cruel et égoïste.
5. J'ai besoin d'être reçu à l'examen.
6. Caroline, ma sœur aînée, est très drôle.

Dictons Practice reading these sayings aloud.

> Plus ça change, plus c'est la même chose.[2]

> Impossible n'est pas français.[1]

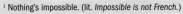

[1] Nothing's impossible. (lit. *Impossible is not French.*)

[2] The more things change, the more they stay the same.

ROMAN-PHOTO

On travaille chez moi!

Video: *Roman-photo*
Record & Compare

PERSONNAGES

Amina

David

Rachid

Sandrine

Stéphane

Valérie

SANDRINE Alors, Rachid, où est David?

Un téléphone portable sonne (a cell phone rings)...

VALÉRIE Allô.

RACHID Allô.

AMINA Allô.

SANDRINE C'est Pascal! Je ne trouve pas mon téléphone!

AMINA Il n'est pas dans ton sac à dos?

SANDRINE Non!

RACHID Ben, il est sous tes cahiers.

SANDRINE Non plus!

AMINA Il est peut-être derrière ton livre... ou à gauche.

SANDRINE Mais non! Pas derrière! Pas à gauche! Pas à droite! Et pas devant!

RACHID Non! Il est là... sur la table. Mais non! La table à côté de la porte.

SANDRINE Ce n'est pas vrai! Ce n'est pas Pascal! Numéro de téléphone 06.62.70.94.87. Mais qui est-ce?

DAVID Sandrine? Elle est au café?

RACHID Oui... pourquoi?

DAVID Ben, j'ai besoin d'un bon café, oui, d'un café très fort. D'un espresso! À plus tard!

RACHID Tu sais, David, lui aussi, est pénible. Il parle de Sandrine. Sandrine, Sandrine, Sandrine.

RACHID ET STÉPHANE C'est barbant!

STÉPHANE C'est ta famille? C'est où?

RACHID En Algérie, l'année dernière chez mes grands-parents. Le reste de ma famille — mes parents, mes sœurs et mon frère, habitent à Marseille.

STÉPHANE C'est ton père, là?

RACHID Oui. Il est médecin. Il travaille beaucoup.

RACHID Et là, c'est ma mère. Elle, elle est avocate. Elle est très active... et très travailleuse aussi.

A C T I V I T É S

1 **Identifiez** Indicate which person each statement describes.

1. Elle dit (*says*) que Stéphane n'est pas drôle. _____

2. Il dit qu'il a besoin d'un café très fort. _____

3. Il est médecin. _____

4. Elle est avocate. _____

5. Il a envie d'être architecte. _____

> David
> la mère de Rachid
> le père de Rachid
> Rachid
> Sandrine

2 **Où?** Watch the beginning of the episode again, and listen for the prepositions provided here. Say what you think each one means based on visuals and context clues.

1. sous _____

2. derrière _____

3. devant _____

4. à gauche de _____

5. à côté de _____

> behind
> in front of
> next to
> to the left of
> under

Sandrine perd (*loses*) son téléphone.
Rachid aide Stéphane à préparer le bac.

STÉPHANE Qui est-ce? C'est moi!

SANDRINE Stéphane! Tu n'es pas drôle!

AMINA Oui, Stéphane. C'est cruel.

STÉPHANE C'est génial...

RACHID Bon, tu es prêt? On travaille chez moi!

À l'appartement de Rachid et de David...

STÉPHANE Sandrine, elle est tellement pénible. Elle parle de Pascal, elle téléphone à Pascal... Pascal, Pascal, Pascal! Que c'est ennuyeux!

RACHID Moi aussi, j'en ai marre.

STÉPHANE Avocate? Moi, j'ai envie d'être architecte.

RACHID Architecte? Alors, c'est pour ça qu'on prépare le bac.

Rachid et Stéphane au travail...

RACHID Allez, si *x* égale 83 et *y* égale 90, la réponse c'est...

STÉPHANE Euh... 100?

RACHID Oui! Bravo!

Expressions utiles

Making complaints

- **Sandrine, elle est tellement pénible.**
  Sandrine is such a pain.
- **J'en ai marre.**
  I'm fed up.
- **Tu sais, David, lui aussi, est pénible.**
  You know, David's a pain, too.
- **C'est barbant!/C'est la barbe!**
  What a drag!

Reading numbers

- **Numéro de téléphone 06.62.70.94.87 (zéro six, soixante-deux, soixante-dix, quatre-vingt-quatorze, quatre-vingt-sept).**
  Phone number 06.62.70.94.87.
- **Si *x* égale 83 (quatre-vingt-trois) et *y* égale 90 (quatre-vingt-dix)...**
  If x equals 83 and y equals 90...
- **La réponse, c'est 100 (cent).**
  The answer is 100.

Expressing location

- **Où est le téléphone de Sandrine?**
  Where is Sandrine's telephone?
- **Il n'est pas dans son sac à dos.**
  It's not in her backpack.
- **Il est sous ses cahiers.**
  It's under her notebooks.
- **Il est derrière son livre, pas devant.**
  It's behind her book, not in front.
- **Il est à droite ou à gauche?**
  Is it to the right or to the left?
- **Il est sur la table à côté de la porte.**
  It's on the table next to the door.

---

3 **Réfléchissez** Répondez aux questions.

1. Avez-vous des copains qui font des blagues (*jokes*) comme Stéphane? Que-font-ils?
2. Comparez ces personnes à Stéphane. Sont-elles vraiment drôles? Expliquez.
3. Décrivez la famille de Rachid. C'est une famille traditionnelle? Comparez sa famille à la vôtre (*yours*).

4 **Écrivez** In pairs, write a brief description in French of one of the video characters. Do not mention the character's name. Describe his or her personality traits, physical characteristics, and career path. Be prepared to read your description aloud to your classmates, who will guess the identity of the character.

A C T I V I T É S

I CAN understand short conversations about people and locations.

L'amitié

Pour les Français, l'amitié est une valeur sûre. En effet, plus de 95% d'entre eux estiment° que l'amitié est importante pour leur équilibre personnel°, et les amis sont considérés par beaucoup comme une deuxième famille.

Quand on demande aux Français de décrire leurs amis, ils sont nombreux à dire que ceux-ci leur ressemblent. On les choisit selon son milieu°, ses valeurs, sa culture ou son mode de vie°.

Pour les Français, l'amitié ne doit pas être confondue° avec le copinage. Les copains, ce sont des gens que l'on voit de temps en temps, avec lesquels on passe un bon moment, mais qu'on ne considère pas comme des personnes proches°. Il peut s'agir de relations professionnelles ou de personnes qu'on fréquente° dans le cadre d'une activité commune: clubs sportifs, associations, etc. Quant aux° «vrais» amis, les Français disent en avoir seulement entre cinq et six.

Pour 6 Français sur 10, le facteur le plus important en amitié est la notion d'entraide°: on est prêt à presque tout pour aider ses amis. Viennent ensuite la fidélité et la communication. Mais attention, même si on se confie à ses amis en cas de problèmes, les amis ne sont pas là pour servir de psychologues.

Les Français considèrent aussi que l'amitié prend du temps et qu'elle est fragile. En effet, l'éloignement° et le manque de temps° peuvent lui nuire°. Mais c'est la trahison° que les Français jugent comme la première cause responsable de la fin d'une amitié.

STRATÉGIE

Summarizing

Summarizing new information helps you focus on the main ideas and remember what you read. As you read the text, pause at the end of each paragraph and write a sentence restating the main idea in your own words. Compare your summaries with a partner.

1 **Vrai ou faux?** Indicate whether each statement is **vrai** or **faux** based on the reading.

1. En général, les Français ont des amis très différents d'eux.

2. Un ami est une personne avec qui on a une relation très solide.

3. Les Français pensent qu'on doit (*must*) toujours aider ses amis.

4. Pour les Français, rester amis est toujours facile.

5. Les Français pensent que les amis sont comme des psychologues.

2 **Réfléchissez** Répondez aux questions.

1. Quelle est la différence entre l'amitié et le copinage? Est-ce que cette distinction existe dans votre culture?

2. Combien d'ami(e)s proches avez-vous?

3. Est-ce que vos amis sont différents de vous, ou est-ce qu'ils vous ressemblent?

4. À votre avis, qu'est-ce qui est le facteur le plus important en amitié? Comparez votre attitude à celle des (*that of*) Français.

Les Français, combien de vrais amis ont-ils?

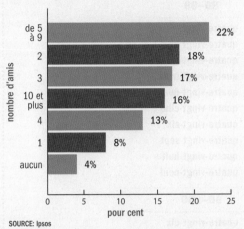

nombre d'amis	pour cent
de 5 à 9	22%
2	18%
3	17%
10 et plus	16%
4	13%
1	8%
aucun	4%

SOURCE: Ipsos

PORTRAIT

Les Cousteau

Jacques-Yves Cousteau

L'océan est une passion pour les trois générations Cousteau. Le grand-père, Jacques-Yves (1910–1997), surnommé° le «Commandant Cousteau», a consacré sa vie° à l'exploration du monde sous-marin° et à sa préservation. Ses voyages télévisés à bord de son bateau° la *Calypso* l'ont rendu° célèbre partout dans le monde°. Ses fils Philippe et Jean-Michel ont continué ses efforts. Jean-Michel est le fondateur de l'association *Ocean Futures Society*, qui est dédiée à la protection des océans et à l'éducation. Même° les petits-enfants, Alexandra et Philippe Jr., ont hérité de la volonté de sauver° la planète. Ils défendent des causes environnementales avec leur organisation *Earth Echo International*.

Philippe, Jr.

Alexandra

surnommé *nicknamed* consacré sa vie *dedicated his life* monde sous-marin *underwater world* bateau *boat* l'ont rendu *made him* partout dans le monde *around the world* Même *Even* ont hérité de la volonté de sauver *inherited the desire to save*

LE MONDE FRANCOPHONE

Le mariage: Qu'est-ce qui est différent?

En France Les mariages sont toujours à la mairie°, en général le samedi après-midi. Beaucoup de couples vont° à l'église° juste après. Il y a un grand dîner le soir. Tous les amis et la famille sont invités.

En Belgique Pendant la cérémonie, la mariée porte° deux fleurs°. Elle offre la première fleur à sa mère et la deuxième fleur à sa nouvelle belle-mère.

En Suisse Après la cérémonie, on fait parfois une haie d'honneur: les copains du couple forment deux lignes parallèles avec les bras levés° pour former un tunnel que les mariés traversent ensemble.

- Quelles (*What*) traditions existent pour les mariages dans votre culture ou communauté? Lesquelles (*Which ones*) sont les plus populaires?

mairie *city hall* vont *go* église *church* porte *carries* fleurs *flowers* bras levés *arms raised*

🎧 MUSIQUE À FOND

Stephan Eicher

Date de naissance: 17 août 1960
Lieu de naissance: Münchenbuchsee, Suisse
Métier: compositeur-interprète

Stephan Eicher est un artiste reconnu en France, mais il chante aussi en anglais, en allemand et en italien.

Go to **vhlcentral.com** to find out more about **Stephan Eicher** and his music.

---

3 Complétez Complete each sentence with the correct information based on the readings.

1. La passion de la famille Cousteau est _____.

2. Les trois générations Cousteau ont dédié leur vie à l'exploration et à _____ du monde sous-marin.

3. Les mariages en France ont lieu (*take place*) à _____.

4. En Belgique, la mariée porte deux _____.

4 À vous Conduct a survey of students in your school to find out how many close friends they have on average. Present your findings in a chart and compare it to the data from the French survey. If the results differ, provide possible explanations for the differences.

ACTIVITÉS

I CAN identify and reflect on cultural practices and perspectives around relationships in my own and other cultures.

STRUCTURES

3B.1

Numbers 61–100

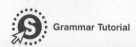 Grammar Tutorial

---

Boîte à outils

Study tip: To say numbers **70–99**, remember the arithmetic behind them. For example, **quatre-vingt-douze (92)** is **4 (quatre)** x **20 (vingt) + 12 (douze)**.

À noter

Numbers 101 and greater are presented in **Leçon 5B**.

Numbers 61–100	
61–69	**80–89**
61 soixante et un	80 quatre-vingts
62 soixante-deux	81 quatre-vingt-un
63 soixante-trois	82 quatre-vingt-deux
64 soixante-quatre	83 quatre-vingt-trois
65 soixante-cinq	84 quatre-vingt-quatre
66 soixante-six	85 quatre-vingt-cinq
67 soixante-sept	86 quatre-vingt-six
68 soixante-huit	87 quatre-vingt-sept
69 soixante-neuf	88 quatre-vingt-huit
	89 quatre-vingt-neuf
70–79	**90–100**
70 soixante-dix	90 quatre-vingt-dix
71 soixante et onze	91 quatre-vingt-onze
72 soixante-douze	92 quatre-vingt-douze
73 soixante-treize	93 quatre-vingt-treize
74 soixante-quatorze	94 quatre-vingt-quatorze
75 soixante-quinze	95 quatre-vingt-quinze
76 soixante-seize	96 quatre-vingt-seize
77 soixante-dix-sept	97 quatre-vingt-dix-sept
78 soixante-dix-huit	98 quatre-vingt-dix-huit
79 soixante-dix-neuf	99 quatre-vingt-dix-neuf
	100 cent

- Numbers that end in the digit **1** are not usually hyphenated. They use the conjunction **et** instead.

> trente et un   cinquante et un   soixante et un

- Note that **81** and **91** are exceptions:

> quatre-vingt-un   quatre-vingt-onze

- The number **quatre-vingts** ends in **-s**, but there is no **-s** when it is followed by another number.

> quatre-vingts   quatre-vingt-cinq   quatre-vingt-dix-huit

 Essayez!   **What are these numbers in French?**

1. 67 _soixante-sept_
2. 75 _____
3. 99 _____
4. 70 _____
5. 82 _____

6. 91 _____
7. 66 _____
8. 87 _____
9. 52 _____
10. 60 _____

Le français vivant

As-tu envie d'être

ingénieur, musicien, architecte, professeur?

le sac à dos 70€

le bureau 96€

la calculatrice 61€

la chaise 82€

Tu as besoin d'une calculatrice intelligente, d'un beau bureau, d'une chaise confortable et d'un bon sac à dos.

**Tu trouves tout dans le
Catalogue AAZ!**

Identifiez Scan this catalogue page, and identify the instances where the numbers 61–100 are used.

 Questions

1. Qui sont les personnes sur la photo?
2. Où est-ce qu'elles habitent?
3. Qu'est-ce qu'elles ont dans leur maison?
4. Quels autres *(other)* objets trouve-t-on dans le Catalogue AAZ? (Imaginez.)
5. Quels sont leurs prix *(prices)*?

STRUCTURES

Mise en pratique

1 **Mille neuf cent...** Write out the 20th century year that corresponds to each historical event. Look online as needed.

MODÈLE

première victoire pour la France à la Coupe du Monde de football
en quatre-vingt-dix-huit

1. les Jeux Olympiques à Grenoble
2. sortie de *Star Wars*
3. l'indépendance du Cameroun, de Madagascar, du Togo, et de la Côte d'Ivoire
4. signature du traité qui fonde (*founds*) l'Union Européenne
5. la population mondiale atteint (*reaches*) 4 milliards

2 **Les numéros de téléphone** Write down these phone numbers, then read them aloud in French.

MODÈLE

C'est le zéro un, quarante-trois, soixante-quinze,
quatre-vingt-trois, seize.
01.43.75.83.16

1. C'est le zéro deux, soixante-cinq, trente-trois, quatre-vingt-quinze, zéro six.

   _____

2. C'est le zéro un, quatre-vingt-dix-neuf, soixante-quatorze, quinze, vingt-cinq.

   _____

3. C'est le zéro cinq, soixante-cinq, onze, zéro huit, quatre-vingts.

   _____

4. C'est le zéro trois, quatre-vingt-dix-sept, soixante-dix-neuf, cinquante-quatre, vingt-sept.

   _____

3 **Les maths** Read these math problems aloud, then write out each answer in words.

MODÈLE

65 + 3 = *soixante-huit*
Soixante-cinq plus trois font (equals) soixante-huit.

1. 70 + 15 = _____
2. 82 + 10 = _____
3. 76 + 3 = _____
4. 88 + 12 = _____
5. 40 + 27 = _____
6. 67 + 6 = _____
7. 43 + 54 = _____
8. 78 + 5 = _____

4 **Comptez** Read the following numbers aloud in French, then follow the pattern to provide the missing numbers.

1. 60, 62, 64, ... 80
2. 76, 80, 84, ... 100
3. 10, 20, 30, ... 90
4. 81, 83, 85, ... 99
5. 62, 63, 65, 68, ... 98
6. 55, 57, 59, ... 73
7. 100, 95, 90, ... 60
8. 99, 96, 93, ... 69

Communication

5 **Estimations** Write down the number you associate with each of the following items. Compare your numbers with a partner to find your average number for each item. Then determine the class averages.

1. coût (*cost*) d'une paire de baskets (*sneakers*)
2. âge pour devenir un arrière-grand-parent (*great-grandparent*)
3. heures passées à la bibliothèque par semestre
4. température en juillet (*July*) chez vous
5. vitesse (*speed*) sur l'autoroute (*highway*)
6. âge de la retraite (*retirement*)
7. coût d'un dîner au restaurant pour deux personnes
8. pourcentage d'américains qui ont un smartphone
9. température ambiante (*room temperature*)

6 **Qui est-ce?** Interview as many classmates as you can in five minutes to find out the name, relationship, and age of their oldest family member. Identify the student with the oldest family member in the class.

MODÈLE

Étudiant(e) 1: *Qui est le plus vieux (the oldest) dans ta famille?*
Étudiant(e) 2: *C'est ma tante Julie. Elle a soixante-dix ans.*

7 **Fournitures scolaires** You are a store employee ordering the school supplies (**fournitures scolaires**) below. Tell your partner how many of each item you need, and then switch roles and write down how many of each item your partner needs. When you finish, check the numbers your partner wrote down to make sure they're accurate.

MODÈLE

Étudiant(e) 1: *Vous avez besoin de combien de crayons?*
Étudiant(e) 2: *J'ai besoin de soixante-dix crayons.*

1._____ 2._____ 3._____ 4._____

5._____ 6._____ 7._____ 8._____

I CAN work on math problems and exchange phone numbers.

3B.2

Prepositions of location and disjunctive pronouns

 **Grammar Tutorial**

Point de départ You have already learned expressions in French containing prepositions like **à**, **de**, and **en**. Prepositions of location describe the location of something or someone in relation to something or someone else.

À noter

In **Leçon 7A**, you will learn more names of countries and their corresponding prepositions.

- Use the preposition **à** before the name of any city to express *in*, *to*. The preposition that accompanies the name of a country varies, but you can use **en** in many cases.

  Il étudie **à Nice**.
  He studies in Nice.

  Je voyage **en France** et **en Belgique**.
  I'm traveling in France and Belgium.

Prepositions of location			
à côté de	*next to*	**en face de**	*facing, across from*
à droite de	*to the right of*	**entre**	*between*
à gauche de	*to the left of*	**loin de**	*far from*
dans	*in*	**près de**	*close to, near*
derrière	*behind*	**sous**	*under*
devant	*in front of*	**sur**	*on*
en	*in*		

- Use the forms **du**, **de la**, **de l'** and **des** in prepositional expressions when they are appropriate.

  Le resto U est **à côté du** gymnase.
  The cafeteria is next to the gym.

  Mes grands-parents habitent **près des** Alpes.
  My grandparents live near the Alps.

  Ils sont **devant** la bibliothèque.
  They are in front of the library.

  L'université est **à droite de** l'hôtel.
  The university is to the right of the hotel.

- You can further modify prepositions of location by using intensifiers such as **tout** (*very, really*) and **juste** (*just, right*).

  Ma sœur habite **juste en face de** l'université.
  My sister lives right across from the university.

  Le lycée est **juste derrière** son appartement.
  The high school is just behind his apartment.

  Jules et Alain travaillent **tout près de** la fac.
  Jules and Alain work really close to campus.

  La librairie est **tout à côté du** café.
  The bookstore is right next to the café.

- *You may use a preposition without the word **de** if it is not followed by a noun.*

  Ma sœur habite **juste à côté**.
  My sister lives right next door.

  Elle travaille **tout près**.
  She works really close by.

Boîte à outils

You can also use the prepositions **derrière** and **devant** without a following noun.

Le chien habite derrière.
The dog lives out back.

However, a noun must always follow the prepositions **dans**, **en**, **entre**, **sous**, and **sur**.

Il n'est pas sous les cahiers.

Pas derrière! Pas à droite!

- The preposition **chez** has no exact English equivalent. It expresses the idea of *at* or *to someone's house* or *place.*

Louise n'aime pas étudier **chez Arnaud** parce qu'il parle beaucoup.
Louise doesn't like studying at Arnaud's because he talks a lot.

Ce matin, elle n'étudie pas parce qu'elle est **chez sa cousine**.
This morning she's not studying because she's at her cousin's.

- *The preposition* **chez** *is also used to express the idea of* at *or* to *a professional's office or* business.

chez le docteur
at the doctor's

chez la coiffeuse
to the hairdresser's

On travaille chez moi!

Stéphane est chez Rachid.

- When you want to use a pronoun that refers to a person after any type of preposition, you don't use a subject pronoun. Instead, you use what are called disjunctive pronouns.

Disjunctive pronouns			
singular		**plural**	
je → moi		nous → nous	
tu → toi		vous → vous	
il → lui		ils → eux	
elle → elle		elles → elles	

Maryse travaille **à côté de moi**.
Maryse is working next to me.

Est-ce qu'il y a un coiffeur près de **chez vous**?
Is there a hairdresser near where you live?

Nous pensons **à toi**.
We're thinking about you.

Voilà ma cousine Lise, **devant nous**.
There's my cousin Lise, in front of us.

Tu as besoin **d'elle** aujourd'hui?
Do you need her today?

Vous n'avez pas peur **d'eux**.
You're not afraid of them.

Essayez!   Complete each sentence with the equivalent of the expression in parentheses.

1. La librairie est _derrière_ (*behind*) le resto U.

2. J'habite _____ (*close to*) leur lycée.

3. Le laboratoire est _____ (*next to*) ma résidence.

4. Tu retournes _____ (*to the house of*) tes parents ce week-end?

5. La fenêtre est _____ (*across from*) la porte.

6. Mon sac à dos est _____ (*under*) la chaise.

7. Ses crayons sont _____ (*on*) la table.

8. Votre ordinateur est _____ (*in*) la corbeille!

9. Il n'y a pas de secrets _____ (*between*) amis.

10. Le professeur est _____ (*in front of*) les étudiants.

STRUCTURES

Mise en pratique

1 **Où est ma montre?** Claude has lost her watch. Choose the appropriate prepositions to complete her friend Pauline's questions.

MODÈLE

Elle est (*à gauche du* / entre le) livre?

1. Elle est (sur / entre) le bureau?
2. Elle est (dans / derrière) la télévision?
3. Elle est (entre / dans) le lit et la table?
4. Elle est (en / sous) la chaise?

5. Elle est (sur / à côté de) la fenêtre?
6. Elle est (près du / entre le) sac à dos?
7. Elle est (devant / sur) la porte?
8. Elle est (dans / sous) la corbeille?

2 **Complétez** Complete these sentences based on the drawing.

MODÈLE

Nous sommes _chez_ nos cousins.

1. Nous sommes _____ la maison de notre tante.
2. Michel est _____ Béatrice.
3. _____ Jasmine et Laure, il y a le petit cousin, Adrien.
4. Béatrice est _____ Jasmine.
5. Jasmine est tout _____ Béatrice.
6. Michel est _____ Laure.
7. Un oiseau est _____ la maison.
8. Laure est _____ Adrien.

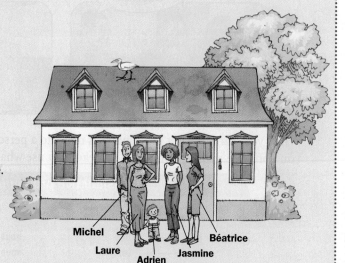

Michel
Laure
Adrien
Jasmine
Béatrice

3 **Où est-on?** Tell where these people, animals, and things are in relation to each other. Replace the second noun or pronoun with the appropriate disjunctive pronoun.

▶ **MODÈLE**

Alex / Anne
Alex est à droite d'elle.

1._____   2._____

3._____   4._____   5._____   6._____

1. l'oiseau / je
2. le chien / Gabrielle et Emma
3. le monument / tu

4. l'ordinateur / Ousmane
5. Mme Fleury / Max et Élodie
6. les enfants / la grand-mère

Communication

 4 **Où est l'objet?** In pairs, take turns asking and saying where these items are in the classroom. Use prepositions of location.

MODÈLE la carte

Étudiant(e) 1: *Où est la carte?*
Étudiant(e) 2: *Elle est devant la classe.*

1. l'horloge
2. l'ordinateur
3. le tableau
4. la fenêtre
5. le bureau du professeur
6. ton livre de français
7. la corbeille
8. la porte

5 **Qui est-ce?** Choose someone in the room. The rest of the class will guess whom you chose by asking yes/no questions that use prepositions of location.

MODÈLE

Est-ce qu'il/elle est derrière Dominique?
Est-ce qu'il/elle est entre Jean-Pierre et Suzanne?

 6 **S'il vous plaît…?** In pairs, take turns asking and saying where these places are located on the map.

MODÈLE

Étudiant(e) 1: *Où est la banque?*
Étudiant(e) 2: *Elle est en face de l'hôpital.*

1. le cinéma Ambassadeur
2. le restaurant Chez Marlène
3. la librairie Antoine
4. le lycée Camus
5. l'hôtel Royal
6. le café de la Place

 7 **Ma ville** In pairs, take turns asking and saying where the places below are located on your campus or in your neighborhood. Correct your partner when you disagree.

MODÈLE

la banque
La banque est tout près de la fac.

1. le café
2. la librairie
3. l'université
4. le gymnase
5. l'hôtel
6. la bibliothèque
7. l'hôpital
8. le restaurant italien

I CAN express locations of people, places, and things in relation to each other.

Révision

1

Le basket These basketball rivals are competing for the title. In pairs, predict the missing playoff scores. Then, compare your predictions with those of another pair. Calculate the class averages to determine the "winner" of each game.

1. Ohio State 76, Michigan _____
2. Florida _____, Florida State 84
3. Stanford _____, UCLA 79
4. Purdue 81, Indiana _____
5. Duke 100, Virginia _____
6. Kansas 95, Colorado _____
7. Texas _____, Oklahoma 88
8. Kentucky 98, Tennessee _____

2 **La famille d'Édouard** In pairs, take turns saying where Édouard's family members are in the photo using prepositions to describe their locations. Compare your answers with those of another pair.

Édouard

MODÈLE

Son père est derrière sa mère.

3 **À la fac** In pairs, take turns describing the location of a building (**un bâtiment**) on your campus. Your partner must guess which building you are describing in three tries. Keep score to determine the winner after several rounds.

MODÈLE

Étudiant(e) 1: *C'est un bâtiment entre la bibliothèque et Sherman Hall.*
Étudiant(e) 2: *C'est le resto U?*
Étudiant(e) 1: *C'est ça!*

4 **C'est quel numéro?** Choose five courses from the list that you find interesting. Ask your partner to give you the phone number for enrollment for each one, and write them down. Switch roles, then check the accuracy of what you wrote down.

MODÈLE

Étudiant(e) 1: *Je cherche un cours de philosophie.*
Étudiant(e) 2: *C'est le zéro quatre...*

Architecture	04.76.65.74.92
Biologie	04.76.72.63.85
Chimie	04.76.84.79.64
Littérature anglaise	04.76.99.90.82
Mathématiques	04.76.86.66.93
Philosophie	04.76.75.99.80
Psychologie	04.76.61.88.91
Sciences politiques	04.76.68.96.81
Sociologie	04.76.70.83.97

5 **À la librairie** Pick four items from the list and ask your partner where they are located based on the illustration. Then switch roles.

MODÈLE

Étudiant(e) 1: *Je cherche des stylos.*
Étudiant(e) 2: *Ils sont à côté des cahiers.*

des cahiers	un dictionnaire
une calculatrice	un smartphone
une carte	du papier
des crayons	un sac à dos

Écriture

Using idea maps

How do you organize ideas for a first draft? Often, the organization of ideas represents the most challenging part of the writing process. Idea maps are useful for organizing pertinent information. Here is an example of an idea map you can use when writing.

SCHÉMA D'IDÉES

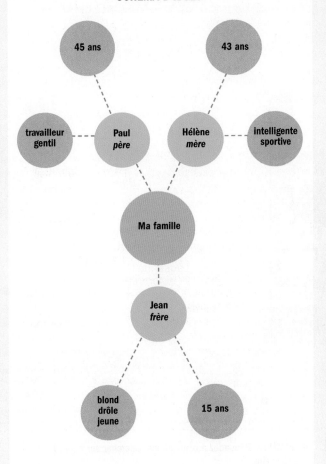

🔗 Thème

Écrivez une lettre

If you could communicate with one of your family's ancestors, what would you tell them about yourself and your family? Using some of the verbs and adjectives you learned in this lesson, write a brief letter describing your family, including:

- Names and relationships
- Physical characteristics
- Hobbies and interests

Here are some useful expressions for letter writing in French:

Salutations	
Cher Fabien,	*Dear Fabien,*
Chère Joëlle,	*Dear Joëlle,*

Asking for a response	
Réponds-moi vite.	*Write back soon.*
Donne-moi de tes nouvelles.	*Tell me your news.*

Closings	
Grosses bises!	*Big kisses!*
Je t'embrasse!	*Kisses!*
Bisous!	*Kisses!*
À bientôt!	*See you soon!*
Amitiés,	*In friendship,*
Cordialement,	*Cordially,*
À plus (tard),	*Until later,*

SAVOIR-FAIRE

Panorama

La Belgique

La Belgique, située au nord° de la France et à l'ouest° de l'Allemagne, est connue° pour sa politique, ses textiles et sa gastronomie typique. Le pays est divisé entre° la partie flamande° au nord, où les habitants parlent flamand, et la partie wallonne° au sud, où les habitants parlent français. Le siège° de l'Union européenne est situé à Bruxelles, la capitale du pays.

▶ **Population:** 11,5 millions

▶ **Villes principales:** Anvers, Bruges, Charleroi, Gand, Liège, Mons, Namur

La Suisse

La Suisse est un pays neutre° situé au cœur de° l'Europe entre la France, l'Allemagne°, l'Autriche° et l'Italie. Le pays n'est pas membre de l'Union européenne, et utilise sa propre° monnaie officielle, le franc suisse. Quatre langues principales sont parlées: l'allemand, le français, l'italien et le romanche. La partie francophone de la Suisse est localisée dans l'ouest du pays.

▶ **Population:** 8,6 millions

▶ **Villes principales:** Bâle, Berne, Genève

Personnes célèbres

▶ **Jean-Luc Godard,** Suisse, cinéaste (1930–)

▶ **Amélie Nothomb,** Belgique, écrivaine (1966–)

nord *north* ouest *west* connue *known* divisé entre *divided between* flamande *Flemish* wallonne *Walloon* siège *headquarters (lit. seat)* neutre *neutral* au cœur de *at the heart of* l'Allemagne *Germany* l'Autriche *Austria* sa propre *its own*

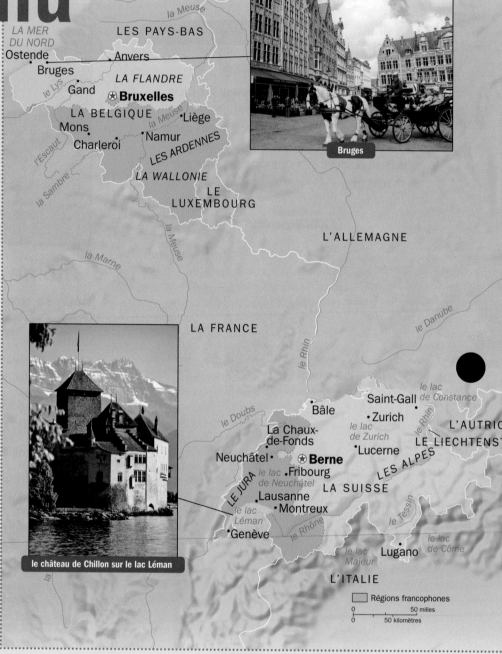

LA MER DU NORD · Ostende · Bruges · Anvers · Gand · LA FLANDRE · ⊛ Bruxelles · la Meuse · LES PAYS-BAS · le Lys · l'Escaut · LA BELGIQUE · Mons · Charleroi · la Sambre · la Meuse · Namur · Liège · LES ARDENNES · LA WALLONIE · LE LUXEMBOURG · L'ALLEMAGNE · la Marne · la Meuse · LA FRANCE

le château de Chillon sur le lac Léman

le Doubs · LE JURA · Neuchâtel · le lac de Neuchâtel · le lac Léman · Genève · Bâle · La Chaux-de-Fonds · ⊛ Berne · Fribourg · Lausanne · Montreux · le Rhône · Saint-Gall · Zurich · le lac de Zurich · Lucerne · le lac de Constance · le Rhin · L'AUTRIC... · LE LIECHTENST... · LES ALPES · LA SUISSE · le Tessin · le lac Majeur · Lugano · le lac de Côme · le Danube · le Rhin · L'ITALIE

☐ Régions francophones
0 — 50 milles
0 — 50 kilomètres

1 **Les informations** Complétez les phrases.

1. La Belgique est située _____ de la France.

2. L'Union européenne est basée à _____.

3. En Belgique, on parle _____ dans la partie nord et _____ dans la partie sud.

4. La monnaie suisse est le _____.

5. La partie francophone de la Suisse est dans _____ du pays, à côté de la France.

2 **Assimilez** Répondez aux questions. Cherchez sur Internet si nécessaire.

1. Est-ce que votre communauté parle de multiples langues, officielles ou non? Pourquoi est-ce qu'on parle plusieurs (*several*) langues dans un même (*a single*) pays?

2. À votre avis, comment (*how*) est-ce que la présence de l'Union européenne à Bruxelles influence le pays?

3. Connaissez-vous des spécialités suisses ou belges? Nommez-en (*Name*) deux.

▷ Les destinations

Bruxelles, capitale de l'Europe

La ville de Bruxelles a été choisie° en 1958, en partie pour° sa situation géographique centrale, comme siège de la C.E.E. (Communauté économique européenne), prédécesseur de l'Union européenne. Aujourd'hui, elle est toujours° le siège de l'U.E., lieu central des institutions et des décisions européennes. On y trouve le Parlement européen, organe législatif de l'U.E., et depuis 1967, le siège de l'OTAN°. Bruxelles est une ville très cosmopolite, avec un grand nombre d'habitants étrangers. Elle est aussi touristique, renommée pour sa Grand-Place, ses nombreux chocolatiers et la grande qualité de sa cuisine.

Les traditions

La bande dessinée

Les dessinateurs de bandes dessinées (BD)° sont très nombreux en Belgique. À Bruxelles, il y a de nombreuses peintures murales et statues de BD. Le dessinateur Peyo est célèbre pour la création des Schtroumpfs° en 1958, mais le père de la BD belge est Hergé, dessinateur qui a créé° Tintin et Milou en 1929. Tintin est un reporter qui a des aventures partout dans le monde°. En 1953, il a marché sur la Lune° (avant Neil Armstrong) dans *On a marché sur la Lune*. La BD de Tintin existe en 45 langues.

L'économie

Des montres° et des banques

L'économie suisse est caractérisée par la présence de grandes entreprises multinationales et par son secteur financier. Les multinationales sont particulièrement actives dans le domaine des banques, des assurances°, de l'agroalimentaire° (Nestlé), de l'industrie pharmaceutique et de l'horlogerie° (Longines, Rolex, Swatch). Cinquante pour cent de la valeur° mondiale d'articles d'horlogerie sont suisses. Le franc suisse est une des monnaies les plus stables du monde et les banques suisses ont la réputation de bien gérer° les fortunes de leurs clients.

Les gens

Jean-Jacques Rousseau (1712–1778)

Né° à Genève, Jean-Jacques Rousseau a passé° sa vie entre la France et la Suisse. Vagabond et autodidacte°, Rousseau est devenu° écrivain, philosophe, théoricien politique et musicien. Il dit que° nous naissons bons° et que la société nous corrompt°. Protecteur de la tolérance religieuse et de la liberté de pensée°, les idées de Rousseau, exprimées° principalement dans son œuvre° *Du contrat social*, se retrouvent° dans la Révolution française. À la fin de sa vie, il écrit *Les Confessions*, son autobiographie, un genre nouveau pour l'époque°.

INCROYABLE MAIS VRAI!

La Suisse n'a pas connu de guerres° depuis le 16ᵉ siècle! Battue° par la France en 1515, elle signe une paix° perpétuelle avec ce pays et inaugure donc sa période de neutralité. Ce statut est reconnu° par les autres pays européens en 1815 et, depuis, la Suisse ne peut participer à aucune guerre ni° être membre d'alliances militaires comme l'OTAN.

a été choisie *was chosen* **en partie pour** *in part because of* **toujours** *still* **OTAN** *NATO* **bandes dessinées (BD)** *comic strips* **Schtroumpfs** *Smurfs* **a créé** *created* **partout dans le monde** *all over the world* **a marché sur la Lune** *walked on the moon* **montres** *watches* **assurances** *insurance* **agroalimentaire** *food-processing* **l'horlogerie** *watchmaking* **valeur** *value* **gérer** *manage* **Né** *Born* **a passé** *spent* **autodidacte** *self-taught* **est devenu** *became* **dit que** *says that* **naissons bons** *are born good* **nous corrompt** *corrupts us* **pensée** *thought* **exprimées** *expressed* **œuvre** *work* **se retrouvent** *are found* **époque** *time* **connu de guerres** *been at war* **Battue** *Defeated* **paix** *peace* **statut** *status* **reconnu** *recognized* **ne peut** *can't* **ni** *nor can it*

3 **Vous avez compris?** Répondez aux questions.

1. Pourquoi Bruxelles a-t-elle été choisie comme (*chosen to be*) capitale de l'Europe?

2. Qui (*Who*) est le père de la bande dessinée belge?

3. Quels (*What*) sont les domaines importants de l'économie suisse?

4. Rousseau est protecteur de quels principes?

4 **Les produits typiques** Choisissez un produit (*product*) typique de la Belgique: le chocolat, les gaufres (*waffles*), les frites (*fries*), ou autres. Quelles sont les origines de ce produit? Quelles sont les manières (*ways*) typiques de consommer ou d'utiliser ce produit? Pourquoi ce produit est-il important ou reconnu? Est-ce que vous avez des produits similaires dans votre culture? Présentez vos conclusions à la classe.

ACTIVITÉS

I CAN identify cultural products and practices and relate them to perspectives in my own and other cultures.

cent dix-neuf **119**

Leçon 3A

La famille

aîné(e) *elder*
cadet(te) *younger*
un beau-frère *brother-in-law*
un beau-père *father-in-law; stepfather*
une belle-mère *mother-in-law; stepmother*
une belle-sœur *sister-in-law*
un(e) cousin(e) *cousin*
un demi-frère *half-brother; stepbrother*
une demi-sœur *half-sister; stepsister*
les enfants (m., f.) *children*
un époux/une épouse *husband/wife*
une famille *family*
une femme *wife; woman*
une fille *daughter; girl*
un fils *son*
un frère *brother*
une grand-mère *grandmother*
un grand-père *grandfather*
les grands-parents (m.) *grandparents*
un mari *husband*
une mère *mother*
un neveu *nephew*
une nièce *niece*
un oncle *uncle*
les parents (m.) *parents*
un père *father*
une petite-fille *granddaughter*
un petit-fils *grandson*
les petits-enfants (m.) *grandchildren*
une sœur *sister*
une tante *aunt*
un chat *cat*
un chien *dog*
un oiseau *bird*
un poisson *fish*

Vocabulaire supplémentaire

divorcer *to divorce*
épouser *to marry*
célibataire *single*
divorcé(e) *divorced*
fiancé(e) *engaged*
marié(e) *married*
séparé(e) *separated*
veuf/veuve *widowed*
un(e) voisin(e) *neighbor*

Expressions utiles

See p. 87.

Adjectifs descriptifs

bleu(e) *blue*
blond(e) *blond*
brun(e) *dark (hair)*
court(e) *short*
frisé(e) *curly*
grand(e) *big; tall*
jeune *young*
joli(e) *pretty*
laid(e) *ugly*
mauvais(e) *bad*
noir(e) *black*
pauvre *poor; unfortunate*
petit(e) *small, short (stature)*
raide *straight (hair)*
vert(e) *green*
vrai(e) *true; real*
de taille moyenne *medium-sized*

Adjectifs irréguliers

beau/belle *beautiful; handsome*
bon(ne) *kind; good*
châtain *brown (hair)*
curieux/curieuse *curious*
fier/fière *proud*
gros(se) *fat*
intellectuel(le) *intellectual*
long(ue) *long*
(mal)heureux/(mal)heureuse *(un)happy*
marron *brown (not for hair)*
naïf/naïve *naive*
nerveux/nerveuse *nervous*
nouveau/nouvelle *new*
roux/rousse *red-haired*
sérieux/sérieuse *serious*
vieux/vieille *old*

Possessive adjetives

See p. 94.

Leçon 3B

Adjectifs descriptifs

antipathique *unpleasant*
drôle *funny*
faible *weak*
fatigué(e) *tired*
fort(e) *strong*
génial(e) (géniaux m., pl.) *great*
lent(e) *slow*
méchant(e) *mean*
modeste *modest*
pénible *annoying*
prêt(e) *ready*
rapide *fast*
triste *sad*

Professions et occupations

un(e) architecte *architect*
un(e) artiste *artist*
un(e) athlète *athlete*
un(e) avocat(e) *lawyer*
un coiffeur/une coiffeuse *hairdresser*
un(e) dentiste *dentist*
un homme/une femme
  d'affaires *businessman/woman*
un ingénieur *engineer*
un(e) journaliste *journalist*
un médecin *doctor*
un(e) musicien(ne) *musician*
un(e) propriétaire *owner; landlord/lady*

Adjectifs irréguliers

actif/active *active*
courageux/courageuse *brave*
cruel(le) *cruel*
discret/discrète *discreet; unassuming*
doux/douce *sweet; soft*
ennuyeux/ennuyeuse *boring*
étranger/étrangère *foreign*
favori(te) *favorite*
fou/folle *crazy*
généreux/généreuse *generous*
gentil(le) *nice*
inquiet/inquiète *worried*
jaloux/jalouse *jealous*
paresseux/paresseuse *lazy*
sportif/sportive *athletic*
travailleur/travailleuse *hard-working*

Expressions utiles

See p. 105.

Numbers 61–100

See p. 108.

Disjunctive pronouns

See p. 113.

Prepositions of location

à côté de *next to*
à droite de *to the right of*
à gauche de *to the left of*
dans *in*
derrière *behind*
devant *in front of*
en *in*
en face de *facing, across from*
entre *between*
loin de *far from*
par *by*
près de *close to, near*
sous *under*
sur *on*

🔗 Communicative Goals: Review

I CAN discuss family and friends.
* Write a brief description of your family and best friend.

I CAN describe people and locations.
* Describe three people from your French class and say where they usually sit in relation to you.

I CAN investigate family life in francophone cultures.
* Describe a francophone cultural product or practice related to family or friends and compare the perspectives around it to attitudes in your own culture.

Au café

Communicative Goals

You will learn how to:

- Discuss cafés
- Express plans for the near future
- Talk about eating and drinking
- Investigate café culture in francophone communities

Pour commencer

- Où est cette personne?
  a. au musée   b. au café   c. au cinéma
- Que fait-elle?
  a. Elle travaille.   b. Elle étudie.   c. Elle boit.
- Quelle heure est-il?
  a. midi   b. 21h00   c. minuit

Leçon 4A

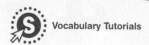 Vocabulary Tutorials

Où allons-nous?

Vocabulaire

danser	*to dance*
explorer	*to explore*
fréquenter	*to frequent; to visit*
inviter	*to invite*
nager	*to swim*
patiner	*to skate*
une banlieue	*suburbs*
une boîte (de nuit)	*nightclub*
un bureau	*office; desk*
un centre commercial	*shopping center, mall*
un centre-ville	*city/town center, downtown*
un cinéma (ciné)	*movie theater, movies*
un endroit	*place*
un grand magasin	*department store*
un gymnase	*gym*
un hôpital	*hospital*
un lieu	*place*
un magasin	*store*
un marché	*market*
un musée	*museum*
un parc	*park*
une piscine	*pool*
un restaurant	*restaurant*
une ville	*city, town*

Coup de main

Remember that nouns that end in –al have irregular plural forms: replace –al with –aux.

un hôpital ➔ deux hôpitaux

une montagne

une maison

Il passe chez quelqu'un. (passer)

Elle quitte la maison. (quitter)

Ils déjeunent. (déjeuner)

Poissonnerie

Café An

une place

une terrasse de café

Elles bavardent. (bavarder)

une église

une épicerie

euromarché

un kiosque

JOURNAUX

Il dépense de l'argent (*m.*).
(dépenser)

Mise en pratique

1 **Écoutez** Jamila parle de sa journée à son amie Samira. Écoutez la conversation et mettez (*put*) les lieux listés dans l'ordre chronologique. Il y a deux lieux en trop (*extra*).

____ **a.** à l'hôpital
____ **b.** à la maison
____ **c.** à la piscine
____ **d.** au centre commercial
____ **e.** au cinéma
____ **f.** à l'église
____ **g.** au musée
____ **h.** au bureau
____ **i.** au parc
____ **j.** au restaurant

Coup de main

Note that the French **Je vais à...** is the equivalent of the English *I am going to...*

The word **à** (*to, at*) combines with **le** and **les** to form the following contractions:
à + le = au
à + les = aux
À does not contract with **l'** or **la**.

2 **Associez** Quels lieux associez-vous à ces activités?

1. nager _____
2. danser _____
3. dîner _____
4. travailler _____
5. habiter _____
6. épouser _____
7. regarder un film _____
8. acheter (*buying*) des fruits _____

3 **Logique ou illogique** Lisez chaque phrase et déterminez si l'action est **logique** ou **illogique**. Corrigez si nécessaire.

	Logique	Illogique
1. Maurice invite Delphine au kiosque.	☐	☐
_____		
2. Caroline et Aurélie bavardent au marché.	☐	☐
_____		
3. Nous déjeunons à l'épicerie.	☐	☐
_____		
4. Ils dépensent beaucoup d'argent au centre commercial.	☐	☐
_____		
5. Vous explorez une ville.	☐	☐
_____		
6. Vous patinez au cinéma.	☐	☐
_____		
7. J'habite en banlieue.	☐	☐
_____		
8. Tu danses dans un marché.	☐	☐
_____		

Communication

4 **Conversez** Par groupes de trois, échangez vos opinions sur ces activités en utilisant un élément de chaque colonne. Notez les réponses de vos partenaires, puis comparez-les pour la classe.

> **MODÈLE**
>
> **Étudiant(e) 1:** Est-ce que tu aimes bavarder au restaurant?
> **Étudiant(e) 2:** Oui, mais je préfère bavarder au parc.

Activité	Lieu
bavarder	au bureau
danser	au centre commercial
déjeuner	au centre-ville
dépenser de l'argent	au cinéma
étudier	au gymnase
inviter	au musée
nager	au parc
parler	à la piscine
patiner	au restaurant

5 **La journée d'Anne** Votre professeur va vous donner, à vous et à votre partenaire, une feuille partielle d'activités. À tour de rôle, posez-vous des questions pour compléter vos feuilles. Utilisez le vocabulaire de la leçon. Attention! Ne regardez pas la feuille de votre partenaire.

> **MODÈLE**
>
> **Étudiant(e) 1:** À 7h30, Anne quitte la maison. Qu'est-ce qu'elle fait ensuite (next)?
> **Étudiant(e) 2:** À 8h00, elle…

Anne

6 **Une lettre** Écrivez une lettre à un(e) ami(e) dans laquelle (in which) vous décrivez vos activités de la semaine. Utilisez les expressions suivantes.

bavarder	passer chez quelqu'un
déjeuner	travailler
dépenser de l'argent	quitter la maison
étudier	un centre commercial
manger au restaurant	une boîte de nuit

Cher Paul,

Comment vas-tu? Moi, tout va bien. Je suis très actif/active à l'université. Je travaille beaucoup et j'ai beaucoup d'amis. En général, le samedi à midi, je déjeune au restaurant Le Lion d'Or avec mes copains. L'après-midi, je bavarde avec mes amis…

I CAN talk about errands and places around town.

Les sons et les lettres

 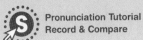

Pronunciation Tutorial
Record & Compare

Oral vowels

French has two basic kinds of vowel sounds: oral vowels, the subject of this discussion, and nasal vowels, presented in **Leçon 4B**. Oral vowels are produced by releasing air through the mouth. The pronunciation of French vowels is consistent and predictable.

In short words (usually two-letter words), **e** is pronounced similarly to the *a* in the English word *about*.

le	que	ce	de

The letter **a** alone is pronounced like the *a* in *father*.

la	ça	ma	ta

The letter **i** by itself and the letter **y** are pronounced like the vowel sound in the word *bee*.

ici	livre	stylo	lycée

The letter combination **ou** sounds like the vowel sound in the English word *who*.

vous	nous	oublier	écouter

The French **u** sound does not exist in English. To produce this sound, say *ee* with your lips rounded.

tu	du	une	étudier

Prononcez Répétez les mots suivants à voix haute.

1. je
2. chat
3. fou
4. ville
5. utile
6. place
7. jour
8. triste
9. mari
10. active
11. Sylvie
12. rapide
13. gymnase
14. antipathique
15. calculatrice
16. piscine

Articulez Répétez les phrases suivantes à voix haute.

1. Salut, Luc. Ça va?
2. La philosophie est difficile.
3. Brigitte est une actrice fantastique.
4. Suzanne va à son cours de physique.
5. Tu trouves le cours de maths facile?
6. Viviane a une bourse universitaire.

Dictons Répétez les dictons à voix haute.

Plus on est de fous, plus on rit.[2]

Qui va à la chasse perd sa place.[1]

[1] He who steps out of line loses his place.

[2] The more the merrier.

ROMAN-PHOTO

Star du cinéma

Video: *Roman-photo*
Record & Compare

PERSONNAGES

Amina

David

Pascal

Sandrine

À l'épicerie...

DAVID Juliette Binoche? Pas possible! Je vais chercher Sandrine!

Au café...

PASCAL Alors chérie, tu vas faire quoi de ton week-end?

SANDRINE Euh, demain je vais déjeuner au centre-ville.

PASCAL Bon... et quand est-ce que tu vas rentrer?

SANDRINE Euh, je ne sais pas. Pourquoi?

PASCAL Pour rien. Et demain soir, tu vas danser?

SANDRINE Ça dépend. Je vais passer chez Amina pour bavarder avec elle.

PASCAL Combien d'amis as-tu à Aix-en-Provence?

SANDRINE Oh, Pascal...

PASCAL Bon, moi, je vais continuer à penser à toi jour et nuit.

DAVID Mais l'actrice! Juliette Binoche!

SANDRINE Allons-y! Vite! C'est une de mes actrices préférées! J'adore le film *Chocolat*!

AMINA Et comme elle est chic! C'est une vraie star!

DAVID Elle est à l'épicerie! Ce n'est pas loin d'ici!

Dans la rue...

AMINA Mais elle est où, cette épicerie? Nous allons explorer toute la ville pour rencontrer Juliette Binoche?

SANDRINE C'est là, l'épicerie Pierre Dubois à côté du cinéma?

DAVID Mais non, elle n'est pas à l'épicerie Pierre Dubois, elle est à l'épicerie près de l'église, en face du parc.

AMINA Et combien d'églises est-ce qu'il y a à Aix?

SANDRINE Il n'y a pas d'église en face du parc!

DAVID Bon, hum, l'église sur la place.

AMINA D'accord, et ton église sur la place, elle est ici au centre-ville ou en banlieue?

A C T I V I T É S

1

Vrai ou faux? Indiquez si chaque phrase est vraie ou fausse et corrigez (*correct*) les phrases fausses.

1. David va chercher Pascal.

2. Sandrine va déjeuner au centre-ville.

3. Pascal va continuer à penser à Sandrine jour et nuit.

4. Juliette Binoche est l'actrice préférée de Sandrine.

5. L'épicerie est loin du café.

6. Juliette Binoche fréquente le P'tit Bistrot.

2

Questions Choisissez le bon mot pour compléter chaque question.

1. (Avec qui, Quoi) Sandrine parle-t-elle au téléphone?

2. (Où, Parce que) Sandrine va-t-elle déjeuner?

3. (Qui, Pourquoi) Pascal demande-t-il à Sandrine quand elle va rentrer?

4. (Combien, Comment) d'amis Sandrine a-t-elle?

5. (Combien, À qui) Amina demande-t-elle comment va Pascal?

David et les filles à la recherche de (*in search of*) leur actrice préférée.

SANDRINE Oui. Génial.
Au revoir, Pascal.

AMINA Salut Sandrine. Comment
va Pascal?

SANDRINE Il va bien mais il
adore bavarder.

DAVID Elle est là, elle est là!

SANDRINE Mais, qui est là?

AMINA Et c'est où, «là»?

DAVID Juliette Binoche! Mais non,
pas ici!

SANDRINE ET AMINA Quoi? Qui? Où?

Devant l'épicerie...
DAVID C'est elle, là! Hé, JULIETTE!

AMINA Oh, elle est belle!

SANDRINE Elle est jolie, élégante!

AMINA Elle est... petite?

DAVID Elle, elle... est... vieille?!?

AMINA Ce n'est pas du tout
Juliette Binoche!

SANDRINE David, tu es complètement
fou! Juliette Binoche, au
centre-ville d'Aix?

AMINA Pourquoi est-ce qu'elle ne
fréquente pas le P'tit Bistrot?

Expressions utiles

Talking about your plans

- **Tu vas faire quoi de ton week-end?**
  What are you doing this weekend?

- **Je vais déjeuner au centre-ville.**
  I'm going to have lunch downtown.

- **Quand est-ce que tu vas rentrer?**
  When are you coming back?

- **Je ne sais pas.**
  I don't know.

- **Je vais passer chez Amina.**
  I am going to stop by Amina's (house).

- **Nous allons explorer toute la ville.**
  We're going to explore the whole city.

Additional vocabulary

- **C'est une de mes actrices préférées.**
  She's one of my favorite actresses.

- **Comme elle est chic!**
  She is so chic!

- **Ce n'est pas loin d'ici!**
  It's not far from here!

- **Ce n'est pas du tout...**
  It's not... at all.

- **Ça dépend.**
  It depends.

- **Pour rien.**
  No reason.

- **Vite!**
  Quick!, Hurry!

3 **Réfléchissez** Répondez aux questions.

1. Comment est Pascal? Pourquoi demande-t-il à Sandrine quand elle va rentrer?

2. Qui est Juliette Binoche? Comment est-elle?

3. Quels endroits à Aix sont mentionnés dans cet épisode?

4. Quels endroits publics y a-t-il dans votre ville? Avez-vous des épiceries et des églises? Comparez votre ville à Aix.

4 **Écrivez** Pensez à votre acteur ou actrice préféré(e) et préparez un paragraphe où vous décrivez son apparence, sa personnalité et sa carrière. Comment est-il/elle? Dans quel(s) (*which*) film(s) joue-t-il/elle? Si un jour vous rencontrez cet acteur/cette actrice, quelles questions est-ce que vous allez lui poser?

ACTIVITÉS

I CAN understand short conversations about places around town.

LECTURE CULTURELLE

Les passe-temps

Comment est-ce que les jeunes occupent leur temps libre°?
Si la télévision a été pendant longtemps un des passe-temps préféré, aujourd'hui plus de la moitié° des jeunes Français disent être plus attachés à° leur *smartphone*. En effet, ils sont 68% à ne jamais sortir sans leur portable, et ils veulent être connectés partout°. Les médias jouent donc un rôle très important dans leur vie, surtout les réseaux sociaux° qu'ils utilisent pour communiquer avec leurs amis et leurs proches°. Les portables sont aussi considérés très pratiques pour télécharger° et écouter de la musique, surfer sur Internet, jouer à des jeux° vidéo ou regarder des vidéos.

Les activités culturelles, en particulier le cinéma, sont aussi très appréciées: en moyenne°, les jeunes y° vont une fois° par semaine. Ils aiment également° la littérature et l'art: presque° 50% visitent des musées ou des monuments historiques chaque année et plus de° 40% vont au théâtre ou à des concerts. Un jeune sur cinq° joue d'un instrument de musique ou chante°, et environ 20% d'entre eux° pratiquent une activité artistique, comme la danse, le théâtre, la sculpture, le dessin° ou la peinture°. La photographie et la vidéo sont aussi très appréciées.

Quant à° la pratique sportive, elle concerne près de 90% des jeunes Français, qui font partie de clubs ou s'entraînent entre copains.

Beaucoup de jeunes Français sont aussi membres de la Maison des Jeunes et de la Culture (MJC) de leur ville. Les MJC proposent des activités culturelles, sportives et des cours et ateliers° dans de nombreux domaines.

Et bien sûr, comme tous les jeunes, ils aiment aussi tout simplement se détendre° et bavarder avec des amis, surtout dans un café au centre-ville.

temps libre *free time* **plus de la moitié** *more than half* **attachés à** *fond of* **partout** *everywhere* **réseaux sociaux** *social networks* **proches** *people close to them* **télécharger** *download* **jeux** *games* **en moyenne** *on average* **y** *there* **fois** *time* **également** *also* **presque** *almost* **plus de** *more than* **Un... sur cinq** *One . . . in five* **chante** *sings* **d'entre eux** *of them* **dessin** *drawing* **peinture** *painting* **Quant à** *As for* **ateliers** *workshops* **se detendre** *relax*

1 Vrai ou faux? Indiquez si les phrases sont vraies ou fausses.

1. Les jeunes Français regardent moins (*less*) la télévision aujourd'hui qu'autrefois (*than before*).
2. En France, les portables sont rarement utilisés pour écouter de la musique.
3. Le cinéma est un loisir très apprécié par les jeunes Français.
4. Le sport n'est pas important dans la vie des jeunes Français.
5. Les MJC proposent des activités culturelles et sportives.

2 Réfléchissez Répondez aux questions.

1. Comment est-ce que vous passez votre temps libre? Vos amis aiment-ils les mêmes activités?
2. Quelles sont les passe-temps préférés des jeunes Français? Est-ce que les jeunes dans votre communauté ont les mêmes préférences? Expliquez.
3. Les Français aiment-ils les activités culturelles? Lesquelles? Et vous, quelles activités culturelles aimez-vous? Comparez.

Loisirs en France
(% des Français qui les° pratiquent)

Écouter de la musique	87%
Regarder la télévision	84%
Sortir (*Go out*) avec des amis	82%
Lire (*Read*) un magazine ou un journal	80%
Échanger à distance (*Chat remotely*)	77%
Écouter la radio	74%
Surfer sur Internet	69%
Regarder une vidéo	66%
Aller au cinéma	63%
Faire une sortie (*outing*) culturelle	58%

SOURCE: Ipsos in France for the Centre National du Livre.

PORTRAIT

Le parc Astérix

Situé à 30 kilomètres de Paris, le parc Astérix est le premier parc à thème français. Le parc d'attractions, ouvert° en 1989, est basé sur la bande dessinée° française *Astérix le Gaulois*. Création de René Goscinny et d'Albert Uderzo, Astérix est un guerrier gaulois° qui lutte° contre l'invasion des Romains.

Au parc Astérix, il y a des montagnes russes°, des petits trains et des spectacles, tous° basés sur les aventures d'Astérix et de son meilleur ami, Obélix. Une des attractions populaires, *Le Tonnerre° de Zeus*, est la plus grande montagne russe en bois° d'Europe, avec 30 mètres de haut° et une vitesse° de plus de 80 kilomètres/heure. D'autres choisissent° d'entrer dans le *Laboratoire de Panoramix*, druide des Gaulois, pour vivre l'expérience des potions magiques et de l'illusion. À l'intérieur du parc, il y a beaucoup de restaurants, comme par exemple Le Relais Gaulois, qui proposent un grand choix de restauration°. Si on a envie de passer plusieurs jours au parc Astérix, on peut dormir° à

Albert Uderzo

l'Hôtel des Trois Hiboux, qui offre des chambres familiales, un petit-déjeuner complet°, et surtout une rencontre° avec Astérix et Obélix!

ouvert *opened* **bande dessinée** *comic strip* **guerrier gaulois** *Gallic warrior* **lutte** *fights* **montagne russes** *roller coasters* **tous** *all* **vivre** *live* **Tonnerre** *Thunder* **en bois** *wooden* **de haut** *high* **vitesse** *speed* **D'autres choisissent** *Others choose* **choix de restauration** *variety of food choices* **dormir** *sleep* **petit-déjeuner complet** *breakfast included* **rencontre** *meet-and-greet*

LE MONDE FRANCOPHONE

Où passer le temps

En Afrique de l'Ouest

Le maquis Commun dans beaucoup de pays° d'Afrique de l'Ouest°, le maquis est un restaurant où on peut manger à bas prix°. Situé en ville ou en bord de route°, le maquis est typiquement en plein air°.

Au Sénégal

Le tangana Le terme «tang» signifie «chaud» en wolof, une des langues nationales du Sénégal. Le tangana est un lieu populaire pour se restaurer°. On trouve souvent les tanganas au coin de la rue°, en plein air, avec des tables et des bancs°.

- Où allez-vous pour passer du temps entre amis? Comparez vos endroits préférés au maquis et au tangana, et expliquez pourquoi les jeunes préfèrent fréquenter ces endroits.

pays *countries* **l'Ouest** *West* **à bas prix** *inexpensively* **en bord de route** *on the side of the road* **en plein air** *outdoors* **se restaurer** *have something to eat* **coin de la rue** *street corner* **bancs** *benches*

3 **Compréhension** Complétez les phrases.

1. Le parc Astérix est un parc à thème près de la ville de _____.
2. Le parc Astérix est basé sur *Astérix le Gaulois*, une _____ française.
3. _____ est un endroit typique de l'Afrique de l'Ouest où on mange à bas prix.

4 **Sondage** Posez des questions à vos copains et à vos camarades de classe à propos d'une activité que vous trouvez intéressante. Ensuite, trouvez des données (*data*) officielles sur cette activité dans votre pays entier. Comparez les données et présentez vos résultats à la classe.

A C T I V I T É S

I CAN identify and reflect on cultural products and practices related to leisure in my own and other cultures.

STRUCTURES

4A.1

The verb *aller* Grammar Tutorial

Point de départ In **Leçon 1A**, you saw a form of the verb **aller** (*to go*) in the expression **ça va**. Now you will use this verb, first, to talk about going places and, second, to express actions that take place in the immediate future.

aller			
je vais	*I go*	**nous allons**	*we go*
tu vas	*you go*	**vous allez**	*you go*
il/elle/on va	*he/she/it/one goes*	**ils/elles vont**	*they go*

- The verb **aller** is irregular. Only the **nous** and **vous** forms resemble the infinitive.

  Tu **vas** souvent au cinéma?
  Do you go to the movies often?

  Je **vais** à la piscine.
  I'm going to the pool.

  Nous **allons** au marché le samedi.
  We go to the market on Saturdays.

  Vous **allez** au parc?
  Are you going to the park?

- **Aller** can also be used with another verb to tell what is going to happen. This construction is called **le futur proche** (*the immediate future*). Conjugate **aller** in the present tense and place the other verb's infinitive form directly after it.

  Nous **allons déjeuner** sur la terrasse.
  We're going to eat lunch on the terrace.

  Je **vais partager** la pizza avec ma copine.
  I'm going to share the pizza with my friend.

  Marc et Julie **vont explorer** le centre-ville.
  Marc and Julie are going to explore downtown.

  Elles **vont retrouver** Guillaume à la boîte de nuit.
  They're going to meet Guillaume at the nightclub.

Demain, je vais déjeuner au centre-ville.

Et quand est-ce que tu vas rentrer?

À noter

In **Leçon 2A**, you learned how to form questions with inversion when you have a conjugated verb + infinitive. Follow the same pattern for **le futur proche**. Example: **Théo va-t-il déjeuner à midi?**

- To negate an expression in **le futur proche**, place **ne/n'** before the conjugated form of **aller** and **pas** after it.

  Je **ne vais pas** oublier la date.
  I'm not going to forget the date.

  Tu **ne vas pas** manger au café?
  Aren't you going to eat at the café?

  Nous **n'allons pas** quitter la maison.
  We're not going to leave the house.

  Ousmane **ne va pas** retrouver Salima au parc.
  Ousmane is not going to meet Salima at the park.

- Note that **le futur proche** can be used with the infinitive of **aller** to mean *going to go* (somewhere).

  Elle **va aller** à la piscine.
  She's going to go to the pool.

  Vous **allez aller** au gymnase ce soir?
  Are you going to go to the gym tonight?

The preposition à

- The preposition **à** can be translated in various ways in English: *to, in, at*. When followed by the definite article **le** or **les**, the preposition **à** and the definite article contract into one word.

à + le ▶ **au**

Nous allons **au** magasin.
We're going to the store.

à + les ▶ **aux**

Ils parlent **aux** profs.
They speak to the professors.

- The preposition **à** does not contract with **la** or **l'**.

à + la ▶ **à la**

Je rentre **à la** maison.
I'm going back home.

à + l' ▶ **à l'**

Il va **à l'**épicerie.
He's going to the grocery store.

- The preposition **à** often indicates a physical location, as with **aller à** and **habiter à**. However, it can have other meanings depending on the verb used.

Verbs with the preposition *à*			
commencer à + [*infinitive*]	*to start (doing something)*	**penser à**	*to think about*
parler à	*to talk to*	**téléphoner à**	*to phone (someone)*

Elle va **parler au** professeur.
She's going to talk to the professor.

Il **commence à travailler** demain.
He starts working tomorrow.

- In general, **à** is used to mean *at* or *in*, whereas **dans** is used to mean *inside* or *within*. When learning a place name in French, learn the preposition that accompanies it.

Prepositions with place names			
à la maison	*at home*	**dans la maison**	*inside the house*
à Paris	*in Paris*	**dans Paris**	*within Paris*
en ville	*in town*	**dans la ville**	*within the town*
sur la place	*in the square*	**à/sur la terrasse**	*on the terrace*

Tu travailles **à la maison**?
Are you working at home?

On mange **dans la maison**.
We'll eat inside the house.

Essayez! **Utilisez la forme correcte du verbe aller.**

1. Comment ça ___*va*___?
2. Tu _____ à la piscine pour nager.
3. Ils _____ au centre-ville.
4. Nous _____ bavarder au café.
5. Vous _____ aller au restaurant ce soir?
6. Elle _____ aller à l'église dimanche matin.
7. Ce soir, je _____ danser en boîte.
8. On ne _____ pas passer par l'épicerie cet après-midi.

STRUCTURES

Mise en pratique

1 **Questions parentales** Votre père est très curieux. Trouvez les questions qu'il pose.

MODÈLE

tes frères / piscine
Tes frères vont à la piscine?

1. tu / cinéma / ce soir _____
2. tes amis et toi, vous / boîte _____
3. ta mère et moi, nous / ville / vendredi _____
4. ta petite amie / souvent / marché _____
5. je / musée / avec toi / demain _____
6. tes amis / parc _____
7. on / église / dimanche _____
8. ta petite amie et toi, vous / parfois / gymnase _____

2 **Samedi prochain** Voici ce que (*what*) vous et vos amis faites (*are doing*) aujourd'hui. Indiquez que vous allez faire les mêmes (*same*) choses samedi prochain.

MODÈLE

Je nage. Samedi prochain aussi, *je vais nager.*

1. Paul bavarde avec ses copains. Samedi prochain aussi, _____
2. Nous dansons. Samedi prochain aussi, _____
3. Je dépense de l'argent dans un magasin. Samedi prochain aussi, _____
4. Luc et Sylvie déjeunent au restaurant. Samedi prochain aussi, _____
5. Vous explorez le centre-ville. Samedi prochain aussi, _____
6. Tu patines. Samedi prochain aussi, _____
7. Amélie nage à la piscine. Samedi prochain aussi, _____
8. Lucas et Sabrina téléphonent à leurs grands-parents.
   Samedi prochain aussi, _____

3 **Où vont-ils?** Indiquez où vont les personnages.

▶ **MODÈLE**

Henri va au cinéma.

Henri

1. tu

2. nous

3. Paul et Luc

4. vous

Communication

4 **Un sondage** Utilisez des éléments de chaque colonne pour écrire un sondage (*survey*) de dix questions sur les activités qu'on va faire ce week-end. Puis, circulez dans la classe et interroger trois personnes. Notez leurs réponses, puis résumez les informations dans un graphique.

MODÈLE

Étudiant(e) 1: *Est-ce que tu vas déjeuner avec tes copains?*
Étudiant(e) 2: *Oui, je vais déjeuner avec mes copains.*

A	B	C	D
ta sœur	aller	voyager	professeur
vous		aller	cinéma
tes copains		déjeuner	boîte de nuit
nous		bavarder	piscine
tu		nager	centre commercial
ton petit ami		danser	café
ta petite amie		parler	parents
tes grands-parents		inviter	copains
		téléphoner	petit(e) ami(e)
		patiner	camarades de classe
			musée
			cousin(e)s

5 **Le grand voyage** Vous avez gagné (*have won*) un voyage. Par groupes de trois, expliquez à vos camarades ce que vous allez faire pendant (*during*) le voyage. Vos camarades vont deviner (*to guess*) où vous allez.

MODÈLE

Étudiant(e) 1: *Je vais visiter le musée du Louvre.*
Étudiant(e) 2: *Est-ce que tu vas aller à Paris?*

6 **À Deauville** Votre professeur va vous donner, à vous et à votre partenaire, un plan (*map*) de Deauville. Attention! Ne regardez pas la feuille de votre partenaire.

MODÈLE

Étudiant(e) 1: *Où va Simon?*
Étudiant(e) 2: *Il va au kiosque.*

I CAN say where people are going in the near future.

STRUCTURES

4A.2 Interrogative words Grammar Tutorial

Point de départ In **Leçon 2A**, you learned four ways to formulate yes or no questions in French. However, many questions seek information that can't be provided by a simple yes or no answer.

- Use these words with **est-ce que** or inversion.

Interrogative words			
à quelle heure?	*at what time?*	**quand?**	*when?*
combien (de)?	*how many?; how much?*	**que/qu'...?**	*what?*
comment?	*how?; what?*	**quel(le)(s)?**	*which?; what?*
où?	*where?*	**(à/avec/pour)**	*(to/with/for)*
pourquoi?	*why?*	**qui?**	*who(m)?*
		quoi?	*what?*

À qui est-ce que tu penses?
Whom are you thinking about?

Combien de villes **y a-t-il** en Suisse?
How many cities are there in Switzerland?

Pourquoi est-ce que tu danses?
Why are you dancing?

Que vas-tu manger?
What are you going to eat?

- When the question word **qui** (*who*) is the subject of a sentence, it is followed directly by a verb. The verb in this case is always in the third person singular form.

Qui invite Patrice à dîner?
Who is inviting Patrice to dinner?

Qui n'aime pas danser?
Who doesn't like to dance?

- When the question word **qui** (*whom*) is the object of a sentence, it is followed by **est-ce que** or inversion.

Qui est-ce que tu regardes?
Whom are you looking at?

Qui regardes-tu?
Whom are you looking at?

- Although **quand?** and **à quelle heure?** can be translated as *when?* in English, they are not interchangeable in French. Use **quand** to talk about a day or date, and **à quelle heure** to talk about a specific time of day.

Quand est-ce que le cours commence?
When does the class start?

À quelle heure est-ce qu'il commence?
At what time does it begin?

Il commence **le lundi 28 août**.
It starts Monday, August 28.

Il commence **à dix heures et demie**.
It starts at 10:30.

- Another way to formulate questions with most interrogative words is by placing them after a verb. This kind of formulation is very informal but very common.

Tu t'appelles **comment**?
What's your name?

Tu habites **où**?
Where do you live?

- Note that **quoi?** (*what?*) must immediately follow a preposition in order to be used with **est-ce que** or **inversion**. If no preposition is necessary, place **quoi** after the verb.

À quoi pensez-vous?
What are you thinking about?

Elle étudie **quoi**?
What does she study?

De quoi est-ce qu'il parle?
What is he talking about?

Tu regardes **quoi**?
What are you looking at?

- Use **Comment?** or **Pardon?** to indicate that you don't understand what's being said. You may also use **Quoi?** but only in informal situations with friends.

Vous allez voyager cette année?
Are you going to travel this year?

Comment?
I beg your pardon?

The interrogative adjective *quel(le)(s)*

- The interrogative adjective **quel** means *what* or *which*. The form of **quel** varies in gender and number with the noun it modifies.

The interrogative adjective *quel(le)(s)*				
	singular		**plural**	
masculine	**Quel**	*restaurant?*	**Quels**	*cours?*
feminine	**Quelle**	*montre?*	**Quelles**	*filles?*

Quel restaurant aimes-tu?
Which restaurant do you like?

Quels cours commencent à dix heures?
What classes start at ten o'clock?

Quelle montre a-t-il?
What watch does he have?

Quelles filles vont à la boîte de nuit?
Which girls are going to the nightclub?

- **Qu'est-ce que** and **quel** both mean *what*, but they are used differently. Use a form of **quel** to ask *What is/are... ?* if you want to know specific information about a noun. **Quel(le)(s)** may be followed directly by a form of **être** and a noun, in which case the form of **quel(le)(s)** agrees with that noun.

Quel est ton numéro de téléphone?
What is your phone number?

Quels sont tes problèmes?
What are your problems?

Quelles amies invites-tu?
What friends are you inviting?

Quel étudiant est intelligent?
What student is intelligent?

- Use **qu'est-ce que** in most other cases.

Qu'est-ce que tu vas manger?
What are you going to eat?

Qu'est-ce que Sandrine étudie?
What is Sandrine studying?

Tu es de quelle origine?

Quel jour sommes-nous?

Essayez! Donnez les mots (*words*) interrogatifs.

1. <u>Comment</u> allez-vous?
2. _____ est-ce que vous allez faire après le cours?
3. Le cours de français commence à _____ heure?
4. _____ est-ce que tu ne travailles pas?
5. Avec _____ est-ce qu'on va au cinéma ce soir?
6. _____ d'étudiants y a-t-il dans la salle de classe?
7. _____ musées vas-tu visiter?
8. _____ est-ce que tes parents arrivent?
9. _____ n'aime pas voyager?
10. _____ est-ce qu'on dîne ce soir?

STRUCTURES

Mise en pratique

1 **Le français familier** Utilisez l'inversion pour reformuler les questions.

MODÈLE

Tu t'appelles comment?
Comment t'appelles-tu?

1. Tu habites où? _____
2. Le film commence à quelle heure? _____
3. Il est quelle heure? _____
4. Tu as combien de frères? _____
5. Le prof parle quand? _____
6. Vous aimez quoi? _____
7. Elle téléphone à qui? _____
8. Il étudie comment? _____
9. Il y a combien d'enfants? _____
10. Elle aime qui? _____

2 **La paire** Trouvez la paire et formez des phrases complètes. Utilisez chaque (*each*) option une seule fois (*only once*).

À quelle heure Avec qui	Comment Combien de	Où Pourquoi	Qu' Quelle

1. _____ est-ce que tu regardes?
2. _____ habitent-ils?
3. _____ est-ce que tu habites dans le centre-ville?
4. _____ est-ce que le cours commence?
5. _____ heure est-il?
6. _____ vous appelez-vous?
7. _____ grandes villes est-ce qu'il y a aux États-Unis?
8. _____ parlez-vous?

3 **La question** Vous avez les réponses. Quelles sont les questions?

MODÈLE

Il est midi.
Quelle heure est-il?

1. Les cours commencent à huit heures. _____
2. Stéphanie habite à Paris. _____
3. Julien danse avec Caroline. _____
4. Elle s'appelle Julie. _____
5. Laetitia a deux chiens. _____
6. Elle déjeune dans ce restaurant parce qu'il est à côté de son bureau. _____
7. Nous allons bien, merci. _____
8. Je vais au marché mardi. _____
9. Simon aime danser. _____
10. Brigitte pense à ses études. _____

Communication

4 **La montagne** Lisez (*Read*) avec attention la lettre de Céline. Écrivez cinq questions basées sur l'information donnée, puis fermez (*close*) votre livre. À deux, posez-vous les questions et calculez le nombre de réponses correctes données par votre partenaire. Partagez vos résultats avec la classe.

> Bonjour. Je m'appelle Céline. J'ai 20 ans. Je suis grande, mince et sportive. J'habite à Grenoble dans une maison agréable. Je suis étudiante à l'université. J'adore la montagne.
>
> Tous les week-ends, je vais skier à Chamrousse avec mes trois amis Alain, Catherine et Pascal. Nous skions de midi à cinq heures. À six heures, nous prenons un chocolat chaud à la terrasse d'un café ou nous allons manger des crêpes dans un restaurant. Nous rencontrons souvent d'autres étudiants et nous allons en boîte tous ensemble.

5 **Questions et réponses**

A. Écrivez dix questions au sujet des thèmes de la liste. Puis, circulez dans la classe et interrogez trois personnes. Notez leurs réponses, puis résumez les informations dans un graphique.

MODÈLE

Étudiant(e) 1: *Où est-ce que tu habites?*
Étudiant(e) 2: *J'habite chez mes parents.*

Thèmes

- où vous habitez
- ce que vous faites le week-end
- à qui vous téléphonez
- combien de frères et sœurs vous avez
- les endroits que vous fréquentez avec vos copains
- comment sont vos camarades de classe
- quels cours vous aimez

B. En utilisant les mêmes (*same*) questions, interrogez trois autres personnes francophones dans votre communauté et comparez les résultats à ceux (*those*) de vos camarades de classe.

6 **Le week-end** Qu'est-ce que votre partenaire va faire ce week-end? Posez beaucoup de questions pour avoir tous les détails sur ses projets (*their plans*).

MODÈLE

Étudiant(e) 1: *Où est-ce que tu vas aller samedi?*
Étudiant(e) 2: *Je vais aller au centre commercial.*
Étudiant(e) 1: *Avec qui?*

I CAN ask and answer information questions.

Révision

1 **En ville** Par groupes de trois, interviewez vos camarades. Où allez-vous en ville? Quand vos camarades mentionnent un endroit de la liste, demandez des détails (quand? avec qui? pourquoi? etc.). Présentez les réponses à la classe.

le café	le musée
le centre commercial	le parc
le cinéma	la piscine
le marché	le restaurant

2 **La semaine prochaine** Ajoutez (*Add*) trois activités que vous allez faire cette semaine. Ensuite, expliquez à un(e) partenaire ce que vous allez faire et vice versa.

MODÈLE

Lundi je vais préparer un examen, mais samedi je vais danser en boîte.

	L	M	M	J	V	S	D
8h30							
9h00							
9h30							
10h00							
10h30							
11h00							
11h30							
12h00							
12h30							

3 **Le week-end** Par groupes de trois, posez-vous des questions sur vos projets pour le week-end prochain. Donnez des détails. Mentionnez aussi des activités qu'on fait avec des amis.

MODÈLE

Étudiant(e) 1: *Quels projets avez-vous pour ce week-end?*
Étudiant(e) 2: *Nous allons aller au marché samedi.*
Étudiant(e) 3: *Et nous allons aller au café dimanche.*

4 **Ma ville** À tour de rôle, vous invitez votre partenaire dans votre ville d'origine pour une visite d'une semaine. Proposez des activités variées et préparez une liste. Ensuite (*Then*), comparez vos projets avec ceux (*those*) d'un autre groupe.

MODÈLE

Étudiant(e) 1: *Samedi, on va au centre-ville.*
Étudiant(e) 2: *Nous allons dépenser de l'argent!*

5 **Où passer un long week-end?** Vous et votre partenaire avez la possibilité de passer un long week-end à Montréal ou à La Nouvelle-Orléans, mais vous préférez chacun(e) (*each one*) une ville différente. Jouez la conversation pour la classe.

MODÈLE

Étudiant(e) 1: *À Montréal, on va visiter les sites!*
Étudiant(e) 2: *Oui, mais à La Nouvelle-Orléans, on va danser dans les boîtes cajuns!*

Montréal

- le Jardin botanique
- le Musée des Beaux-Arts
- le Parc du Mont-Royal
- le Vieux-Montréal

La Nouvelle-Orléans

- le Café du Monde
- la Cathédrale Saint-Louis
- la route des plantations
- le Vieux Carré (quartier français)

6 **La semaine de Martine** Votre professeur va vous donner, à vous et à votre partenaire, des informations sur la semaine de Martine. Discutez de ces informations pour trouver ce que (*what*) Martine fait pendant la semaine et écrivez huit phrases. Attention! Ne regardez pas la feuille de votre partenaire.

MODÈLE

Étudiant(e) 1: *Pour lundi matin, j'ai «parc.»*
Étudiant(e) 2: *Moi, j'ai «dessiner.»*
Étudiant(e)s 1 et 2: *Lundi matin, Martine va dessiner au parc.*

Le Zapping

Video: *Le Zapping*

1 **Préparation** Répondez aux questions.

1. Est-ce qu'il y a beaucoup de cafés dans votre communauté? Où sont-ils?

2. Est-ce que vous aimez passer du temps sur des terrasses de café? Expliquez.

3. Quels critères considérez-vous en visitant un café pour la première fois?

Clip de BFMTV

Des terrasses perchées sur les toits...

Sur les toits de Paris

Dans sa série d'été° «Une semaine sur les toits° de Paris», la chaîne° télévisée BFMTV nous présente des terrasses perchées sur les toits de la capitale. Pour Paul et Alexandre, deux jeunes Parisiens, c'est une passion. Ils parcourent° la ville pour trouver de nouvelles adresses pour prendre un verre. Ils ont des critères pour les sélectionner: l'accès, la vue, l'ambiance et la carte avec les prix. Ces deux jeunes hommes écrivent de petits articles et publient° quelques photos pour faire connaître° ces «rooftops» qui sont de plus en plus fréquentés, surtout l'été.

été *summer* **toits** *rooftops* **chaîne** *channel* **parcourent** *roam* **publient** *publish* **faire connaître** *promote*

Vocabulaire utile

l'ambiance (f.)	*atmosphere*
un appareil photo	*camera*
un bar	*bar*
la carte	*menu*
des client(e)s	*customers*
prendre un verre	*to have a drink*
les prix (m.)	*prices*
la vue	*view*

2 **Compréhension** Répondez aux questions.

1. Quels endroits voyez-vous (*do you see*) dans cette vidéo?
2. Que font les personnes dans la vidéo?

3 **Conversation** Avec un(e) partenaire, répondez aux questions.

1. Quels sont les endroits de votre ville où vous aimez aller prendre un verre et bavarder avec vos ami(e)s? Décrivez-les.

2. Qu'aimez-vous dans ces endroits? Pourquoi?

4 **Réflexion** Répondez aux questions.

1. Est-ce que vous utilisez l'Internet pour trouver des articles et des photos d'un café avant d'y aller (*going there*) pour la première fois?

2. Qu'est-ce qui influence votre choix de café? Les Français pensent-ils comme vous?

5 **Application** Écrivez un article sur un café ou un restaurant dans votre communauté. À deux, visitez cet endroit et prenez des notes sur la vue, l'ambiance et la carte avec les prix. Prenez des photos et posez quelques questions aux employées. Ensuite, écrivez la critique du café et partagez votre expérience avec la classe.

I CAN identify and reflect on attitudes around café terraces in my own and other cultures.

Leçon 4B

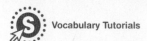 Vocabulary Tutorials

J'ai faim!

Vocabulaire

apporter l'addition	to bring the check/bill
coûter	to cost
Combien coûte(nt)...?	How much is/are...?
une baguette	baguette (long, thin loaf of bread)
le beurre	butter
des frites (f.)	French fries
un fromage	cheese
le jambon	ham
un pain (de campagne)	(country-style) bread
un sandwich	sandwich
une boisson (gazeuse)	(soft/carbonated) drink/beverage
un chocolat (chaud)	(hot) chocolate
une eau (minérale)	(mineral) water
un jus (d'orange, de pomme, etc.)	(orange, apple, etc.) juice
le lait	milk
une limonade	lemon soda
un thé (glacé)	(iced) tea
(pas) assez (de)	(not) enough (of)
beaucoup (de)	a lot (of)
d'autres	others
un morceau (de)	piece, bit (of)
un peu (plus/moins) (de)	a little (more/less) (of)
plusieurs	several
quelque chose	something; anything
quelques	some
tous (m. pl.)	all
tout (m. sing.)	all
tout (tous) le/les (m.)	all the
toute(s) la/les (f.)	all the
trop (de)	too many/much (of)
un verre (de)	glass (of)

Mise en pratique

1 **Écoutez** Écoutez la conversation entre André et le serveur du café Gide, et décidez si les phrases sont **vraies** ou **fausses**.

	Vrai	Faux
1. André n'a pas très soif.	☐	☐
2. André n'a pas faim.	☐	☐
3. Au café, on peut commander (*one may order*) un jus d'orange, une limonade, un café ou une boisson gazeuse.	☐	☐
4. André commande un sandwich au jambon avec du fromage.	☐	☐
5. André commande un chocolat chaud.	☐	☐
6. André déteste le lait.	☐	☐
7. André n'a pas beaucoup d'argent.	☐	☐
8. André ne laisse pas de pourboire.	☐	☐

2 **Chassez l'intrus** Trouvez le mot qui ne va pas avec les autres.

1. un croissant, le pain, le fromage, une baguette
2. une limonade, un jus de pomme, un jus d'orange, le beurre
3. des frites, un sandwich, le sucre, le jambon
4. le jambon, un éclair, un croissant, une baguette
5. l'eau, la boisson, l'eau minérale, la soupe
6. l'addition, un chocolat, le pourboire, coûter
7. apporter, d'autres, plusieurs, quelques
8. un morceau, une bouteille, un verre, une tasse

3 **Reliez** Reliez (*Match*) correctement les expressions de quantité suivantes aux produits de la liste.

un morceau de/d'	une bouteille de/d'
un verre de/d'	une tasse de/d'

MODÈLE

un morceau de baguette

1. _____ eau
2. _____ quiche
3. _____ fromage
4. _____ chocolat chaud
5. _____ café
6. _____ jus de pomme
7. _____ thé
8. _____ limonade

le sucre

Il a soif. (avoir)

le thé

une tasse

Il mange quelque chose. (manger)

un café

un éclair

Communication

4 Combien coûte...? Regardez la carte et, à tour de rôle, demandez à votre partenaire combien coûte chaque chose. Répondez par des phrases complètes.

> **MODÈLE**
>
> **Étudiant(e) 1:** *Combien coûte un sandwich?*
> **Étudiant(e) 2:** *Un sandwich coûte 3,50€.*

1. _____
2. _____
3. _____
4. _____
5. _____
6. _____
7. _____
8. _____

5 Conversez Interviewez un(e) camarade de classe. Ensuite, expliquez ses préférences à la classe.

1. Qu'est-ce que tu aimes boire (*drink*) quand tu as soif? Quand tu as froid? Quand tu as chaud?
2. Quand tu as faim, est-ce que tu manges au resto U? Qu'est-ce que tu aimes manger?
3. Est-ce que tu aimes le café ou le thé? Combien de tasses est-ce que tu aimes boire par jour?
4. Comment est-ce que tu aimes le café? Avec du lait? Avec du sucre? Noir (*black*)?
5. Comment est-ce que tu aimes le thé? Avec du lait? Avec du sucre? Nature (*plain*)?
6. Dans ta famille, qui aime le thé? Et le café?
7. Quand tu manges dans un restaurant, est-ce que tu laisses un pourboire au serveur/à la serveuse?
8. Quand tu manges avec ta famille ou avec tes amis dans un restaurant, qui paie (*pays*) l'addition?

6 Au café Par groupes de trois, écrivez une conversation entre deux client(e)s dans un café et leur serveur/serveuse. Préparez-vous à jouer (*perform*) la scène devant la classe.

Client(e)s

- Demandez des détails sur le menu et les prix.
- Choisissez des boissons et des plats (*dishes*).
- Demandez l'addition.

Serveur/Serveuse

- Parlez du menu et répondez aux questions.
- Apportez les plats et l'addition.

> ### Coup de main
>
> | | |
> |---|---|
> | Vous désirez? | *What can I get you?* |
> | Je voudrais... | *I would like...* |
> | C'est combien? | *How much is it/this/that?* |

7 Sept différences Votre professeur va vous donner, à vous et à votre partenaire, deux feuilles d'activités différentes. Attention! Ne regardez pas la feuille de votre partenaire.

> **MODÈLE**
>
> **Étudiant(e) 1:** *J'ai deux tasses de café.*
> **Étudiant(e) 2:** *Moi, j'ai une tasse de thé!*

I CAN talk about café foods and service.

Les sons et les lettres

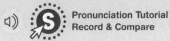

Pronunciation Tutorial
Record & Compare

Nasal vowels

When vowels are followed by an **m** or an **n** in a single syllable, they usually become nasal vowels. Nasal vowels are produced by pushing air through both the mouth and the nose.

The nasal vowel sound you hear in **français** is usually spelled **an** or **en**.

| an | fr**an**çais | ench**an**té | **en**f**an**t |

The nasal vowel sound you hear in **bien** may be spelled **en**, **in**, **im**, **ain**, or **aim**. The nasal vowel sound you hear in **brun** may be spelled **un** or **um**.

| exam**en** | améric**ain** | l**un**di | parf**um** |

The nasal vowel sound you hear in **bon** is spelled **on** or **om**.

| t**on** | all**on**s | c**on**bien | **on**cle |

When **m** or **n** is followed by a vowel sound, the preceding vowel is not nasal.

| i**m**age | i**n**utile | a**m**i | a**m**our |

🔊 **Prononcez** Répétez les mots suivants à voix haute.

1. blond
2. dans
3. faim
4. entre
5. garçon
6. avant
7. maison
8. cinéma
9. quelqu'un
10. différent
11. amusant
12. télévision
13. impatient
14. rencontrer
15. informatique
16. comment

🔊 **Articulez** Répétez les phrases suivantes à voix haute.

1. Mes parents ont cinquante ans.
2. Tu prends une limonade, Martin?
3. Le Printemps est un grand magasin.
4. Lucien va prendre le train à Montauban.
5. Pardon, Monsieur, l'addition s'il vous plaît!
6. Jean-François a les cheveux bruns et les yeux marron.

🔊 **Dictons** Répétez les dictons à voix haute.

N'allonge pas ton bras au-delà de ta manche.[2]

L'appétit vient en mangeant.[1]

[1] Appetite comes from eating.

[2] Don't bite off more than you can chew.
(lit. *Don't stretch your arm out farther than your sleeve.*)

ROMAN-PHOTO

L'heure du déjeuner

Video: *Roman-photo*
Record & Compare

PERSONNAGES

Amina

David

Michèle

Rachid

Sandrine

Valérie

Près du café...

AMINA J'ai très faim. J'ai envie de manger un sandwich.

SANDRINE Moi aussi, j'ai faim, et puis j'ai soif. J'ai envie d'une bonne boisson. Eh, les garçons, on va au café?

RACHID Moi, je rentre à l'appartement étudier pour un examen de sciences po. David, tu vas au café avec les filles?

DAVID Non, je rentre avec toi. J'ai envie de dessiner un peu.

AMINA Bon, alors, à tout à l'heure.

Au café...

VALÉRIE Bonjour, les filles! Alors, ça va, les études?

AMINA Bof, ça va. Qu'est-ce qu'il y a de bon à manger aujourd'hui?

VALÉRIE Et bien, j'ai une soupe de poisson maison délicieuse! Il y a aussi des sandwichs jambon-fromage, des frites... Et, comme d'habitude, j'ai des éclairs, euh...

VALÉRIE Et pour toi, Amina?

AMINA Hmm... Pour moi, un sandwich jambon-fromage avec des frites.

VALÉRIE Très bien, et je vous apporte du pain tout de suite.

SANDRINE ET AMINA Merci!

Au bar...

VALÉRIE Alors, pour la table d'Amina et Sandrine, une soupe du jour, un sandwich au fromage... Pour la table sept, une limonade, un café, un jus d'orange et trois croissants.

MICHÈLE D'accord! Je prépare ça tout de suite. Mais Madame Forestier, j'ai un problème avec l'addition de la table huit.

VALÉRIE Ah, bon?

MICHÈLE Le monsieur ne comprend pas pourquoi ça coûte onze euros cinquante. Je ne comprends pas non plus. Regardez.

VALÉRIE Ah, non! Avec tout le travail que nous avons cet après-midi, des problèmes d'addition aussi?!

A C T I V I T É S

1 **Identifiez** Complétez les phrases.

1. _____ va étudier pour un examen de sciences po.

2. _____ va dessiner un peu.

3. _____ va apprendre à préparer des éclairs.

4. _____ va prendre un sandwich avec des frites.

5. _____ va apporter du pain à Sandrine et Amina.

| Amina |
| David |
| Rachid |
| Sandrine |
| Valérie |

2 **Mettez dans l'ordre** Numérotez les phrases suivantes dans l'ordre correct.

a. ____ Michèle a un problème avec l'addition.

b. ____ Valérie apporte trois croissants à Sandrine et Amina.

c. ____ Sandrine a soif.

d. ____ Rachid rentre à l'appartement.

e. ____ Valérie explique l'addition à Michèle.

f. ____ Sandrine commande une bouteille d'eau.

Amina et Sandrine déjeunent au café.

SANDRINE Oh, Madame Forestier, j'adore! Un jour, je vais apprendre à préparer des éclairs. Et une bonne soupe maison. Et beaucoup d'autres choses.
AMINA Mais pas aujourd'hui. J'ai trop faim!
SANDRINE Alors, je prends la soupe et un sandwich au fromage.

VALÉRIE Et comme boisson?
SANDRINE Une bouteille d'eau minérale, s'il vous plaît. Tu bois de l'eau aussi? Avec deux verres, alors.

VALÉRIE Ah, ça y est! Je comprends! La boisson gazeuse coûte un euro vingt-cinq, pas un euro soixante-quinze. C'est noté, Michèle?
MICHÈLE Merci, Madame Forestier. Excusez-moi. Je vais expliquer ça au monsieur. Et voilà, tout est prêt pour la table d'Amina et Sandrine.
VALÉRIE Merci, Michèle.

À la table des filles...
VALÉRIE Voilà, une limonade, un café, un jus d'orange et trois croissants.
AMINA Oh? Mais Madame Forestier, je ne bois pas de limonade!
VALÉRIE Et vous prenez du jus d'orange uniquement le matin, n'est-ce pas? Ah! Excusez-moi, les filles!

Expressions utiles

Talking about food

- **Moi aussi, j'ai faim, et puis j'ai soif.**
  Me too, I am hungry, and I am thirsty as well.
- **J'ai envie d'une bonne boisson.**
  I feel like having a nice drink.
- **Qu'est-ce qu'il y a de bon à manger aujourd'hui?**
  What looks good on the menu today?
- **Une soupe de poisson maison délicieuse.**
  A delicious homemade fish soup.
- **Je vais apprendre à préparer des éclairs.**
  I am going to learn (how) to prepare/make éclairs.
- **Je prends la soupe.**
  I'll have the soup.
- **Tu bois de l'eau aussi?**
  Are you drinking water too?
- **Vous prenez du jus d'orange uniquement le matin.**
  You only have orange juice in the morning.

Additional vocabulary

- **On va au café?**
  Shall we go to the café?
- **comme d'habitude**
  as usual
- **Le monsieur ne comprend pas pourquoi ça coûte onze euros cinquante.**
  The gentleman doesn't understand why this costs 11,50€.
- **Je ne comprends pas non plus.**
  I don't understand either.
- **Je prépare ça tout de suite.**
  I am going to prepare this right away.
- **Ça y est! Je comprends!**
  That's it! I get it!
- **C'est noté?**
  Understood?/Got it?
- **Tout est prêt.**
  Everything is ready.

---

3   **Réfléchissez** Répondez aux questions.

1. Qu'est-ce qu'il y a à manger au P'tit Bistro?
2. Qu'est-ce que Sandrine va prendre? Et Amina?
3. Qu'est-ce qu'il y a à manger aux cafés dans votre ville?
4. Quand vous allez au café, comment est-ce que les boissons sont servies? Comparez les boissons typiques de votre culture aux boissons dans cet épisode.

4   **Conversez** Au moment où Valérie apporte le plateau (*tray*) de la table sept à Sandrine et Amina, Michèle apporte le plateau de Sandrine et Amina à la table sept. Avec trois partenaires, écrivez la conversation entre Michèle et les client(e)s et jouez-la devant la classe.

I CAN understand short conversations about café orders.

A C T I V I T É S

S Video: *Flash culture*

CULTURE À LA LOUPE

Les cafés

Comparaisons

Au Canada, il y a un nombre croissant (*growing*) de cafés qui encouragent les clients à payer par heure pour y travailler ou étudier, au lieu de payer pour un seul café. Ce nouveau type de café est surtout populaire avec les étudiants et les auto-entrepreneurs.

● Est-ce que vous avez l'habitude de passer des heures au café? Pourquoi ou pourquoi pas?

À Toute Heure

Quiches	12,50€
Pâtisseries	4,50€
Omelettes	9,25€
Thé	5,00€
Glaces	7,50€
Café	4,50€
Cappuccino	7,00€
Chocolat chaud	5,50€

STRATÉGIE

Key words

Key words are important words that give you a good idea of the reading's focus, which can help you understand subtler points. Always look out for key words, no matter how many times you've read a selection, because your interpretation of the text's meaning can change over time. A word or expression that occurs several times in a reading is almost certainly a key word. So are words that appear in the title or a photo caption, especially if you see them again in the text.

Le café est une partie importante de la culture française. Les Français adorent passer du temps° à la terrasse des cafés. C'est un des symboles de l'art de vivre° à la française.

Le premier café français, le Procope, a ouvert° ses portes à Paris en 1686. C'était° un lieu° pour boire du café, qui était une boisson exotique à l'époque°. On pouvait° aussi manger un sorbet dans des tasses en porcelaine. Benjamin Franklin et Napoléon Bonaparte fréquentaient° le Procope.

Il y a de très célèbres° cafés à Paris: «Les Deux Magots» ou «Café de Flore» par exemple, dans le quartier° de Saint-Germain. Ils sont connus° parce que c'était le rendez-vous des intellectuels et des écrivains°, comme Jean-Paul Sartre, Simone de Beauvoir et Albert Camus, après la Deuxième Guerre mondiale°.

On peut aller au café à tout moment de la journée: le matin, pour prendre un café et un croissant en lisant le journal, le midi pour déjeuner entre collègues, et le soir après le travail pour boire un verre et se détendre° avec des amis. Les étudiants aussi se retrouvent souvent° au café, près de leur lycée ou de leur faculté, pour étudier ou pour prendre un verre.

passer du temps *spending time* **vivre** *living* **a ouvert** *opened* **C'était** *It was* **lieu** *place* **à l'époque** *at the time* **pouvait** *could* **fréquentaient** *used to frequent* **célèbres** *famous* **quartier** *neighborhood* **connus** *known* **écrivains** *writers* **Deuxième Guerre mondiale** *World War II* **se détendre** *to relax* **souvent** *often*

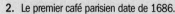

A C T I V I T É S

1 Vrai ou faux? Indiquez si les phrases sont vraies ou fausses.

1. Les Français évitent (*avoid*) les terrasses des cafés.
2. Le premier café parisien date de 1686.
3. Le café était une boisson courante (*common*) dans les années 1600.
4. Napoléon Bonaparte et Benjamin Franklin sont d'anciens clients du Procope.
5. Les Français mangent rarement au café à midi.

2 Réfléchissez Répondez aux questions.

1. Pourquoi le café est-il une partie importante de la culture française?
2. Que font les Français au café? Donnez quelques exemples.
3. Y a-t-il un endroit dans votre ville que les gens aiment fréquenter à toute heure?
4. Qu'est-ce que «l'art de vivre à la française»? Expliquez.
5. Comment votre conception des loisirs se compare-t-elle aux perspectives des Français?

Boîtes de nuit en France

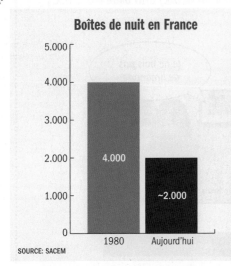

	1980	Aujourd'hui
	4.000	~2.000

SOURCE: SACEM

LE MONDE FRANCOPHONE

Des spécialités à grignoter°

En Afrique du Nord la merguez (saucisse épicée°)
et le makroud (pâtisserie° au miel° et aux dattes)

En France le pan-bagnat (sandwich avec de la
salade, des tomates, des œufs durs° et du thon°)

À la Martinique les accras de morue° (beignets°
à la morue)

Au Québec la poutine (frites avec du fromage
fondu° et de la sauce)

Au Sénégal le chawarma (de la viande°, des
oignons et des tomates dans du pain pita)

- Avez-vous une spécialité préférée dans votre
  région ou culture? Y a-t-il des coutumes
  spécifiques associées à cette spécialité?
  Comparez votre spécialité à celle (*one*) d'une
  culture francophone.

grignoter *snack on* **saucisse épicée** *spicy sausage* **pâtisserie** *pastry* **miel**
honey **œufs durs** *hard-boiled eggs* **thon** *tuna* **morue** *cod* **beignets**
fritters **fondu** *melted* **viande** *meat*

PORTRAIT

Les cafés nord-africains

Comme en France, les cafés
ont une grande importance
culturelle en Afrique du Nord.
C'est le lieu où les amis se
rencontrent pour discuter° ou
pour jouer aux cartes° ou aux
dominos. Les cafés offrent°
une variété de boissons, mais
ils n'offrent pas d'alcool.
La boisson typique, au café
comme à la maison, est le thé
à la menthe°. Il a peu de caféine, mais
il a des vertus énergisantes et il favorise
la digestion. En général, ce sont les
hommes qui le° préparent. C'est
la boisson qu'on vous sert° quand
vous êtes invité, et ce n'est pas poli
de refuser!

pour discuter *to chat* **jouer aux cartes** *play cards*
offrent *offer* **menthe** *mint* **le** *it* **on vous sert** *you
are served*

🎵 MUSIQUE À FOND

Daniel Bélanger

Date de naissance: 26 décembre 1961
Lieu de naissance: Montréal, Québec
Métier: auteur-compositeur-interprète

L'un des meilleurs compositeurs québécois depuis plus de 25
ans, il a reçu plusieurs prix dans le domaine de la musique.

Go to **vhlcentral.com** to find out more about **Daniel Bélanger** and his music.

3 **Compréhension** Complétez les phrases.

1. Dans les cafés d'Afrique du Nord, on aime jouer
   aux _____.

2. En général, les hommes préparent _____ dans les pays
   d'Afrique du Nord.

3. Si vous aimez les frites, vous allez aimer _____ au Québec.

4 **Un café francophone** Par groupes de quatre, créez un
café francophone. Préparez une liste de noms pour le café,
idées (*ideas*) pour le menu, prix, heures, etc. Indiquez où le
café va être situé et qui va fréquenter ce café. Présentez votre
café à la classe.

A C T I V I T É S

I CAN identify and reflect on cultural products and practices related to cafés in my own and other cultures.

4B.1 The verbs *prendre* and *boire*   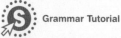 Grammar Tutorial

Point de départ The verbs **prendre** (*to take, to have food or drink*) and **boire** (*to drink*), like **être**, **avoir**, and **aller**, are irregular.

prendre				
je prends	*I take*		nous prenons	*we take*
tu prends	*you take*		vous prenez	*you take*
il/elle/on prend	*he/she/it/one takes*		ils/elles prennent	*they take*

Brigitte **prend** le métro le soir.
Brigitte takes the subway in the evening.

Nous **prenons** un café chez moi.
We are having a coffee at my house.

- The forms of the verbs **apprendre** (*to learn*) and **comprendre** (*to understand*) follow the same pattern as that of **prendre**.

Tu ne **comprends** pas l'espagnol?
Don't you understand Spanish?

Elles **apprennent** beaucoup.
They're learning a lot.

boire				
je bois	*I drink*		nous buvons	*we drink*
tu bois	*you drink*		vous buvez	*you drink*
il/elle/on boit	*he/she/it/one drinks*		ils/elles boivent	*they drink*

Ton père **boit** un jus d'orange.
Your father is drinking an orange juice.

Vous **buvez** un chocolat chaud, M. Dion?
Are you drinking hot chocolate, Mr. Dion?

Boîte à outils

You can use the construction **apprendre à** + [*infinitive*] to mean *to learn to do something.* Example: **J'apprends à** nager. *I'm learning to swim.*

Essayez!   Utilisez la forme correcte du verbe entre parenthèses.

1. Ma sœur _____prend_____ (prendre) une salade au déjeuner.
2. Tes parents _____ (prendre) un taxi ce soir?
3. Tu _____ (boire) une eau minérale?
4. Si vous êtes fatigués, vous _____ (boire) un café.
5. Je vais _____ (apprendre) à parler japonais.
6. Vous _____ (apprendre) très vite (*fast*) les leçons.
7. Est-ce que les enfants _____ (boire) du lait?
8. Nous ne _____ (comprendre) pas le professeur.
9. Je _____ (comprendre) ton problème.

Le français vivant

BUVEZ DE L'EAU

0,99€

éclat

Nature

1,15€

Pure, claire, fraîche,
elle arrive de la montagne.

Vous avez soif, vous prenez
un verre, vous buvez
de l'eau et vous allez boire
toute la bouteille!

 Questions Avec un(e) partenaire, regardez la publicité (*ad*) et répondez
aux questions.

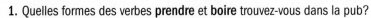

1. Quelles formes des verbes **prendre** et **boire** trouvez-vous dans la pub?

2. D'où vient (*comes*) cette eau minérale?

3. Combien coûte une bouteille d'eau minérale?

4. Selon (*According to*) la pub, pourquoi l'eau minérale est-elle bonne?

5. Buvez-vous de l'eau minérale? Pourquoi? Achetez-vous (*Do you buy*) des eaux minérales au
   supermarché? Lesquelles?

6. Que buvez-vous quand vous avez soif?

7. Trouve-t-on des marques (*brands*) d'eaux minérales françaises dans les supermarchés
   américains? Quelles marques trouve-t-on?

STRUCTURES

Mise en pratique

1 **À la bibliothèque** Un groupe d'amis parle des livres qu'ils empruntent (*borrow*) à la bibliothèque. Complétez leurs phrases.

MODÈLE

je / prendre / livre de sciences po
Je prends un livre de sciences po.

1. nous / prendre / livre de psychologie _____
2. moi, je / prendre / livres d'histoire _____
3. Micheline / prendre / deux livres sur le sport _____
4. vous / prendre / romans (*novels*) de Stendhal _____
5. tu / prendre / ne / pas / livre _____
6. Marc et Abdel / prendre / livres d'art _____

2 **Au restaurant** Alain est au restaurant avec toute sa famille. Il note les préférences de tout le monde. Complétez ses phrases.

MODÈLE

Oncle Lucien aime bien le café. (prendre)
Il prend un café.

1. Marie-Hélène et papa adorent le thé. (prendre) _____
2. Tu adores le chocolat chaud. (boire) _____
3. Vous aimez bien le jus de pomme. (prendre) _____
4. Mes nièces aiment la limonade. (boire) _____
5. Tu aimes les boissons gazeuses. (prendre) _____
6. Vous adorez le café. (boire) _____
7. Ma tante et moi, nous aimons l'eau minérale. (boire) _____
8. Ma sœur adore le jus d'orange. (boire) _____

3 **Les langues étrangères** Indiquez les langues que les étudiants apprennent.

Julie / anglais

▶ **MODÈLE**

Julie apprend l'anglais.

1. vous / allemand
2. tes cousins / français
3. je / japonais
4. nous / espagnol

Communication

4 **Échanges** Posez les questions à un(e) partenaire et prenez des notes. Ensuite, écrivez un paragraphe sur ses préférences.

1. Qu'est-ce que tu bois quand tu as très soif?
2. Qu'est-ce que tu apprends à la fac?
3. Quelles langues est-ce que tes parents comprennent?
4. Est-ce que tu bois beaucoup de café? Pourquoi?
5. Qu'est-ce que tu prends pour aller en cours?
6. Quelle langue est-ce que ton/ta camarade de chambre apprend?
7. Où est-ce que tu prends tes repas (*meals*)?
8. Qu'est-ce que tu bois le matin? À midi? Le soir?

5 **Questions** Avec un(e) partenaire, posez-vous des questions en utilisant un élément de chaque colonne. Si vous donnez une réponse négative, il faut donner une autre phrase qui corresponde à la réalité. Prenez des notes, puis partagez des informations sur votre partenaire avec la classe.

MODÈLE

Étudiant(e) 1: *Est-ce que tu apprends l'italien cette année?*
Étudiant(e) 2: *Non, mais j'apprends le français.*

A	B	C
apprendre	dessiner	l'italien	aujourd'hui
boire	parler japonais	un Orangina	cette année
comprendre	un café	les femmes	cette semaine
prendre	un cahier	les hommes	en classe
	les devoirs	le professeur	à la fac
			à la librairie
			au resto U

6 **Les préférences** Avec un(e) partenaire, discutez de ce que vous et votre famille aimez prendre et boire d'habitude (*usually*) au restaurant.

MODÈLE

Étudiant(e) 1: *D'habitude, qu'est-ce que tu prends au café?*
Étudiant(e) 2: *D'habitude, je prends un sandwich au jambon.*
Étudiant(e) 1: *Et que bois-tu?*

7 **Un ami et sa famille** Des amis vont passer le week-end chez vous. Décidez ce qu'ils vont prendre et boire et faites une liste pour le supermarché.

Au supermarché, j'ai besoin de...
—deux bouteilles d'eau minérale

I CAN discuss eating and drinking.

STRUCTURES

4B.2

Partitives Grammar Tutorial

- Use partitive articles in French to express *some* or *any*. To form the partitive, use the preposition **de** followed by a definite article. Although the words *some* and *any* are often omitted in English, the partitive must always be used in French.

masculine singular	feminine singular	singular noun beginning with a vowel
du thé	**de la** limonade	**de l'**eau

Je bois **du** thé chaud.
I drink (some) hot tea.

Tu bois **de la** limonade?
Are you drinking (any) lemon soda?

Elle prend **de l'**eau?
Is she having (some) water?

- Note that partitive articles are only used with non-count nouns (nouns whose quantity cannot be expressed by a number).

PARTITIVE ARTICLE — NON-COUNT NOUN
Tu prends **du** pain tous les jours.
You have (some) bread every day.

INDEFINITE ARTICLE — COUNT NOUN
Tu prends **une** banane, aussi.
You have a banana, too.

- The article **des** also means *some*, but it is the plural form of the indefinite article, not the partitive.

PARTITIVE ARTICLE
Vous prenez **de la limonade**.
You're having (some) lemon soda.

INDEFINITE ARTICLE
Nous prenons **des croissants**.
We're having (some) croissants.

- As with the indefinite articles, the partitives **du**, **de la** and **de l'** also become **de** (meaning *not any*) in a negative sentence.

Est-ce qu'il y a **du** lait?
Is there (any) milk?

Non, il n'y a pas **de** lait.
No, there isn't (any) milk.

Prends-tu **de la** soupe?
Will you have (some) soup?

Non, je ne prends pas **de** soupe.
No, I'm not having (any) soup.

Essayez! **Complétez les phrases. Choisissez le partitif, l'article indéfini ou de/d'.**

1. Samira boit _de l'/une_ eau minérale tous les soirs.
2. Son frère mange _____ éclairs.
3. Est-ce qu'il y a _____ sucre pour le café?
4. Il y a _____ kilo de sucre sur la table.
5. Non, merci, je ne prends pas _____ frites.
6. Nous buvons _____ limonade.
7. Je vais prendre _____ bouteille de coca.
8. Tu bois _____ jus de pomme avec ton déjeuner?
9. Nous n'avons pas _____ pain à la maison.
10. Mes cousines ne boivent pas _____ boissons gazeuses.

Le français vivant

Mangez du pain. Prenez une baguette et du beurre. Le matin, du pain avec du café ou du chocolat chaud. À midi, un morceau de pain pour un sandwich, avec du jambon et du fromage. Le soir, du pain avec de la soupe. **Vive le pain!**

Savourez le pain. C'est si bon!

0,87€

1€

0,87€

2,50€

Identifiez Regardez la publicité (*ad*) et trouvez les articles partitifs et les articles indéfinis.

 Questions Avec un(e) partenaire, répondez aux questions.

1. Selon (*According to*) la pub, quand et avec quoi mange-t-on du pain?
2. Mangez-vous souvent (*often*) du pain? Quand?
3. Avec quoi mangez-vous du pain?
4. Combien coûte le pain dans votre supermarché?
5. Est-ce que la pub vous donne envie de manger du pain? Pourquoi?
6. À votre avis (*opinion*), les Américains mangent-ils beaucoup de pain, comme (*like*) les Français?

STRUCTURES

Mise en pratique

1 **Au café** Indiquez l'article correct.

> **MODÈLE**
>
> Prenez-vous _du/un_ thé glacé?

1. Avez-vous _____ lait froid?
2. Je voudrais _____ baguette, s'il vous plaît.
3. Elle prend _____ croissant.
4. Nous ne prenons pas _____ sucre dans le café.
5. Tu ne laisses pas _____ pourboire?
6. Vous mangez _____ frites.
7. Zeina commande _____ boisson gazeuse.
8. Voici _____ eau minérale.
9. Nous mangeons _____ pain.
10. Je ne prends pas _____ fromage.
11. Philippe et Serge boivent _____ jus de pomme.
12. Vous ne prenez pas _____ éclairs?

2 **Des suggestions** Laurent est au café avec des amis et il fait (*makes*) des suggestions. Que suggère-t-il?

> ▶ **MODÈLE**
>
> *On prend du jus d'orange?*

1. _____
2. _____
3. _____
4. _____

3 **Mauvais appétit** Gérard est difficile. Sa petite amie prépare le dîner, mais il refuse toutes ses suggestions. Avec un(e) partenaire, jouez (*play*) les deux rôles.

> **MODÈLE**
>
> **Étudiant(e) 1:** *Je vais préparer du jambon.*
> **Étudiant(e) 2:** *Mais, je ne mange pas de jambon!*

| dessert (m.) | omelette (f.) | pain | sandwich |
| frites | hamburgers | pizza (f.) | soupe |

Communication

4 **Au menu** Vous allez dans un petit café où il y a peu de choix (*choices*). Vous demandez au serveur/à la serveuse s'il/si elle a d'autres options. Avec un(e) partenaire, jouez (*play*) les deux rôles.

CAFÉ "LE BON PRIX"

Soupe à l'oignon	7€
Sandwich fromage	4€
Frites maison	5€
Eau minérale	3,50€
Jus de pomme	4,50€

MODÈLE

Étudiant(e) 1: *Vous avez du chocolat chaud?*

Étudiant(e) 2: *Non, je n'ai pas de chocolat chaud, mais j'ai...*

5 **Je bois, je prends** Votre professeur va vous donner une feuille d'activités. Circulez dans la classe pour demander à vos camarades s'ils prennent rarement, une fois (*once*) par semaine ou tous les jours la boisson ou le plat (*dish*) indiqués. Écrivez (*Write*) les noms sur la feuille, puis présentez vos réponses à la classe.

MODÈLE

Étudiant(e) 1: Est-ce que tu bois du café?

Étudiant(e) 2: Oui, je bois du café une fois par semaine. Et toi?

Boisson ou plat	rarement	une fois par semaine	tous les jours
1. café		Didier	
2. fromage			
3. thé			
4. soupe			
5. chocolat chaud			
6. jambon			

6 **Après les cours** Vous retrouvez des amis au café. Par groupes de quatre, jouez les rôles d'un(e) serveur/serveuse et de trois clients. Utilisez les mots de la liste et présentez la scène à la classe.

addition	chocolat chaud	frites
avoir faim	coûter	prix
avoir soif	croissant	sandwich
boisson	eau minérale	soupe
éclair	jambon	limonade

I CAN express parts of a whole.

Révision

1 Ils aiment apprendre Vous demandez pourquoi ces personnes apprennent certaines choses. Posez des questions à votre partenaire qui va jouer les rôles des personnes.

MODÈLE

Étudiant(e) 1: *Pourquoi est-ce que tu apprends à travailler sur l'ordinateur?*
Étudiant(e) 2: *J'apprends parce que j'aime les ordinateurs.*

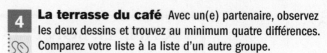

1.

4.

2.

5.

3.

6.

2 Quelle boisson? Interviewez un(e) partenaire. Que boit-on dans ces circonstances? Ensuite (*Then*), posez les questions à un(e) partenaire différent(e). Présentez la comparaison à la classe.

1. au café
2. au cinéma
3. en classe
4. le dimanche matin
5. le matin très tôt
6. quand il/elle passe des examens
7. quand il/elle a très soif
8. quand il/elle étudie toute la nuit

3 Notre café Vous et votre partenaire allez ouvrir (*open*) un café français. Sélectionnez le nom du café et huit boissons pour le menu. Comparez votre café au café d'un autre groupe.

4 La terrasse du café Avec un(e) partenaire, observez les deux dessins et trouvez au minimum quatre différences. Comparez votre liste à la liste d'un autre groupe.

MODÈLE

Étudiant(e) 1: *Mylène prend une limonade.*
Étudiant(e) 2: *Mylène prend de la soupe.*

Patrick   Mylène   Djamel

5 Elle prend… Vous êtes dans un café avec cinq membres de votre famille. Quelles boissons et quels plats (*dishes*) de la liste prennent-ils? Parlez avec un(e) partenaire. Les membres de sa famille prennent-ils les mêmes (*same*) choses?

boisson gazeuse	frites	limonade
café	fromage	pain
chocolat chaud	jambon	sandwich au…
croissant	jus de…	soupe
eau minérale	lait	thé

6 La famille Arnal au café Votre professeur va vous donner, à vous et à votre partenaire, des photos de la famille Arnal. Attention! Ne regardez pas la feuille de votre partenaire.

MODÈLE

Étudiant(e) 1: *Qui prend un sandwich?*
Étudiant(e) 2: *La grand-mère prend un sandwich.*

Écriture

Adding details

How can you make your writing more informative or more interesting? You can add details by answering the "W" questions: Who? What? When? Where? Why? The answers to these questions will provide useful and interesting details that can be incorporated into your writing. You can use the same strategy when writing in French. Here are some useful question words that you have already learned:

(À/Avec) Qui?	À quelle heure?
Quoi?	Où?
Quand?	Pourquoi?

Compare these two sentences.

> *Je vais aller nager.*

> *Aujourd'hui, à quatre heures, je vais aller nager à la piscine du parc avec mon ami Paul, parce que nous avons chaud.*

While both sentences give the same basic information (the writer is going to go swimming), the second, with its details, is much more informative.

Thème

Un petit mot

Vous passez un an en France et vous vivez (*are living*) dans une famille d'accueil (*host family*). C'est samedi, et vous allez passer la journée en ville avec des amis. Écrivez un petit mot (*note*) pour informer votre famille de vos projets (*plans*) pour la journée. Faites une liste de cinq activités et répondez aux questions suggérées par les pronoms interrogatifs (**qui? quoi? quand? où? pourquoi?**) pour donner une description détaillée.

> *Chère famille,*
> *Aujourd'hui, je vais visiter la ville avec Xavier et Laurent, deux étudiants belges de l'université.*

I CAN write a short note about plans for the day.

SAVOIR-FAIRE

Communicative Goal Identify and reflect on cultural products and practices of Québec

Panorama

Le Québec

Le Québec, situé dans l'est° du Canada entre l'Ontario et le Canada atlantique, est la plus grande province du pays. Les villes les plus importantes sont Montréal (la ville principale) et Québec (la capitale).

Montréal et Québec ont des populations cosmopolites et diverses. Le nord° de la province est habité principalement par des peuples autochtones°, qui représentent 2% de la population québécoise.

La langue officielle du Québec est le français, mais le français du Québec est différent du français de la France. La plupart° des premiers colons° Français au Québec parlent le français de la cour du roi°, qui devient° la langue commune de tous les Québécois. Le québécois est influencé aussi par l'anglais et par les langues autochtones. Le vocabulaire, la grammaire et surtout l'accent québécois sont aujourd'hui différents de ceux° du français en France, et les Québécois sont très fiers° de leur langue et culture francophones.

Québécois célèbres

▶ **Céline Dion**, chanteuse (1968-)

▶ **Guy Laliberté**, fondateur du Cirque du Soleil (1959-)

▶ **Leonard Cohen**, poète, romancier, chanteur (1934-2016)

▶ **Julie Payette**, astronaute, femme d'État (1963-)

est *east* **nord** *north* **peuples autochtones** *indigenous peoples*
La plupart des *Most of* **premiers colons** *first colonists* **cour du roi** *king's court* **devient** *becomes* **ceux** *those* **fiers** *proud* **avant J.-C.** *BC* **prise de possession** *seizure* **traîneau à chiens** *dogsled*

un traîneau à chiens°

☐ Région francophone

un traîneau à chiens photo region map with labels:

Kangiqsujuaq
Inukjuak
LA BAIE D'HUDSON
LE CANADA
LA MER DU LABRADOR
LE QUÉBEC
TERRE-NEUVE-ET-LABRADOR
Chisasibi
Labrador City
La Tabatière
le Saint-Laurent
L'ÎLE-DU-PRINCE-ÉDOUARD
Québec
Trois-Rivières
LE NOUVEAU-BRUNSWICK
L'ONTARIO
Ottawa
Montréal
LA NOUVELLE-ÉCOSSE
Toronto
le lac Ontario
LES ÉTATS-UNIS
0   200 miles
0   200 kilomètres

le Stade olympique, Montréal

L'OCÉAN ATLANTIQUE

ACTIVITÉS

1 **Les informations** Complétez les phrases d'après (*according to*) les informations présentées.

1. Les peuples _____ représentent aujourd'hui deux pourcent de la population québécoise.

2. Le français du Québec est _____ du français parlé en France.

3. _____ devient (*becomes*) la langue commune de tous les Québécois.

4. _____ est une astronaute québécoise.

2 **Assimilez** Répondez aux questions.

1. Connaissez-vous déjà (*know already*) des éléments culturels québécois comme des films ou des livres? Expliquez.

2. Quand est-ce que votre communauté a été fondée (*founded*)? Est-ce que l'histoire de votre communauté a des similarités avec l'histoire du Québec? Expliquez.

3. Que pensez-vous des différences entre le français du Québec et le français de la France? Y a-t-il des dialectes ou différences de langue dans votre langue maternelle? Expliquez.

La société

Un Québec indépendant

Pour des raisons politiques, économiques et culturelles, un grand nombre de Québécois, surtout les francophones, luttent°, depuis les années soixante, pour un Québec indépendant du Canada. Ils forment le mouvement souverainiste° et font des efforts pour conserver l'identité culturelle *québécoise*. Ces Canadiens français ont pris le nom de québécois pour montrer leur «nationalisme». Les séparatistes ont perdu deux référendums en 1980 et en 1995, mais aujourd'hui, l'indépendance est une idée toujours d'actualité°.

Les destinations

Montréal

Montréal, deuxième ville francophone du monde après Paris, est située sur une île° du fleuve° Saint-Laurent et présente une ambiance américano-européenne. Elle a été fondée° en 1642 et a, à la fois, l'énergie d'un centre urbain moderne et le charme d'une vieille ville de style européen. Ville cosmopolite et largement bilingue de 1,8 million d'habitants, elle attire° beaucoup de touristes et accueille° de nombreux étudiants dans ses quatre universités. Presque la moitié des Montréalais, 49,8%, est de langue maternelle française; 19,3% parlent l'anglais et 36,2% une autre langue. Pourtant°, 59,3% de la population montréalaise peuvent communiquer en français et en anglais.

La musique

Le festival de jazz de Montréal

Le Festival International de Jazz de Montréal est parmi° les plus prestigieux du monde. Avec 500 concerts, dont plus de 400 donnés gratuitement en plein air°, le festival attire 3.000 artistes de 30 pays, et près de 2 millions de spectateurs. Le centre-ville, fermé à la circulation, se transforme en un village musical. De grands noms internationaux comme Miles Davis, Ella Fitzgerald, Dizzy Gillespie ou Pat Metheny sont venus au festival, ainsi que° des jazzmen locaux.

L'histoire

La ville de Québec

Capitale de la province de Québec, la ville de Québec est la seule ville d'Amérique du Nord qui a conservé ses fortifications. Fondée par l'explorateur français Samuel de Champlain en 1608, Québec est située sur un rocher°, au bord du° fleuve Saint-Laurent. Elle est connue en particulier pour sa vieille ville, son carnaval d'hiver et le château Frontenac. Les plaines d'Abraham, où les Britanniques ont vaincu° les Français en 1759 pour prendre le contrôle du Canada, servent aujourd'hui de vaste parc public.

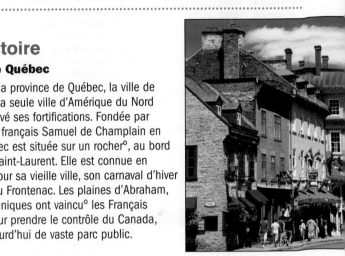

INCROYABLE MAIS VRAI!

Chaque année, pour le carnaval d'hiver de la ville de Québec, 15 personnes travaillent pendant deux mois à la construction d'un immense palais de glace pour loger° le Bonhomme° Carnaval. L'architecture et la taille du palais changent chaque année, mais il mesure parfois jusqu'à 50 mètres de long, 20 m de haut° et 20 m de profondeur°.

luttent *fight* **souverainiste** *in support of sovereignty for Quebec* **d'actualité** *current, relevant* **île** *island* **fleuve** *river* **fondée** *founded* **attire** *attracts* **accueille** *welcomes* **Pourtant** *However* **parmi** *among* **en plein air** *outdoors* **ainsi que** *as well as* **rocher** *rock* **au bord du** *on the banks of the* **ont vaincu** *defeated* **loger** *house* **Bonhomme** *Snowman* **de haut** *high* **de profondeur** *deep*

3 **Vous avez compris?** Répondez aux questions par des phrases complètes.

1. Quel est l'objectif du mouvement souverainiste pour le Québec? Quelles sont ses motivations?

2. Décrivez l'ambiance de la ville de Montréal.

3. Nommez quelques éléments culturels connus de la ville de Québec.

4 **La Révolution tranquille** Par groupes de trois, cherchez des informations sur la Révolution tranquille. Qu'est-ce que c'est? Quel est son but? Y a-t-il un mouvement ou un événement (*event*) similaire dans l'histoire de votre communauté ou de votre pays? Présentez vos résultats à la classe.

ACTIVITÉS

I CAN identify cultural products and practices of Quebec and reflect on attitudes around them.

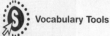 **Vocabulary Tools**

Leçon 4A

En ville

une boîte (de nuit)	nightclub
un bureau	office; desk
un centre commercial	shopping center, mall
un cinéma (ciné)	movie theater, movies
une église	church
une épicerie	grocery store
un grand magasin	department store
un gymnase	gym
un hôpital	hospital
un kiosque	kiosk
un magasin	store
une maison	house
un marché	market
un musée	museum
un parc	park
une piscine	pool
une place	square; place
un restaurant	restaurant
une terrasse de café	café terrace/ outdoor seating
une banlieue	suburbs
un centre-ville	city/town center, downtown
un endroit	place
un lieu	place
une montagne	mountain
une ville	city, town

Activités

bavarder	to chat
danser	to dance
déjeuner	to eat lunch
dépenser de l'argent (m.)	to spend money
explorer	to explore
fréquenter	to frequent; to visit
inviter	to invite
nager	to swim
passer chez quelqu'un	to stop by someone's house
patiner	to skate
quitter la maison	to leave the house

Expressions utiles

See p. 127.

Verbes

aller	to go

Prepositions

à [+ definite article]	to, in, at
dans	inside; within
commencer à + [infinitive]	to start (doing something)
parler à	to talk to
penser à	to think about
téléphoner à	to phone (someone)
à la maison	at home
à Paris	in Paris
en ville	in town
sur la place	in the square
dans la maison	inside the house
dans Paris	within Paris
dans la ville	within the town
à/sur la terrasse	on the terrace

Les questions

à quelle heure?	at what time?
à qui?	to whom?
avec qui?	with whom?
combien (de)?	how many?; how much?
comment?	how?; what?
où?	where?
parce que	because
pour qui?	for whom?
pourquoi?	why?
quand?	when?
quel(le)(s)?	which?; what?
que/qu'...?	what?
qui?	who?; whom?
quoi?	what?

Leçon 4B

À table

avoir faim	to be hungry
avoir soif	to be thirsty
manger quelque chose	to eat something
une baguette	baguette (long, thin loaf of bread)
le beurre	butter
un croissant	croissant (flaky, crescent-shaped roll)
un éclair	éclair (pastry filled with cream)
des frites (f.)	French fries
un fromage	cheese
le jambon	ham
un pain (de campagne)	(country-style) bread
un sandwich	sandwich
une soupe	soup
le sucre	sugar
une boisson (gazeuse)	(soft/ carbonated) drink/beverage
un café	coffee
un chocolat (chaud)	(hot) chocolate
une eau (minérale)	(mineral) water
un jus (d'orange, de pomme, etc.)	(orange, apple, etc.) juice
le lait	milk
une limonade	lemon soda
un thé (glacé)	(iced) tea

Expressions de quantité

(pas) assez (de)	(not) enough (of)
beaucoup (de)	a lot (of)
d'autres	others
une bouteille (de)	bottle (of)
un morceau (de)	piece, bit (of)
un peu (plus/moins) (de)	little (more/less) (of)
plusieurs	several
quelque chose	something; anything
quelques	some
une tasse (de)	cup (of)
tous (m. pl.)	all
tout (m. sing.)	all
tout (tous) le/les (m.)	all the
toute(s) la/les (f.)	all the
trop (de)	too many/much (of)
un verre (de)	glass (of)

Au café

apporter l'addition (f.)	to bring the check/bill
coûter	to cost
laisser un pourboire	to leave a tip
Combien coûte(nt)...?	How much is/are...?
un prix	price
un serveur/une serveuse	server

Expressions utiles

See p. 145.

Verbes

apprendre	to learn
boire	to drink
comprendre	to understand
prendre	to take; to have

Partitives

de + [definite article]	some, any
un(e)(s)	some, any

∞ Communicative Goals: Review

I CAN discuss errands and places around town.

- Describe three places around town or campus that you visit weekly.

I CAN ask and answer questions about eating and drinking.

- Write three interview questions about food and drink preferences.

I CAN investigate café culture in francophone communities.

- Describe a francophone cultural product or practice related to cafés or leisure and compare the perspectives around it to attitudes in your own culture.

Les loisirs

Communicative Goals

You will learn how to:

- Discuss leisure activities and their frequency
- Talk about seasons and the weather
- Investigate leisure time in francophone cultures

Pour commencer

- Où est ce jeune homme?
- Qu'est-ce qu'il fait?
- Pensez-vous qu'il aime le sport? Expliquez.
- Quels sports aimez-vous?

Leçon **5A**

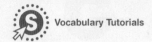
Vocabulary Tutorials

Le temps libre

Vocabulaire

aller à la pêche	*to go fishing*
bricoler	*to tinker; to do odd jobs*
désirer	*to want; to desire*
jouer (à/de)	*to play*
pratiquer	*to practice; to play (a sport)*
skier	*to ski*
le baseball	*baseball*
le cinéma	*movies*
le foot(ball)	*soccer*
le football américain	*football*
le golf	*golf*
un jeu	*game*
un loisir	*leisure activity*
un passe-temps	*pastime, hobby*
un spectacle	*show*
un stade	*stadium*
le temps libre	*free time*
le volley(-ball)	*volleyball*
une/deux fois	*one/two time(s)*
par jour, semaine, mois, an, etc.	*per day, week, month, year, etc.*
déjà	*already*
encore	*again; still*
jamais	*never*
longtemps	*a long time*
maintenant	*now*
parfois	*sometimes*
rarement	*rarely*
souvent	*often*

les joueuses (f.)

un match de tennis (m.)

Elle marche. (marcher)

le sport

une équipe

les joueurs (m.)

Il joue au foot. (jouer)

Il gagne. (gagner)

les cartes (f.)

une bande dessinée (B.D.)

Mise en pratique

Coup de main

Use **jouer à** with games and sports.
Elle joue aux cartes/au baseball.
She plays cards/baseball.
Use **jouer de** with musical instruments.
Vous jouez de la guitare/du piano.
You play the guitar/piano.

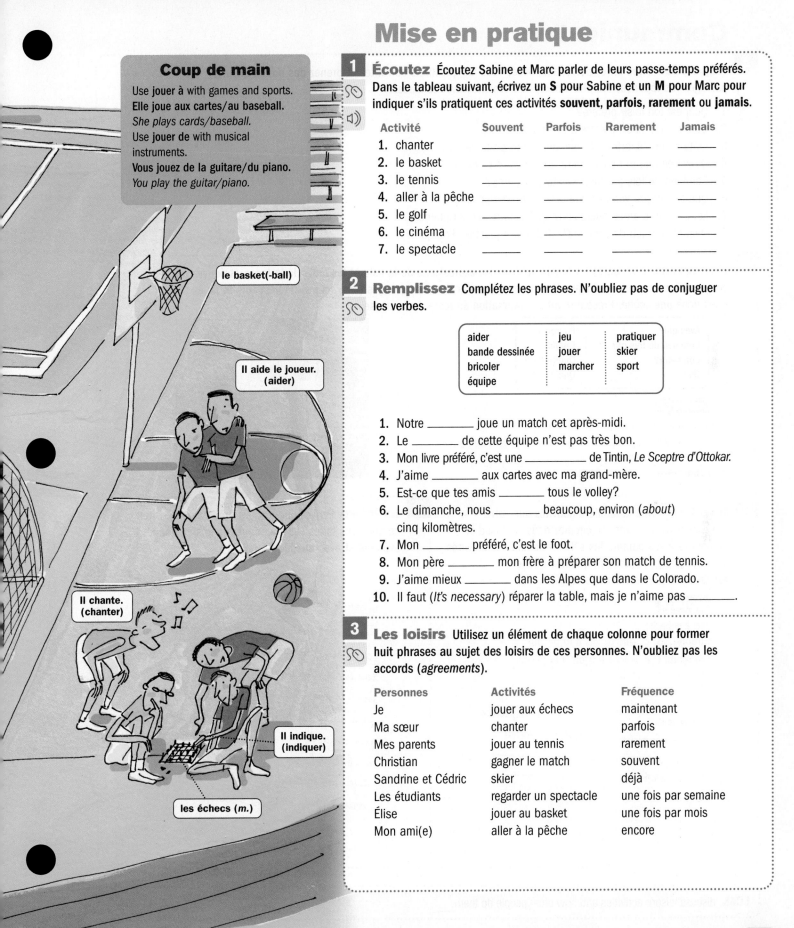

le basket(-ball)

Il aide le joueur.
(aider)

Il chante.
(chanter)

Il indique.
(indiquer)

les échecs (*m.*)

1 **Écoutez** Écoutez Sabine et Marc parler de leurs passe-temps préférés. Dans le tableau suivant, écrivez un **S** pour Sabine et un **M** pour Marc pour indiquer s'ils pratiquent ces activités **souvent**, **parfois**, **rarement** ou **jamais**.

Activité	Souvent	Parfois	Rarement	Jamais
1. chanter	_____	_____	_____	_____
2. le basket	_____	_____	_____	_____
3. le tennis	_____	_____	_____	_____
4. aller à la pêche	_____	_____	_____	_____
5. le golf	_____	_____	_____	_____
6. le cinéma	_____	_____	_____	_____
7. le spectacle	_____	_____	_____	_____

2 **Remplissez** Complétez les phrases. N'oubliez pas de conjuguer les verbes.

aider	jeu	pratiquer
bande dessinée	jouer	skier
bricoler	marcher	sport
équipe		

1. Notre _____ joue un match cet après-midi.
2. Le _____ de cette équipe n'est pas très bon.
3. Mon livre préféré, c'est une _____ de Tintin, *Le Sceptre d'Ottokar*.
4. J'aime _____ aux cartes avec ma grand-mère.
5. Est-ce que tes amis _____ tous le volley?
6. Le dimanche, nous _____ beaucoup, environ (*about*) cinq kilomètres.
7. Mon _____ préféré, c'est le foot.
8. Mon père _____ mon frère à préparer son match de tennis.
9. J'aime mieux _____ dans les Alpes que dans le Colorado.
10. Il faut (*It's necessary*) réparer la table, mais je n'aime pas _____.

3 **Les loisirs** Utilisez un élément de chaque colonne pour former huit phrases au sujet des loisirs de ces personnes. N'oubliez pas les accords (*agreements*).

Personnes	Activités	Fréquence
Je	jouer aux échecs	maintenant
Ma sœur	chanter	parfois
Mes parents	jouer au tennis	rarement
Christian	gagner le match	souvent
Sandrine et Cédric	skier	déjà
Les étudiants	regarder un spectacle	une fois par semaine
Élise	jouer au basket	une fois par mois
Mon ami(e)	aller à la pêche	encore

Communication

4 **Répondez** Avec un(e) partenaire, posez-vous les questions suivantes et prenez des notes. Ensuite, partagez vos réponses les plus (*most*) intéressantes avec la classe.

1. Quel est ton loisir préféré?
2. Quel est ton sport préféré à la télévision?
3. Es-tu sportif/sportive? Si oui, quel sport pratiques-tu?
4. Qu'est-ce que tu désires faire (*to do*) ce week-end?
5. Combien de fois par mois vas-tu au cinéma?
6. Que fais-tu (*do you do*) quand tu as du temps libre?
7. Est-ce que tu aides quelqu'un? Qui? À faire quoi? Comment?
8. Quel est ton jeu de société (*board game*) préféré? Pourquoi?

5 **Conversez** Avec un(e) partenaire, utilisez les expressions de la liste et les mots de la leçon et écrivez une conversation au sujet des loisirs. Vous pouvez inventer des personnages (*characters*) intéressants et jouez ces rôles dans une scène. Présentez votre conversation au reste de la classe.

Avec qui?	Pourquoi?
Combien de fois par...?	Quand?
Comment?	Quel(le)(s)?
Où?	Quoi?

MODÈLE

Étudiant(e) 1: *Que fais-tu comme sport?*
Étudiant(e) 2: *Je déteste le sport, mais je vais à la pêche une fois par semaine.*
Étudiant(e) 1: *Où est-ce que... ?*

6 **Sondage** Avec la feuille d'activités que votre professeur va vous donner, circulez dans la classe et demandez à vos camarades s'ils pratiquent ces activités et si oui (*if so*), à quelle fréquence. Quelle est l'activité préférée de la classe?

MODÈLE

aller à la pêche
Simone: *Est-ce que tu vas à la pêche?*
François: *Oui, je vais parfois à la pêche.*

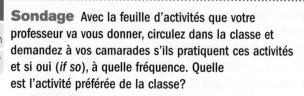

Activité	Nom	Fréquence
1. aller à la pêche	François	parfois
2. jouer au tennis		
3. jouer au foot		
4. skier		

7 **La lettre** Écrivez une lettre à un(e) ami(e). Dites ce que vous faites (*do*) pendant vos loisirs, quand, avec qui et avec quelle fréquence.

Cher Marc,

Pendant (during) mon temps libre, j'aime bien jouer au basket et au tennis. J'aime gagner, mais ça n'arrive pas (it doesn't happen) souvent! Je joue au tennis avec mes amis deux fois par semaine, le mardi et le vendredi, et au basket le samedi. J'adore les films et je vais souvent au cinéma avec ma sœur ou mes amis. Le soir...

I CAN discuss leisure activities and how often people do them.

Les sons et les lettres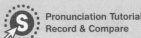

Intonation

In short, declarative sentences, the pitch of your voice, or intonation, falls on the final word or syllable.

Nathalie est française.   **Hector joue au football.**

In longer, declarative sentences, intonation rises, then falls.

À trois heures et demie, j'ai sciences politiques.

In sentences containing lists, intonation rises for each item in the list and falls on the last syllable of the last one.

Martine est jeune, blonde et jolie.

In long, declarative sentences, such as those containing clauses, intonation may rise several times, falling on the final syllable.

Le samedi, à dix heures du matin, je vais au centre commercial.

Questions that require a yes or no answer have rising intonation. Information questions have falling intonation.

C'est ta mère?   **Est-ce qu'elle joue au tennis?**

Quelle heure est-il?   **Quand est-ce que tu arrives?**

Prononcez Répétez les phrases suivantes à voix haute.

1. J'ai dix-neuf ans.
2. Tu fais du sport?
3. Quel jour sommes-nous?
4. Sandrine n'habite pas à Paris.
5. Quand est-ce que Marc arrive?
6. Charlotte est sérieuse et intellectuelle.

Articulez Répétez les dialogues à voix haute.

1. —Qu'est-ce que c'est?
   —C'est un ordinateur.
2. —Tu es américaine?
   —Non, je suis canadienne.
3. —Qu'est-ce que Christine étudie?
   —Elle étudie l'anglais et l'espagnol.
4. —Où est le musée?
   —Il est en face de l'église.

Petit à petit, l'oiseau fait son nid.[2]

Dictons Répétez les dictons à voix haute.

Si le renard court, le poulet a des ailes.[1]

[1] Though the fox runs, the chicken has wings.

[2] Little by little, a bird builds its nest.

Au parc

 Video: *Roman-photo*
Record & Compare

PERSONNAGES

David

Rachid

Sandrine

Stéphane

DAVID Oh, là, là... On fait du sport aujourd'hui!

RACHID C'est normal! On est dimanche. Tous les week-ends à Aix, on fait du vélo, on joue au foot...

SANDRINE Oh, quelle belle journée! Faisons une promenade!

DAVID D'accord.

DAVID Moi, le week-end, je sors souvent. Mon passe-temps favori, c'est de dessiner la nature et les belles femmes. Mais Rachid, lui, c'est un grand sportif.

RACHID Oui, je joue au foot très souvent et j'adore.

RACHID Tiens, Stéphane! Déjà? Il est en avance.

SANDRINE Salut.

STÉPHANE Salut. Ça va?

DAVID Ça va.

STÉPHANE Salut.

RACHID Salut.

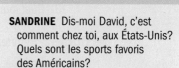

STÉPHANE Pfft! Je n'aime pas l'histoire-géo.

RACHID Mais, qu'est-ce que tu aimes alors, à part le foot?

STÉPHANE Moi? J'aime presque tous les sports. Je fais du ski, de la planche à voile, du vélo... et j'adore nager.

RACHID Oui, mais tu sais, le sport ne joue pas un grand rôle au bac.

RACHID Et puis les études, c'est comme le sport. Pour être bon, il faut travailler!

STÉPHANE Ouais, ouais.

RACHID Allez, commençons. En quelle année Napoléon a-t-il...

SANDRINE Dis-moi David, c'est comment chez toi, aux États-Unis? Quels sont les sports favoris des Américains?

DAVID Euh... chez moi? Beaucoup pratiquent le baseball ou le basket et surtout, on adore regarder le football américain. Mais toi, Sandrine, qu'est-ce que tu fais de tes loisirs? Tu aimes le sport? Tu sors?

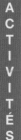
ACTIVITÉS

1 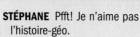 **Vrai ou faux?** Indiquez si les phrases sont vraies ou fausses. Corrigez (*Correct*) les phrases fausses.

1. Le passe-temps favori de David est de dessiner.
2. David dessine un portrait de Rachid.
3. Rachid déteste jouer aux échecs.
4. Stéphane adore le sport.
5. Sandrine parle des sports favoris des Américains.
6. La passion de Sandrine est la musique.

2 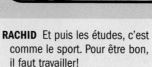 **Questions** Essayez de déterminer la traduction (*translation*) correcte pour chaque activité.

1. _____ faire du ski   **a.** to play sports
2. _____ faire une promenade   **b.** to go biking
3. _____ faire du vélo   **c.** to ski
4. _____ faire du sport   **d.** to take a walk

Les amis parlent de leurs loisirs.

RACHID Alors, Stéphane, tu crois que tu vas gagner ton prochain match?

STÉPHANE Hmm, ce n'est pas garanti! L'équipe de Marseille est très forte.

RACHID C'est vrai, mais tu es très motivé, n'est-ce pas?

STÉPHANE Bien sûr.

RACHID Et, pour les études, tu es motivé? Qu'est-ce que vous faites en histoire-géo en ce moment?

STÉPHANE Oh, on étudie Napoléon.

RACHID C'est intéressant! Les cent jours, la bataille de Waterloo...

SANDRINE Bof, je n'aime pas tellement le sport, mais j'aime bien sortir le week-end. Je vais au cinéma ou à des concerts avec mes amis. Ma vraie passion, c'est la musique. Je désire être chanteuse professionnelle.

DAVID Mais tu es déjà une chanteuse extraordinaire! Eh! J'ai une idée. Je peux faire un portrait de toi?

SANDRINE De moi? Vraiment? Oui, si tu insistes!

Expressions utiles

Talking about your activities

- **Qu'est-ce que tu fais de tes loisirs? Tu sors?**
  What do you do in your free time? Do you go out?
- **Le week-end, je sors souvent.**
  On weekends I often go out.
- **J'aime bien sortir.**
  I like to go out.
- **Tous les week-ends, on/tout le monde fait du sport.**
  Every weekend, people play/everyone plays sports.
- **Qu'est-ce que tu aimes alors, à part le foot?**
  What else do you like then, besides soccer?
- **J'aime presque tous les sports.**
  I like almost all sports.
- **Je peux faire un portrait de toi?**
  Can/May I do a portrait of you?
- **Qu'est-ce que vous faites en histoire-géo en ce moment?**
  What are you doing in History-Geography right now?
- **Les études, c'est comme le sport. Pour être bon, il faut travailler!**
  School is like sports. To be good, you have to work!
- **Faisons une promenade!**
  Let's take a walk!

Additional vocabulary

- **Dis-moi.**
  Tell me.
- **Bien sûr.**
  Of course.
- **Tu sais.**
  You know.
- **Tiens.**
  Here you go./ Here you are.
- **Ce n'est pas garanti!**
  It's not guaranteed!
- **Vraiment?**
  Really?

---

3 **Réfléchissez** Répondez aux questions.

1. Quels passe-temps sont mentionnés dans cet (*this*) épisode? Faites-vous (*Do you do*) ces activités?
2. Quels sports Stéphane fait-il (*do*)? Est-ce que ces (*these*) sports sont populaires dans votre pays?
3. Pourquoi Rachid dit-il (*say*) que «le sport ne joue pas un grand rôle au bac»? Quel est son attitude envers (*towards*) le sport et les études? Avez-vous la même attitude? Expliquez.

4 **À vous!** David et Rachid vont faire des projets (*plans*) pour le week-end, mais les loisirs qu'ils aiment sont très différents. Ils discutent de leurs préférences et finalement choisissent (*choose*) une activité qu'ils vont pratiquer ensemble (*together*). Avec un(e) partenaire, écrivez la conversation et jouez la scène devant la classe.

A C T I V I T É S

I CAN understand conversations about sports and other leisure activities.

Video: *Flash culture*

CULTURE À LA LOUPE

Le football

Le football est le sport le plus° populaire dans la majorité des pays° francophones. Tous les quatre ans°, des centaines de milliers de° fans, ou «supporters», regardent la Coupe du Monde°: le championnat de foot(ball) le plus important du monde. En 2018 (deux mille dix-huit), l'équipe de France gagne la Coupe du Monde et en 2000 (deux mille), elle gagne la Coupe d'Europe, autre championnat important.

Le Cameroun a aussi une grande équipe de football. «Les Lions Indomptables°» gagnent la médaille d'or° aux Jeux Olympiques de Sydney en 2000. En 2007, l'équipe camerounaise est la première équipe africaine à être dans le classement mondial° de la FIFA (Fédération Internationale de Football Association). Certains «Lions» jouent dans les clubs français et européens.

les Lions Indomptables

En France, il y a deux ligues professionnelles de vingt équipes chacune°. Ça fait° quarante équipes professionnelles de football pour un pays plus petit que° le Texas! Certaines équipes, comme le Paris Saint-Germain («le P.S.G.») ou l'Olympique de Marseille («l'O.M.»), ont beaucoup de supporters.

Les Français, comme les Camerounais, adorent regarder le football, mais ils sont aussi des joueurs très sérieux: aujourd'hui en France, il y a plus de 17.000 (dix-sept mille) clubs amateurs de football et plus de deux millions de joueurs.

le plus *the most* pays *countries* Tous les quatre ans *Every four years* centaines de milliers de *hundreds of thousands of* Coupe du Monde *World Cup* Indomptables *Untamable* or *gold* classement mondial *world ranking* chacune *each* Ça fait *That makes* un pays plus petit que *a country smaller than* Nombre *Number* Natation *Swimming* Vélo *Cycling*

A C T I V I T É S

1 **Détails** Complétez les phrases.

1. _____ est le championnat de football le plus important du monde.

2. En 2018, l'équipe de _____ gagne la Coupe du Monde.

3. _____ gagne la médaille d'or aux Jeux Olympiques en 2000.

4. _____ de Marseille est une équipe de football célèbre.

2 **Réfléchissez** Répondez aux questions.

1. Quels sports professionnels sont populaires dans votre communauté? Avez-vous une équipe préférée?

2. À votre avis, pourquoi le football est-il si (*so*) populaire dans des pays européens et africains?

3. Qu'est-ce qui influence la popularité de certains sports dans certaines communautés?

4. Comment est-ce que votre attitude sur le sport reflet les valeurs de votre communauté?

Nombre de membres des fédérations sportives en France

Une fédération sportive est un groupe de sportifs, d'entraineurs et d'administrateurs qui assemble des associations, des clubs et des ligues individuels ou régionales.

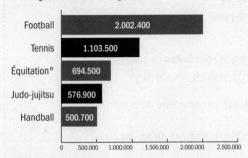

Football	2.002.400
Tennis	1.103.500
Équitation°	694.500
Judo-jujitsu	576.900
Handball	500.700

0   500.000   1.000.000   1.500.000   2.000.000   2.500.000

Équitation *Horseback riding*

SOURCE: ATLAS NATIONAL DES FÉDÉRATIONS SPORTIVES 2015

LE MONDE FRANCOPHONE

Des champions

Voici quelques champions olympiques francophones.

Algérie Taoufik Makhloufi, natation, or°, Londres, 2012

Belgique Nafissatou Thiam, athlétisme°, or, Rio de Janeiro, 2016

Canada Samuel Girard, patinage de vitesse, or, PyeongChang, 2018

Côte d'Ivoire Cheick Cissé Sallah, taekwondo, or, Rio de Janeiro, 2016

France Pierre Vaultier, snowboard, or, Sochi, 2014

Suisse Michelle Gisin, ski alpin, or, PyeongChang, 2018

Tunisie Oussama Mellouli, natation, or, Londres, 2012

Viêt-Nam Hoàng Xuân Vinh, tir° sportif, or, Rio de Janeiro, 2016

or *gold* **athlétisme** *track and field* **tir** *shooting*

PORTRAIT

Zinédine Zidane et Laura Flessel

Zinédine Zidane, ou «Zizou», est un footballeur français. Né° à Marseille de parents algériens, il joue dans différentes équipes françaises. Nommé trois fois «Joueur de l'année» par la FIFA, il gagne la Coupe du Monde avec l'équipe de France en 1998 (mille neuf cent quatre-vingt-dix-huit). Il est aujourd'hui entraîneur du Real Madrid, en Espagne.

Née à la Guadeloupe, Laura Flessel commence l'escrime° à l'âge de sept ans. Après plusieurs titres° de championne de Guadeloupe, elle va en France pour continuer sa carrière. En 1991 (mille neuf cent quatre-vingt-onze), à 20 ans, elle est championne de France et cinq ans plus tard, elle est double championne olympique à Atlanta en 1996 (mille neuf cent quatre-vingt-seize). En 2007 (deux mille sept), elle remporte aussi la médaille d'or aux Championnats d'Europe en

individuel. Et en 2017 (deux mille dix-sept), elle devient Ministre des Sports du gouvernement français.

Ces deux sportifs ont un engagement° dans des causes humanitaires. C'est une mission, pour Zinédine Zidane, de soutenir° ceux qui en ont besoin. Pour Laura, il est très important de combattre les inégalités: elle se bat pour l'égalité et contre les violences faites aux femmes.

Né *Born* **escrime** *fencing* **plusieurs titres** *several titles* **engagement** *involvement* **soutenir** *support*

---

3 **Zinédine ou Laura?** Associez les mots et expressions à Zinédine Zidane ou à Laura Flessel.

1. _____ le football
2. _____ Ministre des Sports
3. _____ l'escrime
4. _____ la Coupe du Monde
5. _____ les Olympiques

4 **Une interview** Avec un(e) partenaire, préparez une interview entre un(e) journaliste et un(e) athlète que vous aimez. Jouez la scène devant la classe. Est-ce que vos camarades peuvent deviner (*can guess*) le nom de l'athlète?

A C T I V I T É S

I CAN identify and reflect on cultural products and practices related to sports in my own and other cultures.

STRUCTURES

5A.1 The verb *faire* Grammar Tutorial

Point de départ Like other commonly used verbs, the verb **faire** (*to do, to make*) is irregular in the present tense.

faire (to do, to make)	
je fais	nous faisons
tu fais	vous faites
il/elle/on fait	ils/elles font

Il ne **fait** pas ses devoirs.
He doesn't do his homework.

Tes parents **font**-ils quelque chose vendredi?
Are your parents doing anything Friday?

Qu'est-ce que vous **faites** ce soir?
What are you doing this evening?

Nous **faisons** une sculpture dans mon cours d'art.
We're making a sculpture in my art class.

- Use the verb **faire** in these idiomatic expressions. Note that it is not always translated into English as *to do* or *to make*.

Expressions with *faire*			
faire de l'aérobic	to do aerobics	faire de la planche à voile	to go wind-surfing
faire attention (à)	to pay attention (to)	faire une promenade	to go for a walk
faire du camping	to go camping		
faire du cheval	to go horseback riding	faire une randonnée	to go for a hike
faire la connaissance de...	to meet (someone) for the first time	faire du ski	to go skiing
		faire du sport	to play sports
faire la cuisine	to cook	faire un tour (en voiture)	to go for a walk (drive)
faire de la gym	to work out		
faire du jogging	to go jogging	faire du vélo	to go bike riding

⚙ Boîte à outils

The verb **faire** is also used in idiomatic expressions relating to math. Example:

Trois et quatre **font** sept.
Three plus four equals (makes) seven.

Tu **fais** souvent **du sport**?
Do you play sports often?

Elles **font du camping**.
They go camping.

Je **fais de la gym**.
I'm working out.

Nous **faisons attention** en classe.
We pay attention in class.

Yves **fait la cuisine**.
Yves is cooking.

Faites-vous **une promenade**?
Are you going for a walk?

- Make sure to learn the correct article with each **faire** expression that calls for one. For **faire** expressions requiring a partitive or indefinite article (**un, une, du, de la**), the article is replaced with **de** when the expression is negated.

  Elles font **de la** gym trois fois par semaine.
  They work out three times a week.

  Elles ne font pas **de** gym le dimanche.
  They don't work out on Sundays.

  Fais-tu **du** ski?
  Do you ski?

  Non, je ne fais pas **de** ski.
  No, I don't ski.

- Use **faire la connaissance de** before someone's name or another noun that identifies a person whom you do not know.

  Je vais enfin **faire la connaissance de Martin**.
  I'm finally going to meet Martin.

  Je vais **faire la connaissance des joueurs**.
  I'm going to meet the players.

The expression *il faut*

Pour être bon, il faut travailler!

Il ne faut pas regarder la télé.

- When followed by a verb in the infinitive, the expression **il faut...** means *it is necessary to...* or *one must...*

  Il faut faire attention en cours de maths.
  It is necessary to pay attention in math class.

  Il ne faut pas manger après dix heures.
  One must not eat after 10 o'clock.

  Faut-il laisser un pourboire?
  Is it necessary to leave a tip?

  Il faut gagner le match!
  We must win the game!

> **Boîte à outils**
>
> Be careful not to confuse **il faut** and **il fait**. The infinitive of **fait** is **faire**.
>
> The infinitive of **faut**, however, is **falloir**. **Falloir** is an irregular impersonal verb, which means that it only has one conjugated form in every tense: the third person singular. The verbs **pleuvoir** (*to rain*) and **neiger** (*to snow*), which you will learn in **Leçon 5B**, work the same way.

Essayez! Complétez chaque phrase avec la forme correcte du verbe **faire** au présent.

1. Tu ___*fais*___ tes devoirs le samedi?
2. Vous ne _____ pas attention au professeur.
3. Nous _____ du camping.
4. Ils _____ du jogging.
5. On _____ une promenade au parc.
6. Il _____ du ski en montagne.
7. Je _____ de l'aérobic.
8. Elles _____ un tour en voiture.
9. Est-ce que vous _____ la cuisine?
10. Nous ne _____ pas de sport.
11. Je ne _____ pas de planche à voile.
12. Irène et Sandrine _____ une randonnée avec leurs copines.

STRUCTURES

Mise en pratique

1 **Que font-ils?** Regardez les dessins. Que font les personnages?

▶ **MODÈLE**

Julien fait du jogging.

Julien

1. Je

2. tu

3. Anne

4. Louis et Paul

5. Vous

6. Denis

7. Nous

8. Elles

2 **Chassez l'intrus** Quelle activité ne fait pas partie du groupe?

1. a. faire du jogging   b. faire une randonnée   c. faire de la planche à voile

2. a. faire du vélo   b. faire du camping   c. faire du jogging

3. a. faire une promenade   b. faire la cuisine   c. faire un tour

4. a. faire du sport   b. faire du vélo   c. faire la connaissance

5. a. faire ses devoirs   b. faire du ski   c. faire du camping

6. a. faire la cuisine   b. faire du sport   c. faire de la planche à voile

3 **La paire** Faites correspondre (*Match*) les éléments des deux colonnes et rajoutez (*add*) la forme correcte du verbe **faire**.

1. Elle aime courir (*to run*), alors elle...

2. Ils adorent les animaux. Ils...

3. Quand j'ai faim, je...

4. L'hiver, vous...

5. Pour marcher, nous...

6. Tiger Woods...

a. du golf.

b. la cuisine.

c. les devoirs.

d. du cheval.

e. du jogging.

f. une promenade.

g. du ski.

h. de l'aérobic.

Communication

4 **Ce week-end** Que faites-vous ce week-end? Avec un(e) partenaire, posez les questions à tour de rôle.

MODÈLE

tu / jogging

Étudiant(e) 1: Est-ce que tu fais du jogging ce week-end?
Étudiant(e) 2: Non, je ne fais pas de jogging. Je fais un tour en voiture.

1. tu / le vélo

2. tes amis / la cuisine

3. ton/ta petit(e) ami(e) et toi, vous / le jogging

4. toi et moi, nous / une randonnée

5. tu / la gym

6. ton/ta camarade de chambre / le sport

7. on / faire de la planche à voile

8. tes parents et toi, vous / un tour au parc

5 **De bons conseils** Avec un(e) partenaire, donnez de bons conseils (*advice*). À tour de rôle, posez des questions et utilisez les éléments de la liste. Présentez vos idées à la classe.

MODÈLE

Étudiant(e) 1: Qu'est-ce qu'il faut faire pour avoir de bonnes notes?
Étudiant(e) 2: Il faut étudier jour et nuit.

être en pleine forme (*great shape*)	avoir de bonnes notes
avoir de l'argent	gagner une course (*race*)
avoir beaucoup d'amis	bien manger
être champion de ski	réussir (*succeed*) aux examens

6 **Les sportifs** Votre professeur va vous donner une feuille d'activités. Faites une enquête sur le nombre de personnes qui pratiquent certains sports et activités dans votre communauté. Présentez les résultats à la classe.

MODÈLE

Étudiant(e) 1: Est-ce que tu fais du jogging?
Étudiant(e) 2: Oui, je fais du jogging.

Activité	Nombre
1. jogging	|||
2. vélo	
3. planche à voile	
4. cuisine	
5. camping	
6. cheval	
7. aérobic	
8. ski	

I CAN discuss everyday activities and express necessity.

STRUCTURES

5A.2

Irregular *-ir* verbs Grammar Tutorial

Point de départ You are familiar with the class of French verbs whose infinitives end in **-er**. The infinitives of a second class of French verbs end in **-ir**. Some of the most commonly used verbs in this class are irregular.

- **Sortir** is used to express leaving a room or a building. It also expresses the idea of going out, as with friends or on a date.

sortir	
je sors	nous sortons
tu sors	vous sortez
il/elle/on sort	ils/elles sortent

Tu **sors** souvent avec tes copains?
Do you go out often with your friends?

Quand **sortez**-vous?
When are you going out?

Mon frère n'aime pas **sortir** avec Chloé.
My brother doesn't like to go out with Chloé.

Mes parents ne **sortent** pas lundi.
My parents aren't going out Monday.

- Use the preposition **de** after **sortir** when the place someone is leaving is mentioned.

L'étudiant **sort de** la salle de classe.
The student leaves the classroom.

Nous **sortons du** restaurant vers vingt heures.
We're leaving the restaurant around 8:00 p.m.

Le week-end, je sors souvent.

Ils partent pour la fac.

- **Partir** is generally used to say someone is leaving a large place such as a city, country, or region. Often, a form of **partir** is accompanied by the preposition **pour** and the name of a destination to say *to leave for (a place)*.

partir	
je pars	nous partons
tu pars	vous partez
il/elle/on part	ils/elles partent

Je **pars pour** l'Algérie.
I'm leaving for Algeria.

Ils **partent pour** Genève demain.
They're leaving for Geneva tomorrow.

À quelle heure **partez**-vous?
At what time are you leaving?

Nous **partons** à midi.
We're leaving at noon.

Other irregular *-ir* verbs

	dormir *(to sleep)*	servir *(to serve)*	sentir *(to feel)*	courir *(to run)*
je	dors	sers	sens	cours
tu	dors	sers	sens	cours
il/elle/on	dort	sert	sent	court
nous	dormons	servons	sentons	courons
vous	dormez	servez	sentez	courez
ils/elles	dorment	servent	sentent	courent

Rachid dort.

Nous courons.

Elles **dorment** jusqu'à midi.
They sleep until noon.

Vous **courez** vite!
You run fast!

Je **sers** du fromage à la fête.
I'm serving cheese at the party.

Nous **servons** du thé glacé.
We are serving iced tea.

• **Sentir** can mean *to feel, to smell,* or *to sense.*

Je **sens** que l'examen va être difficile.
I sense that the exam is going to be difficult.

Ça **sent** bon!
That smells good!

Vous **sentez** le café?
Do you smell the coffee?

Ils **sentent** sa présence.
They feel his presence.

Essayez! **Complétez les phrases avec la forme correcte du verbe.**

1. Nous _sortons_ (sortir) vers neuf heures.
2. Je _____ (servir) des boissons gazeuses aux invités.
3. Tu _____ (partir) quand pour le Canada?
4. Nous ne _____ (dormir) pas en cours.
5. Ils _____ (courir) pour attraper (*to catch*) le bus.
6. Tu manges des oignons? Ça _____ (sentir) mauvais.
7. Vous _____ (sortir) avec des copains ce soir.
8. Elle _____ (partir) pour Dijon ce week-end.

STRUCTURES

Mise en pratique

1 **Choisissez** Donnez la forme correcte des verbes **partir** ou **sortir** pour compléter les phrases.

1. Samedi soir, je _____ avec mes copains.

2. Mes copines Magali et Anissa _____ pour New York.

3. Nous _____ du cinéma.

4. Nicolas _____ tard du bureau.

5. À minuit, vous _____ pour la boîte.

6. Je _____ pour le Maroc dans une semaine.

2 **Descriptions** Écrivez des phrases basées sur les éléments donnés. Utilisez la forme correcte d'un verbe de la liste.

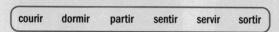

| courir | dormir | partir | sentir | servir | sortir |

1. Véronique / _____ / tard

2. je / _____ / sandwichs

3. les enfants / _____ / le chocolat chaud

4. nous / _____ / souvent

5. tu / _____ / de l'hôpital

6. vous / _____ / pour la France demain

3 **La question** Vincent parle au téléphone avec sa mère. Vous entendez (*hear*) ses réponses, mais pas les questions. Écrivez les questions.

MODÈLE

Comment vas-tu? _____ Ça va bien, merci.

1. _____ Oui, je sors ce soir.

2. _____ Je sors avec Marc et Audrey.

3. _____ Nous partons à six heures.

4. _____ Oui, nous allons jouer au tennis.

5. _____ Après, nous allons au restaurant.

6. _____ Nous sortons du restaurant à neuf heures.

Communication

4 **Vos habitudes** Utilisez les éléments des colonnes pour discuter des habitudes de votre famille et de vos amis.

A	B	C
je	(ne pas) courir	jusqu'à (*until*) midi
mon frère	(ne pas) dormir	tous les week-ends
ma sœur	(ne pas) partir	tous les jours
mes parents	(ne pas) sortir	souvent
mes cousins		rarement
mon petit ami		jamais
ma petite amie		une (deux, etc.) fois par jour/ semaine
mes copains		
?		?

5 **Indiscrétions** À deux, posez-vous ces questions et prenez des notes. Ensuite, écrivez un paragraphe sur les habitudes de votre partenaire.

1. Jusqu'à (*Until*) quelle heure dors-tu le week-end?
2. Dors-tu pendant (*during*) les cours à la fac? Pendant quels cours? Pourquoi?
3. À quelle heure sors-tu le samedi soir?
4. Avec qui sors-tu le samedi soir?
5. Est-ce que tu sors souvent avec des copains pendant la semaine?
6. Que sers-tu quand tu as des invités à la maison?
7. Pars-tu bientôt en vacances (*vacation*)? Où?
8. Est-ce que tu cours souvent? Où?

6 **Dispute** Laëtitia est très active. Son petit ami Bertrand ne sort pas beaucoup, alors ils ont souvent des disputes. Avec un(e) partenaire, jouez les deux rôles. Utilisez les mots et les expressions de la liste.

dormir	partir
faire des promenades	un passe-temps
	sentir
faire un tour (en voiture)	sortir
	rarement
par semaine	souvent

7 **Allons-y!** À tour de rôle, décrivez ce que (*what*) vous faites cette semaine, en utilisant le plus de verbes irréguliers en **-ir** que possible. Prenez des notes, et partagez les informations les plus intéressantes avec la classe.

MODÈLE

Cette semaine je dors au moins 8 heures par nuit.

I CAN discuss everyday activities including leaving, sleeping, and running.

SYNTHÈSE

Révision

1 **Au parc** C'est dimanche au parc. Avec un(e) partenaire, décrivez les activités de tous les personnages. Comparez vos observations avec les observations d'un autre groupe pour compléter votre description.

2 **Mes habitudes** Avec un(e) partenaire, parlez de vos habitudes de la semaine. Que faites-vous régulièrement? Utilisez tous les mots de la liste.

MODÈLE

Étudiant(e) 1: Je fais de la gym parfois le lundi. Et toi?
Étudiant(e) 2: Moi, je fais la cuisine parfois le lundi.

parfois le lundi	souvent à midi
le mercredi à midi	toujours le vendredi
le jeudi soir	tous les jours
le vendredi matin	trois fois par semaine
rarement le matin	une fois par semaine

3 **Mes vacances** Parlez de vos prochaines vacances (*vacation*) avec un(e) partenaire. Mentionnez cinq de vos passe-temps habituels en vacances et cinq nouvelles activités que vous allez essayer (*to try*). Comparez votre liste avec la liste de votre partenaire puis présentez les réponses à la classe.

4 **Que faire ici?** Avec un(e) partenaire, mentionnez au minimum quatre choses à faire dans chaque (*each*) endroit. Quel endroit préférez-vous et pourquoi? Comparez votre liste avec un autre groupe et parlez de vos préférences avec la classe.

MODÈLE

Étudiant(e) 1: À la montagne, on fait des randonnées à cheval.
Étudiant(e) 2: Oui, et on fait aussi des promenades.

1. à la campagne

3. au parc

2. à la plage

4. au gymnase

5 **Le conseiller** Un(e) conseiller/conseillère à la fac suggère des stratégies à un(e) étudiant(e) pour l'aider (*help him or her*) à préparer les examens. Avec un(e) partenaire, jouez les deux rôles. Vos camarades vont sélectionner les meilleurs conseils (*best advice*).

MODÈLE

Il faut faire tous ses devoirs.

6 **Quelles activités?** Votre professeur va vous donner, à vous et à votre partenaire, deux feuilles d'activités différentes. Posez-vous des questions à propos de ce que vous allez faire ce week-end. Attention! Ne regardez pas la feuille de votre partenaire.

MODÈLE

Étudiant(e) 1: Est-ce que tu fais une randonnée dimanche après-midi?
Étudiant(e) 2: Oui, je fais une randonnée dimanche après-midi.

Le Zapping

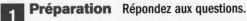

 Video

1 **Préparation** Répondez aux questions.

1. Quelles sortes de jeux préférez-vous? Les jeux de stratégie? Les jeux de hasard (*chance*)? Expliquez.
2. Quel est votre jeu de société préféré? Pourquoi aimez-vous ce jeu?

Le retour des jeux de société

À Rouen, il est possible d'aller au restaurant, de bien manger et de jouer à des jeux de société° avec des amis. Un propriétaire de restaurant, Patrick Waeselynck, s'est associé à° un passionné de jeux, Alexis Beaucamp, pour créer le concept. Les jeux de société sont à la mode°. Beaucoup de personnes essaient ces jeux sur un smartphone, puis achètent la version réelle. En dix ans, le nombre de jeux créés en France a triplé pour atteindre° environ 3.000° nouveautés° en 2015. En particulier, les jeux dits° «d'ambiance» sont très appréciés. Leurs parties° sont courtes, ils ont des règles° simples et ils sont basés sur beaucoup d'humour.

jeux de société *board games* **s'est associé à** *partnered with* **à la mode** *trendy* **atteindre** *reach* **nouveautés** *new products* **dits** *known as* **parties** *games* **règles** *rules*

Reportage de FranceTV

Voilà... un jeu fun.

Vocabulaire utile

un concept commercial	*business idea*
un dé (*pl.* dés)	*die, dice*
les jeux (*m.*) de société	*board games*
un pion	*(game) piece*
le plateau	*board*
les règles (f.)	*rules*
un(e) propriétaire	*(business) owner*
en plein boom	*booming*

2 **Compréhension** Répondez aux questions.

1. Pourquoi ce restaurant est-il différent?
2. Pourquoi les clients aiment-ils ce restaurant?

3 **Discussion** Discutez avec un(e) partenaire, puis partagez vos idées les plus intéressantes avec la classe.

1. Aimeriez-vous (*Would you like*) jouer à un jeu de société dans un restaurant? Pourquoi ou pourquoi pas?
2. D'après (*According to*) vous, ce restaurant à thème est-il une bonne idée? Va-t-il avoir du succès? Expliquez.

4 **Réflexion** Répondez aux questions.

1. Jouez-vous à des jeux de société avec vos ami(e)s? Est-ce que ces jeux sont populaires dans votre communauté?
2. Comparez votre attitude sur les jeux de société aux attitudes présentées dans la vidéo.

5 **Application** Par groupes de trois, inventez un restaurant à thème selon (*according to*) vos activités préférées. Décrivez le menu, les prix, et les activités offertes. Ensuite, présentez votre restaurant à la classe, qui va voter pour la meilleure (*best*) idée.

I CAN identify and reflect on attitudes around social games.

Leçon 5B

S Vocabulary Tutorials

Quel temps fait-il?

Vocabulaire

Il fait 18 degrés.	It is 18 degrees.
Il fait beau.	The weather is nice.
Il fait bon.	The weather is good/warm.
Il fait mauvais.	The weather is bad.
Il fait un temps épouvantable.	The weather is dreadful.
Le temps est orageux.	It is stormy.
Quel temps fait-il?	What is the weather like?
Quelle température fait-il?	What is the temperature?
une saison	season
à l'automne	in the fall
en été	in the summer
en hiver	in the winter
au printemps	in the spring
Quelle est la date?	What's the date?
C'est le 1er (premier) octobre.	It's the first of October.
C'est quand votre/ton anniversaire?	When is your birthday?
C'est le 2 mai.	It's the second of May.
C'est quand l'anniversaire de Paul?	When is Paul's birthday?
C'est le 15 mars.	It's March 15th.
un anniversaire	birthday

Il neige. (neiger)

Il fait froid.

L'hiver: décembre, janvier, février

Il fait (du) soleil.

Bal du 14 juillet

Il fait chaud.

Quelle est la date d'aujourd'hui? C'est le 14 juillet.

L'été: juin, juillet, août

Mise en pratique

Connections

En France et dans la plupart du monde francophone, on utilise les degrés Celsius pour mesurer la température. Vous pouvez convertir des degrés Celsius en degrés Fahrenheit en utilisant cette formule:

$C = (F - 32) \times 0.56$

● Convertissez 18°C en Fahrenheit.

Il pleut. (pleuvoir)

un parapluie

un imperméable

Le printemps: mars, avril, mai

Il fait frais.

Le temps est nuageux.

Il fait du vent.

L'automne: septembre, octobre, novembre

1 Écoutez Écoutez le bulletin météorologique et indiquez si les phrases suivantes sont vraies ou fausses.

	Vrai	Faux
1. C'est l'été.	☐	☐
2. Le printemps commence le 21 mars.	☐	☐
3. Il fait 11 degrés vendredi.	☐	☐
4. Il fait du vent vendredi.	☐	☐
5. Il va faire soleil samedi.	☐	☐
6. Il faut utiliser le parapluie et l'imperméable vendredi.	☐	☐
7. Il va faire un temps épouvantable dimanche.	☐	☐
8. Il ne va pas faire chaud samedi.	☐	☐

2 Les fêtes et les jours fériés Indiquez la date et la saison de chaque jour férié.

	Date	Saison
1. la fête nationale française	_____	_____
2. l'indépendance des États-Unis	_____	_____
3. la Saint-Patrick	_____	_____
4. Noël	_____	_____
5. la Saint-Valentin	_____	_____
6. le Nouvel An	_____	_____
7. Halloween	_____	_____
8. l'anniversaire de Washington	_____	_____

3 Quel temps fait-il? Répondez aux questions suivantes par des phrases complètes.

1. Quel temps fait-il en été?
2. Quel temps fait-il à l'automne?
3. Quel temps fait-il au printemps?
4. Quel temps fait-il en hiver?
5. Où est-ce qu'il neige souvent?
6. Quel est votre mois préféré de l'année? Pourquoi?
7. Quand est-ce qu'il pleut où vous habitez?
8. Quand est-ce que le temps y (*there*) est orageux?

Communication

4 **Conversez** Interviewez un(e) camarade de classe et prenez des notes. Ensuite, partagez ses réponses avec la classe.

1. C'est quand ton anniversaire? C'est quand l'anniversaire de ton père? Et de ta mère?
2. En quelle saison est ton anniversaire? Quel temps fait-il?
3. Quelle est ta saison préférée? Pourquoi? Quelles activités aimes-tu pratiquer?
4. En quelles saisons utilises-tu un parapluie et un imperméable? Pourquoi?
5. À quel moment de l'année es-tu en vacances? Précise les mois. Pendant (*During*) quels mois de l'année préfères-tu voyager? Pourquoi?
6. À quelle période de l'année étudies-tu? Précise les mois.
7. Quelle saison détestes-tu le plus (*the most*)? Pourquoi?
8. Quand tu vas au café en janvier, qu'est-ce que tu bois? En juillet? En septembre?

5 **Une lettre** Votre copain marocain va vous rendre visite (*visit you*). Écrivez un e-mail à votre ami où vous décrivez le temps qu'il fait à chaque saison et les activités que vous pouvez (*can*) pratiquer ensemble (*together*).

Salut Thomas,

Ici à Boston, il fait très froid en hiver et il neige souvent. Est-ce que tu aimes la neige? Moi, j'adore parce que je fais du ski tous les week-ends. Et toi, tu fais du ski? ...

6 **Quel temps fait-il en France?** Votre professeur va vous donner, à vous et à votre partenaire, deux feuilles d'activités différentes. Travaillez ensemble pour compléter les informations sur chaque carte. Attention! Ne regardez pas la feuille de votre partenaire.

MODÈLE

Étudiant(e) 1: *Quel temps fait-il à Paris?*
Étudiant(e) 2: *À Paris, le temps est nuageux et la température est de dix degrés.*

7 **La météo** Préparez avec un(e) camarade de classe une présentation où vous:

- présentez la météo d'une ville francophone.
- mentionnez le jour, la date et la saison.
- présentez les prévisions météo (*weather forecasts*) pour le reste de la semaine.
- montrez (*show*) une affiche pour illustrer votre présentation.

La météo — Port-au-Prince — juillet

samedi 23	dimanche 24	lundi 25
27°C	35°C	37°C
☀	⛅	⛈
soleil	nuageux	orageux

Aujourd'hui samedi, c'est le 23 juillet.
C'est l'été et il fait soleil...

I CAN talk about seasons, the date, and the weather.

Les sons et les lettres

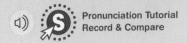

Pronunciation Tutorial
Record & Compare

Open vs. closed vowels: Part 1

You have already learned that **é** is pronounced like the vowel *a* in the English word *cake*. This is a closed **e** sound.

étudiant	agr**é**able	nationalit**é**	enchant**é**

The letter combinations **–er** and **–ez** at the end of a word are pronounced the same way, as is the vowel sound in single-syllable words ending in **-es**.

travaill**er**	av**ez**	m**es**	l**es**

The vowels spelled **è** and **ê** are pronounced like the vowel in the English word *pet*, as is an **e** followed by a double consonant. These are open **e** sounds.

r**é**p**è**te	prem**iè**re	p**ê**che	itali**e**nne

The vowel sound in *pet* may also be spelled **et**, **ai**, or **ei**.

secr**et**	fran**ç**ais	f**ai**t	s**ei**ze

Compare these pairs of words. To make the vowel sound in *cake*, your mouth should be slightly more closed than when you make the vowel sound in *pet*.

m**es** m**ais**		c**es** c**ette**		th**éâ**tre th**è**me

Prononcez Répétez les mots suivants à voix haute.

1. thé	**4.** été	**7.** degrés	**10.** discret
2. lait	**5.** neige	**8.** anglais	**11.** treize
3. belle	**6.** aider	**9.** cassette	**12.** mauvais

Articulez Répétez les phrases suivantes à voix haute.

1. Hélène est très discrète.
2. Céleste achète un vélo laid.
3. Il neige souvent en février et en décembre.
4. Désirée est canadienne; elle n'est pas française.

Dictons Répétez les dictons à voix haute.

Qui sème le vent récolte la tempête.[2]

Péché avoué est à demi pardonné.[1]

[1] An offense admitted is half pardoned.

[2] You reap what you sow. (lit. *He who sows the wind reaps a storm.*)

ROMAN-PHOTO

Quel temps!

Video: *Roman-photo*
Record & Compare

PERSONNAGES

David

Rachid

Sandrine

Stéphane

Au parc...

RACHID Napoléon établit le Premier Empire en quelle année?
STÉPHANE Euh... mille huit cent quatre?
RACHID Exact! On est au mois de novembre et il fait toujours chaud.
STÉPHANE Oui, il fait bon!... dix-neuf, dix-huit degrés!

RACHID Et on a chaud aussi parce qu'on court.
STÉPHANE Bon, allez, je rentre faire mes devoirs d'histoire-géo.
RACHID Et moi, je rentre boire une grande bouteille d'eau.

RACHID À demain, Stéph! Et n'oublie pas: le cours du jeudi avec ton professeur, Monsieur Rachid Kahlid, commence à dix-huit heures, pas à dix-huit heures vingt!
STÉPHANE Pas de problème! Merci et à demain!

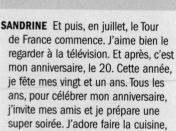

SANDRINE Et puis, en juillet, le Tour de France commence. J'aime bien le regarder à la télévision. Et après, c'est mon anniversaire, le 20. Cette année, je fête mes vingt et un ans. Tous les ans, pour célébrer mon anniversaire, j'invite mes amis et je prépare une super soirée. J'adore faire la cuisine, c'est une vraie passion!
DAVID Ah, oui?

SANDRINE En parlant d'anniversaire, Stéphane célèbre ses dix-huit ans samedi prochain. C'est un anniversaire important. ...On organise une surprise. Tu es invité!
DAVID Hmm, c'est très gentil, mais... Tu essaies de ne pas parler deux minutes, s'il te plaît? Parfait!

SANDRINE Pascal! Qu'est-ce que tu fais aujourd'hui? Il fait beau à Paris?
DAVID Encore un peu de patience! Allez, encore dix secondes... Voilà!

A C T I V I T É S

1 **Qui?** Associez les phrases aux personnages de l'épisode. Écrivez Sandrine, Stéphane, David ou Rachid.

1. Ces personnes ont chaud.
2. Cette personne aime dessiner quand il pleut.
3. Cette personne préfère l'été.
4. Cette personne n'aime pas la pluie.
5. Cette personne fête son anniversaire en janvier.
6. Cette personne fête ses dix-huit ans samedi prochain.

2 **Vrai ou faux?** Indiquez si les phrases sont vraies ou fausses d'après (*according to*) l'épisode. Corrigez les phrases fausses.

1. Il fait froid et il pleut.
2. On est en novembre.
3. L'anniversaire de Sandrine est au printemps.
4. David déteste le froid.
5. On organise une surprise pour l'anniversaire de Stéphane.

Les anniversaires à travers (*through*) les saisons.

À l'appartement de David et de Rachid...

SANDRINE C'est quand, ton anniversaire?

DAVID Qui, moi? Oh, c'est le quinze janvier.

SANDRINE Il neige en janvier, à Washington?

DAVID Parfois... et il pleut souvent à l'automne et en hiver.

SANDRINE Je déteste la pluie. C'est pénible. Qu'est-ce que tu aimes faire quand il pleut, toi?

DAVID Oh, beaucoup de choses! Dessiner, écouter de la musique. J'aime tellement la nature, je sors même quand il fait très froid.

SANDRINE Moi, je préfère l'été. Il fait chaud. On fait des promenades.

RACHID Oh là, là, j'ai soif! Mais... qu'est-ce que vous faites, tous les deux?

DAVID Oh, rien! Je fais juste un portrait de Sandrine.

RACHID Bravo, c'est pas mal du tout! Hmm, mais quelque chose ne va pas, David. Sandrine n'a pas de téléphone dans la main!

SANDRINE Oh, Rachid, ça suffit! C'est vrai, tu as vraiment du talent, David. Pourquoi ne pas célébrer mon joli portrait? Vous avez faim, les garçons?

RACHID ET DAVID Oui!

SANDRINE Je prépare le dîner. Vous aimez les crêpes ou vous préférez une omelette?

RACHID ET DAVID Des crêpes... Miam!

3 **Réfléchissez** Répondez aux questions.

1. Quel temps fait-il à Aix en janvier? Est-ce qu'il neige? Et dans votre région?
2. Est-ce que vous détestez la pluie comme Sandrine? Que fais-tu quand il pleut?
3. Que faites-vous pour célébrer les anniversaires de vos amis? Aiment-ils les surprises?

4 **Conversez** Parlez avec vos camarades de classe pour découvrir (*find out*) qui a l'anniversaire le plus proche du vôtre (*closest to yours*). Qui est-ce? Quand est son anniversaire?

A C T I V I T É S

I CAN understand conversations about important dates and the weather.

CULTURE À LA LOUPE

Les jardins publics

le jardin du Luxembourg

Dans toutes les villes françaises, la plupart° du temps au centre-ville, on trouve des jardins° publics. Les jardins à la française ou jardins classiques sont très célèbres depuis° le 17ᵉ (dix-septième) siècle°. Les jardins de Versailles, créés° pour Louis XIV, le roi° Soleil, sont copiés par toutes les cours° d'Europe. Dans le jardin à la française, l'ordre et la symétrie dominent: Il faut dompter° la nature. La perspective et l'harmonie donnent une notion de grandeur absolue. De façon° très symbolique, la géométrie présente un monde° ordré où le contrôle règne°. Il y a beaucoup de châteaux qui ont de très beaux jardins à la française.

À Paris, le jardin des Tuileries et le jardin du Luxembourg sont deux jardins publics de style classique. Il y a des parterres de fleurs° extraordinaires avec de jolis agencements° de couleurs. Dans les deux jardins, il n'y a pas de bancs° mais des chaises, où on peut se reposer° tranquillement à l'endroit de son choix, sous un arbre° ou près d'un bassin°. Il y a aussi deux grands parcs à côté de Paris: le bois° de Vincennes, qui a un zoo, et le bois de Boulogne, qui a un parc d'attractions° pour les enfants.

En général, les villes de France sont très fleuries°. Il y a même° des concours° pour la ville la plus° fleurie. Le concours des villes et villages fleuris a lieu° depuis 1959. Il est organisé pour promouvoir° le développement des espaces verts dans les villes.

les jardins de Versailles

la plupart *most* **jardins** *gardens, parks* **depuis** *since* **siècle** *century* **créés** *created* **roi** *king* **cours** *courts* **dompter** *to tame* **façon** *way* **monde** *world* **règne** *reigns* **parterres de fleurs** *flower beds* **agencements** *schemes* **bancs** *benches* **peut se reposer** *can relax* **arbre** *tree* **bassin** *fountain, pond* **bois** *forest, wooded park* **parc d'attractions** *amusement park* **fleuries** *decorated with flowers* **même** *even* **concours** *competitions* **la plus** *the most* **a lieu** *takes place* **promouvoir** *to promote*

STRATÉGIE

Skimming

Skimming involves quickly reading through a text to absorb its general meaning. Reading quickly in this way allows you to understand the main ideas without having to read word for word. Skim this text as a preliminary step before reading it in-depth. You can also skim an individual paragraph or section at any stage of the reading process to remind yourself of how it fits into the selection as a whole.

Connections

En France et dans la plupart du monde francophone, on utilise le système métrique pour mésurer la masse, la vitesse, le volume et la taille des choses.

1 hectare = *2.47 acres*
1 kilomètre = *0.62 miles*
1 mètre = *3.28 feet*

- Quel système de mesure utilisez-vous? Connaissez-vous le système métrique? Pensez-vous que c'est utile? Expliquez.

A C T I V I T É S

1 **Répondez** Répondez aux questions.

1. Où trouve-t-on, en général, des jardins publics?
2. Qu'est-ce qui domine dans le jardin à la française?
3. Que peut-on faire au jardin du Luxembourg grâce (*thanks*) aux chaises?
4. Quels deux grands parcs y a-t-il à côté de Paris?
5. Que peut-on faire au bois de Vincennes?
6. Pourquoi le concours des villes et villages fleuris est-il organisé?

2 **Réfléchissez** Répondez aux questions.

1. Y a-t-il des parcs et des jardins publics dans votre quartier? Si oui, est-ce que vous y allez souvent? Pourquoi ou pourquoi pas?
2. Pensez-vous qu'il est important de passer du temps en plein air (*outside*)? Et les Français, quelle attitude ont-ils?
3. Y a-t-il des initiatives dans votre communauté pour promouvoir le développement des espaces verts? Quelles idées ces initiatives représentent-elles?

Nombre d'heures par jour pour les loisirs

France	16.4
Espagne	15.9
Danemark	15.9
Norvège	15.7
Allemagne	15.6
Suède	15.2
Japon	14.9
États-Unis	14.5
Canada	14.4

Les Français et le vélo

Tous les étés, la course° cycliste du Tour de France attire° un grand nombre de spectateurs, Français et touristes, surtout lors de° son arrivée sur les Champs-Élysées, à Paris. C'est le grand événement° sportif de l'année pour les amoureux du cyclisme. Les Français adorent aussi faire du vélo pendant° leur temps libre. Beaucoup de clubs organisent des randonnées en vélo de course° le week-end. Pour les personnes qui préfèrent le vélo tout terrain (VTT)°, il y a des sentiers° adaptés dans les parcs régionaux et nationaux. Certaines agences de voyages proposent aussi des vacances «vélo» en France ou à l'étranger°.

course *race* **attire** *attracts* **lors de** *at the time of* **événement** *event* **pendant** *during* **vélo de course** *road bike* **vélo tout terrain (VTT)** *mountain biking* **sentiers** *paths* **à l'étranger** *abroad*

le Tour de France sur les Champs-Élysées

Des parcs publics

Voici quelques parcs publics du monde francophone.

Bruxelles, Belgique

le bois de la Cambre 123 hectares, un lac° avec une île° au centre

Québec, Canada

le parc des Champs de Batailles («Plaines d'Abraham») 107 hectares, 6.000 arbres

Tunis, Tunisie

le parc du Belvédère 110 hectares, un zoo de 12 hectares, 230.000 arbres (80 espèces° différentes), situé° sur une colline°

- Quel est le parc le plus célèbre de votre pays? Comparez ses caractéristiques à ceux (*those*) des parcs publics du monde francophone. Qu'est-ce qui pourrait (*might*) expliquer les différences?

lac *lake* **île** *island* **arbres** *trees* **espèces** *species* **situé** *located* **colline** *hill*

Zaho

Lieu de naissance: Bab Ezzouar, Algérie
Métier: musicienne-interprète

Après avoir fait des études brillantes en informatique, elle choisit finalement de se tourner vers le monde de la musique.

Go to vhlcentral.com to find out more about **Zaho** and her music.

---

3 **Vrai ou faux?** Indiquez si les phrases sont vraies ou fausses. Corrigez les phrases fausses.

1. Les Français ne font pas de vélo.
2. Les membres de clubs de vélo font des promenades le week-end.
3. Les agences de voyages offrent des vacances «vélo».
4. On utilise un VTT quand on fait du vélo sur la route.

4 **Les parcs publics** Avec un(e) partenaire, choisissez un parc public du monde francophone et décrivez-le à la classe. Quel temps fait-il dans les parcs pendant (*during*) les différentes saisons de l'année? Peuvent-ils deviner (*Can they guess*) de quel parc vous parlez?

A C T I V I T É S

I CAN identify and reflect on cultural products and practices related to leisure activities in my own and other cultures.

STRUCTURES

5B.1

Numbers 101 and higher

 Grammar Tutorial

Numbers 101 and higher	
101 cent un	800 huit cents
125 cent vingt-cinq	900 neuf cents
198 cent quatre-vingt-dix-huit	1.000 mille
200 deux cents	1.100 mille cent
245 deux cent quarante-cinq	2.000 deux mille
300 trois cents	5.000 cinq mille
400 quatre cents	100.000 cent mille
500 cinq cents	550.000 cinq cent cinquante mille
600 six cents	1.000.000 un million
700 sept cents	8.000.000 huit millions

- Note that French uses a period, rather than a comma, to indicate thousands and millions.

- In multiples of one hundred, the word **cent** takes a final **-s**. However, if it is followed by another number, **cent** drops the **-s**.

J'ai **quatre cents** bandes dessinées. *I have 400 comic books.*	but	Il y a **deux cent cinquante** jours de soleil. *There are 250 sunny days.*
Il y a **cinq cents** animaux dans le zoo. *There are 500 animals in the zoo.*	but	Nous allons inviter **trois cent trente-huit** personnes. *We're going to invite 338 people.*

À noter

As you learned in **Leçon 3B**, **cent** does *not* take the number **un** before it to mean *one hundred*.

- The number **un** is not used before the word **mille** to mean *a/one thousand*. It is used, however, before **million** to say *a/one million*.

Mille personnes habitent le village. *One thousand people live in the village.*	but	**Un million** de personnes habitent la région. *One million people live in the region.*

- **Mille**, unlike **cent** and **million**, is invariable. It never takes an **-s**.

Aimez-vous *Les **Mille** et Une Nuits*? *Do you like "The Thousand and One Nights"?*	**Onze mille** étudiants sont inscrits. *Eleven thousand students are registered.*

- Before a noun, **million** and **millions** are followed by **de/d'**.

Un million de personnes sont en vacances. *One million people are on vacation.*	Il y a **seize millions d'habitants** dans la capitale. *There are 16,000,000 inhabitants in the capital.*

Essayez! **Écrivez les nombres en toutes lettres. (*Write out the numbers.*)**

1. 10.000 *dix mille* _____
2. 620 _____
3. 365 _____
4. 42.000 _____
5. 1.392.000 _____
6. 171 _____

7. 200.000.000 _____
8. 480 _____
9. 1.789 _____
10. 400 _____
11. 8.000.000 _____
12. 5.053 _____

Le français vivant

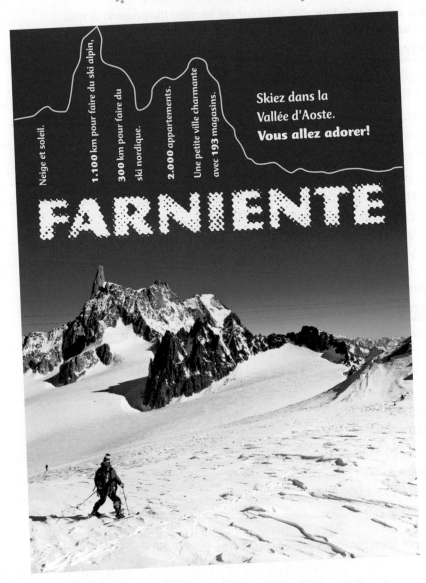

Neige et soleil.

1.100 km pour faire du ski alpin.

300 km pour faire du ski nordique.

2.000 appartements.

Une petite ville charmante avec 193 magasins.

Skiez dans la Vallée d'Aoste.
Vous allez adorer!

FARNIENTE

 Questions Avec un(e) partenaire, regardez la publicité (*ad*) et répondez aux questions. Écrivez les nombres en toutes lettres. (*Write out the numbers.*)

1. En quelle saison est-ce qu'on va dans la Vallée d'Aoste?

2. Combien de kilomètres y a-t-il pour faire du ski alpin? Pour faire du ski nordique?

3. Combien d'appartements y a-t-il dans la ville? Combien de magasins?

4. Quelles autres activités sportives pratique-t-on, à votre avis (*in your opinion*), dans la Vallée d'Aoste?

5. Faites-vous du ski? Avez-vous envie de faire du ski dans la Vallée d'Aoste? Pourquoi?

6. Avec votre partenaire, préparez votre propre (*own*) pub pour une station de ski. Utilisez cette pub comme modèle.

STRUCTURES

Mise en pratique

1 **Quelle adresse?** Vous allez distribuer des journaux (*newspapers*) et vous téléphonez aux clients pour avoir leur adresse. Écrivez les adresses.

MODÈLE

cent deux, rue Lafayette
102, rue Lafayette

1. deux cent cinquante-deux, rue de Bretagne _____
2. quatre cents, avenue Malbon _____
3. cent soixante-dix-sept, rue Jeanne d'Arc _____
4. cinq cent quarante-six, boulevard St. Marc _____
5. six cent quatre-vingt-huit, avenue des Gaulois _____
6. trois cent quatre-vingt-douze, boulevard Micheline _____
7. cent vingt-cinq, rue des Pierres _____
8. trois cent quatre, avenue St. Germain _____

2 **Faisons des calculs** Faites les additions et écrivez les réponses.

MODÈLE

200 + 300 =
Deux cents plus trois cents font cinq cents.

1. 5.000 + 3.000 = _____
2. 650 + 750 = _____
3. 2.000.000 + 3.000.000 = _____
4. 4.400 + 3.600 = _____
5. 155 + 310 = _____
6. 7.000 + 3.000 = _____
7. 9.000.000 + 2.000.000 = _____
8. 1.250 + 2.250 = _____

3 **Quand?** Dites quand ces événements ont lieu (*take place*).

1776   1789   1914–1918   1939–1945   1968   1997
l'Indépendance des États-Unis   La Révolution française   la Première Guerre mondiale   la Seconde Guerre mondiale   Martin Luther King, Jr. est assassiné.   Le *Pathfinder* arrive sur la planète Mars

1. Le *Pathfinder* arrive sur la planète Mars. _____
2. La Première Guerre mondiale commence. _____
3. La Seconde Guerre mondiale prend fin (*ends*). _____
4. L'Amérique déclare son indépendance. _____
5. Martin Luther King, Jr. est assassiné. _____
6. La Première Guerre Mondiale prend fin. _____
7. La Révolution française a lieu (*takes place*). _____
8. La Seconde Guerre mondiale commence. _____

Communication

4 **Combien d'habitants?**

A. À tour de rôle, dites (*say*) un numéro de la liste à votre partenaire qui va dire de quelle ville vous parlez, d'après (*according to*) les statistiques.

MODÈLE

Dijon: 155.090

Étudiant(e) 1: *Il y a cent cinquante-cinq mille quatre-vingt-dix habitants.*
Étudiant(e) 1: *C'est Dijon.*

1. Toulouse: 446.220
2. Abidjan: 4.395.253
3. Lyon: 516.092
4. Québec: 531.902
5. Marseille: 863.310
6. Papeete: 26.926
7. Dakar: 2.646.503
8. Nice: 340.017

B. Maintenant, écrivez les noms de huit grandes villes de votre pays, et cherchez ses populations sur Internet. Répétez l'activité A, puis comparez les populations des villes dans les deux pays.

5 **Combien ça coûte?** Dites un prix (*price*) et votre partenaire va déterminer de quel objet vous parlez.

▶ **MODÈLE**

Étudiant(e) 1: *Cet objet coûte mille huit cents euros.*
Étudiant(e) 2: *C'est l'ordinateur.*

1.

2.

3.

4.

6 **Dépensez de l'argent** Vous et votre partenaire avez 100.000€. Décidez quels articles de la liste vous allez prendre. Expliquez vos choix à la classe.

MODÈLE

Étudiant(e) 1: *On prend un rendez-vous avec Brad Pitt parce que c'est mon acteur favori.*
Étudiant(e) 2: *Alors, nous avons encore (still) 50.000 euros. Prenons les 5 jours à Paris pour pratiquer le français.*

un ordinateur... 2.000€	des vacances à Tahiti... 7.000€
un rendez-vous avec Brad Pitt... 50.000€	un vélo... 1.000€
un rendez-vous avec Beyoncé... 50.000€	une voiture de luxe... 80.000€
5 jours à Paris... 8.500€	un dîner avec Ed Sheeran... 45.000€
un séjour ski en Suisse... 4.200€	un jour de shopping... 10.000€
une montre 6.800€	un bateau (*boat*)... 52.000€

I CAN talk about years and express large quantities.

5B.2

Spelling-change -er verbs Grammar Tutorial

Point de départ Some **-er** verbs, though regular with respect to their verb endings, have spelling changes that occur in the verb stem (what remains after the **-er** is dropped).

- Most infinitives whose next-to-last syllable contains an **e** (no accent) change this letter to **è** in all forms except **nous** and **vous**.

acheter (to buy)	
j'achète	nous achetons
tu achètes	vous achetez
il/elle/on achète	ils/elles achètent

Où est-ce que tu **achètes** des skis?
Where do you buy skis?

Ils **achètent** beaucoup sur Internet.
They buy a lot on the Internet.

Achetez-vous une nouvelle maison?
Are you buying a new house?

Je n'**achète** pas de lait.
I'm not buying any milk.

- Infinitives whose next-to-last syllable contains an **é** change this letter to **è** in all forms except **nous** and **vous**.

espérer (to hope)	
j'espère	nous espérons
tu espères	vous espérez
il/elle/on espère	ils/elles espèrent

Elle **espère** arriver tôt aujourd'hui.
She hopes to arrive early today.

Nos profs **espèrent** avoir de bons étudiants en classe.
Our professors hope to have good students in class.

Espérez-vous faire la connaissance de Joël?
Do you hope to meet Joël?

J'**espère** avoir de bonnes notes.
I hope to have good grades.

- Infinitives ending in **-yer** change **y** to **i** in all forms except **nous** and **vous**.

envoyer (to send)	
j'envoie	nous envoyons
tu envoies	vous envoyez
il/elle/on envoie	ils/elles envoient

J'**envoie** une lettre.
I'm sending a letter.

Tes amis **envoient** un e-mail.
Your friends send an e-mail.

Nous **envoyons** des bandes dessinées aux enfants.
We're sending the children comic books.

Salima **envoie** un message à ses parents.
Salima is sending a message to her parents.

> **Boîte à outils**
>
> Use a conjugated form of **espérer** + [*infinitive*] to mean *to hope to do something.*
>
> Tu **espères jouer** au golf samedi.
> *You hope to play golf on Saturday.*

Elle achète quelque chose.

Ils répètent.

- The change of **y** to **i** is optional in verbs whose infinitives end in **-ayer**.

Je **paie** avec une carte de crédit.
I pay with a credit card.

Comment est-ce que tu **payes**?
How do you pay?

Other spelling change *-er* verbs			
like ***espérer***		like ***acheter***	
célébrer	*to celebrate*	**amener**	*to bring (someone)*
considérer	*to consider*	**emmener**	*to take (someone)*
posséder	*to possess, to own*	like ***envoyer***	
préférer	*to prefer*	**employer**	*to use*
protéger	*to protect*	**essayer (de + [*inf.*])**	*to try (to)*
répéter	*to repeat; to rehearse*	**nettoyer**	*to clean*
		payer	*to pay*

Je préfère l'été. Il fait chaud.

Tu essaies de ne pas parler?

- Note that the **nous** and **vous** forms of the verbs presented in this section have no spelling changes.

Vous **achetez** des sandwichs aussi.
You're buying sandwiches, too.

Nous **espérons** partir à huit heures.
We hope to leave at 8 o'clock.

Nous **envoyons** les enfants à l'école.
We're sending the children to school.

Vous **payez** avec une carte de crédit.
You pay with a credit card.

Essayez! **Complétez les phrases avec la forme correcte du verbe.**

1. Les bibliothèques *emploient* (employer) beaucoup d'étudiants.
2. Vous _____ (répéter) les phrases en français.
3. Nous _____ (payer) assez pour les livres.
4. Mon camarade de chambre ne _____ (nettoyer) pas son bureau.
5. Est-ce que tu _____ (espérer) gagner?
6. Vous _____ (essayer) parfois d'arriver à l'heure.
7. Tu _____ (préférer) prendre du thé ou du café?
8. Elle _____ (emmener) sa mère au cinéma.
9. On _____ (célébrer) une occasion spéciale.
10. Les parents _____ (protéger) leurs enfants?

STRUCTURES

Mise en pratique

1 **Passe-temps** Chaque membre de la famille Desrosiers a son passe-temps préféré. Utilisez les éléments pour dire comment ils préparent leur week-end.

MODÈLE

Tante Manon fait une randonnée. (acheter / sandwichs)
Elle achète des sandwichs.

1. Nous faisons du vélo. (essayer / vélo)

_____

2. Christiane aime chanter. (répéter)

_____

3. Les filles jouent au foot. (espérer / gagner)

_____

4. Vous allez à la pêche. (emmener / enfants)

_____

5. Papa fait un tour en voiture. (nettoyer / voiture)

_____

6. Mes frères font du camping. (préférer / partir tôt)

_____

2 **Que font-ils?** Dites ce que font les personnages.

acheter

▶ **MODÈLE**

Il achète une baguette.

1. envoyer   2. payer   3. répéter   4. nettoyer

3 **Invitation au cinéma** Chosissez le verbe logique pour complétez les phrases.

THOMAS J'ai envie d'aller au cinéma.

HALOUK Bonne idée. Nous (1) _____ (emmener, protéger) Véronique avec nous?

THOMAS J' (2) _____ (acheter, espérer) qu'elle a du temps libre.

HALOUK Peut-être, mais j' (3) _____ (envoyer, payer) des e-mails tous les jours et elle ne répond pas.

THOMAS Parce que son ordinateur ne fonctionne pas. Elle (4) _____ (essayer, préférer) parler au téléphone.

HALOUK D'accord. Alors toi, tu (5) _____ (acheter, répéter) les tickets au cinéma et moi, je vais chercher Véronique.

Communication

4 **Questions personnelles** À tour de rôle, posez des questions à un(e) partenaire.

1. Qu'est-ce que tu achètes tous les jours?
2. Qu'est-ce que tu achètes tous les mois?
3. Quand tu sors avec ton/ta petit(e) ami(e), qui paie?
4. Est-ce que toi et ton/ta camarade de chambre partagez les frais *(expenses)*? Qui paie quoi?
5. Est-ce que tu possèdes une voiture?
6. Qui nettoie ta chambre?
7. À qui est-ce que tu envoies des e-mails?
8. Qu'est-ce que tu espères faire cet été?

5 **Réponses affirmatives** Votre professeur va vous donner une feuille d'activités. Trouvez au moins deux camarades de classe qui répondent oui à chaque question. Et si vous aussi, vous répondez oui aux questions, écrivez votre nom.

MODÈLE

Étudiant(e) 1: *Est-ce que tu achètes tes livres sur Internet?*
Étudiant(e) 2: *Oui, j'achète mes livres sur Internet.*

Questions	Noms
1. acheter ses livres sur Internet	Virginie, Éric
2. posséder un ordinateur	
3. envoyer des lettres à ses grands-parents	
4. célébrer une occasion spéciale demain	

6 **Un e-mail** Écrivez un e-mail à votre meilleur(e) ami(e) pour raconter *(tell)* vos activités de cette semaine. Voici une liste des choses que vous voulez dire *(want to say)*.

- lundi: emmener maman chez le médecin
- mercredi: fac envoyer notes
- jeudi: répéter rôle Roméo et Juliette
- vendredi: célébrer anniversaire papa
- vendredi: essayer faire gym
- samedi: parents acheter voiture

I CAN talk about bringing, buying, and sending things.

Révision

---

1 Le basket
Utilisez les verbes de la liste pour compléter le paragraphe.

acheter	considérer	envoyer	essayer	préférer
amener	employer	espérer	payer	répéter

Je m'appelle Stéphanie et je joue au basket. J' (1) _____ toujours (*always*) mes parents avec moi aux matchs le samedi. Ils (2) _____ que les filles sont de très bonnes joueuses. Mes parents font aussi du sport. Ma mère fait du vélo et mon père (3) _____ gagner son prochain match de foot! Le vendredi matin, j' (4) _____ un e-mail à ma mère pour lui rappeler (*remind her of*) le match. Mais elle n'oublie jamais! Ils n' (5) _____ pas de tickets pour les matchs, parce que les parents des joueurs ne (6) _____ pas. Nous (7) _____ toujours d'arriver une demi-heure à l'avance, parce que maman et papa (8) _____ s'asseoir (*to sit*) tout près du terrain (*court*). Ils sont tellement fiers!

2 Que font-ils?
Décrivez une de ces images et votre partenaire va déterminer de quelle image vous parlez.

 1.
 2.
 3.

 4.
 5.
 6.

3 Où partir?
Avec un(e) partenaire, choisissez cinq endroits intéressants à visiter et où il fait le temps indiqué sur la liste. Ensuite, répondez aux questions.

Il fait chaud.	Il fait soleil.	Il fait du vent.	Il neige.	Il pleut.

1. Où essayez-vous d'aller cet été? Pourquoi?
2. Où préférez-vous partir cet hiver? Pourquoi?
3. Quelle est la première destination que vous espérez visiter? La dernière? Pourquoi?
4. Qui emmenez-vous avec vous? Pourquoi?

4 J'achète
 Vous allez payer un voyage aux membres de votre famille et à vos amis. À tour de rôle, choisissez un voyage et donnez à votre partenaire la liste des personnes qui partent. Votre partenaire va vous donner le prix à payer.

MODÈLE

Étudiant(e) 1: *J'achète un voyage de dix jours dans les Pays de la Loire à ma cousine Pauline et à mon frère Alexandre.*
Étudiant(e) 2: *D'accord. Tu paies deux mille cinq cent soixante-deux euros.*

Voyages	Prix par personne	Commission
Dix jours dans les Pays de la Loire	1.250	62
Deux semaines de camping	660	35
Sept jours au soleil en hiver	2.100	78
Trois jours à Paris en avril	500	55
Trois mois en Europe en été	10.400	47
Un week-end à Nice en septembre	350	80
Une semaine à la montagne en juin	990	66
Une semaine à la neige	1.800	73

5 La vente aux enchères
Organisez une vente aux enchères (*auction*) pour vendre des choses dans la salle de classe. À tour de rôle, un(e) étudiant(e) joue le rôle du/de la vendeur/vendeuse et les autres étudiants jouent le rôle des enchérisseurs (*bidders*). Vous avez 5.000 euros et toutes les enchères (*bids*) commencent à cent euros.

MODÈLE

Étudiant(e) 1: *J'ai le cahier du professeur. Qui paie cent euros?*
Étudiant(e) 2: *Moi, je paie cent euros.*
Étudiant(e) 1: *Qui paie cent cinquante euros?*

6 À la bibliothèque
Vous cherchez des livres pour vos cours à la bibliothèque. Vous avez quelques numéros de référence et votre partenaire a les autres. À tour de rôle, demandez des livres à votre partenaire. Attention! Ne regardez pas la feuille de votre partenaire.

MODÈLE

Étudiant(e) 1: *Est-ce que tu as le livre «Candide»?*
Étudiant(e) 2: *Oui, son numéro de référence est P, Q, deux cent soixante-six, cent quarante-sept, cent dix.*

Écriture

Using a dictionary

A common mistake made by beginning language learners is to embrace the dictionary as the ultimate resource for reading, writing, and speaking. While it is true that the dictionary is a useful tool that can provide valuable information about vocabulary, using the dictionary correctly requires that you understand the elements of each entry.

If you glance at a French-English dictionary, you will notice that its format is similar to that of an English dictionary. The word is listed first, usually followed by its pronunciation. Then come the definitions, organized by parts of speech. Sometimes, the most frequently used meanings are listed first.

To find the best word for your needs, you should refer to the abbreviations and the explanatory notes that appear next to the entries. For example, imagine that you are writing about your pastimes. You want to write *I want to buy a new racket for my match tomorrow*, but you don't know the French word for *racket*.

In the dictionary, you might find an entry like this one:

> **racket** n 1. boucan; 2. raquette (sport)

The abbreviation key at the front of the dictionary says that *n* corresponds to **nom** (*noun*). Then, the first word you see is **boucan**. The definition of **boucan** is *noise* or *racket,* so **boucan** is probably not the word you want. The second word is **raquette**, followed by the word *sport*, which indicates that it is related to **sports**. This detail indicates that the word **raquette** is the best choice for your needs.

⌘ Thème

Écrire une brochure

Choisissez un sujet:

1. Vous travaillez à la Chambre de Commerce de votre région pour l'été. Des hommes et des femmes d'affaires québécois vont visiter votre région cette année, mais ils n'ont pas encore décidé (*have not yet decided*) quand. La Chambre de Commerce vous demande de créer (*asks you to create*) une petite brochure sur le temps qu'il fait dans votre région aux différentes saisons de l'année. Dites quelle saison, à votre avis (*in your opinion*), est idéale pour visiter votre région et expliquez pourquoi.

2. Vous avez une réunion familiale pour décider où aller en vacances cette année, mais chaque membre de la famille suggère un endroit différent. Choisissez un lieu de vacances où vous avez envie d'aller et créez une brochure pour montrer à votre famille pourquoi vous devriez (*should*) tous y aller (*go there*). Décrivez la météo de l'endroit et indiquez les différentes activités culturelles et sportives qu'on peut y faire.

3. Vous passez un semestre/trimestre dans le pays francophone de votre choix (*of your choice*). Deux étudiants de votre cours de français ont aussi envie de visiter ce pays. Créez une petite brochure pour partager vos impressions du pays. Présentez le pays, donnez des informations météorologiques et décrivez vos activités préférées.

> **I CAN** write a brochure.

Panorama

L'Algérie, le Maroc et la Tunisie

L'Algérie, le Maroc et la Tunisie sont trois pays nord-africains sur la côte sud de la mer Méditerranée. Différentes civilisations influencent l'histoire des trois pays: romaine, arabe, berbère, ottomane et européenne. Ce sont des anciennes° colonies françaises. Le Maroc et la Tunisie gagnent leur indépendance en 1956, puis l'Algérie en 1962. Les trois langues officielles sont l'arabe, le français et le tamazight, la langue des Berbères.

Aujourd'hui, ils partagent aussi des difficultés communes: la lutte° pour la démocratie, les migrations africaines vers l'Europe, l'extrémisme et le problème des divisions territoriales. Depuis° longtemps, le territoire du Sahara de l'Ouest est contesté par l'Espagne, l'Algérie et le Maroc. La frontière° entre l'Algérie et le Maroc est fermée depuis 1994. À partir de 2010, les manifestations du Printemps arabe° luttent pour des réformes politiques dans la région.

Les relations entre la France et ces trois pays sont souvent difficiles, mais les échanges culturels et linguistiques sont aussi profonds. L'époque° coloniale marque considérablement les sociétés de l'Algérie, du Maroc et de la Tunisie, mais la langue arabe et les pratiques culturelles nord-africaines perdurent°.

Personnes célèbres

▶ **Albert Memmi**, Tunisie, écrivain (1920–)

▶ **Nezha Chekrouni**, Maroc, politicienne (1955–)

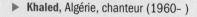

▶ **Khaled**, Algérie, chanteur (1960–)

anciennes *former* lutte *fight* Depuis *For* frontière *border* Printemps arabe *Arab Spring* époque *era* perdurent *remain*

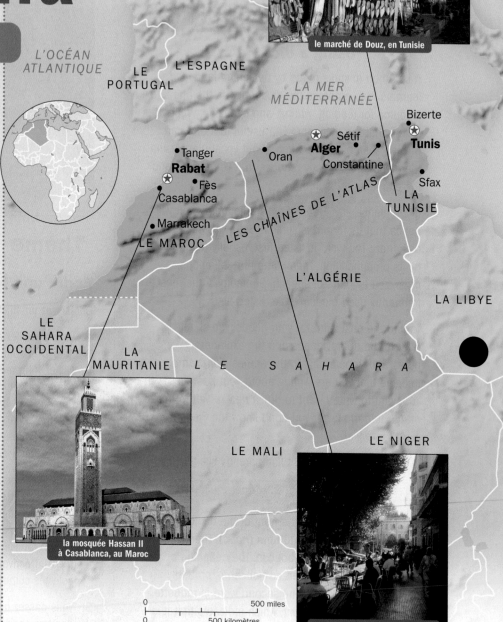

L'OCÉAN ATLANTIQUE
LE PORTUGAL
L'ESPAGNE
LA MER MÉDITERRANÉE

le marché de Douz, en Tunisie

Bizerte
Sétif
Tanger
Oran
⋆ Alger
⋆ Tunis
Rabat
Constantine
Fès
Casablanca
Sfax
Marrakech
LA TUNISIE
LE MAROC
LES CHAÎNES DE L'ATLAS
L'ALGÉRIE
LA LIBYE
LE SAHARA OCCIDENTAL
LA MAURITANIE
LE SAHARA
LE MALI
LE NIGER

la mosquée Hassan II à Casablanca, au Maroc

0 ____ 500 miles
0 ____ 500 kilomètres

un café à Tlemcen, en Algérie

ACTIVITÉS

1 **Les informations** Complétez les phrases.

1. L'Algérie, le Maroc et la Tunisie se trouvent en Afrique du nord, sur la côte sud de _____.

2. Ces trois pays sont des anciennes (*former*) _____.

3. _____ est la langue des Berbères.

4. Les manifestations du Printemps arabe luttent pour _____.

5. _____ est un chanteur algérien.

2 **Assimilez** Répondez aux questions.

1. Connaissez-vous des produits ou des pratiques culturels de l'Algérie, du Maroc ou de la Tunisie? Lesquels (*Which ones*)?

2. Que savez-vous des cultures arabes? Quels valeurs et croyances existent dans ces cultures?

3. Qu'est-ce que c'est, le colonialisme?

4. Comment le colonialisme affecte-t-il un pays? Comment est-ce qu'il affecte l'Algérie, le Maroc et la Tunisie?

5. Qu'est-ce qui se passe (*happening*) aujourd'hui dans ces pays?

Les régions

Le Maghreb

La région du Maghreb, en Afrique du Nord, se compose° du Maroc, de l'Algérie et de la Tunisie. Envahis° aux 7ᵉ et 8ᵉ siècles par les Arabes, les trois pays deviennent plus tard des colonies françaises avant de retrouver leur indépendance dans les années 1950–1960. La population du Maghreb est composée d'Arabes, d'Européens et de Berbères, les premiers résidents de l'Afrique du Nord. Le Grand Maghreb inclut ces trois pays, plus la Libye et la Mauritanie. En 1989, les cinq pays ont formé l'Union du Maghreb Arabe dans l'espoir° de créer une union politique et économique, mais des tensions entre l'Algérie et le Maroc ont ralenti° le projet.

Les arts

Assia Djebar (1936–2015)

Lauréate de nombreux prix littéraires et cinématographiques, Assia Djebar était° une écrivaine et cinéaste algérienne très talenteuse. Dans ses œuvres°, Djebar présente le point de vue° féminin avec

l'intention de donner une voix° aux femmes algériennes. *La Soif*, son premier roman°, sort en 1957. C'est plus tard, pendant qu'elle enseigne l'histoire à l'Université d'Alger, qu'elle devient cinéaste et sort son premier film, *La Nouba des femmes du Mont Chenoua*, en 1979. Le film reçoit le prix de la critique internationale au festival du film de Venise. En 2005, Assia Djebar devient le premier écrivain du Maghreb, homme ou femme, à être élue° à l'Académie française.

▶ Les destinations

Marrakech

La ville de Marrakech, fondée en 1062, est un grand symbole du Maroc médiéval. Sa médina, ou vieille ville, est entourée° de fortifications et fermée aux automobiles. On y trouve la mosquée de Kutubiyya et la place Jemaa el-Fna. La mosquée est le joyau° architectural de la ville, et la place Jemaa el-Fna est la plus active de toute l'Afrique à tout moment de la journée, avec ses nombreux artistes et vendeurs. La médina a aussi le plus grand souk (grand marché couvert°) du Maroc, où toutes sortes d'objets sont proposés, au milieu de délicieuses odeurs de thé à la menthe°, d'épices et de pâtisseries au miel°.

Les traditions

Les hammams

Inventés par les Romains et adoptés par les Arabes, les hammams, ou «bains turcs», sont très nombreux et populaires en Afrique du Nord. Ce sont des bains de vapeur° composés de plusieurs pièces—souvent trois—où la chaleur est plus ou moins forte. L'architecture des hammams varie d'un endroit à un autre, mais ces bains de vapeur servent tous de lieux où se laver° et de centres sociaux très importants dans la culture régionale. Les gens s'y réunissent aux grandes occasions de la vie, comme les mariages et les naissances, et y vont aussi de manière habituelle pour se détendre et parler entre amis.

INCROYABLE MAIS VRAI!

Des oranges du Sahara? Dans ce désert, il ne tombe que° 12 cm de pluie par an. Grâce aux° sources° et aux rivières sous le sable°, les Sahariens ont développé un système d'irrigation pour faire pousser° des fruits et des légumes dans les oasis. En plein milieu° du désert, on peut trouver des tomates, des abricots ou des oranges!

se compose *is made up* **Envahis** *Invaded* **espoir** *hope* **ont ralenti** *slowed down* **était** *was* **œuvres** *works* **point de vue** *point of view* **voix** *voice* **roman** *novel* **élue** *elected* **entourée** *surrounded* **joyau** *jewel* **couvert** *covered* **menthe** *mint* **miel** *honey* **bains de vapeur** *steam baths* **se laver** *to wash oneself* **ne... que** *only* **Grâce aux** *Thanks to* **sources** *springs* **sable** *sand* **faire pousser** *grow* **En plein milieu** *Right in the middle*

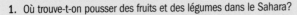

3 **Vous avez compris?** Répondez aux questions.

1. Où trouve-t-on pousser des fruits et des légumes dans le Sahara?
2. De quels peuples est composée la population du Maghreb?
3. Que présente Assia Djebar dans ses œuvres? Quelle est son intention?
4. Quel est l'autre nom pour la vieille ville de Marrakech?
5. Quel est un hammam?

4 **Patrimoine et culture** Cherchez des informations sur la place Jemaa el-Fna, au Maroc. Quelle est son histoire? Pourquoi est-elle un espace culturel important? Ensuite, sélectionnez un lieu dans votre communauté ou dans votre pays qui est un espace culturel. Pourquoi est-ce que ce lieu est important? A-t-il des éléments similaires à la place Jemaa el-Fna? Quel est son rôle aujourd'hui dans la culture locale? Présentez vos résultats à la classe.

ACTIVITÉS

I CAN identify cultural products and practices of Northern Africa and reflect on attitudes around them.

Leçon 5A

Activités sportives et loisirs

aider *to help*
aller à la pêche *to go fishing*
bricoler *to tinker; to do odd jobs*
chanter *to sing*
désirer *to want; to desire*
gagner *to win*
indiquer *to indicate*
jouer (à/de) *to play*
marcher *to walk (person);*
  to work (thing)
pratiquer *to practice; to play (a sport)*
skier *to ski*
une bande dessinée (B.D.) *comic strip*
le baseball *baseball*
le basket(-ball) *basketball*
les cartes (f.) *cards*
le cinéma *movies*
les échecs (m.) *chess*
une équipe *team*
le foot(ball) *soccer*
le football américain *football*
le golf *golf*
un jeu *game*
un joueur/une joueuse *player*
un loisir *leisure activity*
un match *game*
un passe-temps *pastime, hobby*
un spectacle *show*
le sport *sport*
un stade *stadium*
le temps libre *free time*
le tennis *tennis*
le volley(-ball) *volleyball*

La fréquence

une/deux fois *one/two time(s)*
par jour, semaine, mois, an, etc.
  per day, week, month, year, etc.
déjà *already*
encore *again; still*
jamais *never*
longtemps *a long time*
maintenant *now*
parfois *sometimes*
rarement *rarely*
souvent *often*

Expressions utiles

See p. 167.

Expressions with faire

faire de l'aérobic *to do aerobics*
faire attention (à) *to pay attention (to)*
faire du camping *to go camping*
faire du cheval *to go horseback riding*
faire la connaissance de... *to meet*
  (someone) for the first time
faire la cuisine *to cook*
faire de la gym *to work out*
faire du jogging *to go jogging*
faire de la planche à voile *to go*
  windsurfing
faire une promenade *to go for a walk*
faire une randonnée *to go for a hike*
faire du ski *to go skiing*
faire du sport *to play sports*
faire un tour (en voiture) *to go for a*
  walk (drive)
faire du vélo *to go bike riding*

faire

faire *to do, to make*
je fais, tu fais, il/elle/on fait, nous
  faisons, vous faites, ils/elles font

Il faut...

il faut... *it is necessary to...;*
  one must...

Verbes irréguliers en –ir

courir *to run*
dormir *to sleep*
partir *to leave*
sentir *to feel; to smell; to sense*
servir *to serve*
sortir *to go out, to leave*

Leçon 5B

Le temps qu'il fait

Il fait 18 degrés. *It is 18 degrees.*
Il fait beau. *The weather is nice.*
Il fait bon. *The weather is good/warm.*
Il fait chaud. *It is hot (out).*
Il fait (du) soleil. *It is sunny.*
Il fait du vent. *It is windy.*
Il fait frais. *It is cool.*
Il fait froid. *It is cold.*
Il fait mauvais. *The weather is bad.*
Il fait un temps épouvantable. *The*
  weather is dreadful.
Il neige. (neiger) *It is snowing.*
  (to snow)
Il pleut. (pleuvoir) *It is raining. (to rain)*
Le temps est nuageux. *It is cloudy.*
Le temps est orageux. *It is stormy.*
Quel temps fait-il? *What is the*
  weather like?
Quelle température fait-il? *What is the*
  temperature?
un imperméable *rain jacket*
un parapluie *umbrella*

Les saisons, les mois, les dates

une saison *season*
l'automne (m.)/à l'automne *fall/in*
  the fall
l'été (m.)/en été *summer/*
  in the summer
l'hiver (m.)/en hiver *winter/in the*
  winter
le printemps (m.)/au
  printemps *spring/in the spring*
Quelle est la date? *What's the date?*
C'est le 1er (premier) octobre. *It's the*
  first of October.
C'est quand votre/ton
  anniversaire? *When is your birthday?*
C'est le 2 mai. *It's the second of May.*
C'est quand l'anniversaire de
  Paul? *When is Paul's birthday?*
C'est le 15 mars. *It's March 15th.*
un anniversaire *birthday*
janvier *January*
février *February*
mars *March*
avril *April*
mai *May*

juin *June*
juillet *July*
août *August*
septembre *September*
octobre *October*
novembre *November*
décembre *December*

Expressions utiles

See p. 185.

Numbers 101 and higher

See p. 188.

Verbes

acheter *to buy*
amener *to bring (someone)*
célébrer *to celebrate*
considérer *to consider*
emmener *to take (someone)*
employer *to use*
envoyer *to send*
espérer *to hope*
essayer (de + inf.) *to try (to)*
nettoyer *to clean*
payer *to pay*
posséder *to possess, to own*
préférer *to prefer*
protéger *to protect*
répéter *to repeat; to rehearse*

∞ Communicative Goals: Review

I CAN discuss leisure activities and their frequency.
- Describe two leisure activities that you enjoy and say how frequently you practice them.

I CAN talk about dates and the weather.
- Describe a date that is important to you and what the weather is usually like on that day.

I CAN investigate leisure time in francophone cultures.
- Describe a francophone cultural product or practice related to leisure time and compare the perspectives around it to attitudes in your own culture.

Les fêtes

Communicative Goals

You will learn how to:

- Discuss celebrations and stages of life
- Talk about the past
- Investigate celebrations in francophone cultures

Pour commencer

- Qui sont les personnes sur la photo?
- Que font-elles?
- Qu'est-ce qu'elles vont manger?
- Quel âge ont-elles?

Leçon 6A

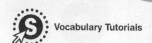 Vocabulary Tutorials

Surprise!

Vocabulaire

faire la fête	to party
faire une surprise (à quelqu'un)	to surprise (someone)
fêter	to celebrate
organiser une fête	to plan a party
une fête	party; celebration
un jour férié	holiday
une bière	beer
le vin	wine
une amitié	friendship
un amour	love
le bonheur	happiness
un(e) fiancé(e)	fiancé; fiancée
des jeunes mariés (m.)	newlyweds
un rendez-vous	date; appointment
l'adolescence (f.)	adolescence
l'âge adulte (m.)	adulthood
un divorce	divorce
l'enfance (f.)	childhood
une étape	stage
l'état civil (m.)	marital status
la jeunesse	youth
un mariage	marriage; wedding
la mort	death
la naissance	birth
la vie	life
la vieillesse	old age
prendre sa retraite	to retire
tomber amoureux/ amoureuse	to fall in love
ensemble	together

les invitées (f.)

les invités (m.)

l'hôte (m.)

l'hôtesse (f.)

le gâteau

la glace

les biscuits (m.)

les bonbons (m.)

le champagne

les desserts (m.)

les glaçons (m.)

BON ANNIVERSAIRE, MARC!

la surprise

le couple

le cadeau

Mise en pratique

1 Écoutez Écoutez la conversation entre Anne et Nathalie. Indiquez si les affirmations sont **vraies** ou **fausses**.

	Vrai	Faux
1. Jean-Marc va prendre sa retraite dans six mois.	☐	☐
2. Nathalie a l'idée d'organiser une fête pour Jean-Marc.	☐	☐
3. Anne et Nathalie essaient de trouver un cadeau original.	☐	☐
4. Anne va acheter un gâteau.	☐	☐
5. Nathalie va apporter de la glace.	☐	☐
6. La fête est une surprise.	☐	☐
7. Nathalie va envoyer les invitations par e-mail.	☐	☐
8. La fête va avoir lieu (*take place*) dans le bureau d'Anne.	☐	☐
9. Elles ont besoin de beaucoup de décorations.	☐	☐
10. Tout le monde va donner des idées pour le cadeau.	☐	☐

2 Chassez l'intrus Indiquez le mot ou l'expression qui n'appartient pas (*doesn't belong*) à la liste.

1. l'amour, tomber amoureux, un fiancé, un divorce
2. un mariage, un couple, un jour férié, un fiancé
3. un biscuit, une bière, un dessert, un gâteau
4. une glace, une bière, le champagne, le vin
5. la vieillesse, la naissance, l'enfance, la jeunesse
6. faire la fête, un hôte, des invités, une étape
7. fêter, un cadeau, la vie, une surprise
8. l'état civil, la naissance, la mort, l'adolescence

3 Associez A. Faites correspondre les mots avec les définitions. Notez que tous les éléments ne sont pas utilisés.

1. _____ la naissance
2. _____ l'adolescence
3. _____ tomber amoureux
4. _____ un jour férié
5. _____ le mariage
6. _____ le divorce
7. _____ prendre sa retraite
8. _____ la mort

a. C'est une date importante, comme le 4 juillet aux États-Unis.
b. C'est la fin de l'étape prénatale.
c. C'est l'étape de la vie pendant laquelle (*during which*) on va au lycée.
d. C'est un événement très triste.
e. C'est faire une rencontre romantique comme dans un conte de fées (*fairy tale*).
f. C'est le futur probable d'un couple qui se dispute (*fights*) tout le temps.
g. C'est un jour de bonheur et de célébration de l'amour.
h. C'est quand une personne décide de ne plus travailler.

B. Maintenant, avec un(e) partenaire, donnez votre propre définition de quatre autres mots de vocabulaire. Votre partenaire doit deviner (*must guess*) de quoi vous parlez.

Communication

4 **Le mot juste** **A.** Remplissez les espaces avec le mot illustré. Faites les accords nécessaires.

1. Caroline est une amie d' _____ . Je vais lui faire une _____ samedi.

C'est son anniversaire.

2. Marc et Sophie sont inséparables. Ils sont toujours _____ . C'est le bonheur et

le grand _____ .

3. Le _____ rouge va bien avec les viandes rouges alors que le _____ va

mieux avec les _____ .

4. Les _____ ont beaucoup de _____ .

5. La _____ de ma sœur est un grand _____ pour mes parents.

B. Maintenant, avec un(e) partenaire, créez (*create*) des phrases dans lesquelles (*in which*) vous illustrez trois autres mots de vocabulaire. Échangez vos phrases avec celles d'un autre groupe et complétez les phrases.

5 **C'est la fête!** Vous avez terminé (*have finished*) les examens de fin d'année et vouz allez faire la fête! Avec un(e) partenaire, répondez aux questions suivantes, puis écrivez une conversation au sujet de la préparation de cette fête. Jouez (*act out*) votre dialogue devant la classe.

1. Quand et où allez-vous organiser la fête?
2. Qui vont être les invités?
3. Qui est l'hôte?
4. Qu'allez-vous manger? Qu'allez-vous boire?
5. Qui va apporter quoi?
6. Qui est responsable de la musique? De la décoration?
7. Qu'allez-vous faire pendant (*during*) la fête?
8. Qui va nettoyer après?

6 **Sept différences** Votre professeur va vous donner, à vous et à votre partenaire, deux feuilles d'activités différentes. À tour de rôle, posez-vous des questions pour trouver les sept différences entre les illustrations de l'anniversaire des jumeaux (*twins*) Boniface. Attention! Ne regardez pas la feuille de votre partenaire.

> **MODÈLE**
>
> **Étudiant(e) 1:** *Sur mon image, il y a trois cadeaux. Combien de cadeaux y a-t-il sur ton image?*
> **Étudiant(e) 2:** *Sur mon image, il y a quatre cadeaux.*

I CAN discuss celebrations and the stages of life.

Les sons et les lettres

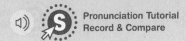

Pronunciation Tutorial
Record & Compare

Open vs. closed vowels: Part 2

The letter combinations **au** and **eau** are pronounced like the vowel sound in the English word *coat*, but without the glide heard in English. These are closed **o** sounds.

chaud	**aussi**	**beaucoup**	**tableau**

When the letter **o** is followed by a consonant sound, it is usually pronounced like the vowel in the English word *raw*. This is an open **o** sound.

homme	**téléphone**	**ordinateur**	**orange**

When the letter **o** occurs as the last sound of a word or is followed by a *z* sound, such as a single **s** between two vowels, it is usually pronounced with the closed **o** sound.

trop	**héros**	**rose**	**chose**

When the letter **o** has an **accent circonflexe**, it is usually pronounced with the closed **o** sound.

drôle	**bientôt**	**pôle**	**côté**

Prononcez Répétez les mots suivants à voix haute.

1. rôle
2. porte
3. dos
4. chaud
5. prose
6. gros
7. oiseau
8. encore
9. mauvais
10. nouveau
11. restaurant
12. bibliothèque

Articulez Répétez les phrases suivantes à voix haute.

1. À l'automne, on n'a pas trop chaud.
2. Aurélie a une bonne note en biologie.
3. Votre colocataire est d'origine japonaise?
4. Sophie aime beaucoup l'informatique et la psychologie.
5. Nos copains mangent au restaurant marocain aujourd'hui.
6. Comme cadeau, Robert et Corinne vont préparer un gâteau.

Dictons Répétez les dictons à voix haute.

La fortune vient en dormant.[2]

Tout nouveau, tout beau.[1]

[1] Shiny and new.

[2] Fortune comes while you sleep.

ROMAN-PHOTO

Les cadeaux

Video: *Roman-photo*
Record & Compare

PERSONNAGES

Amina

Astrid

Rachid

Sandrine

Valérie

Vendeuse

À l'appartement de Sandrine...

SANDRINE Allô, Pascal? Tu m'as téléphoné? Écoute, je suis très occupée là. Je prépare un gâteau d'anniversaire pour Stéphane... Il a dix-huit ans aujourd'hui... On organise une fête surprise au P'tit Bistrot.

SANDRINE J'ai fait une mousse au chocolat, comme pour ton anniversaire. Stéphane adore ça! J'ai aussi préparé des biscuits que David aime bien.

SANDRINE Quoi? David!... Mais non, il n'est pas marié. C'est un bon copain, c'est tout!... Désolée, je n'ai pas le temps de discuter. À bientôt.

RACHID Écoute, Astrid. Il faut trouver un cadeau... un *vrai* cadeau d'anniversaire.

ASTRID Excusez-moi, Madame. Combien coûte cette montre, s'il vous plaît?

VENDEUSE Quarante euros.

ASTRID Que penses-tu de cette montre, Rachid?

RACHID Bonne idée.

VENDEUSE Je fais un paquet cadeau?

ASTRID Oui, merci.

RACHID Eh, Astrid, il faut y aller!

VENDEUSE Et voilà dix euros. Merci, Mademoiselle, bonne fin de journée.

Au café...

VALÉRIE Ah, vous voilà! Astrid, aide-nous avec les décorations, s'il te plaît. La fête commence à six heures. Sandrine a tout préparé.

ASTRID Quelle heure est-il? Zut, déjà? En tout cas, on a trouvé des cadeaux.

RACHID Je vais chercher Stéphane.

A C T I V I T É S

1 **Vrai ou faux?** Indiquez si les phrases sont vraies ou fausses.

1. Sandrine prépare un gâteau d'anniversaire pour Stéphane.
2. Pour aider Sandrine, Valérie va apporter les desserts.
3. Rachid et Astrid trouvent un cadeau pour Valérie.
4. La fête d'anniversaire surprise pour Stéphane commence à huit heures.
5. Amina apporte de la glace au chocolat.

2 **Réfléchissez** Répondez aux questions.

1. Que faites-vous pour célébrer l'anniversaire de vos copains? Aimez-vous organiser des surprises?
2. Que fait Sandrine et les autres pour préparer l'anniversaire de Stéphane? Donnez tous les détails.
3. Qu'est-ce que vous offrez comme cadeau à vos amis, typiquement? Comparez les cadeaux dans votre communauté aux cadeaux qu'on va offrir à Stéphane.

Tout le monde prépare la surprise pour Stéphane.

VALÉRIE Oh là là! Tu as fait tout ça pour Stéphane?!

SANDRINE Oh, ce n'est pas grand-chose.

VALÉRIE Tu es un ange! Stéphane va bientôt arriver. Je t'aide à apporter ces desserts?

SANDRINE Oh, merci, c'est gentil.

Dans un magasin...

ASTRID Eh Rachid, j'ai eu une idée géniale... Des cadeaux parfaits pour Stéphane. Regarde! Ce matin, j'ai acheté cette calculatrice et ces livres.

RACHID Mais enfin, Astrid, Stéphane n'aime pas les livres.

ASTRID Oh Rachid, tu ne comprends rien, c'est une blague.

AMINA Bonjour! Désolée, je suis en retard!

VALÉRIE Ce n'est pas grave. Tu es toute belle ce soir!

AMINA Vous trouvez? J'ai acheté ce cadeau pour Stéphane. Et j'ai apporté de la glace au chocolat aussi.

VALÉRIE Oh, merci! Il faut aider Astrid avec les décorations.

ASTRID Salut, Amina. Ça va?

AMINA Oui, super. Mes parents ont téléphoné du Sénégal ce matin! Ils vont passer l'été ici. C'est le bonheur!

Expressions utiles

Talking about celebrations

- **J'ai fait une mousse au chocolat, comme pour ton anniversaire.**
  I made a chocolate mousse, (just) like for your birthday.
- **J'ai aussi préparé des biscuits que David aime bien.**
  I also made cookies that David likes.
- **Je fais un paquet cadeau?**
  Shall I wrap the present?
- **En tout cas, on a trouvé des cadeaux.**
  In any case, we found some presents.
- **Et j'ai apporté de la glace au chocolat.**
  And I brought some chocolate ice cream.

Talking about the past

- **Tu m'as téléphoné?**
  Did you call me?
- **Tu as fait tout ça pour Stéphane?!**
  You did all that for Stéphane?!
- **J'ai eu une idée géniale.**
  I had a great idea.
- **Sandrine a tout préparé.**
  Sandrine prepared everything.

Pointing out things

- **Je t'aide à apporter ces desserts?**
  Can I help you bring these desserts?
- **J'ai acheté cette calculatrice et ces livres.**
  I bought this calculator and these books.
- **J'ai acheté ce cadeau pour Stéphane.**
  I bought this present for Stéphane.

Additional vocabulary

- **Ce n'est pas grave.**
  It's okay./No problem.
- **Tu ne comprends rien.**
  You don't understand a thing.
- **désolé(e)**
  sorry
- **une blague**
  joke
- **discuter**
  to talk
- **zut**
  darn

---

3 **Le bon mot** Choisissez entre ce (*m.*), cette (*f.*) et ces (*pl.*) pour compléter les phrases. Attention, les phrases ne sont pas identiques aux dialogues!

1. Je t'aide à apporter _____ gâteau?
2. Ce matin, j'ai acheté _____ calculatrices et _____ livre.
3. Combien coûtent _____ montres?
4. À quelle heure commence _____ classe?

4 **Imaginez** Avec un(e) partenaire, imaginez qu'Amina est dans un supermarché et qu'elle téléphone à Madame Forestier pour l'aider à choisir des desserts pour la fête. Amina propose et décrit plusieurs choses et Madame Forestier donne son avis (*opinion*) sur chacune d'entre elles (*each of them*). Jouez la conversation pour la classe.

I CAN understand conversations about parties and gifts.

A C T I V I T É S

Video: *Flash culture*

le roi du carnaval de Nice

CULTURE À LA LOUPE

Le carnaval

Tous les ans, beaucoup de pays° et de régions francophones célèbrent le carnaval. Cette tradition est l'occasion de fêter la fin° de l'hiver et l'arrivée° du printemps. En général, la période de fête commence la semaine avant le Carême° et se termine° le jour du Mardi gras. Le carnaval demande très souvent des mois de préparation. La ville organise des défilés° de musique, de masques, de costumes et de chars fleuris°. La fête finit souvent par la crémation du roi° Carnaval, personnage de papier qui représente le carnaval et l'hiver.

Certaines villes et certaines régions sont réputées° pour leur carnaval: Nice, en France, la ville de Québec, au Canada, La Nouvelle-Orléans, aux États-Unis et la Martinique. Chaque ville a ses traditions particulières. La ville de Nice, lieu du plus grand carnaval français, organise une grande bataille de fleurs° où des jeunes, sur des chars, envoient des milliers° de fleurs aux spectateurs. À Québec, le climat intense transforme le carnaval en une célébration de l'hiver. Le symbole officiel de la fête est le «Bonhomme» (de neige°) et les gens font du ski, de la pêche sous la glace ou des courses de traîneaux à chiens°. À la Martinique, le carnaval continue jusqu'au° mercredi des Cendres°, à minuit: les gens, tout en noir° et blanc°, regardent la crémation de Vaval, le roi Carnaval. Le carnaval de La Nouvelle-Orléans est célébré avec de nombreux bals° et défilés costumés. Ses couleurs officielles sont l'or°, le vert et le violet.

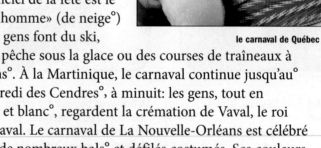

le carnaval de Québec

pays *countries* **fin** *end* **arrivée** *arrival* **Carême** *Lent* **se termine** *ends* **défilés** *parades* **chars fleuris** *floats decorated with flowers* **roi** *king* **réputées** *famous* **bataille de fleurs** *flower battle* **milliers** *thousands* **«Bonhomme» (de neige)** *snowman* **courses de traîneaux à chiens** *dogsled races* **jusqu'au** *until* **mercredi des Cendres** *Ash Wednesday* **noir** *black* **blanc** *white* **bals** *balls (dances)* **or** *gold*

ACTIVITÉS

1 **Compréhension** Répondez aux questions.

1. En général, quand est-ce qu'on célèbre le carnaval?
2. Dans quelle ville des États-Unis est-ce qu'on célèbre le carnaval?
3. Où a lieu le plus grand carnaval français?
4. Qu'est-ce que les jeunes envoient aux spectateurs du carnaval de Nice?
5. Quel est le symbole officiel du carnaval de Québec?
6. Que fait-on pendant (*during*) le carnaval de Québec?

2 **Réfléchissez** Répondez aux questions.

1. Comment célébrez-vous la fin de l'hiver et l'arrivée du printemps? Avez-vous des symboles associés au printemps? Comparez ces symboles à ceux (*those*) des carnavals francophones.
2. Pourquoi y a-t-il une crémation du roi Carnaval à la fin du festival? Cherchez sur Internet et décrivez les origines de cette tradition.
3. Quelles croyances religieuses et institutions culturelles sont associées au Carnaval? Ces croyances et traditions sont-elles présentes dans votre communauté? Expliquez.

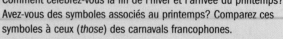

La bataille de fleurs en chiffres°

1876	première bataille de fleurs à Nice
12 €	coût d'entrée
80%	pourcentage des fleurs produites localement
72	heures passées sur piquage° de fleurs

chiffres *numbers* **piquage** *arranging*
SOURCE: NICECARNAVAL.COM

LE MONDE FRANCOPHONE

Fêtes et festivals

Voici d'autres fêtes et festivals francophones.

En Côte d'Ivoire
La Fête des Ignames On célèbre la fin° de la récolte° des ignames°, une ressource très importante pour les Ivoiriens.

Au Maroc
La Fête du Trône (le 30 juillet) Tout le pays honore le roi° avec des parades et des spectacles.

À la Martinique/À la Guadeloupe
La Fête des Cuisinières (en août) Les femmes défilent° en costumes traditionnels et présentent des spécialités locales qu'elles ont préparées.

Dans de nombreux pays
L'Aïd el-Fitr C'est la fête musulmane° de la rupture du jeûne° à la fin du Ramadan.

fin *end* **récolte** *harvest* **ignames** *yams* **roi** *king* **défilent** *parade*
musulmane *Muslim* **rupture du jeûne** *breaking the fast*

Le 14 juillet

Le 14 juillet 1789, sous le règne° du roi Louis XVI, les Français se sont rebellés contre° la monarchie et ont pris° la Bastille, une forteresse utilisée comme prison. Cette date est très importante dans l'histoire de France parce qu'elle représente la fin de la monarchie absolue et de la société d'ordres et de privilèges, et le début de la Révolution française. Effectivement, le 14 juillet symbolise l'union fraternelle de tous les citoyens° français dans la liberté et l'égalité, des termes utilisés dans la Déclaration des Droits de l'Homme et du Citoyen, texte fondamental de la Révolution française. Le 14 juillet symbolise aussi la fondation de la République française et a donc été° sélectionné par une loi° de 1880 comme date de la Fête nationale. Le 14 juillet est un jour férié en France: les Français ne travaillent pas. Tous les ans, il y a un grand défilé des troupes militaires à Paris, sur les Champs-Élysées, la plus grande° avenue parisienne. Partout° en France, les gens assistent à des défilés et à des fêtes dans les rues°. Le soir, il y a de nombreux bals populaires° où les Français dansent et célèbrent cette date historique. À minuit, on assiste aux feux d'artifices° traditionnels.

règne *reign* **se sont rebellés contre** *rebelled against* **ont pris** *stormed* **citoyens** *citizens*
donc été *was therefore* **loi** *law* **la plus grande** *the largest* **Partout** *Everywhere* **rues** *streets*
bals populaires *street dances* **feux d'artifices** *fireworks*

---

3 **Les fêtes** Complétez les phrases.

1. La première _____ a eu lieu (*took place*) en 1876.
2. Le 14 juillet 1789, c'est la date _____.
3. Aujourd'hui, le 14 juillet, c'est la _____.
4. Au Maroc, la Fête du Trône honore _____.
5. Dans les pays musulmans, l'Aïd el-Fitr célèbre _____.

4 **Faisons la fête ensemble!** Quel jour férié aux États-Unis correspond au 14 juillet en France? Écrivez un paragraphe où vouz comparez les deux fêtes. Décrivez les produits et pratiques culturels associés à chacune (*each one*) et comparez les attitudes correspondantes.

A C T I V I T É S

I CAN identify cultural products and practices related to celebrations in my own and other cultures.

STRUCTURES

6A.1

Demonstrative adjectives 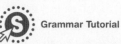 Grammar Tutorial

Point de départ To identify or point out a noun with the French equivalent of *this/these* or *that/those*, you use a demonstrative adjective before the noun. In French, the form of the demonstrative adjective depends on the gender and number of the noun that it goes with.

Demonstrative adjectives			
	singular		plural
	Before consonant	Before vowel sound	
masculine	**ce** café	**cet** éclair	**ces** cafés, **ces** éclairs
feminine	**cette** surprise	**cette** amie	**ces** surprises, **ces** amies

Ce copain organise une fête.
This friend is planning a party.

Cette glace est excellente.
This ice cream is excellent.

Cet hôpital est trop loin du centre-ville.
That hospital is too far from downtown.

Je préfère **ces** cadeaux.
I prefer those gifts.

Combien coûte cette montre?

J'ai ce cadeau pour Stéphane.

- Although the forms of **ce** can refer to a noun that is near (*this/these*) and one that is far (*that/those*), the meaning will usually be clear from context.

Ce dessert est délicieux.
This dessert is delicious.

Ils vont aimer **cette** surprise.
They're going to like this surprise.

Joël préfère **cet** éclair.
Joël prefers that éclair.

Ces glaçons sont pour la limonade.
Those ice cubes are for the lemon soda.

La maison Julien

Pour toutes ces occasions...

pour célébrer tout ce bonheur...

nous pensons à tous les détails.

- To make it especially clear that you're referring to something near versus something far, add **-ci** or **-là**, respectively, to the noun following the demonstrative adjective.

ce couple-**ci**
this couple (here)

ces biscuits-**ci**
these cookies (here)

cette invitée-**là**
that guest (there)

ces bières-**là**
those beers (there)

- Use **-ci** and **-là** in the same sentence to contrast similar items.

On prend **cette glace-ci**, pas **cette glace-là**.
We'll have this ice cream, not that ice cream.

Tu achètes **ce fromage-ci** ou **ce fromage-là**?
Are you buying this cheese or that cheese?

J'aime **ce cadeau-ci** mais je préfère **ce cadeau-là**.
I like this gift, but I prefer that gift.

Nous achetons **ces bonbons-ci** et Isabelle achète **ce gâteau-là**.
We're buying these candies, and Isabelle is buying that cake.

J'aime bien **ces chaussures-ci**.
I like these shoes.

Je préfère **ces chaussures-là**.
I prefer those shoes.

Essayez!   Complétez les phrases avec la forme correcte de l'adjectif démonstratif.

1. __Cette__ glace au chocolat est très bonne!
2. Qu'est-ce que tu penses de _____ cadeau?
3. _____ homme-là est l'hôte de la fête.
4. Tu préfères _____ biscuits-ci ou _____ biscuits-là?
5. Vous aimez mieux _____ dessert-ci ou _____ dessert-là?
6. _____ année-ci, on va fêter l'anniversaire de mariage de nos parents en famille.
7. Tu achètes _____ éclair-là.
8. Vous achetez _____ montre?
9. _____ surprise va être géniale!
10. _____ invité-là est antipathique.
11. Ma mère fait _____ gâteaux pour mon anniversaire.
12. _____ champagne coûte 100 euros.
13. _____ divorce est très difficile pour les enfants.

STRUCTURES

Mise en pratique

1 Remplacez Remplacez les noms au singulier par des noms au pluriel et vice versa. Faites tous les autres changements nécessaires.

MODÈLE

J'aime mieux ce dessert.
J'aime mieux ces desserts.

1. Ces glaces au chocolat sont délicieuses.
2. Ce gâteau est énorme.
3. Ces biscuits ne sont pas bons.
4. Ces invitées sont gentilles.
5. Ces hôtes parlent japonais.
6. Cette bière est allemande.
7. Maman achète ces imperméables pour Julie.
8. Ces bonbons sont délicieux.

2 Monsieur Parfait Juste avant la fête, l'hôte fait le tour de la salle et donne son opinion. Complétez ce texte avec **ce**, **cette** ou **ces**.

Mmm! (1) _____ champagne est parfait. Ah! (2) _____ gâteaux sont magnifiques, (3) _____ biscuits sont délicieux et j'adore (4) _____ glace. Beurk! (5) _____ bonbons sont originaux, mais pas très bons. Ouvrez (*Open*) (6) _____ bouteille. (7) _____ café sur (8) _____ table sent très bon. (9) _____ bière n'est pas froide! (10) _____ tableau n'est pas droit (*straight*)! Oh là là! Arrangez (11) _____ chaises autour de (*around*) (12) _____ trois tables!

3 Magazine Vous regardez un vieux magazine. Complétez les phrases.

▶ **MODÈLE**

Ce cheval est très grand.

1. _____ au chocolat et _____ sont délicieux.

2. La fille aime beaucoup _____.

3. _____ sont très heureux.

4. _____ va prendre sa retraite.

5. _____ ne sort plus (*no longer*) ensemble.

6. _____ adorent le chocolat chaud!

7. _____ est très méchant.

8. _____ sont très jolis!

Communication

4 **Comparez** Avec un(e) partenaire, regardez les illustrations. À tour de rôle, comparez les personnages et les objets.

> **MODÈLE**
>
> **Étudiant(e) 1:** Comment sont ces hommes?
> **Étudiant(e) 2:** Cet homme-ci est petit et cet homme-là est grand.

1.   2.   3.   4.

5 **Préférences** Demandez à votre partenaire ses préférences, puis donnez votre opinion. Employez des adjectifs démonstratifs et présentez vos réponses à la classe.

> **MODÈLE**
>
> **Étudiant(e) 1:** Quel film est-ce que tu aimes?
> **Étudiant(e) 2:** J'aime bien Casablanca.
> **Étudiant(e) 1:** Moi, je n'aime pas du tout ce vieux film.

acteur/actrice	passe-temps
chanteur/chanteuse	restaurant
dessert	saison
film	sport
magasin	ville
?	?

6 **Invitation** Vous organisez une fête et vous êtes au supermarché avec un(e) ami(e). Vous n'êtes pas d'accord sur ce que (*what*) vous allez acheter. Avec un(e) partenaire, jouez les rôles.

> **MODÈLE**
>
> **Étudiant(e) 1:** On achète cette glace-ci?
> **Étudiant(e) 2:** Je n'aime pas cette glace-ci. Je préfère cette glace-là!
> **Étudiant(e) 1:** Mais cette glace-là coûte dix euros!
> **Étudiant(e) 2:** D'accord! On prend cette glace-ci.

7 **Quelle fête!** Vous êtes à la fête d'un(e) ami(e) et il y a des personnes célèbres (*famous*). Avec un(e) partenaire, faites une liste des célébrités présentes et puis parlez d'elles. Employez des adjectifs démonstratifs.

> **MODÈLE**
>
> **Étudiant(e) 1:** Qui est cet homme-ci?
> **Étudiant(e) 2:** Ça, c'est Justin Timberlake. Il est sympa, mais cet homme-là est vraiment génial.
> **Étudiant(e) 1:** Oui, c'est...

> **I CAN** refer to and distinguish between nearby items.

STRUCTURES

6A.2 The *passé composé* with *avoir* Grammar Tutorial

Point de départ In order to talk about events in the past, French uses two principal tenses: the **passé composé** and the imperfect. In this lesson, you will learn how to form the **passé composé**, which is used to express actions or states completed in the past. You will learn about the imperfect in **Leçon 8A**.

- The **passé composé** is composed of two parts: the *auxiliary verb* (present tense of **avoir** or **être**) and the *past participle* of the main verb. Most verbs in French take **avoir** as the auxiliary verb in the **passé composé**.

AUXILIARY   PAST
VERB   PARTICIPLE

Nous **avons fêté**.
We celebrated / have celebrated.

- The past participle of a regular **-er** verb is formed by replacing the **-er** ending of the infinitive with **-é**.

infinitive		past participle
fêt**er**	▶	fêt**é**
oubli**er**		oubli**é**
cherch**er**		cherch**é**

- Most regular **-er** verbs are conjugated in the **passé composé** as shown below for the verb **parler**.

<table>
<tr><th colspan="4">The passé composé</th></tr>
<tr><td>j'ai parlé</td><td>I spoke/have spoken</td><td>nous avons parlé</td><td>we spoke/ have spoken</td></tr>
<tr><td>tu as parlé</td><td>you spoke/ have spoken</td><td>vous avez parlé</td><td>you spoke/ have spoken</td></tr>
<tr><td>il/elle/on a parlé</td><td>he/she/it/one spoke/ has spoken</td><td>ils/elles ont parlé</td><td>they spoke/ have spoken</td></tr>
</table>

 Boîte à outils

The **passé composé** has three English equivalents. Example: **Nous avons mangé**. = *We ate. We did eat. We have eaten.*

Nous **avons parlé** à l'hôtesse.
We spoke to the hostess.

J'**ai oublié** mes devoirs.
I forgot my homework.

- To make a verb negative in the **passé composé**, place **ne/n'** and **pas** around the conjugated form of **avoir**.

On **n'**a **pas** fêté mon anniversaire.
We didn't celebrate my birthday.

Elles **n'**ont **pas** acheté de biscuits hier?
They didn't buy any cookies yesterday?

- To ask questions using inversion in the **passé composé**, invert the subject pronoun and the conjugated form of **avoir**. Note that this does not apply to other types of question formation.

Avez-vous fêté votre anniversaire?
Did you celebrate your birthday?

Est-ce qu'elles **ont acheté** des biscuits?
Did they buy any cookies?

Luc **a-t-il** aimé son cadeau?
Did Luc like his gift?

Est-ce que tu **as essayé** ce vin?
Have you tried this wine?

- The adverbs **hier** (*yesterday*) and **avant-hier** (*the day before yesterday*) are used often with the **passé composé**.

Hier, Marie **a retrouvé** ses amis au stade.
Marie met her friends at the stadium yesterday.

Ses parents **ont téléphoné** avant-hier.
Her parents called the day before yesterday.

- Place the adverbs **déjà**, **encore**, **bien**, **mal**, and **beaucoup** between the auxiliary verb or **pas** and the past participle.

Tu as **déjà** mangé ta part de gâteau.
You already ate your piece of cake.

Elle n'a pas **encore** visité notre ville.
She hasn't visited our town yet.

Les filles ont **beaucoup** travaillé.
The girls worked a lot.

Je n'ai pas **bien** joué hier.
I didn't play well yesterday.

- The past participles of spelling-change **-er** verbs have no spelling changes.

Laurent a-t-il **acheté** le champagne?
Did Laurent buy the champagne?

Vous avez **envoyé** des bonbons.
You sent candy.

- The past participle of most **-ir** verbs is formed by replacing the **-ir** ending with **-i**.

Sylvie a **dormi** jusqu'à dix heures.
Sylvie slept until 10 o'clock.

Avez-vous **senti** ce bouquet?
Did you smell this bouquet?

- The past participles of many common verbs are irregular. Learn these on a case-by-case basis.

Some irregular past participles

apprendre	appris		être	été
avoir	eu		faire	fait
boire	bu		pleuvoir	plu
comprendre	compris		prendre	pris
courir	couru		surprendre	surpris

Nous avons **bu** du vin.
We drank wine.

Ils ont **été** très en retard.
They were very late.

A-t-il **plu** samedi?
Did it rain Saturday?

Mes sœurs ont **fait** un gâteau au chocolat.
My sisters made a chocolate cake.

- The **passé composé** of **il faut** is **il a fallu**; that of **il y a** is **il y a eu**.

Il a fallu passer par le supermarché.
It was necessary to stop by the supermarket.

Il y a eu deux fêtes hier soir.
There were two parties last night.

> **Boîte à outils**
>
> Some verbs, like **aller**, **sortir**, and **tomber**, use **être** instead of **avoir** to form the **passé composé**. You will learn more about these verbs in **Leçon 7A**.

Essayez! Indiquez les formes du passé composé des verbes.

1. j' <u>ai commencé, ai payé, ai bavardé</u> (commencer, payer, bavarder)
2. tu _____ (servir, comprendre, donner)
3. on _____ (parler, avoir, dormir)
4. nous _____ (adorer, faire, amener)
5. vous _____ (prendre, employer, courir)
6. elles _____ (espérer, boire, apprendre)
7. il _____ (avoir, regarder, sentir)
8. vous _____ (essayer, préférer, surprendre)
9. ils _____ (organiser, être, nettoyer)

STRUCTURES

Mise en pratique

1 **Qu'est-ce qu'ils ont fait?** Laurent parle de son week-end en ville avec sa famille. Complétez ses phrases avec le **passé composé** du verbe correct.

1. Nous _____ (nager, manger) des escargots.

2. Papa _____ (acheter, apprendre) une nouvelle montre.

3. J' _____ (prendre, oublier) une glace à la terrasse d'un café.

4. Vous _____ (enseigner, essayer) un nouveau restaurant.

5. Mes parents _____ (dessiner, célébrer) leur anniversaire de mariage.

6. Ils _____ (fréquenter, faire) une promenade.

7. Ma sœur _____ (boire, nettoyer) un chocolat chaud.

8. Le soir, nous _____ (écouter, avoir) sommeil.

2 **Pas encore** Un copain pose des questions pénibles. Écrivez ses questions puis donnez des réponses négatives.

MODÈLE

inviter vos amis (vous)
Vous avez déjà invité vos amis? Non, nous n'avons pas encore invité nos amis.

1. écouter mon CD (tu)

2. faire ses devoirs (Matthieu)

3. courir dans le parc (elles)

4. parler aux profs (tu)

5. apprendre les verbes irréguliers (André)

6. être à la piscine (Marie et Lise)

7. emmener Yassim au cinéma (vous)

8. avoir le temps d'étudier (tu)

3 **Vendredi soir** Vous avez assisté à une fête vendredi soir. Décrivez la fête. Qu'est-ce que les invités ont fait? Quelle a été l'occasion? Écrivez huit phrases.

Communication

4 **La semaine** À tour de rôle, assemblez les éléments des colonnes pour raconter (*to tell*) à votre partenaire ce que (*what*) tout le monde (*everyone*) a fait cette semaine.

A	B	C
je	acheter	bonbons
Luc	apprendre	café
mon prof	boire	cartes
Sylvie	enseigner	l'espagnol
mes parents	étudier	famille
mes copains et moi	faire	foot
tu	jouer	glace
vous	manger	jogging
?	parler	les maths
	prendre	promenade
	regarder	vélo
	?	?

5 **L'été dernier** Vous avez passé l'été dernier avec deux amis, mais vos souvenirs (*memories*) diffèrent. Par groupes de trois, utilisez les expressions de la liste pour écrire un dialogue. Ensuite, jouez la scène pour la classe.

MODÈLE

Étudiant(e) 1: *Nous avons fait du cheval tous les matins.*
Étudiant(e) 2: *Mais non! Moi, j'ai fait du cheval. Vous deux, vous avez fait du jogging.*
Étudiant(e) 3: *Je n'ai pas fait de jogging. J'ai dormi!*

acheter	essayer	faire une promenade
courir	faire du cheval	jouer au foot
dormir	faire du jogging	jouer aux cartes
emmener	faire la fête	manger

6 **Qu'est-ce que tu as fait?** Avec un(e) partenaire, posez-vous les questions à tour de rôle. Ensuite, présentez vos réponses à la classe.

1. As-tu fait la fête samedi dernier? Où? Avec qui?
2. Est-ce que tu as célébré une occasion importante cette année? Quelle occasion?
3. As-tu organisé une fête? Pour qui?
4. Qui est-ce que tu as invité à ta dernière fête?
5. Qu'est-ce que tu as fait pour fêter ton dernier anniversaire?
6. Est-ce que tu as préparé quelque chose à manger pour une fête ou un dîner? Quoi?

7 **Ma fête** Votre partenaire a organisé une fête le week-end dernier. Posez sept questions pour avoir plus de détails sur la fête. Ensuite, alternez les rôles.

MODÈLE

Étudiant(e) 1: *Pour qui est-ce que tu as organisé la fête samedi dernier?*
Étudiant(e) 2: *Pour ma sœur.*

I CAN discuss past actions and events.

Révision

1 **L'année dernière et cette année** Décrivez vos dernières fêtes du jour d'Action de Grâces (*Thanksgiving*) à votre partenaire. Utilisez les verbes de la liste. Parlez aussi de vos projets (*plans*) pour le prochain jour d'Action de Grâces.

MODÈLE

Étudiant(e) 1: *L'année dernière, nous avons fêté le jour d'Action de Grâces chez mes grands-parents. Cette année, je vais manger au restaurant avec mes parents.*

Étudiant(e) 2: *Moi, j'ai fait la fête avec mes amis l'année dernière. Cette année, je vais visiter New York avec ma sœur.*

acheter	dormir	manger	regarder
boire	faire	prendre	téléphoner
donner	fêter	préparer	visiter

2 **Ce musée, cette ville** Faites par écrit (*Write*) une liste de cinq lieux (villes, musées, restaurants, etc.) que vous avez visités. Avec un(e) partenaire, comparez vos listes. Utilisez des adjectifs démonstratifs dans vos phrases.

MODÈLE

Étudiant(e) 1: *Ah, tu as visité Bruxelles. Moi aussi, j'ai visité cette ville. Elle est charmante.*

Étudiant(e) 2: *Tu as mangé au restaurant La Douce France. Je n'aime pas du tout ce restaurant!*

3 **La fête** Vous et votre partenaire avez préparé une fête avec vos amis. Vous avez acheté des cadeaux, des boissons et des snacks. À tour de rôle, parlez de ce qu'il y a sur l'illustration.

MODÈLE

Étudiant(e) 1: *J'aime bien ces biscuits-là.*

Étudiant(e) 2: *Moi, j'ai apporté cette glace-ci.*

4 **Enquête** Qu'est-ce que vos camarades ont fait de différent dans leur vie? Votre professeur va vous donner une feuille d'activités. Parlez à vos camarades pour trouver une personne différente pour chaque expérience, puis écrivez son nom.

MODÈLE

Étudiant(e) 1: *As-tu parlé à un acteur?*

Étudiant(e) 2: *Oui! Une fois, j'ai parlé à Bruce Willis!*

Expérience	Nom
1. parler à un(e) acteur/actrice	Julien
2. passer une nuit entière sans dormir	
3. dépenser plus de $100 pour de la musique en une fois	
4. faire la fête un lundi soir	
5. courir cinq kilomètres ou plus	
6. surprendre un(e) ami(e) pour son anniversaire	

5 **Conversez** Avec un(e) partenaire, préparez une conversation où un(e) copain/copine demande à un(e) autre copain/copine les détails d'un dîner romantique du week-end dernier. N'oubliez pas de mentionner dans la conversation:

- où ils ont mangé
- les thèmes de la conversation
- qui a payé
- qui a parlé de quoi
- la date du prochain rendez-vous

6 **Magali fait la fête** Votre professeur va vous donner, à vous et à votre partenaire, deux feuilles d'activités différentes. Attention! Ne regardez pas la feuille de votre partenaire.

MODÈLE

Étudiant(e) 1: *Magali a parlé avec un homme. Cet homme n'a pas l'air intéressant du tout!*

Étudiant(e) 2: *Après,...*

Le Zapping

ELKIN COMMUNICATION
présente

Une Production WRITING ROOM avec le
soutien de L'Ecole de la Cité

Hervé David   Matthieu Denesle   Varenka Roland

L'ANNONCE

un film de Romain et Thibault Lafargue

L'Annonce

C'est la période des fêtes, mais l'ambiance n'est pas comme il faut cette année. Dans ce drame de Thibault et Romain Lafargue, Marc doit° révéler une sombre réalité à son jeune fils, Théo, qui attend la visite du Père Noël avec scepticisme. Ils vivent° ensemble un moment douleureux° où leurs traditions de Noël sont mises à l'examen. Est-ce que la magie de Noël va persévérer?

vivent *experience* **douleureux** *painful*

Préparation

1 **Préparation** Répondez aux questions.

1. Quelles fêtes est-ce que vous et votre famille célébrez tous les ans? Laquelle est la plus importante pour vous?
2. Quelles traditions sont typiquement associées à cette fête? Votre famille a-t-elle d'autres traditions spéciales pendant cette période? Expliquez.
3. Y a-t-il de petits mensonges qu'on dit aux enfants dans votre culture? Donnez des exemples.
4. Pourquoi est-ce que les fêtes sont difficiles pour certaines personnes? Expliquez.

2 **Je t'explique** Complétez les phrases à l'aide du vocabulaire.

Pendant _____, beaucoup de gens passent du temps en famille. Au début de décembre, ma famille et moi, nous décorons la maison avec des _____ et les enfants envoient des lettres au Père Noël. Ma mère dit qu'il faut _____ toute l'année pour recevoir de beaux cadeaux. La nuit du 24 décembre, _____ visite notre maison et laisse des cadeaux sous _____. Mais attention! Il est _____ de les ouvrir (*open them*) avant le jour de Noël.

Vocabulaire du court métrage

un bruit	*noise*
une couverture	*blanket*
dire la vérité	*to tell the truth*
être sage	*to be good*
interdit(e)	*forbidden*
les guirlandes (f.)	*garlands*
la magie	*magic*
mentir	*to lie*
un menteur/une menteuse	*liar*
le Père Noël	*Santa Claus*
un sapin de Noël	*Christmas tree*

Vocabulaire utile

dehors	*outside*
échanger des cadeaux	*to exchange gifts*
les fêtes (f.) de fin d'année	*the holidays*
un mensonge	*lie*
passer du temps en famille	*to spend time as a family*
un(e) SDF (sans domicile fixe)	*homeless person*

Scènes

MARC Écoute, Théo. Il faut que je te dise un truc°. Un truc de grandes personnes. Et voilà, je sais qu'avec ta mère on te répète sans arrêt° qu'il faut toujours dire la vérité. Que les gens° qui mentent, ce n'est pas des gens bien. Mais parfois...

MARC Excusez-moi, mais vous ne pouvez pas° rester là. C'est interdit.

HOMME Ce n'est pas interdit de se protéger° du froid, non? Hein? Allez, allez, dégage°, allez.

MARC Je suis désolé. C'est une propriété privée°. Ce n'est pas moi qui fais les règles°.

THÉO C'est Mathis. Il s'est moqué° de moi à l'école.

MARC Pourquoi il s'est moqué de toi?

THÉO Il a vu° ma liste. Il a dit° que les cadeaux, c'est les parents qui les achètent. Ce n'est pas le Père Noël.

AURÉLIE Marc?

MARC Oui?

AURÉLIE Tu ne lui as pas dit° la vérité?

MARC Non.

AURÉLIE Tu abuses°, Marc!

MARC C'est pour son bien!

AURÉLIE Alors, ton papa et moi, on a...

MARC C'est Mathis qui avait raison°.

AURÉLIE Ce que° ton père essaie de te dire, c'est que, en fait, tu vois°, c'est...

MARC Théo, qu'est-ce que tu fais? Retourne dans ta chambre°.

THÉO Il y a des bruits en bas.

MARC Allez, il faut aller se coucher°. Tu restes là. Pas un bruit.

te dise un truc *tell you something* **sans arrêt** *all the time* **gens** *people* **ne pouvez pas** *can't* **se protéger** *protect oneself* **dégage** *go away* **propriété privée** *private property* **règles** *rules* **s'est moqué** *made fun* **a vu** *saw* **a dit** *said* **ne lui as pas dit** *didn't tell him* **Tu abuses** *You're taking this too far* **avait raison** *was right* **Ce que** *What* **tu vois** *you see* **chambre** *room* **se coucher** *go to bed*

Analyse

3 **Compréhension** Indiquez si les phrases suivantes sont vraies ou fausses. Corrigez les phrases fausses.

	Vrai	Faux
1. Marc est nerveux à l'idée de dire la vérité à Théo.	☐	☐
2. Marc connaît (*knows*) l'homme qui dort dehors.	☐	☐
3. La maman pense qu'il faut expliquer la vérité à Théo.	☐	☐
4. La maman aide Théo à décorer le sapin de Noël.	☐	☐
5. Théo est content de savoir que le Père Noël n'existe pas.	☐	☐
6. Théo dit (*says*) que son père est un menteur.	☐	☐
7. Marc essaie d'aider l'homme qui dort dehors.	☐	☐
8. Marc a de bons souvenirs (*memories*) du moment où il a appris la vérité sur le Père Noël.	☐	☐

4 **Conversation** Avec un(e) partenaire, discutez de ces questions.

1. Pourquoi est-ce que Marc ne veut pas dire la vérité à son fils? Pourquoi est-ce que la maman insiste qu'on lui dise (*tell him*) la vérité?

2. Quand il était (*was*) petit, comment est-ce que Marc a découvert (*find out*) la vérité sur le Père Noël? Décrivez son expérience.

3. Qui est l'homme qui dort dehors? Est-ce que Marc aide cette personne? Expliquez.

4. Que symbolise la neige dans ce film?

5. Qu'est-ce qui se passe (*happens*) à la fin du film? Expliquez.

5 **Réflexion** Avec un(e) partenaire, discutez de ces questions.

1. Quel est le rôle des traditions culturelles dans les fêtes et célébrations?

2. En quoi (*How*) les traditions de votre famille sont-elles différentes de celles de la famille dans le film? En quoi sont-elles similaires?

3. Comment les traditions sont-elles transmises (*passed down*) de génération en génération?

4. À votre avis, faut-il respecter les traditions établies? Ou pensez-vous qu'il faut les examiner?

5. Quels défis (*challenges*) existent aujourd'hui pour des traditions comme le Père Noël?

6 **Application** Par groupes de trois, interviewez des membres de votre université ou de votre communauté. Collectez plusieurs réponses, puis (*then*) comparez-les. Présentez vos résultats à la classe.

- Quelles sont leurs traditions préférées?

- Comment est-ce qu'ils célèbrent les fêtes de fin d'année? Avec qui les célèbrent-ils?

- Comment est-ce que les traditions culturelles représentent les valeurs (*values*) d'une communauté?

I CAN identify and reflect on attitudes around cultural traditions.

Leçon 6B

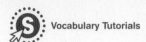Vocabulary Tutorials

Très chic!

Vocabulaire

aller avec	to go with
un anorak	ski jacket, parka
une chaussette	sock
une chemise (à manches courtes/longues)	shirt (short-/long-sleeved)
un chemisier	blouse
un gant	glove
un jean	jeans
une jupe	skirt
un manteau	coat
un pantalon	pants
un pull	sweater
un sous-vêtement	underwear
une taille	clothing size
un tailleur	(woman's) suit; tailor
un tee-shirt	tee shirt
un vendeur/une vendeuse	salesman/saleswoman
des vêtements (m.)	clothing
De quelle couleur/taille...?	In what color/size...?
des soldes (m.)	sales
chaque	each
large	loose; big
serré(e)	tight

un chapeau (chapeaux *pl.*)

un maillot de bain

cher (chère *f.*)

une cravate

une robe

une ceinture

un short

un sac à main

Il porte un costume. (porter)

des baskets (*f.*)

des chaussures (*f.*)

violet (violette *f.*)

rose

gris (grise *f.*)

vert (verte *f.*)

jaune

noir (noire *f.*)

orange

bleu (bleue *f.*)

marron

blanc (blanche *f.*)

rouge

Mise en pratique

Coup de main

The adjectives **orange** and **marron** are invariable; they do not vary in gender or number to match the noun they modify.

J'aime l'anorak orange.

Il porte des chaussures marron.

1 **Écoutez** Guillaume prépare ses vacances d'hiver (*winter vacation*). Indiquez quels vêtements il va acheter pour son voyage.

	Oui	Non
1. des baskets	☐	☐
2. un maillot de bain	☐	☐
3. des chemises	☐	☐
4. un pantalon noir	☐	☐
5. un manteau	☐	☐
6. un anorak	☐	☐
7. un jean	☐	☐
8. un short	☐	☐
9. un pull	☐	☐
10. une robe	☐	☐

Guillaume

2 **Les vêtements** Choisissez le mot qui ne va pas avec les autres.

1. des baskets, une cravate, une chaussure
2. un jean, un pantalon, une jupe
3. un tailleur, un costume, un short
4. des lunettes, un chemisier, une chemise
5. un tee-shirt, un pull, un anorak
6. une casquette, une ceinture, un chapeau
7. un sous-vêtement, une chaussette, un sac à main
8. une jupe, une robe, une écharpe

des lunettes (de soleil) (*f.*)

une casquette

une écharpe

bon marché

un blouson

3 **De quelle couleur?** Indiquez de quelle(s) couleur(s) sont les choses suivantes.

MODÈLE

l'océan
Il est bleu.
la statue de la Liberté
Elle est grise.

1. le drapeau français _____
2. les dollars américains _____
3. les pommes (*apples*) _____
4. le soleil _____
5. la nuit _____
6. le zèbre _____
7. la neige _____
8. les oranges _____
9. le vin _____
10. les bananes _____

CONTEXTES

Communication

4 **Qu'est-ce qu'ils portent?** Avec un(e) camarade de classe, regardez les images et, à tour de rôle, décrivez ce que les personnages portent.

> **MODÈLE**
>
> *Elle porte un maillot de bain rouge.*

1.   2.   3.   4.

5 **On fait du shopping** Choisissez deux partenaires et préparez une conversation. Deux client(e)s et un vendeur/une vendeuse sont dans un grand magasin; les client(e)s sont invité(e)s à un événement très chic, mais ils ou elles ne veulent pas (*don't want*) dépenser beaucoup d'argent.

Client(e)s

- Décrivez l'événement auquel (*to which*) vous êtes invité(e)s.
- Parlez des vêtements que vous cherchez, de vos couleurs préférées, de votre taille. Trouvez-vous le vêtement trop large, trop serré, etc.?
- Demandez les prix et dites si vous trouvez que c'est cher, bon marché, etc.

Vendeur/Vendeuse

- Demandez les tailles, préférences, etc. des client(e)s.
- Répondez à toutes les questions de vos client(e)s.
- Suggérez des vêtements appropriés.

Coup de main

Comparaison des tailles

FEMMES

France	36	38	40	42	44	46
USA	6	8	10	12	14	16

HOMMES (PANTALONS)

France	36	38	40	42	44	46
USA	26	28	30	32	34	36

6 **Conversez** Interviewez un(e) camarade de classe.

1. Qu'est-ce que tu portes l'hiver? Et l'été?
2. Qu'est-ce que tu portes pour aller à l'université?
3. Qu'est-ce que tu portes pour aller à la plage (*beach*)?
4. Qu'est-ce que tu portes pour faire une randonnée?
5. Qu'est-ce que tu portes pour aller en boîte de nuit?
6. Qu'est-ce que tu portes pour un entretien d'embauche (*job interview*)?
7. Quelle est ta couleur préférée? Pourquoi?
8. Qu'est-ce que tu portes pour aller dans un restaurant très élégant?
9. Où est-ce que tu achètes tes vêtements? Pourquoi?
10. Est-ce que tu prêtes (*lend*) tes vêtements à tes ami(e)s?

7 **Défilé de mode** Votre classe a organisé un défilé de mode (*fashion show*). Votre partenaire est mannequin (*model*) et vous représentez la marque (*brand*) de vêtements. Pendant que votre partenaire défile, vous décrivez à la classe les vêtements qu'il ou elle porte. Après, échangez les rôles.

> **MODÈLE**
>
> *Et voici la charmante Julie, qui porte les modèles de la dernière collection H&M: une chemise à manches courtes et un pantalon noir, ensemble idéal pour aller en boîte de nuit. Ses chaussures blanches vont parfaitement avec l'ensemble. Cette collection H&M est très à la mode et très bon marché.*

I CAN describe and discuss clothing.

Les sons et les lettres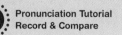

Open vs. closed vowels: Part 3

The letter combination **eu** can be pronounced two different ways, open and closed. Compare the pronunciation of the vowel sounds in these words.

heu**re**	**meill**eu**r**	**chev**eu**x**	**nev**eu

When **eu** is the last sound of a syllable, it has a closed vowel sound, sort of like the vowel sound in the English word *full*. While this exact sound does not exist in English, you can make the closed **eu** sound by saying **é** with your lips rounded.

deu**x**	**bl**eu	**p**eu	**mi**eu**x**

When **eu** is followed by a *z* sound, such as a single **s** between two vowels, it is usually pronounced with the closed **eu** sound.

chanteu**se**	**génér**eu**se**	**séri**eu**se**	**curi**eu**se**

When **eu** is followed by a pronounced consonant, it has a more open sound. The open **eu** sound does not exist in English. To pronounce it, say **è** with your lips only slightly rounded.

peu**r**	**j**eu**ne**	**chant**eu**r**	**b**eu**rre**

The letter combination **œu** is usually pronounced with an open **eu** sound.

sœu**r**	**b**œu**f**	**œu**f	**c**œu**r**

Prononcez Répétez les mots suivants à voix haute.

1. leur
2. veuve
3. neuf
4. vieux
5. curieux
6. acteur
7. monsieur
8. coiffeuse
9. ordinateur
10. tailleur
11. vendeuse
12. couleur

Articulez Répétez les phrases suivantes à voix haute.

1. Le professeur Heudier a soixante-deux ans.
2. Est-ce que Matthieu est jeune ou vieux?
3. Monsieur Eustache est un chanteur fabuleux.
4. Eugène a les yeux bleus et les cheveux bruns.

Dictons Répétez les dictons à voix haute.

Les conseilleurs ne sont pas les payeurs.[2]

Qui vole un œuf, vole un bœuf.[1]

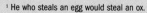

[1] He who steals an egg would steal an ox.
[2] Those who give advice are not the ones who pay the price.

ROMAN-PHOTO

L'anniversaire

Video: *Roman-photo*
Record & Compare

PERSONNAGES

Amina

Astrid

Rachid

Sandrine

Stéphane

Valérie

Au café...

VALÉRIE, SANDRINE, AMINA, ASTRID ET RACHID Surprise! Joyeux anniversaire, STÉPHANE!

STÉPHANE Alors là, je suis agréablement surpris!

VALÉRIE Bon anniversaire, mon chéri!

SANDRINE On a organisé cette surprise ensemble...

VALÉRIE Pas du tout! C'est Sandrine qui a presque tout préparé.

SANDRINE Oh, je n'ai fait que les desserts et ton gâteau d'anniversaire.

STÉPHANE Tu es un ange.

RACHID Bon anniversaire, Stéphane. Tu sais, à ton âge, il ne faut pas perdre son temps, alors cette année, tu travailles sérieusement, c'est promis?

STÉPHANE Oui, oui.

AMINA Rachid a raison. Dix-huit ans, c'est une étape importante dans la vie! Il faut fêter ça.

ASTRID Joyeux anniversaire, Stéphane.

STÉPHANE Oh, et en plus, vous m'avez apporté des cadeaux!

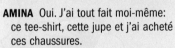

AMINA Oui. J'ai tout fait moi-même: ce tee-shirt, cette jupe et j'ai acheté ces chaussures.

SANDRINE Tu es une véritable artiste, Amina! Ta jupe est très originale! J'adore!

AMINA J'ai une idée. Tu me prêtes ta robe grise samedi et je te prête ma jupe. D'accord?

SANDRINE Bonne idée!

STÉPHANE Eh! C'est super cool, ce blouson en cuir noir. Avec des gants en plus! Merci, maman!

AMINA Ces gants vont très bien avec le blouson! Très à la mode!

STÉPHANE Tu trouves?

RACHID Tiens, Stéphane.

STÉPHANE Mais qu'est-ce que c'est? Des livres?

RACHID Oui, la littérature, c'est important pour la culture générale!

VALÉRIE Tu as raison, Rachid.

STÉPHANE Euh oui... euh... c'est gentil... euh... merci, Rachid.

A C T I V I T É S

1 **Vrai ou faux?** Indiquez si les phrases sont vraies ou fausses. Corrigez les phrases fausses.

1. Sandrine porte une jupe orange.

2. Amina a fait sa jupe elle-même (*herself*).

3. Pour Amina, 18 ans, c'est une étape importante.

4. Valérie donne un blouson en cuir et une ceinture à Stéphane.

5. Stéphane n'aime pas tellement la montre.

2 **Réfléchissez** Répondez aux questions.

1. Décrivez la fête de Stéphane. Qui a organisé cette fête? Qui sont les invités? Que font-ils pendant la fête?

2. Avez-vous assisté à une fête récemment? Comparez cette fête à la fête de Stéphane. Quelles sont les différences?

3. Qu'est-ce que les amis portent à la fête? Comparez leurs vêtements à ce que vous portez quand vous allez à une fête.

Les amis fêtent l'anniversaire de Stéphane.

SANDRINE Ah au fait, David est désolé de ne pas être là. Ce week-end, il visite Paris avec ses parents. Mais il pense à toi.

STÉPHANE Je comprends tout à fait. Les parents de David sont de Washington, n'est-ce pas?

SANDRINE Oui, c'est ça.

AMINA Merci, Sandrine. Je trouve que tu es très élégante dans cette robe grise! La couleur te va très bien.

SANDRINE Vraiment? Et toi, tu es très chic. C'est du coton?

AMINA Non, de la soie.

SANDRINE Cet ensemble, c'est une de tes créations, n'est-ce pas?

STÉPHANE Une calculatrice rose... pour moi?

ASTRID Oui, c'est pour t'aider à répondre à toutes les questions en maths et avec le sourire.

STÉPHANE Euh, merci beaucoup! C'est très... utile.

ASTRID Attends! Il y a encore un cadeau pour toi...

STÉPHANE Ouah, cette montre est géniale, merci!

ASTRID Tu as aimé notre petite blague? Nous, on a bien ri.

RACHID Eh Stéphane! Tu as vraiment aimé tes livres et ta calculatrice?

STÉPHANE Ouais, vous deux, ce que vous êtes drôles.

3 **Identifiez** Associez chaque description à la personne correcte: Amina, Sandrine, Stéphane ou Valérie.

_____ 1. Cette personne a fait ses vêtements soi-même.

_____ 2. Cette personne est agréablement surprise.

_____ 3. Cette personne a préparé les desserts.

_____ 4. Cette personne offre un blouson à Stéphane.

4 **À vous!** Ce sont les soldes. Sandrine, David et Amina vont dans un magasin pour acheter des vêtements. Ils essaient différentes choses, donnent leurs avis (*opinions*) et parlent de leurs préférences, des prix et des matières (*fabrics*). Avec deux partenaires, écrivez la conversation et jouez la scène devant la classe.

I CAN understand conversations about gifts and clothing.

A C T I V I T É S

La mode en France

Pour la majorité des Français, la mode est un moyen° d'expression. Les jeunes adorent les marques°, surtout les marques américaines. Avoir un *sweatshirt* de style américain est considéré comme très chic. C'est pareil° pour les chaussures. Bien sûr, les styles varient beaucoup. Il y a le style bourgeois, par exemple, plus classique avec la prédominance de la couleur bleu marine°. Il y a aussi le style «baba cool», c'est-à-dire° *hippie*.

Les marques coûtent cher, mais en France il y a encore beaucoup de boutiques indépendantes où les vêtements ne sont pas nécessairement plus chers. Souvent les vendeurs et les vendeuses sont aussi propriétaires du magasin. Ils encouragent donc° plus les clients à acheter. Mais il y a aussi beaucoup de chaînes françaises comme Lacoste, Bensimon et Kooples. Et les chaînes américaines sont de plus en plus présentes dans les villes. Les Français achètent également° des vêtements dans les hypermarchés°, comme Auchan ou Carrefour, et dans les centres commerciaux.

L'anthropologue américain Lawrence Wylie a écrit° sur les différences entre les vêtements français et américains. Les Américains portent des vêtements plus amples et plus confortables. Pour les Français, l'aspect esthétique est plus important que le confort. Les femmes mettent des baskets uniquement pour faire du sport. Les costumes français sont plus serrés et plus près du corps° et les épaules° sont en général plus étroites°.

moyen *means* **marques** *brand names* **pareil** *the same* **marine** *navy* **c'est-à-dire** *in other words* **donc** *therefore* **également** *also* **hypermarchés** *large supermarkets* **a écrit** *wrote* **corps** *body* **épaules** *shoulders* **étroites** *narrow*

Predicting content from titles

Predicting content from the title will help you increase your reading comprehension in French. We can usually predict the content of a newspaper article from its title, for example. More often than not, we decide whether to read the article based on its title. In pairs, read the titles of the selections in this **Lecture culturelle**, and try to guess what they are about.

ACTIVITÉS

1 Vrai ou faux? Indiquez si les phrases sont vraies ou fausses. Corrigez les phrases fausses.

1. Pour beaucoup de Français, la mode est un moyen d'expression.
2. Un *sweatshirt* de style américain est considéré comme du mauvais goût (*taste*).
3. En France les boutiques indépendantes sont rares.
4. Les Français portent des vêtements plus amples et plus confortables.
5. Les costumes français sont très larges.

2 Réfléchissez Répondez aux questions.

1. La mode est-elle un moyen d'expression pour vous? Expliquez.
2. Avez-vous un certain style, comme le style bourgeois ou «baba cool»? Quels styles existent dans votre communauté?
3. Où achetez-vous vos vêtements? Dans une boutique? Au centre commercial?
4. Comparez votre attitude envers la mode à celui des Français. Qu'est-ce qui influence ces perspectives?

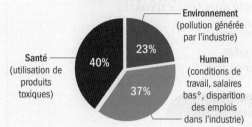

Préoccupations° des Français concernant la mode

Environnement (pollution générée par l'industrie) — 23%

Santé (utilisation de produits toxiques) — 40%

Humain (conditions de travail, salaires bas°, disparition des emplois dans l'industrie) — 37%

- Laquelle (*Which*) de ces préoccupations vous concerne le plus°?

Préoccupations *Concerns* **salaires bas** *low wages* **le plus** *the most*
SOURCE: INSTITUT FRANÇAIS DE LA MODE

Coco Chanel, styliste parisienne

«La mode se démode°, le style jamais.»
—*Coco Chanel*

Coco Chanel (1883–1971) est considérée comme étant° l'icône du parfum et de la mode du vingtième siècle°. Dans les années 1910, elle a l'idée audacieuse° d'intégrer la mode «à la garçonne» dans ses créations: les lignes féminines empruntent aux° éléments de la mode masculine. C'est la naissance du fameux tailleur Chanel.

Pour «Mademoiselle Chanel», l'important dans la mode, c'est que les vêtements permettent de bouger°; ils doivent° être simples et confortables. Son invention de «la petite robe noire» illustre l'esprit° classique et élégant de ses collections. De nombreuses célébrités ont immortalisé le nom de Chanel: Jacqueline Kennedy avec le tailleur et Marilyn Monroe avec le parfum No. 5, par exemple.

se démode *goes out of fashion* **étant** *being* **vingtième siècle** *twentieth century* **idée audacieuse** *daring idea* **empruntent aux** *borrow from* **bouger** *move* **doivent** *have to* **esprit** *spirit*

Vêtements et tissus

Voici quelques vêtements et tissus° traditionnels du monde francophone.

En Afrique centrale et de l'ouest
Le boubou tunique plus ou moins° longue et souvent très colorée portée par les hommes et les femmes
Les batiks tissus traditionnels très colorés

En Afrique du Nord
La djellaba longue tunique à capuche° portée par les hommes et les femmes
Le kaftan sorte de djellaba portée à la maison

À la Martinique
Le madras tissu typique aux couleurs vives

À Tahiti
Le paréo morceau° de tissu attaché au-dessus de la poitrine° ou à la taille°

tissus *fabrics* **plus ou moins** *more or less* **à capuche** *hooded* **morceau** *piece* **poitrine** *chest* **taille** *waist*

Amadou et Mariam

Lieu de naissance: Bamako, Mali
Métier: musiciens-interprètes

Les deux musiciens sont aveugles (*blind*) et se sont rencontrés dans un institut pour jeunes aveugles. Ils se sont mariés en 1980.

Go to vhlcentral.com to find out more about **Amadou et Mariam**.

---

3 **Complétez** Complétez les phrases.

1. En 2015, les Français dépensent _____ de leur budget sur la mode.
2. _____ est un vêtement traditionnel de Tahiti.
3. Les vêtements Chanel sont _____.
4. C'est Coco Chanel qui a inventé _____.

4 **Un relookage** Vous êtes conseiller/conseillère en image (*image consultant*), spécialisé(e) dans le «relookage». Votre partenaire vous demande de l'aider à sélectionner un nouveau style. Discutez de ce nouveau look avec votre partenaire, puis dévoilez son nouveau style dans une courte vidéo. Postez votre vidéo en ligne et répondez aux commentaires.

A C T I V I T É S

I CAN identify cultural products and practices related to fashion in my own and other cultures.

STRUCTURES

6B.1

Indirect object pronouns 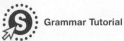 Grammar Tutorial

À noter

In French, *direct* object pronouns follow special rules, which is why you are learning about *indirect* object pronouns first. You will learn about direct object pronouns in **Leçon 7A**.

- An indirect object expresses *to whom* or *for whom* an action is done. An indirect object pronoun replaces an indirect object noun. Look for the preposition **à** followed by a name or noun referring to a person or animal. In the example below, the indirect object answers this question: **À qui parle Gisèle?** (*To whom does Gisèle speak?*)

SUBJECT	VERB	INDIRECT OBJECT NOUN
Gisèle	**parle**	*à sa mère.*
Gisèle	*speaks*	*to her mother.*

Indirect object pronouns

me	*to/for me*	nous	*to/for us*
te	*to/for you*	vous	*to/for you*
lui	*to/for him/her*	leur	*to/for them*

- Indirect object pronouns replace indirect object nouns and the prepositions that precede them.

Gisèle parle **à sa mère**.
Gisèle speaks to her mother.

Gisèle **lui** parle.
Gisèle speaks to her.

J'envoie des cadeaux **à mes nièces**.
I send gifts to my nieces.

Je **leur** envoie des cadeaux.
I send them gifts.

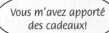

Vous m'avez apporté des cadeaux!

Je te prête ma jupe. D'accord?

Boîte à outils

In French, the indirect object pronouns can *only* refer to animate nouns like people or animals.

- The indirect object pronoun usually precedes the conjugated verb.

Antoine, je **te** parle.
Antoine, I'm speaking to you.

Notre père **nous** a envoyé un poème.
Our father sent us a poem.

- In a negative statement, place the indirect object pronoun between **ne** and the conjugated verb.

Antoine, je **ne te parle** pas de ça.
Antoine, I'm not speaking to you about that.

Notre père **ne nous a** pas envoyé de poème.
Our father didn't send us a poem.

Boîte à outils

When you have a question using inversion, follow the same rules outlined on this page for the placement of the indirect object pronoun.

Lui parles-tu?

Lui as-tu parlé?

Vas-tu lui parler?

- When an infinitive follows a conjugated verb, the indirect object pronoun precedes the infinitive.

Nous allons **lui donner** la cravate.
We're going to give him the tie.

Ils espèrent **vous prêter** le costume.
They hope to lend you the suit.

- In the **passé composé**, the indirect object pronoun comes before the auxiliary verb **avoir**.

Tu **lui** as parlé?
Did you speak to her?

Non, je ne **lui** ai pas parlé.
No, I didn't speak to her.

Verbs used with indirect object pronouns			
demander à	to ask, to request	**parler à**	to speak to
donner à	to give to	**poser une question à**	to pose/ ask a question (to)
envoyer à	to send to	**prêter à**	to lend to
montrer à	to show to	**téléphoner à**	to phone, to call

- The indirect object pronouns **me** and **te** become **m'** and **t'** before a verb beginning with a vowel sound.

Ton petit ami **t'**envoie des e-mails.
Your boyfriend sends you e-mails.

Isabelle **m'**a prêté son sac à main.
Isabelle lent me her handbag.

M'a-t-il acheté ce pull?
Did he buy me this sweater?

Elles ne **t'**ont pas téléphoné hier?
Didn't they call you yesterday?

Disjunctive pronouns

- Disjunctive pronouns can be used alone or in phrases without a verb.

Qui prend du café?
Who's having coffee?

Moi!
Me!

Eux aussi?
Them, too?

- Disjunctive pronouns can also be used to emphasize the person to whom they refer.

Moi, je porte souvent une casquette.
Me, I often wear a cap.

Mon frère, **lui**, il déteste les casquettes.
My brother, him, he hates caps.

- To say *myself, ourselves*, etc., add **-même(s)** after the disjunctive pronoun.

Tu fais ça **toi-même**?
Are you doing that yourself?

Ils organisent la fête **eux-mêmes**.
They're planning the party themselves.

- In the case of a few French verbs and expressions, you do not use the indirect object pronoun although the verb may be followed by **à** and a person or animal. Instead, use the disjunctive pronoun. One such expression is **penser à**.

Il **pense** souvent **à** ses grands-parents, n'est-ce pas?
He often thinks about his grandparents, doesn't he?

DISJUNCTIVE PRONOUN
Oui, il **pense** souvent **à** eux.
Yes, he often thinks about them.

À noter

In **Leçon 3B**, you learned to use disjunctive pronouns (**moi, toi, lui, elle, nous, vous, eux, elles**) after prepositions: **J'ai une écharpe pour ton frère/ pour lui**. (*I have a scarf for your brother/for him.*)

Essayez! Complétez les phrases avec le pronom d'objet indirect approprié.

1. Tu ___nous___ montres tes photos? (*us*)
2. Luc, je _____ donne ma nouvelle adresse. (*you, fam.*)
3. Vous _____ posez de bonnes questions. (*me*)
4. Nous _____ avons demandé. (*them*)
5. On _____ achète une nouvelle robe. (*you, form.*)
6. Ses parents _____ ont acheté un tailleur. (*her*)
7. Je vais _____ téléphoner à dix heures. (*him*)
8. Elle va _____ prêter sa jupe. (*me*)
9. Je _____ envoie des vêtements. (*you, plural*)
10. Est-ce que tu _____ as apporté ces chaussures? (*them*)
11. Il ne _____ donne pas son anorak? (*you, fam.*)
12. Nous ne _____ parlons pas! (*them*)

deux cent trente et un 231

STRUCTURES

Mise en pratique

1 **Complétez** Corinne fait du shopping avec sa copine Célia. Trouvez le bon pronom d'objet indirect ou disjonctif pour compléter ses phrases.

1. Je _____ achète des baskets. (à mes cousins)

2. Je _____ prends une ceinture. (à toi, Célia)

3. Nous _____ achetons une jupe. (à notre copine Christelle)

4. Célia _____ prend des lunettes de soleil. (à ma mère et à moi)

5. Je _____ achète des gants. (à ta mère et à toi, Célia)

6. Célia _____ achète un pantalon. (à moi)

7. Et, c'est l'annversaire de Magalie demain. Tu penses à _____, j'espère! (à Magalie)

2 **Dialogues** Complétez les dialogues.

1. **M. SAUNIER** Tu m'as posé une question, chérie?

   MME SAUNIER Oui. Je _____ ai demandé l'heure.

2. **CLIENT** Je cherche un beau pull.

   VENDEUSE Je vais _____ montrer ce pull noir.

3. **VALÉRIE** Tu as l'air triste. Tu penses à ton petit ami?

   MÉGHANE Oui, je pense à _____.

4. **PROF 1** Mes étudiants ont passé l'examen.

   PROF 2 Tu _____ envoies les résultats?

5. **MÈRE** Qu'est-ce que vous allez faire?

   ENFANTS On va aller au cinéma. Tu _____ donnes de l'argent?

6. **PIERRE** Tu _____ téléphones ce soir?

   CHARLOTTE D'accord. Je te téléphone.

7. **GÉRARD** Christophe a oublié son pull. Il a froid!

   VALENTIN Je _____ prête mon blouson.

8. **MÈRE** Tu ne penses pas à Théo et Sophie?

   PÈRE Mais si, je pense souvent à _____.

3 **Qu'allez-vous faire?** Dites ce que vous allez faire dans ces situations. Employez les verbes de la liste.

MODÈLE

Un ami a soif.
On va lui donner de l'eau.

acheter	donner	montrer	préparer
apporter	envoyer	parler	prêter
demander	faire	poser des questions	téléphoner

1. Une personne âgée a froid.

2. Des touristes sont perdus (*lost*).

3. Un homme est sans abri (*homeless*).

4. Votre tante est à l'hôpital.

5. Des amis vous invitent à manger chez eux.

6. Vos nièces ont faim.

Communication

4 **Comparez** Avec un(e) partenaire, assemblez les éléments pour comparer vos familles et vos amis. Ensuite, partagez vos comparaisons avec la classe.

MODÈLE

Étudiant(e) 1: *Mon père me prête souvent sa voiture.*
Étudiant(e) 2: *Mon père, lui, il nous prête de l'argent.*

A	B	C
je	acheter	argent
tu	apporter	biscuits
mon père	envoyer	cadeaux
ma mère	expliquer	devoirs
mon frère	faire	e-mails
ma sœur	montrer	problèmes
mon/ma	parler	vêtements
petit(e) ami(e)	payer	voiture
mes copains	prêter	?
?	?	

5 **Les cadeaux de l'année dernière** Par groupes de trois, parlez des cadeaux que vous avez achetés à votre famille et à vos amis l'année dernière. Que vous ont-ils acheté? Présentez vos réponses à la classe.

MODÈLE

Étudiant(e) 1: *Qu'est-ce que tu as acheté à ta mère?*
Étudiant(e) 2: *Je lui ai acheté un ordinateur.*
Étudiant(e) 3: *Ma copine Dominique m'a donné une montre.*

6 **Il fait froid!** Par groupes de trois, jouez les rôles de deux client(e)s et d'un(e) vendeur/vendeuse. Les client(e)s cherchent des vêtements pour l'hiver. Ils parlent de ce qu'ils (*what they*) cherchent et le/la vendeur/vendeuse leur fait des suggestions.

7 **Aux Galeries Lafayette** Vous passez un mois à Paris et aujourd'hui, vous faites les magasins pour trouver des cadeaux pour votre famille et pour vos amis. Par groupes de quatre, jouez la scène. Suggérez des articles pour certaines personnes et discutez ensemble. Utilisez des pronoms d'objet indirects dans votre conversation.

I CAN avoid repetition when discussing previously mentioned people and animals.

6B.2 Regular and irregular -re verbs Grammar Tutorial

Point de départ You've already seen infinitives that end in **-er** and **-ir**. The infinitive forms of a third group of French verbs end in **-re**.

- Many **-re** verbs, such as **attendre** (*to wait*), follow a regular pattern of conjugation, as shown below.

attendre	
j'attends	nous attendons
tu attends	vous attendez
il/elle/on attend	ils/elles attendent

Tu **attends** devant le café?
Are you waiting in front of the café?

Nous **attendons** dans le magasin.
We're waiting in the store.

Où **attendez**-vous?
Where are you waiting?

Il faut **attendre** dans la bibliothèque.
One must wait in the library.

- The verb **attendre** means *to wait* or *to wait for*. Unlike English, it does not require a preposition.

Marc **attend** le bus.
Marc is waiting for the bus.

Ils **attendent** Robert.
They're waiting for Robert.

Il **attend** ses parents à l'école.
He's waiting for his parents at school.

J'**attends** les soldes.
I'm waiting for a sale.

Other regular -re verbs			
descendre	to go down; to take down	rendre (à)	to give back, to return (to)
entendre	to hear	rendre visite (à)	to visit someone
perdre (son temps)	to waste (one's time)	répondre (à)	to respond, to answer (to)
		vendre	to sell

- To form the past participle of regular **-re** verbs, drop the **-re** from the infinitive and add **-u**.

Les étudiants ont **vendu** leurs livres.
The students sold their books.

Il a **entendu** arriver la voiture de sa femme.
He heard his wife's car arrive.

J'ai **répondu** à ton e-mail.
I answered your e-mail.

Nous avons **perdu** patience.
We lost patience.

- **Rendre visite à** means *to visit a person*, while **visiter** means *to visit a place*.

Tu **rends visite à ta grand-mère** le lundi.
You visit your grandmother on Mondays.

Cécile va **visiter le musée** aujourd'hui.
Cécile is going to visit the museum today.

Avez-vous **rendu visite à vos cousins**?
Did you visit your cousins?

Nous **avons visité Rome** l'année dernière.
We visited Rome last year.

- Some verbs whose infinitives end in **-re** are irregular.

Irregular -re verbs

	conduire *(to drive)*	mettre *(to put (on))*	rire *(to laugh)*
je	conduis	mets	ris
tu	conduis	mets	ris
il/elle/on	conduit	met	rit
nous	conduisons	mettons	rions
vous	conduisez	mettez	riez
ils/elles	conduisent	mettent	rient

Je **conduis** la voiture.
I'm driving the car.

Thérèse **met** ses gants.
Thérèse puts on her gloves.

Elles **rient** pendant le spectacle.
They laugh during the show.

Other irregular -re verbs

like *conduire*		like *mettre*	
construire	to build, to construct	permettre	to allow
détruire	to destroy	promettre	to promise
produire	to produce	**like *rire***	
réduire	to reduce		
traduire	to translate	sourire	to smile

- The past participle of the verb **mettre** is **mis**. Verbs derived from **mettre** (**permettre**, **promettre**) follow the same pattern: **permis**, **promis**.

  Où est-ce que tu **as mis** mes lunettes de soleil?
  Where did you put my sunglasses?

  Je lui **ai promis** de faire la cuisine.
  I promised her that I'd cook.

- The past participle of **conduire** is **conduit**. Verbs like it follow the same pattern: **construire → construit; détruire → détruit; produire → produit; réduire → réduit; traduire → traduit.**

- The past participle of **rire** is **ri**. The past participle of **sourire** is **souri**.

Boîte à outils

The French verbs **permettre** and **promettre** are followed by the preposition **à** and an indirect object to express *to allow someone* or *to promise someone*: **permettre à quelqu'un** and **promettre à quelqu'un**.

Leur avez-vous permis de commencer à dix heures?
Did you allow them to start at 10 o'clock?

Je lui promets de ne pas partir.
I promise him I won't leave.

Essayez! Complétez les phrases avec la forme correcte du présent du verbe.

1. Ils _attendent_ (attendre) l'arrivée du train.

2. Nous _____ (répondre) aux questions du professeur.

3. Je _____ (sourire) quand je suis heureuse.

4. Si on _____ (construire) trop, on _____ (détruire) la nature.

5. Quand il fait froid, vous _____ (mettre) un pull.

6. Est-ce que les étudiants _____ (entendre) le professeur?

7. Keiko _____ (conduire) sa voiture ce week-end.

8. Si le café n'est pas bon, je _____ (mettre) du sucre (*sugar*).

STRUCTURES

Mise en pratique

1 **Qui fait quoi?** Quelles phrases vont avec les illustrations?

1.   2.   3.   4.

_____ a. Martin attend ses copains.

_____ b. Nous rendons visite à notre grand-mère.

_____ c. Vous vendez de jolis vêtements.

_____ d. Je ris en regardant un film.

2 **Les clients difficiles** Henri et Gilbert travaillent pour un grand magasin. Complétez leur conversation.

GILBERT Tu n'as pas encore mangé?

HENRI Non, j' (1) _____ (attendre) Jean-Michel.

GILBERT Il ne (2) _____ (descendre) pas tout de suite. Il (3) _____ (perdre) son temps avec un client difficile. Il (4) _____ (mettre) des cravates, des costumes, des chaussures...

HENRI Nous ne (5) _____ (vendre) pas souvent à des clients comme ça.

GILBERT C'est vrai. Ils (6) _____ (promettre) d'acheter quelque chose, puis ils partent les mains vides (*empty*).

3 **Au centre commercial** Daniel et ses copains ont passé (*spent*) la journée au centre commercial hier. Utilisez les éléments donnés pour faire des phrases complètes. Ajoutez d'autres éléments nécessaires.

1. Omar et moi / conduire / centre commercial
2. Guillaume / attendre / dix minutes / devant / cinéma
3. Hervé et Thérèse / vendre / pulls
4. Lise / perdre / sac à main
5. tu / mettre / robe / bleu
6. Sandrine et toi / ne pas répondre / vendeur

4 **La journée de Béatrice** Hier, Béatrice a fait une liste des choses à faire. Utilisez les verbes de la liste au passé composé pour dire (*to say*) tout ce qu'elle a fait.

attendre	mettre
conduire	rendre visite
entendre	traduire

1. *devoir d'espagnol*   4. *tante Albertine*

2. *mon nouveau CD*   5. *gants dans mon sac*

3. *e-mail de Sébastien*   6. *vieille voiture*

Communication

5 **Fréquence** Employez les verbes de la liste et d'autres verbes pour dire
(*to tell*) à un(e) partenaire ce que (*what*) vous faites tous les jours, une fois par
mois et une fois par an. Alternez les rôles et prenez des notes. Ensuite, expliquez
les habitudes de votre partenaire à la classe.

MODÈLE

Étudiant(e) 1: *J'attends mes copains au resto U tous les jours.*
Étudiant(e) 2: *Moi, je rends visite à mes grands-parents tous les jours.*

attendre	entendre	perdre	répondre
conduire	mettre	rendre	sourire

6 **Les charades** Par groupes de quatre, jouez aux charades. Chaque
étudiant(e) pense à une phrase différente avec un des verbes en **-re**. La première
personne qui devine (*guesses*) propose la prochaine charade.

7 **Questions personnelles** Avec un(e) partenaire, posez-vous ces questions
à tour de rôle. Ensuite, partagez les réponses les plus intéressantes de votre
partenaire avec la classe.

1. Réponds-tu tout de suite (*immediately*) à tes e-mails?
2. As-tu promis à tes parents de faire quelque chose? Quoi?
3. Que mets-tu quand tu vas à un mariage? Pour aller à l'école?
   Pour sortir avec des copains?
4. Tes parents te permettent-ils de sortir tard pendant la semaine?
5. Conduis-tu la voiture de tes parents? Comment conduis-tu?
6. À qui rends-tu visite pendant les vacances?
7. Quelle est la dernière fois que tu as beaucoup ri? Avec qui?
8. As-tu déjà vendu quelque chose sur Internet? Quoi?

8 **La journée des vendeuses** Votre professeur va vous donner, à vous et
à votre partenaire, une série d'illustrations qui montrent la journée d'Aude et
d'Aurélie. Attention! Ne regardez pas la feuille de votre partenaire.

MODÈLE

Étudiant(e) 1: *Le matin, elles ont conduit pour aller au magasin.*
Étudiant(e) 2: *Après,...*

I CAN talk about driving, waiting, laughing, and other common actions.

Révision

1 Je leur téléphone
Par groupes de quatre, préparez dix questions avec un verbe et une personne de la liste, puis interviewez vos camarades. Partagez leurs réponses avec la classe.

MODÈLE

Étudiant(e) 1: *Est-ce que tu parles souvent à ton frère?*
Étudiant(e) 2: *Oui, je lui parle le lundi.*

verbes	personnes
donner un cadeau	copain ou copine d'enfance
envoyer une carte/un e-mail	cousin ou cousine
parler	grands-parents
rendre visite	petit(e) ami(e)
téléphoner	sœur ou frère

2 Mes e-mails
Ces personnes vous envoient des e-mails. Que faites-vous? Vous ne répondez pas, vous attendez quelques jours, vous leur téléphonez? Par groupes de trois, comparez vos réponses et partagez vos réactions avec la classe.

MODÈLE

Étudiant(e) 1: *Ma mère m'envoie un e-mail tous les jours.*
Étudiant(e) 2: *Tu lui réponds tout de suite?*
Étudiant(e) 3: *Tu préfères lui téléphoner?*

1. un e-mail anonyme
2. un e-mail d'un(e) camarade de classe
3. un e-mail d'un professeur
4. un e-mail d'un(e) ami(e) d'enfance
5. un e-mail d'un(e) ex-petit(e) ami(e)
6. un e-mail de vos parents

3 Une liste
Des membres de votre famille ou des amis vous ont donné ou acheté des vêtements que vous n'aimez pas du tout. Faites une liste de quatre ou cinq de ces vêtements. Comparez votre liste à la liste d'un(e) camarade.

MODÈLE

Étudiant(e) 1: *Ma sœur m'a donné une écharpe verte très laide et mon père m'a acheté des chaussettes marron trop petites!*
Étudiant(e) 2: *L'année dernière, mon petit ami m'a donné...*

4 Quoi mettre?
Vous et votre partenaire allez faire des choses différentes: l'un(e) va fêter la retraite de ses grands-parents à Tahiti, l'autre va skier dans les Alpes. Qu'allez-vous porter? Demandez des vêtements à votre partenaire si vous n'aimez pas tous les vêtements de votre ensemble.

MODÈLE

Étudiant(e) 1: *Est-ce que tu me prêtes ton blouson jaune?*
Étudiant(e) 2: *Ah non, j'ai besoin de ce blouson. Tu me prêtes ton pantalon?*

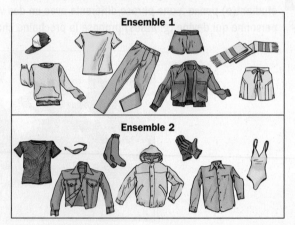

Ensemble 1

Ensemble 2

5 S'il te plaît
Votre ami(e) a acheté un nouveau vêtement que vous aimez beaucoup. Vous essayez de convaincre (*to convince*) cet(te) ami(e) de vous prêter ce vêtement. Préparez un dialogue avec un(e) partenaire où vous employez tous les verbes. Jouez la scène pour la classe.

aller avec	montrer
aller bien	prêter
donner	promettre
mettre	rendre

6 Bon anniversaire, Nicolas!
Votre professeur va vous donner, à vous et à votre partenaire, deux feuilles d'activités différentes. Attention! Ne regardez pas la feuille de votre partenaire.

MODÈLE

Étudiant(e) 1: *Les amis de Nicolas lui téléphonent.*
Étudiant(e) 2: *Ensuite,...*

Écriture

STRATÉGIE

How to report an interview

There are several ways to prepare a written report
about an interview. For example, you can transcribe
the interview verbatim, or you can summarize
it. In any event, the report should begin with an
interesting title and a brief introduction including
the five W's (*who, what, when, where, why*) and
the H (*how*) of the interview. The report should end
with an interesting conclusion. Note that when you
transcribe a conversation in French, you should pay
careful attention to format and punctuation.

Écrire une conversation en français

- Pour indiquer qui parle dans une conversation,
  on peut mettre le nom de la personne qui parle
  devant sa phrase.

  MONIQUE Lucie, qu'est-ce que tu vas mettre pour
  l'anniversaire de Jean-Louis?

  LUCIE Je vais mettre ma robe en soie bleue à
  manches courtes. Et toi, tu vas mettre quoi?

  MONIQUE Eh bien, une jupe en coton et un
  chemisier, je pense. Ou peut-être mon pantalon
  en cuir avec... Tiens, tu me prêtes ta chemise jaune
  et blanche?

  LUCIE Oui, si tu me la rends (*return it to me*)
  dimanche. Elle va avec le pantalon que je vais
  porter la semaine prochaine.

- On peut aussi commencer les phrases avec des
  tirets (*dashes*) pour indiquer quand une nouvelle
  personne parle.

— Qu'est-ce que tu as acheté comme cadeau pour
Jean-Louis?

— Une cravate noire et violette. Elle est très jolie.
Et toi?

— Je n'ai pas encore acheté son cadeau. Des
lunettes de soleil peut-être?

— Oui, c'est une bonne idée! Et il y a des soldes à
Saint-Louis Lunettes.

Thème

Écrire une interview

Adama Paris est une styliste de mode sénégalaise. Elle va
présenter sa nouvelle collection sur votre campus. Vous allez
l'interviewer pour le journal de votre université.

- Commencez par une courte introduction.

  MODÈLE *Voici une interview d'Adama Paris,
  une styliste de mode sénégalaise.*

- Préparez une liste de questions à poser à Adama Paris sur sa
  nouvelle collection. Vous pouvez (*can*) poser des questions sur:

  - les types de vêtements
  - les couleurs
  - le style
  - les prix

- Inventez une conversation de 10 à 12 lignes entre vous et
  Adama. Indiquez qui parle, avec des tirets ou avec les
  noms des personnes.

- Terminez par une brève (*brief*) conclusion.

  MODÈLE *On vend la collection d'Adama Paris à Fun Clothes
  à côté de l'université. Cette semaine, il y a des soldes!*

I CAN report an interview.

Panorama

L'Afrique de l'Ouest

L'Afrique de l'Ouest est composée de plusieurs° pays dans le nord-ouest du continent africain. La région est habitée par une pluralité de groupes ethniques, qui ont leurs propres langues et traditions culturelles.

Au 15e siècle°, les Européens établissent° le commerce avec les communautés de la côte°, et les Portugais sont les premiers à ramener° des esclaves° africains en Europe. Le commerce des esclaves s'agrandit° avec la colonisation des Amériques par les Européens.

En 1879, les pouvoirs° européens se répartissent° l'Afrique entre eux et établissent des régimes coloniaux, malgré° une résistance locale féroce. Les nouvelles frontières° des pays° ignorent les délimitations historiques et ethniques du continent.

L'indépendance arrive à partir de 1958, mais les effets de la colonisation fragilisent la région. Aujourd'hui, les grandes villes de l'Afrique de l'Ouest sont parmi° les plus multiculturelles du monde, avec des populations mêlant° des populations aux ethnicités, langues et cultures diverses.

Personnages célèbres

▶ **Léopold Sédar Senghor**, Sénégal, poète, écrivain et homme politique (1906–2001)

▶ **Angélique Kidjo**, Bénin, chanteuse (1960–)

▶ **Didier Drogba**, Côte d'Ivoire, footballeur (1978–)

plusieurs several **siècle** century **établissent** establish **côte** coast **ramener** bring back **esclaves** slaves **s'agrandit** expands **pouvoirs** powers **répartissent** divide **malgré** despite **frontières** borders **pays** countries **parmi** among **mêlant** blending

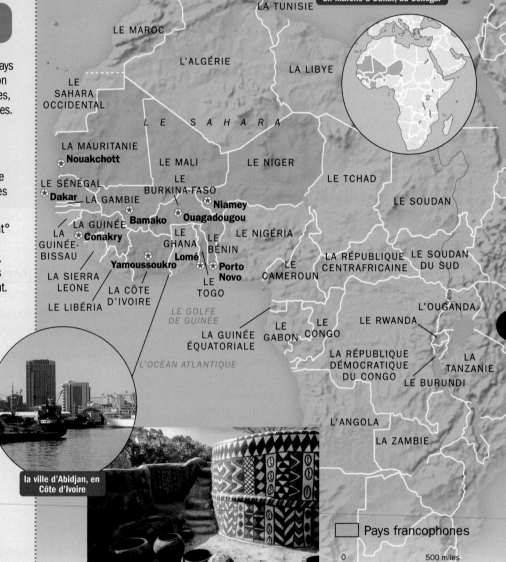

un marché à Dakar, au Sénégal

la ville d'Abidjan, en Côte d'Ivoire

Tiébélé, Burkina Faso

Pays francophones

0   500 miles

0   500 kilomètres

---

1 **Les informations** Complétez les phrases.

1. L'Afrique de l'Ouest est habitée par une pluralité de _____.

2. En 1879, les Européens se répartissent l'Afrique entre eux et établissent des _____.

3. Les grandes villes en Afrique de l'Ouest aujourd'hui sont parmi les plus _____ du monde.

4. _____ est un écrivain et homme politique sénégalais.

2 **Assimilez** Répondez aux questions.

1. Que connaissez-vous (*do you know*) déjà des cultures de l'Afrique de l'Ouest?

2. Quels pouvoirs européens ont colonisé l'Afrique de l'Ouest? Quel est le rôle des Européens en Afrique aujourd'hui?

3. Quel est le rôle de la langue française dans la région aujourd'hui? Cherchez des informations en ligne.

4. Est-ce que votre pays a été colonisé? Est-ce que votre pays a colonisé d'autres pays? Quels sont les effets de la colonisation?

Les traditions
Le tissu bogolan du Mali

⊙ La musique
Le reggae ivoirien

Le bogolan est une tradition originaire du Mali, du Burkina Faso et de Guinée. En bambara, une langue du Mali, bogo signifie «terre°» et lan, «avec». Ce tissu° en coton est fait à la main° et teint° deux fois, suivant une technique fascinante qui demande beaucoup de temps. En premier, le tissu est trempé° dans une teinture° faite avec des feuilles d'arbre écrasées° et bouillies dans de l'eau. Cela lui donne une couleur jaunâtre°. Ensuite, des motifs décoratifs sont peints° avec une préparation à base de terre. Cette terre est récoltée dans les rivières° et a besoin d'être fermentée pendant plusieurs mois avant de pouvoir être utilisée. Pour finir, on lave° le tissu, et le jaune des parties qui n'ont pas été teintes à la terre disparaît°.

La Côte d'Ivoire est un des pays d'Afrique où le reggae africain est le plus développé°. Ce type de reggae se distingue du reggae jamaïcain par les instruments de musique utilisés et les thèmes abordés°. En effet, les musiciens ivoiriens utilisent beaucoup

Alpha Blondy

d'instruments traditionnels d'Afrique de l'Ouest dans leurs musiques et les thèmes de leurs chansons° sont souvent très politiques. Alpha Blondy, par exemple, un chanteur célèbre dans le monde entier, fait des commentaires sociopolitiques dans beaucoup de ses chansons. Le chanteur Tiken Jah Fakoly critique souvent la politique occidentale et les gouvernants africains, et Ismaël Isaac dénonce les ventes d'armes° dans le monde. Le reggae ivoirien est chanté en français, en anglais et dans des langues africaines.

Les gens
Bineta Diop, la «vice-présidente» des femmes (Sénégal) (1950–)

Les arts
Le FESPACO

Bineta Diop a appris de sa mère, Maréma Lo, une militante féministe pour le parti de Léopold Sédar Senghor au Sénégal, l'importance de la cause féminine, et elle dédie sa vie professionnelle à cette cause. En 1996, elle fonde une ONG° à Genève, Femmes Africa Solidarité, pour essayer d'encourager la solidarité entre femmes. Avec l'aide d'importantes avocates africaines, elle crée aussi un protocole pour les droits° de la femme qui naîtra° au Mozambique en 2003. Depuis janvier 2014, elle est l'envoyée spéciale pour les femmes, la paix et la sécurité à la Commission de l'Union Africaine, l'organisation principale des pays d'Afrique. Pas étonnant donc que le magazine *Time* la° nomme en 2011 l'une des cent personnalités les plus influentes au monde°!

Le FESPACO (Festival panafricain du cinéma et de la télévision à Ouagadougou), créé en 1969 pour favoriser la promotion du cinéma africain, est le plus grand° festival de cinéma africain du monde, et c'est un événement culturel important en Afrique. Il a lieu au Burkina Faso tous les deux ans. Vingt films et vingt courts métrages° africains sont présentés en compétition officielle. Le FESPACO est aussi une fête très populaire, avec une cérémonie d'ouverture à laquelle assistent 40.000 spectateurs et des stars de la musique africaine. Ces dernières années, le festival s'est maintenu malgré° des difficultés politiques dans le pays et la menace° du virus Ebola. Il s'est aussi modernisé, avec par exemple, l'entrée en compétition de films numériques.

INCROYABLE MAIS VRAI!

La capitale du Bénin, Porto Novo, est connue comme° la «Ville aux trois noms». En effet°, elle est aussi appelée Adjatche, dans la langue Yoruba, et Hogbonou, dans la langue Goun. L'utilisation de ces trois noms différents reflète le côté° multiculturel de la ville.

terre *dirt* tissu *fabric* fait à la main *handmade* teint *dyed* trempé *soaked* teinture *dye* feuilles d'arbre écrasées *crushed tree leaves* jaunâtre *yellowish* peints *painted* rivières *rivers* lave *washes* disparaît *disappears* le plus développé *the most developed* abordés *dealt with* chansons *songs* ventes d'armes *arms trade* ONG *NGO* droits *rights* naîtra *will be born* la *her* personnalités les plus influentes au monde *most influential personalities in the world* le plus grand *the largest* courts métrages *short films* malgré *despite* menace *threat* connue comme *known as* En effet *Indeed* côté *aspect*

---

3 **Vous avez compris?** Répondez aux questions.

1. Qu'est-ce que c'est, le bogolan du Mali?
2. Qu'est-ce qui distingue le reggae de Côte d'Ivoire du reggae jamaïcain?
3. Bineta Diop dédie sa vie professionnelle à quelle cause?
4. Pourquoi est-ce que le FESPACO a été créé?
5. Qu'est-ce qui distingue Porto Novo, la capitale du Bénin?

4 **Examinez** Par groupes de trois, cherchez un site naturel dans l'un des pays francophones de l'Afrique de l'Ouest et présentez-le à la classe. Où ce site est-il localisé? Quel est son histoire? Pourquoi est-il important? Quelles attitudes révèle-t-il sur les cultures, les climats, les traditions, les langues et l'histoire de la région?

A C T I V I T É S

I CAN identify cultural products and practices of Western Africa and reflect on attitudes around them.

Video

SAVOIR-FAIRE

Communicative Goal Identify and reflect on cultural products and practices of Central Africa

Panorama

L'Afrique centrale

L'Afrique centrale est une région située au cœur° du continent africain. Son climat est chaud et pluvieux°, et il y a des forêts tropicales°. La région exporte de l'huile, de l'or°, des diamants et du charbon°.

Les premières sociétés établies° dans la région vers 3000 av. J.-C. sont composées de différents groupes ethniques parlant une pluralité de langues, qui viennent en majorité du groupe bantu.

En 1483, les Européens arrivent dans la région et exploitent la population pour faire le commerce des esclaves°. Après l'abolition de l'esclavage, les pouvoirs continuent leur exploitation pour l'ivoire, le cuivre° et le caoutchouc°. Ils établissent des colonies, des plantations et des mines. Comme en Afrique de l'Ouest, les frontières° établies par les Européens ne reflètent pas les divisions historiques et ethniques de la région.

L'époque° coloniale en Afrique centrale se termine° en 1960. Aujourd'hui, l'état économique et sociale de la région est difficile, mais au cours des dernières années, on a constaté des progrès dans la gouvernance des pays, ainsi que dans l'éducation et la santé°.

Personnages célèbres

▶ **Françoise Mbango-Etone**, Cameroun, athlète olympique (1976–)

▶ **Sonia Rolland**, Rwanda, actrice et réalisatrice (1981–)

▶ **Samuel Eto'o**, Cameroun, footballeur (1981–)

cœur heart **pluvieux** rainy **forêts tropicales** rainforests **l'or** gold **charbon** coal **établies** established **esclaves** slaves **cuivre** copper **caoutchouc** rubber **frontières** borders **L'époque** era **se termine** ends **santé** health

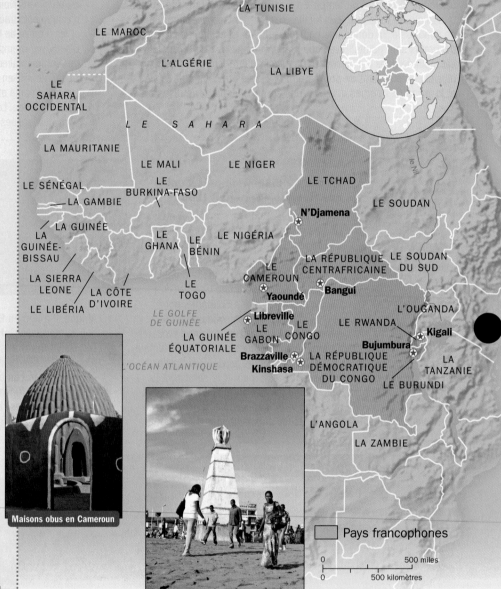

LA TUNISIE
LE MAROC
L'ALGÉRIE
LA LIBYE
LE SAHARA OCCIDENTAL
LE SAHARA
LA MAURITANIE
LE MALI
LE NIGER
LE TCHAD
LE SÉNÉGAL
LE BURKINA-FASO
LE SOUDAN
LA GAMBIE
N'Djamena
LA GUINÉE
LA GUINÉE-BISSAU
LE GHANA
LE BÉNIN
LE NIGÉRIA
LA RÉPUBLIQUE CENTRAFRICAINE
LE SOUDAN DU SUD
LA SIERRA LEONE
LE CAMEROUN
LA CÔTE D'IVOIRE
LE TOGO
Yaoundé
Bangui
LE LIBÉRIA
LE GOLFE DE GUINÉE
Libreville
L'OUGANDA
LA GUINÉE ÉQUATORIALE
LE GABON
LE CONGO
LE RWANDA
Kigali
L'OCÉAN ATLANTIQUE
Brazzaville
Kinshasa
Bujumbura
LA RÉPUBLIQUE DÉMOCRATIQUE DU CONGO
LA TANZANIE
LE BURUNDI
L'ANGOLA
LA ZAMBIE

le Nil

□ Pays francophones

0 ⸻ 500 miles
0 ⸻ 500 kilomètres

Maisons obus en Cameroun

la place des Artistes à Kinshasa

A C T I V I T É S		

1 **Les informations** Complétez les phrases.

1. Le climat de l'Afrique centrale est _____.
2. Les _____ établies par les Européens ne reflètent pas les divisions historiques et ethniques de la région.
3. Aujourd'hui, la croissance _____ de la région est difficile.
4. Au cours des dernières années on voit du progrès dans les domaines du _____.

2 **Assimilez** Répondez aux questions.

1. Comment sont les relations entre les différentes communautés et ethnicités de votre pays? Comment l'histoire d'un pays influence-t-elle les relations parmi ses habitants?
2. Est-ce que votre communauté ou votre pays a expérimenté (*experienced*) de grandes changements sociétaux ou économiques? Quand? Pour quelles raisons?
3. Quels sont les défis (*challenges*) sociétaux ou économiques de votre communauté ou de votre pays aujourd'hui? Quelle est l'origine de ces défis?

Les destinations
Lacs d'Ounianga, Tchad

Au nord-est du Tchad, les lacs d'Ounianga occupent un large site composé de dix-huit lacs interconnectés sur 62.808 hectares. L'originalité de ce site? Ces lacs sont dans le Sahara, une région désertique et très aride, où il ne tombe que° deux millimètres d'eau par an et où l'eau s'évapore° constamment avec la chaleur°. Pourtant°, les lacs ne s'assèchent pas°. Ce phénomène est possible grâce à° une importante nappe d'eau souterraine°. Le contraste entre le désert et les lacs produit une mosaïque de couleurs: le vert des roseaux°, le bleu de l'eau, le brun du sable°... Avec le vent, la végétation ondule° à la surface des lacs, comme de véritables «vagues° d'eau flottant dans le désert».

Les traditions
Les masques du Gabon

Les masques gabonais exposés° aujourd'hui dans les musées européens ont inspiré de grands artistes du vingtième siècle, comme Matisse et Picasso. Pourtant, ces masques ne sont pas à l'origine de simples décorations ou objets d'art. Ce sont des objets rituels, utilisés par les différents groupes ethniques et sociétés initiatiques du Gabon. Chaque° société produit ses propres° masques; ils ont donc des formes très variées. Les masques sont le plus souvent° portés par les hommes, dans des cérémonies et rituels de groupe. Leurs matériaux et apparences sont donc très symboliques. Ils sont surtout faits de bois°, mais aussi de plumes°, de raphia° ou de peaux°, et ils ont des formes anthropomorphiques, zoomorphiques ou abstraites.

Les gens
La SAPE

Costumes de grands couturiers°, couleurs vives°, chaussures de marque°, sophistication et élégance, voici qui résume la SAPE, ou Société des Ambianceurs et des Personnes Élégantes. Ce concept a fait son apparition au début du XXᵉ siècle à Brazzaville, la capitale du Congo. Aujourd'hui, la «sapologie», science de la sape°, est même plus qu'un simple mouvement de mode vestimentaire°. C'est une véritable philosophie de vie qui prône° le respect et la tolérance. En effet, les sapeurs doivent non seulement être impeccablement bien habillés en toute occasion, mais ils doivent aussi avoir un comportement irréprochable° où racisme et violence n'ont pas leur place. Et même si Brazzaville reste la capitale incontestée° de la sape, on trouve aujourd'hui des sapeurs sur tous les continents, et les grandes marques de mode n'hésitent plus à s'inspirer de ce style haut en couleurs.

Les activités sportives
Course de l'espoir°, Cameroun

La course de l'espoir est un événement sportif célèbre au Cameroun. Cette course existe depuis 1973 et a lieu près du Mont Cameroun, dans le sud-ouest du pays. Pendant la course, les participants, hommes et femmes, font l'ascension de ce mont, aller et retour, sur 42 kilomètres. À près de 4.070 mètres, le Mont Cameroun est un des plus hauts° points de la région et un de ses volcans les plus actifs. La course de l'espoir est donc très difficile, parce que c'est une épreuve de vitesse°, d'endurance et d'alpinisme°! Les meilleurs° temps sont d'environ quatre heures trente pour les hommes et d'un peu plus de cinq heures pour les femmes. La course est organisée par la Fédération camerounaise d'athlétisme, en février chaque année, et en 2016, jusqu'à° 512 athlètes ont pris le départ.

⊙ INCROYABLE MAIS VRAI!

Où se trouve le paradis des hippopotames sur Terre°? Dans les rivières° du plus ancien° parc d'Afrique, le parc national des Virunga, en République démocratique du Congo. En plus de° ses 20.000 hippopotames, le parc abrite une biodiversité exceptionnelle due à la variété de ses paysages°, dominés par les deux volcans les plus actifs° du continent.

où il ne tombe que *where it only falls* **s'évapore** *evaporates* **chaleur** *heat* **Pourtant** *However* **ne s'assèchent pas** *don't dry out* **grâce à** *thanks to* **nappe d'eau souterraine** *aquifer* **roseaux** *reeds* **sable** *sand* **ondule** *moves, waves* **vagues** *waves* **exposés** *exhibited* **Chaque** *Each* **propres** *own* **le plus souvent** *most often* **bois** *wood* **plumes** *feathers* **raphia** *raffia* **peaux** *skins* **couturiers** *designers* **vives** *bright* **marque** *brand* **sape** *clothing* **mode vestimentaire** *fashion* **prône** *advocates* **comportement irréprochable** *flawless behavior* **incontestée** *unquestioned* **Course de l'espoir** *Hope race* **des plus hauts** *highest* **épreuve de vitesse** *speed test* **alpinisme** *mountaineering* **Les meilleurs** *The best* **jusqu'à** *up to* **Terre** *Earth* **rivières** *rivers* **plus ancien** *oldest* **En plus de** *On top of* **paysages** *landscapes* **les plus actifs** *the most active*

---

3 **Vous avez compris?** Répondez aux questions.

1. Pour quelles occasions les masques du Gabon sont-ils portés?
2. Expliquez comment la sape est plus qu'un simple mouvement de mode vestimentaire.
3. Pourquoi est-ce que la course de l'espoir est difficile?
4. °Où est le paradis des hippopotames sur Terre?

4 **Cultures** Par groupes de trois, choisissez un des thèmes présentés sur cette page et cherchez des informations complémentaires. Existe-t-il une destination, une tradition, ou une activité sportive similaire dans votre pays ou dans votre communauté? Comparez les attitudes présentes dans votre communauté aux perspectives présentées dans la lecture.

A C T I V I T É S

I CAN identify cultural products and practices of Central Africa and reflect on attitudes around them.

Leçon 6A

Les fêtes

faire la fête *to party*
faire une surprise (à quelqu'un)
to surprise (someone)
fêter *to celebrate*
organiser une fête *to plan a party*
une bière *beer*
un biscuit *cookie*
un bonbon *candy*
le champagne *champagne*
un dessert *dessert*
un gâteau *cake*
la glace *ice cream*
un glaçon *ice cube*
le vin *wine*
un cadeau *present, gift*
une fête *party; celebration*
un hôte/une hôtesse *host(ess)*
un(e) invité(e) *guest*
un jour férié *holiday*
une surprise *surprise*

Périodes de la vie

l'adolescence *(f.)* *adolescence*
l'âge adulte *(m.)* *adulthood*
un divorce *divorce*
l'enfance *(f.)* *childhood*
une étape *stage*
l'état civil *(m.)* *marital status*
la jeunesse *youth*
un mariage *marriage; wedding*
la mort *death*
la naissance *birth*
la vie *life*
la vieillesse *old age*
prendre sa retraite *to retire*
tomber amoureux/amoureuse
to fall in love
avant-hier *the day before yesterday*
hier *yesterday*

Les relations

une amitié *friendship*
un amour *love*
le bonheur *happiness*
un couple *couple*
un(e) fiancé(e) *fiancé; fiancée*
des jeunes mariés *(m.)* *newlyweds*
un rendez-vous *date; appointment*
ensemble *together*

Expressions utiles

See p. 207.

Demonstrative adjectives

ce(t)(te)/ces *this/these; that/those*
...-ci *...here*
...-là *...there*

Leçon 6B

Les vêtements

aller avec *to go with*
porter *to wear*
un anorak *ski jacket, parka*
des baskets *(f.)*
sneakers, tennis shoes
un blouson *jacket*
une casquette *(baseball) cap*
une ceinture *belt*
un chapeau *hat*
une chaussette *sock*
une chaussure *shoe*
une chemise (à manches courtes/
longues) *shirt (short-/long-sleeved)*
un chemisier *blouse*
un costume *(man's) suit*
une cravate *tie*
une écharpe *scarf*
un gant *glove*
un jean *jeans*
une jupe *skirt*
des lunettes (de soleil) *(f.)*
(sun)glasses
un maillot de bain
swimsuit, bathing suit
un manteau *coat*
un pantalon *pants*
un pull *sweater*
une robe *dress*
un sac à main *purse, handbag*
un short *shorts*
un sous-vêtement *underwear*
une taille *clothing size*
un tailleur *(woman's) suit; tailor*
un tee-shirt *tee shirt*
des vêtements *(m.)* *clothing*
des soldes *(m.)* *sales*
un vendeur/une vendeuse
salesman/saleswoman
bon marché *inexpensive*
chaque *each*
cher/chère *expensive*
large *loose; big*
serré(e) *tight*

Les couleurs

De quelle couleur...? *In what color...?*
blanc(he) *white*
bleu(e) *blue*
gris(e) *gray*
jaune *yellow*
marron *brown*
noir(e) *black*
orange *orange*
rose *pink*
rouge *red*
vert(e) *green*
violet(te) *purple; violet*

Expressions utiles

See p. 227.

Verbes en –re

attendre *to wait*
conduire *to drive*
construire *to build; to construct*
descendre *to go down; to take down*
détruire *to destroy*
entendre *to hear*
mettre *to put (on); to place*
perdre (son temps) *to waste*
(one's time)
permettre *to allow*
produire *to produce*
promettre *to promise*
réduire *to reduce*
rendre (à) *to give back; to return (to)*
rendre visite (à) *to visit someone*
répondre (à) *to respond, to answer (to)*
rire *to laugh*
sourire *to smile*
traduire *to translate*
vendre *to sell*

Communicative Goals: Review

I CAN discuss celebrations and stages of life.
• Describe a meaningful celebration you've participated in.

I CAN discuss clothing and fashion.
• Describe what you wore to class last Friday.

I CAN investigate celebrations in francophone cultures.
• Describe a francophone cultural product or practice related to celebrations and compare the perspectives around it to attitudes in your own culture.

En vacances

Communicative Goals

You will learn how to:

- Discuss vacations and travel
- Describe past trips
- Give commands, directions, and suggestions
- Investigate vacations in francophone cultures

Pour commencer

- Indiquez les couleurs qu'on voit (*sees*) sur la photo.
- Quel temps fait-il? C'est quelle saison, à votre avis?
- Où a été prise cette photo? À la plage? À la campagne? À la montagne?
- Avez-vous envie de passer vos vacances ici?

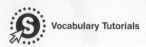

Vocabulary Tutorials

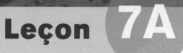

Bon voyage!

Vocabulaire

faire du shopping	*to go shopping*
faire un séjour	*to spend time (somewhere)*
partir en vacances	*to go on vacation*
prendre un train (un taxi, un (auto)bus, un bateau)	*to take a train (taxi, bus, boat)*
rouler en voiture	*to ride in a car*
un aéroport	*airport*
un arrêt d'autobus (de bus)	*bus stop*
un billet aller-retour	*round-trip ticket*
un billet (d'avion, de train)	*(plane/train) ticket*
un (jour de) congé	*day(s) off*
une douane	*customs*
une gare (routière)	*train station (bus station)*
une station (de métro)	*(subway) station*
une station de ski	*ski resort*
un ticket (de bus, de métro)	*(bus/subway) ticket*
des vacances (f.)	*vacation*
un vol	*flight*
à l'étranger	*abroad, overseas*
la campagne	*country(side)*
une capitale	*capital*
un pays	*country*
(en/l') Allemagne (f.)	*(to, in) Germany*
(en/l') Angleterre (f.)	*(to, in) England*
(en/la) Belgique (belge)	*(to, in) Belgium (Belgian)*
(au/le) Brésil (brésilien(ne))	*(to, in) Brazil (Brazilian)*
(en/la) Chine (chinois(e))	*(to, in) China (Chinese)*
(en/l') Espagne (f.)	*(to, in) Spain*
(en/l') Irlande (irlandais(e)) (f.)	*(to, in) Ireland (Irish)*
(en/l') Italie (f.)	*(to, in) Italy*
(au/le) Japon	*(to, in) Japan*
(en/la) Suisse	*(to, in) Switzerland*

une sortie

Il utilise un plan. (utiliser)

le soleil!

la plage

Elle bronze. (bronzer)

la mer

les gens (m.)

Le Figaro

le journal

Mise en pratique

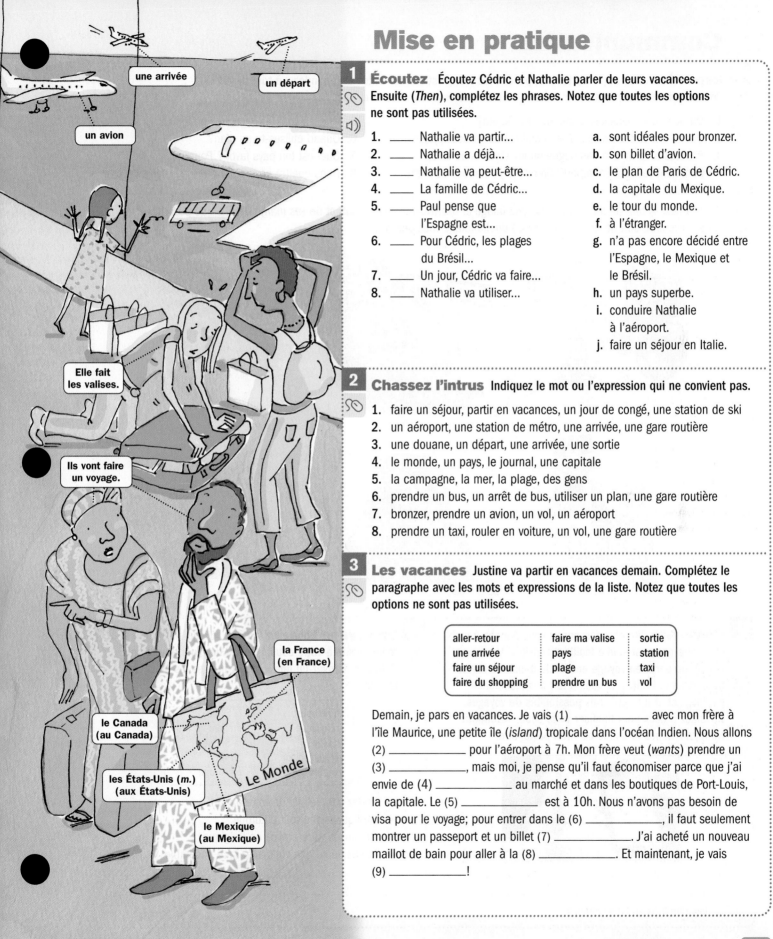

une arrivée

un départ

un avion

Elle fait
les valises.

Ils vont faire
un voyage.

la France
(en France)

le Canada
(au Canada)

les États-Unis (m.)
(aux États-Unis)

le Mexique
(au Mexique)

Le Monde

1 Écoutez Écoutez Cédric et Nathalie parler de leurs vacances. Ensuite (*Then*), complétez les phrases. Notez que toutes les options ne sont pas utilisées.

1. _____ Nathalie va partir...
2. _____ Nathalie a déjà...
3. _____ Nathalie va peut-être...
4. _____ La famille de Cédric...
5. _____ Paul pense que l'Espagne est...
6. _____ Pour Cédric, les plages du Brésil...
7. _____ Un jour, Cédric va faire...
8. _____ Nathalie va utiliser...

a. sont idéales pour bronzer.
b. son billet d'avion.
c. le plan de Paris de Cédric.
d. la capitale du Mexique.
e. le tour du monde.
f. à l'étranger.
g. n'a pas encore décidé entre l'Espagne, le Mexique et le Brésil.
h. un pays superbe.
i. conduire Nathalie à l'aéroport.
j. faire un séjour en Italie.

2 Chassez l'intrus Indiquez le mot ou l'expression qui ne convient pas.

1. faire un séjour, partir en vacances, un jour de congé, une station de ski
2. un aéroport, une station de métro, une arrivée, une gare routière
3. une douane, un départ, une arrivée, une sortie
4. le monde, un pays, le journal, une capitale
5. la campagne, la mer, la plage, des gens
6. prendre un bus, un arrêt de bus, utiliser un plan, une gare routière
7. bronzer, prendre un avion, un vol, un aéroport
8. prendre un taxi, rouler en voiture, un vol, une gare routière

3 Les vacances Justine va partir en vacances demain. Complétez le paragraphe avec les mots et expressions de la liste. Notez que toutes les options ne sont pas utilisées.

aller-retour	faire ma valise	sortie
une arrivée	pays	station
faire un séjour	plage	taxi
faire du shopping	prendre un bus	vol

Demain, je pars en vacances. Je vais (1) _____ avec mon frère à l'île Maurice, une petite île (*island*) tropicale dans l'océan Indien. Nous allons (2) _____ pour l'aéroport à 7h. Mon frère veut (*wants*) prendre un (3) _____, mais moi, je pense qu'il faut économiser parce que j'ai envie de (4) _____ au marché et dans les boutiques de Port-Louis, la capitale. Le (5) _____ est à 10h. Nous n'avons pas besoin de visa pour le voyage; pour entrer dans le (6) _____, il faut seulement montrer un passeport et un billet (7) _____. J'ai acheté un nouveau maillot de bain pour aller à la (8) _____. Et maintenant, je vais (9) _____!

Communication

4 **Répondez** Avec un(e) partenaire, posez-vous les questions suivantes et répondez-y à tour de rôle. Prenez des notes et partagez les détails les plus intéressantes avec la classe.

1. Où pars-tu en vacances cette année? Quand?
2. Quand fais-tu tes valises? Avec combien de valises voyages-tu?
3. Préfères-tu la mer, la campagne ou les stations de ski?
4. Comment vas-tu à l'aéroport? Prends-tu l'autobus? Le métro?

5. Quelles sont tes vacances préférées?
6. Quand utilises-tu un plan?
7. Quel est ton pays favori? Pourquoi?
8. Dans quel(s) pays as-tu envie de voyager?

5 **Décrivez** À tour de rôle, choisissez une image et décrivez-la. Donnez autant de (*as many*) détails que possible. Votre partenaire doit deviner (*must guess*) quelle image vous décrivez.

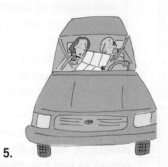

1.   2.   3.

4.   5.   6.

6 **Conversez** Votre professeur va vous donner, à vous et à votre partenaire, une feuille d'activités. Vous avez décidé de partir en voyage ensemble dans une région francophone. L'un(e) de vous a fait des recherches sur Internet et a trouvé trois possibilités de voyages. Travaillez à deux pour finaliser votre choix. Attention! Ne regardez pas la feuille de votre partenaire.

7 **Un voyage** Vous allez faire un voyage en Europe et rendre visite à votre cousin, Jean-Marc, qui étudie en Belgique. Écrivez-lui une lettre et utilisez les mots de la liste.

un aéroport	la France
la Belgique	prendre un taxi
un billet	la Suisse
faire un séjour	un vol
faire les valises	un voyage

- Parlez des détails de votre départ.
- Expliquez votre tour d'Europe.
- Organisez votre arrivée en Belgique.
- Parlez de ce que vous allez faire ensemble.

I CAN describe trips and destinations.

Les sons et les lettres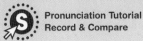

Pronunciation Tutorial
Record & Compare

ch, qu, ph, th, and gn

The letter combination **ch** is usually pronounced like the English *sh*, as in the word *shoe*.

chat	**chien**	**chose**	**enchanté**

In words borrowed from other languages, the pronunciation of **ch** may be irregular. For example, in words of Greek origin, **ch** is pronounced **k**.

psychologie	**technologie**	**archaïque**	**archéologie**

The letter combination **qu** is almost always pronounced like the letter **k**.

quand	**pratiquer**	**kiosque**	**quelle**

The letter combination **ph** is pronounced like an **f**.

téléphone	**photo**	**prophète**	**géographie**

The letter combination **th** is pronounced like the letter **t**. English *th* sounds, as in the words *this* and *with*, never occur in French.

thé	**athlète**	**bibliothèque**	**sympathique**

The letter combination **gn** is pronounced like the sound in the middle of the English word *onion*.

montagne	**espagnol**	**gagner**	**Allemagne**

Prononcez Répétez les mots suivants à voix haute.

1. thé
2. quart
3. chose
4. question
5. cheveux
6. parce que
7. champagne
8. casquette
9. philosophie
10. fréquenter
11. photographie
12. sympathique

Articulez Répétez les phrases suivantes à voix haute.

1. Quentin est martiniquais ou québécois?
2. Quelqu'un explique la question à Joseph.
3. Pourquoi est-ce que Philippe est inquiet?
4. Ignace prend une photo de la montagne.
5. Monique fréquente un café en Belgique.
6. Théo étudie la physique.

Dictons Répétez les dictons à voix haute.

La vache la première au pré lèche la rosée.[1]

N'éveillez pas le chat qui dort.[2]

[1] The early bird gets the worm. (lit. *The first cow at the pasture licks the dew.*)

[2] Let sleeping dogs lie. (lit. *Don't wake a sleeping cat.*)

ROMAN-PHOTO

De retour au P'tit Bistrot

 Video: *Roman-photo*
Record & Compare

PERSONNAGES

David

Rachid

Sandrine

Stéphane

À la gare...

RACHID Tu as fait bon voyage?

DAVID Salut! Excellent, merci.

RACHID Tu es parti pour Paris avec une valise et te voici avec ces énormes sacs en plus!

DAVID Mes parents et moi sommes allés aux Galeries Lafayette. On a acheté des vêtements et des trucs pour l'appartement aussi.

RACHID Ah ouais?

DAVID Mes parents sont arrivés des États-Unis jeudi soir. Ils ont pris une chambre dans un bel hôtel, tout près de la tour Eiffel.

RACHID Génial!

DAVID Moi, je suis arrivé à la gare vendredi soir. Et nous sommes allés dîner dans une excellente brasserie. Mmm!

DAVID Samedi, on a pris un bateau-mouche sur la Seine. J'ai visité un musée différent chaque jour: le musée du Louvre, le musée d'Orsay...

RACHID En résumé, tu as passé de bonnes vacances dans la capitale... Bon, on y va?

DAVID Ah, euh, oui, allons-y!

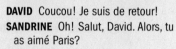

STÉPHANE Pour moi, les vacances idéales, c'est un voyage à Tahiti. Ahhh... la plage, et moi en maillot de bain avec des lunettes de soleil... et les filles en bikini!

DAVID Au fait, je n'ai pas oublié ton anniversaire.

STÉPHANE Ouah! Super, ces lunettes de soleil! Merci, David, c'est gentil.

DAVID Désolé de ne pas avoir été là pour ton anniversaire, Stéphane. Alors, ils t'ont fait la surprise?

STÉPHANE Oui, et quelle belle surprise! J'ai reçu des cadeaux trop cool. Et le gâteau de Sandrine, je l'ai adoré.

DAVID Ah, Sandrine... elle est adorable... Euh, Stéphane, tu m'excuses une minute?

DAVID Coucou! Je suis de retour!

SANDRINE Oh! Salut, David. Alors, tu as aimé Paris?

DAVID Oui! J'ai fait plein de choses... de vraies petites vacances! On a fait...

ACTIVITÉS

1 **Les événements** Mettez les événements suivants dans l'ordre chronologique.

_____ a. Stéphane parle de son anniversaire.

_____ b. Sandrine va faire une réservation.

_____ c. David parle de son voyage à Paris.

_____ d. Stéphane décrit (*describes*) ses vacances idéales.

_____ e. Sandrine pense à ses vacances d'hiver.

2 **Compréhension** Répondez aux questions suivantes.

1. David est parti pour Paris avec combien de valises? À son retour (*Upon his return*), est-ce qu'il a le même nombre de bagages?

2. Qu'est-ce que David a fait pendant ses vacances?

3. Qu'est-ce que David donne à Stéphane comme cadeau d'anniversaire? Stéphane aime-t-il le cadeau?

4. Qu'est-ce que Sandrine va faire pendant ses vacances d'hiver?

David parle de ses vacances.

STÉPHANE Alors, ces vacances? Tu as fait un bon séjour?

DAVID Oui, formidable!

STÉPHANE Alors, vous êtes restés combien de temps à Paris?

DAVID Quatre jours. Ce n'est pas très long, mais on a visité pas mal d'endroits.

STÉPHANE Comment est-ce que vous avez visité la ville? En voiture?

DAVID En voiture!? Tu es fou! On a pris le métro, comme tout le monde.

STÉPHANE Tes parents n'aiment pas conduire?

DAVID Si, à la campagne, mais pas en ville, surtout une ville comme Paris. On a visité les monuments, les musées...

STÉPHANE Et Monsieur l'artiste a aimé les musées de Paris?

DAVID Je les ai adorés!

SANDRINE Oh! Des vacances!

DAVID Oui... Des vacances? Qu'est-ce qu'il y a?

SANDRINE Je vais à Albertville pour les vacances d'hiver. On va faire du ski!

SANDRINE Est-ce que tu skies?

DAVID Un peu, oui...

SANDRINE Désolée, je dois partir. J'ai une réservation à faire! Rendez-vous ici demain, David. D'accord? Ciao!

Expressions utiles

Talking about vacations

- **Tu es parti pour Paris avec une valise et te voici avec ces énormes sacs en plus!**
  You left for Paris with one suitcase and here you are with these huge extra bags!

- **Nous sommes allés aux Galeries Lafayette.**
  We went to the Galeries Lafayette.

- **On a acheté des trucs pour l'appartement aussi.**
  We also bought some things for the apartment.

- **Moi, je suis arrivé à la gare vendredi soir et nous sommes allés dîner.**
  I got to/arrived at the train station Friday night and we went to dinner.

- **On a pris un bateau-mouche sur la Seine.**
  We took a sightseeing boat on the Seine.

- **Vous êtes restés combien de temps à Paris?**
  How long did you stay in Paris?

- **On a pris le métro, comme tout le monde.**
  We took the subway, like everyone else.

- **J'ai fait plein de choses.**
  I did a lot of things.

- **Les musées de Paris, je les ai adorés!**
  The museums in Paris, I loved them!

Additional vocabulary

- **Alors, ils t'ont fait la surprise?**
  So, they surprised you?

- **J'ai reçu des cadeaux trop cool.**
  I got the coolest gifts.

- **Le gâteau, je l'ai adoré.**
  The cake, I loved it.

- **Tu m'excuses une minute?**
  Would you excuse me a minute?

- **Oui, formidable!**
  Yes, wonderful!

- **Qu'est-ce qu'il y a?**
  What's the matter?

- **Désolé(e), je dois partir.**
  Sorry, I have to leave.

---

3 **Considérez** Répondez aux questions.

1. Quels endroits parisiens David a-t-il visité? Faites une liste. Lequel aimeriez-vous (*would you like*) visiter? Expliquez.

2. Est-ce que vous voyagez pendant les vacances d'hiver? Comparez votre perspective à celle de Sandrine.

3. Décrivez vos vacances idéales et comparez-les aux vacances idéales de Stéphane.

4 **Le métro** Le métro parisien compte plus de 300 stations et est fréquenté par plus de 4 millions de voyageurs par jour. Votre ville a-t-elle un système de métro? Si oui, est-ce que vous le prenez? Expliquez. Quels sont les avantages du métro? Pourquoi le métro parisien est-il si (*so*) populaire? Écrivez un paragraphe.

A C T I V I T É S

I CAN understand conversations about vacations and travel.

LECTURE CULTURELLE

 Video: *Flash culture*

Tahiti

Tahiti, dans le sud° de l'océan Pacifique, est la plus grande île° de la Polynésie française. Cette île d'origine volcanique est peuplée par les navigateurs polynésiens jusqu'à l'arrivée des Européens au 18e siècle. Elle devient° un protectorat français en 1842, puis° une colonie française en 1880. Depuis 1959, elle fait partie de la collectivité d'outre-mer° de Polynésie française. Les langues officielles de Tahiti sont le français et le tahitien.

Le tourisme est une activité très importante pour l'île. Ses hôtels de luxe et leurs fameux bungalows sur l'eau accueillent° près de 170.000 visiteurs par an. Les touristes apprécient Tahiti pour son climat chaud, ses superbes plages et sa culture riche en traditions. À Tahiti, il y a la possibilité de faire toutes sortes d'activités aquatiques comme du bateau, de la pêche, de la planche à voile ou de la plongée°. On peut aussi faire des randonnées en montagne ou explorer les nombreux lagons bleus de l'île. Si on n'a pas envie de faire de sport, on peut se relaxer dans un spa, bronzer à la plage ou se promener° sur l'île. Papeete, capitale de la Polynésie française et ville principale de Tahiti, offre de bons restaurants, des boîtes de nuit, des boutiques variées et un marché.

sud *south* la plus grande île *the largest island* devient *becomes* puis *then* collectivité d'outre-mer *overseas territory* accueillent *welcome* plongée *scuba diving* se promener *go for a walk*

Breaking up the reading

Once you have finished the preliminary reading activities such as examining the visuals and skimming, you are ready for an in-depth reading. Here again, the goal is not to understand everything. Consider the divisions of the text (for example, the stanzas in a poem or paragraphs in a short story), and use them to break up the selection. During a close reading, smaller blocks of text will make the experience feel more manageable.

A C T I V I T É S

1 **Répondez** Répondez aux questions.

1. Où est Tahiti?
2. Quand est-ce que Tahiti devient une colonie française?
3. Quelles langues parle-t-on à Tahiti?
4. Pourquoi est-ce que les touristes aiment visiter Tahiti?
5. Quelles sont deux activités sportives qu'on fait à Tahiti?

2 **Considérez** Répondez aux questions.

1. Pourquoi est-ce qu'on parle français à Tahiti? Décrivez son histoire et son statut actuel (*current*).
2. Pourquoi le tourisme est-il important pour Tahiti? Pensez-vous que c'est une partie de la culture locale? Expliquez.
3. À votre avis, que pensent les Tahitiens de l'industrie du tourisme? Aimeriez-vous (*Would you like*) visiter Tahiti? Expliquez.
4. Y a-t-il beaucoup de touristes chez vous? Comparez vos idées sur le tourisme à celles des Tahitiens.

La France d'outre-mer

Les départements et régions d'outre-mer (DROMs) sont des régions et départements français qui sont intégrés à la République mais qui se trouvent hors° de la France métropolitaine°.

- Guadeloupe
- Mayotte
- Martinique
- La Réunion
- Guyane

Les collectivités d'outre-mer (COMs) sont des territoires français d'outre-mer qui ont des niveaux° d'autonomie variés.

- La Polynésie française
- Saint-Pierre-et-Miquelon
- Saint-Barthélemy
- Wallis-et-Futuna
- Saint-Martin

se trouvent hors *are located outside* **métropolitaine** *mainland* **niveaux** *levels*

LE MONDE FRANCOPHONE

Les transports

Voici quelques faits insolites° dans les transports.

Au Canada Inauguré en 1966, le métro de Montréal est le premier du monde à rouler° sur des pneus° plutôt que° sur des roues° en métal. Chaque station a été conçue° par un architecte différent.

En France L'Eurotunnel (le tunnel sous la Manche°) permet aux trains Eurostar de transporter des voyageurs et des marchandises entre la France et l'Angleterre.

En Mauritanie Le train du désert, en Mauritanie, en Afrique, est peut-être le train de marchandises le plus long° du monde. Long de 2,5 km en général, le train fait six voyages chaque jour du Sahara à la côte ouest°. C'est un voyage de plus de 600 km qui dure° 12 heures. Un des seuls moyens° de transport dans la région, ce train est aussi un train de voyageurs.

faits insolites *unusual facts* **rouler** *ride* **pneus** *tires* **plutôt que** *rather than* **roues** *wheels* **conçue** *designed* **Manche** *English Channel* **le plus long** *the longest* **côte ouest** *west coast* **dure** *lasts* **seuls moyens** *only means*

Le musée d'Orsay

Le musée d'Orsay est un des musées parisiens les plus° visités. Le lieu n'a pourtant° pas toujours été un musée. À l'origine, ce bâtiment° est une gare, construite par l'architecte Victor Laloux et inaugurée en 1900 à l'occasion de l'Exposition universelle. Les voies° de la gare d'Orsay deviennent° trop courtes et en 1939, on décide de limiter le service aux trains de banlieue. Plus tard, la gare sert de décor à des films, comme *Le Procès*, adapté du roman de Kafka par Orson Welles, puis° de théâtre et de salle de ventes aux enchères°. En 1986, le bâtiment est transformé et on inaugure le musée. Il est principalement dédié° à l'art du 19e siècle°, avec une collection magnifique d'art impressionniste. À Orsay, la grande diversité de l'art occidental est mise en valeur:

Danseuses en bleu,
Edgar Degas

peinture, sculpture, arts décoratifs, arts graphiques, photographie ou encore architecture. On peut y voir des chefs-d'œuvre° d'artistes comme Manet, Courbet, Cézanne, Monet ou Renoir. Il est possible de découvrir les collections grâce aux audioguides, disponibles en plusieurs langues, qui commentent plus de 300 œuvres. La boutique du musée d'Orsay propose des affiches, des livres et des accessoires de décoration ou de mode.

les plus *the most* **pourtant** *however* **bâtiment** *building* **voies** *tracks* **deviennent** *become* **puis** *then* **ventes aux enchères** *auction* **principalement dédié** *mainly dedicated* **siècle** *century* **chefs-d'œuvre** *masterpieces*

---

3 **Complétez** Complétez les phrases.

1. La Polynésie française est _____ d'outre-mer.
2. Le métro de Montréal est le premier du monde à rouler sur _____.
3. L'Eurotunnel permet aux trains de passer entre la France et _____.
4. _____ est dédié à l'art du 19e siècle.

4 **Recherchez** Choisissez un territoire d'outre-mer et présentez-le à la classe. Faites des recherches sur son histoire, sa géographie et ses industries. Considérez l'influence de la France métropolitaine sur ses populations locales et décrivez son niveau d'autonomie. Comment la situation du territoire est-elle liée à la politique et à la diplomatie de la France?

ACTIVITÉS

I CAN identify and reflect on cultural products and practices related to travel and transport.

7A.1 The *passé composé* with *être* Grammar Tutorial

Point de départ In **Leçon 6A**, you learned to form the **passé composé** with **avoir**. Some verbs, however, form the **passé composé** with **être**. Many such verbs involve motion. You have already learned a few of them: **aller, arriver, descendre, partir, sortir, passer, rentrer,** and **tomber.**

- To form the **passé composé** of these verbs, use a present-tense form of the auxiliary verb **être** and the past participle of the verb that expresses the action.

PRESENT TENSE	PAST PARTICIPLE		PRESENT TENSE	PAST PARTICIPLE
Je **suis**	**allé.**		Il **est**	**sorti.**

Tu es parti pour Paris.

Mes parents sont arrivés des États-Unis.

- The past participles of verbs conjugated with **être** agree with their subjects in number and gender.

The *passé composé*

je suis allé(e)	*I went/have gone*		**nous sommes allé(e)s**	*we went/have gone*
tu es allé(e)	*you went/have gone*		**vous êtes allé(e)(s)**	*you went/have gone*
il/on est allé	*he/it/one went/has gone*		**ils sont allés**	*they went/have gone*
elle est allée	*she/it went/has gone*		**elles sont allées**	*they went/have gone*

Charles, tu **es allé** à Montréal?
Charles, did you go to Montreal?

Florence **est partie** en vacances.
Florence left on vacation.

Mes frères **sont rentrés**.
My brothers came back.

Elles **sont arrivées** hier soir.
They arrived last night.

- To make a verb negative in the **passé composé**, place **ne/n'** and **pas** around the auxiliary verb, in this case, **être**.

Marie-Thérèse **n'est pas sortie**?
Marie-Thérèse didn't go out?

Nous **ne sommes pas allées** à la plage.
We didn't go to the beach.

Je **ne suis pas passé** chez mon amie.
I didn't drop by my friend's house.

Tu **n'es pas rentré** à la maison hier.
You didn't come home yesterday.

- Here is a list of verbs that take **être** in the **passé composé**, including ones you already know and some new ones.

À noter

The verb **venir** (*to come*) also takes **être** in the **passé composé**. You will learn this verb in **Leçon 9A**.

Verbs that take *être* in the *passé composé*			
aller		**passer**	
arriver		**rentrer**	
partir		**sortir**	
descendre		**tomber**	
entrer	*to enter*	**rester**	*to stay*
monter	*to go up; to get in/on*	**retourner**	*to return*
mourir	*to die*	**naître**	*to be born*

- These verbs have irregular past participles in the **passé composé**.

naître ▶ **né**

Mes parents **sont nés** en 1958 à Paris.
My parents were born in 1958 in Paris.

mourir ▶ **mort**

Ma grand-mère **est morte** l'année dernière.
My grandmother died last year.

- Note that the verb **passer** takes **être** when it means *to pass by,* but it takes **avoir** when it means *to spend time.*

Maryse **est passée** à la douane.
Maryse passed through customs.

Maryse **a passé** trois jours à la campagne.
Maryse spent three days in the country.

- The verb **sortir** takes **être** in the **passé composé** when it means *to go out* or *to leave,* but it takes **avoir** when it means *to take someone or something out.*

Elle **est sortie** de chez elle.
She left her house.

Elle **a sorti** la voiture du garage.
She took the car out of the garage.

- To form a question using inversion in the **passé composé**, invert the subject pronoun and the conjugated form of **être**.

Est-elle restée à l'hôtel Aquabella?
Did she stay at the Hotel Aquabella?

Êtes-vous arrivée ce matin, Madame Roch?
Did you arrive this morning, Mrs. Roch?

- In affirmative statements, place short adverbs such as **déjà**, **encore**, **bien**, **mal**, and **beaucoup** between the auxiliary verb **être** and the past participle. In negative statements, place these adverbs after **pas**.

Elle **est déjà rentrée** de vacances?
She already came back from vacation?

Nous **ne sommes pas encore arrivés** à Lyon.
We haven't arrived in Lyons yet.

Essayez! **Choisissez le participe passé approprié.**

1. Vous êtes (nés/né) en 1959, Monsieur?
2. Les élèves sont (partis/parti) le 2 juin.
3. Les filles sont (rentrées/rentrés) de vacances.
4. Simone de Beauvoir est-elle (mort/morte) en 1986?
5. Mes frères sont (sortis/sortie).
6. Paul n'est pas (resté/restée) chez sa grand-mère.
7. Tu es (arrivés/arrivée) avant dix heures, Sophie.
8. Jacqueline a (passée/passé) une semaine en Suisse.

Mise en pratique

1 **Un week-end sympa** Carole raconte son week-end à Paris. Complétez l'histoire avec les formes correctes des verbes au passé composé.

Thomas et moi, nous (1) _____ (partir) de Lyon samedi et nous (2) _____ (arriver) à Paris à onze heures. Nous (3) _____ (passer) à l'hôtel et puis je (4) _____ (aller) au Louvre. En route, je (5) _____ (tomber) sur un vieil ami, et nous (6) _____ (aller) prendre un café. Ensuite, je (7) _____ (entrer) dans le musée. Samedi soir, Thomas et moi (8) _____ (monter) au sommet de la tour Eiffel et après nous (9) _____ (sortir) en boîte. Dimanche, nous (10) _____ (retourner) au Louvre. Alors aujourd'hui, je suis fatiguée.

2 **La routine** Réécrivez les phrases au passé composé.

MODÈLE

Je pars pour l'Italie.
Je suis parti(e) pour l'Italie.

1. Ils vont au parc.
2. Lulu fait du cheval.
3. Éric passe une heure à la bibliothèque.
4. Nadia sort avec ses amis.
5. Ils rentrent tard le soir.
6. Ils jouent au golf.

3 **Dimanche dernier** Dites ce que (*what*) ces personnes ont fait dimanche dernier. Utilisez les verbes de la liste.

Laure

▶ **MODÈLE**

Laure est allée à la piscine.

aller	rentrer
arriver	rester
monter	sortir

1. je
_____

2. tu
_____

3. nous
_____

4. Pamela et Caroline
_____

4 **L'accident** Le mois dernier, Djénaba et Safiatou sont allées au Sénégal. Complétez les phrases au passé composé. Ensuite, mettez-les dans l'ordre chronologique.

_____ **a.** les filles / partir pour Dakar en avion

_____ **b.** Djénaba / tomber de vélo

_____ **c.** elles / aller faire du vélo dimanche matin

_____ **d.** elles / arriver à Dakar tard le soir

_____ **e.** elles / rester à l'hôtel Sofitel

_____ **f.** elle / aller à l'hôpital

Communication

5 **Les vacances de printemps** Avec un(e) partenaire, parlez de vos dernières vacances de printemps. Répondez à toutes ses questions. Ensuite, racontez les vacances de votre partenaire à la classe.

MODÈLE

quand / partir
Étudiant(e) 1: *Quand es-tu parti(e)?*
Étudiant(e) 2: *Je suis parti(e) vendredi soir.*

1. où / aller
2. avec qui / partir
3. comment / voyager
4. à quelle heure / arriver
5. où / dormir

6. combien de temps / rester
7. que / visiter
8. sortir / souvent le soir
9. que / acheter
10. quand / rentrer

6 **Enquête** Votre professeur va vous donner une feuille d'activités. Circulez dans la classe et demandez à différents camarades s'ils ont fait ces choses récemment (*recently*). Présentez les résultats de votre enquête à la classe.

MODÈLE

Étudiant(e) 1: *Es-tu allé(e) au musée récemment?*
Étudiant(e) 2: *Oui, je suis allé(e) au musée jeudi dernier.*

Questions	Nom
1. aller au musée	François
2. passer chez ses amis	
3. sortir en boîte	
4. rester à la maison pour écouter de la musique	
5. partir en week-end avec un copain	
6. monter en avion	

7 **En voyage** Par groupes de quatre, parlez d'une mauvaise expérience que vous avez vécue (*had*) en voyage. À tour de rôle, racontez (*tell*) vos mésaventures et posez le plus (*most*) de questions possible. Utilisez les expressions de la liste.

MODÈLE

Étudiant(e) 1: *Quand je suis rentré(e) de la Martinique, j'ai attendu trois heures à la douane.*
Étudiant(e) 2: *Quelle horreur! Pourquoi?*

aller	passer
arriver	perdre
attendre	plan
avion	prendre un avion
billet (aller-retour)	sortir
douane	tomber
gens	valise
partir	vol

I CAN talk about past actions and events.

7A.2 Direct object pronouns Grammar Tutorial

Point de départ In **Leçon 6B**, you learned about indirect objects. You are now going to learn about direct objects.

> DIRECT OBJECT   INDIRECT OBJECT
>
> J'ai donné **un cadeau à ma sœur**.
> *I gave a gift to my sister.*

- A direct object is a noun that follows a verb and answers the question *what* or *whom*. Note that a direct object receives the action of a verb directly and an indirect object receives the action of a verb indirectly. While indirect objects are frequently preceded by the preposition **à**, no preposition is needed before a direct object.

> DIRECT OBJECT   *but*   INDIRECT OBJECT
>
> J'emmène **mes parents**.   Je parle **à mes parents**.
> *I'm taking my parents.*   *I'm speaking to my parents.*

Tes parents sont allés te chercher?

Tu m'excuses une minute?

Boîte à outils

Some French verbs do not take a preposition although their English equivalents do: **écouter** (*to listen to*), **chercher** (*to look for*) and **attendre** (*to wait for*). In deciding whether an object is direct or indirect, always check if the French verb takes the preposition **à**.

Direct object pronouns

singular		plural	
me/m'	*me*	nous	*us*
te/t'	*you*	vous	*you*
le/la/l'	*him/her/it*	les	*them*

- You can use a direct object pronoun in place of a direct object noun.

Boîte à outils

Unlike indirect object pronouns, direct object pronouns can replace a person, a place, or a thing.

Tu fais **les valises**? *Are you packing the suitcases?*	▶ Tu **les** fais? *Are you packing them?*
Ils retrouvent **Luc** à la gare. *They're meeting Luc at the train station.*	▶ Ils **le** retrouvent à la gare. *They're meeting him at the train station.*
Tu visites souvent **la Belgique**? *Do you visit Belgium often?*	▶ Tu **la** visites souvent? *Do you visit there often?*

- Place a direct object pronoun before the conjugated verb. In the **passé composé**, place a direct object pronoun before the conjugated form of the auxiliary verb **avoir**.

Les langues? Laurent et Xavier **les** étudient. *Languages? Laurent and Xavier study them.*	Les étudiants **vous** ont entendu. *The students heard you.*
M'attendez-vous à l'aéroport? *Are you waiting for me at the airport?*	Et Daniel? **L'**as-tu retrouvé au cinéma? *And Daniel? Did you meet him at the movies?*

- In a negative statement, place the direct object pronoun between **ne/n'** and the conjugated verb.

    Le chinois? Je **ne le parle pas**.
    Chinese? I don't speak it.

    Elle **ne l'a pas** pris à 14 heures?
    She didn't take it at 2 o'clock?

- When an infinitive follows a conjugated verb, the direct object pronoun precedes the infinitive.

    Marcel va **nous écouter**.
    Marcel is going to listen to us.

    Tu ne préfères pas **la porter** demain?
    Don't you prefer to wear it tomorrow?

Et le gâteau, je l'ai adoré!

Les musées, je les ai adorés!

- When a direct object pronoun is used with the **passé composé**, the past participle must agree with it in both gender and number.

    J'ai mis **la valise** dans la voiture ce matin.
    I put the suitcase in the car this morning.

    ▶ Je **l'ai mise** dans la voiture ce matin.
    I put it in the car this morning.

    J'ai attendu **les filles** à la gare.
    I waited for the girls at the train station.

    ▶ Je **les** ai **attendues** à la gare.
    I waited for them at the train station.

    Nous avons pris **le bus** hier.
    We took the bus yesterday.

    ▶ Nous **l'avons pris** hier.
    We took it yesterday.

- When the gender of the direct object pronoun is ambiguous, the past participle agreement will indicate the gender of the direct object to which it refers.

    Mes copains ne **m'ont** pas **trouvée**. (**trouvée** indicates that **m'** refers to a female.)
    My friends didn't find me.

    Mon père **nous** a **entendus**. (**entendus** indicates that **nous** refers to at least two males or a mixed group of males and females.)
    My father heard us.

⚒ Boîte à outils

The direct object pronoun **vous** can refer to several people or to one person (formal address). Therefore, the past participle can be masculine singular or plural or feminine singular or plural. Examples:

M. Bruel, je vous ai cherché dans le bureau.

Mme Diop, je vous ai cherchée dans le parc.

Les enfants, je vous ai cherchés dans le gymnase.

Les filles, je vous ai cherchées dans la chambre.

Essayez!

Répondez aux questions en remplaçant l'objet direct par un pronom d'objet direct.

1. Thierry prend le train? Oui, il ___le___ prend.
2. Tu attends ta mère? Oui, je _____ attends.
3. Vous entendez Olivier et Vincent? Oui, on _____ entend.
4. Le professeur te cherche? Oui, il _____ cherche.
5. Barbara et Caroline retrouvent Linda? Oui, elles _____ retrouvent.
6. Vous m'invitez? Oui, nous _____ invitons.
7. Tu nous comprends? Oui, je _____ comprends.
8. Elles regardent la mer? Oui, elles _____ regardent.
9. Chloé aime la musique classique? Oui, elle _____ aime.
10. Vous avez regardé le film *Chacun cherche son chat*? Oui, nous _____ avons regardé.

STRUCTURES

Mise en pratique

1 **À l'aéroport** Choisissez le pronom d'objet direct approprié pour compléter ses phrases.

1. Ton CD préféré? Marie (le, la, l') écoute.

2. Le plan? Les Cartier (la, les, le) regardent.

3. Notre amie? Roger et Emma (l', le, la) cherchent.

4. Le journal français? Papa (la, l', le) achète.

5. Nos billets? Coralie (le, l', les) a pris.

2 **On fait beaucoup de choses** Dites ce que (*what*) ces gens font le week-end. Employez des pronoms d'objet direct.

▶ **MODÈLE**

Il l'écoute.

Dominique / ce CD

1. Benoît / ses films

2. ma mère / cette robe

3. Philippe / son gâteau

4. Stéphanie et Marc / ces lunettes

3 **À la plage** La famille de Dalila a passé une semaine à la mer. Dalila parle de ce que (*what*) chaque membre de sa famille a fait. Employez des pronoms d'objet direct.

MODÈLE

J'ai conduit Ahmed à la plage. *Je l'ai conduit à la plage.*

1. Mon père a acheté le journal tous les matins.

2. Ma sœur a retrouvé son petit ami au café.

3. Mes parents ont emmené les enfants au cinéma.

4. Mon frère a invité sa fiancée au restaurant.

5. Anissa a porté ses lunettes de soleil.

6. Noah a pris les cartes.

4 **Des doutes** Julien et sa petite amie Caroline sont au café. Il lui pose des questions. Écrivez une réponse à chaque question en utilisant un pronom d'objet direct.

1. Tes parents m'invitent au bord de la mer?

2. Tes parents t'adorent?

3. Tu vas m'attendre à l'aéroport?

4. Ton frère va nous emmener sur son bateau?

5. Tu penses que ta famille va m'aimer?

6. Tu manges ce pain au chocolat?

Communication

5 **Le départ** Clémentine va partir au Cameroun chez sa copine Léa. Sa mère veut (*wants*) être sûre qu'elle est prête, mais Clémentine n'a pas fait beaucoup de progrès. Avec un(e) partenaire, écrivez leur conversation en utilisant des phrases de la liste, puis jouez la scène pour la classe.

MODÈLE

Étudiant(e) 1: *Tu as acheté le cadeau pour ton amie?*
Étudiant(e) 2: *Non, je ne l'ai pas encore acheté.*
Étudiant(e) 1: *Quand vas-tu l'acheter?*
Étudiant(e) 2: *Je vais l'acheter cet après-midi.*

acheter ton billet d'avion	faire tes valises
avoir l'adresse de Léa	finir ton shopping
chercher un maillot de bain	prendre tes lunettes
choisir le cadeau de Léa	préparer tes vêtements
confirmer l'heure de l'arrivée	trouver ton passeport

6 **À Tahiti** Vous allez partir à Tahiti. À tour de rôle, posez-vous ces questions. Utilisez des pronoms d'objet direct dans vos réponses.

MODÈLE

Est-ce que tu prends le bus pour aller à la plage?
Non, je ne le prends pas.

1. Aimes-tu la mer?
2. Est-ce que tu prends l'avion?
3. Qui va t'attendre à l'aéroport?
4. Quand as-tu fait tes valises?
5. Est-ce que tu as acheté ton maillot de bain?
6. Est-ce que tu prends ton appareil photo?
7. Où as-tu acheté tes vêtements?
8. As-tu déjà choisi ton hôtel à Tahiti?

7 **À l'aéroport** À deux, utilisez les verbes de la liste et des pronoms d'objet direct pour décrire ce que font les personnes et expliquer pourquoi.

acheter	chercher	lire
apporter	donner	porter
avoir	écouter	trouver

MODÈLE

Étudiant(e) 1: *Sylvie lit son livre.*
Étudiant(e) 2: *Elle le lit parce qu'elle a un examen demain.*

Mélanie   M. Sylvain   Olivier   M. Heudier

Mme Sylvain   Sylvie   Mathieu

I CAN avoid repetition when discussing previously mentioned people and objects.

Révision

1 **Il y a dix minutes** Avec un(e) partenaire, décrivez ce qui s'est passé (*what happened*) dans cette scène il y a dix minutes (*ten minutes ago*). Utilisez les verbes de la liste pour faire des phrases. Ensuite, comparez vos phrases avec les phrases d'un autre groupe.

MODÈLE

Étudiant(e) 1: *Il y a dix minutes, M. Hamid est parti.*

Étudiant(e) 2: *Il y a dix minutes,...*

aller	partir
arriver	rentrer
descendre	sortir
monter	tomber

2 **Qui aime quoi?** Votre professeur va vous donner une feuille d'activités. Circulez dans la classe pour trouver un(e) camarade différent(e) qui aime ou qui n'aime pas chaque lieu de la liste.

MODÈLE

Étudiant(e) 1: *Est-ce que tu aimes les aéroports?*
Étudiant(e) 2: *Je ne les aime pas du tout, je les déteste.*

3 **Les pays étrangers** Par groupes de quatre, interviewez vos camarades. Dans quels pays étrangers sont-ils déjà allés? Dans quelles villes? Comparez vos destinations puis présentez toutes les réponses à la classe. N'oubliez pas de demander:

- quand vos camarades sont parti(e)s
- où ils/elles sont allé(e)s
- où ils/elles ont dormi
- combien de temps ils/elles ont passé là-bas

4 **La valise** Sandra et Jean sont partis en vacances. Voici leur valise. Avec un(e) partenaire, faites une description écrite (*written*) de leurs vacances. Où sont-ils allés? Comment sont-ils partis?

5 **Un long week-end** Avec un(e) partenaire, préparez huit questions sur le dernier long week-end. Utilisez les verbes de la liste. Ensuite, par groupes de quatre, répondez à toutes les questions.

MODÈLE

Étudiant(e) 1: *Où es-tu allé(e) vendredi soir?*
Étudiant(e) 2: *Vendredi soir je suis resté(e) chez moi. Mais samedi je suis sorti(e)!*

aller	sortir
arriver	rentrer
partir	rester
passer	retourner

6 **Mireille et les Girard** Votre professeur va vous donner, à vous et à votre partenaire, une feuille sur le week-end de Mireille et de la famille Girard. Attention! Ne regardez pas la feuille de votre partenaire.

MODÈLE

Étudiant(e) 1: *Qu'est-ce que Mireille a fait vendredi soir?*
Étudiant(e) 2: *Elle est allée au cinéma.*

Le Zapping

 Video

1 **Préparation** Répondez aux questions suivantes.

1. Qu'est-ce que vous aimez faire pendant les vacances?
2. Préférez-vous faire du camping, descendre (*stay*) dans un hôtel ou rester chez des amis pendant les vacances? Pourquoi?

Des auberges de jeunesse° nouvelle génération

Après avoir terminé° leurs études à l'université et avant de commencer leur vie professionnelle, beaucoup de jeunes partent en voyage à l'étranger. Avec très peu d'argent, ils arrivent à° passer plusieurs semaines, quelques mois, ou même une année entière à visiter les pays du monde. Souvent, ils passent la nuit dans une auberge de jeunesse pour économiser de l'argent. Autrefois°, ces auberges offraient° peu de confort. Il fallait° dormir dans de grands dortoirs et partager la salle de bains au bout du couloir°. Mais aujourd'hui, les auberges s'adaptent aux jeunes qui sont de plus en plus exigeants°. Elles sont beaucoup plus confortables, mais restent bon marché°.

dortoirs *dormitories* **lits** *beds* **auberges de jeunesse** *youth hostels* **Après avoir terminé** *After having finished* **arrivent à** *manage to* **Autrefois** *In the past* **offraient** *offered* **Il fallait** *It was necessary* **au bout du couloir** *at the end of the hall* **exigeants** *demanding* **bon marché** *inexpensive*

2 **Compréhension** Indiquez toutes les phrases qui décrivent une auberge de jeunesse nouvelle génération.

_____ 1. Il y a des dortoirs de 10 à 15 lits.

_____ 2. Les douches sont dans le couloir.

_____ 3. Il y a des armoires sécurisées et du Wi-Fi gratuit.

_____ 4. Les chambres coûtent entre 60–100 euros la nuit.

3 **Conversation** Avec un partenaire, décidez si vous êtes d'accord avec ces déclarations et expliquez pourquoi.

1. Voyager forme (*shapes*) la jeunesse.
2. C'est important d'aider financièrement les jeunes à voyager.

4 **Réflexion** Répondez aux questions.

1. Dans votre communauté, est-ce que les adolescents voyagent souvent sans leurs parents? À quel âge?
2. Quels types de logement est-ce que les jeunes de votre commmunauté cherchent quand ils partent en voyage? Comparez ces options aux auberges dans la vidéo.

Reportage de CETELEM

Oubliez les dortoirs° de 10 à 15 lits°...

Vocabulaire utile

la douche	*shower*
la couverture	*blanket, cover*
la chambre	*room*
l'armoire (f.)	*wardrobe*
sécurisé(e)	*locked*
gratuit(e)	*free*
privé(e)	*private*

5 **Application** Trouvez sur Internet deux auberges de jeunesse dans une région ou un pays francophone. Notez les services qu'elles offrent. Ensuite, utilisez ces informations pour préparer une présentation qui propose la construction d'une auberge de jeunesse dans votre région. Dans votre présentation, expliquez les services que l'auberge de jeunesse va offrir et les différents avantages qu'elle peut apporter aux jeunes et la communauté.

I CAN identify and reflect on attitudes around youth travel.

Leçon **7B**

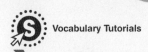

Vocabulary Tutorials

À l'hôtel

Comparaisons

Il y a plus de 150 auberges de jeunesse en France métropolitaine. La plupart des auberges offrent un lit dans une chambre (*room*) collective à un prix bas (*low*). Certaines proposent aussi des services comme le Wi-Fi ou la surveillance (*security*).

● Avez-vous déjà dormi dans une auberge de jeunesse? Pourquoi les auberges sont-elles si populaires en Europe?

Vocabulaire

annuler une réservation	*to cancel a reservation*
réserver	*to reserve*
premier/première	*first*
cinquième	*fifth*
neuvième	*ninth*
vingt et unième	*twenty-first*
vingt-deuxième	*twenty-second*
trente et unième	*thirty-first*
centième	*hundredth*
une agence/un agent de voyages	*travel agency/agent*
une auberge de jeunesse	*youth hostel*
une chambre individuelle	*single room*
un hôtel	*hotel*
un passager/une passagère	*passenger*
complet/complète	*full (no vacancies)*
libre	*available*
alors	*so, then; at that moment*
après (que)	*after*
avant (de)	*before*
d'abord	*first*
donc	*therefore*
enfin	*finally, at last*
ensuite	*then, next*
finalement	*finally*
pendant (que)	*during, while*
puis	*then*
tout à coup	*suddenly*
tout de suite	*right away*

la réception

Bienvenue!

le lit

l'hôtelière (f.)

l'hôtelier (m.)

le passeport

la clé

les client(e)s

Mise en pratique

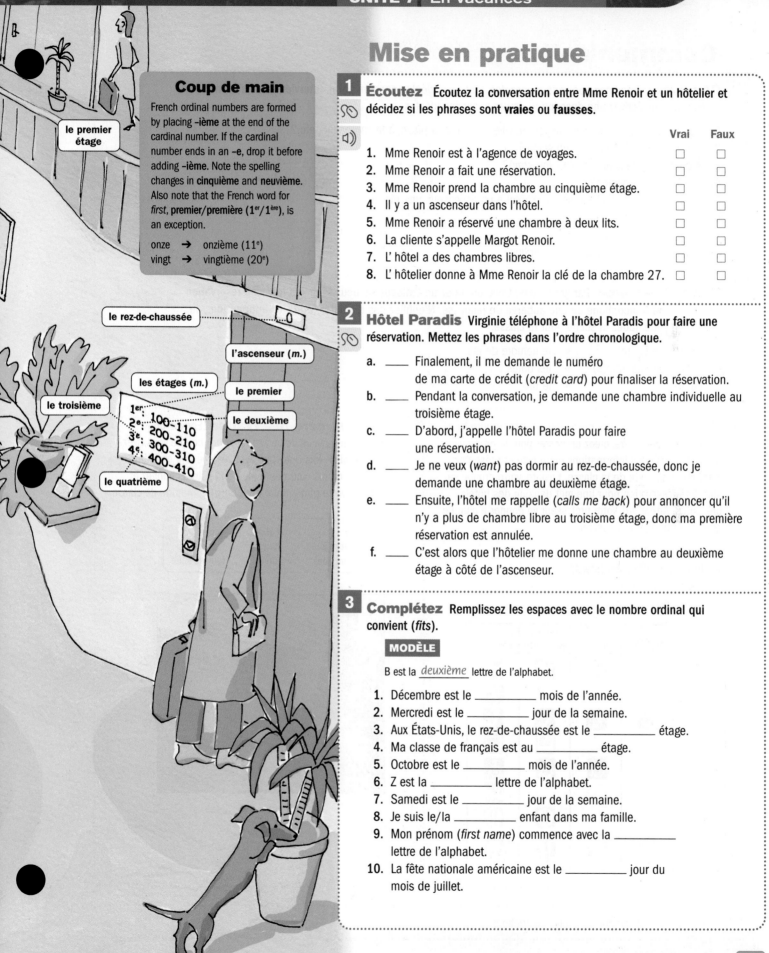

Coup de main

French ordinal numbers are formed by placing **–ième** at the end of the cardinal number. If the cardinal number ends in an **–e**, drop it before adding **–ième**. Note the spelling changes in **cinquième** and **neuvième**. Also note that the French word for *first*, **premier/première** (1er/1ère), is an exception.

onze → onzième (11e)

vingt → vingtième (20e)

le premier étage

le rez-de-chaussée · · · · · · · · 0

l'ascenseur (*m.*)

les étages (*m.*)

le troisième

le premier

le deuxième

1er · 100–110
2e · 200–210
3e · 300–310
4e · 400–410

le quatrième

1 **Écoutez** Écoutez la conversation entre Mme Renoir et un hôtelier et décidez si les phrases sont **vraies** ou **fausses**.

	Vrai	Faux
1. Mme Renoir est à l'agence de voyages.	☐	☐
2. Mme Renoir a fait une réservation.	☐	☐
3. Mme Renoir prend la chambre au cinquième étage.	☐	☐
4. Il y a un ascenseur dans l'hôtel.	☐	☐
5. Mme Renoir a réservé une chambre à deux lits.	☐	☐
6. La cliente s'appelle Margot Renoir.	☐	☐
7. L'hôtel a des chambres libres.	☐	☐
8. L'hôtelier donne à Mme Renoir la clé de la chambre 27.	☐	☐

2 **Hôtel Paradis** Virginie téléphone à l'hôtel Paradis pour faire une réservation. Mettez les phrases dans l'ordre chronologique.

a. _____ Finalement, il me demande le numéro de ma carte de crédit (*credit card*) pour finaliser la réservation.

b. _____ Pendant la conversation, je demande une chambre individuelle au troisième étage.

c. _____ D'abord, j'appelle l'hôtel Paradis pour faire une réservation.

d. _____ Je ne veux (*want*) pas dormir au rez-de-chaussée, donc je demande une chambre au deuxième étage.

e. _____ Ensuite, l'hôtel me rappelle (*calls me back*) pour annoncer qu'il n'y a plus de chambre libre au troisième étage, donc ma première réservation est annulée.

f. _____ C'est alors que l'hôtelier me donne une chambre au deuxième étage à côté de l'ascenseur.

3 **Complétez** Remplissez les espaces avec le nombre ordinal qui convient (*fits*).

MODÈLE

B est la _deuxième_ lettre de l'alphabet.

1. Décembre est le _____ mois de l'année.
2. Mercredi est le _____ jour de la semaine.
3. Aux États-Unis, le rez-de-chaussée est le _____ étage.
4. Ma classe de français est au _____ étage.
5. Octobre est le _____ mois de l'année.
6. Z est la _____ lettre de l'alphabet.
7. Samedi est le _____ jour de la semaine.
8. Je suis le/la _____ enfant dans ma famille.
9. Mon prénom (*first name*) commence avec la _____ lettre de l'alphabet.
10. La fête nationale américaine est le _____ jour du mois de juillet.

Communication

4 Conversez Imaginez que vous prenez des vacances idéales dans un hôtel. Interviewez un(e) camarade de classe, puis écrivez une description de ses vacances idéales.

1. Où vas-tu? Dans quel pays, région ou ville? Vas-tu à la plage, à la campagne, etc.?
2. Quelles sont les dates de ton séjour?
3. À quel hôtel descends-tu (*do you stay*)?
4. Qui fait la réservation?
5. Comment est l'hôtel? Est-ce que l'hôtel a un ascenseur, une piscine, etc.?
6. À quel étage est ta chambre?
7. Combien de lits a ta chambre?
8. Laisses-tu ton passeport à la réception?

5 Notre réservation Par groupes de trois, préparez un dialogue où deux touristes font une réservation dans un hôtel francophone ou une auberge de jeunesse. N'oubliez pas d'ajouter (*add*) les informations de la liste. Ensuite, jouez la scène pour la classe.

- le nom de l'hôtel
- le type de chambre(s)
- l'étage
- le nombre de lits
- les dates
- le prix

6 Mon hôtel Vous allez ouvrir (*open*) votre propre hôtel. Par groupes de quatre, créez un poster pour le promouvoir (*promote*) avec les informations de la liste et présentez votre hôtel au reste de la classe. Ensuite, votre groupe va faire une réservation pour une nuit dans un des hôtels présentés. Attention! Votre professeur va donner à chaque groupe un budget à respecter.

- le nom de votre hôtel
- le nombre d'étoiles (*stars*)
- les services offerts
- le prix pour une nuit

★ une étoile	★★ deux étoiles	★★★ trois étoiles	★★★★ quatre étoiles	★★★★★ cinq étoiles

7 Votre dernière réservation Écrivez un paragraphe où vous décrivez (*describe*) ce que vous avez fait la dernière fois que vous avez réservé une chambre. Utilisez au moins cinq des mots de la liste. Échangez et comparez votre paragraphe avec un(e) camarade de classe.

alors	d'abord	puis
après (que)	donc	tout à coup
avant (de)	enfin	tout de suite

I CAN make hotel reservations and give instructions.

Les sons et les lettres

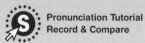 Pronunciation Tutorial
Record & Compare

ti, sti, and ssi

The letters **ti** followed by a consonant are pronounced like the English word *tea*, but without the puff released in the English pronunciation.

ac**ti**f	pe**ti**t	**ti**gre	u**ti**les

When the letter combination **ti** is followed by a vowel sound, it is often pronounced like the sound linking the English words *miss you*.

dic**ti**onnaire	pa**ti**ent	ini**ti**al	addi**ti**on

Regardless of whether it is followed by a consonant or a vowel, the letter combination **sti** is pronounced *stee*, as in the English word *steep*.

ge**sti**on	que**sti**on	Séba**sti**en	arti**sti**que

The letter combination **ssi** followed by another vowel or a consonant is usually pronounced like the sound linking the English words *miss you*.

pa**ssi**on	expre**ssi**on	mi**ssi**on	profe**ssi**on

Words that end in **-sion** or **-tion** are often cognates with English words, but they are pronounced quite differently. In French, these words are never pronounced with a *sh* sound.

compre**ssi**on	na**ti**on	atten**ti**on	addi**ti**on

Prononcez Répétez les mots suivants à voix haute.

1. artiste
2. mission
3. réservation
4. impatient
5. position
6. initiative
7. possession
8. nationalité
9. compassion
10. possible

Articulez Répétez les phrases suivantes à voix haute.

1. L'addition, s'il vous plaît.
2. Christine est optimiste et active.
3. Elle a fait une bonne première impression.
4. Laëtitia est impatiente parce qu'elle est fatiguée.
5. Tu cherches des expressions idiomatiques dans le dictionnaire.

Dictons Répétez les dictons à voix haute.

Il n'est de règle sans exception.[2]

De la discussion jaillit la lumière.[1]

[1] Discussion brings light.

[2] The exception proves the rule.

La réservation d'hôtel

 Video: *Roman-photo*
Record & Compare

PERSONNAGES

Agent de voyages

Amina

Pascal

Sandrine

À l'agence de voyages...

SANDRINE J'ai besoin d'une réservation d'hôtel, s'il vous plaît. C'est pour les vacances de Noël.

AGENT Où allez-vous? En Italie?

SANDRINE Nous allons à Albertville.

AGENT Et c'est pour combien de personnes?

SANDRINE Nous sommes deux, mais il nous faut deux chambres individuelles.

AGENT Très bien. Quelles sont les dates du séjour, Mademoiselle?

SANDRINE Alors, le 25, c'est Noël donc je fête en famille. Disons du 26 décembre au 2 janvier.

AGENT Ce n'est pas possible à Albertville, mais à Megève j'ai deux chambres à l'hôtel Le Vieux Moulin pour 143 euros par personne. Ou alors à l'hôtel Le Mont Blanc pour 171 euros par personne.

SANDRINE Oh non, mais Megève, ce n'est pas Albertville... et ces prix! C'est vraiment trop cher.

AGENT C'est la saison, Mademoiselle. Les hôtels les moins chers sont déjà complets.

SANDRINE Oh là là. Je ne sais pas quoi faire... J'ai besoin de réfléchir. Merci, Monsieur. Au revoir!

AGENT Au revoir, Mademoiselle.

Chez Sandrine...

SANDRINE Oui, Pascal. Amina nous a trouvé une auberge à Albertville. C'est génial, non? En plus, c'est pas cher!

PASCAL Euh, en fait... Albertville, maintenant c'est impossible.

SANDRINE Qu'est-ce que tu dis?

PASCAL C'est que... j'ai du travail.

SANDRINE Du travail! Mais c'est Noël! On ne travaille pas à Noël! Et Amina a déjà tout réservé... Oh! C'est pas vrai!

PASCAL *(à lui-même)* Elle n'est pas très heureuse maintenant, mais quelle surprise en perspective!

Un peu plus tard...

AMINA On a réussi, Sandrine! La réservation est faite. Tu as de la chance! Mais, qu'est-ce qu'il y a?

SANDRINE Tu es super gentille, Amina, mais Pascal a annulé pour Noël. Il dit qu'il a du travail... Lui et moi, c'est fini. Tu as fait beaucoup d'efforts pour faire la réservation, je suis désolée.

ACTIVITÉS

1 **Vrai ou faux?** Indiquez si les phrases sont vraies ou fausses.

1. Sandrine fait une réservation à l'agence de voyages.
2. Pascal dit un mensonge (*lie*).
3. Il faut annuler la réservation à l'auberge de la Costaroche.
4. Sandrine est fâchée contre Pascal.
5. Amina est fâchée (*angry*) contre Sandrine.

2 **Questions** Répondez aux questions suivantes.

1. Pourquoi est-il difficile de faire une réservation pour Albertville?
2. Pourquoi est-ce que Sandrine ne veut pas (*doesn't want*) aller à l'hôtel Le Vieux Moulin?
3. Pourquoi est-ce que Pascal ne peut pas (*can't*) aller à Albertville?
4. Qui est Cyberhomme?

Sandrine essaie d'organiser son voyage.

Au P'tit Bistrot...

SANDRINE Amina, je n'ai pas réussi à faire une réservation pour Albertville. Tu peux m'aider?

AMINA C'est que... je suis connectée avec Cyberhomme.

SANDRINE Avec qui?

AMINA J'écris un e-mail à... Bon, je t'explique plus tard. Dis-moi, comment est-ce que je peux t'aider?

Un peu plus tard...

AMINA Bon, alors... Sandrine m'a demandé de trouver un hôtel pas cher à Albertville. Pas facile à Noël... Je vais essayer... Voilà! L'auberge de la Costaroche... 39 euros la nuit pour une chambre individuelle. L'hôtel n'est pas complet et il y a deux chambres libres. Quelle chance cette Sandrine! Bon, nom... Sandrine Aubry...

AMINA Bon, la réservation, ce n'est pas un problème. Mais toi, Sandrine, c'est évident, ça ne va pas.

SANDRINE C'est vrai. Mais, alors, c'est qui, ce «Cyberhomme»?

AMINA Oh, c'est juste un ami virtuel. On correspond sur Internet, c'est tout. Ce soir, c'est son dixième message!

SANDRINE Lis-le-moi!

AMINA Euh non, c'est personnel...

SANDRINE Alors, dis-moi comment il est!

AMINA D'accord... Il est étudiant, sportif mais sérieux. Très intellectuel.

SANDRINE S'il te plaît, écris-lui: «Sandrine cherche aussi un cyberhomme»!

Expressions utiles

Getting help

- **Je ne sais pas quoi faire... J'ai besoin de réfléchir.**
  I don't know what to do... I have to think.

- **Je n'ai pas réussi à faire une réservation pour Albertville.**
  I didn't manage to make a reservation for Albertville.

- **Tu peux m'aider?**
  Can you help me?

- **Dis-moi, comment est-ce que je peux t'aider?**
  Tell me, how can I help you?

- **Qu'est-ce que tu dis?**
  What are you saying/did you say?

- **On a réussi.**
  We succeeded./We got it.

- **S'il te plaît, écris-lui.**
  Please, write to him.

Additional vocabulary

- **C'est trop tard?**
  Is it too late?

- **Disons...**
  Let's say...

- **La réservation est faite.**
  The reservation has been made.

- **C'est fini.**
  It's over.

- **Je suis connectée avec...**
  I am online with...

- **Lis-le-moi.**
  Read it to me.

- **Il dit que...**
  He says that...

- **les moins chers**
  the least expensive

- **en fait**
  in fact

3 **Réfléchissez** Répondez aux questions.

1. Comment faites-vous vos réservations de voyage? Sur Internet? Avec une application mobile? À une agence de voyages?

2. Est-ce que vous créez un budget quand vous voyagez? Comparez votre attitude à celle de Sandrine.

3. Avec qui voyagez-vous, d'habitude? Avez-vous jamais voyagé seul(e)? Comparez votre attitude à celle de Sandrine.

4 **Devinez** Inventez-vous une identité virtuelle. Écrivez un paragraphe dans lequel (*in which*) vous vous décrivez, vous et vos occupations (*activities*) préférées. Donnez votre nom d'internaute (*cybername*). Votre professeur va afficher (*post*) vos messages. Devinez (*Guess*) quelle description correspond à quel(le) camarade de classe.

A C T I V I T É S

I CAN understand short conversations about hotel reservations.

Les vacances des Français

une plage à Biarritz, en France

STRATÉGIE

Guessing meaning from context

As you read in French, you will often see words you have not learned. You can guess what they mean by looking at familiar words around them. You can also make assumptions about unknown words based on other details that you have understood in the selection. Context clues such as a theme, a person's actions, or a place can all shed light on a word's meaning. Always try to guess meaning from context before resorting to an English translation.

En 1936, les Français obtiennent° leurs premiers congés payés: deux semaines par an. En 1956, les congés payés passent à trois semaines, puis à quatre en 1969, et enfin à cinq semaines en 1982. La France est un des pays avec le plus de vacances en Europe. Pendant longtemps, les Français prennent un mois de congés l'été, en août, et beaucoup d'entreprises°, de bureaux et de magasins ferment° tout le mois (la fermeture annuelle). Aujourd'hui, la durée moyenne° des voyages des Français est de cinq jours. Quant aux° destinations de vacances, 91% (pour cent) des Français restent en France. S'ils partent à l'étranger, leurs destinations préférées sont l'Espagne, l'Italie et l'Amérique. Environ° 30% des Français vont en ville, 23% vont à la mer, 22% vont à la campagne et 20% vont à la montagne.

Ce sont les personnes âgées et les agriculteurs° qui partent le moins souvent en vacances et les étudiants qui voyagent le plus, parce qu'ils ont beaucoup de congés. Pour eux, les cours commencent en septembre ou octobre avec la rentrée des classes. Puis, il y a deux semaines de vacances plusieurs fois dans l'année: les vacances de la Toussaint en octobre-novembre, les vacances de Noël en décembre-janvier, les vacances d'hiver en février-mars et les vacances de printemps en avril-mai. L'été, les étudiants ont les grandes vacances de juin jusqu'à° la rentrée.

Coup de main

To form the superlative of nouns, use **le plus (de)** + [*noun*] to say *the most* and **le moins (de)** + [*noun*] to say *the least*.

Les étudiants ont le plus de congés.

Les personnes âgées prennent le moins de congés.

obtiennent *obtain* **entreprises** *companies* **ferment** *close* **moyenne** *average* **Quant aux** *As for* **Environ** *Around* **agriculteurs** *farmers* **jusqu'à** *until*

ACTIVITÉS

1 Complétez Complétez les phrases.

1. C'est en 1936 que les Français obtiennent leurs premiers _____.

2. Depuis (*Since*) 1982, les Français ont _____ de congés payés.

3. Pendant longtemps, les Français prennent leurs vacances au mois _____.

4. Pendant _____, beaucoup de magasins sont fermés.

5. Ce sont _____ qui ont le plus de vacances.

2 Considérez Répondez aux questions.

1. Avez-vous beaucoup de congés? Combien de semaines par an?

2. Les congés payés sont-ils garantis dans votre pays? Comparez les règles de vacances chez vous à celles des Français. Quels valeurs représentent-elles?

3. Quelles sont les destinations préférées des personnes dans votre communauté? Comparez-les à celles des Français.

4. Pensez-vous que les vacances sont importantes pour le bien-être? Et les Français, est-ce qu'ils ont les mêmes croyances (*beliefs*)?

Les destinations des Français

La plupart des Français (91%) choisissent de voyager en France pendant leurs vacances. Voici les destinations étrangères visitées.

Espagne	28%
Italie	20%
Amérique	11%
Royaume-Uni	10%
Portugal	9%
Asie et Océanie	8%
Allemagne	8%
Maghreb	6%

SOURCE: DGE, ENQUÊTE SDT

Les Alpes et le ski

Près de 35% des Français partent à la montagne pendant les vacances d'hiver. Soixante-dix pour cent d'entre eux° choisissent° une station de ski des Alpes françaises. La chaîne° des Alpes est la plus grande chaîne de montagnes d'Europe. Elle fait plus de 1.000 km de long et va de la Méditerranée à l'Autriche°. Plusieurs pays la partagent: entre autres° la France, la Suisse, l'Allemagne et l'Italie. Le Mont-Blanc, le sommet° le plus haut° d'Europe occidentale°, est à 4.808 mètres d'altitude. On trouve d'excellentes pistes° de ski dans les Alpes, comme à Chamonix, Tignes, Val d'Isère et aux Trois Vallées.

d'entre eux of them **choisissent** choose **chaîne** range **l'Autriche** Austria **entre autres** among others **sommet** peak **le plus haut** the highest **occidentale** Western **pistes** trails

LE MONDE FRANCOPHONE

Des vacances francophones

Si vous voulez° partir en vacances et pratiquer le français, vous pouvez° aller en France, bien sûr, mais il y a aussi beaucoup d'autres destinations.

Près des États-Unis

En hiver, le Québec est une destination populaire pour les amateurs de sports d'hiver. Il y a le Carnaval d'hiver en février, qui attire (*attracts*) environ 1 million de personnes par an.

Dans l'océan Pacifique

De la Côte Ouest des États-Unis, au sud° de Hawaï, vous pouvez aller dans les îles° de la Polynésie française: les îles Marquises, les îles du Vent (avec Tahiti) et les îles Tuamotu. Au total il y a 118 îles, dont° 67 sont habitées°.

voulez want **pouvez** can **sud** south **îles** islands **dont** of which **habitées** inhabited

🎵 MUSIQUE À FOND

Kassav'

Lieu de naissance: Guadeloupe
Métier: groupe de musique

Ce groupe de musique traditionnelle a été créé en Guadeloupe en 1979, et a popularisé le zouk (rythme typique de la Guadeloupe) en France et au Canada.

Go to **vhlcentral.com** to find out more about **Kassav'** and their music.

---

3 **Répondez** Complétez les phrases.

1. Quand ils voyagent à l'étranger, les Français préfèrent aller _____.
2. La Polynésie française est composée de _____ îles.
3. Beaucoup des Français qui partent à la montagne en hiver choisissent _____ dans les Alpes.
4. _____ est le sommet le plus haut d'Europe occidentale.

4 **À l'agence de voyages** Vous travaillez dans une agence de voyages en France. Votre partenaire, un(e) client(e), va vous parler des activités et du climat qu'il/elle aime. Faites quelques suggestions de destinations. Votre client(e) va vous poser des questions sur les différents voyages que vous suggérez.

ACTIVITÉS

I CAN identify and reflect on cultural products and practices related to vacations.

STRUCTURES

7B.1 Regular *-ir* verbs Grammar Tutorial

Point de départ In **Leçon 5A**, you learned several irregular **-ir** verbs. Some **-ir** verbs, like **finir** (*to finish*), are regular in their conjugation.

finir	
je finis	nous finissons
tu finis	vous finissez
il/elle/on finit	ils/elles finissent

Je **finis** mes devoirs.
I finish my homework.

Alain et Chloé **finissent** de manger.
Alain and Chloé finish eating.

- Here are some other verbs that follow the same pattern as **finir**.

Other regular *-ir* verbs			
choisir	to choose	réfléchir (à)	to think (about), to reflect (on)
grossir	to gain weight		
maigrir	to lose weight	réussir (à)	to succeed in (doing something)

Marc **grossit** pendant les vacances.
Marc gains weight during vacation.

Elles **réussissent** à trouver un hôtel au centre-ville.
They succeed in finding a hotel downtown.

Tu **choisis** ta chambre.
You choose your room.

Vous **réfléchissez** à ma question?
Are you thinking about my question?

- To form the past participle of regular **-ir** verbs, drop the **-r** from the infinitive.

M. Leroy **a** beaucoup **maigri.**
Mr. Leroy lost a lot of weight.

Vous **avez choisi** une chambre?
Did you choose a room?

Boîte à outils

Use the construction **finir de** + [*infinitive*] and **choisir de** + [*infinitive*] to mean *to finish doing* and *to choose to do something.*

Je **finis de manger** et puis tu m'aides.
I'll finish eating and then you help me.

Nous **choisissons de rester** à l'hôtel demain.
We choose to stay at the hotel tomorrow.

Une minute... je réfléchis.

On a réussi!

Essayez! Complétez les phrases.

1. Si tu manges de la salade, tu __maigris__ (maigrir).
2. Il _____ (réussir) tous ses projets.
3. Vous _____ (finir) vos devoirs?
4. Lundi prochain nous _____ (finir) le livre.
5. Les enfants _____ (grossir).
6. Vous _____ (choisir) quel magazine?
7. Son jean est trop grand parce qu'il _____ (maigrir).
8. Je _____ (réfléchir) beaucoup à ce problème.

Le français vivant

Les îles de **Guadeloupe** vous attendent

Je choisis la Guadeloupe pour mes vacances.

Je réussis à trouver un paradis pour mes enfants!

Les îles de Guadeloupe.

Les îles où tout finit par arriver!

Identifiez Regardez la publicité (*ad*) et trouvez les formes des verbes en **-ir.**

 Répondez Par groupes de trois, répondez aux questions.

1. Qui parle dans la pub?
2. Que vend-on dans la pub?
3. Où sont les îles de Guadeloupe? Regardez sur une carte si vous ne savez (*know*) pas.
4. Pourquoi choisit-on de passer ses vacances à la Guadeloupe?
5. Avez-vous passé des vacances dans un endroit comme la Guadeloupe? Où?

Mise en pratique

1 **Notre voyage** Complétez le dialogue avec le présent des verbes.

FRÉDÉRIQUE L'agence de voyages (1) _____ (finir) d'organiser notre séjour aujourd'hui, n'est-ce pas?

MARC Oui, et elle (2) _____ (choisir) aussi notre hôtel.

LINDA Avez-vous assez d'argent? Est-ce que vous (3) _____ (réfléchir) un peu à ça?

MARC Bien sûr, nous (4) _____ (réfléchir) à ça!

FRÉDÉRIQUE Moi, je (5) _____ (réussir) toujours à dépenser tout mon argent.

LINDA Eh bien moi, je ne dépense pas d'argent pour manger. Je (6) _____ (maigrir) quand je vais à l'étranger.

MARC Moi, je (7) _____ (grossir) quand je voyage parce que je mange trop.

LINDA Est-ce que vous (8) _____ (finir) tous vos devoirs avant de voyager?

FRÉDÉRIQUE Moi, je les (9) _____ (finir) rarement!

MARC Et moi, je (10) _____ (choisir) de les finir.

2 **On fait quoi?** Complétez les phrases avec la forme correcte d'un verbe en -ir.

1. Nous _____ nos devoirs avant le dîner.

2. Ursula _____ les vêtements qu'elle va porter à l'école.

3. Eva et Léo _____ à faire un gâteau.

4. Omar _____ à ses problèmes d'argent.

5. Yves et toi, vous allez à la gym parce que vous _____ cet été.

6. Josiane, tu manges une salade parce que tu essaies de _____?

3 **On part!** Saïda a préparé une liste de choses qu'elle et ses copines doivent (*must*) faire avant leur voyage. Dites qui a déjà fait quoi.

	moi	Leyla	Patricia
1. finir les réservations		✓	
2. réfléchir aux vêtements qu'on va prendre		✓	✓
3. maigrir	✓		
4. choisir une chambre au rez-de-chaussée	✓		✓
5. réussir à trouver un maillot de bain	✓	✓	✓
6. choisir une camarade de chambre			✓

Leyla a déjà fini les réservations.

Communication

4 **Ça, c'est moi!** Avec un(e) partenaire, complétez les phrases suivantes pour parler de vous-même.

1. Je ne finis jamais (de)...
2. Je finis toujours (de)...
3. Je maigris quand...
4. Au restaurant, je choisis souvent...
5. Je réfléchis quelquefois (*sometimes*) à...
6. Je réussis toujours (à)...

5 **Assemblez** Avec un(e) partenaire, assemblez les éléments des trois colonnes pour créer des phrases. Attention! Quelques verbes sont irréguliers.

A	B	C
je	choisir	copains/copines
tu	finir	cours pour
le prof	grossir	l'année prochaine
mon frère	maigrir	importante décision
mes parents	partir	devoirs
ma sœur	réfléchir (à)	manger
mon/ma petit(e) ami(e)	réussir	(peu, beaucoup, trop)
mon/ma camarade de chambre	sortir	restaurant
?	?	vacances
		vêtements
		voyage
		?

6 **Votre vie à la fac** Posez ces questions à un(e) partenaire puis présentez ses réponses à la classe.

1. As-tu beaucoup réfléchi avant de choisir cette université? Pourquoi l'as-tu choisie?
2. Comment est-ce que tu as choisi ton/ta camarade de chambre?
3. Pendant ce semestre, dans quel cours as-tu le mieux (*best*) réussi?
4. En général, est-ce que tu réussis aux examens de français? Comment les trouves-tu?
5. Est-ce que tu maigris ou grossis à la fac? Pourquoi?
6. À quelle heure est-ce que tes cours finissent le vendredi? Que fais-tu après les cours?
7. Que font tes parents pour toi quand tu réussis tes examens?
8. Quand fais-tu tes devoirs? Est-ce que tu as déjà fini tes devoirs pour aujourd'hui?

7 **L'itinéraire** Vous partez en vacances avec un(e) ami(e). Vous avez des opinions très différentes. L'un(e) préfère la plage et l'autre préfère la campagne. Mettez-vous d'accord et prenez des décisions. Où allez-vous? Qu'est-ce que vous apportez? Où descendez-vous? Préparez un itinéraire, puis présentez-le à la classe. Utilisez les verbes den -**ir**.

I CAN discuss choosing, finishing, and succeeding.

7B.2

The *impératif* Grammar Tutorial

Point de départ The **impératif** is the form of a verb that is used to give commands or to offer directions, hints, and suggestions. With command forms, *you do not use subject pronouns.*

🏃 **Boîte à outils**

In French, unlike English, the command form changes depending on the person to whom it is addressed.

• Form the **tu** command of **-er** verbs by dropping the **-s** from the present tense form. Note that **aller** also follows this pattern.

Réserve deux chambres.	**Travaille** bien.	**Va** au marché.
Reserve two rooms.	*Work well.*	*Go to the market.*

• The **nous** and **vous** command forms of **-er** verbs are the same as the present tense forms.

Nettoyez votre chambre.	**Mangeons** au restaurant ce soir.
Clean your room.	*Let's eat out tonight.*

• For **-ir** verbs, **-re** verbs, and most irregular verbs, the command forms are identical to the present tense forms.

Finis la salade.	**Attendez** dix minutes.	**Faisons** du yoga.
Finish the salad.	*Wait ten minutes.*	*Let's do some yoga.*

• To make a command negative, place **ne** before the verb and **pas** after it.

Ne regarde pas la télé.	**Ne vendons pas** la maison.	**Ne finissez pas** le jus d'orange.
Don't watch TV.	*Let's not sell the house.*	*Don't finish the orange juice.*

The *impératif* of *avoir* and *être*		
	avoir	**être**
(tu)	aie	sois
(nous)	ayons	soyons
(vous)	ayez	soyez

• The forms of **avoir** and **être** in the **impératif** are irregular.

Aie confiance.	**Soyons** optimistes!
Have confidence.	*Let's be optimistic!*

N'ayons pas peur.	**Ne sois pas** impatient!
Let's not be afraid.	*Don't be impatient!*

• An object pronoun can be added to the end of an affirmative command. Use a hyphen to separate them. Use **moi** and **toi** for the first- and second-person object pronouns.

Permettez-moi de vous aider.	Achète le dictionnaire et **utilise-le.**
Allow me to help you.	*Buy the dictionary and use it.*

• In negative commands, place object pronouns between **ne** and the verb. Use **me** and **te** for the first- and second-person object pronouns.

À noter

You will learn more about how to use **toi** and **te** with commands when you study reflexive verbs in **Leçon 10A.**

Ne **me montre** pas les réponses.	Ma photo! Ne **la touchez** pas.
Don't show me the answers.	*My picture! Don't touch it.*

Ne **lui donne** pas les bonbons.	Ne **leur téléphonez** pas.
Don't give her the candy.	*Don't phone them.*

The verbs *dire*, *lire*, and *écrire*

dire, lire, écrire			
	dire *(to say)*	**lire** *(to read)*	**écrire** *(to write)*
je/j'	**dis**	**lis**	**écris**
tu	**dis**	**lis**	**écris**
il/elle/on	**dit**	**lit**	**écrit**
nous	**disons**	**lisons**	**écrivons**
vous	**dites**	**lisez**	**écrivez**
ils/elles	**disent**	**lisent**	**écrivent**

Disons du 26 décembre au 2 janvier.

J'écris un e-mail à…

Elle m'**écrit**.
She writes to me.

Ne **dis** pas ton secret.
Don't tell your secret.

Lisez cet e-mail.
Read that e-mail.

- The verb **décrire** (*to describe*) is conjugated like **écrire**.

  Elle **décrit** l'accident.
  She's describing the accident.

  Ils **décrivent** leurs vacances.
  They describe their vacation.

- The past participles of **dire**, **écrire**, and **décrire**, respectively, are **dit**, **écrit**, and **décrit**. The past participle of **lire** is **lu**.

  Ils l'**ont dit**.
  They said it.

  Tu l'**as écrit**.
  You wrote it.

  Nous l'**avons lu**.
  We read it.

Essayez! Employez l'impératif pour compléter ces phrases.

1. _Envoie_ (envoyer: tu) cette lettre.
2. Ne _____ (quitter: nous) pas la maison ce soir.
3. _____ (attendre: vous) à l'aéroport.
4. Sébastien, _____ (aller: tu) à la bibliothèque.
5. Christine et Serena, ne _____ (être: vous) pas impatientes.
6. _____ (décrire: vous) votre famille.
7. Ne _____ (perdre: nous) pas de temps.
8. Chérie, n' _____ (avoir: tu) pas peur.
9. _____ (prendre: vous) des fraises.
10. _____ (écrire: tu) ton devoir pour demain.
11. Ne me _____ (dire: vous) pas comment le film finit!
12. _____ (lire: tu) ce livre.
13. _____ (apprendre: tu) une nouvelle langue.
14. _____ (mettre: nous) un anorak.

STRUCTURES

Mise en pratique

1 **Dites à...** Mettez les verbes à l'impératif.

MODÈLE

Dites à votre petite sœur de nettoyer sa chambre.
Nettoie ta chambre.

Dites à votre petite sœur...

1. d'aller à l'école.

2. de ne pas regarder la télé.

3. de vous attendre.

Dites à vos camarades de chambre...

4. de ne pas mettre la radio.

5. d'être gentils.

6. de réfléchir avant de parler.

2 **Écoutez** Marilyne et Nicole sont des adolescentes difficiles. Leur mère leur demande de faire le contraire de ce qu'elles (*what they*) proposent.

MODÈLE

Nous allons regarder la télé.
Ne la regardez pas.

1. Nous allons téléphoner à nos copines.

2. Je ne vais pas parler à mon prof.

3. Nous n'allons pas lire ce livre.

4. Nous n'allons pas faire nos devoirs.

5. Je vais acheter cette nouvelle jupe.

6. Je ne vais pas écrire à mes grands-parents.

3 **Que dites-vous?** Que dites-vous à ces personnes? Écrivez des phrases en employant des verbes à l'impératif.

MODÈLE

Ne dormez pas tard.

1. _____ 2. _____ 3. _____ 4. _____

_____ _____ _____ _____

Communication

4 **Fais-le** Dites à un(e) camarade de classe de faire certaines choses. Ensuite, changez de rôle. Utilisez ces verbes ou d'autres.

MODÈLE

donner
Charles, donne-moi un crayon.

chanter	dire	faire
danser	donner	lire
décrire	écrire	nettoyer
dessiner	essayer	regarder

5 **Un voyage aux États-Unis** Un(e) étudiant(e) français(e) va visiter ces villes aux États-Unis. Avec un(e) partenaire, suggérez des activités à faire dans chaque ville.

MODÈLE

À New York, va à la statue de la Liberté.

villes	verbes utiles
Boston	acheter
Chicago	aller
Los Angeles	faire
Miami	manger
New York	prendre
San Francisco	regarder
Washington, D.C.	réserver
	rester
	visiter

6 **Mme Réponsatout** Vous téléphonez à l'émission (*show*) de Madame Réponsatout, qui donne des conseils (*advice*) au public. Avec un(e) partenaire, imaginez les dialogues pour les problèmes de la liste. Employez des verbes à l'impératif et alternez les rôles.

MODÈLE

Étudiant(e) 1: *J'ai un problème d'argent.*
Étudiant(e) 2: *N'achetez pas de vêtements chers.*

- un problème d'argent
- un problème sentimental (*romantic*)
- où aller en vacances
- un(e) camarade de chambre pénible
- mauvaises notes à tous les cours
- un professeur difficile
- quoi faire après mes études
- un problème de poids (*weight*)

I CAN give commands and offer directions, hints, and suggestions.

Révision

1

Oui ou non? Votre professeur va vous donner une feuille d'activités. Circulez dans la classe pour trouver deux camarades différent(e)s pour chaque situation, l'un(e) qui dit oui et l'autre qui dit non. Écrivez leur nom.

MODÈLE

Étudiant(e) 1: Est-ce que tu écris des e-mails à tes grands-parents?

Étudiant(e) 2: Oui, je leur écris des e-mails parfois.

Situation	Oui	Non
1. écrire des e-mails à ses grands-parents	Lionel	
2. dire la vérité (truth) dans toutes les circonstances		
3. grossir en été		
4. lire le journal tous les matins		
5. maigrir en hiver		
6. réussir à faire la fête tous les week-ends		

2

Faites attention Vous êtes médecin. Quels conseils (advice) donnez-vous à ces personnes? Employez des verbes à l'impératif. Ensuite, comparez vos suggestions aux suggestions de deux camarades.

Quels conseils donnez-vous à une personne...

1. fatiguée?
2. nerveuse?
3. sans énergie?
4. faible?
5. trop grosse?
6. trop mince?

3

Apprenons le français Vous et votre partenaire cherchez à progresser en français. Trouvez huit idées d'activités à faire en français et utilisez des verbes à l'impératif avec des pronoms d'objet direct ou indirect. Ensuite, comparez votre liste avec la liste d'un autre groupe.

MODÈLE

Étudiant(e) 1: Regardons le dernier film de Catherine Deneuve.

Étudiant(e) 2: Oui, regardons-le.

4

Des solutions Parlez de ces problèmes avec un(e) partenaire. Un(e) étudiant(e) présente les problèmes de la colonne A et l'autre les problèmes de la colonne B. Employez des impératifs pour répondre aux problèmes et alternez les rôles.

MODÈLE J'ai perdu mon cahier de français.

Étudiant(e) 1: J'ai perdu mon cahier de français.

Étudiant(e) 2: Nettoie ta chambre et puis cherche-le.

A	B
1. Je ne trouve pas de billet aller-retour pour la Guadeloupe.	1. Mon/Ma petit(e) ami(e) est allé(e) à une fête avec une autre personne.
2. Demain c'est l'anniversaire de ma mère et je n'ai pas son cadeau.	2. Je n'ai pas acheté de billet de train pour aller à Genève demain.
3. Je n'ai pas d'argent pour payer l'addition.	3. Il est 11h00 du matin, mais j'ai déjà faim.
4. L'avion est parti sans moi.	4. Il neige et j'ai très froid.

5

La publicité Par groupes de trois, créez le texte d'une publicité pour le magazine *Mer et soleil*. Décidez quel endroit l'illustration représente, puis employez des verbes à l'impératif pour attirer (to attract) des touristes. Ensuite, présentez votre pub (ad) à la classe.

6

Un week-end en vacances Votre professeur va vous donner, à vous et à votre partenaire, une feuille de dessins sur le week-end de M. et Mme Bardot et de leur fille Alexandra. Attention! Ne regardez pas la feuille de votre partenaire.

MODÈLE

Étudiant(e) 1: D'abord, ils sont arrivés à l'hôtel.

Étudiant(e) 2: Après, ...

Écriture

STRATÉGIE

Making an outline

When we write to share information, an outline can serve to separate topics and subtopics, providing a framework for presenting the data. Consider the following excerpt from an outline of a tourist brochure.

I. Itinéraire et description du voyage

  A. Jour 1

    1. ville: Ajaccio

    2. visites: visite de la ville à pied

    3. activités: dîner

  B. Jour 2

    1. ville: Bonifacio

    2. visites: la ville de Bonifacio

    3. activités: promenade en bateau, dîner

II. Description des hôtels et des transports

  A. Hôtels

  B. Transports

Schéma d'idées

Idea maps can be used to create outlines. The major sections of an idea map correspond to the Roman numerals in an outline. The minor sections correspond to the outline's capital letters, and so on. Consider the idea map that led to the outline above.

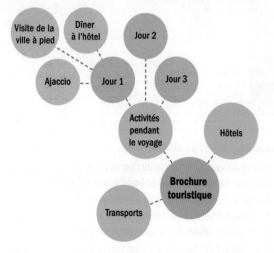

Thème

Créez une brochure

Vous allez préparer une brochure pour un voyage organisé que vous avez fait ou que vous avez envie de faire dans un pays francophone. Utilisez un schéma d'idées pour vous aider. Voici des exemples d'informations que votre brochure peut (*can*) donner.

- le pays et la ville
- le nombre de jours
- la date et l'heure du départ et du retour
- les transports utilisés (train, avion,...) et le lieu de départ (aéroport JFK, gare de Lyon...)
- le temps qu'il va probablement faire et quelques suggestions de vêtements à emporter (*take along*)
- où on va dormir (hôtel, auberge de jeunesse, camping...)
- où on va manger (restaurant, café, pique-nique dans un parc...)
- les visites culturelles (monuments, musées...)
- les autres activités au programme (explorer la ville, aller au marché, faire du sport...)
- le prix du voyage par personne

I CAN create a travel brochure.

Video

SAVOIR-FAIRE

Panorama

le fleuve° Mékong au Laos

L'Asie du Sud-Est

Habitée depuis la préhistoire, l'Asie du Sud-Est est influencée par l'Inde° (le Cambodge, le Laos) et par la Chine (le Viêt-Nam). Divers empires contrôlent la région au cours de° l'histoire, puis la France la colonise au 19e siècle. L'indépendance, gagnée en 1945, est suivie par° des guerres°, dictatures° et violences qui ne terminent qu'en° 2000.

Personnes célèbres

▶ **Hô Chi Minh**, Viêt-Nam, révolutionnaire et homme d'État° (1890–1969)

▶ **Soma Serei Norodom**, Cambodge, chroniqueuse et philanthrope (1969–)

La Polynésie française

Cette collectivité d'outre-mer° (COM) française regroupe cinq archipels et 118 îles° dans le sud du Pacifique. Les premiers habitants arrivent de l'Asie du Sud-Est vers l'an 300, et peuplent° toute la région pacifique. L'arrivée de navigateurs européens au 18e siècle provoque des épidémies° et un déclin démographique. L'économie aujourd'hui est basée sur le tourisme naturel et culturel.

Personnes célèbres

▶ **Rodolphe Vinh Tung**, Raiatea, îles de la Société, professionnel du wakeboard (1974–)

▶ **Célestine Hitiura Vaite**, Tahiti, îles de la Société, écrivaine (1966–)

Inde *India* **au cours de** *throughout* **suivie par** *followed by* **guerres** *wars* **dictatures** *dictatorships* **ne... que** *only* **homme d'État** *statesman* **outre-mer** *overseas* **îles** *islands* **peuplent** *populate* **épidémies** *epidemics* **fleuve** *river* **courses de pirogues** *dugout canoe races*

les courses de pirogues° en Polynésie française

ACTIVITÉS

1 **Les informations** Complétez les phrases.

1. La Polynésie française est une _____ d'outre-mer.

2. Les premiers habitants de la Polynésie française arrivent de _____.

3. L'arrivée des maladies (*illnesses*) en Polynésie française provoque des _____.

4. _____ de l'Asie du Sud-Est est suivie par des guerres et des dictatures.

2 **Assimilez** Répondez aux questions.

1. Que savez-vous de la culture de l'Asie du Sud-Est? Est-ce que des éléments culturels de l'Asie du Sud-Est sont présents dans votre pays?

2. À votre avis, comment est-ce que la géographie de la Polynésie française influence la perspective de ses habitants? Comment est-ce qu'elle influence leur conception d'identité culturelle?

3. Comment est-ce que votre pays est influencé par ses pays voisins (*neighboring*), culturellement et linguistiquement?

Les arts

Les tableaux de Gauguin

En 1891, le peintre Paul Gauguin (1848–1903) vend ses œuvres° à Paris et déménage° à Tahiti, dans les îles de la Société, pour échapper à° la vie moderne. Il y reste° deux ans avant de rentrer en France et, en 1895, il retourne en Polynésie française pour y habiter jusqu'à sa mort° en 1903. Inspirée par le nouvel environnement du peintre et la nature qui l'entoure°, l'œuvre «tahitienne» de Gauguin est célèbre pour sa représentation du peuple indigène et l'emploi° de couleurs vives°. Ses peintures de femmes font partie de ses meilleurs tableaux.

L'histoire

L'Indochine française

Le Viêt-Nam, le Laos et le Cambodge faisaient autrefois partie° de l'Indochine, ancienne colonie de la France. Bien que° la présence française sur la péninsule date du 17ᵉ siècle, les Français ne s'y installent définitivement qu'à partir de° 1858, moment où ils sont intervenus° pour protéger les missionnaires catholiques contre le harcèlement°. Ils y resteront°, développant leurs intérêts économiques en exploitant les ressources du territoire, jusqu'à leur défaite° dans la guerre° d'Indochine en 1954. Aujourd'hui, on voit toujours des traces de la langue et de la culture françaises dans l'architecture, l'urbanisation des villes et la gastronomie de la région.

L'économie

La perle° noire

La Polynésie française est le principal producteur de perles noires. Dans la nature, les perles sont très rares; on en trouve dans une huître° sur 15.000. Par contre°, aujourd'hui, la Polynésie française produit plusieurs tonnes de perles noires chaque année. Des milliers de Tahitiens vivent de° l'industrie perlière. Parce qu'elle se trouve dans les lagons, la perliculture° aide à repeupler° certaines îles et certains endroits ruraux, abandonnés par les gens partis° en ville. Les perles sont très variées et présentent différentes formes et nuances de noir.

▷ La gastronomie

La fusion des cuisines

Avant l'arrivée des colons° français au Viêt-Nam au 19ᵉ siècle, la viande de bœuf et les produits laitiers° ne figuraient pas dans sa gastronomie. Les Français, habitués° à ces produits, les y ont introduits ainsi que° le café, la baguette et certains légumes, fruits et herbes tels que les fraises, le chou° et le basilic. Aujourd'hui, ces ingrédients maintenant font partie des plats traditionnels comme *le pho*, une soupe de bouillon et nouilles°, et *le banh-mi*, un sandwich de baguette au porc rôti°.

INCROYABLE MAIS VRAI!

En 1860 l'explorateur français Henri Mouhot redécouvre° un temple gigantesque caché° par la forêt dans le nord du Cambodge: Angkor Vat. Construit au 12ᵉ siècle par 300.000 ouvriers° et 6.000 éléphants d'après certains°, ce «Temple Cité Royale» est le plus grand temple religieux du monde. Il est le symbole emblématique du pays et son attraction touristique principale.

vend ses oeuvres *sells his artwork* **déménage** *moves* **échapper à** *escape* **y reste** *stays there* **jusqu'à sa mort** *until his death* **entoure** *surrounds* **emploi** *use* **vives** *bright* **faisaient partie** *was part of* **Bien que** *Although* **qu'à partir de** *beginning only in* **intervenus** *intervened* **harcèlement** *harassment* **resteront** *will stay* **défaite** *defeat* **guerre** *war* **perle** *pearl* **huître** *oyster* **Par contre** *On the other hand* **vivent de** *make a living from* **perliculture** *pearl farming* **repeupler** *repopulate* **gens partis** *people who left* **colons** *colonists* **laitiers** *dairy* **habitués** *used to* **ainsi que** *as well as* **chou** *cabbage* **nouilles** *noodles* **porc rôti** *roasted pork* **redécouvre** *rediscovers* **caché** *hidden* **ouvriers** *workers* **d'après certains** *according to some*

---

3 **Vous avez compris?** Répondez aux questions.

1. Pour quelles raisons l'œuvre «tahitienne» de Gauguin est-elle célèbre?

2. Où trouve-t-on des traces de la culture française dans l'Asie du Sud-Est?

3. Comment est-ce que la perliculture influence la population de la Polynésie?

4 **Culture** Faites des recherches sur une pratique culturelle de la Polynésie française (par exemple, la danse, le chant, le tatouage ou les courses de pirogues). Quelles sont les origines de cette pratique? Quelles sont ses significations (*meanings*)? Comment a-t-elle évolué au cours de l'histoire? Comment est-ce que cette pratique reflète les croyances ou les valeurs des peuples polynésiens?

A C T I V I T É S

I CAN identify cultural products and practices of Southeast Asia and French Polynesia and reflect on attitudes around them.

Panorama

La France d'outre-mer

Les DROMs°

La Guadeloupe et la Martinique sont des îles° caribéennes, originellement habitées par différents groupes amérindiens, et plus tard par des Français et des esclaves° africains. C'est Christophe Colomb qui a renommé ces îles: Karukéra («l'île aux belles eaux») devient° la Guadeloupe, et Madinina («l'île aux fleurs°») devient la Martinique.

La Guyane, située sur la côte° atlantique de l'Amérique du Sud, au nord du Brésil, est habitée à l'origine par des groupes amérindiens, qui font encore partie de sa population aujourd'hui. La Guyane était une colonie pénale française entre 1792 et 1938. Un centre spatial français y est construit en 1965.

Mayotte est une île volcanique située dans l'océan Indien à l'est du Mozambique, un pays africain. Ses premiers habitants viennent d'Asie du Sud-Est et d'Afrique, puis d'Arabie, d'Inde et de Madagascar. Mayotte devient une colonie française en 1841, et décide de rester sous la République française après son indépendance en 1975.

La Réunion est une île volcanique située dans l'océan Indien, à l'est de Madagascar. Découverte au Moyen Âge° par les Arabes, l'île devient française au 17e siècle°. La Réunion est surtout connue° pour sa grande diversité culturelle, mêlant° langues, religions, cultures et ethnies variées depuis des siècles.

Personnes célèbres

▶ **Aimé Césaire**, Martinique, poète (1913–2008)

▶ **Christiane Taubira**, Guyane, femme politique (1952–)

DROMs départements et régions d'outre-mer **îles** islands **esclaves** slaves **devient** becomes **fleurs** flowers **côte** coast **Moyen Âge** Middle Ages **Néerlandais** Dutch **siècle** century **connue** known **mêlant** blending

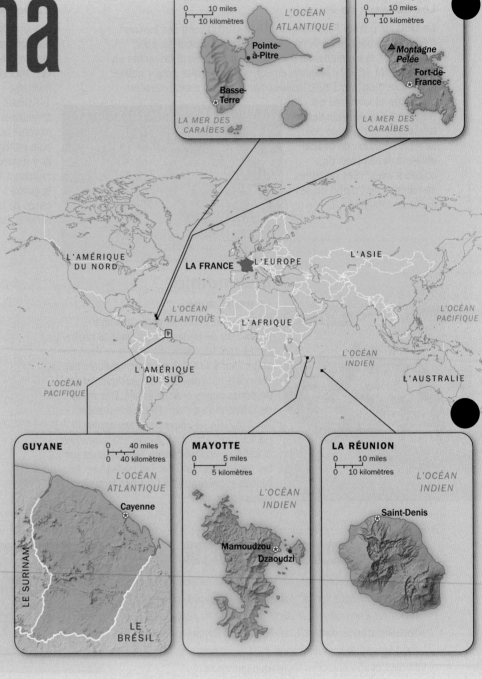

284 deux cent quatre-vingt-quatre

A C T I V I T É S

1 **Détails** Complétez les phrases.

1. La Guadeloupe et la Martinique sont d'abord habitées par _____.

2. _____ a renommé les Îles de la Guadeloupe et de la Martinique.

3. Il y a un centre spatiale français aujourd'hui en _____.

4. _____ a décidé de rester partie de la République française après son indépendance.

5. La Réunion est connue pour sa grande _____.

2 **Assimilez** Répondez aux questions.

1. À votre avis, pourquoi Mayotte a-t-elle décidé de rester partie de la République française après son indépendance?

2. Quels sont les défis (*challenges*) et avantages d'être un département ou une région d'outre-mer?

3. À votre avis, comment sont les relations entre les Français d'outre-mer et les Français de la métropole (*mainland*)? Expliquez.

4. Est-ce que ce votre pays a des territoires d'outre-mer? Faites des recherches.

Les arts

Le maloya

Le maloya fait partie du patrimoine vivant° de l'île de la Réunion. Créé par des esclaves° afro-malgaches° dans les plantations sucrières d'autrefois, il est à la fois° une forme de musique, un chant et une danse. Initialement, il consistait en un dialogue entre un soliste et un chœur accompagné d'instruments à percussions, mais aujourd'hui il se marie à d'autres genres tels que° le reggae, le jazz ou le rock. Des artistes professionnels et des amateurs le chantent et le dansent pendant les manifestations culturelles, sociales et politiques de l'île.

▷ Les destinations

Le lagon de Mayotte

Avec sa double barrière de corail°, le lagon de Mayotte est d'une richesse exceptionnelle. On peut y observer des tortues géantes, des baleines° avec leurs petits, des dauphins° et bien sûr de magnifiques poissons bariolés°. Mais ces écosystèmes tant appréciés des plongeurs° et des touristes sont fragiles. Il faut les préserver tout en encourageant le développement durable°. C'est pour cette raison que le Parc naturel marin de Mayotte a été créé en 2010. Cette réserve couvre une superficie d'environ 68.000 km² et englobe toutes les eaux françaises alentours°. Une bonne initiative pour protéger la Planète!

Les sciences

La recherche scientifique

Grâce à° sa situation géographique, la Guyane est devenue un pôle d'exploration et de recherches scientifiques. À Paracou, on étudie l'effet du changement climatique sur le fonctionnement de l'écosystème forestier amazonien. Près de Kourou se trouve le Centre Spatial Guyanais. C'est la base de lancement des fusées° Ariane ainsi que° du télescope spatial *Herschel*, qui nous a permis de découvrir de nouvelles galaxies! Non moins important est l'Institut Pasteur de Guyane, à Cayenne. Cette institution se spécialise tout particulièrement dans la recherche sur les maladies endémiques dans les régions tropicales.

Les gens

Maryse Condé

Née en Guadeloupe, puis étudiante à la Sorbonne, à Paris, Maryse Condé a vécu° huit ans en Afrique (Ghana, Sénégal, Guinée, etc.). En 1973, elle enseigne dans les universités françaises et commence sa carrière d'écrivain. Elle sera ensuite professeur en Californie et à l'Université de Columbia. Ses nombreux romans, y compris° *Moi, Tituba Sorcière*, ont reçu de multiples récompenses°. Ses romans mêlent° souvent fiction et événements historiques pour montrer la complexité de la culture antillaise, culture liée° à celle de l'Europe et à celle de l'Afrique.

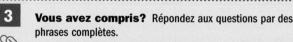
INCROYABLE MAIS VRAI!

Jusqu'au vingtième siècle, Saint-Pierre était le port le plus actif des Antilles et la capitale de la Martinique. Mais en 1902, un volcan, la montagne Pelée, entre en éruption. Il y a deux survivants°, dont un qui a été protégé par les murs de la prison où il était enfermé°. Certains historiens doutent de l'authenticité de l'histoire de cet homme.

patrimoine vivant *living heritage* **esclaves** *slaves* **afro-malgaches** *Afro-Malagasy* **à la fois** *at the same time* **tels que** *such as* **corail** *coral* **baleines** *whales* **dauphins** *dolphins* **bariolés** *colorful* **plongeurs** *divers* **durable** *sustainable* **alentours** *surrounding* **Grâce à** *Because of* **fusées** *rockets* **ainsi que** *as well as* **vécu** *lived* **y compris** *including* **récompenses** *awards* **mêlent** *mix* **liée** *linked* **survivants** *survivors* **enfermé** *detained*

---

3 **Vous avez compris?** Répondez aux questions par des phrases complètes.

1. Saint-Pierre était le port le plus actif des Antilles jusqu'à quel moment?

2. Qu'est-ce que le maloya?

3. Pourquoi a-t-on créé le Parc naturel marin de Mayotte?

4. Qu'est-ce qu'on étudie à Paracou?

4 **Futur voyage** Cherchez des informations sur une territoire française d'outre-mer que vous voulez (*want*) visiter. Quels aspects de sa culture vous intéressent? Quels sites allez-vous visiter? Quelles questions allez-vous poser aux habitants? Présentez vos idées à la classe.

ACTIVITÉS

I CAN identify cultural products and practices of the French overseas departments and reflect on attitudes around them.

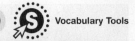
Leçon 7A

Partir en voyage

un aéroport *airport*
un arrêt d'autobus (de bus) *bus stop*
une arrivée *arrival*
un avion *plane*
un billet aller-retour *round-trip ticket*
un billet (d'avion, de train) *(plane, train) ticket*
un départ *departure*
une douane *customs*
une gare (routière) *train station (bus station)*
une sortie *exit*
une station (de métro) *(subway) station*
une station de ski *ski resort*
un ticket de bus, de métro *bus, subway ticket*
un vol *flight*
un voyage *trip*
à l'étranger *abroad, overseas*
la campagne *country(side)*
une capitale *capital*
des gens (m.) *people*
le monde *world*
un pays *country*

Les pays

(en/l') Allemagne (f.) *(to, in) Germany*
(en/l') Angleterre (f.) *(to, in) England*
(en/la) Belgique (belge) *(to, in) Belgium (Belgian)*
(au/le) Brésil (brésilien(ne)) *(to, in) Brazil (Brazilian)*
(au/le) Canada *(to, in) Canada*
(en/la) Chine (chinois(e)) *(to, in) China (Chinese)*
(en/l') Espagne (f.) *(to, in) Spain*
(aux/les) États-Unis (m.) *(to, in) the United States*
(en/la) France *(to, in) France*
(en/l') Irlande (f.) (irlandais(e)) *(to, in) Ireland (Irish)*
(en/l') Italie (f.) *(to, in) Italy*
(au/le) Japon *(to, in) Japan*
(au/le) Mexique *(to, in) Mexico*
(en/la) Suisse *(to, in) Switzerland*

Les vacances

bronzer *to tan*
faire du shopping *to go shopping*
faire les valises *to pack one's bags*
faire un séjour *to spend time (somewhere)*
partir en vacances *to go on vacation*
prendre un train (un avion, un taxi, un (auto)bus, un bateau) *to take a train (plane, taxi, bus, boat)*
rouler en voiture *to ride in a car*
utiliser un plan *to use/read a map*
un (jour de) congé *day(s) off*
le journal *newspaper*
la mer *sea*
une plage *beach*
des vacances (f.) *vacation*

Expressions utiles

See p. 251.

Verbes

aller *to go*
arriver *to arrive*
descendre *to go/take down*
entrer *to enter*
monter *to go/come up; to get in/on*
mourir *to die*
naître *to be born*
partir *to leave*
passer *to pass by; to spend time*
rentrer *to return*
rester *to stay*
retourner *to return*
sortir *to go out*
tomber (sur quelqu'un) *to fall (to run into somebody)*

Leçon 7B

Adverbes et locutions de temps

alors *so, then; at that moment*
après (que) *after*
avant (de) *before*
d'abord *first*
donc *therefore*
enfin *finally, at last*
ensuite *then, next*
finalement *finally*
pendant (que) *during, while*
puis *then*
tout à coup *suddenly*
tout de suite *right away*

Faire une réservation

annuler *to cancel*
une réservation *a reservation*
réserver *to reserve*
une agence/un agent de voyages *travel agency/agent*
un ascenseur *elevator*
une auberge de jeunesse *youth hostel*
une chambre individuelle *single room*
une clé *key*
un(e) client(e) *client; guest*
un étage *floor*
un hôtel *hotel*
un hôtelier/une hotelière *hotel keeper*
un lit *bed*
un passager/une passagère *passenger*
un passeport *passport*
la réception *reception desk*
le rez-de-chaussée *ground floor*
complet/complète *full (no vacancies)*
libre *available*

Ordinal numbers

premier/première *first*
deuxième *second*
troisième *third*
quatrième *fourth*
cinquième *fifth*
neuvième *ninth*
onzième *eleventh*
vingtième *twentieth*
vingt et unième *twenty-first*
vingt-deuxième *twenty-second*
trente et unième *thirty-first*
centième *hundredth*

Expressions utiles

See p. 269.

Verbes irréguliers

décrire *to describe*
dire *to say*
écrire *to write*
lire *to read*

Verbes réguliers en –ir

choisir *to choose*
finir *to finish*
grossir *to gain weight*
maigrir *to lose weight*
réfléchir (à) *to think (about), to reflect (on)*
réussir (à) *to succeed in (doing something)*

∞ Communicative Goals: Review

I CAN discuss vacations and travel.
- Describe your most recent trip, including transportation and accommodations.

I CAN give commands, directions, and suggestions.
- Write five suggestions for a classmate who needs to plan a big trip.

I CAN investigate vacations in francophone cultures.
- Describe a francophone cultural product or practice related to vacations or travel and compare the perspectives around it to attitudes in your own culture.

Chez nous

Communicative Goals

You will learn how to:

- Discuss the home and household chores
- Describe repeated or habitual actions in the past
- Investigate homes in francophone communities

Pour commencer

- À votre avis, quel type de logement est-ce?
  a. un appartement   b. une maison
  c. une résidence universitaire
- Où est cet homme? a. dans la cuisine
  b. dans la salle de bains   c. dans la chambre
- Que fait-il? a. Il étudie.   b. Il cuisine.
  c. Il fait la vaisselle.

Leçon 8A

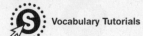

Vocabulary Tutorials

La maison

Vocabulaire

déménager	to move out
emménager	to move in
louer	to rent
un appartement	apartment
une cave	basement, cellar
une cuisine	kitchen
un escalier	staircase
un immeuble	building
un jardin	garden; yard
un logement	housing
un loyer	rent
une pièce	room
un quartier	area, neighborhood
une résidence	residence
une salle à manger	dining room
un salon	formal living/sitting room
un studio	studio (apartment)
une armoire	armoire, wardrobe
une douche	shower
un lavabo	bathroom sink
un meuble	piece of furniture
un placard	closet, cupboard
un tiroir	drawer

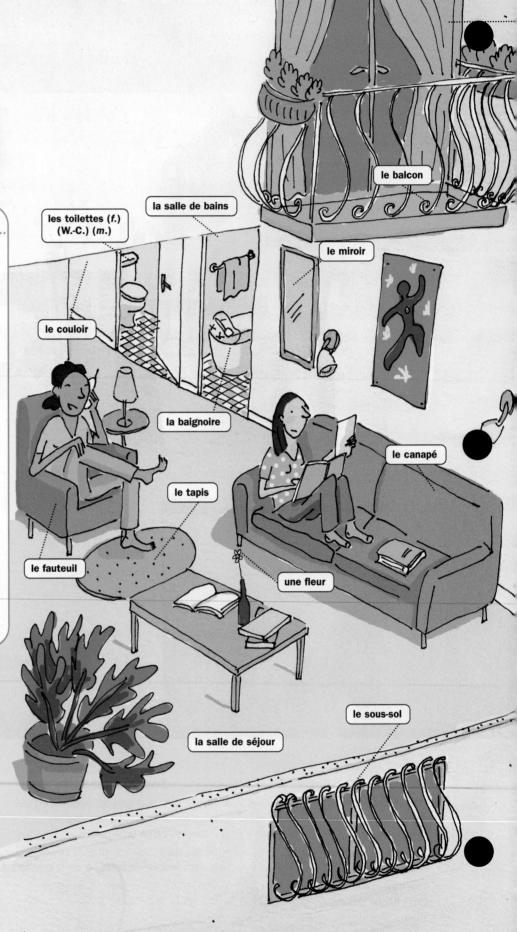

le balcon

la salle de bains

les toilettes (f.) (W.-C.) (m.)

le miroir

le couloir

la baignoire

le canapé

le tapis

le fauteuil

une fleur

le sous-sol

la salle de séjour

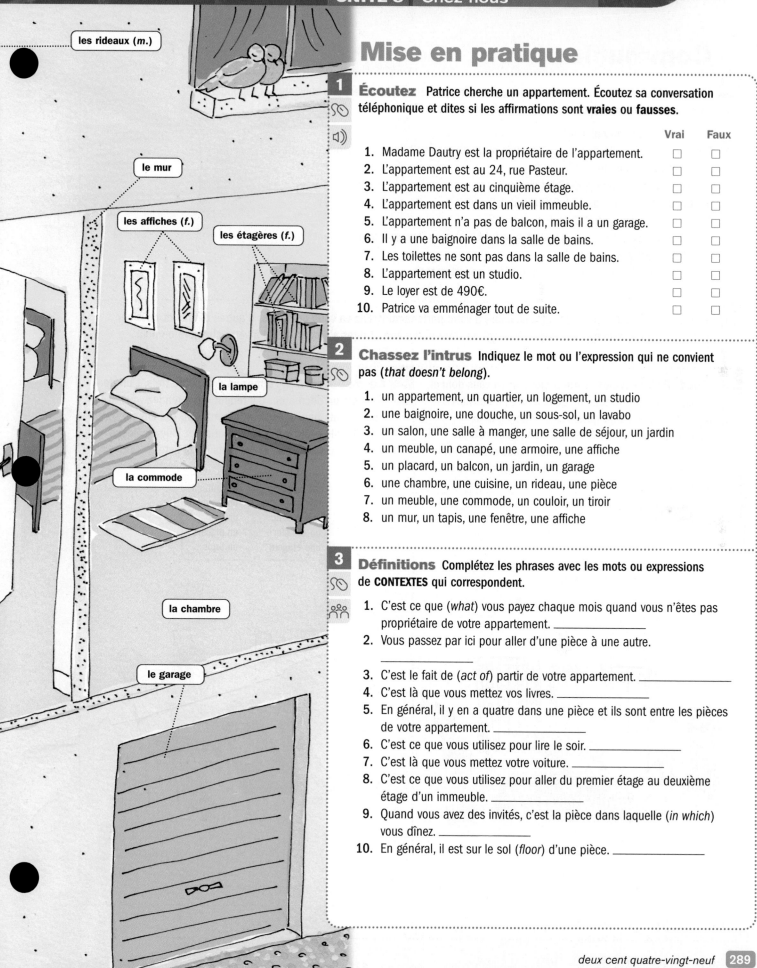

les rideaux (*m.*)

le mur

les affiches (*f.*)

les étagères (*f.*)

la lampe

la commode

la chambre

le garage

Mise en pratique

1 Écoutez Patrice cherche un appartement. Écoutez sa conversation téléphonique et dites si les affirmations sont **vraies** ou **fausses**.

	Vrai	Faux
1. Madame Dautry est la propriétaire de l'appartement.	☐	☐
2. L'appartement est au 24, rue Pasteur.	☐	☐
3. L'appartement est au cinquième étage.	☐	☐
4. L'appartement est dans un vieil immeuble.	☐	☐
5. L'appartement n'a pas de balcon, mais il a un garage.	☐	☐
6. Il y a une baignoire dans la salle de bains.	☐	☐
7. Les toilettes ne sont pas dans la salle de bains.	☐	☐
8. L'appartement est un studio.	☐	☐
9. Le loyer est de 490€.	☐	☐
10. Patrice va emménager tout de suite.	☐	☐

2 Chassez l'intrus Indiquez le mot ou l'expression qui ne convient pas (*that doesn't belong*).

1. un appartement, un quartier, un logement, un studio
2. une baignoire, une douche, un sous-sol, un lavabo
3. un salon, une salle à manger, une salle de séjour, un jardin
4. un meuble, un canapé, une armoire, une affiche
5. un placard, un balcon, un jardin, un garage
6. une chambre, une cuisine, un rideau, une pièce
7. un meuble, une commode, un couloir, un tiroir
8. un mur, un tapis, une fenêtre, une affiche

3 Définitions Complétez les phrases avec les mots ou expressions de **CONTEXTES** qui correspondent.

1. C'est ce que (*what*) vous payez chaque mois quand vous n'êtes pas propriétaire de votre appartement. _____
2. Vous passez par ici pour aller d'une pièce à une autre. _____
3. C'est le fait de (*act of*) partir de votre appartement. _____
4. C'est là que vous mettez vos livres. _____
5. En général, il y en a quatre dans une pièce et ils sont entre les pièces de votre appartement. _____
6. C'est ce que vous utilisez pour lire le soir. _____
7. C'est là que vous mettez votre voiture. _____
8. C'est ce que vous utilisez pour aller du premier étage au deuxième étage d'un immeuble. _____
9. Quand vous avez des invités, c'est la pièce dans laquelle (*in which*) vous dînez. _____
10. En général, il est sur le sol (*floor*) d'une pièce. _____

Communication

4 Répondez À tour de rôle avec un(e) partenaire, posez-vous les questions suivantes et répondez-y. Ensuite, partagez vos réponses les plus intéressantes avec la classe.

1. Où est-ce que tu habites?
2. Quelle est la taille de ton appartement ou de ta maison? Combien de pièces y a-t-il?
3. Quand as-tu emménagé?
4. Est-ce que tu as un jardin? Un garage?
5. Combien de placards as-tu? Où sont-ils?
6. Quels meubles as-tu? Comment sont-ils?
7. Quel meuble est-ce que tu voudrais (*would like*) avoir dans ton appartement?
   (Répondez: Je voudrais...)
8. Qu'est-ce que tu détestes au sujet de ton appartement?

5 Votre chambre Décrivez votre chambre à votre partenaire. Il/Elle va vous demander d'autres détails et dessiner un plan. Ensuite, regardez le dessin (*drawing*) de votre partenaire et dites s'il correspond à votre chambre ou non.

6 Sept différences Votre professeur va vous donner, à vous et à votre partenaire, deux feuilles d'activités différentes. Il y a sept différences entre les deux images. Comparez vos dessins et faites une liste de ces différences. Quel est le groupe le plus rapide (*the quickest*) de la classe? Attention! Ne regardez pas la feuille de votre partenaire.

> **MODÈLE**
>
> **Étudiant(e) 1:** *Dans mon appartement, il y a un lit. Il y a une lampe à côté du lit.*
> **Étudiant(e) 2:** *Dans mon appartement aussi, il y a un lit, mais il n'y a pas de lampe.*

7 La décoration Formez un groupe de trois. L'un de vous est un décorateur d'intérieur qui a rendez-vous avec deux clients pour redécorer leur maison. Les clients sont très difficiles. Écrivez la conversation et jouez la scène devant la classe. Utilisez les mots de la liste.

un canapé	un fauteuil
une chambre	un meuble
une cuisine	un mur
un escalier	un placard
une étagère	un tapis

I CAN describe features of the home.

Les sons et les lettres

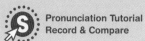

Pronunciation Tutorial
Record & Compare

s and ss

You've already learned that an **s** at the end of a word is usually silent.

lavabo**s**	copain**s**	va**s**	placard**s**

An **s** at the beginning of a word, before a consonant, or after a pronounced consonant is pronounced like the *s* in the English word *set*.

soir	**s**alon	**s**tudio	ab**s**olument

A double **s** is pronounced like the *ss* in the English word *kiss*.

gro**ss**e	a**ss**ez	intére**ss**ant	rou**ss**e

An **s** at the end of a word is often pronounced when the following word begins with a vowel sound. An **s** in a liaison sounds like a *z*, like the *s* in the English word *rose*.

très élégant	trois hommes

The other instance where the French **s** has a *z* sound is when there is a single **s** between two vowels within the same word. The **s** is pronounced like the *s* in the English word *music*.

mu**s**ée	amu**s**ant	oi**s**eau	be**s**oin

These words look alike, but have different meanings. Compare the pronunciations of each word pair.

poi**s**on	poi**ss**on	dé**s**ert	de**ss**ert

Prononcez Répétez les mots suivants à voix haute.

1. sac	4. chose	7. surprise	10. expressions
2. triste	5. bourse	8. assister	11. sénégalaise
3. suisse	6. passer	9. magasin	12. sérieusement

Articulez Répétez les phrases suivantes à voix haute.

1. Le spectacle est très amusant et la chanteuse est superbe.
2. Est-ce que vous habitez dans une résidence universitaire?
3. De temps en temps, Suzanne assiste à l'inauguration d'expositions au musée.
4. Heureusement, mes professeurs sont sympathiques, sociables et très sincères.

Dictons Répétez les dictons à voix haute.

Les oiseaux de même plumage s'assemblent sur le même rivage.[2]

Si jeunesse savait, si vieillesse pouvait.[1]

[1] Youth is wasted on the young.
(lit. *If only youth knew, if only old age could.*)

[2] Birds of a feather flock together.

ROMAN-PHOTO

La visite surprise

Video: *Roman-photo*
Record & Compare

David

Pascal

Rachid

Sandrine

En ville, Pascal fait tomber (drops) ses fleurs.

PASCAL Aïe!

RACHID Tenez. *(Il aide Pascal.)*

PASCAL Oh, merci.

RACHID Aïe!

PASCAL Oh pardon, je suis vraiment désolé!

RACHID Ce n'est rien.

PASCAL Bonne journée!

Chez Sandrine...

RACHID Eh, salut, David! Dis donc, ce n'est pas un logement d'étudiants ici! C'est grand chez toi! Tu ne déménages pas, finalement?

DAVID Heureusement, Sandrine a décidé de rester.

SANDRINE Oui, je suis bien dans cet appartement. Seulement les loyers sont très chers au centre-ville.

RACHID Oui, malheureusement! Tu as combien de pièces?

SANDRINE Il y a trois pièces: le salon, la salle à manger, ma chambre. Bien sûr il y a une cuisine et j'ai aussi une grande salle de bains. Je te fais visiter?

SANDRINE Et voici ma chambre.

RACHID Elle est belle!

SANDRINE Oui... j'aime le vert.

RACHID Dis, c'est vrai, Sandrine, ta salle de bains est vraiment grande.

DAVID Oui! Et elle a un beau miroir au-dessus du lavabo et une baignoire!

RACHID Chez nous, on a seulement une douche.

SANDRINE Moi, je préfère les douches en fait.

Le téléphone sonne (rings).

RACHID Comparé à cet appartement, le nôtre c'est une cave! Pas de décorations, juste des affiches, un canapé, des étagères et mon bureau.

DAVID C'est vrai. On n'a même pas de rideaux.

A C T I V I T É S

1 **Vrai ou faux?** Indiquez si les affirmations sont vraies ou fausses.

1. C'est la première fois que Rachid visite l'appartement.
2. Sandrine ne déménage pas.
3. Les loyers au centre-ville sont très chers.
4. Rachid préfère son appartement à l'appartement de Sandrine.
5. Chez les garçons, il y a une baignoire et des rideaux.

2 **Quel appartement?** Indiquez si les objets suivants sont dans l'appartement de Sandrine (**S**) ou dans l'appartement de David et Rachid (**D & R**), selon l'épisode.

1. baignoire
2. balcon
3. rideaux
4. canapé
5. trois pièces
6. étagères
7. miroir
8. affiches

Pascal arrive à Aix-en-Provence.

SANDRINE Voici la salle à manger.
RACHID Ça, c'est une pièce très
importante pour nous, les invités.

SANDRINE Et puis, la cuisine.
RACHID Une pièce très importante
pour Sandrine...
DAVID Évidemment!

SANDRINE Mais Pascal... je pensais
que tu avais du travail... Quoi? Tu es
ici, maintenant? C'est une blague!
PASCAL Mais ma chérie, ne sois pas
fâchée, c'était une surprise...

SANDRINE Une surprise! Nous deux,
c'est fini! D'abord, tu me dis que les
vacances avec moi, c'est impossible
et ensuite tu arrives à Aix sans
me téléphoner!
PASCAL Bon, si c'est comme ça, reste
où tu es. Ne descends pas. Moi, je
m'en vais. Voilà tes fleurs. Tu parles
d'une surprise!

3 **Considérez** Répondez aux questions.

1. Décrivez l'appartement de Sandrine. Le trouvez-vous grand?
   Comment est-il similaire ou différent des logements d'étudiants
   dans votre communauté?

2. Que pensent David et Rachid de l'appartement de Sandrine?

3. Quels facteurs pourraient (*might*) expliquer les différences
   entre l'appartement de Rachid et David et celui de Sandrine?
   Est-ce que ces facteurs influencent votre choix de logement?

4 **Un appartement** Vous et votre partenaire décidez d'étudier
à Aix l'année prochaine. Vous cherchez un appartement à
partager. Cherchez des appartements à louer sur Internet.
Discutez de l'endroit idéal, du prix et du nombre de pièces que
vous préférez. Choisissez trois possibilités et comparez-les.
Enfin, dites quel appartement vous allez prendre. Présentez
votre travail à la classe.

I CAN understand conversations about apartments and rent.

A
C
T
I
V
I
T
É
S

Video: *Flash culture*

Le logement en France

Quels types de logements y a-t-il en France? En ville, on habite dans une maison ou un appartement. À la campagne, on peut° habiter dans une villa, un château, un chalet ou un mas° provençal.

Vous avez peut-être remarqué° dans un film français qu'il y a une grande diversité de style d'habitation°. En effet°, le style et l'architecture varient d'une région à l'autre, souvent en raison° du climat et des matériaux disponibles°. Dans le Nord°, les maisons sont traditionnellement en briques° avec des toits en ardoise°. Dans l'Est°, en Alsace-Lorraine, il y a de vieilles maisons à colombages° avec des parties de mur en bois°. Dans le Sud°, il y a des villas de style méditerranéen avec des toits en tuiles° rouges et des mas provençaux (de vieilles maisons en pierre°). Dans les Alpes, en Savoie, les chalets sont en bois avec de grands balcons très fleuris°, comme en Suisse. Les maisons traditionnelles de l'Ouest° ont des toits en chaume°. Toutes les maisons françaises ont des volets° et les fenêtres sont assez différentes aussi des fenêtres aux États-Unis. Très souvent il n'y a pas de moustiquaire°, même° dans le sud de la France où il fait très chaud en été.

En France les trois quarts des gens habitent en ville. Beaucoup habitent dans la banlieue, où il y a beaucoup de grands immeubles mais aussi de petits pavillons individuels (maisons avec de petits jardins). Dans les centres-villes et dans les banlieues, il y a des HLM. Ce sont des habitations à loyer modéré°. Les HLM sont construits par l'État. Ce sont souvent des logements réservés aux familles qui ont moins d'argent.

peut *can* mas *farmhouse* remarqué *noticed* habitation *dwelling* En effet *Indeed* en raison du *due to the* disponibles *available* Nord *North* en briques *made of bricks* toits en ardoise *slate roofs* Est *East* à colombages *half-timbered* en bois *made of wood* Sud *South* en tuiles *made of tiles* en pierre *made of stone* fleuris *full of flowers* Ouest *West* en chaume *thatched* volets *shutters* moustiquaire *window screen* même *even* habitations à loyer modéré *low-cost government housing*

Coup de main

Here are some terms commonly used in statistics.

un quart = *one quarter*

un tiers = *one third*

la moitié = *half*

la plupart de = *most of*

un sur cinq = *one in five*

A C T I V I T É S

1 **Vrai ou faux?** Indiquez si les phrases sont vraies ou fausses. Corrigez les phrases fausses.

1. Les maisons sont similaires dans les différentes régions françaises.
2. Dans le Nord, les maisons sont traditionnellement en briques.
3. Les mas provençaux sont des maisons en bois.
4. Le pavillon individuel est une sorte de grand immeuble.
5. Les personnes qui ont moins d'argent peuvent (*can*) habiter dans les HLM.

2 **Réfléchissez** Répondez aux questions.

1. Décrivez l'architecture et les caractéristiques des logements dans votre communauté. Sont-ils similaires aux logements dans une des régions francophones? Expliquez.
2. Comment le style des logements reflète-t-il la géographie et la culture d'une communauté?
3. Comment le style de logement dans une communauté influence-t-il les interactions entre voisins?

Loyer mensuel moyen° en France

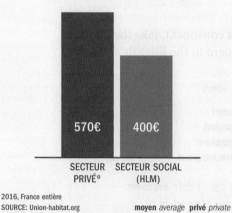

570€   400€

SECTEUR   SECTEUR SOCIAL
PRIVÉ°   (HLM)

2016, France entière
SOURCE: Union-habitat.org

moyen *average* **privé** *private*

LE MONDE FRANCOPHONE

L'architecture

Voici quelques exemples d'habitations traditionnelles.

En Afrique centrale et de l'Ouest des maisons construites sur pilotis°, avec un grenier à riz°

En Afrique du Nord des maisons en pisé (de la terre° rouge mélangée° avec de la paille°) construites autour d'un patio central et avec, souvent, une terrasse sur le toit°

Aux Antilles des maisons en bois de toutes les couleurs avec des toits en métal

En Polynésie française des bungalows, construits sur pilotis ou sur le sol°, souvent en bambou avec des toits en paille ou en feuilles de cocotier°

Au Viêt-nam des maisons sur pilotis construites sur des lacs, des rivières ou simplement au-dessus du sol°

pilotis *stilts* **grenier à riz** *rice granary* **terre** *clay* **mélangée** *mixed* **paille** *straw* **toit** *roof* **sol** *ground* **feuilles de cocotier** *coconut palm leaves* **au-dessus du sol** *off the ground*

PORTRAIT

Le château Frontenac

Le château Frontenac, nommé ainsi en l'honneur du comte de Frontenac, gouverneur de Nouvelle-France à la fin° du 17e siècle, est

un hôtel de luxe et un des sites touristiques les plus populaires de la ville de Québec, au Canada. Construit entre la fin du 19e siècle et le début° du 20e siècle sur le Cap Diamant et idéalement situé à l'intérieur des fortifications dans le quartier du Vieux-Québec, le château offre une vue spectaculaire sur la ville et sur le fleuve° Saint-Laurent. Aujourd'hui, avec ses 611 chambres et suites distribuées sur 18 étages, son restaurant gastronomique, «Le Champlain», ou encore son bar à vins et à fromages, «Le 1608», sa piscine, son centre sportif et son spa, le château Frontenac est classé parmi° les 500 meilleurs° hôtels du monde. Pour les clients qui voyagent en famille, cet hôtel offre un service de gardiennage° très qualifié et bilingue. Pour les clients en voyage d'affaires, il y a un centre d'affaires avec toutes les commodités nécessaires. Chaque année le château Frontenac accueille° des clients prestigieux, parmi lesquels des célébrités, des historiens et des chefs d'État°.

fin *end* **début** *beginning* **fleuve** *river* **classé parmi** *ranked among* **meilleurs** *best* **gardiennage** *childcare* **accueille** *welcomes* **chefs d'État** *heads of state*

---

3 **Complétez** Complétez les phrases.

1. En France, le loyer mensuel moyen est plus élevé dans le secteur _____.

2. En Afrique du Nord, les maisons sont souvent construites autour d'un _____.

3. Le château Frontenac est _____ à Québec.

4. Le château Frontenac a 611 chambres et 18 _____.

4 **L'architecture** Comment sont les habitations traditionnelles ou historiques de votre région ou votre communauté? Décrivez les matérielles et constructions utilisées et expliquez pourquoi. Est-ce qu'on habite toujours dans ce style d'habitation, ou est-ce que l'architecture a évolué? Écrivez huit phrases. Cherchez sur Internet si nécessaire.

ACTIVITÉS

I CAN identify and reflect on cultural products and practices related to housing.

STRUCTURES

8A.1 Adverbs  Grammar Tutorial

Point de départ Adverbs describe how, when, and where actions take place. They modify verbs, adjectives, and even other adverbs. You've already learned some adverbs such as **bien**, **déjà**, **surtout**, and **très**.

- To form an adverb from an adjective that ends in a consonant, take the feminine singular form and add **-ment**. This ending is equivalent to the English *-ly*.

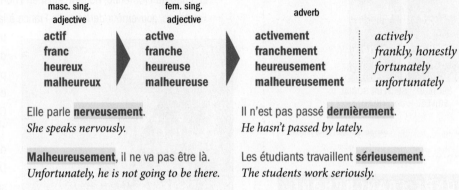

masc. sing. adjective	fem. sing. adjective	adverb	
actif	active	activement	*actively*
franc	franche	franchement	*frankly, honestly*
heureux	heureuse	heureusement	*fortunately*
malheureux	malheureuse	malheureusement	*unfortunately*

Elle parle **nerveusement**.
She speaks nervously.

Il n'est pas passé **dernièrement**.
He hasn't passed by lately.

Malheureusement, il ne va pas être là.
Unfortunately, he is not going to be there.

Les étudiants travaillent **sérieusement**.
The students work seriously.

- If the masculine singular form of an adjective already ends in a vowel, do not use the feminine form. Just add **-ment** to the end of the masculine form.

masc. sing. adjective	adverb	
absolu	absolument	*absolutely*
vrai	vraiment	*really*

Martin répond **poliment**.
Martin answers politely.

Ils louent **facilement** l'appartement.
They rent the apartment easily.

J'ai **vraiment** sommeil aujourd'hui.
I'm really sleepy today.

Le musée est **absolument** magnifique.
The museum is absolutely magnificent.

- To form an adverb from an adjective that ends in **-ant** or **-ent** in the masculine singular, replace the ending with **-amment** or **-emment**, respectively. Both endings are pronounced identically.

masc. sing. adjective	adverb	
constant	constamment	*constantly*
courant	couramment	*fluently*
différent	différemment	*differently*
évident	évidemment	*obviously*

Les élèves lisent **patiemment**.
The pupils are reading patiently.

Je préfère travailler **indépendamment**.
I prefer to work independently.

Elle parle **couramment** français.
She speaks French fluently.

Vous pensez **différemment**.
You think differently.

- The exception to the previous rule is the adjective **lent**. Its adverb is **lentement** (*slowly*).

Mon grand-père marche un peu **lentement**.
My grandfather walks a bit slowly.

Parlez **lentement**, s'il vous plaît.
Speak slowly, please.

- Some adverbs are irregular.

masculine singular adjective		adverb	
bon		**bien**	*well*
gentil	▶	**gentiment**	*nicely*
mauvais		**mal**	*badly*
petit		**peu**	*little*

Son français est bon; il le parle **bien**.
His French is good; he speaks it well.

Leurs devoirs sont mauvais; ils écrivent **mal**.
Their homework is bad; they write badly.

- Although the adverb **rapidement** can be formed from the adjective **rapide**, you can also use the adverb **vite** to say *fast*.

Bérénice habite déjà ici?
Is Bérénice already living here?

Oui, elle a **vite** déménagé.
Yes, she moved fast.

Tu ne comprends pas M. Bellay?
Don't you understand Mr. Bellay?

Non, il parle trop **rapidement**.
No, he speaks too quickly.

- You've learned **jamais, parfois, rarement,** and **souvent**. Here are three more adverbs of frequency: **de temps en temps** (*from time to time*), **en général** (*in general*), and **quelquefois** (*sometimes*).

Elle visite la capitale **de temps en temps**.
She visits the capital from time to time.

En général, les Parisiens n'ont pas de garage.
In general, Parisians don't have garages.

Boîte à outils

Adverbs of frequency, such as **de temps en temps**, **en général**, **quelquefois**, and **aujourd'hui**, are often placed at the beginning or end of a sentence.

- Place an adverb that modifies an adjective or another adverb before the word it modifies.

La pièce est **assez** grande.
The room is pretty large.

Ils font **très** vite les rénovations.
They're remodeling very quickly.

- Place an adverb that modifies a verb immediately after the verb.

Elle parle **bien** le français?
Does she speak French well?

Ils déménagent **constamment**.
They move constantly.

- In the **passé composé**, place short adverbs before the past participle.

Ils ont **vite** emménagé.   *but*
They moved in quickly.

Ils ont gagné **facilement**.
They won easily.

Vous avez **bien** joué hier.   *but*
You played well yesterday.

Elle a parlé **franchement**.
She spoke frankly.

À noter

See **Leçon 6A**, p. 215, for a review of the placement of short adverbs with the **passé composé**.

Essayez!   Donnez les adverbes qui correspondent à ces adjectifs.

1. complet __completement__
2. sérieux _____
3. séparé _____
4. constant _____
5. mauvais _____
6. actif _____
7. impatient _____
8. bon _____
9. franc _____
10. difficile _____
11. vrai _____
12. gentil _____

STRUCTURES

Mise en pratique

1 **Assemblez** Trouvez l'adverbe opposé.

_____ 1. gentiment   a. rarement

_____ 2. bien   b. faiblement

_____ 3. lentement   c. impatiemment

_____ 4. patiemment   d. mal

_____ 5. fréquemment   e. méchamment

_____ 6. fortement   f. vite

2 **Ma maison** Béatrice décrit sa maison. Complétez les phrases avec les adverbes qui correspondent aux adjectifs.

MODÈLE

Il y a _évidemment_ (évident) un salon et une salle à manger.

Ma maison est (1) _____ (bon) construite et elle est (2) _____ (élégant) décorée. La cuisine est à côté de la salle à manger et je peux (*can*) (3) _____ (facile) avoir des amis à la maison. (4) _____ (Malheureux), je n'ai qu'une salle de bains. (5) _____ (Franc), ce n'est pas important parce que j'habite seule et j'aime (6) _____ (vrai) ma maison comme ça. (7) _____ (Heureux), je n'ai pas envie de déménager (8) _____ (rapide)!

3 **On le fait comment?** Décrivez comment Gilles et ses amis font ces actions. Employez l'adverbe logique correspondant à un des adjectifs.

1. Marc et Marie dessinent. (bon, gentil)

2. J'attends mon ami. (rapide, impatient)

3. Ousmane court. (fréquent, intelligent)

4. Tu conduis ta voiture. (fort, prudent)

5. Salima écoute le prof. (courant, attentif)

4 **Chez nous** Assemblez les éléments des colonnes pour décrire votre maison et ce que (*what*) vous faites chez vous.

MODÈLE

Chez moi, mon père fait la cuisine constamment. Moi, je

A	B	C
chambre	déménager	brillamment
cuisine	être arrangé(e)	constamment
je	être décoré(e)	élégamment
meuble	être équipé(e)	gentiment
parents	être rénové(e)	intelligemment
placard	faire la cuisine	patiemment
salle de bains	nettoyer	rapidement
salon	travailler	utilement

Communication

5 **À l'université** Votre partenaire désire vous connaître mieux. Répondez aux questions de votre partenaire avec les adverbes de la liste ou d'autres.

attentivement	lentement	rapidement
bien	mal	rarement
difficilement	parfois	sérieusement
élégamment	patiemment	souvent
facilement	prudemment	quelquefois

1. Quand vas-tu à la bibliothèque?
2. Comment étudies-tu en général?
3. Quand tes amis et toi étudiez-vous ensemble?
4. Comment les étudiants écoutent-ils leur prof?
5. Comment ton prof de français parle-t-il?
6. Comment conduis-tu quand tu vas à la fac?
7. Quand ton/ta camarade de chambre fait-il/elle du sport?
8. Tes amis et toi, allez-vous souvent au cinéma?
9. Tes amis et toi, mangez-vous toujours (*always*) au resto U?
10. Comment as-tu décoré ta chambre?

6 **Fréquences** Votre professeur va vous donner une feuille d'activités. Circulez dans la classe et demandez à vos camarades à quelle fréquence ils/elles font ces choses. Trouvez une personne différente pour chaque réponse, puis présentez-les à la classe.

MODÈLE

Étudiant(e) 1: À quelle fréquence nettoies-tu ta chambre?
Étudiant(e) 2: Je nettoie ma chambre fréquemment.

7 **Notre classe** Par groupes de quatre, choisissez les camarades de votre classe qui correspondent à ces descriptions. Trouvez le plus (*most*) de personnes possible.

Qui dans la classe...

1. ... bavarde constamment avec ses voisins?
2. ... parle bien français?
3. ... chante bien?
4. ... apprend facilement les langues?
5. ... écoute attentivement le prof?
6. ... travaille sérieusement après les cours?
7. ... aime beaucoup les maths?
8. ... travaille trop?
9. ... dessine souvent pendant le cours?
10. ... dort parfois pendant le cours?

I CAN describe how, when, and where actions take place.

STRUCTURES

8A.2

The *imparfait* Grammar Tutorial

Point de départ You've learned how the **passé composé** can express past actions. Now you'll learn another past tense, the **imparfait** (*imperfect*).

- The **imparfait** can be translated into English in several ways.

Hakim **déménageait** souvent quand il était petit.	Nina **chantait** sous la douche tous les matins.
Hakim moved often when he was little.	*Nina sang in the shower every morning.*
Hakim used to move often when he was little.	*Nina used to sing in the shower every morning.*
Hakim was moving often when he was little.	*Nina was singing in the shower every morning.*

À noter

You'll learn to distinguish the **imparfait** from the **passé composé** in **Leçon 8B**.

- The **imparfait** is used to talk about actions that took place repeatedly or habitually during an unspecified period of time.

Je **passais** l'hiver à Lausanne.	Vous m'**écriviez** tous les jours.
I was spending the winters in Lausanne.	*You used to write to me every day.*
Nous **achetions** des fleurs au marché.	Il **vendait** des meubles.
We used to buy flowers at the market.	*He used to sell furniture.*

Boîte à outils

Note that the forms ending in -**ais**, -**ait**, and -**aient** are all pronounced identically. An easy way to avoid confusion while writing these forms is by remembering that the **je** and **tu** forms never end in a -**t**.

- The **imparfait** is a simple tense, which means that it does not require an auxiliary verb. To form the **imparfait**, drop the -**ons** ending from the **nous** form of the present tense and replace it with these endings.

The *imparfait*

	parler (parl~~ons~~)	finir (finiss~~ons~~)	vendre (vend~~ons~~)	boire (buv~~ons~~)
je	parl**ais**	finiss**ais**	vend**ais**	buv**ais**
tu	parl**ais**	finiss**ais**	vend**ais**	buv**ais**
il/elle/on	parl**ait**	finiss**ait**	vend**ait**	buv**ait**
nous	parl**ions**	finiss**ions**	vend**ions**	buv**ions**
vous	parl**iez**	finiss**iez**	vend**iez**	buv**iez**
ils/elles	parl**aient**	finiss**aient**	vend**aient**	buv**aient**

- Verbs whose infinitives end in -**ger** add an **e** before all endings of the **imparfait** except in the **nous** and **vous** forms. Verbs whose infinitives end in -**cer** change **c** to **ç** before all endings except in the **nous** and **vous** forms.

tu **déménageais**	*but*	nous **déménagions**
les invités **commençaient**	*but*	vous **commenciez**

Mes parents **voyageaient** parfois en Afrique.	Vous **mangiez** tous des pâtes le soir?
My parents used to travel sometimes to Africa.	*Did you all eat pasta in the evening?*
À quelle heure **commençait** l'école?	Nous **commencions** notre journée à huit heures.
At what time did school start?	*We used to start our day at 8 o'clock.*

- Note that the **nous** and **vous** forms of infinitives ending in **-ier** contain a double **i** in the **imparfait**.

Vous **skiiez** dans les Alpes en janvier.
You used to ski in the Alps in January.

Nous **étudiions** parfois jusqu'à minuit.
We studied until midnight sometimes.

Je pensais que tu avais du travail.

Mais ma chérie, c'était une surprise.

- The **imparfait** is used for description, often with the verb **être**, which is irregular in this tense.

The *imparfait* of *être*	
j'étais	nous étions
tu étais	vous étiez
il/elle/on était	ils/elles étaient

La cuisine **était** à côté du salon.
The kitchen was next to the living room.

Les toilettes **étaient** au rez-de-chaussée.
The restrooms were on the ground floor.

Étiez-vous heureux avec Francine?
Were you happy with Francine?

Nous **étions** dans le jardin.
We were in the garden.

- Note the imperfect forms of these expressions.

Il pleuvait chaque matin.
It rained each morning.

Il neigeait parfois au printemps.
It snowed sometimes in the spring.

Il y avait deux lits et une lampe.
There were two beds and a lamp.

Il fallait payer le loyer.
It was necessary to pay rent.

Essayez! **Choisissez la réponse correcte pour compléter les phrases.**

1. Muriel (louait/louais) un appartement en ville.

2. Rodrigue (partageait /partagiez) une chambre avec un autre étudiant.

3. Nous (payait/payions) notre loyer une fois par mois.

4. Il y (avait /était) des balcons au premier étage.

5. Vous (mangeait/mangiez) chez Arnaud le samedi.

6. Je n'(avais/étais) pas peur du chien.

7. Il (neigeait /fallait) mettre le chauffage (*heat*) quand il (faisaient/faisait) froid.

8. Qu'est-ce que tu (faisait/ faisais) dans le couloir?

9. Vous (aimiez /aimaient) beaucoup le quartier?

10. Nous (étaient/étions) trois dans le petit studio.

11. Rémy et Nathalie (louait/louaient) leur appartement.

12. Il (avais/pleuvait) constamment en juillet.

STRUCTURES

Mise en pratique

1 **Nos déménagements** La famille d'Emmanuel déménageait souvent quand il était petit. Complétez son histoire en mettant les verbes à l'imparfait.

Quand j'étais jeune, mon père (1) _____ (travailler) pour une société canadienne et nous (2) _____ (déménager) souvent. Quand nous (3) _____ (emménager), je (4) _____ (décorer) les murs de ma nouvelle chambre. Ma petite sœur (5) _____ (détester) déménager. Elle (6) _____ (dire) qu'elle (7) _____ (perdre) tous ses amis et que ce n' (8) _____ (être) pas juste!

2 **Rien n'a changé** Laurent parle de l'école à son grand-père, qui lui explique que les choses n'ont pas changé. Employez l'imparfait pour transformer les phrases de Laurent et donner les phrases de son grand-père.

Laurent: Les cours commencent à 7h30. Je prends le bus pour aller à l'école. J'ai beaucoup d'amis. Mes copains et moi, nous mangeons à midi. Mon dernier cours finit à 16h00. Mon école est très sympa et je l'adore!

Grand-père: Les cours...

_____

_____

3 **Le samedi** Dites ce que (*what*) ces personnes faisaient habituellement le samedi.

Paul

▶ **MODÈLE**

Paul dormait.

1. je
_____

2. ils
_____

3. vous
_____

4. tu
_____

4 **Maintenant et avant** Qu'est-ce vous et votre famille font différemment aujourd'hui? Écrivez des phrases à l'imparfait en utilisant les adverbes opposés.

MODÈLE

beaucoup travailler (je)
Maintenant je travaille beaucoup, mais avant je travaillais peu.

1. rarement déménager (je)

2. facilement louer une grande maison (nous)

3. souvent nettoyer ton studio (tu)

4. parfois acheter des meubles (mes parents)

5. vite conduire (vous)

6. patiemment attendre son anniversaire (ma sœur)

Communication

5 **Quand tu avais seize ans** À tour de rôle, posez ces questions à votre partenaire pour savoir (*to know*) les détails de sa vie quand il/elle avait seize ans. Ensuite, partagez les détails les plus intéressants avec la classe.

1. Où habitais-tu?
2. Est-ce que tu conduisais déjà une voiture?
3. Où est-ce que ta famille et toi alliez en vacances?
4. Pendant combien de temps partiez-vous en vacances?
5. Est-ce que tes amis et toi, vous sortiez tard le soir?
6. Que faisaient tes parents le week-end?
7. Quels sports pratiquais-tu?
8. Quel genre de musique écoutais-tu?
9. Comment était ton école?
10. Aimais-tu l'école? Pourquoi?

6 **La chambre de Rafik** Voici la chambre de Rafik quand il était adolescent. Avec un(e) partenaire, employez des verbes à l'imparfait pour comparer la chambre de Rafik avec votre chambre quand vous aviez son âge.

Étudiant(e) 1: *Je n'avais pas de salle de bains à côté de ma chambre. Et toi?*
Étudiant(e) 2: *Moi, je partageais la salle de bains avec ma sœur.*

7 **Chez les grands-parents** Quand vous étiez petit(e), vous passiez toujours les vacances à la campagne chez vos grands-parents. À tour de rôle, décrivez à votre partenaire une journée typique de vacances.

MODÈLE

Notre journée commençait très tôt le matin. Mémé préparait du pain...

8 **Une énigme** La nuit dernière, quelqu'un est entré dans le bureau de votre professeur et a emporté (*took away*) l'examen de français. Vous devez (*must*) trouver cette personne. Qu'est-ce que vos camarades de classe faisaient hier soir? Questionnez vos camarades de classe sur leur alibi et prenez des notes. Ensuite, présentez vos conclusions à la classe.

I CAN describe habitual past actions and situations.

Révision

1 **Mes affaires** Vous cherchez vos affaires (*belongings*). À tour de rôle, demandez de l'aide à votre partenaire. Où étaient-elles la dernière fois? Utilisez l'illustration pour les trouver.

MODÈLE

Étudiant(e) 1: *Je cherche mes baskets. Où sont-elles?*

Étudiant(e) 2: *Tu n'as pas cherché sur l'étagère? Elles étaient sur l'étagère.*

baskets	ordinateur
casquette	parapluie
journal	pull
livre	sac à dos

2 **Les anniversaires** Avec un(e) partenaire, préparez huit questions pour apprendre comment vos camarades de classe célébraient leur anniversaire quand ils étaient enfants. Employez l'imparfait et des adverbes dans vos questions, puis posez-les à un autre groupe.

MODÈLE

Étudiant(e) 1: *Que faisais-tu avant pour ton anniversaire?*

Étudiant(e) 2: *Quand j'étais petit, mes parents organisaient souvent une fête.*

3 **Sports et loisirs** Votre professeur va vous donner une feuille d'activités. Circulez dans la classe et demandez à vos camarades s'ils pratiquaient ces activités avant d'entrer à la fac. Trouvez une personne différente qui dit oui pour chaque activité. Présentez les réponses à la classe.

MODÈLE

Étudiant(e) 1: *Est-ce que tu faisais souvent du jogging avant d'entrer à la fac?*

Étudiant(e) 2: *Oui, je courais souvent le matin.*

4 **Avant et après** Voici la chambre d'Annette avant et après une visite de sa mère. Comment était sa chambre à l'origine? Avec un(e) partenaire, décrivez la pièce à tour de rôle et cherchez les différences entre les deux illustrations.

MODÈLE

Avant, la lampe était à côté de l'ordinateur. Maintenant, elle est à côté du canapé.

5 **Mes mauvaises habitudes** Vous aviez de mauvaises habitudes, mais vous les avez changées. Maintenant, vous parlez avec votre ancien(ne) patron(ne) (*former boss*) pour essayer de récupérer l'emploi que vous avez perdu. Avec un(e) partenaire, préparez la conversation.

MODÈLE

Étudiant(e) 1: *Impossible de vous employer! Vous dormiez tout le temps.*

Étudiant(e) 2: *Je dormais souvent, mais je travaillais aussi. Cette fois, je vais travailler sérieusement.*

6 **Nous cherchons une maison** Votre professeur va vous donner, à vous et à votre partenaire, une feuille d'information sur quatre maisons à louer. Attention! Ne regardez pas la feuille de votre partenaire.

MODÈLE

Étudiant(e) 1: *Malheureusement, la première maison avait un très petit balcon.*

Étudiant(e) 2: *Mais heureusement, elle avait deux salles de bains.*

Le Zapping

Video: *Le Zapping*

1 Préparation Répondez aux questions.

1. Comment sont les résidences étudiantes à votre université?
2. Combien coûte le loyer d'une chambre universitaire?
3. Est-ce qu'il y a des alternatives à la résidence universitaire traditionnelle à votre université? Expliquez.

Vivre à la ferme

Campus Vert est une association originale créée par trois agriculteurs° en 1995. L'idée est de réunir deux mondes très différents: celui des étudiants et celui des agriculteurs. Les agriculteurs utilisent un des bâtiments de leur ferme pour aménager° des studios étudiants propres, déjà meublés et beaucoup moins chers qu'en ville.

Le plus souvent, ces logements ont leur propre° accès. L'offre inclut des petits plus, comme des équipements de loisirs, par exemple, un vélo, ou un espace garage pour les voitures. Les étudiants peuvent aussi parfois goûter° aux produits de la ferme ou gagner un peu d'argent en aidant° aux travaux de la ferme.

agriculteurs *farmers* **aménager** *convert* **propre** *own* **goûter** *taste* **en aidant** *by helping*

2 Compréhension Répondez aux questions.

1. Comment est l'appartement de Rémi à la ferme? Vieux ou neuf? Vide ou meublé?
2. Combien coûte le loyer de Rémi à la ferme? Combien coûte le même appartement en ville?
3. Pourquoi est-ce que Rémi aime vivre à la ferme?

3 Discussion Avec un(e) partenaire, répondez aux questions.

1. Avez-vous déjà habité dans une ferme ou à la campagne? Si oui, donnez des détails. Sinon, dites si vous avez envie de faire cette expérience, et pourquoi ou pourquoi pas.
2. Est-ce que vous pensez que vivre à la ferme, quand on est étudiant, est une bonne idée? Expliquez.
3. Y a-t-il des endroits originaux où créer des logements pour étudiants près de votre université? Lesquels?

Reportage d'AFP

Ils sont 130 agriculteurs à héberger° des étudiants en France.

Vocabulaire utile

un agriculteur/une agricultrice	*farmer*
héberger	*to house*
un métier	*profession*
une subvention	*financial aid*
les transports quotidiens	*daily travel*

4 Réflexion Répondez aux questions.

1. Comment la situation de Rémi reflète-t-elle l'attitude des habitants de sa communauté?
2. Intéragissez-vous avec les personnes qui habitent près de votre université? Comparez votre situation à celle de Rémi.

5 Application Cherchez une famille d'accueil francophone sur Internet. Quelles sont les conditions de l'arrangement? Devez-vous travailler? Votre logement est-il meublé? Décidez si vous allez habiter avec cette famille ou non et expliquez votre décision à la classe.

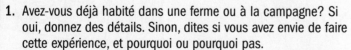

I CAN identify and reflect on attitudes around student housing.

Leçon 8B

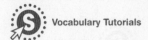

Vocabulary Tutorials

Les tâches ménagères

Vocabulaire

débarrasser la table	to clear the table
enlever/faire la poussière	to dust
essuyer la vaisselle/ la table	to dry the dishes/ to wipe the table
faire la lessive	to do the laundry
faire le ménage	to do the housework
laver	to wash
mettre la table	to set the table
passer l'aspirateur	to vacuum
ranger	to tidy up; to put away
salir	to soil, to make dirty
sortir la/les poubelle(s)	to take out the trash
propre	clean
sale	dirty
un appareil électrique/ ménager	electrical/household appliance
une cafetière	coffeemaker
un grille-pain	toaster
un lave-linge	washing machine
un lave-vaisselle	dishwasher
un sèche-linge	clothes dryer
une tâche ménagère	household chore

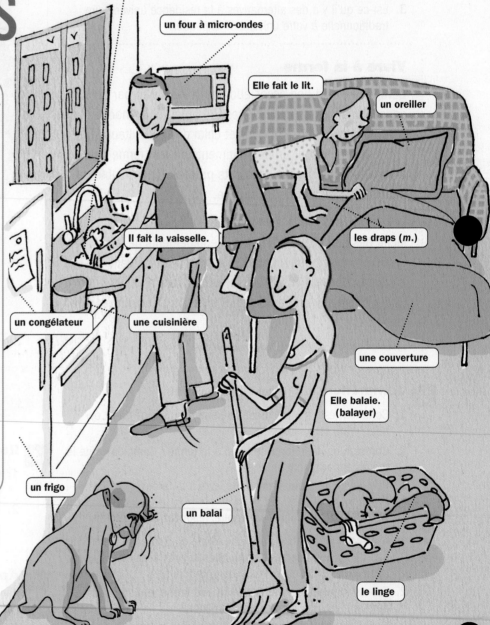

un évier

un four à micro-ondes

Elle fait le lit.

un oreiller

Il fait la vaisselle.

les draps (m.)

un congélateur

une cuisinière

une couverture

Elle balaie. (balayer)

un frigo

un balai

le linge

Mise en pratique

Il sort la poubelle.

un fer à repasser

Il repasse. (repasser)

1 Écoutez Écoutez la conversation, puis indiquez les tâches ménagères que faisaient Édouard et Paul au début du semestre.

	Édouard	Paul
1. Il faisait la cuisine.	☐	☐
2. Il faisait les lits.	☐	☐
3. Il passait l'aspirateur.	☐	☐
4. Il sortait la poubelle.	☐	☐
5. Il balayait.	☐	☐
6. Il faisait la lessive.	☐	☐
7. Il faisait la vaisselle.	☐	☐
8. Il nettoyait le frigo.	☐	☐

2 On fait le ménage Complétez les phrases suivantes avec le bon mot pour faire une phrase logique.

1. On balaie avec _____.
2. On repasse le linge avec _____.
3. On fait la lessive avec _____.
4. On lave la vaisselle avec _____.
5. On prépare le café avec _____.
6. On sèche la lessive avec _____.
7. On met la glace dans _____.
8. Pour faire le lit, on doit arranger _____, _____ et _____.

3 Les tâches ménagères Avec un(e) partenaire, indiquez quelles tâches ménagères vous faites dans chaque pièce ou partie de votre logement. Il y a plus d'une réponse possible.

1. la chambre: _____
2. la cuisine: _____
3. la salle de bains: _____
4. la salle à manger: _____
5. la salle de séjour: _____
6. le garage: _____
7. le jardin: _____
8. l'escalier: _____

CONTEXTES

Communication

 4 **Conversez** Interviewez un(e) camarade de classe. Ensuite, dites si votre partenaire est un(e) colocataire agréable ou pas.

1. Qui fait la vaisselle chez toi?
2. Qui fait la lessive chez toi?
3. Fais-tu ton lit tous les jours?
4. Quelles tâches ménagères as-tu faites le week-end dernier?
5. Repasses-tu tous tes vêtements?
6. Quelles tâches ménagères détestes-tu faire?
7. Quels appareils électriques as-tu chez toi?
8. Ranges-tu souvent ta chambre?

5 **Camarade de chambre** Vous cherchez un(e) camarade de chambre pour habiter dans une résidence universitaire et deux personnes ont répondu à votre petite annonce (*ad*) dans le journal. Travaillez avec deux camarades de classe et préparez un dialogue dans lequel (*in which*) vous:

- parlez des tâches ménagères que vous détestez/aimez faire.
- parlez des responsabilités de votre nouveau/nouvelle camarade de chambre.
- parlez de vos passions et de vos habitudes.
- décidez quelle est la personne qui vous convient le mieux (*suits you the best*).

6 **Qui fait quoi?** Votre professeur va vous donner une feuille d'activités. Dites si vous faites les tâches indiquées en écrivant **Oui** ou **Non** dans la première colonne. Ensuite, posez des questions à vos camarades de classe; écrivez leur nom dans la deuxième colonne quand ils répondent **Oui**. Présentez vos réponses à la classe.

> **MODÈLE**
>
> mettre la table pour prendre le petit-déjeuner
>
> **Étudiant(e) 1:** Est-ce que tu mets la table pour prendre le petit-déjeuner?
> **Étudiant(e) 2:** Oui, je mets la table chaque matin./ Non, je prends le petit-déjeuner au resto U, donc je ne mets pas la table.

Activités	Moi	Mes camarades de classe
1. mettre la table pour prendre le petit-déjeuner		
2. passer l'aspirateur tous les jours		
3. salir ses vêtements quand on mange		
4. nettoyer les toilettes		
5. balayer la cuisine		
6. débarrasser la table après le dîner		
7. enlever souvent la poussière sur son ordinateur		
8. laver les vitres (*windows*)		

7 **Écrivez** L'appartement de Martine est un désastre: la cuisine est sale et comme vous pouvez (*can*) l'imaginer, le reste de l'appartement est encore pire (*worse*). Préparez un paragraphe où vous décrivez les problèmes que vous voyez (*see*) et que vous imaginez. Ensuite, écrivez la liste des tâches que Martine va faire pour tout nettoyer.

I CAN talk about household chores and appliances.

Les sons et les lettres
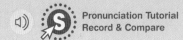
Pronunciation Tutorial
Record & Compare

Semi-vowels

French has three semi-vowels. Semi-vowels are sounds that are produced in much the same way as vowels, but also have many properties in common with consonants. Semi-vowels are also sometimes referred to as *glides* because they glide from or into the vowel they accompany.

hier	**chien**	**soif**	**nuit**

The semi-vowel that occurs in the word **bien** is very much like the *y* in the English word *yes*. It is usually spelled with an **i** or a **y** (pronounced *ee*), then glides into the following sound. This semi-vowel sound may also be spelled **ll** after an **i**.

nation	**balayer**	**bien**	**brillant**

The semi-vowel that occurs in the word **soif** is like the *w* in the English word *was*. It usually begins with **o** or **ou**, then glides into the following vowel.

trois	**froid**	**oui**	**Louis**

The third semi-vowel sound occurs in the word **nuit**. It is spelled with the vowel **u**, as in the French word **tu**, then glides into the following sound.

lui	**suis**	**cruel**	**intellectuel**

Prononcez Répétez les mots suivants à voix haute.

1. oui
2. taille
3. suisse
4. fille
5. mois
6. cruel
7. minuit
8. jouer
9. cuisine
10. juillet
11. échouer
12. croissant

Articulez Répétez les phrases suivantes à voix haute.

1. Voici trois poissons noirs.
2. Louis et sa famille sont suisses.
3. Parfois, Grégoire fait de la cuisine chinoise.
4. Aujourd'hui, Matthieu et Damien vont travailler.
5. Françoise a besoin de faire ses devoirs d'histoire.
6. La fille de Monsieur Poirot va conduire pour la première fois.

Dictons Répétez les dictons à voix haute.

Vouloir, c'est pouvoir.[2]

La nuit, tous les chats sont gris.[1]

[1] All cats are gray in the dark.

[2] Where there's a will, there's a way.

ROMAN-PHOTO

Communicative Goal Understand conversations about chores

La vie sans Pascal

 Video: *Roman-photo* **Record & Compare**

PERSONNAGES

Amina

Michèle

Sandrine

Stéphane

Valérie

Au P'tit Bistrot...

MICHÈLE Tout va bien, Amina?

AMINA Oui, ça va, merci. (*Au téléphone*) Allô?... Qu'est-ce qu'il y a Sandrine?... Non, je ne le savais pas, mais franchement, ça ne me surprend pas... Écoute, j'arrive chez toi dans quinze minutes, d'accord? ... À tout à l'heure!

MICHÈLE Je débarrasse la table?

AMINA Oui, merci et apporte-moi l'addition, s'il te plaît.

MICHÈLE Tout de suite.

VALÉRIE Tu as fait ton lit ce matin?

STÉPHANE Oui, maman.

VALÉRIE Est-ce que tu as rangé ta chambre?

STÉPHANE Euh... oui, ce matin pendant que tu faisais la lessive.

Chez Sandrine...

SANDRINE Salut, Amina! Merci d'être venue.

AMINA Mmmm. Qu'est-ce qui sent si bon?

SANDRINE Il y a des biscuits au chocolat dans le four.

AMINA Oh, est-ce que tu les préparais quand tu m'as téléphoné?

SANDRINE Tu as soif?

AMINA Un peu, oui.

SANDRINE Sers-toi, j'ai des jus de fruits au frigo.

Sandrine casse (breaks) une assiette.

SANDRINE Et zut!

AMINA Ça va, Sandrine?

SANDRINE Oui, oui... passe-moi le balai, s'il te plaît.

AMINA N'oublie pas de balayer sous la cuisinière.

SANDRINE Je sais! Excuse-moi, Amina. Comme je t'ai dit au téléphone, Pascal et moi, c'est fini.

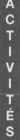

A C T I V I T É S

1 **Questions** Répondez aux questions par des phrases complètes.

1. Comment va Sandrine aujourd'hui? Pourquoi?

2. Est-ce que Stéphane a fait toutes ses tâches ménagères?

3. Pourquoi Amina pense-t-elle que Sandrine aimerait (*would like*) un petit ami américain?

4. À votre avis, Amina devrait-elle (*should*) rencontrer Cyberhomme? Expliquez.

2 **Le ménage** Indiquez qui a fait ou va faire les tâches ménagères suivantes: Michèle (**M**), Stéphane (**St**), Valérie (**V**), Sandrine (**S**), Amina (**A**) ou personne (*no one*) (**P**).

1. sortir la poubelle
2. balayer
3. passer l'aspirateur
4. faire la vaisselle
5. faire le lit
6. débarrasser la table
7. faire la lessive
8. ranger sa chambre

Amina console Sandrine.

VALÉRIE Hmm... et la vaisselle? Tu as fait la vaisselle?

STÉPHANE Non, pas encore, mais...

MICHÈLE Il me faut l'addition pour Amina.

VALÉRIE Stéphane, tu dois faire la vaisselle avant de sortir.

STÉPHANE Bon ça va, j'y vais!

VALÉRIE Ah Michèle, il faut sortir les poubelles pour ce soir!

MICHÈLE Oui, comptez sur moi, Madame Forestier.

VALÉRIE Très bien! Moi, je rentre, il est l'heure de préparer le dîner.

SANDRINE Il était tellement pénible. Bref je suis de mauvaise humeur aujourd'hui.

AMINA Ne t'en fais pas, je comprends.

SANDRINE Toi, tu as de la chance.

AMINA Pourquoi tu dis ça?

SANDRINE Tu as ton Cyberhomme. Tu vas le rencontrer un de ces jours?

AMINA Oh... Je ne sais pas si c'est une bonne idée.

SANDRINE Pourquoi pas?

AMINA Sandrine, il faut être prudent dans la vie, je ne le connais pas vraiment, tu sais.

SANDRINE Comme d'habitude, tu as raison. Mais finalement, un cyberhomme c'est peut-être mieux qu'un petit ami. Ou alors un petit ami artistique, charmant et beau garçon.

AMINA Et américain?

Expressions utiles

Talking about what you know

- **Je ne le savais pas, mais franchement, ça ne me surprend pas.**
  I didn't know that, but frankly, I'm not surprised.
- **Je sais!**
  I know!
- **Je ne sais pas si c'est une bonne idée.**
  I don't know if that's a good idea.
- **Je ne le connais pas vraiment, tu sais.**
  I don't really know him, you know.

Additional vocabulary

- **Comptez sur moi.**
  Count on me.
- **Ne t'en fais pas.**
  Don't worry about it.
- **J'y vais!**
  I'm going there!/I'm on my way!
- **pas encore**
  not yet
- **tu dois**
  you must
- **être de bonne/mauvaise humeur**
  to be in a good/bad mood

3 **Considérez** Répondez aux questions.

1. Quelles tâches ménagères faites-vous tous les jours? Comparez votre liste à celle de Stéphane.

2. Est-ce que vous discutez des tâches ménagères avec vos colocataires? Ces conversations sont-elles agréables? Expliquez.

3. Avez-vous des amis virtuels? Avez-vous retrouvé une de ces personnes dans la vraie vie? Comparez votre attitude aux perspectives de Sandrine et d'Amina.

4 **Écrivez** Vous avez gagné un pari (bet) avec votre colocataire et, par conséquent, il/elle doit faire (must do) toutes les tâches ménagères que vous lui indiquez pendant un mois. Faites une liste de dix tâches minimum. Pour chaque tâche, précisez la pièce du logement et combien de fois par semaine il/elle doit l'exécuter.

I CAN understand conversations about chores.

ACTIVITÉS

LECTURE CULTURELLE

L'intérieur des logements

L'intérieur des maisons et des appartements français est assez° différent de celui des Américains. Quand on entre dans un vieil immeuble en France, on est dans un hall° où il y a des boîtes aux lettres°. Ensuite, il y a souvent une deuxième porte. Celle-ci conduit à° l'escalier. Il n'y a pas souvent d'ascenseur, mais s'il y en a un°, en général, il est très petit et il est au milieu de° l'escalier. Le hall de l'immeuble peut aussi avoir une porte qui donne sur une cour° ou un jardin, souvent derrière le bâtiment°.

À l'intérieur des logements, les pièces sont en général plus petites que° les pièces américaines, surtout les cuisines et les salles de bains. Dans la cuisine, on trouve tous les appareils ménagers nécessaires (cuisinière, four, four à micro-ondes, frigo), mais ils sont plus petits qu'aux États-Unis. Les lave-vaisselle sont assez rares dans les appartements et plus communs dans les maisons. On a souvent une seule° salle de bains et les toilettes sont en général dans une autre petite pièce séparée°. Les lave-linge sont aussi assez petits et on les trouve dans la cuisine ou dans la salle de bains. Dans les chambres en France il n'y a pas de grands placards et les vêtements sont rangés la plupart° du temps dans une armoire. Les fenêtres s'ouvrent° sur l'intérieur, un peu comme des portes.

assez *rather* **hall** *entryway* **boîtes aux lettres** *mailboxes* **conduit à** *leads to* **s'il y en a un** *if there is one* **au milieu de** *in the middle of* **cour** *courtyard* **bâtiment** *building* **plus petites que** *smaller than* **une seule** *only one* **séparée** *separate* **la plupart** *most* **s'ouvrent** *open*

STRATÉGIE

Visualizing

As you read a text in French, pick a good stopping point and close your eyes. Try to picture an image in your mind's eye of the information that you have understood up to that point. Doing so might call to mind other visual details that you associate with those explicitly mentioned in the text. As you read the selection, try to visualize the inside of a typical French home.

A C T I V I T É S

1 **Complétez** Complétez chaque phrase logiquement.

1. Dans le hall d'un vieil immeuble français, on trouve...
2. Derrière les vieux immeubles, on trouve souvent...
3. Les cuisines et les salles de bains françaises sont...
4. Dans les appartements français, il est assez rare d'avoir...
5. En France, les toilettes sont souvent...
6. On trouve souvent le lave-linge...

2 **Considérez** Répondez aux questions.

1. Comment sont les logements dans votre quartier? Les immeubles sont-ils vieux?
2. Décrivez votre logement. Où est votre boîte à lettres? Avez-vous un lave-vaisselle?
3. Quelles différences existent entre les logements américains et les logements français? Faites une liste.
4. Pourquoi ces différences existent-elles, à votre avis? Comment le mode de vie des Français est-il différent du vôtre (*yours*)?

Combien de logements français ont ces appareils ménagers?

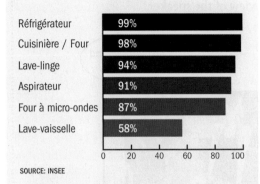

Réfrigérateur	99%
Cuisinière / Four	98%
Lave-linge	94%
Aspirateur	91%
Four à micro-ondes	87%
Lave-vaisselle	58%

0   20   40   60   80   100

SOURCE: INSEE

Architecture moderne et ancienne

Architecte suisse

Le Corbusier Originaire du canton de Neuchâtel, il est l'un des principaux représentants du mouvement moderne au début° du 20e siècle°. Il est connu° pour être l'inventeur de l'unité d'habitation°, concept sur les logements collectifs qui rassemblent dans un même lieu garderie° d'enfants, piscine, écoles, commerces et lieux de rencontre. Il est naturalisé français en 1930.

Architecture du Maroc

Les riads, mot° qui à l'origine signifie «jardins» en arabe, sont de superbes habitations anciennes° construites pour préserver la fraîcheur°. On les trouve au cœur° des ruelles° de la médina (quartier historique).
Les kasbah, bâtisses° de terre° dans le Sud marocain, ce sont des exemples d'un art typiquement berbère et rural.

début *beginning* **siècle** *century* **connu** *known* **unité d'habitation** *housing unit* **garderie** *nursery school* **mot** *word* **anciennes** *old* **fraîcheur** *coolness* **cœur** *heart* **ruelles** *alleyways* **bâtisses** *dwellings* **terre** *earth*

Le Vieux Carré

Le Vieux Carré, aussi appelé le Quartier Français, est le centre historique de La Nouvelle-Orléans. Il a conservé le souvenir° des époques° coloniales du 18e siècle. La culture française est toujours présente avec des noms de rues° français comme *Toulouse* ou *Chartres*, qui sont de grandes villes françaises. Cependant° le style architectural n'est pas français; il est espagnol. Les maisons avec les beaux balcons sont l'héritage de l'occupation espagnole de la deuxième moitié° du 18e siècle.

Mardi gras, en février, est la fête la plus populaire de La Nouvelle-Orléans, qui est aussi très connue° pour son festival de jazz, en avril.

souvenir *memory* **époques** *times* **noms de rues** *street names* **Cependant** *However* **moitié** *half* **connue** *known*

Charles Aznavour

Lieu de naissance: Paris, France
Métier: chanteur et compositeur

Un des plus célèbres compositeurs français du 20e siècle, avec une carrière de plus de 70 ans et plus de 800 chansons écrites.

Go to vhlcentral.com to find out more about **Charles Aznavour** and his music.

---

3 **Complétez** Complétez les phrases.

1. 87% des logements français sont équipés d' _____.
2. Le Vieux Carré est aussi appelé _____.
3. _____ et _____ sont deux noms de rues français à La Nouvelle-Orléans.
4. Le style architectural du Vieux Carré n'est pas français mais _____.
5. Le Corbusier est l'inventeur de _____.

4 **Les appareils ménagers** Combien de personnes dans votre classe ont les appareils ménagers représentés dans le graphique sur cette page? Déterminez les pourcentages et faites votre propre (*own*) graphique. Analysez l'ensemble de données (*data*) et discutez des résultats avec la classe.

ACTIVITÉS

I CAN identify and reflect on cultural products and practices related to interior design and appliances.

STRUCTURES

8B.1

The *passé composé* vs. the *imparfait*

 Grammar Tutorial

Point de départ Although the **passé composé** and the **imparfait** are both past tenses, they have very distinct uses and are not interchangeable. The choice between these two tenses depends on the context and on the point of view of the speaker.

> *J'ai rangé ma chambre pendant que tu faisais la lessive.*

> *Tu les préparais quand tu m'as téléphoné?*

Uses of the *passé composé*

To express actions that started and ended in the past and are viewed by the speaker as completed	J'**ai balayé** l'escalier deux fois. *I swept the stairs twice.*
	Elle **a lavé** la vaisselle après le dîner. *She washed the dishes after dinner.*
To express the beginning or end of a past action	Le film **a commencé** à huit heures. *The movie began at 8 o'clock.*
	Ils **ont fini** leurs devoirs hier. *They finished their homework yesterday.*
To narrate a series of past actions or events	Nous **avons fait** les lits, nous **avons rangé** les chambres et nous **avons passé** l'aspirateur. *We made the beds, tidied up the rooms, and vacuumed.*

Uses of the *imparfait*

To describe an ongoing past action with no reference to its beginning or end	Vous **faisiez** la lessive très tôt. *You were doing laundry very early.*
	Tu **attendais** dans le café? *Were you waiting in the café?*
To express habitual past actions and events	On **débarrassait** toujours la table à neuf heures. *We always cleared the table at 9 o'clock.*
	Nous **allions** souvent à la plage. *We used to go to the beach often.*
To describe mental, physical, and emotional states or conditions	Mon ami **avait** faim et il **avait** envie de manger quelque chose. *My friend was hungry and felt like eating something.*

- When the **passé composé** and the **imparfait** occur in the same sentence, the action in the **passé composé** often interrupts the ongoing action in the **imparfait**.

Vous **dormiez** et tout d'un coup, il a **téléphoné**.
You were sleeping, and all of a sudden he phoned.

Notre père **repassait** le linge quand vous **êtes arrivées**.
Our father was ironing when you arrived.

- Sometimes the use of the **imparfait** and the **passé composé** in the same sentence expresses a cause and effect.

J'**avais** faim, donc j'**ai mangé** quelque chose.
I was hungry so I ate something.

Elle **a dormi** parce qu'elle **avait** sommeil.
She slept because she was sleepy.

- The **passé composé** and the **imparfait** are often used together to narrate. The **imparfait** provides the background description, such as time, weather, and location. The **passé composé** indicates the specific events foregrounded in the story.

Il **était** deux heures et il **faisait** chaud. Les étudiants **attendaient** impatiemment les vacances d'été. Le prof **est entré** dans la salle pour leur donner les résultats...
It was 2 o'clock and it was hot. The students were waiting impatiently for their summer vacation. The professor came into the classroom to give them the results...

J'**avais** peur parce que j'**étais** seul dans la maison. Mes parents **dînaient** au restaurant avec des amis et le quartier **était** désert. Soudain, j'**ai entendu** quelque chose...
I was afraid because I was alone in the house. My parents were having dinner at a restaurant with some friends and the neighborhood was deserted. Suddenly, I heard something...

- Certain adverbs often indicate a particular past tense.

	Expressions that signal a past tense		
passé composé		**imparfait**	
soudain	*suddenly*	**autrefois**	*in the past*
tout d'un coup	*all of a sudden*	**d'habitude**	*usually*
une (deux, etc.) fois	*once (twice, etc.)*	**parfois**	*sometimes*
		souvent	*often*
		toujours	*always*
		tous les jours	*every day*

Essayez! Donnez les formes correctes des verbes.

passé composé
1. commencer (il) _il a commencé_
2. acheter (tu) _____
3. boire (nous) _____
4. apprendre (ils) _____
5. répondre (je) _____
6. sortir (il) _____
7. descendre (elles) _____
8. être (vous) _____

imparfait
1. jouer (nous) _nous jouions_
2. être (tu) _____
3. prendre (elles) _____
4. avoir (vous) _____
5. conduire (il) _____
6. falloir (il) _____
7. boire (je) _____
8. étudier (nous) _____

STRUCTURES

Mise en pratique

1 **Le week-end dernier** Choisissez entre le passé composé et l'imparfait pour écrire des phrases.

MODÈLE nous / passer le week-end / chez des amis
Nous avons passé le week-end chez des amis.

1. nous / être / fatigué / mais content
2. Audrey et son amie / aller / à la piscine
3. moi, je / décider de / dormir un peu
4. minuit / nous / rentrer / chez nous
5. dimanche matin / nous / passer / chez des amis
6. nous / passer / cinq heures / chez eux

2 **Racontez** Écrivez des phrases en utilisant le passé composé et l'imparfait.

1. faire / beau / quand / nous / arriver
2. Isabelle / faire la vaisselle / quand / sa mère / sortir
3. quand / Raymond / rentrer / tout le monde / dormir
4. Lanh / regarder / télé / quand / les filles / commencer à chanter
5. pleuvoir / quand / nous / sortir / cinéma
6. nous / rire / beaucoup / parce que / film / être / amusant

3 **Une surprise désagréable** Récemment, Benoît a fait un séjour à Strasbourg avec un collègue. Complétez ses phrases avec l'imparfait ou le passé composé.

Ce matin, il (1) _____ (faire) chaud. J' (2) _____ (être) content de partir pour Strasbourg. Je (3) _____ (partir) pour la gare, où j' (4) _____ (retrouver) Émile. Le train (5) _____ (arriver) à Strasbourg à midi. Nous (6) _____ (commencer) notre promenade en ville. Nous (7) _____ (avoir) besoin d'un plan. J' (8) _____ (chercher) mon portefeuille (*wallet*), mais il (9) _____ (être) toujours dans le train! Émile et moi, nous (10) _____ (courir) à la gare!

4 **Qu'est-ce qu'ils faisaient quand...?** Que faisaient ces personnes au moment de l'interruption?

▶ **MODÈLE**

Papa débarrassait la table quand mon frère est arrivé.

débarrasser / arriver

1. sortir / dire   **2.** passer / tomber   **3.** faire / partir   **4.** laver / commencer

_____   _____   _____   _____
_____   _____   _____   _____

Communication

5 **Situations** Avec un(e) partenaire, parlez de ces situations en utilisant le passé composé ou l'imparfait. Comparez vos réponses, puis présentez-les à la classe.

MODÈLE

Le premier jour de cours...
Étudiant(e) 1: *Le premier jour de cours, j'étais tellement nerveux/nerveuse que j'ai oublié mes livres.*
Étudiant(e) 2: *Moi, j'étais nerveux/nerveuse aussi, alors j'ai quitté ma résidence très tôt.*

1. Quand j'étais petit(e),...
2. L'été dernier,...
3. Hier soir, mon/ma petit(e) ami(e)...
4. Hier, le professeur...
5. La semaine dernière, mon/ma camarade de chambre...
6. Ce matin, au resto U,...
7. Quand j'étais au lycée,...
8. La dernière fois que j'étais en vacances,...

6 **À votre tour** Demandez à votre partenaire de compléter ces phrases en utilisant le passé composé ou l'imparfait. Ensuite, présentez ses réponses les plus intéressantes à la classe.

1. L'année dernière, mes profs...
2. Quand je suis rentré(e) chez moi hier, ...
3. Le week-end dernier...
4. La dernière fois que j'ai fait un voyage, ...
5. Le jour de mon dernier anniversaire, ...
6. Quand j'avais dix ans, ...
7. Pendant les vacances d'été, ...
8. Hier soir, je regardais la télé quand...

7 **Dialogue** Jean-Michel, qui a seize ans, est sorti avec des amis hier soir. Quand il est rentré à trois heures du matin, sa mère était furieuse parce que ce n'était pas la première fois qu'il rentrait tard. Avec un(e) partenaire, préparez le dialogue entre Jean-Michel et sa mère.

MODÈLE

Étudiant(e) 1: *Que faisais-tu à minuit?*
Étudiant(e) 2: *Mes copains et moi, nous sommes allés manger une pizza...*

8 **Un crime** Vous avez été témoin (*witness*) d'un crime dans votre quartier et la police vous pose beaucoup de questions. Avec un(e) partenaire et à tour de rôle, jouez le détective et le témoin.

MODÈLE

Étudiant(e) 1: *Où étiez-vous vers huit heures hier soir?*
Étudiant(e) 2: *Chez moi.*
Étudiant(e) 1: *Avez-vous vu quelque chose?*

> **I CAN** discuss conditions, actions, and events in the past.

STRUCTURES

8B.2

The verbs *savoir* and *connaître* 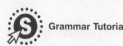 Grammar Tutorial

Point de départ *Savoir* and *connaître* both mean *to know*. The choice of verb in French depends on the context in which it is being used.

	savoir	*connaître*
je	sais	connais
tu	sais	connais
il/elle/on	sait	connaît
nous	savons	connaissons
vous	savez	connaissez
ils/elles	savent	connaissent

savoir and *connaître*

Boîte à outils

The verb **connaître** is never followed by an infinitive. Always use the construction **savoir** + [*infinitive*] to mean *to know how to do something.*

- **Savoir** means *to know facts* or *to know how to do something*.

  Sait-elle chanter?
  Does she know how to sing?

  Ils ne **savent** pas qu'il est parti.
  They don't know that he left.

- **Connaître** means *to know* or *be familiar with a person, place, or thing*.

  Vous **connaissez** le prof.
  You know the professor.

  Tu **connais** ce quartier?
  Do you know that neighborhood?

  Nous **connaissons** bien Paris.
  We know Paris well.

  Je ne **connais** pas ce magasin.
  I don't know this store.

- In the **passé composé**, **savoir** and **connaître** have special connotations. **Savoir** in the **passé composé** means *found out*. **Connaître** in the **passé composé** means *met (for the first time)*. Their past participles, respectively, are **su** and **connu**.

  J'**ai su** qu'il y avait une fête.
  I found out there was a party.

  Nous l'**avons connu** à la fac.
  We met him at the university.

- **Reconnaître** means *to recognize*. It follows the same conjugation patterns as **connaître**.

  Mes profs de lycée me **reconnaissent** encore.
  My high school teachers still recognize me.

  Nous **avons reconnu** vos enfants à la soirée.
  We recognized your children at the party.

Essayez! Complétez les phrases avec les formes correctes des verbes **savoir** et **connaître**.

1. Je _____ de bons restaurants.
2. Ils ne _____ pas parler allemand.
3. Vous _____ faire du cheval?
4. Tu _____ une bonne coiffeuse?
5. Nous ne _____ pas Jacques.
6. Claudette _____ jouer aux échecs.
7. Laure et Béatrice _____ -elles tes cousins?
8. Nous _____ que vous n'aimez pas faire le ménage.

Le français vivant

Côte-Nord

Vous saviez qu'être chez vous, c'est agréable. Avec les sofas par **Côte-Nord**, vous connaissez aussi le confort et la joie d'être chez vous. Les sofas par **Côte-Nord**: savoir qu'on connaît le bonheur.

Identifiez Regardez la publicité (*ad*) et répondez à ces questions.

1. Quelles formes des verbes **savoir** et **connaître** avez-vous trouvées dans la pub?
2. Identifiez les objets sur la photo qui correspondent au vocabulaire de l'Unité 8.

Répondez Par groupes de trois, répondez aux questions.

1. Aimez-vous être chez vous? Pourquoi?
2. Vos meubles vous donnent-ils envie de rester chez vous? Pourquoi?
3. Un meuble apporte-t-il vraiment du confort et de la joie?
4. Avez-vous envie d'habiter dans une maison comme celle-ci (*this one*)? Pourquoi?
5. Y a-t-il une pièce que vous préférez dans votre maison? Laquelle? (*Which one?*)
6. Connaissez-vous un bon magasin de meubles dans votre ville? Lequel? (*Which one?*) Pourquoi est-il bon?

STRUCTURES

Mise en pratique

1 **Les passe-temps** Qu'est-ce que ces personnes savent faire?

Patrick

▶ **MODÈLE**

Patrick sait skier.

1. Halima
_____

2. vous
_____

3. tu
_____

4. nous
_____

2 **Dialogues brefs** Complétez les conversations avec le présent du verbe **savoir** ou **connaître**.

1. Marie _____ faire la cuisine?

   Oui, mais elle ne _____ pas beaucoup de recettes (*recipes*).

2. Vous _____ les parents de François?

   Non, je _____ seulement sa cousine.

3. Tes enfants _____ nager dans la mer.

   Et mon fils aîné _____ toutes les espèces de poissons.

4. Je _____ que le train arrive à trois heures.

   Est-ce que tu _____ à quelle heure il part?

5. Vous _____ le numéro de téléphone de Dorian?

   Oui, je le _____.

6. Nous _____ bien la musique arabe.

   Ah, bon? Tu _____ qu'il y a un concert de raï en ville demain?

3 **Assemblez** Assemblez les éléments des colonnes pour construire des phrases.

MODÈLE Je sais parler une langue étrangère.

A	B	C
Bradley Cooper	(ne pas) connaître	des célébrités
Oprah	(ne pas) savoir	faire la cuisine
je		jouer dans un film
ton/ta camarade de chambre		Scarlett Johansson
		parler une langue étrangère

Communication

4 **Enquête** Votre professeur va vous donner une feuille d'activités. Circulez dans la classe pour trouver au moins une personne différente qui répond oui à chaque question.

sujet	Nom
1. Sais-tu faire une mousse au chocolat?	Jacqueline
2. Connais-tu New York?	
3. Connais-tu le nom des sénateurs de cet état (state)?	
4. Connais-tu quelqu'un qui habite en Californie?	

5 **Je sais faire** Votre célébrité préférée cherche un(e) assistant(e) mais il y a deux candidats pour le poste. Par groupes de trois, jouez la scène. Chaque (*Each*) candidat essaie de montrer toutes les choses qu'il/elle sait faire.

MODÈLE

Étudiant(e) 1: *Alors, vous savez faire la vaisselle?*
Étudiant(e) 2: *Je sais faire la vaisselle, et je sais faire la cuisine aussi.*
Étudiant(e) 3: *Moi, je sais faire la cuisine, mais il/elle ne sait pas passer l'aspirateur.*

6 **Questions** À tour de rôle, posez ces questions à un(e) partenaire. Ensuite, présentez vos réponses à la classe.

1. Quel bon restaurant connais-tu près d'ici? Est-ce que tu y (*there*) manges souvent?
2. Connais-tu l'Europe? Quelles villes connais-tu?
3. Tes parents savent-ils utiliser Internet? Le font-ils bien?
4. Connais-tu un(e) acteur/actrice célèbre? Une autre personne célèbre?
5. Ton/Ta meilleur(e) (*best*) ami(e) sait-il/elle écouter quand tu lui racontes (*tell*) tes problèmes?
6. Connais-tu la date d'anniversaire de tous les membres de ta famille et de tous tes amis? Donne des exemples.
7. Connais-tu des films français? Lesquels (*Which ones*)? Les aimes-tu? Pourquoi?
8. Sais-tu parler une langue étrangère? Laquelle? (*Which one*)?

7 **Qui** Écrivez un paragraphe de huit phrases sur vos talents et connaissances. Votre professeur va lire chaque paragraphe, et vous devez deviner (*must guess*) quel(le) étudiant(e) l'a écrit. Déterminez qui connaît les étudiants de la classe le mieux.

I CAN express familiarity with and knowledge of a variety of subjects.

Révision

1 **Un grand dîner** Émilie et son mari Vincent ont invité des amis à dîner ce soir. Qu'ont-ils fait cet après-midi pour préparer la soirée? Que vont-ils faire ce soir après le départ des invités? Conversez avec un(e) partenaire.

> **MODÈLE**
>
> **Étudiant(e) 1:** Cet après-midi, Émilie et Vincent ont mis la table.
>
> **Étudiant(e) 2:** Ce soir, ils vont faire la vaisselle.

2 **Mes connaissances** Votre professeur va vous donner une feuille d'activités. Interviewez vos camarades. Pour chaque activité, trouvez un(e) camarade différent(e) qui dit oui.

Étudiant(e) 1: Connais-tu une personne qui aime faire le ménage?

Étudiant(e) 2: Oui, autrefois mon père aimait bien faire le ménage.

Activité	Nom
1. ne pas faire souvent la vaisselle	
2. aimer faire le ménage	Farid
3. dormir avec une couverture en été	
4. faire son lit tous les jours	
5. repasser rarement ses vêtements	

3 **Qui faisait le ménage?** Par groupes de trois, interviewez vos camarades. Qui faisait le ménage à la maison quand ils habitaient encore chez leurs parents? Préparez des questions avec ces expressions et comparez vos réponses.

balayer	mettre et débarrasser la table
faire la lessive	passer l'aspirateur
faire le lit	ranger
faire la vaisselle	repasser le linge

4 **Soudain!** Tout était calme quand soudain... Avec un(e) partenaire, choisissez l'une des deux photos et écrivez un texte de dix phrases. Faites cinq phrases pour décrire la photo et cinq autres pour raconter (*to tell*) un événement qui s'est passé soudainement (*that suddenly happened*). Employez des adverbes et soyez imaginatifs/imaginatives.

5 **J'ai appris…** Qu'avez-vous appris ou qui connaissez-vous depuis que (*since*) vous êtes à la fac? Avec un(e) partenaire, faites une liste de cinq choses et de cinq personnes. À chaque fois, utilisez un imparfait et un passé composé dans vos explications.

> **MODÈLE**
>
> **Étudiant(e) 1:** Avant, je ne savais pas comment dire bonjour en français, et puis j'ai commencé ce cours, et maintenant, je sais le dire.
>
> **Étudiant(e) 2:** Avant, je ne connaissais pas tous les pays francophones, et maintenant, je les connais.

6 **Élise fait sa lessive** Votre professeur va vous donner, à vous et à votre partenaire, une feuille avec des dessins représentant Élise et sa journée d'hier. Attention! Ne regardez pas la feuille de votre partenaire.

> **MODÈLE**
>
> **Étudiant(e) 1:** Hier matin, Élise avait besoin de faire sa lessive.
>
> **Étudiant(e) 2:** Mais, elle…

Écriture

Mastering the simple past tenses

In French, when you write about events that occurred in the past, you need to know when to use the **passé composé** and when to use the **imparfait**. A good understanding of the uses of each tense will make it much easier to determine which one to use as you write.

Look at the following summary of the uses of the **passé composé** and the **imparfait**. Write your own example sentence for each of the rules described.

Passé composé vs. imparfait

Passé composé

1. Actions viewed as completed

   _____

2. Beginning or end of past actions

   _____

3. Series of past actions

   _____

Imparfait

1. Ongoing past actions

   _____

2. Habitual past actions

   _____

3. Mental, physical, and emotional states and characteristics of the past

   _____

With a partner, compare your example sentences. Use the sentences as a guide to help you decide which tense to use as you are writing a story about something that happened in the past.

∞ Thème

Écrire une histoire

Quand vous étiez petit(e), vous habitiez dans une maison particulière (*distinctive*). Décrivez cette maison. Écrivez sur la ville où vous habitiez et sur votre quartier. Décrivez les différentes pièces, les meubles et les objets décoratifs. Parlez aussi de votre pièce préférée et de ce que (*what*) vous aimiez faire dans cette pièce. Ensuite, imaginez qu'il y ait eu (*was*) un événement surprenant dans cette maison. Décrivez ce qui est arrivé (*what happened*). Attention à l'utilisation du passé composé et de l'imparfait!

Coup de main

Here are some terms that you may find useful in your narration.

désorienté(e)	*confused*
j'ai vu	*I saw*
particulier/ particulière	*distinctive*
surprenant	*surprising*

Quand j'étais petit(e), j'habitais dans un château, en France. Le château était dans un joli quartier, dans une petite ville près de Paris. Il y avait un grand jardin, avec beaucoup d'animaux. Il y avait douze pièces...

Ma pièce préférée était la cuisine parce que j'aimais faire la cuisine et j'aidais souvent ma mère...

Un jour, je suis rentré(e) de...

I CAN write a story about the past.

SAVOIR-FAIRE

Panorama

Paris

Paris est la capitale de la France. La ville est située au centre de la partie nord° du pays, et est divisée° en deux parties par un fleuve°, la Seine: la rive° droite, au nord, et la rive gauche, au sud°. Paris a 20 arrondissements°, chacun avec son propre maire° et son propre caractère. La ville mesure moins de° 10 kilomètres d'est en ouest°, et on peut la visiter très facilement à pied°, en bus ou en métro. Avec ses départements voisins°, elle forme la «métropole du Grand Paris».

Paris est connue pour ses monuments, ses musées, ses théâtres, sa mode et sa gastronomie. C'est aussi une ville moderne, avec des mesures environnementales, des start-up et des entreprises innovantes. Enfin, c'est une capitale européenne cosmopolite, avec une population composée de diverses nationalités.

Parisiens célèbres

▶ **Victor Hugo**, écrivain° et activiste (1802–1885)

▶ **Charles Baudelaire**, poète (1821–1867)

▶ **Auguste Rodin**, sculpteur (1840–1917)

▶ **Jean-Paul Sartre**, philosophe (1905–1980)

▶ **Simone de Beauvoir**, écrivain (1908–1986)

▶ **Édith Piaf**, chanteuse (1915–1963)

▶ **Emmanuelle Béart**, actrice (1965–)

nord *north* **divisée** *divided* **fleuve** *river* **rive** *bank*
sud *south* **arrondissements** *districts* **propre maire**
own mayor **moins de** *less than* **d'est en ouest** *from
east to west* **à pied** *on foot* **voisins** *neighboring*

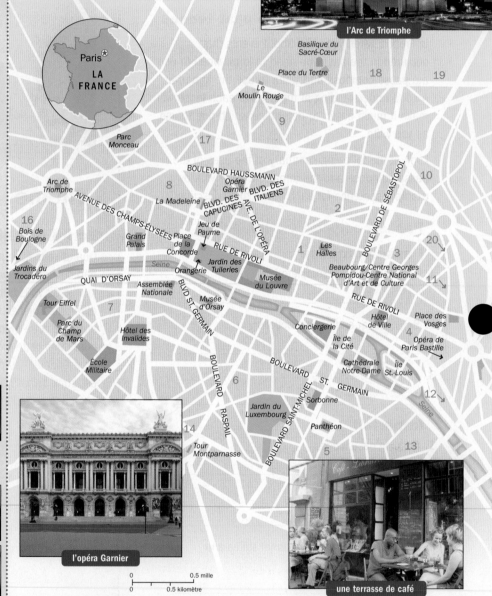

l'Arc de Triomphe

l'opéra Garnier

une terrasse de café

A C T I V I T É S

1 Les informations Complétez les phrases.

1. La rive _____ est au nord de la Seine.

2. La ville de Paris est divisée en vingt _____.

3. _____ est composée de la ville et ses départements voisins.

4. Paris est une ville _____, avec des mesures environnementales et des entreprises innovantes.

5. La population de Paris est composée de _____.

2 Assimilez Répondez aux questions.

1. Est-ce que votre ville fait une partie d'une métropole? Comparez votre région à la métropole du Grand Paris.

2. Est-ce que les différents quartiers de votre ville ont leurs propres caractéristiques? Expliquez.

3. Quels caractéristiques distinguent les différents arrondissements parisiens? Faites des recherches sur un des vingt arrondissements et comparez ses caractéristiques à ceux de votre quartier.

Les monuments

La tour Eiffel

La tour Eiffel a été construite° en 1889 (mille huit cent quatre-vingt-neuf) pour l'Exposition universelle, à l'occasion du centenaire° de la Révolution française. Elle mesure 324 (trois cent vingt-quatre) mètres de haut et pèse° 10.100 (dix mille cent) tonnes. La tour attire plus de° 6.000.000 (six millions) de visiteurs par an°.

Les gens

Paris-Plages

Pour les Parisiens qui ne voyagent pas pendant l'été°, la ville de Paris a créé° Paris-Plages pour apporter la plage° aux Parisiens! Inauguré en 2001 et installé sur les quais° de la Seine, Paris-Plages a trois kilomètres de sable et d'herbe°, et plein d'activités° comme la natation° et le volley. Plus de 3.000.000 (trois millions) de personnes visitent Paris-Plages en juillet et août chaque° année.

Les musées

Le musée du Louvre

Ancien° palais royal, le Louvre est aujourd'hui un des plus grands musées du monde° avec sa vaste collection de peintures°, de sculptures et d'antiquités orientales, égyptiennes, grecques et romaines. L'œuvre° la plus célèbre de la collection est *La Joconde*° de Léonard de Vinci. La pyramide de verre°, créée par l'architecte américain I.M. Pei, marque l'entrée° principale du musée.

▷ Les transports

Le métro

L'architecte Hector Guimard a commencé à réaliser° des entrées du métro de Paris en 1898 (mille huit cent quatre-vingt-dix-huit). Ces entrées sont construites dans le style Art Nouveau: en forme de plantes et de fleurs°. Le métro est aujourd'hui un système très efficace° qui permet aux passagers de traverser° Paris rapidement.

INCROYABLE MAIS VRAI!

Sous les rues° de Paris, il y a une autre ville: les catacombes. Ici reposent° les squelettes d'environ 7.000.000 (sept millions) de personnes provenant° d'anciens cimetières de Paris et de ses environs. Plus de 100.000 (cent mille) touristes par an visitent cette ville de repos° éternel.

construite *built* **centenaire** *centennial* **pèse** *weighs*
attire plus de *attracts more than* **par an** *per year*
pendant l'été *during the summer* **a créé** *created*
apporter la plage *bring the beach* **quais** *banks* **de**
sable et d'herbe *of sand and grass* **plein d'activités**
lots of activities **natation** *swimming* **chaque** *each*
Ancien *Former* **monde** *world* **peintures** *paintings*
L'œuvre *The work (of art)* **La Joconde** *The Mona Lisa*
verre *glass* **entrée** *entrance* **a commencé à réaliser**
began to create **fleurs** *flowers* **efficace** *efficient*
traverser *to cross* **rues** *streets* **reposent** *lie;*
rest **provenant** *from* **repos** *rest*

---

3 **Vous avez compris?** Répondez aux questions.

1. La tour Eiffel a été construite pour _____.
2. La ville de Paris a créé _____ pour les Parisiens qui ne voyagent pas pendant l'été.
3. Avant de devenir un musée, le Louvre était _____.
4. Certaines entrées du métro sont construites dans le style _____.

4 **Reconversions** Par groupes de quatre, faites des recherches sur un lieu parisiens qui a été reconverti (*converted*) pour un autre usage. Quelle était sa fonction originelle? Quelle est son histoire? Quel est son usage aujourd'hui? Comparez ce lieu avec un endroit reconverti dans votre communauté ou dans votre pays. Présentez vos recherches à la classe.

I CAN identify cultural products and practices of Paris and reflect on attitudes around them.

A C T I V I T É S

Panorama

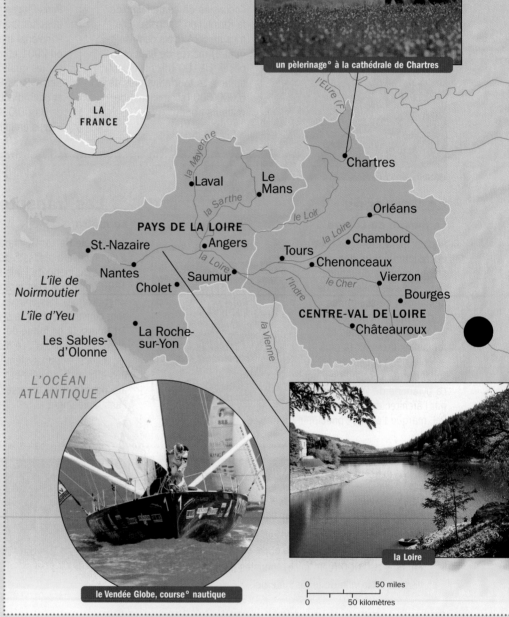

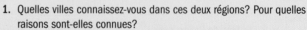
un pèlerinage° à la cathédrale de Chartres

Les Pays de la Loire

Les Pays de la Loire est une région française située sur l'océan atlantique et le long de la Loire. Administrée par l'Angleterre jusqu'en° 1481, la région est aussi connue pour ses grandes maisons ducales° datant du Moyen Âge°. Pendant° la Révolution française, sa population s'est révoltée contre° les révolutionnaires, à cause de° la répression religieuse et de la conscription militaire obligatoire.

Personnes célèbres

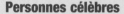

▶ **Claire Bretécher,** dessinatrice de bandes dessinées (1940–2020)

▶ **Jules Verne,** écrivain° (1828–1905)

Le Centre-Val de Loire

Le Centre-Val de Loire est une région située à l'est° des Pays de la Loire. Elle est traversée par plusieurs fleuves°, dont° la Loire, et est surtout connue pour ses nombreux° châteaux, construits par les rois° de France. Au Moyen Âge, la région était le centre culturel et religieux du royaume° français.

Personnes célèbres

▶ **Honoré de Balzac,** écrivain (1799–1850)

▶ **George Sand,** écrivaine (1804–1876)

▶ **Gérard Depardieu,** acteur (1948–)

jusqu'en *until* **ducales** *(relating to a duke or duchy)* **Moyen Âge** *Middle Ages*
Pendant *During* **contre** *against* **à cause de** *because of* **écrivain** *writer*
est *east* **fleuves** *rivers* **dont** *of which* **nombreux** *numerous* **rois** *kings*
royaume *kingdom* **pèlerinage** *pilgrimage* **course** *race*

le Vendée Globe, course° nautique

la Loire

```
0        50 miles
0      50 kilomètres
```

---

1 **Les informations** Complétez les phrases.

1. Les Pays de la Loire sont administrés par _____ jusqu'en 1481.

2. Pendant la Révolution française, la population des Pays de la Loire s'est révoltée contre _____.

3. Les châteaux du Centre-Val de Loire ont été construits par _____.

4. Au Moyen Âge, le Centre-Val de Loire est _____ du royaume français.

2 **Assimilez** Répondez aux questions.

1. Quelles villes connaissez-vous dans ces deux régions? Pour quelles raisons sont-elles connues?

2. Comment est-ce que la géographie des Pays de la Loire influence la gastronomie de la région?

3. Comment est-ce que la géographie du Centre-Val de Loire a influencé la décision d'y installer la cour française au Moyen Âge?

4. Quelles sont les conséquences pour les Pays de la Loire d'avoir défendu les institutions royales pendant la Révolution française?

⊙ Les monuments

La vallée des rois

La vallée de la Loire, avec ses châteaux, est appelée la vallée des rois°. C'est au 16e siècle° que les Valois° quittent Paris pour habiter dans la région, où ils construisent° de nombreux° châteaux de style Renaissance. François Ier inaugure le siècle des «rois voyageurs»: ceux° qui vont d'un château à l'autre avec leur cour° et toutes leurs possessions. Chenonceau, Chambord et Amboise sont aujourd'hui les châteaux les plus° visités.

Les festivals

Le Printemps de Bourges

Le Printemps de Bourges est un festival de musique qui a lieu° chaque année, en avril. Pendant° une semaine, tous les styles de musique sont représentés: variété française, musiques du monde°, rock, musique électronique, reggae, hip-hop, etc... Il y a des dizaines° de spectacles, de nombreux artistes, des milliers de spectateurs et des noms légendaires comme Serge Gainsbourg, Yves Montand, Ray Charles et Johnny Clegg.

Les sports

Les 24 heures du Mans

Les 24 heures du Mans, c'est la course° d'endurance automobile la plus célèbre° du monde. Depuis° 1923, de prestigieuses marques° y° participent. C'est sur ce circuit de 13,6 km que Ferrari gagne neuf victoires et que Porsche détient° le record de 16 victoires avec une vitesse moyenne° de 222 km/h sur 5.335 km. Il existe aussi les 24 heures du Mans moto°.

Les destinations

La route des vins

La vallée de la Loire est réputée pour ses vignobles°, en particulier pour ses vins blancs°, qui constituent environ° 75% (pour cent) de la production. La vigne est cultivée dans la vallée depuis l'an 380. Aujourd'hui, les vignerons° de la région produisent 400 millions de bouteilles par an. Pour apprécier le vin, il est nécessaire de l'observer°, de le sentir, de le goûter° et de le déguster°. C'est tout un art!

INCROYABLE MAIS VRAI!

Construit° au 16e siècle, l'architecture du château de Chambord est influencée par Léonard de Vinci. Le château a 440 pièces°, 84 escaliers° et 365 cheminées (une pour chaque° jour de l'année). Le logis° central a deux escaliers en forme de double hélice°. Les escaliers vont dans la même° direction, mais ne se croisent jamais°.

rois *kings* **siècle** *century* **les Valois** *(name of a royal dynasty)* **construisent** *build* **de nombreux** *numerous* **ceux** *those* **cour** *court* **les plus** *the most* **a lieu** *takes place* **Pendant** *For* **monde** *world* **dizaines** *dozens* **course** *race* **célèbre** *famous* **Depuis** *Since* **marques** *brands* **y** *there* **détient** *holds* **vitesse moyenne** *average speed* **moto** *motorcycle* **vignobles** *vineyards* **vins blancs** *white wines* **environ** *around* **vignerons** *wine-growers* **l'observer** *observe it* **le goûter** *taste it* **le déguster** *savor it* **Construit** *Constructed* **pièces** *rooms* **escaliers** *staircases* **chaque** *each* **logis** *living area* **hélice** *helix* **même** *same* **ne se croisent jamais** *never cross*

---

3 **Vous avez compris?** Répondez aux questions.

1. Qui sont les premiers rois (*kings*) à construire des châteaux dans la vallée de la Loire?
2. Qu'est-ce que le Printemps de Bourges?
3. Qu'est-ce que les 24 heures du Mans?
4. Qui influence l'architecture du château de Chambord?

4 **Les machines** Cherchez des informations sur les Machines de l'île à Nantes. Décrivez le projet. Pourquoi a-t-il été créé? De quelles manières est-ce que le projet évoque l'histoire et les habitants de Nantes? Quelles sont les avantages (*benefits*) du projet pour la ville et pour ses habitants? Présentez vos informations et opinions dans un essai.

A C T I V I T É S

I CAN identify cultural products and practices of the Loire Valley and reflect on attitudes around them.

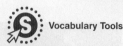 Vocabulary Tools

Leçon 8A

Les parties d'une maison

un balcon *balcony*
une cave *basement, cellar*
une chambre *bedroom*
un couloir *hallway*
une cuisine *kitchen*
un escalier *staircase*
un garage *garage*
un jardin *garden; yard*
un mur *wall*
une pièce *room*
une salle à manger *dining room*
une salle de bains *bathroom*
une salle de séjour *living/family room*
un salon *formal living/sitting room*
un sous-sol *basement*
un studio *studio (apartment)*
les toilettes/W.-C. *restrooms/toilet*

Chez soi

un appartement *apartment*
un immeuble *building*
un logement *housing*
un loyer *rent*
un quartier *area, neighborhood*
une résidence *residence*
une affiche *poster*
une armoire *armoire, wardrobe*
une baignoire *bathtub*
un canapé *couch*
une commode *dresser, chest of drawers*
une douche *shower*
une étagère *shelf*
un fauteuil *armchair*
une fleur *flower*
une lampe *lamp*
un lavabo *bathroom sink*
un meuble *piece of furniture*
un miroir *mirror*
un placard *closet, cupboard*
un rideau *drape, curtain*
un tapis *rug*
un tiroir *drawer*
déménager *to move out*
emménager *to move in*
louer *to rent*

Expressions utiles

See p. 293.

Locutions de temps

de temps en temps *from time to time*
en général *in general*
quelquefois *sometimes*
vite *fast, quickly*

Adverbes

absolument *absolutely*
activement *actively*
bien *well*
constamment *constantly*
couramment *fluently*
différemment *differently*
évidemment *obviously, evidently; of course*
franchement *frankly, honestly*
gentiment *nicely*
heureusement *fortunately*
mal *badly*
malheureusement *unfortunately*
vraiment *really*

Leçon 8B

Chez soi

un balai *broom*
une couverture *blanket*
les draps (*m.*) *sheets*
un évier *kitchen sink*
un oreiller *pillow*

Les tâches ménagères

une tâche ménagère *household chore*
balayer *to sweep*
débarrasser la table *to clear the table*
enlever/faire la poussière *to dust*
essuyer la vaisselle/la table *to dry the dishes/to wipe the table*
faire la lessive *to do the laundry*
faire le lit *to make the bed*
faire le ménage *to do the housework*
faire la vaisselle *to do the dishes*
laver *to wash*
mettre la table *to set the table*
passer l'aspirateur *to vacuum*
ranger *to tidy up; to put away*
repasser (le linge) *to iron (the laundry)*
salir *to soil, to make dirty*
sortir la/les poubelle(s) *to take out the trash*
propre *clean*
sale *dirty*

Les appareils ménagers

un appareil électrique/ménager *electrical/household appliance*
une cafetière *coffeemaker*
un congélateur *freezer*
une cuisinière *stove*
un fer à repasser *iron*
un four (à micro-ondes) *(microwave) oven*
un frigo *refrigerator*
un grille-pain *toaster*
un lave-linge *washing machine*
un lave-vaisselle *dishwasher*
un sèche-linge *clothes dryer*

Expressions utiles

See p. 311.

Locutions de temps

autrefois *in the past*
d'habitude *usually*
parfois *sometimes*
soudain *suddenly*
souvent *often*
toujours *always*
tous les jours *every day*
tout d'un coup *all of a sudden*
une (deux, etc.) fois *once (twice, etc.)*

Verbes

connaître *to know, to be familiar with*
reconnaître *to recognize*
savoir *to know (facts), to know how to do something*

🔗 Communicative Goals: Review

I CAN describe parts of the house. • Describe the rooms and features of your home.	**I CAN** describe past situations and actions. • Say what chores you did last week and why.	**I CAN** investigate homes in francophone communities. • Describe a francophone cultural product or practice related to the home and compare the perspectives around it to attitudes in your own culture.

La nourriture

Communicative Goals

You will learn how to:

- Discuss food, meals, and restaurants
- Describe past actions and make comparisons
- Investigate food and meals in francophone communities

Pour commencer

- Où a-t-on pris cette photo? Au restaurant ou à la maison?
- À votre avis, quand va-t-on manger ce repas? Le matin ou le soir?
- Qu'est-ce qu'il y a sur la table?
- À votre avis, y a-t-il des aliments qui manquent (*are missing*) dans cette photo?

Vocabulary Tutorials

Quel appétit!

Vocabulaire

cuisiner	to cook
faire les courses (f.)	to go (grocery) shopping
une cantine	school cafeteria
un supermarché	supermarket
un aliment	food item
un déjeuner	lunch
un dîner	dinner
un goûter	afternoon snack
la nourriture	food, sustenance
un petit-déjeuner	breakfast
un repas	meal
des petits pois (m.)	peas
une salade	salad
le bœuf	beef
un escargot	escargot, snail
les fruits de mer (m.)	seafood
un pâté (de campagne)	pâté, meat spread
le porc	pork
un poulet	chicken
une saucisse	sausage
un steak	steak
le thon	tuna
la viande	meat
le riz	rice
des pâtes (f.)	pasta
un yaourt	yogurt

les poires (f.)

les oranges (f.)

les fraises (f.)

fruits

les fruits (m.)

les pêches (f.)

les bananes (f.)

les pommes (f.)

les légumes (m.)

les pommes de terre (f.)

légumes

les oignons (m.)

les carottes (f.)

les poivrons rouges (m.)

les aubergines (f.)

les haricots verts (m.)

l'ail (m.)

les champignons (m.)

les tomates (f.)

Mise en pratique

1 Écoutez Fatima et René se préparent à aller faire des courses. Ils décident de ce qu'ils vont acheter. Écoutez leur conversation. Ensuite, complétez les phrases.

Dans le frigo, il reste six (1) _____, quelques (2) _____, une petite (3) _____ et trois (4) _____. René va utiliser ce qui reste dans le frigo pour préparer (5) _____. Fatima va acheter des (6) _____ et des (7) _____. René va acheter des (8) _____: des (9) _____, des (10) _____ et quelques (11) _____. René va faire un bon petit repas avec des (12) _____.

2 Les invités Vous avez invité quelques amis pour le week-end. Vous vous préparez à les accueillir (*welcome*). Complétez les phrases suivantes avec les mots ou les expressions qui conviennent le mieux (*fit the best*).

1. Au petit-déjeuner, Sébastien aime bien prendre un café et manger des croissants et _____. (une salade, des fruits de mer, un yaourt)
2. Pour le petit-déjeuner, il faut aussi de _____. (la confiture, l'ail, l'oignon)
3. J'adore les fruits, alors je vais acheter _____. (des petits pois, un repas, des pêches)
4. Mélanie n'aime pas trop la viande, elle va préférer manger _____. (des fruits de mer, du pâté de campagne, des saucisses)
5. Je vais aussi préparer une salade pour Mélanie avec _____. (de la confiture, des pâtes, du bœuf)
6. Jean-François est allergique aux légumes. Je ne vais donc pas lui servir de _____. (carottes, bananes, pommes)
7. Pour le dessert, je vais préparer une tarte aux fruits avec des _____. (poivrons, fraises, petits pois)
8. Il faut aller au supermarché pour acheter des _____ (yaourts, pâtes, oranges) pour faire du jus pour le petit-déjeuner.

3 Vos habitudes alimentaires Utilisez un élément de chaque colonne pour former des phrases au sujet de vos habitudes alimentaires. N'oubliez pas de faire les accords nécessaires.

A	B	C
au petit-déjeuner	acheter	des bananes
au déjeuner	adorer	des fruits
au goûter	aimer (bien)	des haricots verts
au dîner	ne pas tellement	des légumes
au resto U	aimer	des œufs
à la maison	détester	du porc
au restaurant	manger	du riz
au supermarché	prendre	de la viande

la confiture de fraises

les tartes (f.)

le poivron vert

la laitue

les œufs (m.)

Communication

4 **Quel repas?** Écrivez quelques phrases pour décrire chaque dessin. Ensuite, avec un(e) partenaire, décrivez une image à tour de rôle. Votre partenaire doit deviner (*must guess*) quel dessin vous décrivez.

1. _____

2. _____

3. _____

4. _____

5 **Sondage** Votre professeur va vous donner une feuille d'activités. Circulez dans la classe et utilisez les éléments du tableau pour demander à vos camarades ce qu'ils (*what they*) mangent. Quels sont les trois aliments les plus (*the most*) souvent mentionnés?

MODÈLE

Étudiant(e) 1: À quelle heure est-ce que tu prends ton petit-déjeuner? Que manges-tu?

Étudiant(e) 2: Je prends mon petit-déjeuner à sept heures. Je mange du pain avec du beurre et de la confiture et je bois du café au lait.

Questions	Noms	Réponses
1. Petit-déjeuner: Quand? Quoi?	1. ____	1. ____
2. Déjeuner: Où? Quand? Quoi?	2. ____	2. ____
3. Goûter: Quand? Quoi?	3. ____	3. ____
4. Dîner: Quand? Quoi?	4. ____	4. ____
5. Supermarché: Quoi? À quelle fréquence?	5. ____	5. ____
6. Resto U: Quoi? Quand? À quelle fréquence?	6. ____	6. ____

6 **La brochure** À deux, lisez ces informations sur les repas traditionnels des Français, puis contrastez-les aux repas typiques dans votre culture. Choisissez un repas en particulier et présentez votre comparaison à la classe. Utilisez des images ou d'autres médias dans votre présentation.

Comparaisons

Les habitudes alimentaires typiques des Français sont variées, mais traditionnellement, **le petit-déjeuner** est assez léger (*light*). On mange des céréales ou du pain avec du beurre et de la confiture, et on boit du café ou du thé. Typiquement, on mange des croissants seulement le week-end. **Le déjeuner** est le repas principal. Souvent, on rentre à la maison pour manger pendant sa pause déjeuner. Composé d'une entrée (*starter*), d'un plat principal (de la viande ou du poisson avec des légumes), et d'un dessert (souvent des fruits), ce repas peut durer une ou deux heures. **Le goûter**, mangé dans l'après-midi par les enfants, peut se constituer de quelques biscuits, d'un pain au chocolat, d'un yaourt ou d'un fruit. **Le dîner** est mangé à la maison vers 20h. Ce repas est similaire au déjeuner, mais il est plus léger.

I CAN talk about food and express needs, desires, and abilities.

Les sons et les lettres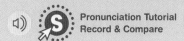

e caduc and e muet

In **Leçon 4A**, you learned that the vowel **e** in very short words is pronounced similarly to the *a* in the English word *about*. This sound is called an **e caduc**. An **e caduc** can also occur in longer words and before words beginning with vowel sounds.

| r**e**chercher | d**e**voirs | l**e** haricot | l**e** onze |

An **e caduc** often occurs in order to break up clusters of several consonants.

| appart**e**ment | quelqu**e**fois | poivr**e** vert | gouvern**e**ment |

An **e caduc** is sometimes called **e muet** (*mute*). It is often dropped in spoken French.

| Tu n~~e~~ sais pas. | J~~e~~ veux bien! | C'est un livr~~e~~ intéressant. |

An unaccented **e** before a single consonant sound is often silent unless its omission makes the word difficult to pronounce.

| s~~e~~maine | p~~e~~tit | final~~e~~ment |

An unaccented **e** at the end of a word is usually silent and often marks a feminine noun or adjective.

| frais~~e~~ | salad~~e~~ | intelligent~~e~~ | jeun~~e~~ |

Prononcez Répétez les mots suivants à voix haute.

1. vendredi
2. logement
3. exemple
4. devenir
5. tartelette
6. finalement
7. boucherie
8. petits pois
9. pomme de terre
10. malheureusement

Articulez Répétez les phrases suivantes à voix haute.

1. Tu ne vas pas prendre de casquette?
2. J'étudie le huitième chapitre maintenant.
3. Il va passer ses vacances en Angleterre.
4. Marc me parle souvent au téléphone.
5. Mercredi, je réserve dans une auberge.
6. Finalement, ce petit logement est bien.

Dictons Répétez les dictons à voix haute.

Le soleil luit pour tout le monde.[2]

L'habit ne fait pas le moine.[1]

[1] Clothes don't make the man.
(lit. *The habit doesn't make the monk.*)
[2] The sun shines for everyone.

ROMAN-PHOTO

Au supermarché

 **Video:** *Roman-photo* Record & Compare

PERSONNAGES

Amina

Caissière

David

Sandrine

Stéphane

Au supermarché...

AMINA Mais quelle heure est-il? Sandrine devait être là à deux heures et quart. On l'attend depuis quinze minutes!

DAVID Elle va arriver!

AMINA Mais pourquoi est-elle en retard?

DAVID Elle vient peut-être juste de sortir de la fac.

En ville...

STÉPHANE Eh! Sandrine!

SANDRINE Salut, Stéphane, je suis très pressée! David et Amina m'attendent au supermarché depuis vingt minutes.

STÉPHANE À quelle heure est-ce qu'on doit venir ce soir, ma mère et moi?

SANDRINE À sept heures et demie.

STÉPHANE D'accord. Qu'est-ce qu'on peut apporter?

SANDRINE Oh, rien, rien.

STÉPHANE Mais maman insiste.

SANDRINE Bon, une salade, si tu veux.

AMINA Alors, Sandrine. Qu'est-ce que tu vas nous préparer?

SANDRINE Un repas très français. Je pensais à des crêpes.

DAVID Génial, j'adore les crêpes!

SANDRINE Il nous faut des champignons, du jambon et du fromage. Et, bien sûr, des œufs, du lait et du beurre.

SANDRINE Et puis non! Finalement, je vous prépare un bœuf bourguignon.

AMINA Qu'est-ce qu'il nous faut alors?

SANDRINE Du bœuf, des carottes, des oignons...

DAVID Mmm... Ça va être bon!

AMINA Mais le bœuf bourguignon, c'est long à préparer, non?

SANDRINE Tu as raison. Vous ne voulez pas plutôt un poulet à la crème et aux champignons, accompagné d'un gratin de pommes de terre?

AMINA ET DAVID Mmmm!

SANDRINE Alors c'est décidé.

A C T I V I T É S

1 **Les ingrédients** Faites correspondre chaque ingrédient aux plats qui conviennent.

_____ 1. deux poulets   a. les crêpes

_____ 2. des oignons   b. le bœuf bourguignon

_____ 3. du jambon   c. le poulet et le gratin

_____ 4. des carottes

_____ 5. des pommes de terre

_____ 6. des œufs

2 **Les événements** Mettez les événements suivants dans l'ordre chronologique.

a. _____ Sandrine décide de ne pas préparer de bœuf bourguignon.

b. _____ Le prof de Sandrine parle avec elle après la classe.

c. _____ Amina dit que Sandrine peut devenir chef de cuisine.

d. _____ David et Amina paient.

e. _____ Stéphane demande à quelle heure il doit arriver.

f. _____ Sandrine essaie de payer.

Amina, Sandrine et David font les courses.

STÉPHANE Mais quoi comme salade?

SANDRINE Euh, une salade de tomates ou... peut-être une salade verte... Désolée, Stéphane, je suis vraiment pressée!

STÉPHANE Une salade avec du thon peut-être? Maman fait une salade au thon délicieuse!

SANDRINE Comme tu veux, Stéphane!

SANDRINE Je suis en retard. Je suis vraiment désolée. Je ne voulais pas vous faire attendre, mais je viens de rencontrer Stéphane et avant ça, mon prof de français m'a retenue pendant vingt minutes!

DAVID Oh, ce n'est pas grave!

AMINA Bon, on fait les courses?

SANDRINE Voilà exactement ce qu'il me faut pour commencer! Deux beaux poulets!

AMINA Tu sais, Sandrine, le chant, c'est bien, mais tu peux devenir chef de cuisine si tu veux!

CAISSIÈRE Ça vous fait 51 euros et 25 centimes, s'il vous plaît.

AMINA C'est cher!

DAVID Ah non, Sandrine, tu ne paies rien du tout, c'est pour nous!

SANDRINE Mais c'est mon dîner et vous êtes mes invités.

AMINA Pas question, Sandrine. C'est nous qui payons!

3 **Considérez** Répondez aux questions.

1. Que mangez-vous quand vous dînez entre amis? Comparez vos préférences à celles de Sandrine et ses amis.

2. Quels plats savez-vous préparer? Comparez vos compétences à celles de Sandrine.

3. Est-ce que vous cuisinez pour vos ami(e)s ou pour votre famille de temps en temps? Que font-ils pour vous remercier? Comparez vos attitudes à la situation dans cet épisode.

4 **À vous!** Stéphane arrive chez lui et dit à sa mère qu'il faut faire une salade pour le dîner de Sandrine. Avec un(e) partenaire, préparez leur conversation. Parlez du dîner et décidez des ingrédients pour la salade. Utilisez un dictionnaire et présentez votre conversation à la classe.

I CAN understand conversations about food and supermarkets.

A C T I V I T É S

Ⓢ Video: *Flash culture*

Le Guide Michelin et la gastronomie

le Plaza Athénée

Le premier Guide Michelin a été créé en 1900 par André et Édouard Michelin, les propriétaires des pneus° Michelin. Il était offert° avec l'achat de pneus. À cette époque°, il n'y avait que 2.400 conducteurs° en France. Le guide leur donnait des informations précieuses sur les rares garagistes°, le plan de quelques villes et les curiosités locales. Puis, il a inclus les restaurants.

Aujourd'hui, ce petit guide rouge est un des guides gastronomiques les plus réputés du monde. Chaque année, le Guide Michelin sélectionne les meilleurs° restaurants et hôtels de France, ainsi que° dans d'autres pays ou villes du monde, comme l'Italie ou New York. Les gastronomes et les professionnels de l'hôtellerie attendent la sortie du Guide Michelin au mois de mars avec impatience, mais seuls° les plus grands restaurants reçoivent° des étoiles° Michelin.

Il n'y a que° 29 restaurants trois étoiles en France, qui sont tous très prestigieux et très chers. Par exemple, un repas au Plaza Athénée à Paris, le célèbre restaurant trois étoiles du chef Alain Ducasse, coûte entre 250 et 450 euros. Un restaurant trois étoiles est une «cuisine exceptionnelle qui vaut° le voyage»; un restaurant deux étoiles, une «excellente cuisine, qui vaut le détour»; et un restaurant une étoile, une «très bonne cuisine dans sa catégorie». Beaucoup de restaurants qui apparaissent dans le Guide Michelin ne reçoivent pas d'étoiles, mais simplement des «fourchettes°».

Les fourchettes applaudissent les qualités spécifiques d'un établissement, comme le choix des vins ou son atmosphère.

Le Guide Michelin est une autorité en matière de gastronomie française, ce qui fait elle-même° partie du patrimoine culturel immatériel° de l'UNESCO depuis 2010.

pneus *tires* **offert** *offered* **époque** *time* **conducteurs** *drivers* **garagistes** *car mechanics* **meilleurs** *best* **ainsi que** *as well* **seuls** *only* **reçoivent** *receive* **étoiles** *stars* **Il n'y a que** *There are only* **vaut** *is worth* **fourchettes** *forks* **elle-même** *itself* **patrimoine culturel immatériel** *intangible cultural heritage*

A C T I V I T É S

1 **Complétez** Complétez les phrases.

1. Chaque année, le Guide Michelin sélectionne les meilleurs _____ du monde.

2. Il y a _____ restaurants trois étoiles en France.

3. Certains restaurants ne reçoivent pas d'étoiles mais des _____.

4. La gastronomie française fait partie du _____ depuis 2010.

2 **Considérez** Répondez aux questions.

1. Y a-t-il des restaurants étoilés dans votre ville ou région? Faites des recherches.

2. Aimez-vous dîner dans des restaurants prestigieux? Quelles sources utilisez-vous pour trouver une «bonne table»?

3. Pourquoi la gastronomie française fait-elle partie du patrimoine culturel de l'UNESCO? Quelles valeurs forment les bases de l'évaluation de cette liste? Comparez-les aux valeurs du Guide Michelin et à vos propres valeurs.

Combien de restaurants trois étoiles ont ces pays?

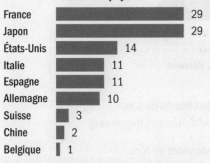

France	29
Japon	29
États-Unis	14
Italie	11
Espagne	11
Allemagne	10
Suisse	3
Chine	2
Belgique	1

- Où sont les restaurants trois étoiles aux États-Unis? Dans quelle sorte de cuisine se spécialisent-ils?

La cuisine de la Nouvelle-Orléans

La cuisine de la Nouvelle Orléans combine les influences créoles et les influences cajuns. Voici quelques spécialités.

le beignet un morceau de pâte frit° et recouvert de sucre, servi à toute heure du jour et de la nuit

le gumbo une soupe à l'okra et aux fruits de mer, souvent accompagnée de riz

le jambalaya un riz très pimenté° préparé avec du jambon, du poulet, des tomates et parfois des saucisses et des fruits de mer

le po-boy de *poor boy* (garçon pauvre), un sandwich au poisson, aux écrevisses°, aux huîtres° ou à la viande dans un morceau de baguette.

- Quel plat allez-vous essayer si vous allez à la Nouvelle-Orléans? Pourquoi?

morceau de pâte frit *piece of fried dough* **pimenté** *spicy*
écrevisses *crawfish* **huîtres** *oysters*

Les fromages français

Les Français sont très fiers de leurs fromages, et beaucoup de ces fromages sont connus dans le monde entier. La France produit près de 500 fromages dont° le type varie selon la région. En effet, le fromage est un emblème du pays. Chaque fromage est fabriqué selon des méthodes particulières et dans une zone géographique bien précise. Les fromages peuvent être au lait de vache°, comme le Brie ou le Camembert, au lait de chèvre°, comme le crottin de Chavignol, au lait de brebis°, comme le Roquefort, ou ils peuvent être faits d'un mélange° de plusieurs laits. Ils sont aussi classés en plusieurs catégories: cuit° ou non cuit, fermenté, fondu° ou frais°. Plus de 95% des Français mangent du fromage au moins une fois par semaine. Le fromage est présent dans approximativement 70% des repas en France et il est généralement consommé après le plat principal, avant le dessert. D'après les chiffres officiels, les Français dépensent sept milliards° d'euros par an pour le fromage. Au tout début du printemps, vers la fin du mois de mars, on célèbre la Journée nationale du fromage, à l'initiative de l'association «Fromages de terroirs», avec des débats, des conférences, des démonstrations de recettes° et des dégustations°. C'est l'occasion pour la France de mettre en avant° les produits de ses terroirs.

dont *of which* **vache** *cow* **chèvre** *goat* **brebis** *ewe* **mélange** *mix* **cuit** *cooked* **fondu** *melted*
frais *fresh* **milliards** *billions* **recettes** *recipes* **dégustations** *tastings* **mettre en avant** *show off*

---

3 **À table!** Répondez aux questions.

1. Combien de restaurants trois étoiles y a-t-il en Suisse?
2. Que met-on dans le jambalaya?
3. Qu'est-ce que le gumbo?
4. Quels laits sont utilisés pour faire le fromage en France?
5. Comment célèbre-t-on la Journée nationale du fromage?

4 **Le patrimoine** Vous et un(e) partenaire avez décidé de recommander un aspect de la gastronomie de votre culture pour son inscription au patrimoine culturel de l'UNESCO. Cet aspect peut être une pratique, une connaissance, un endroit, un plat, un produit, etc. Quel élément allez-vous choisir? Pourquoi? Faites des recherches et préparez une présentation dans laquelle vous expliquez pourquoi cet élément mérite une telle (*such a*) distinction.

A C T I V I T É S

I CAN identify and reflect on cultural products and practices related to food and food guides.

STRUCTURES

9A.1

The verb *venir* and the *passé récent* Grammar Tutorial

Point de départ In **Leçon 4A**, you learned the verb **aller** (*to go*). Now you will learn how to conjugate and use the irregular verb **venir** (*to come*).

venir	
je viens	nous venons
tu viens	vous venez
il/elle/on vient	ils/elles viennent

Vous venez souvent au resto U?
Do you come to the cafeteria often?

Viens vers huit heures du soir.
Come around 8 o'clock in the evening.

Tu **viens** avec moi au supermarché?
Are you coming with me to the supermarket?

Mes tantes **viennent** de Nice.
My aunts are coming from Nice.

À noter

In **Leçon 7A**, you learned about verbs that take **être** in the **passé composé**. Add the verbs **venir**, **devenir**, and **revenir** to that list to complete it.

- **Venir** takes the auxiliary **être** in the **passé composé**. Its past participle is **venu**.

Ils **sont venus** vendredi dernier.
They came last Friday.

Nadine **est venue** chez moi.
Nadine came to my house.

Nous **sommes venues** à la fac.
We came to campus.

Es-tu **venu** trop tard?
Did you come too late?

- **Venir** in the present tense can also be used with **de** and an infinitive to say that something has just happened. This is called the **passé récent**.

Je **viens de prendre** mon goûter dans ma chambre.
I just had a snack in my room.

Nous **venons de regarder** cette émission.
We just watched that show.

Ma mère **vient de cuisiner**.
My mother just cooked.

Karine **vient de manger** à la cantine.
Karine just ate at the cafeteria.

- **Venir** can be used with an infinitive to say that someone has come to do something.

Papa **est venu** me **chercher**.
Dad came to pick me up.

Elle **venait** nous **rendre** visite.
She used to come visit us.

Thuy et Mia **venaient répéter** avec nous.
Thuy and Mia used to come rehearse with us.

Ali **vient** te **parler**.
Ali is coming to talk to you.

- The verbs **devenir** (*to become*) and **revenir** (*to come back*) are conjugated like **venir**. They, too, take **être** in the **passé composé**.

Estelle et sa copine **sont devenues** médecins.
Estelle and her friend became doctors.

Il **est revenu** avec une tarte aux fraises.
He came back with a strawberry tart.

- The verbs **tenir** (*to hold*), **maintenir** (*to maintain*), and **retenir** (*to keep, to retain*) are also conjugated like **venir**. However, they take **avoir** in the **passé composé**.

Corinne **tient** le livre de cuisine.
Corinne is holding the cookbook.

On **a retenu** mon passeport à la douane.
They kept my passport at customs.

- A command form of **tenir** is often used when handing something to someone.

Tiens, une belle orange pour toi.
Here, a nice orange for you.

Votre sac est tombé! **Tenez**, Madame.
Your bag fell! Here, ma'am.

Depuis, pendant, il y a + [*time*]

- To say that something happened at a time *ago* in the past, use **il y a** + [*time ago*].

Il y a une heure, on était à la cantine.
An hour ago, we were at the cafeteria.

Il a visité Ouagadougou **il y a deux ans**.
He visited Ouagadougou two years ago.

- To say that something happened for a particular period of time and ended in the past, use **pendant** + [*time period*]. Often the verb will be in the **passé composé**.

Salim a fait la vaisselle **pendant
deux heures.**
Salim washed dishes for two hours.

Les équipes ont joué au foot
pendant un mois.
The teams played soccer for one month.

- To say that something has been going on *since* a particular time and continues into the present, use **depuis** + [*time period, date, or starting point*]. Unlike its English equivalent, the verb in the French construction is usually in the present tense.

Elle danse **depuis son arrivée**
à la fête.
*She has been dancing since
she arrived at the party.*

Nous passons l'été au Québec
depuis 1998.
*We have been spending summers
in Quebec since 1998.*

Essayez!   **Choisissez l'option correcte pour compléter chaque phrase.**

1. Chloé, tu _____*d*_____ avec nous à la cantine?
2. Vous _____ d'où, Monsieur?
3. Les Aubailly _____ de dîner au café.
4. Julia Child est _____ célèbre en 1961.
5. Qu'est-ce qu'ils _____ dans la main?
6. Ils sont _____ du supermarché à midi.
7. On allait souvent en Europe _____ dix ans.
8. On mange bien _____ l'arrivée de maman.
9. Le prof _____ l'ordre dans la salle de classe.
10. Nous avons loué notre maison _____ les vacances d'été.
11. Alex et Sylvie, _____ ces valises, s'il vous plaît!

a. viennent
b. revenus
c. tenez
d. viens
e. il y a
f. pendant
g. tiennent
h. depuis
i. devenue
j. venez
k. maintient

STRUCTURES

Mise en pratique

1 **Qu'est-ce qu'ils viennent de faire?** Regardez les images et dites ce qu'ils (*what they*) viennent de faire.

Jullen

MODÈLE

Julien vient de faire du cheval.

1. M. et Mme Martin
_____
_____

2. vous
_____
_____

3. nous
_____
_____

4. je
_____
_____

2 **Mes tantes** Tante Olga téléphone à tante Simone pour lui donner des nouvelles (*news*) de la famille. Complétez ses phrases au passé composé.

1. La semaine dernière, Georges _____ (revenir) de vacances.

2. Marc a déménagé, mais je _____ (ne pas retenir) sa nouvelle adresse.

3. J'ai rencontré Martine ce matin; elle _____ (devenir) très jolie.

4. Alfred va avoir 100 ans; c'est parce qu'il _____ (maintenir) un bon rythme de vie.

5. Hier midi, Charles et Antoinette _____ (venir) déjeuner à la maison.

6. Marie-Louise et Roland _____ (devenir) avocats.

7. La fille d'Albert _____ (ne pas venir) le voir le mois dernier.

8. Mélanie _____ (tenir) son chien dans ses bras parce que les enfants avaient peur.

3 **Nos activités** Dites ce que (*what*) des personnes que vous connaissez viennent de finir et ce qu'ils vont faire maintenant.

MODÈLE

Je viens de manger. Maintenant, je vais faire la vaisselle.

A	B	C
je	manger	emménager
tu	faire la lessive	répondre
elle	recevoir une lettre	faire un séjour
nous	acheter une maison	faire la vaisselle
vous	partir en vacances	prendre le train
ils	faire ses valises	repasser le linge
on	faire les courses	cuisiner

Communication

4 **Préparation de la fête** Vous avez invité des amis chez vous ce soir et vous demandez à votre camarade de chambre de vous aider. Vous êtes tous/toutes les deux impatient(e)s et vous avez besoin de savoir si tout est prêt. Avec un(e) partenaire, jouez les rôles en utilisant **venir de**, **il y a**, **depuis** et **pendant**.

MODÈLE

Étudiant(e) 1: *Étienne a téléphoné?*
Étudiant(e) 2: *Oui, il a téléphoné il y a une heure.*

1. Ta mère a apporté les gâteaux?
2. Tu as mis les fleurs dans le vase?
3. Pierre et Stéphanie ont fini de faire les courses?
4. Quand est-ce que tu as sorti les boissons?
5. Il faut mettre les escargots au four pendant longtemps?
6. Les salades de fruits sont dans le frigo?

5 **Devinez** Pour chaque phrase, écrivez ce que (*what*) les personnes viennent de faire. Ensuite, à tour de rôle, dites à votre partenaire ce que vous avez deviné (*guessed*). Aviez-vous les mêmes idées? Partagez vos résultats avec la classe. À tour de rôle avec un(e) partenaire, devinez (*guess*) ce que Floriane et ses amis viennent de faire.

MODÈLE

Michel débarrasse la table.
Il vient de dîner.

1. Malika et moi, nous n'avons pas soif.
2. Josiane n'est pas à la maison.
3. Faroukh et Alisha ont dépensé beaucoup d'argent.
4. Vous êtes tout mouillés (*wet*).
5. Tu es très fatigué.
6. Hugo a l'air content.

6 **La rencontre** Vous devez créer un diagramme de la chronologie d'événements dans la vie de votre partenaire. Demandez-lui de vous décrire son enfance, ses réussites, ses voyages, les changements dans sa vie, etc. Faites l'interview en utilisant **depuis**, **il y a** et **pendant**, puis présentez votre diagramme à la classe.

MODÈLE

Étudiant(e) 1: *Tu habites ici depuis longtemps?*
Étudiant(e) 2: *Oui, j'habite ici depuis 2016.*

7 **De nouveaux voisins** Deux ami(e)s vous interrogent sur une famille intéressante qui vient d'emménager dans votre quartier. Par groupes de trois, jouez les rôles. Utilisez **depuis**, **il y a** et **pendant** dans votre conversation.

MODÈLE

Étudiant(e) 1: *Quand est-ce que les Rocher ont emménagé?*
Étudiant(e) 2: *Ils ont emmenagé il y a trois mois.*
Étudiant(e) 1: *D'habitude, qui est à la maison pendant la journée?*

I CAN talk about recent past actions and movement.

STRUCTURES

9A.2

The verbs *devoir, vouloir, pouvoir*

(S) Grammar Tutorial

Point de départ The verbs **devoir** (*to have to [must]; to owe*), **vouloir** (*to want*), and **pouvoir** (*to be able to [can]*) are all irregular.

devoir, vouloir, pouvoir			
	devoir	**vouloir**	**pouvoir**
je	dois	veux	peux
tu	dois	veux	peux
il/elle/on	doit	veut	peut
nous	devons	voulons	pouvons
vous	devez	voulez	pouvez
ils/elles	doivent	veulent	peuvent

Je **dois** repasser.
I have to iron.

Veut-elle des pâtes?
Does she want pasta?

Vous **pouvez** entrer.
You can come in.

- **Devoir, vouloir,** and **pouvoir** all take **avoir** in the **passé composé.** They have irregular past participles.

devoir	▶	dû
vouloir		voulu
pouvoir		pu

- **Devoir** can be used with an infinitive to mean *to have to* or *must.*

On **doit** manger des légumes tous les jours.
One must eat vegetables every day.

Nous ne **devons** pas parler en classe.
We must not talk in class.

- When **devoir** is followed by a noun, it means *to owe.*

Tu me **dois** cinq euros.
You owe me five euros.

Il **doit** sa vie aux médecins.
He owes his life to the doctors.

- **Devoir** is often used in the **passé composé** with an infinitive to speculate on what *must have happened* or what someone *had to do.* The context will determine the meaning.

Ils ne sont pas arrivés chez eux. Ils **ont dû avoir** un accident.
They haven't arrived home. They must have had an accident.

Louise n'est pas allée à la fête parce qu'elle **a dû travailler.**
Louise didn't go to the party because she had to work.

- **Devoir** can be used with an infinitive to express *supposed to.*

Je **dois faire** mes devoirs.
I'm supposed to do my homework.

Vous **deviez arriver** à huit heures.
You were supposed to arrive at 8 o'clock.

- When **vouloir** is used with the infinitive **dire**, it is translated as *to mean.*

Nous **voulons dire** exactement le contraire.
We mean exactly the opposite.

Biscuit? Ça **veut dire** "cookie" en français.
Biscuit? That means "cookie" in French.

Sandrine devait être là. Elle a dû parler à son prof.

Enfin, j'ai pu vous retrouver.

- **Vouloir bien** can be used to express willingness.

  Tu veux prendre de la glace?
  Do you want to have some ice cream?

  Oui, je **veux bien** prendre de la glace.
  Yes, I'd really like to have some ice cream.

  Voulez-vous dîner avec nous demain soir?
  Do you want to have dinner with us tomorrow evening?

  Nous **voulons bien** manger avec vous demain soir.
  We'd love to eat with you tomorrow evening.

- **Vouloir** is often used in the **passé composé** with an infinitive in negative sentences to express *refused to.*

  J'ai essayé, mais il **n'a pas voulu** parler.
  I tried, but he refused to talk.

  Elles **n'ont pas voulu** débarrasser la table.
  They refused to clear the table.

  Nous **n'avons pas voulu** aller chez lui.
  We refused to go to his house.

  Tu **n'as pas voulu** lui dire bonjour.
  You refused to say hello to him.

- **Pouvoir** can be used in the **passé composé** with an infinitive to express *managed to do something.*

  Nous **avons pu** tout finir.
  We managed to finish everything.

  Fathia **a pu** nous trouver.
  Fathia managed to find us.

  J'**ai pu** parler à l'avocat.
  I managed to talk to the lawyer.

  Vous **avez pu** acheter les billets?
  Did you manage to buy the tickets?

Essayez! **Complétez ces phrases avec les formes correctes du présent des verbes.**

devoir

1. Tu _____*dois*_____ revenir à midi?
2. Elles _____ manger tout de suite.
3. Nous _____ encore vingt euros.
4. Je ne _____ pas assister au pique-nique.
5. Elle _____ nous téléphoner.

vouloir

6. _____ -vous manger sur la terrasse?
7. Tu _____ quelque chose à boire?
8. Il _____ faire la cuisine.

9. Nous ne _____ pas prendre de dessert.
10. Ils _____ préparer un grand repas.

pouvoir

11. Je _____ passer l'aspirateur ce soir.
12. Il _____ acheter de l'ail au marché.
13. Elles _____ emménager demain.
14. Vous _____ maigrir de quelques kilos.
15. Nous _____ mettre la table.

STRUCTURES

Mise en pratique

1 **Que doit-on faire?** Qu'est-ce que ces personnes doivent faire pour avoir ce qu'elles (*what they*) veulent?

MODÈLE André ____veut____ courir le marathon, alors il ____doit____ faire du jogging.

1. Je _____ grossir, alors je _____ manger des frites.

2. Il _____ être en forme, alors il _____ aller à la gym.

3. Vous _____ manger des spaghettis, alors vous _____ aller dans un resto italien.

4. Tu _____ manger chez toi, alors tu _____ faire la cuisine.

5. Elles _____ maigrir, alors elles _____ moins manger.

6. Nous _____ écouter de la musique, alors nous _____ acheter des CD.

2 **Qui peut faire quoi?** Ève prépare un grand repas. Dites ce que (*what*) chaque personne peut faire.

MODÈLE

Joseph / faire / courses
Joseph peut faire les courses.

1. Marc / acheter / boissons

2. Benoît et Anne / préparer / gâteaux

3. Jean et toi / décorer / salle à manger

4. Patrick et moi / essuyer / verres

5. je / prendre / photos

6. tu / mettre / table

3 **Mes enfants** M. Dion est au restaurant avec ses enfants. La serveuse lui demande ce qu'ils (*what they*) veulent prendre. Écrivez les questions de la serveuse et les réponses de M. Dion.

MODÈLE Éric: ou

SERVEUSE: Veut-il un jus d'orange ou un verre de lait?
M. DION: Il veut un jus d'orange, s'il vous plaît.

1. Michèle: ou

2. Stéphanie et Éric: ou

3. Stéphanie: ou

4. Éric: ou

Communication

4 **Que faire?** À tour de rôle, choisissez une image et dites ce que (*what*) les personnes peuvent, doivent ou veulent faire ou ne pas faire. Votre partenaire doit déterminer de quelle image vous parlez.

A.

▶ **MODÈLE**

Étudiant(e) 1: *Il veut maigrir.*

Étudiant(e) 2: *C'est l'image A?*

B.

C.

D.

E.

F.

G.

5 **Ce n'est pas de ma faute.** Préparez une liste de cinq choses qui vous sont arrivées (*happened to you*) par accident. Montrez la liste à un(e) partenaire, qui va deviner pourquoi. A-t-il/elle raison?

MODÈLE

Étudiant(e) 1: *J'ai perdu les clés de ma maison.*
Étudiant(e) 2: *Tu as dû les laisser sur ton lit.*

6 **Ce week-end** Invitez vos camarades de classe à faire des choses avec vous le week-end prochain. S'ils refusent votre invitation, ils doivent vous donner une excuse. Quelles réponses avez-vous reçues (*received*)?

MODÈLE

Étudiant(e) 1: *Tu veux jouer au tennis avec moi le week-end prochain?*
Étudiant(e) 2: *Quel jour?*
Étudiant(e) 1: *Samedi matin.*
Étudiant(e) 2: *Désolé(e), je ne peux pas. Je dois rendre visite à ma famille.*

7 **La permission** La mère de Sylvain lui permet de faire certaines choses mais pas d'autres. Avec un(e) partenaire, préparez leur dialogue. Utilisez les verbes **devoir, vouloir** et **pouvoir.**

MODÈLE

Étudiant(e) 1: *Maman, je veux sortir avec Paul vendredi.*
Étudiant(e) 2: *Tu peux sortir, mais tu dois d'abord ranger ta chambre.*

8 **Des conseils** Votre ami(e) a beaucoup de problèmes et vous demande des conseils (*advice*). Avec un(e) partenaire, préparez le dialogue. Utilisez le verbe **devoir** pour lui faire des suggestions.

MODÈLE

Étudiant(e) 1: *Je ne peux pas dormir la nuit.*
Étudiant(e) 2: *Tu ne dois pas boire de café après le dîner.*

> **I CAN** express needs, desires, and abilities.

Révision

1 Au restaurant
Avec un(e) partenaire, dites ce que (*what*) ces personnes viennent de faire. Utilisez les verbes de la liste et d'autres verbes.

apporter	manger
arriver	parler
boire	prendre
demander	téléphoner

2 Au supermarché
Un(e) enfant et son père ou sa mère sont au supermarché. L'enfant demande ces choses à manger, mais le père ou la mère ne veut pas les acheter et doit lui donner des raisons. Avec un(e) partenaire, préparez un dialogue et puis jouez-le pour la classe. Employez les verbes **devoir**, **vouloir** et **pouvoir** et le passé récent.

MODÈLE

Étudiant(e) 1: *Maman, je veux de la confiture. Achète-moi cette confiture, s'il te plaît.*
Étudiant(e) 2: *Tu ne dois pas manger ça. Tu viens de manger un dessert et tu vas grossir.*

des chips	une glace
du chocolat	du pâté
un coca	une saucisse
de la confiture	des yaourts aux fruits

3 Le chef de cuisine
Vous et votre partenaire êtes deux chefs. Choisissez une recette (*recipe*) facile et préparez une démonstration de cette recette pour la classe. Donnez des conseils (*advice*) avec les verbes **devoir**, **vouloir** et **pouvoir** et employez le passé récent.

MODÈLE

Étudiant(e) 1: *Combien de carottes doit-on utiliser?*
Étudiant(e) 2: *Vous pouvez utiliser deux ou trois carottes.*

4 Dans le frigo
Vous et vos partenaires êtes colocataires et vous regardez dans votre frigo. Qu'allez-vous prendre? À tour de rôle, choisissez un aliment à prendre. Quand tous les aliments sont distribués, chaque personne doit dire ce qu'elle va préparer.

MODÈLE

Étudiant(e) 1: *Je prends le poulet. Je peux préparer une soupe délicieuse.*
Étudiant(e) 2: *Moi, je prends la laitue. Je dois préparer une salade ce soir.*

5 Chez moi
Vous et votre partenaire voulez manger ensemble après le cours. Vous voulez manger chez vous ou chez votre partenaire, mais pas au resto U. Que pouvez-vous préparer? Que voulez-vous manger ou boire?

MODÈLE

Étudiant(e) 1: *Chez moi, j'ai du chocolat et du lait, et je peux te faire un chocolat chaud.*
Étudiant(e) 2: *Non merci, je veux plutôt une boisson froide et j'ai des boissons gazeuses à la maison.*

6 Une journée bien occupée
Votre professeur va vous donner, à vous et à votre partenaire, une feuille sur les activités d'Alexandra. Attention! Ne regardez pas la feuille de votre partenaire.

MODÈLE

Étudiant(e) 1: *À quatre heures et demie, Alexandra a pu faire du jogging.*
Étudiant(e) 2: *Après, à cinq heures, elle...*

Le Zapping

Video: *Le Zapping*

1 **Préparation** Répondez aux questions suivantes.

1. Nommez une recette typique de votre culture. Aimez-vous ce plat?
2. Quels sont les ingrédients? Comment le prépare-t-on?
3. Mangez-vous ce plat à certaines occasions en particulier? Expliquez.

Le far breton

Le far breton est un dessert typique de la Bretagne, région du nord-ouest de la France. Son nom vient du mot latin *far* qui veut dire blé°. Les Bretons cuisinaient traditionnellement le far à l'occasion des fêtes religieuses. En Bretagne, il existe des fars salés° et sucrés°. Mais c'est une version sucrée avec des pruneaux° qui a traversé les limites régionales pour se populariser dans toute la France sous le nom de «far breton».

blé *wheat* **salés** *savory* **sucrés** *sweet* **pruneaux** *prunes*

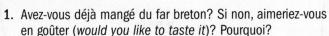

Alors, je vais vous présenter la recette du far breton.

2 **Compréhension** Répondez aux questions.

1. Quels sont les ingrédients du far breton?
2. Quel verbe de la liste est-ce que le chef ne dit pas?
   ajouter (*to add*)
   casser (*to break*)
   chauffer (*to heat*)
   couper (*to cut*)
   mélanger (*to mix*)
   verser (*to pour*)
3. À quelle température et pendant combien de temps le gâteau doit-il rester au four?

3 **Conversation** En petits groupes, discutez des questions suivantes.

1. Avez-vous déjà mangé du far breton? Si non, aimeriez-vous en goûter (*would you like to taste it*)? Pourquoi?
2. Quels plats et quels aliments aimez-vous? Aimez-vous essayer de nouveaux plats ou aliments? Pourquoi ou pourquoi pas?
3. Aimez-vous cuisiner? Quels plats préparez-vous régulièrement? Suivez-vous une recette? Expliquez.

Vocabulaire utile

émission	*program*
recette	*recipe*
casser	*to crack*
mélanger	*to mix*
la pâte	*batter*
déguster	*to taste*

4 **Réflexion** Répondez aux questions.

1. Quelles similarités ou différences existent entre le far breton et les desserts typiques de votre culture?
2. Que pensez-vous de la cuisine française, en général? Comparez les méthodes de préparation françaises à celles de votre propre culture.
3. Quels liens existent entre les préférences et valeurs d'une culture et sa gastronomie?

5 **Application** Trouvez la recette d'un plat que vous aimez et présentez-la à la classe. Utilisez des photos ou les vrais aliments pour présenter les ingrédients. Ensuite, expliquez les étapes de la préparation.

I CAN identify and reflect on attitudes around cooking.

Leçon 9B

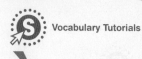

Vocabulary Tutorials

À table!

Vocabulaire

être au régime	to be on a diet
une boîte (de conserve)	can
la crème	cream
la mayonnaise	mayonnaise
la moutarde	mustard
une tranche	slice
une entrée	appetizer, starter
un hors-d'œuvre	hors-d'œuvre, appetizer
un plat (principal)	(main) dish
À table!	Dinner is ready!
compris	included
une boucherie	butcher's shop
une boulangerie	bread shop, bakery
une charcuterie	delicatessen
un(e) commerçant(e)	shopkeeper
un kilo(gramme)	kilo(gram)
une pâtisserie	pastry shop, bakery
une poissonnerie	fish shop

Il goûte la soupe. (goûter)

l'assiette (f.)

Carte — la carte

la serviette

la fourchette

le couteau

la nappe

Mise en pratique

1 Écoutez Catherine parle de ses habitudes alimentaires. Écoutez et indiquez si les affirmations suivantes sont **vraies** ou **fausses**.

	Vrai	Faux
1. Catherine mange beaucoup de desserts.	☐	☐
2. Catherine fait les courses au supermarché.	☐	☐
3. Elle adore la viande.	☐	☐
4. Elle est au régime.	☐	☐
5. Catherine achète des fruits et des légumes au marché.	☐	☐
6. Selon (*According to*) Catherine, le service chez les commerçants est désagréable.	☐	☐
7. Elle va souvent à la boucherie et à la poissonnerie.	☐	☐
8. Elle vient de devenir végétarienne.	☐	☐

2 Le repas Mettez ces différentes étapes dans l'ordre chronologique.

a. _____ dire «À table!»

b. _____ servir le plat principal

c. _____ mettre les assiettes, les fourchettes, les cuillères et les couteaux sur la table

d. _____ servir l'entrée

e. _____ faire les courses

f. _____ organiser un menu

g. _____ prendre le dessert avec les invités

h. _____ faire la cuisine

Elle commande. (commander)

le menu

le sel   le poivre

l'huile d'olive (*f.*)

la carafe d'eau

le bol   la cuillère à soupe

la cuillère à café

3 Complétez Complétez les phrases suivantes avec le bon mot pour faire une phrase logique.

1. Pour manger de la soupe on utilise...
   a. un couteau.
   b. une cuillère.
   c. une fourchette.

2. On sert la soupe dans...
   a. une boîte.
   b. une carafe.
   c. un bol.

3. Au restaurant le serveur/ la serveuse doit... la nourriture.
   a. commander
   b. apporter
   c. goûter

4. On vend des baguettes à...
   a. la boulangerie.
   b. la charcuterie.
   c. la boucherie.

5. On met... dans le café.
   a. du beurre
   b. du poivre
   c. de la crème

6. On vend des gâteaux à...
   a. la boucherie.
   b. la pâtisserie.
   c. la poissonnerie.

7. Au restaurant, on commande d'abord...
   a. une entrée.
   b. un plat principal.
   c. une serviette.

8. On vend du jambon à...
   a. la charcuterie.
   b. la crémerie.
   c. la pâtisserie.

CONTEXTES

Communication

4 **Conversez** Interviewez un(e) camarade de classe, puis partagez ses réponses les plus intéressantes avec la classe.

1. En général, qu'est-ce que tu commandes au restaurant? Comme entrée? Comme plat principal?
2. Qui fait les courses chez toi? Où? Quand?
3. Est-ce que tu préfères faire les courses au supermarché ou chez les commerçants? Pourquoi?
4. Es-tu au régime? Qu'est-ce que tu manges?
5. Quel est ton plat principal préféré?
6. Aimes-tu la moutarde? Avec quel(s) plat(s) l'utilises-tu?
7. Aimes-tu la mayonnaise? Avec quel(s) plat(s) l'utilises-tu?
8. Dans quel(s) plat(s) mets-tu de l'huile d'olive?

5 **Sept différences** Votre professeur va vous donner, à vous et à votre partenaire, deux feuilles d'activités avec le dessin (*drawing*) d'un restaurant. Il y a sept différences entre les deux images. Sans regarder l'image de votre partenaire, faites une liste de ces différences. Quel est le groupe le plus rapide de la classe?

MODÈLE

Étudiant(e) 1: *Dans mon restaurant, le serveur apporte du beurre à la table.*

Étudiant(e) 2: *Dans mon restaurant aussi, on apporte du beurre à la table, mais c'est une serveuse, pas un serveur.*

6 **Au restaurant** Travaillez avec deux camarades de classe pour présenter le dialogue suivant.

- Une personne invite un(e) ami(e) à dîner au restaurant.
- Une personne est le serveur/la serveuse et décrit le menu.
- Vous parlez du menu et de vos préférences.
- Une personne est au régime et ne peut pas manger certains ingrédients.
- Vous commandez les plats.
- Vous parlez des plats que vous mangez.

7 **Écriture** Écrivez un paragraphe dans lequel vous:

- parlez de la dernière fois que vous avez préparé un dîner, un déjeuner ou un petit-déjeuner pour quelqu'un.
- décrivez les ingrédients que vous avez utilisés pour préparer le(s) plat(s).
- mentionnez les endroits où vous avez acheté les ingrédients et leurs quantités.
- décrivez comment vous avez mis la table.

I CAN talk about eating out and shopping for food.

Les sons et les lettres

Pronunciation Tutorial
Record & Compare

Stress and rhythm

In French, all syllables are pronounced with more or less equal stress, but the final syllable in a phrase is elongated slightly.

Je fais souvent du sport, mais aujourd'hui j'ai envie de rester à la maison.

French sentences are divided into three basic kinds of rhythmic groups.

Noun phrase
Caroline et Dominique

Verb phrase
sont venues

Prepositional phrase
chez moi.

The final syllable of a rhythmic group may be slightly accentuated either by rising intonation (pitch) or elongation.

Caroline et Dominique sont venues chez moi.

In English, you can add emphasis by placing more stress on certain words. In French, you can repeat the word to be emphasized by adding a pronoun or you can elongate the first consonant sound.

Je ne sais pas, moi.   **Quel idiot!**   **C'est fantastique!**

Prononcez Répétez les phrases suivantes à voix haute.

1. Ce n'est pas vrai, ça.
2. Bonjour, Mademoiselle.
3. Moi, je m'appelle Florence.
4. La clé de ma chambre, je l'ai perdue.

5. Je voudrais un grand café noir et un croissant, s'il vous plaît.
6. Nous allons tous au marché, mais Marie, elle va au centre commercial.

Articulez Répétez les phrases en mettant l'emphase sur les mots indiqués.

1. C'est *impossible*!
2. Le film était *super*!
3. Cette tarte est *délicieuse*!

4. Quelle idée *extraordinaire*!
5. Ma sœur parle *constamment*.

Dictons Répétez les dictons à voix haute.

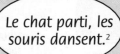

Le chat parti, les souris dansent.[2]

Les chemins les plus courts ne sont pas toujours les meilleurs.[1]

[1] The shortest paths aren't always the best.
[2] When the cat is away, the mice will play.

ROMAN-PHOTO

Le dîner

 Video: *Roman-photo*
Record & Compare

PERSONNAGES

Amina

David

Rachid

Sandrine

Stéphane

Valérie

Au centre-ville...

DAVID Qu'est-ce que tu as fait en ville?

RACHID Des courses à la boulangerie et chez le chocolatier.

DAVID Tu as acheté ces chocolats pour Sandrine?

RACHID Pourquoi? Tu es jaloux? Ne t'en fais pas! Elle nous a invités, il est normal d'apporter quelque chose.

DAVID Je n'ai pas de cadeau pour elle. Qu'est-ce que je peux lui acheter? Je peux lui apporter des fleurs!

Chez le fleuriste...

DAVID Ces roses sont très jolies, non?

RACHID Tu es tombé amoureux?

DAVID Mais non! Pourquoi tu dis ça?

RACHID Des roses, c'est romantique.

DAVID Ah... Ces fleurs-ci sont jolies. C'est mieux?

RACHID Non, c'est pire! Les chrysanthèmes sont réservés aux funérailles.

DAVID Hmmm. Je ne savais pas que c'était aussi difficile de choisir un bouquet de fleurs!

RACHID Regarde! Celles-là sont parfaites!

DAVID Tu es sûr?

RACHID Sûr et certain, achète-les!

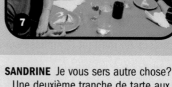

AMINA Sandrine, est-ce qu'on peut faire quelque chose pour t'aider?

SANDRINE Oui euh, vous pouvez finir de mettre la table, si vous voulez.

VALÉRIE Je vais t'aider dans la cuisine.

AMINA Tiens, Stéphane. Voilà le sel et le poivre. Tu peux les mettre sur la table, s'il te plaît.

SANDRINE À table!

SANDRINE Je vous sers autre chose? Une deuxième tranche de tarte aux pommes peut-être?

VALÉRIE Merci.

AMINA Merci. Je suis au régime.

SANDRINE Et toi, David?

DAVID Oh! J'ai trop mangé. Je n'en peux plus!

STÉPHANE Moi, je veux bien...

SANDRINE Donne-moi ton assiette.

STÉPHANE Tiens, tu peux la lui passer, s'il te plaît?

VALÉRIE Quel repas fantastique, Sandrine. Tu as beaucoup de talent, tu sais.

RACHID Vous avez raison, Madame Forestier. Ton poulet aux champignons était superbe!

1 **Vrai ou faux?** Indiquez si les phrases sont vraies ou fausses.

1. Rachid est allé chez le chocolatier.
2. Rachid dit que les roses sont romantiques.
3. Rachid et David sont arrivés en avance.
4. Sandrine a préparé une tarte aux pêches pour le dîner.
5. Les plats de Sandrine sont très bons.

2 **Questions** Répondez aux questions suivantes.

1. Qu'est-ce que Rachid a apporté à Sandrine?
2. Pourquoi David n'a-t-il pas acheté les roses?
3. Qu'a fait Amina pour aider?
4. Qui mange une deuxième tranche de tarte aux pommes?
5. Quel type de tarte Sandrine a-t-elle préparé il y a quelques semaines?

Sandrine a préparé un repas fantastique pour ses amis.

Chez Sandrine...

SANDRINE Bonsoir... Entrez! Oh!

DAVID Tiens. C'est pour toi.

SANDRINE Oh, David! Il ne fallait pas, c'est très gentil!

DAVID Je voulais t'apporter quelque chose.

SANDRINE Ce sont les plus belles fleurs que j'aie jamais reçues! Merci!

RACHID Bonsoir, Sandrine.

SANDRINE Oh, du chocolat! Merci beaucoup.

RACHID J'espère qu'on n'est pas trop en retard.

SANDRINE Pas du tout! Venez! On est dans la salle à manger.

STÉPHANE Oui, et tes desserts sont les meilleurs! C'est la tarte la plus délicieuse du monde!

SANDRINE Vous êtes adorables, merci. Moi, je trouve que cette tarte aux pommes est meilleure que la tarte aux pêches que j'ai faite il y a quelques semaines.

AMINA Tout ce que tu prépares est bon, Sandrine.

DAVID À Sandrine, le chef de cuisine le plus génial!

TOUS À Sandrine!

Expressions utiles

Making comparisons and judgments

- **Ces fleurs-ci sont jolies. C'est mieux?**
  These flowers are pretty. Is that better?

- **C'est pire! Les chrysanthèmes sont réservés aux funérailles.**
  That's worse! Chrysanthemums are only for funerals.

- **Je ne savais pas que c'était aussi difficile de choisir un bouquet de fleurs!**
  I didn't know it was so hard to choose a bouquet of flowers!

- **Ce sont les plus belles fleurs que j'aie jamais reçues!**
  These are the most beautiful flowers I have ever received!

- **C'est la tarte la plus délicieuse du monde!**
  This is the most delicious tart in the world!

- **Cette tarte aux pommes est meilleure que la tarte aux pêches.**
  This apple tart is better than the peach tart.

Additional vocabulary

- **Ah, tu es jaloux? Ne t'en fais pas!**
  Are you jealous? Don't worry!

- **sûr(e) et certain(e)**
  totally sure/completely certain

- **Il ne fallait pas.**
  You shouldn't have./There was no need.

- **J'ai trop mangé. Je n'en peux plus!**
  I ate too much. I can't take another bite!

- **Tu peux la lui passer?**
  Can you pass it to her?

---

3 **Considérez** Répondez aux questions.

1. Pourquoi David n'achète-t-il pas les roses? Et les chrysanthèmes? Est-ce que certaines fleurs sont réservées à certaines situations dans votre culture? Expliquez.

2. Décrivez l'attitude de Sandrine et des invités. Que font-ils pour préparer le repas? Comparez ce dîner aux réunions amicales typiques de votre culture.

4 **Écrivez** David veut raconter le dîner de Sandrine à sa famille. Composez un e-mail. Quels ont été les préparatifs (*preparations*)? Qui a apporté quoi? Qui est venu? Qu'est-ce qu'on a mangé? Relisez le **ROMAN-PHOTO** de la Leçon 9A si nécessaire.

A C T I V I T É S

I CAN understand short dinner table conversations.

Sandrine a préparé un repas fantastique pour ses amis.

CULTURE À LA LOUPE

Les repas en France

En France, un grand repas traditionnel peut être composé de beaucoup de plats différents et il peut durer° plusieurs heures. Avant de passer à table, on sert des amuse-gueules° comme des biscuits salés°, des olives ou des cacahuètes°. Ensuite, on commence le repas par un hors-d'œuvre ou directement par une ou deux entrées chaudes ou froides, comme une soupe, de la charcuterie, des escargots, etc. Après l'entrée, on prend parfois un sorbet pour nettoyer le palais°. Puis, on passe au plat principal, qui est en général une viande ou un poisson servi avec des légumes. Après, on apporte la salade, puis le fromage et enfin, on sert le dessert et le café. Le repas traditionnel est souvent accompagné de vin, et dans les grandes occasions, de champagne pour le dessert. Bien sûr, tous les Français ne font pas ce genre de repas tous les jours. En général, on mange beaucoup plus simplement. Au petit-déjeuner, on boit du café au lait, du thé ou du chocolat chaud. On mange des tartines° ou du pain grillé° avec du beurre et de la confiture, et des croissants le week-end. Le déjeuner est traditionnellement le repas principal, mais aujourd'hui, les Français n'ont pas souvent le temps de rentrer à la maison. Pour cette raison, on mange de plus en plus° au travail ou au café. Après l'école, les enfants prennent parfois un goûter, par exemple du pain avec du chocolat. Et le soir, on dîne à la maison, en famille.

durer last **amuse-gueules** small appetizers **salés** savory **cacahuètes** peanuts **palais** palate **tartines** slices of bread **pain grillé** toast **de plus en plus** more and more **moins de** less than

STRATÉGIE

Predicting

A useful way to understand a reading in French better is to predict what you believe will happen next. Predicting encourages you to recall what you have read, organize your thoughts, and draw logical conclusions. Pick a good stopping point, and jot down on a sheet of paper a sentence or two predicting what the next part of the text will be about, or even how the reading will end. As you read further, confirm or correct your written predictions.

A C T I V I T É S

1 Vrai ou faux? Indiquez si les phrases sont vraies ou fausses. Corrigez les phrases fausses.

1. Dans un dîner traditionnel français, on prend parfois un sorbet après l'entrée.

2. En général, on ne boit pas de vin pendant un repas traditionnel français.

3. On sert le fromage entre la salade et le dessert.

4. Les Français mangent souvent des œufs au petit-déjeuner.

2 Considérez Répondez aux questions.

1. Décrivez un dîner traditionnel de votre culture. Quels sont les aliments typiques?

2. Les repas dans votre culture sont-ils composés de plats différents? Combien de temps durent-t-ils, d'habitude?

3. Contrastez un dîner traditionnel de votre culture avec le dîner traditionnel des Français. Qu'est-ce qui pourrait (might) expliquer les différences?

Temps quotidien° d'alimentation

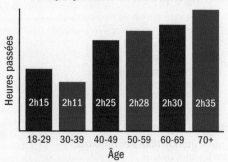

Heures passées

18-29	30-39	40-49	50-59	60-69	70+
2h15	2h11	2h25	2h28	2h30	2h35

Âge

- Quels facteurs influencent les habitudes alimentaires des gens?

quotidien daily

PORTRAIT

La couscousmania des Français

La cuisine du Maghreb est très populaire en France. Les restaurants maghrébins sont nombreux et appréciés pour la qualité de leur nourriture. Par exemple, les merguez, des petites saucisses rouges pimentées°, sont vendues dans toutes les boucheries. Dans les grandes villes, des pâtisseries au miel° marocaines, tunisiennes, algériennes ou libanaises sont dégustées° au goûter. Le plat le plus célèbre est le couscous, qui est resté dans la liste des dix meilleurs plats préférés des Français pendant plusieurs années. Aujourd'hui, des restaurants trois étoiles° le proposent en plat du jour et on le sert dans les cantines. Les Français consomment 143.000 tonnes de couscous par an, une vraie couscousmania!

pimentées spicy **miel** honey **dégustées** savored **étoiles** stars

LE MONDE FRANCOPHONE

Si on est invité...

Voici quelques bonnes manières à observer quand on dîne chez des amis.

En Afrique du Nord

- Si quelqu'un vous invite à boire un thé à la menthe, ce n'est pas poli de refuser.
- En général, on enlève ses chaussures avant d'entrer dans une maison.

En France

- Il est poli d'apporter un petit cadeau pour les hôtes, par exemple des bonbons ou des fleurs.
- On dit parfois «Santé°!» ou «À votre santé°!» avant de boire et «Bon appétit!» avant de manger.
- On mange avec la fourchette dans la main gauche et le couteau dans la main droite et on garde toujours les deux mains sur la table.

- Quels bonnes manières observez-vous quand vous dînez chez des amis?

Santé! Cheers! **À votre santé!** To your health!

🎧 MUSIQUE À FOND

Keen'V

Lieu de naissance: Rouen, France
Métier: compositeur-interprète

Keen'V, de son vrai nom Kevin Bonnet, s'est d'abord fait connaître en discothèque en tant que disc-jockey.

Go to **vhlcentral.com** to find out more about **Keen'V** and his music.

---

3 **Répondez** Répondez aux questions.

1. Quel groupe de personnes passe le plus de temps à table en France?
2. Qu'est-ce qu'il est impoli de refuser en Afrique du Nord?
3. Quel cadeau peut-on apporter quand on dîne chez des Français?
4. Qu'est-ce qu'une merguez?
5. Quel plat du Maghreb est le plus populaire en France?

4 **Que choisir?** Avez-vous déjà mangé dans un restaurant nord-africain? Quand? Où? Qu'avez-vous mangé? Du couscous? Si vous n'êtes jamais allé(e) dans un restaurant nord-africain, imaginez que des amis vous invitent à en essayer un. Qu'avez-vous envie de goûter? Pourquoi?

ACTIVITÉS

I CAN identify and reflect on cultural products and practices related to traditional meals.

9B.1 Comparatives and superlatives of adjectives and adverbs

Grammar Tutorial

- To compare people, things, and actions, use the following expressions with adjectives and adverbs.

plus					more... than
aussi	+	[adjective/adverb]	+	que	as... as
moins					less... than

ADJECTIVE

Simone est **plus âgée que** son mari.
Simone is older than her husband.

ADVERB

Elle parle **plus vite que** son mari.
She speaks more quickly than her husband.

ADJECTIVE

Guillaume est **moins grand que** son père.
Guillaume is less tall than his father.

ADVERB

Il m'écrit **moins souvent que** son père.
He writes me less often than his father.

ADJECTIVE

Nina est **aussi indépendante qu'**Anne.
Nina is as independent as Anne.

ADVERB

Elle joue au golf **aussi bien qu'** Anne.
She plays golf as well as Anne.

- Superlatives express extremes like *the most* or *the least*. The preposition **de** often follows the superlative to express *in* or *of*.

		le					
[noun]	+	la	+	plus/moins	+	[adjective]	+	de
		les					

NOUN   DEFINITE   COMPARATIVE
ARTICLE

Le TGV est **le train   le   plus rapide du** monde.
The TGV is the fastest train in the world.

NOUN   DEFINITE   COMPARATIVE
ARTICLE

Éva et Martine sont **(les filles)   les   moins réservées de la** classe.
Éva and Martine are the least reserved (girls) in class.

- The superlative construction goes before or after the noun depending on whether the adjective precedes or follows the noun. In the case of adjectives like **beau**, **bon**, **grand**, and **nouveau** that precede the nouns they modify, the superlative forms can precede the nouns they modify or they can follow them.

SUPERLATIVE   NOUN

C'est **la plus grande ville**.
It's the largest city.

NOUN   SUPERLATIVE

C'est **la ville la plus grande**.
It's the largest city.

Boîte à outils

As always, the adjective in comparative phrases agrees in number and gender with the noun.

Nicole est plus **nerveuse** que Luc.

Luc est moins **nerveux** que Nicole.

Boîte à outils

The noun in a superlative construction can be omitted if it is clear to whom or what it refers. To show this, the noun **les filles** in the sample sentence appears in parentheses.

À noter

You learned many of the adjectives that precede the nouns they modify in **Leçon 3A**.

- Since adverbs are invariable, you always use **le** to form the superlative.

  M. Duval est le prof qui parle **le plus vite**.
  Mr. Duval is the professor who speaks the fastest.

  C'est Amandine qui écoute **le moins patiemment**.
  Amandine listens the least patiently.

- Some adjectives and adverbs have irregular comparative and superlative forms.

Irregular comparative and superlative adjectives

Adjective	Comparative	Superlative
bon(ne)(s) *good*	**meilleur(e)(s)** *better*	**le/la/les meilleur(e)(s)** *best*
mauvais(e)(s) *bad*	**pire(s)** *worse or* **plus mauvais(e)(s)**	**le/la/les pire(s)** *worst or* **le/la/les plus mauvais(e)(s)**

Irregular comparative and superlative adverbs

Adverb	Comparative	Superlative
bien *well*	**mieux** *better*	**le mieux** *best*

En été, les pêches sont **meilleures** que les pommes.
In the summer, peaches are better than apples.

Quand on est au régime, les frites sont **pires** que les pâtes.
When you're dieting, fries are worse than pasta.

Mon ami chante bien mais sa sœur chante **mieux** que lui.
My friend sings well, but his sister sings better than he does.

Les plats dans ce restaurant sont mauvais mais la soupe est **la pire**.
The food in this restaurant is bad, but the soup is the worst.

Voilà **la meilleure** boulangerie de la ville.
There's the best bakery in town.

Dans la classe, c'est Clémentine qui écrit **le mieux**.
In class, it's Clémentine who writes the best.

- The other comparative and superlative forms of **bon** and **mauvais** (**aussi bon, (la) moins mauvaise**, etc.) are regular. This is also true of the other comparative and superlative forms of **bien** (**aussi bien, (le) moins bien**).

Essayez! **Complétez les phrases avec le comparatif ou le superlatif.**

Comparatifs

1. Les étudiants sont <u>moins âgés que</u> (- âgés) le professeur.

2. Les plages de la Martinique sont-elles _____ (+ bonnes) les plages de la Guadeloupe?

3. Évelyne parle _____ (= poliment) Luc.

4. Les chaussettes sont _____ (- chères) les baskets.

5. Ses sœurs sont _____ (= généreux) lui.

6. La soupe est _____ (- bon) la salade.

Superlatifs

7. Quelle librairie vend les livres <u>les plus intéressants</u> (+ intéressants)?

8. Le jean est _____ (- élégant) de tous mes pantalons.

9. Je joue aux cartes avec ma mère. C'est elle qui joue _____ (+ bien).

10. Les fraises de son jardin sont _____ (- belles).

11. Victor et son cousin sont _____ (+ beau) garçons de l'école.

12. Mme Damier a _____ (- vieux) maison du quartier.

STRUCTURES

Mise en pratique

1 **Oui, mais...** Deux amis comparent deux restaurants. Complétez les phrases avec **bon**, **bien**, **meilleur** ou **mieux**.

1. J'ai bien mangé au Café du marché hier.

   Oui, mais nous avons _____ mangé Chez Charles.

2. Le vin blanc au Café du marché est _____.

   Oui, mais le vin blanc de Chez Charles est meilleur.

3. Mes amis ont bien aimé le Café du marché.

   Oui, mais mes amis ont _____ mangé Chez Charles.

4. Au Café du marché, le chef prépare _____ le poulet.

   Oui, mais le chef de Chez Charles le prépare mieux.

5. Les salades au Café du marché sont bonnes.

   Oui, mais elles sont _____ Chez Charles.

6. Tout est bon au Café du marché!

   Tout est _____ Chez Charles!

2 **Un nouveau quartier** Vous venez d'emménager. Assemblez les éléments des trois colonnes pour poser des questions sur le quartier à un(e) voisin(e).

MODÈLE

Est-ce que le jambon est moins cher au supermarché ou à la charcuterie?

A	B	C
pain	boucherie	aussi
fruits de mer	boulangerie	meilleur(e)
faire les courses	charcuterie	mieux
dîner	pâtisserie	moins
aller	poissonnerie	pire
acheter	voisins	plus
desserts	quartier	
jambon	supermarché	

3 **Comparaisons** Comparez les sujets présentés. Utilisez des comparatifs et des superlatifs.

▶ **MODÈLE**

Les vacances à la mer sont plus amusantes que les vacances à la montagne.

1.

2.

3.

4.

Communication

4 **Trouvez quelqu'un** Votre professeur va vous donner une feuille d'activités. Circulez dans la classe pour trouver des camarades différents qui correspondent aux phrases.

MODÈLE

Étudiant(e) 1: *Quel âge as-tu?*
Étudiant(e) 2: *J'ai dix-neuf ans.*
Étudiant(e) 3: *Alors tu es plus jeune que moi.*

Trouvez dans la classe quelqu'un qui...	*Nom*
1. ... est plus jeune que vous.	Myriam
2. ... habite plus loin de la fac que vous.	
3. ... prend l'avion aussi souvent que vous.	
4. ... fait moins de gym que vous.	

5 **Aujourd'hui et autrefois** Avec un(e) partenaire, comparez la vie domestique d'aujourd'hui et d'autrefois. Utilisez les adjectifs de la liste à tour de rôle. Ensuite, présentez vos opinions à la classe.

MODÈLE

Aujourd'hui, les tâches ménagères sont moins difficiles.

bon	difficile	mauvais	poli
compliqué	grand	naturel	rapide
curieux	indépendant	occupé	sophistiqué

1. les congélateurs
2. la nourriture
3. les femmes
4. les commerçants
5. les voyages
6. les voitures
7. les enfants
8. la vie

6 **À mon avis** À tour de rôle avec un(e) partenaire, comparez ces personnes et ces choses en utilisant des comparatifs. Partagez vos opinions avec la classe.

1. New York / Chicago
2. Bradley Cooper / Leonardo DiCaprio
3. Twitter / Instagram
4. Tom Brady / Patrick Mahomes
5. Ariana Grande / Billie Eilish
6. le cours de français / le cours d'anglais
7. la vie à la campagne / la vie en ville
8. *Survivor / Project Runway*

7 **Comparaisons** À tour de rôle avec un(e) partenaire, parlez de votre famille et de vos amis. Utilisez des comparatifs et des superlatifs dans vos descriptions.

MODÈLE

Ma sœur Amy est plus sérieuse que moi, mais mon frère Thomas est la personne la plus sérieuse de ma famille.

I CAN compare people, things, and actions.

STRUCTURES

9B.2 Double object pronouns Grammar Tutorial

Point de départ In **Leçon 6B** and **Leçon 7A**, respectively, you learned to use indirect and direct object pronouns. Now you will learn to use these pronouns together.

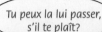

J'ai rendu **le menu** à **la serveuse**.
I returned the menu to the waitress.

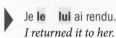

Je **le lui** ai rendu.
I returned it to her.

Tu peux la lui passer, s'il te plaît?

Une deuxième tranche? Je te la sers.

- Use this sequence when a sentence contains both a direct and an indirect object pronoun.

me		le			
te		la		lui	
nous	*before*	l'	*before*	leur	+ [verb]
vous		les			

Gérard m'envoie les messages de Christiane.
Il **me les** envoie tous les jours.
Gérard sends me Christiane's messages.
He sends them to me every day.

Je lui envoie aussi les messages de Laurent.
Je **les lui** envoie tous les week-ends.
I send him Laurent's messages, too.
I send them to him every weekend.

Le chef nous prépare son meilleur plat.
Les serveurs **nous l'**apportent.
The chef prepares his best dish for us.
The waiters bring it to us.

Nous avons laissé le pourboire des serveurs sur la table. Nous **le leur** avons laissé quand nous sommes partis.
We left a tip for the waiters on the table.
We left it for them when we left.

- In an infinitive construction, the double object pronouns come after the conjugated verb and precede the infinitive, just like single object pronouns.

Mes notes de français? Je vais
  vous les prêter.
*My French notes? I'm going to
  lend them to you.*

Carole veut lire mon poème.
  Je vais **le lui** montrer.
*Carole wants to read my poem.
  I'm going to show it to her.*

- In the **passé composé** the double object pronouns precede the auxiliary verb, just like single object pronouns. The past participle agrees with the preceding direct object.

Rémi a-t-il acheté ces fleurs pour sa mère?
Did Rémi buy those flowers for his mother?

Oui, il **les lui** a **achetées**.
Yes, he bought them for her.

Vous m'avez donné la plus grande chambre?
Did you give me the biggest room?

Oui, nous **vous** l'avons **donnée**.
Yes, we gave it to you.

- In affirmative commands, the verb is followed by the direct object pronoun and then the indirect object pronoun, with hyphens in between. Remember to use **moi** and **toi** instead of **me** and **te**.

Vous avez trois voitures?
  Montrez-**les-moi**.
*You have three cars?
  Show them to me.*

Tu connais la réponse à la
  question du prof? Dis-**la-nous**.
*You know the answer to the
  professor's question? Tell it to us.*

Voici le livre. Donne-**le-leur**.
Here's the book. Give it to them.

Ce poème? Traduisons-**le-lui**.
This poem? Let's translate it for her.

> ### 🛠 Boîte à outils
>
> In negative commands, object pronouns come before the verb. The direct object pronoun precedes the indirect object pronoun.
>
> **Tu veux vendre la montre à ta cousine? Ne la lui vends pas!**

Essayez! **Utilisez deux pronoms pour refaire ces phrases.**

1. Le prof vous donne les résultats des examens. _____ *Le prof vous les donne.* _____
2. Tes parents t'achètent le billet. _____
3. Qui t'a donné cette belle lampe bleue? _____
4. Il nous a réservé les chambres. _____
5. Pose-moi tes questions. _____
6. Explique-leur le problème de maths. _____
7. Peux-tu me montrer les photos? _____
8. Tu préfères lui prêter ton dictionnaire? _____
9. Dites-moi la vérité (*truth*)! _____
10. Nous n'avons pas apporté les couteaux à Paul. _____

STRUCTURES

Mise en pratique

1 **Les livres** Le père de Bertrand lui a acheté des livres. Refaites l'histoire avec deux pronoms pour chaque phrase.

1. Papa a acheté ces *livres à Bertrand*.
2. Il a lu *les livres à ses petits frères*.
3. Maintenant, ses frères veulent lire *les livres à leur père*.
4. Bertrand donne *les livres à ses petits frères*.
5. Les garçons montrent *les livres à leur père*.
6. Leur père préfère donner *sa place à leur mère*.
7. Les enfants lisent *les livres à leur mère*.
8. «Maintenant, lisez *les livres à votre père*», dit-elle.

2 **Comment?** Un groupe d'amis parle de l'anniversaire de Claudette. Antoine n'entend pas très bien. Il répète tout ce que les gens disent. Utilisez des pronoms pour écrire ses questions.

MODÈLE

Je veux donner cette chemise noire à Claudette.
Tu veux la lui donner?

1. Son père a acheté la petite voiture bleue à Claudette.
2. Nous envoyons les invitations aux amis.
3. Le prof a donné la meilleure note à Claudette le jour de son anniversaire.
4. Je vais prêter mon tailleur à Claudette vendredi soir.
5. Est-ce que vous voulez me lire l'invitation?
6. Nous n'avons pas envoyé la carte au professeur.
7. Gilbert et Arthur vont nous apporter le gâteau.
8. Sa mère va payer le restaurant à sa fille.

3 **De quoi parle-t-on?** Imaginez les questions qui ont donné ces réponses.

MODÈLE

Il veut le lui vendre.
Il veut vendre son vélo à son camarade?

1. Marc va la lui donner.
2. Nous te l'avons envoyée hier.
3. Elle te les a achetés la semaine dernière.
4. Tu me les prêtes souvent.
5. Micheline ne va pas vous les prendre.
6. Tu ne nous les as pas prises.
7. Rendez-les-moi!
8. Ne le lui disons pas!
9. Vous n'allez pas le leur apporter.

Communication

4 **Qui vous aide?** Avec un(e) partenaire, posez des questions avec les mots interrogatifs **qui** et **quand**. Vous pouvez choisir le présent, le passé composé ou l'imparfait. Répondez aux questions avec deux pronoms.

MODÈLE prêter sa voiture

Étudiant(e) 1: *Qui te prête sa voiture?*
Étudiant(e) 2: *Ma mère me la prête.*
Étudiant(e) 1: *Quand est-ce qu'elle te la prête?*
Étudiant(e) 2: *Elle me la prête le vendredi.*

faire le lit	faire la cuisine
prêter ses livres	nettoyer la chambre
payer l'université	laver les vêtements

5 **Une entrevue** Avec un(e) partenaire, répondez aux questions sur votre enfance. Partagez vos réponses les plus intéressantes avec la classe.

1. Est-ce que tes parents te montraient les films de Disney quand tu étais petit(e)?
2. Est-ce que tu vas montrer les films de Disney à tes enfants un jour?
3. Est-ce que quelqu'un te parlait français quand tu étais petit(e)?
4. Qui t'a acheté ton premier vélo?
5. Qui te faisait à dîner quand tu étais petit(e)?
6. Qui te préparait le petit-déjeuner le matin?
7. Qui t'achetait tes vêtements quand tu étais petit(e)?
8. Est-ce que quelqu'un vous lisait les livres du Dr. Seuss à toi et à tes frères et sœurs?

6 **Au marché** Avec un(e) partenaire, préparez deux dialogues basés sur deux des photos. À tour de rôle, jouez le/la client(e) et le/la marchand(e). Utilisez le vocabulaire et deux pronoms si possible dans les dialogues.

commander	une entrée	une crêpe
être au régime	un plat	une baguette
cuisiner	du poulet	des croissants
les fruits de mer	un steak	du porc

I CAN refer to previously mentioned people and objects simultaneously.

Révision

1 **Fais les courses pour moi** Vous n'avez pas le temps d'aller dans tous ces magasins. Choisissez un magasin et puis, par groupes de quatre, trouvez des camarades qui vont dans d'autres magasins. À tour de rôle, demandez-leur de faire des courses pour vous. Utilisez des pronoms doubles dans vos réponses.

MODÈLE

Étudiant(e) 1: J'ai besoin de deux poissons. Tu peux me les prendre à la poissonnerie?
Étudiant(e) 2: Pas de problème. Et moi, j'ai besoin de...

deux bouteilles de lait	trois baguettes
douze œufs	un camembert
deux poissons	une boîte de tomates
quatre côtes (*chops*) de porc	une tarte aux pêches
six croissants	une tranche de jambon

2 **Je les leur commande** Vous êtes au restaurant. Avec un(e) partenaire, choisissez le meilleur plat pour chaque membre de votre famille. Employez des comparatifs, des superlatifs et des pronoms doubles dans vos réponses.

MODÈLE

Étudiant(e) 1: Et le poulet?
Étudiant(e) 2: Mon père mange du poulet plus souvent que ma mère. Je vais le lui commander.

Assiette de fruits de mer	Petits pois et carottes
Bœuf avec une sauce au vin	Pizza aux quatre fromages
Hamburger et frites	Sandwich au thon
Pêches à la crème	Tarte aux pommes

3 **Mes plats préférés** Par groupes de trois, interviewez vos camarades. Quels sont les plats qu'ils aiment le mieux? Quand les ont-ils mangés la dernière fois? Choisissez vos trois plats préférés et puis comparez-les avec les plats de vos camarades. Employez des comparatifs, des superlatifs et le passé récent.

4 **Le week-end dernier** Préparez deux listes par écrit: une pour les choses que vous avez pu faire le week-end dernier et une pour les choses que vous n'avez pas pu faire. Ensuite, avec un(e) partenaire, comparez vos listes et expliquez vos réponses. Employez les verbes **devoir**, **vouloir** et **pouvoir** au passé composé et, si possible, les pronoms doubles.

MODÈLE

Étudiant(e) 1: J'ai voulu envoyer un e-mail à ma cousine.
Étudiant(e) 2: Est-ce que tu as pu le lui envoyer?

Choses que j'ai pu faire

Choses que je n'ai pas pu faire

5 **C'est mieux** Par groupes de trois, donnez votre opinion sur ces sujets. Pour chaque sujet, comparez les deux options. Soyez prêts à présenter les résultats de vos discussions à la classe.

MODÈLE apporter des fleurs ou du vin à un dîner

Étudiant(e) 1: C'est plus sympa d'apporter des fleurs à un dîner.
Étudiant(e) 2: Oui, on peut les mettre sur la table. Elles sont plus jolies qu'une bouteille de vin.
Étudiant(e) 3: Peut-être, mais le vin est un cadeau plus généreux.

- commencer ou finir un régime
- faire les courses ou faire la cuisine
- manger ou faire la cuisine

6 **Six différences** Votre professeur va vous donner, à vous et à votre partenaire, deux feuilles d'activités différentes. Comparez les deux familles pour trouver les six différences. Attention! Ne regardez pas la feuille de votre partenaire.

MODÈLE

Étudiant(e) 1: Fatiha est aussi grande que Samira.
Étudiant(e) 2: Non, Fatiha est moins grande que Samira.

Écriture

STRATÉGIE

Expressing and supporting opinions

Written reviews are just one of the many kinds of writing that require you to state your opinions. In order to convince your reader to take your opinions seriously, it is important to support them as thoroughly as possible. Details, facts, examples, and other forms of evidence are necessary. In a restaurant review, for example, it is not enough just to rate the food, service, and atmosphere. Readers will want details about the dishes you ordered, the kind of service you received, and the type of atmosphere you encountered. If you were writing a concert or album review, what kinds of details might your readers expect to find?

It is easier to include details that support your opinions if you plan ahead. Before going to a place or event that you are planning to review, write a list of questions that your readers might ask. Decide which aspects of the experience you are going to rate, and list the details that will help you decide upon a rating. You can then organize these lists into a questionnaire and a rating sheet. Bring these forms with you to remind you of the kinds of information you need to gather in order to support your opinions. Later, these forms will help you organize your review into logical categories. They can also provide the details and other evidence you need to convince your readers of your opinions.

Thème

Écrire une critique

Écrivez la critique d'un restaurant de votre ville pour le journal de l'université. Indiquez d'abord le nom du restaurant et le type de cuisine (cuisine chinoise, indienne, italienne, barbecue, etc.). Ensuite, parlez des catégories de la liste suivante. Enfin, donnez votre opinion personnelle sur le restaurant. Combien d'étoiles (*stars*) mérite-t-il (*deserve*)?

- **Cuisine**

  Quel(s) type(s) de plat(s) y a-t-il au menu? Le restaurant a-t-il une spécialité? Citez quelques plats typiques (entrées et plats principaux) que vous avez goûtés et indiquez les ingrédients utilisés dans ces plats.

- **Service**

  Comment est le service? Les serveurs sont-ils gentils et polis? Sont-ils lents ou rapides à apporter le menu, les boissons et les plats?

- **Ambiance**

  Comment est le restaurant? Est-il beau? Grand? Bien décoré? Est-ce un restaurant simple ou élégant? Y a-t-il une terrasse? Un bar? Des musiciens?

- **Informations pratiques**

  Quel est le prix moyen d'un repas dans ce restaurant (au déjeuner et/ou au dîner)? Où est le restaurant? Donnez son adresse et indiquez comment on y (*there*) va de l'université. Indiquez aussi le numéro de téléphone du restaurant et ses heures d'ouverture (*operating hours*).

I CAN write a restaurant review.

Panorama

La Normandie

La Normandie est une région située dans le nord-ouest° de la France, face à° la Manche°. Elle est disputée par les Anglais au Moyen Âge, avant de devenir définitivement française en 1450. Aujourd'hui, la Normandie est plus souvent associée à la Seconde Guerre mondiale°. En juin 2019, on a commémoré le 75e anniversaire du jour J°, moment où les forces alliées sont arrivées sur les plages normandes, et qui a marqué le début de la libération de la France.

Personnes célèbres

▶ **la comtesse de Ségur**, écrivaine (1799–1874)

▶ **Guy de Maupassant**, écrivain (1850–1893)

La Bretagne

La Bretagne est une péninsule située à l'ouest° de la France, entre la Manche et l'océan Atlantique. Des peuples bretons des îles° britanniques viennent l'habiter au 5e siècle°, puis elle est intégrée au royaume° français en 1488. La Bretagne a une identité régionale très forte, et ses traditions et langues (le breton et le gallo) ont connu plusieurs renaissances°.

Personnes célèbres

▶ **Anne de Bretagne**, reine° de France (1477–1514)

▶ **Bernard Hinault**, cycliste (1954–)

nord-ouest *northeast* face à *facing* Manche *English Channel* Seconde Guerre mondiale *World War II* jour J *D-Day* ouest *west* îles *islands* siècle *century* royaume *kingdom* renaissances *revivals* reine *queen* falaises *cliffs* moulin *mill*

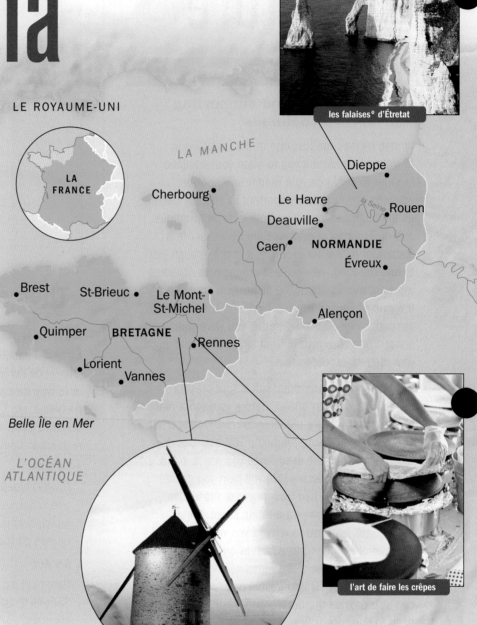

LE ROYAUME-UNI

LA MANCHE

LA FRANCE

Cherbourg

Dieppe
Le Havre
la Seine
Rouen
Deauville
Caen NORMANDIE
Évreux

Brest
St-Brieuc Le Mont-St-Michel
Alençon
Quimper BRETAGNE
Rennes
Lorient
Vannes

Belle Île en Mer

L'OCÉAN ATLANTIQUE

les falaises° d'Étretat

l'art de faire les crêpes

un moulin° en Bretagne

0   50 miles
0   50 kilomètres

A C T I V I T É S

1 Les informations Complétez les phrases.

1. La Normandie est disputée par _____ au Moyen Âge.
2. _____ marque le moment où les forces alliées sont arrivées sur les plages normandes dans la Second Guerre mondiale.
3. À l'origine, les peuples bretons viennent des _____.
4. _____ régionale de la Bretagne est très forte.
5. Les traditions et langues bretonnes ont connu diverses _____.

2 Examinez Répondez aux questions.

1. Que connaissez-vous de l'histoire de la Normandie? Quels événements marquent son histoire? Donnez quelques exemples.
2. Connaissez-vous une œuvre inspirée de la Normandie? Quelles caractéristiques géographiques et historiques de la Normandie attiraient l'attention des artistes du 19e siècle?
3. À votre avis, comment est-ce que la situation géographique de la Bretagne contribue à son identité régionale forte? Y a-t-il une région dans une situation similaire dans votre pays? Comparez.

La gastronomie
Les crêpes bretonnes et le camembert normand

Les crêpes sont une des spécialités culinaires de Bretagne; en Normandie, c'est le camembert. Les crêpes sont appréciées sucrées, salées°, flambées... Dans les crêperies°, le menu est complètement composé de crêpes! Le camembert normand est un des grands symboles gastronomiques de la France. Il est vendu dans la fameuse boîte en bois ronde° pour une bonne conservation.

⊙ Les arts
Giverny et les impressionnistes

La maison de Claude Monet, maître du mouvement impressionniste, est à Giverny, en Normandie. Après des rénovations, la résidence et les deux jardins ont aujourd'hui leur ancienne° splendeur. Le légendaire jardin aquatique est la source d'inspiration pour des peintures° célèbres comme *Les Nymphéas*° et *Le Pont japonais*°. Depuis la fin° du 19e siècle°, beaucoup d'artistes américains, influencés par les techniques impressionnistes, font de la peinture à Giverny.

Les monuments
Les menhirs et les dolmens

À Carnac, en Bretagne, il y a 3.000 (trois mille) menhirs et dolmens.

Les menhirs sont d'énormes pierres° verticales. Alignés ou en cercle, ils avaient une fonction rituelle associée au culte de la fécondité° ou du soleil°. Les plus anciens° datent de 4.500 ans avant J.-C.° Les dolmens, des constructions composées d'énormes pierres, servaient de sépultures° collectives et étaient peut-être utilisés dans des rites funéraires de passage de la vie° à la mort°.

Les destinations
Deauville: station balnéaire de réputation internationale

Deauville, en Normandie, est une station balnéaire° de luxe et un centre de thalassothérapie°. La ville est célèbre pour sa marina, ses courses hippiques°, son casino, ses grands hôtels et son festival du film américain. La clientèle internationale apprécie beaucoup la plage, le polo et le golf. L'hôtel le Royal Barrière était un palace° du début° du vingtième siècle.

INCROYABLE MAIS VRAI!

C'est au Mont-Saint-Michel qu'il y a les plus grandes marées° d'Europe. Une presqu'île° entourée de sables mouvants° à marée basse°, le Mont-Saint-Michel est transformé en île° à marée haute°. Trois millions de touristes visitent chaque année l'église du onzième siècle, centre de pèlerinage° depuis 1.000 ans.

salées *savory* **crêperies** *crêpe restaurants* **boîte en bois ronde** *round, wooden box* **ancienne** *former* **peintures** *paintings* **Nymphéas** *Water Lilies* **Pont japonais** *Japanese Bridge* **fin** *end* **siècle** *century* **pierres** *stones* **fécondité** *fertility* **soleil** *sun* **Les plus anciens** *The oldest* **avant J.-C.** *B.C.* **sépultures** *graves* **vie** *life* **mort** *death* **station balnéaire** *seaside resort* **thalassothérapie** *seawater therapy* **courses hippiques** *horse races* **palace** *luxury hotel* **début** *beginning* **les plus grandes marées** *the highest tides* **presqu'île** *peninsula* **entourée de sables mouvants** *surrounded by quicksand* **basse** *low* **île** *island* **haute** *high* **pèlerinage** *pilgrimage*

---

3 **Vous avez compris?** Répondez aux questions par des phrases complètes.

1. Quelle est une spécialité culinaire de la Normandie? Et de la Bretagne?
2. Qui est le maître du mouvement impressionniste?
3. Quelle était la fonction des menhirs à Carnac, en Bretagne?
4. Qu'est-ce qui est connu de Deauville?

4 **La Bretagne** Faites des recherches sur un élément traditionnel de la culture bretonne. Vous pouvez choisir une spécialité gastronomique, un style de vêtements, une célébration culturelle, une danse, un chant, la langue, etc. Quelles sont ses origines historiques et géographiques? Comment est-ce que cet élément apparaît au cours de l'histoire de la région? Quel est son rôle aujourd'hui, dans la culture bretonne? Présentez vos idées à la classe.

A C T I V I T É S

I CAN identify and reflect on cultural products and practices of Normandy and Brittany.

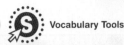 Vocabulary Tools

Leçon 9A

À table!

une cantine *school cafeteria*
cuisiner *to cook*
un déjeuner *lunch*
un dîner *dinner*
un goûter *afternoon snack*
un petit-déjeuner *breakfast*
un repas *meal*

Les fruits

une banane *banana*
une fraise *strawberry*
un fruit *fruit*
une orange *orange*
une pêche *peach*
une poire *pear*
une pomme *apple*
une tomate *tomato*

Autres aliments

un aliment *food item*
la confiture *jam*
la nourriture *food, sustenance*
des pâtes (f.) *pasta*
le riz *rice*
une tarte *pie, tart*
un yaourt *yogurt*

Les viandes et les poissons

le boeuf *beef*
un escargot *escargot, snail*
les fruits de mer (m.) *seafood*
un oeuf *egg*
un pâté (de campagne) *pâté,
   meat spread*
le porc *pork*
un poulet *chicken*
une saucisse *sausage*
un steak *steak*
le thon *tuna*
la viande *meat*

Les légumes

l'ail (m.) *garlic*
une aubergine *eggplant*
une carotte *carrot*
un champignon *mushroom*
des haricots verts (m.) *green beans*
une laitue *lettuce*
un légume *vegetable*
un oignon *onion*
des petits pois (m.) *peas*
un poivron (vert, rouge) *(green, red)
   pepper*
une pomme de terre *potato*
une salade *salad*

Les achats

faire les courses (f.) *to go
   (grocery) shopping*
un supermarché *supermarket*

Expressions utiles

See p. 335.

Verbes

devenir *to become*
devoir *to have to (must); to owe*
maintenir *to maintain*
pouvoir *to be able to (can)*
retenir *to keep, to retain*
revenir *to come back*
tenir *to hold*
venir *to come*
vouloir *to want; to mean (with dire)*

Autres mots et locutions

depuis + [time] *since*
il y a + [time] *ago*
pendant + [time] *for*

Leçon 9B

À table!

une assiette *plate*
un bol *bowl*
une carafe d'eau *pitcher of water*
une carte *menu*
un couteau *knife*
une cuillère (à soupe/à café) *spoon
   (soup spoon/teaspoon)*
une fourchette *fork*
un menu *menu*
une nappe *tablecloth*
une serviette *napkin*
une boîte (de conserve) *can*
la crème *cream*
l'huile (d'olive) (f.) *(olive) oil*
la mayonnaise *mayonnaise*
la moutarde *mustard*
le poivre *pepper*
le sel *salt*
une tranche *slice*
À table! *Dinner is ready!*
compris *included*

Les repas

commander *to order*
être au régime *to be on a diet*
goûter *to taste*
une entrée *appetizer, starter*
un hors-d'oeuvre *hors-d'oeuvre,
   appetizer*
un plat (principal) *(main) dish*

Les achats

une boucherie *butcher's shop*
une boulangerie *bread shop, bakery*
une charcuterie *delicatessen*
une pâtisserie *pastry shop, bakery*
une poissonnerie *fish shop*
un(e) commerçant(e) *shopkeeper*
un kilo(gramme) *kilo(gram)*

Expressions utiles

See p. 353.

Comparatives and superlatives

plus + [adjective/adverb] +
   que *more... than*
aussi + [adjective/adverb] + que
   as... as
moins + [adjective/adverb] +
   que *less... than*
[noun] + le/la/les + plus + [adjective]
   + de *the most*
[noun] + le/la/les + moins +
   [adjective] + de *the least*
bon(ne)(s) *good*
mauvais(e)(s) *bad*
meilleur(e)(s) *better*
pire(s)/plus mauvais(e)(s) *worse*
le/la/les meilleur(e)(s) *best*
le/la/les pire(s); le/la/les plus
   mauvais(e)(s) *worst*
bien *well*
mieux *better*
le mieux *best*

Communicative Goals: Review

I CAN discuss food, meals,
and restaurants.

• Describe what you eat in a typical day.

I CAN describe past actions and
make comparisons.

• Compare your favorite restaurant to a
   restaurant you visited recently.

I CAN investigate food in
francophone cultures.

• Describe a francophone cultural product
   or practice related to food and compare
   the perspectives around it to attitudes in
   your own culture.

La santé

Communicative Goals

You will learn how to:

- Discuss daily routines and personal hygiene
- Talk about illness, injury, and healthcare
- Investigate healthcare in francophone communities

Pour commencer

- Qui est la personne sur la photo? Elle est étudiante? Athlète?
- Où est-elle? Quelle heure est-il, à votre avis?
- Qu'est-ce qu'elle fait? Qu'est-ce qu'elle va faire après?

Leçon 10A

S Vocabulary Tutorials

La routine quotidienne

Vocabulaire

faire sa toilette	to wash up
se brosser les cheveux/ les dents	to brush one's hair/ teeth
se coiffer	to do one's hair
se coucher	to go to bed
se déshabiller	to undress
s'endormir	to go to sleep, to fall asleep
s'habiller	to get dressed
se laver (les mains)	to wash oneself (one's hands)
se lever	to get up, to get out of bed
prendre une douche	to take a shower
se regarder	to look at oneself
se sécher	to dry oneself
le shampooing	shampoo
le cœur	heart
le corps	body
le dos	back
la gorge	throat
une joue	cheek
un orteil	toe
la peau	skin
la poitrine	chest
la taille	waist
le visage	face

une serviette de bain

une brosse à dents

une brosse à cheveux

le maquillage

un rasoir

un peigne

le savon

Elle se maquille. (se maquiller)

le dentifrice

la crème à raser

Il se rase. (se raser)

une pantoufle

Mise en pratique

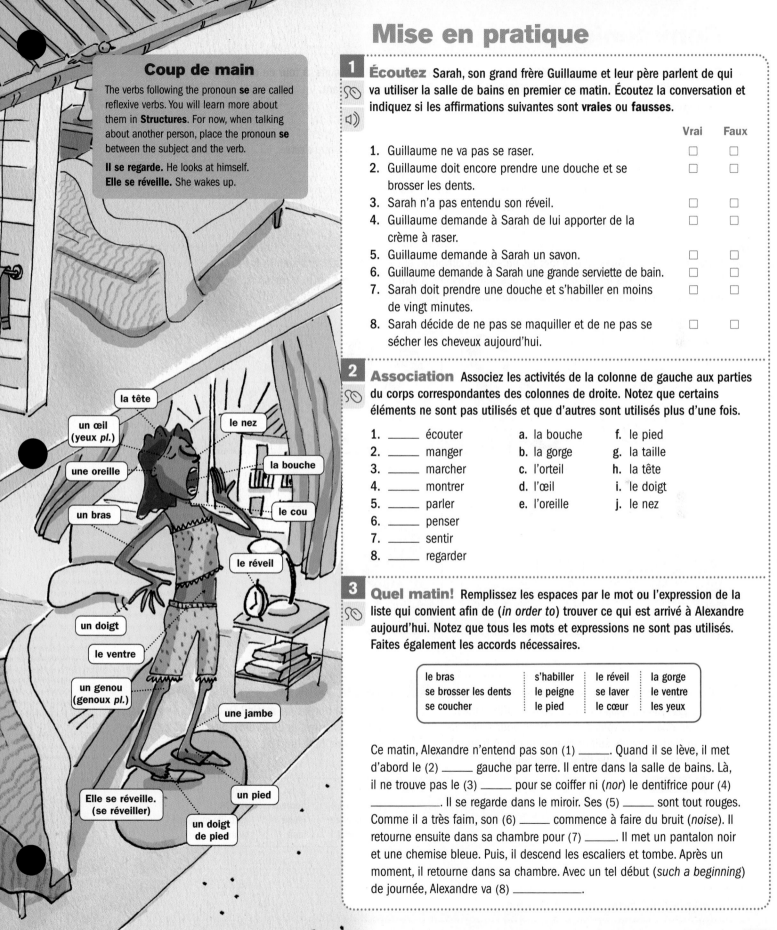

Coup de main

The verbs following the pronoun **se** are called reflexive verbs. You will learn more about them in **Structures**. For now, when talking about another person, place the pronoun **se** between the subject and the verb.

Il se regarde. He looks at himself.
Elle se réveille. She wakes up.

---

1 **Écoutez** Sarah, son grand frère Guillaume et leur père parlent de qui va utiliser la salle de bains en premier ce matin. Écoutez la conversation et indiquez si les affirmations suivantes sont **vraies** ou **fausses**.

	Vrai	Faux
1. Guillaume ne va pas se raser.	☐	☐
2. Guillaume doit encore prendre une douche et se brosser les dents.	☐	☐
3. Sarah n'a pas entendu son réveil.	☐	☐
4. Guillaume demande à Sarah de lui apporter de la crème à raser.	☐	☐
5. Guillaume demande à Sarah un savon.	☐	☐
6. Guillaume demande à Sarah une grande serviette de bain.	☐	☐
7. Sarah doit prendre une douche et s'habiller en moins de vingt minutes.	☐	☐
8. Sarah décide de ne pas se maquiller et de ne pas se sécher les cheveux aujourd'hui.	☐	☐

2 **Association** Associez les activités de la colonne de gauche aux parties du corps correspondantes des colonnes de droite. Notez que certains éléments ne sont pas utilisés et que d'autres sont utilisés plus d'une fois.

1. _____ écouter
2. _____ manger
3. _____ marcher
4. _____ montrer
5. _____ parler
6. _____ penser
7. _____ sentir
8. _____ regarder

a. la bouche
b. la gorge
c. l'orteil
d. l'œil
e. l'oreille

f. le pied
g. la taille
h. la tête
i. le doigt
j. le nez

3 **Quel matin!** Remplissez les espaces par le mot ou l'expression de la liste qui convient afin de (*in order to*) trouver ce qui est arrivé à Alexandre aujourd'hui. Notez que tous les mots et expressions ne sont pas utilisés. Faites également les accords nécessaires.

le bras	s'habiller	le réveil	la gorge
se brosser les dents	le peigne	se laver	le ventre
se coucher	le pied	le cœur	les yeux

Ce matin, Alexandre n'entend pas son (1) _____. Quand il se lève, il met d'abord le (2) _____ gauche par terre. Il entre dans la salle de bains. Là, il ne trouve pas le (3) _____ pour se coiffer ni (*nor*) le dentifrice pour (4) _____. Il se regarde dans le miroir. Ses (5) _____ sont tout rouges. Comme il a très faim, son (6) _____ commence à faire du bruit (*noise*). Il retourne ensuite dans sa chambre pour (7) _____. Il met un pantalon noir et une chemise bleue. Puis, il descend les escaliers et tombe. Après un moment, il retourne dans sa chambre. Avec un tel début (*such a beginning*) de journée, Alexandre va (8) _____.

la tête
un œil (yeux *pl.*)
le nez
une oreille
la bouche
un bras
le cou
le réveil
un doigt
le ventre
un genou (genoux *pl.*)
une jambe
Elle se réveille. (se réveiller)
un pied
un doigt de pied

CONTEXTES

Communication

 4 **Définition** Créez votre propre définition des mots de la liste suivante. Ensuite, à tour de rôle, lisez vos définitions à votre partenaire. Il/Elle doit deviner le mot correspondant.

> **MODÈLE**
>
> cheveux
> **Étudiant(e) 1:** *On utilise une brosse ou un peigne pour les brosser. Qu'est-ce que c'est?*
> **Étudiant(e) 2:** *Ce sont les cheveux.*

1. le cœur	4. les dents	7. la joue	10. le visage
2. le corps	5. le dos	8. le nez	11. l'œil
3. le cou	6. le genou	9. la poitrine	12. l'orteil

5 **Que font-ils?** Dites ce que font les personnes suivantes et ce qu'elles utilisent pour le faire. Donnez autant de (*as many*) détails que possible. Ensuite, à tour de rôle avec un(e) partenaire, lisez vos descriptions. Votre partenaire doit deviner quelle image vous décrivez.

1.

2.

3.

4.

5.

6.

7.

8.

6 **Décrivez** Votre professeur va vous donner, à vous et à votre partenaire, deux feuilles d'activités différentes. À tour de rôle, posez-vous des questions pour savoir ce que fait Nadia chaque soir et chaque matin. Attention! Ne regardez pas la feuille de votre partenaire.

> **MODÈLE**
>
> **Étudiant(e) 1:** *À vingt-trois heures, Nadia se déshabille et met son pyjama. Que fait-elle ensuite?*
> **Étudiant(e) 2:** *Après, elle...*

7 **Le matin** Pensez à votre acteur/actrice préféré(e). Quelle est sa routine du matin? Décrivez-la à la classe et utilisez les adjectifs de la liste suivante et les mots et expressions de la section **CONTEXTES**.

beau	gros	petit
court	heureux	sincère
égoïste	jeune	de taille moyenne
grand	long	vieux

I CAN describe daily routines and personal hygiene.

Les sons et les lettres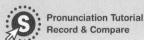

Pronunciation Tutorial
Record & Compare

Diacriticals for meaning

Some French words with different meanings have nearly identical spellings except for a diacritical mark (*accent*). Sometimes a diacritical does not affect pronunciation at all.

ou	**où**	**a**	**à**
or	*where*	*has*	*to, at*

Sometimes, you can clearly hear the difference between the words.

côte	**côté**	**sale**	**salé**
coast	*side*	*dirty*	*salty*

Very often, two similar-looking words are different parts of speech. Many similar-looking word pairs are those with and without an **-é** at the end.

âge	**âgé**	**entre**	**entré (entrer)**
age (n.)	*elderly* (adj.)	*between* (prep.)	*entered* (p.p.)

In such instances, context should make their meaning clear.

Tu as quel âge?
How old are you? / What is your age?

C'est un homme âgé.
He's an elderly man.

Prononcez Répétez les mots suivants à voix haute.

1. la (*the*)   là (*there*)
2. êtes (*are*)   étés (*summers*)
3. jeune (*young*)   jeûne (*fasting*)
4. pêche (*peach*)   pêché (*fished*)

Articulez Répétez les phrases suivantes à voix haute.

1. J'habite dans une ferme (*farm*).
   Le magasin est fermé (*closed*).
2. Les animaux mangent du maïs (*corn*).
   Je suis suisse, mais il est belge.
3. Est-ce que tu es prête?
   J'ai prêté ma voiture à Marcel.
4. La lampe est à côté de la chaise.
   J'adore la côte ouest de la France.

Dictons Répétez les dictons à voix haute.

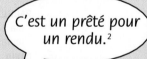

C'est un prêté pour un rendu.²

À vos marques, prêts, partez!¹

---

¹ On your mark, get set, go!

² One good turn deserves another. (lit. *One loaned for one returned.*)

ROMAN-PHOTO

Drôle de surprise

Video: *Roman-photo*
Record & Compare

PERSONNAGES

David

Rachid

Chez David et Rachid...

DAVID Oh là là, ça ne va pas du tout, toi!

RACHID David, tu te dépêches? Il est sept heures et quart. Je dois me préparer, moi aussi!

DAVID Ne t'inquiète pas. Je finis de me brosser les dents!

RACHID On doit partir dans moins de vingt minutes. Tu ne te rends pas compte!

DAVID Excuse-moi, mais on s'est couché tard hier soir.

RACHID Oui et on ne s'est pas réveillé à l'heure, mais mon prof de sciences po, ça ne l'intéresse pas tout ça.

DAVID Attends, je ne trouve pas le peigne... Ah, le voilà. Je me coiffe... Deux secondes!

RACHID C'était vraiment sympa hier soir... On s'entend tous super bien et on ne s'ennuie jamais ensemble... Mais enfin, qu'est-ce que tu fais? Je dois me raser, prendre une douche et m'habiller, en exactement dix-sept minutes!

RACHID Bon, tu veux bien me passer ma brosse à dents, le dentifrice et un rasoir, s'il te plaît?

DAVID Attends une minute. Je me dépêche.

RACHID Comment est-ce qu'un mec peut prendre aussi longtemps dans la salle de bains?

DAVID Euh, j'ai un petit problème...

RACHID Qu'est-ce que tu as sur le visage?

DAVID Aucune idée.

RACHID Est-ce que tu as mal à la gorge? Fais: Ah!

RACHID Et le ventre, ça va?

DAVID Oui, oui ça va...

RACHID Attends, je vais examiner tes yeux... regarde à droite, à gauche... maintenant ferme-les. Bien. Tourne-toi...

DAVID Hé!

1 **Vrai ou faux?** Indiquez si les affirmations suivantes sont vraies ou fausses.

1. David ne s'est pas réveillé à l'heure ce matin.
2. Rachid est pressé ce matin.
3. David se maquille.
4. David se rase.
5. Rachid doit prendre une douche.
6. Rachid est très inquiet pour David.

2 **Considérez** Répondez aux questions.

1. Avez-vous jamais été à la place de Rachid? Qu'est-ce que vous lui recommandez de faire?
2. Est-ce que vous vous disputez (*argue*) avec vos camarades de chambre quelquefois? Pourquoi? Que faut-il faire pour éviter les disputes?
3. Comparez la dynamique chez vous avec celle de Rachid et de David. Comment sont leurs attitudes, comparées aux vôtres (*yours*)?

David et Rachid se préparent le matin.

DAVID Patience, cher ami!

RACHID Tu n'as pas encore pris ta douche?!

DAVID Ne te mets pas en colère. J'arrive, j'arrive! Voilà... un peu de crème sur le visage, sur le cou...

RACHID Tu te maquilles maintenant?

DAVID Ce n'est pas facile d'être beau, ça prend du temps, tu sais. Écoute, ça ne sert à rien de se disputer. Lis le journal si tu t'ennuies, j'ai bientôt fini.

RACHID Ne t'inquiète pas, c'est probablement une réaction allergique. Téléphone au médecin pour prendre un rendez-vous. Qu'est-ce que tu as mangé hier?

DAVID Eh ben... J'ai mangé un peu de tout! Hé! Je n'ai pas encore fini ma toilette!

RACHID Patience, cher ami!

Expressions utiles

Talking about your routine

- **Je dois me préparer.**
  I have to get (myself) ready.
- **Je finis de me brosser les dents!**
  I'm finishing brushing my teeth!
- **On s'est couché tard hier soir.**
  We went to bed late last night.
- **On ne s'est pas réveillé à l'heure.**
  We didn't get up on time.
- **Je me coiffe.**
  I'm doing my hair.
- **Je dois me raser et m'habiller.**
  I have to shave (myself) and get dressed.
- **Tu te maquilles maintenant?**
  Are you putting makeup on now?

Talking about states of being

- **Ça ne sert à rien de se disputer.**
  There's no point in arguing.
- **Tu te dépêches?**
  Are you hurrying?/Will you hurry?
- **Ne t'inquiète pas.**
  Don't worry.
- **Tu ne te rends pas compte!**
  You don't realize!
- **On s'entend tous super bien et on ne s'ennuie jamais ensemble.**
  We all get along really well and we're never bored when we're together.
- **Ne te mets pas en colère.**
  Don't get angry.
- **Lis le journal si tu t'ennuies.**
  Read the paper if you're bored.

Additional vocabulary

- **Je me dépêche.**
  I'm hurrying.
- **Tourne-toi.**
  Turn around.
- **un mec**
  a guy
- **aucune idée**
  no idea

---

3 **Les opposés** Indiquez l'opposé de chaque verbe. Utilisez un dictionnaire si nécessaire.

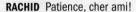

1. _____ bien s'entendre   a. s'amuser
2. _____ s'ennuyer   b. s'occuper
3. _____ se dépêcher   c. se détendre
4. _____ se lever   d. se disputer
5. _____ se reposer   e. se coucher

4 **Écrivez** Écrivez un paragraphe dans lequel vous décrivez la routine du soir de David et de Rachid. Utilisez votre imagination et ce que vous savez de **ROMAN-PHOTO**.

I CAN understand short conversations about daily routines.

A C T I V I T É S

LECTURE CULTURELLE

Les Français et la maladie

Que fait-on en France quand on ne se sent pas bien? On peut bien sûr contacter son médecin. Généralement, il vous reçoit° dans son cabinet° pour une consultation et vous donne une ordonnance. Il faut ensuite se rendre° à la pharmacie et présenter son ordonnance pour acheter ses médicaments. Beaucoup de médicaments ne sont pas en vente libre°, donc consulter un médecin est important et nécessaire.

Cependant°, pour leurs petites maladies, les Français aiment demander conseil° à leur pharmacien. Les pharmaciens en France ont un diplôme spécialisé et font six années d'études supérieures. Ils sont donc très compétents pour donner des conseils de qualité. Les pharmacies sont faciles à trouver: elles ont toutes une grande croix° verte lumineuse° suspendue° à l'extérieur. Elles sont en général ouvertes du lundi au samedi, entre 9h00 et 20h00. Pour les jours fériés et la nuit, il existe des pharmacies de garde°, dont° la liste est affichée sur la porte de chaque pharmacie.

Quand on est très malade, le médecin donne une consultation à domicile°, ce qui° est très pratique pour les enfants et les personnes âgées! En cas d'urgence, on peut appeler deux autres numéros. SOS Médecin existe dans toutes les grandes villes. Ses médecins répondent aux appels 24 heures sur 24 et font des visites à domicile. Pour les accidents et les gros problèmes, on peut contacter le Samu. C'est un service qui emmène les patients à l'hôpital si nécessaire.

reçoit *sees* **cabinet** *office* **se rendre** *to go* **en vente libre** *available over the counter* **Cependant** *However* **conseil** *advice* **croix** *cross* **lumineuse** *illuminated* **suspendue** *hung* **de garde** *emergency* **dont** *of which* **à domicile** *at home* **ce qui** *which*

Activating background knowledge

Using what you already know about a particular subject will often help you better understand a reading. As you read the **Culture à la loupe** selection, think about what you already know about the subject of health. Remember that you possess a certain amount of knowledge on a wide range of subjects. Rely on it to inform your interpretation of unfamiliar words or concepts.

A C T I V I T É S

1 **Complétez** Complétez les phrases d'après le texte.

1. Pour leurs petites maladies, les Français aiment demander conseil à _____.
2. Les pharmacies sont faciles à trouver grâce à _____ suspendue à l'extérieur.
3. Quand on est très malade, le médecin donne une consultation _____.
4. En cas d'urgence, on peut appeler _____.

2 **Considérez** Répondez aux questions.

1. Que faites-vous quand vous ne vous sentez pas bien? Comparez votre attitude à celle des Français.
2. Que faites-vous en cas d'urgence? Comparez les options disponibles dans votre communauté à celles en France.
3. Qu'est-ce qui pourrait (*might*) expliquer les différences de pratique en France et dans votre communauté en ce qui concerne la maladie? Quels facteurs influencent ces variations?

Nombre de lits d'hôpitaux dans quelques pays du monde
(pour 1.000 habitants)

Japon	13.1
Allemagne	8.0
France	6.0
Belgique	5.6
Suisse	4.5
États-Unis	2.8
Canada	2.5
Mexique	1.4

SOURCE: INSEE

LE MONDE FRANCOPHONE

Des expressions près du corps

Voici quelques expressions idiomatiques.

En France

avoir le bras long être une personne importante qui peut influencer quelqu'un

avoir un chat dans la gorge ne pas pouvoir parler

casser les pieds à quelqu'un ennuyer une personne

coûter les yeux de la tête coûter très cher

se mettre le doigt dans l'œil faire une grosse erreur

Au Québec

avoir quelqu'un dans le dos détester quelqu'un

coûter un bras coûter très cher

un froid à couper un cheveu un très grand froid

sur le bras gratuit, qu'on n'a pas besoin de payer

En Suisse

avoir des tournements de tête avoir des vertiges°

donner une bonne-main donner un pourboire

vertiges *dizziness, vertigo*

PORTRAIT

L'Occitane en Provence

En 1976, un jeune étudiant en littérature de 23 ans, Olivier Baussan, a commencé à fabriquer chez lui de l'huile de romarin°. Il l'a vendue sur les marchés de Provence, et elle a été très appréciée par le public. C'est ainsi qu'est née L'Occitane en Provence, une marque° de produits de beauté. La marque propose des produits de beauté (soins du visage et du corps pour femmes et hommes), des parfums, du maquillage et des produits pour le bain, la douche et la maison.

La première boutique a ouvert ses portes dans le sud de la France en 1980 et aujourd'hui, la société a plus de 1.500 boutiques dans plus de 100 pays, y compris aux États-Unis et au Canada. Les produits de L'Occitane en Provence, tous faits d'ingrédients naturels, comme la lavande° ou l'olive, s'inspirent de la Provence et sont fabriqués selon des méthodes traditionnelles. Depuis 1997, la marque se fournit° en beurre de karité° issu° du commerce durable au Burkina Faso, en Afrique. Elle utilise le braille sur certains de ses produits pour garantir leur accessibilité aux personnes non-voyantes. Depuis les années 2000, L'Occitane en Provence soutient des causes humanitaires, principalement la lutte° contre la cécité évitable° dans le monde et l'émancipation économique des femmes au Burkina Faso.

huile de romarin *rosemary oil* **marque** *brand* **lavande** *lavender* **se fournit** *buys* **beurre de karité** *shea butter* **issu** *derived* **lutte** *fight* **cécité évitable** *preventable blindness*

3 **Vrai ou faux?** Indiquez si les phrases suivantes sont **vraies** ou **fausses**. Corrigez les phrases fausses.

1. La France a moins de lits d'hôpitaux que le Japon.

2. Le premier magasin L'Occitane a ouvert ses portes en 1976.

3. On trouve de l'olive dans certains produits de L'Occitane.

4. L'Occitane se spécialise dans les produits pour le corps.

4 **Les expressions idiomatiques** Regardez bien la liste des expressions dans **Le monde francophone**. En petits groupes, discutez de ces expressions. Lesquelles (*Which*) aimez-vous? Pourquoi? Essayez de deviner l'équivalent de ces expressions en anglais.

A C T I V I T É S

I CAN identify and reflect on cultural products and practices related to healthcare.

STRUCTURES

10A.1

Reflexive verbs  Grammar Tutorial

Point de départ A reflexive verb usually describes what a person does to or for himself or herself. In other words, it "reflects" the action of the verb back to the subject. Reflexive verbs always use reflexive pronouns (**me, te, se, nous, vous**).

SUBJECT	REFLEXIVE VERB
André	**se rase** à huit heures.

Reflexive verbs		
se laver (*to wash oneself*)		
je	me lave	*I wash (myself)*
tu	te laves	*you wash (yourself)*
il/elle/on	se lave	*he/she/it/one washes (himself/herself/itself/oneself)*
nous	nous lavons	*we wash (ourselves)*
vous	vous lavez	*you wash (yourself/yourselves)*
ils/elles	se lavent	*they wash (themselves)*

- The pronoun **se** before an infinitive identifies the verb as reflexive: **se laver**.

Je me coiffe.

Tu te maquilles, maintenant?

- When a reflexive verb is conjugated, the reflexive pronoun agrees with the subject. Except for **se**, reflexive pronouns have the same forms as direct and indirect object pronouns (**me, te, nous, vous**); **se** is used for both singular and plural third-person subjects.

Tu **te couches**.
You're going to bed.

Les enfants **se réveillent**.
The children wake up.

Je **me maquille** aussi.
I put on makeup too.

Nous **nous levons** très tôt.
We get up very early.

- Note that the reflexive pronouns **nous** and **vous** are identical to the corresponding subject pronouns.

Nous **nous regardons** dans le miroir.
We look at ourselves in the mirror.

Vous habillez-vous déjà?
Are you getting dressed already?

Nous ne **nous levons** pas avant six heures.
We don't get up before six o'clock.

À quelle heure est-ce que **vous vous couchez**?
At what time do you go to bed?

Common reflexive verbs

se brosser les cheveux/ les dents	to brush one's hair/teeth	**se laver (les mains)**	to wash oneself (one's hands)
se coiffer	to do one's hair	**se lever**	to get up, to get out of bed
se coucher	to go to bed	**se maquiller**	to put on makeup
se déshabiller	to undress	**se raser**	to shave oneself
s'endormir	to go to sleep, to fall asleep	**se regarder**	to look at oneself
		se réveiller	to wake up
s'habiller	to get dressed	**se sécher**	to dry oneself

- **S'endormir** is conjugated like **dormir**. **Se lever** and **se sécher** follow the same spelling-change patterns as **acheter** and **espérer**, respectively.

Il **s'endort** tôt.
He falls asleep early.

Tu **te lèves** à quelle heure?
At what time do you get up?

Elles **se sèchent**.
They dry off.

- Some verbs can be used reflexively or non-reflexively. If the verb acts upon something other than the subject (for example, **son fils** in the second example below), the non-reflexive form is used.

La mère **se réveille** à sept heures.
The mother wakes up at 7 o'clock.

Ensuite, elle **réveille** son fils.
Then, she wakes her son up.

- When a body part is the direct object of a reflexive verb, it is usually preceded by a definite article.

Je ne **me brosse** pas **les** dents.
I'm not brushing my teeth.

Vous **vous lavez les** mains.
You wash your hands.

- You form the imperative of a reflexive verb as you would that of a non-reflexive verb. Add the reflexive pronoun to the end of an affirmative command. In negative commands, place the reflexive pronoun between **ne** and the verb. (Remember to change **te** to **toi** in affirmative commands.)

Réveille-toi, Bruno!
Wake up, Bruno!

but

Ne te réveille pas!
Don't wake up!

- In the **futur proche** and **passé récent**, place the reflexive pronoun after the conjugated forms of **aller** and **venir** and before the infinitive. Note that although the reflexive pronoun changes according to the subject, the second verb stays in the infinitive.

Nous n'**allons** pas **nous réveiller** tôt demain.
We're not going to wake up early tomorrow.

Est-ce que tu **viens de te raser**?
Did you just shave?

🛠 Boîte à outils

Since reflexive verbs already imply that the action is performed on the subject, French uses definite articles (**le, la, les**) with body parts, whereas English uses possessive adjectives (*my, your, his/her/its, our, their*).

Je me lave les mains.
I wash my hands.

À noter

There are some special rules for using reflexive verbs in the **passé composé**. You will learn these in **Leçon 10B**.

✂ **Essayez!** Complétez les phrases avec les formes correctes des verbes.

1. Ils ___se brossent___ (se brosser) les dents.
2. À quelle heure est-ce que vous _____ (se coucher)?
3. Tu _____ (s'endormir) en cours.
4. Nous _____ (se sécher) les cheveux.
5. On _____ (s'habiller) vite! Il faut partir.
6. Les hommes _____ (se maquiller) rarement.
7. Tu ne _____ (se déshabiller) pas encore.
8. Je _____ (se lever) vers onze heures.

STRUCTURES

Mise en pratique

1 **Les habitudes** Tout le monde a ses habitudes. Que fait-on tous les jours?

MODÈLE

Frédéric / se raser
Frédéric se rase.

1. vous / se réveiller / à six heures
2. Frédéric et Pauline / se brosser / dents
3. tu / se lever / puis / prendre une douche
4. nous / se sécher / cheveux
5. on / s'habiller / avant le petit-déjeuner
6. les filles / se coiffer / avant / sortir

2 **Observations** Faites des phrases en utilisant les éléments donnés.

MODÈLE

Clara / ne pas se lever / tôt
Clara ne se lève pas tôt.

1. vous / ne pas s'endormir / tout de suite?
2. mes tantes / ne pas se maquiller / le dimanche
3. leur père / ne pas se laver / mains / dans la cuisine
4. les cousins de Pauline / ne pas se raser
5. je / ne pas se déshabiller / dans la salle de bains
6. Christelle / ne pas se regarder / dans le miroir

3 **La routine** Tous les matins, Juliette suit (*follows*) la même routine. Regardez les illustrations et dites ce que (*what*) fait Juliette.

1. _____ 2. _____ 3. _____ 4. _____

4 **L'ordre logique** Indiquez dans quel ordre vous (ou quelqu'un que vous connaissez) faites ces choses.

MODÈLE

se lever / se réveiller
D'abord je me réveille, ensuite je me lève.

1. se laver / se sécher
2. se maquiller / prendre une douche
3. se lever / s'habiller
4. se raser / se réveiller
5. se coucher / se brosser les cheveux
6. s'endormir / se coucher
7. se coucher / se déshabiller
8. se lever / se réveiller

Communication

5 **Tous les jours** Que fait votre partenaire tous les jours? Posez-lui les questions et prenez des notes. Ensuite, partagez vos réponses les plus intéressantes avec la classe.

MODÈLE

se lever tôt le matin
Étudiant(e) 1: Est-ce que tu te lèves tôt le matin?
Étudiant(e) 2: Non, je ne me lève pas tôt le matin.

1. se réveiller tôt ou tard le week-end
2. se lever tout de suite
3. se maquiller tous les matins
4. se laver les cheveux tous les jours
5. se raser le soir ou le matin
6. se coucher avant ou après minuit
7. se brosser les dents chaque nuit
8. s'habiller avant ou après le petit-déjeuner
9. s'endormir parfois en classe

6 **Enquête** Votre professeur va vous donner une feuille d'activités. Circulez dans la classe et trouvez un(e) camarade différent(e) pour chaque action. Présentez les réponses à la classe.

MODÈLE

Étudiant(e) 1: Est-ce que tu te lèves avant six heures du matin?
Étudiant(e) 2: Oui, je me lève parfois à cinq heures!

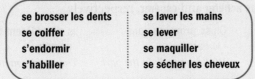

Activité	Nom
1. se lever avant six heures du matin	Carole
2. se maquiller pour venir en cours	
3. se brosser les dents trois fois par jour	
4. se laver les cheveux le soir	
5. se coiffer à la dernière mode	
6. se reposer le vendredi soir	

7 **Jacques a dit** Par groupes de quatre, un(e) étudiant(e) donne des ordres au groupe. Attention! Vous devez obéir seulement si l'ordre est précédé de **Jacques a dit...** (*Simon says...*) La personne qui se trompe devient le meneur de jeu (*leader*). Le gagnant (*winner*) est l'étudiant(e) qui n'a pas été le meneur de jeu. Utilisez les expressions de la liste puis trouvez vos propres expressions.

se brosser les dents	**se laver les mains**
se coiffer	**se lever**
s'endormir	**se maquiller**
s'habiller	**se sécher les cheveux**

I CAN describe reflexive actions.

STRUCTURES

10A.2 Reflexives: *Sens idiomatique* Grammar Tutorial

Point de départ You've learned that reflexive verbs "reflect" the action back to the subject. Some reflexive verbs, however, do not literally express a reflexive meaning.

Common idiomatic reflexives

s'amuser	to play; to have fun	s'intéresser (à)	to be interested (in)
s'appeler	to be called	se mettre à	to begin to
s'arrêter	to stop	se mettre en colère	to become angry
s'asseoir	to sit down		
se dépêcher	to hurry	s'occuper (de)	to take care of, to keep oneself busy
se détendre	to relax		
se disputer (avec)	to argue (with)	se préparer	to get ready
s'énerver	to get worked up, to become upset	se promener	to take a walk
		se rendre compte	to realize
s'ennuyer	to get bored	se reposer	to rest
s'entendre bien (avec)	to get along well (with)	se souvenir (de)	to remember
		se tromper	to be mistaken
s'inquiéter	to worry	se trouver	to be located

Le marché **se trouve** derrière l'église.
The market is located behind the church.

Ne **te mets** pas **en colère**.
Don't get angry.

Nous **nous amusons** bien chez Fabien.
We have fun at Fabien's house.

Je **m'occupe du** linge.
I'm taking care of the laundry.

Mon grand-père **se repose** à la maison.
My grandfather is resting at home.

Vous devez **vous dépêcher**.
You must hurry.

Lis le journal si tu t'ennuies.

Ne t'inquiète pas.

- **Se souvenir** is conjugated like **venir**.

  Souviens-toi de son anniversaire.
  Remember her birthday.

  Nous nous souvenons de cette date.
  We remember that date.

- **S'ennuyer** has the same spelling changes as **envoyer**. **Se promener** and **s'inquiéter** have the same spelling changes as **acheter** and **espérer**, respectively.

  Je **m'ennuie** à mourir aujourd'hui.
  I'm bored to death today.

  On **se promène** dans le parc.
  We take a walk in the park.

  Ils **s'inquiètent** plus que mes parents.
  They worry more than my parents.

- Note the spelling changes of **s'appeler** in the present tense.

s'appeler (to be named, to call oneself)	
je m'appelle	nous nous appelons
tu t'appelles	vous vous appelez
il/elle/on s'appelle	ils/elles s'appellent

Tu **t'appelles** comment?
What is your name?

Vous **vous appelez** Laure?
Is your name Laure?

- Note the irregular conjugation of the verb **s'asseoir**.

s'asseoir (to be seated, to sit down)	
je m'assieds	nous nous asseyons
tu t'assieds	vous vous asseyez
il/elle/on s'assied	ils/elles s'asseyent

Asseyez-vous, Monsieur.
Have a seat, sir.

Assieds-toi ici sur le canapé.
Sit here on the sofa.

- Many idiomatically reflexive expressions can be used alone, with a preposition, or with the conjunction **que**.

Tu **te trompes**.
You're wrong.

Il **se trompe** toujours **de** date.
He's always mixing up the date.

Marlène **s'énerve** facilement.
Marlène gets mad easily.

Marlène **s'énerve contre** Thierry.
Marlène gets mad at Thierry.

Ils **se souviennent de** ton anniversaire.
They remember your birthday.

Je **me souviens que** tu m'as téléphoné.
I remember you phoned me.

Vous **vous inquiétez** trop!
You worry too much!

Tu **t'inquiètes pour** tes enfants?
Are you worried about your children?

Essayez! **Complétez les phrases avec les formes correctes des verbes.**

1. Mes parents ___s'inquiètent___ (s'inquiéter) beaucoup.
2. Nous _____ (s'entendre) bien, ma sœur et moi.
3. Alexis ne _____ (se rendre) pas compte que sa petite amie ne l'aime pas.
4. On doit _____ (se dépêcher) pour arriver à la fac.
5. Papa _____ (s'occuper) toujours de la cuisine.
6. Tu _____ (s'amuser) quand tu vas au cinéma?
7. Vous _____ (s'intéresser) au cours d'histoire de l'art?
8. Je ne _____ (se disputer) pas souvent avec les profs.
9. Tu _____ (se reposer) un peu sur le lit.
10. Angélique _____ (s'asseoir) toujours près de la porte.
11. Je _____ (s'appeler) Susanne.
12. Elles _____ (s'ennuyer) chez leurs cousins.

Mise en pratique

1 **Ma sœur et moi** Complétez ce texte avec les formes correctes des verbes.

Je (1) _____ (s'appeler) Anne, et j'ai une sœur, Stéphanie. Nous (2) _____ (s'habiller) souvent de la même manière, mais nous sommes très différentes. Stéphanie (3) _____ (s'intéresser) à la politique et elle étudie le droit, et moi, je (4) _____ (s'intéresser) à la peinture et je fais de l'art. Nous habitons ensemble, et nous (5) _____ (s'entendre bien). On (6) _____ (s'asseoir) souvent sur un banc (*bench*) au parc pour bavarder. Quelquefois on (7) _____ (se mettre en colère). Heureusement, on (8) _____ (se rendre compte) que c'est inutile et on (9) _____ (s'arrêter). En fait, Stéphanie et moi, nous (10) _____ (ne pas s'ennuyer) ensemble.

2 **Que faire?** Que font Diane et ses copains? Utilisez les verbes de la liste pour compléter les phrases.

s'amuser	se disputer	s'occuper
s'appeler	s'énerver	se préparer
s'asseoir	s'ennuyer	se promener
se dépêcher	s'entendre bien	se reposer
se détendre	s'inquiéter	se tromper

1. Si je suis en retard pour mon cours, je _____.
2. Parfois, Toufik _____ et ne donne pas la bonne réponse.
3. Quand un cours n'est pas intéressant, nous _____.
4. Le week-end, Hubert et Édith sont fatigués, alors ils _____.
5. Quand je ne comprends pas mon prof, je _____.
6. Quand il fait beau, vous allez dans le parc et vous _____.
7. Quand tes parents sortent, tu _____ de tes petites sœurs.
8. Ils _____ tout le temps. Ils vont sûrement divorcer!

3 **La fête** Marc a invité ses amis pour célébrer la fin (*end*) du semestre. Décrivez la scène en utilisant des verbes réfléchis de sens idiomatique.

Marc   Fatima   Virginie

Christine et Mohammed

Rachel et Victor

Tran et Yves

Chrystelle et Thomas

Communication

4 **Curieux** Utilisez ces verbes et expressions pour interviewer un(e) partenaire. Partagez vos réponses les plus intéressantes avec la classe.

MODÈLE

avec qui / s'amuser
Étudiant(e) 1: Avec qui est-ce que tu t'amuses?
Étudiant(e) 2: Je m'amuse avec mes amis.

1. avec qui / s'entendre bien
2. à quoi / s'intéresser
3. quand, pourquoi / s'ennuyer
4. pourquoi / se mettre en colère
5. quand, comment / se détendre
6. avec qui, où, quand / se promener
7. avec qui, pourquoi / se disputer
8. quand, pourquoi / se dépêcher

5 **Une mère inquiète** La mère de Philippe lui a écrit cet e-mail. Décrivez la scène en utilisant des verbes réfléchis de sens idiomatique.

> Mon chéri,
>
> Je m'inquiète beaucoup pour toi. Je me rends compte que tu as changé. Tu ne t'amuses pas avec tes amis et tu te mets constamment en colère. Maintenant, tu restes tout le temps dans ta chambre et tu t'intéresses seulement à la télé. Est-ce que tu t'ennuies à l'école? Te souviens-tu que tu as des amis? J'espère que je me trompe.

6 **Se connaître** Répondez aux questions par écrit. Ensuite, déterminez combien de ces habitudes vous avez en commun (de 0 à 8) avec chacun de vos camarades de classe.

MODÈLE

s'intéresser à la politique
Étudiant(e) 1: Je ne m'intéresse pas à la politique. Et toi, t'intéresses-tu à la politique?
Étudiant(e) 2: Je m'intéresse beaucoup à la politique et je lis le journal tous les jours.

1. s'amuser en cours de français
2. s'inquiéter pour des questions d'argent
3. s'asseoir au premier rang (row) dans la classe
4. s'énerver facilement
5. se mettre souvent en colère
6. se reposer le week-end
7. s'entendre bien avec ses camarades de classe
8. se promener souvent

I CAN understand idiomatic expressions.

Révision

1 **Les colocataires** Avec un(e) partenaire, décrivez cette maison de colocataires à sept heures du matin. Que font-ils?

1.

2.

3.

2 **Le camping** Vous et votre partenaire faites du camping dans un endroit isolé. Malheureusement, vous avez tout oublié. À tour de rôle, parlez de ces problèmes à votre partenaire. Il/Elle va essayer de vous aider.

MODÈLE

Étudiant(e) 1: *Je veux me laver les cheveux, mais je n'ai pas pris mon shampooing.*
Étudiant(e) 2: *Moi, j'ai apporté mon shampooing. Je te le prête.*

prendre une douche	se brosser les cheveux
se brosser les dents	se laver les mains
se coiffer	se sécher les cheveux
se laver le visage	se raser

3 **Débat** Par groupes de quatre, expliquez combien de temps vous prenez pour les différentes étapes de votre routine quotidienne. Déterminez qui prend le plus de temps pour se préparer avant de sortir, et partagez vos résultats avec la classe.

4 **Dépêchez-vous!** Avec un(e) partenaire, imaginez que vous soyez (*are*) les parents de trois enfants. Ils doivent partir pour l'école dans dix minutes, mais ils viennent juste de se réveiller! Que leur dites-vous? Utilisez des verbes réfléchis.

MODÈLE

Étudiant(e) 1: *Dépêchez-vous!*
Étudiant(e) 2: *Lève-toi!*

5 **Départ de vacances** Décrivez une de ces images à votre partenaire qui va deviner (*guess*) de quelle image vous parlez.

s'amuser	s'énerver
se dépêcher	se mettre en colère
se détendre	se préparer
se disputer (avec)	se rendre compte

1.

2.

3.

4.

6 **La personnalité de Martin** Votre professeur va vous donner, à vous et à votre partenaire, une feuille d'information sur Martin. Attention! Ne regardez pas la feuille de votre partenaire.

MODÈLE

Étudiant(e) 1: *Martin s'habille élégamment.*
Étudiant(e) 2: *Mais...*

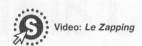

1 **Préparation** Répondez aux questions.

1. Quel moment de votre routine du matin prend le plus de temps? Quel moment est essentiel?

2. De quelle manière votre look influence-t-il votre humeur (*mood*) du jour?

S'aimer mieux

La marque° Krys veut que la beauté soit° accessible à tous. Ses lunettes ont donc des prix raisonnables et elles sont vendues partout° en France, en Belgique et sur Internet. Ses opticiens sont des professionnels qui savent aussi donner de bons conseils° esthétiques à leurs clients. Cette compagnie a été fondé° en 1966 par les 14 plus grands opticiens de France qui ont décidé de travailler ensemble. Pour choisir le nom de l'entreprise, ils ont pensé à la transparence et au cristal, et «Krys» est née.

marque *brand* **soit** *be* **partout** *everywhere* **conseils** *advice* **été fondé** *was founded*

Publicité de Krys

Vous allez vous aimer.

2 **Compréhension** Répondez aux questions.

1. Comment le jeune homme se sentait-il au début? Quel était son problème?

2. Qu'est-ce qui a ensuite changé dans sa vie?

3 **Conversation** En petits groupes, discutez de ces questions.

1. Avez-vous déjà fait un compliment à un étranger sur son apparence? Comment cette personne a-t-elle réagi (*react*)?

2. Pensez à un moment où une personne vous a fait un compliment sur votre look. Comment avez-vous réagi? Pourquoi? Est-ce que ce moment a influencé votre opinion sur le fait de (*about*) faire des compliments aux autres?

4 **Réflexion** Répondez aux questions.

1. Que pensez-vous des 14 opticiens qui ont créé la marque Krys? Quelle est la mission de cette marque?

2. Connaissez-vous d'autres produits qui sont à la fois médical et esthétique? Que pensez-vous de ce phénomène?

3. À votre avis, y a-t-il un lien entre la santé et l'apparance physique? Comparez vos croyances à celles qui sont présentées dans la vidéo.

5 **Application** En petits groupes, préparez une enquête (*survey*) dans laquelle vous interviewez d'autres élèves, votre famille, ou des membres de votre communauté sur l'importance de leur look par rapport à leur moral. Faites un graphique avec les réponses. Quelles tendances (*trends*) se présentent?

I CAN identify and reflect on attitudes around physical appearance.

Leçon 10B

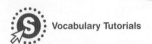

Vocabulary Tutorials

J'ai mal!

Vocabulaire

aller aux urgences/ à la pharmacie	to go to the emergency room/ to the pharmacy
avoir mal	to have an ache
avoir mal au cœur	to feel nauseous
enfler	to swell
être en bonne/ mauvaise santé	to be in good/ bad health
être en pleine forme	to be in good shape
éviter de	to avoid
faire mal	to hurt
garder la ligne	to stay slim
guérir	to get better
se blesser	to hurt oneself
se casser (la jambe/ le bras)	to break one's (leg/ arm)
se fouler la cheville	to twist/sprain one's ankle
se porter mal/mieux	to be ill/better
se sentir	to feel
tomber/être malade	to get/to be sick
un(e) dentiste	dentist
un(e) pharmacien(ne)	pharmacist
une allergie	allergy
une douleur	pain
la grippe	flu
un symptôme	symptom
une aspirine	aspirin
un médicament (contre/pour)	medication (to prevent/for)
une ordonnance	prescription
la salle des urgences	emergency room
déprimé(e)	depressed
grave	serious
sain(e)	healthy

Il a de la fièvre.

Elle tousse. (tousser)

Elle fait une piqûre.

Elle a mal au dos.

un patient (patiente f.)

Elle est enceinte.

une pilule

Il a un rhume.

Elle est en bonne santé.

ATCHOUM!

Il éternue. (éternuer)

une blessure

Le Monde

SANTÉ

Mise en pratique

1 **Écoutez** Monsieur Sebbar est tombé malade. Vous allez écouter une conversation entre lui et son médecin. Choisissez les éléments de chaque catégorie qui sont vrais.

Symptômes

1. J'ai mal à la tête. ☐
2. J'ai mal au ventre. ☐
3. J'ai mal aux yeux. ☐
4. J'ai mal à la gorge. ☐
5. J'ai mal au cœur. ☐
6. J'ai mal à la cheville. ☐

Diagnostic

1. la grippe ☐
2. un rhume ☐
3. la cheville cassée ☐
4. de la fièvre ☐

Traitement

1. faire de l'exercice ☐
2. faire une piqûre ☐
3. prendre des médicaments ☐

2 **Chassez l'intrus** Indiquez le mot qui ne va pas avec les autres.

1. un médicament, une pilule, une ordonnance, une aspirine
2. un médecin, un dentiste, un patient, une pharmacienne
3. un rhume, une aspirine, la grippe, une allergie
4. tomber malade, guérir, être en bonne santé, se porter mieux
5. éternuer, tousser, fumer, avoir mal à la gorge
6. être en pleine forme, être malade, être au régime, garder la ligne
7. se sentir bien, se porter mieux, être en mauvaise santé, éviter de fumer
8. une blessure, une pharmacie, un symptôme, une douleur

3 **Complétez** Complétez les phrases suivantes avec le bon mot choisi dans la section **CONTEXTES** pour faire des phrases logiques.

1. Vous allez chez le médecin quand vous tombez _____.
2. Vous allez chez _____ quand vous avez mal aux dents.
3. _____ aide les médecins.
4. Une femme qui va avoir un bébé est _____.
5. Une personne qui a eu un accident grave est emmenée (*taken*) aux _____.
6. On prend une _____ quand on a mal à la tête.
7. Pour être en forme et garder la ligne, il faut _____.
8. Si on n'est pas malade, on est _____.
9. Le médecin peut vous faire _____.
10. _____ est une liste de médicaments à prendre.
11. Être _____, c'est être tout le temps malheureux.
12. Si les fleurs vous font _____, vous avez une allergie.

un infirmier

ne pas fumer

Elle fait de l'exercice.

une infirmière

Elle a mal à la tête.

Il a mal au ventre.

Communication

4 **Conversez** Interviewez un(e) camarade de classe. Présentez ses réponses les plus intéressantes à la classe.

1. Quand t'a-t-on fait une piqûre pour la dernière fois? Pourquoi? Et une ordonnance?
2. Est-ce que tu as souvent des rhumes? Que fais-tu pour guérir?
3. Quel médicament prends-tu quand tu as de la fièvre? Et quand tu as mal à la tête?
4. Es-tu allé(e) chez le médecin cette année? À l'hôpital? Pourquoi?
5. Es-tu déjà allé(e) aux urgences? Pourquoi?
6. Connais-tu une femme enceinte? Comment se sent-elle?
7. Est-ce une bonne idée de fumer? Pourquoi pas?
8. Comment te sens-tu aujourd'hui? Et comment te sentais-tu hier?

5 **Qu'est-ce qui ne va pas?** Écrivez une description pour chaque image. Ensuite, à tour de rôle, lisez une description à votre partenaire, qui va deviner (*guess*) de quelle image vous parlez.

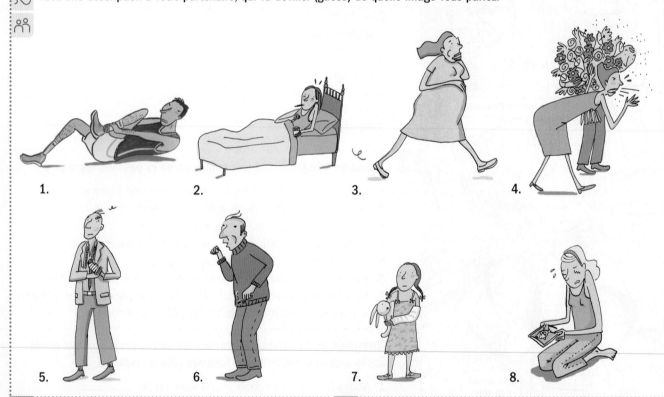

1.

2.

3.

4.

5.

6.

7.

8.

6 **Écriture** Suivez les instructions et composez un paragraphe. Ensuite, comparez votre paragraphe avec celui d'un(e) camarade de classe.

- Décrivez la dernière fois que vous avez été malade ou la dernière fois que vous avez eu un accident.
- Dites quels étaient vos symptômes.
- Dites si vous êtes allé(e) chez le médecin ou aux urgences.
- Mentionnez si on vous a donné une ordonnance et quels médicaments vous avez pris.

7 **Chez le médecin** Travaillez avec un(e) camarade de classe pour présenter un dialogue dans lequel vous:

- jouez le rôle d'un médecin et d'un(e) patient(e).
- parlez des symptômes du/de la patient(e).
- présentez le diagnostic (*diagnosis*) du médecin.
- proposez un traitement au/à la patient(e).

I CAN discuss health, illness, and remedies.

Les sons et les lettres

Pronunciation Tutorial
Record & Compare

p, t, and c

Read the following English words aloud while holding your hand an inch or two in front of your mouth. You should feel a small burst of air when you pronounce each of the consonants.

pan	**top**	**cope**	**pat**

In French, the letters **p**, **t**, and **c** are not accompanied by a short burst of air. This time, try to minimize the amount of air you exhale as you pronounce these consonants. You should feel only a very small burst of air or none at all.

panne	**taupe**	**capital**	**cœur**

To minimize a **t** sound, touch your tongue to your teeth and gums, rather than just your gums.

taille	**tête**	**tomber**	**tousser**

Similarly, you can minimize the force of a **p** by smiling slightly as you pronounce it.

pied	**poitrine**	**pilule**	**piqûre**

When you pronounce a hard **c** sound, you can minimize the force by releasing it very quickly.

corps	**cou**	**casser**	**comme**

Prononcez Répétez les mots suivants à voix haute.

1. plat	4. timide	7. pardon	10. problème	13. petits pois
2. cave	5. commencer	8. carotte	11. rencontrer	14. colocataire
3. tort	6. travailler	9. partager	12. confiture	15. canadien

Articulez Répétez les phrases suivantes à voix haute.

1. Paul préfère le tennis ou les cartes?
2. Claude déteste le poisson et le café.
3. Claire et Thomas ont-ils la grippe?
4. Tu préfères les biscuits ou les gâteaux?

Dictons Répétez les dictons à voix haute.

Il n'y a que le premier pas qui coûte.[2]

Les absents ont toujours tort.[1]

---

[1] Those who are absent are always the ones to blame.

[2] The first step is always the hardest.

ROMAN-PHOTO

L'accident

 Video: *Roman-photo*
Record & Compare

PERSONNAGES

Amina

David

Dr Beaumarchais

Rachid

Stéphane

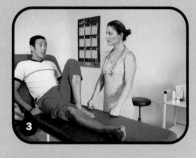

Au parc...
RACHID Comment s'appelle le parti politique qui gagne les élections en 1936?
STÉPHANE Le Front Populaire.
RACHID Exact. Qui en était le chef?
STÉPHANE Je ne m'en souviens pas.
RACHID Réfléchis. Qui est devenu président...?

AMINA Salut, vous deux!
RACHID Bonjour, Amina! (*Il tombe.*) Aïe!
STÉPHANE Tiens, donne-moi la main. Essaie de te relever.
RACHID Attends... non, je ne peux pas.
AMINA On va t'emmener chez le médecin tout de suite. Stéphane, mets-toi là de l'autre côté. Hop là! On y va? Allons-y.

Chez le médecin...
DOCTEUR Alors, expliquez-moi ce qui s'est passé.
RACHID Et bien, je jouais au foot quand tout à coup je suis tombé.
DOCTEUR Et où est-ce que vous avez mal? Au genou? À la jambe? Ça ne vous fait pas mal ici?
RACHID Non, pas vraiment.

AMINA Ah, te voilà Rachid!
STÉPHANE Alors, tu t'es cassé la jambe? Euh... tu peux toujours jouer au foot?
AMINA Stéphane!
RACHID Pas pour le moment, non; mais ne t'inquiète pas. Après quelques semaines de repos, je vais guérir rapidement et retrouver la forme.

AMINA Qu'est-ce que t'a dit le docteur?
RACHID Oh, ce n'est pas grave. Je me suis foulé la cheville. C'est tout.
AMINA Ah, c'est une bonne nouvelle. Bon, on rentre?
RACHID Oui, volontiers. Dis, est-ce qu'on peut passer par la pharmacie?
AMINA Bien sûr!

Chez David et Rachid...
DAVID Rachid! Qu'est-ce qui t'est arrivé?
RACHID On jouait au foot et je suis tombé. Je me suis foulé la cheville.
DAVID Oh! C'est idiot!
AMINA Bon, on va mettre de la glace sur ta cheville. Il y en a au congélateur?
DAVID Oui, il y en a.

A C T I V I T É S

1 **Les événements** Mettez les événements dans l'ordre chronologique.

a. _____ Rachid, Stéphane et Amina vont à la pharmacie.
b. _____ Rachid tombe.
c. _____ Rachid et Stéphane jouent au foot.
d. _____ Le docteur explique que Rachid s'est foulé la cheville.
e. _____ Amina et Stéphane emmènent Rachid chez le médecin.

2 **Considérez** Répondez aux questions.

1. Quand vous vous blessez, allez-vous chez le médecin? Aux urgences?
2. Que faites-vous pour retrouver la forme? Mettez-vous de la glace sur la blessure? Prenez-vous des médicaments contre la douleur?
3. Comparez votre attitude à celle de Rachid. Qu'est-ce que vous auriez (*would have*) fait à sa place? Quels facteurs influencent la réaction d'une personne blessée?

Rachid se foule la cheville.

DOCTEUR Et là, à la cheville?

RACHID Aïe! Oui, c'est ça!

DOCTEUR Vous pouvez tourner le pied à droite... Et à gauche? Doucement. La bonne nouvelle, c'est que ce n'est pas cassé.

RACHID Ouf, j'ai eu peur.

DOCTEUR Vous vous êtes simplement foulé la cheville. Alors, voilà ce que vous allez faire: mettre de la glace, vous reposer. Ça veut dire: pas de foot pendant une semaine au moins et prendre des médicaments contre la douleur. Je vous prépare une ordonnance tout de suite.

RACHID Merci, Docteur Beaumarchais.

STÉPHANE Et toi, David, qu'est-ce qui t'est arrivé? Tu fais le clown ou quoi?

DAVID Ah! Ah!... Très drôle, Stéphane.

AMINA Ça te fait mal?

DAVID Non. C'est juste une allergie. Ça commence à aller mieux. Je suis allé aux urgences. On m'a fait une piqûre et on m'a donné des médicaments. Ça va passer. En attendant, je dois éviter le soleil.

STÉPHANE Vous faites vraiment la paire, tous les deux!

AMINA Allez, Stéphane. Laissons-les tranquilles. Au revoir, vous deux. Reposez-vous bien!

RACHID Merci! Au revoir!

DAVID Au revoir!

DAVID Eh! Rends-moi la télécommande! Je regardais ce film...

3 **À vous!** Sandrine ne sait pas encore ce qui est arrivé à David et à Rachid. Avec deux camarades de classe, préparez une conversation dans laquelle Sandrine découvre ce qui s'est passé. Ensuite, jouez les rôles de Sandrine, David et Rachid devant la classe.

- Imaginez le contexte de la conversation: le lieu, qui fait/a fait quoi.
- Décidez si Sandrine rencontre les garçons ensemble ou séparément.
- Décrivez la surprise initiale de Sandrine. Détaillez ses questions et ses réactions.

4 **Écrivez** Rachid et David ont deux problèmes de santé très différents. Qu'est-ce que vous préférez, une cheville foulée pendant une semaine ou une réaction allergique au visage? Écrivez un paragraphe dans lequel vous comparez les deux situations. Quelle situation est la pire? Pourquoi?

A C T I V I T É S

I CAN understand short conversations about injuries and recovery.

LECTURE CULTURELLE

Video: *Flash culture*

Reste se fous la maladie

CULTURE À LA LOUPE

La Sécurité sociale

En France, presque tous les habitants sont couverts par le système national de la Sécurité sociale. La Sécurité sociale, ou «la sécu», est un organisme d'État, financé principalement par les cotisations° sociales des travailleurs, qui donne une aide financière à ses bénéficiaires dans différents domaines. La branche «famille», par exemple, s'occupe des allocations° pour la maternité et les enfants. La branche «vieillesse» paie les retraites des personnes âgées. La branche «maladie» aide les gens en cas de maladies et d'accidents du travail. Chaque personne qui bénéficie des prestations° de la Sécurité sociale a une carte Vitale qui ressemble à une carte de crédit et qui contient° toutes ses informations personnelles. La Sécurité sociale rembourse° en moyenne 75% des frais° médicaux. Les visites chez le médecin sont remboursées à 70%. Le taux° de remboursement varie entre 80 et 100% pour les séjours en clinique ou à l'hôpital et entre 70 et 100% pour les soins dentaires°. Pour les achats° en pharmacie, le taux de remboursement varie beaucoup: de 35 à 100% selon° les médicaments achetés. Beaucoup de gens ont aussi une mutuelle, une assurance santé supplémentaire qui rembourse ce que la Sécurité sociale ne rembourse pas. Ceux° qui ne peuvent pas avoir de mutuelle et ceux qui n'ont pas droit à° la Sécurité sociale traditionnelle bénéficient parfois de la Couverture Maladie Universelle (CMU). La CMU garantit le remboursement à 100% des frais médicaux aux gens qui n'ont pas beaucoup de ressources.

cotisations *contributions* **allocations** *allowances* **prestations** *benefits* **contient** *holds* **rembourse** *reimburses* **frais** *expenses* **taux** *rate* **soins dentaires** *dental care* **achats** *purchases* **selon** *depending on* **Ceux** *Those* **n'ont pas droit à** *don't qualify for*

STRATÉGIE

Using a dictionary

Be careful not to reach for the dictionary every time you do not understand what you read. Instead, keep a running list of unfamiliar words that you come across in the selection. Only after you have tried several strategies and are still unable to guess a word's meaning should you consider using a dictionary. Remember to read and consider all the translations under an entry before choosing the right one for the context.

A C T I V I T É S

1 **Vrai ou faux?** Indiquez si les phrases sont vraies ou fausses. Corrigez les phrases fausses.

1. Les cotisations des travailleurs financent la Sécurité sociale.
2. La Sécurité sociale a plusieurs branches.
3. La carte Vitale est une assurance supplémentaire.
4. La Sécurité sociale rembourse en moyenne 99% des frais médicaux.
5. La Sécurité sociale ne rembourse pas les médicaments.

2 **Réfléchissez** Répondez aux questions.

1. Qu'est-ce que la Sécurité sociale en France? Qu'est-ce que la CMU? Avez-vous des services similaires dans votre pays?
2. Comment les gens dans votre communauté paient-ils les frais (*costs*) médicaux? Comparez les options disponibles chez vous aux services offertes en France.
3. Quelles attitudes existent dans votre pays en ce qui concerne les cotisations sociales et les frais médicaux? Comparez la situation dans votre pays à celle des Français et expliquez les différences.

Les numéros de téléphone d'urgence

En France

 15 numéro du SAMU

 17 numéro de police secours

 18 numéro des pompiers

Partout dans l'Union européenne

 112 numéro d'urgence

LE MONDE FRANCOPHONE

Des pionniers de la médecine

Voici quelques autres pionniers francophones de
la médecine.

En Belgique
Jules Bordet (1870–1961) médecin et microbiologiste
qui a découvert° le microbe de la coqueluche°

En France
Bernard Kouchner (1939–) médecin, cofondateur°
de Médecins sans frontières° et de Médecins du monde

En Haïti
Yvonne Sylvain (1907–1989) première femme
médecin et gynécologue obstétricienne d'Haïti

Au Québec
Jeanne Mance (1606–1673) fondatrice du premier
hôpital d'Amérique du Nord

En Suisse
Henri Dunant (1828–1910) fondateur de la Croix-Rouge°

a découvert discovered **coqueluche** whooping cough **cofondateur**
cofounder **frontières** Borders **Croix-Rouge** Red Cross

Marie Curie

Grande figure féminine du 20ᵉ siècle et de
l'histoire des sciences, Marie Curie est la
première femme à recevoir° un prix Nobel
et la seule personne à en avoir reçu° deux.
Elle est née Maria Sklodowska à Varsovie en
Pologne. À 24 ans elle est venue à Paris pour
faire des études scientifiques car° l'université
de Varsovie refusait l'accès aux femmes. Elle
reçoit en 1903 le prix Nobel de physique
avec son mari, Pierre, pour leurs travaux°
sur la radioactivité. Quelques années plus tard elle reçoit le prix Nobel
de chimie pour la découverte° de deux éléments radioactifs: le polonium
et le radium.

Pendant la Première Guerre mondiale° elle organise un service de
radiologie mobile pour mieux soigner° les blessés. La lutte° contre
le cancer bénéficie aussi des vertus thérapeutiques du radium. Elle
a consacré° toute sa vie aux recherches scientifiques et est morte
d'un cancer en 1934.

recevoir receive **reçu** received **car** because **travaux** work **découverte** discovery **Première Guerre
mondiale** World War I **soigner** treat **lutte** fight **consacré** devoted

MUSIQUE À FOND

Émilie Simon

Lieu de naissance: Montpellier, France
Métier: auteure-compositrice-interprète

Elle est très douée dans la musique traditionnelle ainsi
que dans la musique pop électronique.

Go to vhlcentral.com to find out more about **Émilie Simon** and her music.

---

3 **Répondez** Répondez aux questions.

1. Quel numéro d'appel d'urgence est utilisé partout dans
l'Union européenne?
2. Qui a été la première femme médecin d'Haïti?
3. Pourquoi est-ce que Marie Curie est venue à Paris?
4. Quels grands prix a-t-elle reçus?
5. Qu'a-t-elle fait pendant la Première Guerre mondiale?

4 **Un peu d'histoire** Qui a découvert le vaccin contre la
tuberculose? Faites des recherches en utilisant des sites web
francophones. Écrivez trois paragraphes dans lesquels vous
expliquez ce qu'est ce vaccin, quelles sont les circonstances
de son invention et quel est son impact.

A C T I V I T É S

I CAN identify and reflect on cultural products and practices related to healthcare.

STRUCTURES

10B.1 The *passé composé* of reflexive verbs

Grammar Tutorial

Point de départ In **Leçon 10A**, you learned to form the present tense and command forms of reflexive verbs. You will now learn how to form the **passé composé** of reflexive verbs.

Vous vous êtes foulé la cheville.

Tu t'es cassé la jambe?

- Use the auxiliary verb **être** with all reflexive verbs in the **passé composé**, and place the reflexive pronoun before it.

Nous **nous sommes fait** mal hier, pendant la randonnée.
We hurt ourselves during the hike yesterday.

Il **s'est lavé** les mains avant de prendre le médicament.
He washed his hands before taking the medicine.

Où est-ce que tu **t'es blessé**?
Where did you hurt yourself?

Vous **vous êtes trompé**?
Did you make a mistake?

- If the verb is not followed by a direct object, the past participle should agree with the subject in gender and number.

SUBJECT · PAST PARTICIPLE

L'infirmier et le médecin **se sont disputés**.
The nurse and the doctor argued.

SUBJECT · PAST PARTICIPLE

Elle **s'est assise** dans le fauteuil du dentiste.
She sat in the dentist's chair.

SUBJECT · PAST PARTICIPLE

Ahmed et toi, vous **vous êtes** bien **entendus**?
Did you and Ahmed get along?

- If the verb is followed by a direct object, the past participle should not agree with the subject. Use the masculine singular form.

PAST PARTICIPLE · DIRECT OBJECT

Régine **s'est foulé** les deux chevilles.
Régine twisted both ankles.

PAST PARTICIPLE · DIRECT OBJECT

Ils **se sont cassé** les bras.
They broke their arms.

- To make a reflexive verb negative in the **passé composé**, place **ne** before the reflexive pronoun and **pas** after the auxiliary verb.

Elles **ne se sont pas** mises en colère.
They didn't get angry.

Nous **ne nous sommes pas** sentis mieux.
We didn't feel better.

Je **ne me suis pas** rasé ce matin.
I didn't shave this morning.

Tu **ne t'es pas** coiffée.
You didn't do your hair.

- To ask a question using inversion with a reflexive verb in the **passé composé**, follow the same pattern as you would with non-reflexive verbs. Invert the subject pronoun and the auxiliary verb, and keep the reflexive pronoun before the auxiliary.

  Irène **s'est-elle** blessée au genou?
  Did Irène hurt her knee?

  Ne **vous êtes-vous** pas rendu compte de ça?
  Didn't you realize that?

- Place a direct object pronoun between the reflexive pronoun and the auxiliary verb. Make the past participle agree with the direct object pronoun that precedes it.

  Il a la cheville un peu enflée. Il **se l'**est **cassée** il y a une semaine.
  His ankle is a bit swollen. He broke it a week ago.

  Mes mains? Mais je **me les** suis déjà **lavées**.
  My hands? But I already washed them.

- The irregular past participle of the verb **s'asseoir** is **assis(e)**.

  Elle **s'est assise** près de la fenêtre.
  She sat near the window.

  Les jeunes mariés **se sont assis** dans le salon.
  The newlyweds sat in the living room.

- Form the **imparfait** of reflexive verbs exactly as you would for non-reflexive verbs. Just add the corresponding reflexive pronoun.

  Je **me brossais** les dents trois fois par jour.
  I used to brush my teeth three times a day.

  Nous **nous promenions** souvent au parc.
  We often used to take walks in the park.

Essayez! **Complétez ces phrases.**

1. Natalia s'est ((foulé)/foulée) le bras.
2. Sa jambe? Comment Robert se l'est-il (cassé/cassée)?
3. Les deux joueurs de basket se sont (blessé/blessés) au genou.
4. L'infirmière s'est (lavé/lavées) les mains.
5. M. Pinchon s'est (fait/faite) mal à la jambe.
6. S'est-elle (rasé/rasées) les jambes?
7. Elles se sont (maquillé/maquillés) les yeux?
8. Nous nous les sommes (cassé/cassés).
9. Sandrine, tu t'es (réveillé/réveillée) tard ce matin.
10. Tout à coup, Omar s'est (senti/sentie) mal.
11. Nous ne nous sommes pas (déshabillé/déshabillées) avant de nous coucher.

STRUCTURES

Mise en pratique

1 **Une lettre** Complétez la lettre que Christine a écrite sur sa journée. Mettez les verbes au passé composé.

> Hier soir, je (1) _____ (se coucher) trop tard, et quand je (2) _____ (se réveiller), j'étais fatiguée. Mais je voulais jouer au basket, alors je (3) _____ (se lever) et je (4) _____ (se brosser) les dents. Mon amie est venue me chercher et je (5) _____ (s'endormir) dans la voiture! Je pense que mon amie (6) _____ (s'énerver) un peu contre moi. Nous (7) _____ (se préparer) pour le match et nous (8) _____ (se mettre) à jouer.

2 **Descriptions** Utilisez des verbes réfléchis pour décrire ce que (*what*) les personnages des illustrations ont fait ou n'ont pas fait hier. Mettez les verbes au passé composé.

Thomas

MODÈLE

Thomas ne s'est pas lavé.

1. mes amis
_____

2. tu
_____

3. je
_____

4. vous
_____

3 **Une mauvaise journée** Utilisez le vocabulaire de la liste pour raconter une mauvaise journée que vous avez vécue. Écrivez huit phrases.

MODÈLE

Je me suis trompée. Je me suis brossé les dents avec du savon!

se brosser	se sentir	la cheville
se casser	se tromper	la jambe
se fouler	le bras	le pied
s'habiller	les chaussures	un rhume
se laver	du dentifrice	du savon
se lever	la salle des urgences	du shampooing

Communication

4 **Et toi?** Avec un(e) partenaire, posez-vous ces questions. Ensuite, présentez vos réponses les plus intéressantes à la classe.

1. À quelle heure t'es-tu réveillé(e) ce matin?
2. Avec quel dentifrice t'es-tu brossé les dents?
3. Avec quel shampooing t'es-tu lavé les cheveux aujourd'hui?
4. T'es-tu énervé(e) cette semaine? Pourquoi?
5. T'es-tu disputé(e) avec quelqu'un cette semaine? Avec qui?
6. T'es-tu endormi(e) facilement hier soir? Pourquoi?
7. T'es-tu promené(e) récemment? Où?
8. Comment t'es-tu détendu(e) le week-end dernier?

5 **Une enquête criminelle** Il y a eu un crime dans votre quartier et un agent de police vous pose des questions pour l'enquête (*investigation*). Avec un(e) partenaire, utilisez le vocabulaire de la liste pour créer le dialogue.

se coucher	se trouver
se disputer	appartement
s'énerver	blessure
se lever	corps
se mettre en colère	quartier
se réveiller	déprimé(e)
revenir	grave
se souvenir	soudain

6 **Charades** Par groupes de quatre, pensez à une phrase au passé composé avec un verbe réfléchi et jouez-la. La première personne qui devine joue la prochaine phrase.

7 **Écrivez** Écrivez une histoire au passé composé dans laquelle deux personnages ont beaucoup de difficultés. Votre professeur va choisir deux acteurs, et vous allez lire l'histoire à haute voix (*out loud*) pendant qu'ils jouent la scène. Tout le monde va en faire la critique.

I CAN talk about reflexive past actions.

STRUCTURES

10B.2 The pronouns *y* and *en* 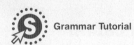 Grammar Tutorial

Point de départ The pronoun **y** replaces a previously mentioned phrase that begins with the prepositions **à**, **chez**, **dans**, **en**, or **sur**. The pronoun **en** replaces a previously mentioned phrase that begins with a partitive or indefinite article, or with the preposition **de**.

PREPOSITIONAL PHRASE
Nous allons **chez le médecin**.

▶ PRONOUN
Nous **y** allons.

PREPOSITIONAL PHRASE
Il était le chef **du Front Populaire**.

▶ PRONOUN
Il **en** était le chef.

Allons-y!

Le Front Populaire.
Qui en était le chef?

- The pronouns **y** and **en** precede the conjugated verb.

  Es-tu allée **à la plage**?
  Did you go to the beach?

  Oui, j'**y** suis allée.
  Yes, I went there.

  Achètent-elles **de la moutarde**?
  Are they buying mustard?

  Oui, elles **en** achètent.
  Yes, they're buying some.

  Tu te mets **à la danse**?
  Are you taking up dancing?

  Oui, je m'**y** mets.
  Yes, I'm taking it up.

- Like other pronouns in an infinitive construction, **y** and **en** follow the conjugated verb and precede the infinitive.

  Quand préfères-tu manger **chez Fatima**?
  When do you prefer to eat at Fatima's?

  Je **préfère y manger** demain soir.
  I prefer to eat there tomorrow night.

  Allez-vous prendre **du thé**?
  Are you going to have tea?

  Oui, **nous allons en prendre.**
  Yes, we're going to have some.

- Never omit **y** or **en** even when the English equivalents can be omitted.

  Ah, vous allez **à la boulangerie**.
  Oh, you're going to the bakery.

  Tu **y** vas aussi?
  Are you going (there), too?

  Est-ce qu'elle prend **du sucre**?
  Does she take sugar?

  Non, elle n'**en** prend pas.
  No, she doesn't (take any).

- Use **en** to replace a prepositional phrase that begins with **de**.

  Vous revenez **de vacances**?
  Are you coming back from vacation?

  Oui, nous **en** revenons.
  Yes, we're coming back (from vacation).

- Always use **en** to replace nouns that follow a number or expression of quantity. In such cases, you must still use the number or expression of quantity in the sentence together with **en**.

  Combien **de frères** a-t-elle?
  How many brothers does she have?

  Elle **en** a **un** (**deux, trois**).
  She has one (two, three).

  Avez-vous acheté **beaucoup de pain**?
  Did you buy a lot of bread?

  Oui, j'**en** ai acheté **beaucoup**.
  Yes, I bought a lot.

- In the **passé composé**, the past participle never agrees with **y** or **en**.

  Avez-vous trouvé **des fraises**?
  Did you find some strawberries?

  Oui, nous **en** avons trouvé.
  Yes, we found some.

  A-t-elle attendu **à la salle des urgences**?
  Did she wait in the emergency room?

  Oui, elle **y** a attendu.
  Yes, she waited there.

- In an affirmative **tu** command, do not drop the **-s** when an **-er** verb is followed by **y** or **en**. Note that **aller** also follows this pattern.

  Tu vas chez le médecin? Vas**-y**!
  You're going to the doctor's? Go!

  but

  Va chez le médecin!
  Go to the doctor's!

  Il y a des pommes. Manges**-en**!
  There are some apples. Eat a few!

  but

  Mange des pommes!
  Eat apples!

- With imperatives, **moi** followed by **y** and **en** becomes **m'y** and **m'en**. **Toi** followed by **y** and **en** becomes **t'y** and **t'en**.

  Vous avez **des pêches** aujourd'hui?
  You have peaches today?

  Donnez-**m'en** dix.
  Give me ten.

- When using two pronouns in the same sentence, **y** and **en** always come in second position.

  Vous parlez **à Hélène de sa toux**?
  Are you talking to Hélène about her cough?

  Oui, nous **lui en** parlons.
  Yes, we're talking to her about it.

- When used together in the same sentence, **y** is placed before **en**.

  Il y a **de bons médecins** à l'hôpital?
  Are there good doctors at the hospital?

  Oui, il **y en** a.
  Yes, there are.

> ### ⚲ Boîte à outils
>
> The pronoun **y** is not used to refer to people. The pronoun **en** may refer to people when the noun it refers to is preceded by the indefinite article **des**. However, in the constructions [*verb*] + **à** + [*person*] and [*verb*] + **de** + [*person*], **y** and **en** cannot be used to refer to people. Instead, use disjunctive pronouns.
>
> Je pense **à ma mère**.
> Je pense **à elle**.
>
> Nous parlons de **notre père**.
> Nous parlons de **lui**.

Essayez! Complétez les phrases avec le(s) pronom(s) correct(s).

1. Faites-vous du sport? Oui, nous ___*en*___ faisons.
2. Papa est au garage? Oui, il ____ est.
3. Nous voulons des fraises. Donnez-nous- ____ un kilo.
4. Mettez-vous du sucre dans votre café? Oui, nous ____ mettons.
5. Est-ce que tu t'intéresses à la médecine? Oui, je ____ intéresse.
6. Il est allé au cinéma? Oui, il ____ est allé.
7. Combien de pièces y avait-il? Il y ____ avait quatre.
8. Avez-vous des lampes? Non, nous n' ____ avons pas.
9. Elles sont chez leur copine. Elles ____ sont depuis samedi.
10. Êtes-vous allés en France? Oui, nous ____ sommes déjà allés.

Mise en pratique

1 **Une lettre** M. Renaud répond aux questions d'un journaliste qui fait un sondage (*poll*) pour un magazine français. Utilisez **y** ou **en** pour compléter les notes du journaliste.

Nombre/Fréquence		Notes
1. Enfants	3	M. Renaud en a trois.
2. Chiens	0	_____
3. Voiture	2	_____
4. Cinéma	rarement	_____
5. Argent	peu	_____
6. Thé/café	parfois	_____
7. New York	en 2005	_____
8. Chez le médecin	une fois par an	_____

2 **Dossier médical** Choisissez une célébrité. Cette personne est allée à l'hôpital, où on lui pose ces questions. Comment répond votre célébrité? Utilisez les pronoms **y** et **en**.

1. Avez-vous des allergies?
2. Êtes-vous allé(e) aux urgences cette année?
3. Allez-vous chez le médecin régulièrement?
4. Combien d'aspirines prenez-vous par jour?
5. Faites-vous du sport tous les jours?
6. Avez-vous des douleurs?
7. Avez-vous de la fièvre?
8. Vous êtes-vous blessé(e) au travail?

3 **Chez le dentiste** Mme Hanh emmène ses fils chez un nouveau dentiste. Complétez le dialogue entre le dentiste et les deux garçons. Utilisez les pronoms **y** et **en**.

LE DENTISTE	C'est la première fois que vous venez chez le dentiste?
FRÉDÉRIC	Oui, (1) _____
LE DENTISTE	N'ayez pas peur. Alors, mangez-vous beaucoup de sucre?
HENRI	(2) _____
LE DENTISTE	Et toi, Frédéric, utilises-tu du dentifrice?
FRÉDÉRIC	(3) _____
HENRI	Est-ce que vous allez nous faire une piqûre?
LE DENTISTE	(4) _____
HENRI	Moi, je n'ai pas peur des piqûres... mais j'espère que vous n'allez pas trouver de caries (*cavities*).
LE DENTISTE	(5) _____

Communication

4 **Chez le docteur** Vous avez ces problèmes et vous allez chez le docteur.
Votre partenaire va jouer le rôle du docteur. Parlez de vos symptômes. Que faut-il
faire? Utilisez les pronoms **y** et **en**.

- des allergies
- une cheville foulée
- une grippe
- mal à la gorge
- un rhume
- se sentir mal

5 **Trouvez quelqu'un qui...** Votre professeur va vous donner une feuille
d'activités. Circulez dans la classe pour trouver un(e) camarade différent(e) qui
donne une réponse affirmative à chaque question. Employez les pronoms **y** et **en**.

MODÈLE

Étudiant(e) 1: *Je suis né(e) à Los Angeles. Y es-tu né(e) aussi?*
Étudiant(e) 2: *Oui, j'y suis né(e) aussi!*

Qui...	Nom
1. est né(e) dans la même (same) ville que vous?	Mireille
2. a pris une aspirine aujourd'hui? Pourquoi?	
3. est allé(e) en Suisse? Quand?	
4. a mangé au resto U cette semaine? Combien de fois?	
5. est déjà allé(e) aux urgences une fois? Pourquoi?	
6. est allé(e) chez le dentiste ce mois-ci? Quand?	

6 **Interview** Posez ces questions à un(e) partenaire. Employez **y** ou **en** dans vos
réponses, puis présentez-les à la classe.

Demandez à un(e) partenaire...

1. s'il/elle va à la bibliothèque (au restaurant, à la plage, chez le dentiste) aujourd'hui. Pourquoi?
2. s'il/elle a besoin d'argent (d'une voiture, de courage, de temps libre). Pourquoi?
3. s'il/elle s'intéresse aux sports (à la littérature, au jazz, à la politique). Que préfère-t-il/elle?
4. combien de personnes il y a dans sa famille (dans la classe de français, dans sa résidence).
5. s'il/elle a un chien (beaucoup de cousins, un grand-père, un vélo, un ordinateur). Où sont-ils?
6. s'il/elle a des allergies (une blessure, un rhume). Que fait-il/elle contre les symptômes?

7 **Devinez!** Avec un(e) partenaire, décrivez un endroit ou une chose en utilisant les
pronoms **y** ou **en**. Votre partenaire va essayer de deviner (*guess*) ce que vous décrivez.

MODÈLE

Étudiant(e) 1: *J'y vais pour jouer au foot.*
Étudiant(e) 2: *Tu vas au stade?*
Étudiant(e) 1: *J'en mange deux le matin.*
Étudiant(e) 2: *Tu manges des croissants?*

I CAN refer to previously mentioned things without repetition.

Révision

1 **La salle d'attente** Observez cette salle d'attente (*waiting room*) et, avec un(e) partenaire, décrivez la situation ou la maladie de chaque personnage. À tour de rôle, essayez de prescrire un remède. Utilisez le passé composé des verbes réfléchis dans vos dialogues.

MODÈLE

Étudiant(e) 1: *Ce garçon s'est foulé la cheville. Il doit aller aux urgences.*
Étudiant(e) 2: *Oui, et cette fille...*

2 **Êtes-vous souvent malade?** Avec un(e) partenaire, préparez huit questions pour savoir si vos camarades de classe sont en bonne ou en mauvaise santé. Ensuite, par groupes de quatre, posez les questions à vos camarades et écrivez leurs réponses.

3 **Oh! Ça va!?** Vous êtes un(e) piéton(ne) (*pedestrian*) et tout d'un coup, vous voyez (*see*) un(e) cycliste tomber de son vélo. Avec un(e) partenaire, suivez (*follow*) ces instructions et préparez la scène. Utilisez les pronoms **y** et **en**.

Piéton(ne)	Cycliste
Demandez s'il/elle s'est fait mal.	▶ Dites quel est le problème.
Posez des questions sur les symptômes.	▶ Décrivez les symptômes.
Proposez de l'emmener aux urgences.	▶ Acceptez ou refusez la proposition.

4 **Pour partir loin** Vous et un(e) partenaire allez vivre (*to live*) un mois dans une région totalement isolée. Regardez l'illustration: vous pouvez mettre seulement cinq choses dans votre sac de voyage. Choisissez-les avec votre partenaire.

MODÈLE

Étudiant(e) 1: *On prend une bouteille de shampooing pour se laver les cheveux?*
Étudiant(e) 2: *D'accord, mais on n'en prend pas deux!*

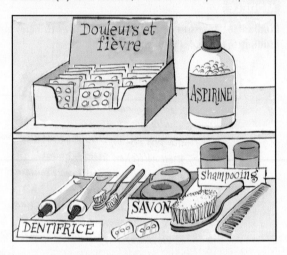

5 **La consultation** Vous êtes malade et vous voulez tout savoir sur vos symptômes. Posez des questions à votre partenaire, qui va jouer le rôle du médecin. Utilisez les pronoms **y** et **en** dans votre dialogue.

MODÈLE

Étudiant(e) 1: *Est-ce que j'ai de la fièvre?*
Étudiant(e) 2: *Non, tu n'en a pas.*
Étudiant(e) 1: *Est-ce que j'ai besoin d'un médicament?*
Étudiant(e) 2: *Oui, tu en as besoin.*

6 **La famille à problèmes!** Votre professeur va vous donner, à vous et à votre partenaire, une feuille d'informations sur la famille Valmont. Attention! Ne regardez pas la feuille de votre partenaire.

MODÈLE

Étudiant(e) 1: *David jouait au baseball.*
Étudiant(e) 2: *Voilà pourquoi il s'est cassé le bras!*

Écriture

Sequencing events

Paying attention to sequencing in a narrative will ensure that your writing flows logically from one part to the next. Of course, every composition should have an introduction, a body, and a conclusion.

The introduction presents the subject, the setting, the situation, and the people involved. The main part, or the body, describes the events and people's reactions to these events. The conclusion brings the narrative to a close.

Adverbs and adverbial phrases are often used as transitions between the introduction, the body, and the conclusion. Here is a list of commonly used adverbs in French.

Adverbes	
(tout) d'abord	*first*
premièrement / en premier	*first*
avant (de)	*before*
après	*after*
alors	*then, at that time*
(et) puis	*(and) then*
ensuite	*then*
plus tard	*later*
bientôt	*soon*
enfin	*finally*
finalement	*finally*

Thème

Écrire une lettre

Vous avez été malade le jour du dernier examen de français et vous n'avez pas pu passer l'examen. Préparez une lettre que vous allez envoyer à votre professeur de français pour lui expliquer ce qui s'est passé. Écrivez votre lettre au passé (passé composé et imparfait) et utilisez des adverbes. À la fin de la lettre, excusez-vous et demandez à votre professeur si vous pouvez passer l'examen la semaine prochaine. (Attention! Cette partie de la lettre doit être au présent.) Répondez aux questions suivantes pour vous aider.

- Que s'est-il passé? (maladie, accident, autre problème de santé, etc.)

- Quels étaient les symptômes ou quelle blessure avez-vous eue? (avoir mal au ventre, avoir de la fièvre, avoir la jambe cassée, etc.)

- Qu'est-ce qui a peut-être causé ce problème? (accident, pas assez d'exercice physique, ne pas manger sainement, etc.)

- Qu'avez-vous fait? (prendre des médicaments, aller chez le docteur ou le dentiste, aller aux urgences, etc.)

- Qu'est-ce qu'on vous a fait là-bas? (une piqûre, une radio [*X-ray*], une ordonnance, etc.)

- Comment vous sentez-vous maintenant et qu'allez-vous faire pour rester en forme? (ne plus fumer, faire plus attention, faire de l'exercice, etc.)

I CAN write a letter to a professor.

SAVOIR-FAIRE

Panorama

La Nouvelle-Aquitaine

La Nouvelle-Aquitaine est une région dans le sud-ouest° de la France, à côté de l'Espagne. Elle contient° une grande diversité de paysages°, des Pyrénées à la côte° atlantique, et des vallées de la Dordogne aux îles° de La Rochelle. Ses populations sont aussi diverses, avec des Basques fiers et insulaires, des Limousins résistants et des Bordelais° à culture anglo-saxonne.

Personnes célèbres

▶ **Jacques-Yves Cousteau,** explorateur océanographique et cinéaste (1910–1997)

▶ **Barbara Schulz,** actrice (1972–)

L'Occitanie

L'Occitanie est une région dans le sud-ouest de la France, au bord° de la mer Méditerranée et adjacente à l'Espagne. Caractérisée par ses terres° arides et son littoral°, la région est connue aujourd'hui pour ses centres universitaires importants et son industrie aérospatiale. Ses langues, cultures et coutumes° restent marquées par des influences romaines, grecques, catalanes et provençales.

Personnes célèbres

▶ **Jean Jaurès,** homme politique (1859–1914)

▶ **Georges Brassens,** chanteur (1921–1981)

sud-ouest *southwest* **contient** *contains* **paysages** *landscapes* **côte** *coast*
îles *islands* **Bordelais** *residents of Bordeaux* **reine** *queen* **bord** *edge*
terres *lands* **littoral** *coastline* **coutumes** *customs*

le parc d'attractions Futuroscope

LA FRANCE

L'OCÉAN ATLANTIQUE

Poitiers

La Rochelle

Angoulême

Limoges

Périgueux

Bordeaux

NOUVELLE-AQUITAINE

la Garonne

Agen

la Tarn

Albi

Nîmes

OCCITANIE

Toulouse

Montpellier

Béziers

Bayonne

Pau

la Garonne

LES CÉVENNES

Perpignan

LA MER MÉDITERRANÉE

LES PYRÉNÉES

ANDORRE

L'ESPAGNE

0   80 miles
0   80 kilomètres

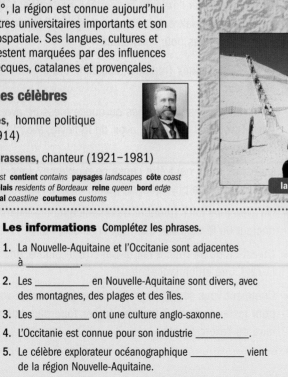

la dune du Pilat

la cité de Carcassonne

ACTIVITÉS

1 Les informations Complétez les phrases.

1. La Nouvelle-Aquitaine et l'Occitanie sont adjacentes à _____.

2. Les _____ en Nouvelle-Aquitaine sont divers, avec des montagnes, des plages et des îles.

3. Les _____ ont une culture anglo-saxonne.

4. L'Occitanie est connue pour son industrie _____.

5. Le célèbre explorateur océanographique _____ vient de la région Nouvelle-Aquitaine.

2 Assimilez Répondez aux questions.

1. Connaissez-vous déjà ces deux régions? Quels produits culturels viennent de ces régions? Quelles traditions y sont pratiquées?

2. Pourquoi les populations de ces deux régions ont-elles diverses cultures distinctes?

3. À votre avis, comment la proximité de ces régions à l'Espagne influence-t-elle la culture locale?

4. Quelles différences culturelles et historiques existent entre le sud de la France et le nord de la France? Pourquoi?

La gastronomie

La truffe noire du Périgord

La truffe° noire du Périgord, dans le nord de la Nouvelle-Aquitaine, est célèbre dans le monde entier. Les truffes poussent° dans le sol° près des arbres, et on utilise des chiens ou cochons° truffiers pour les trouver. Chaque année, la Nouvelle-Aquitaine produit entre huit et neuf tonnes de truffes, qui sont vendues aux marchés de truffes de la région. La truffe noire du Périgord coûte très cher, environ 650–700 euros le kilo, et c'est pour cela qu'on l'appelle «le diamant noir».

▷ Les monuments

Les arènes de Nîmes

Inspirées du Colisée de Rome, les arènes° de Nîmes, en Occitanie, datent de la fin du premier siècle. C'est l'amphithéâtre le plus grand de France et le mieux conservé de l'ère° romaine. Les spectacles de gladiateurs d'autrefois°, appréciés par plus de 20.000 spectateurs, sont aujourd'hui remplacés° par des corridas° et des spectacles musicaux. Chaque année, la ville de Nîmes accueille plus de 500.000 visiteurs.

Le sport

La pelote basque

L'origine de la pelote est ancienne°: on retrouve des versions du jeu chez les Mayas, les Grecs et les Romains. C'est au Pays Basque, à la frontière° entre la France et l'Espagne, en Nouvelle-Aquitaine, que le jeu se transforme en véritable sport. La pelote basque existe sous sept formes différentes; le principe de base est de lancer° une balle en cuir°, la «pelote», contre un mur avec la «paleta», une raquette en bois°, et le «chistera», un grand gant en osier°.

Les traditions

La langue d'Oc

La langue d'Oc (l'occitan) est une langue romane° développée dans le sud de la France. Cette langue a donné son nom à la région: Occitanie. La poésie lyrique occitane et la philosophie des troubadours° du Moyen Âge° influencent les valeurs° culturelles et intellectuelles européennes. Il existe plusieurs dialectes de l'occitan. «Los cats fan pas de chins» (les chats ne font pas des chiens) et «la bornicarié porta pas pa a casa» (la beauté n'apporte pas de pain à la maison) sont deux proverbes occitans connus.

INCROYABLE MAIS VRAI!

Appelée parfois «la chapelle Sixtine préhistorique», la grotte° de Lascaux, en Nouvelle-Aquitaine, est décorée de 1.500 gravures° et de 600 peintures°, vieilles de plus de 17.000 ans. En 1940, quatre garçons découvrent° ce sanctuaire. Les fresques, composées de plusieurs animaux, ont jusqu'à ce jour une signification mystérieuse.

truffe *truffle* **poussent** *grow* **sol** *soil* **cochons** *pigs* **arènes** *amphitheaters* **ère** *era* **autrefois** *long ago* **remplacés** *replaced* **corridas** *bullfights* **ancienne** *ancient* **frontière** *border* **lancer** *throw* **cuir** *leather* **bois** *wood* **osier** *wicker* **langue romane** *Romance language* **troubadours** *minstrels* **Moyen Âge** *Middle Ages* **valeurs** *values* **grotte** *cave* **gravures** *carvings* **peintures** *paintings* **découvrent** *discover*

---

3 **Vous avez compris?** Répondez aux questions.

1. Qu'est-ce qu'on utilise pour trouver les truffes noires?
2. Comment est-ce qu'on utilise les arènes de Nîmes aujourd'hui?
3. Qu'est-ce que la pelote basque?
4. Qu'est-ce qui a influencé les valeurs européennes au Moyen Âge?
5. Qu'est-ce qui est appelé «la chapelle Sixtine préhistorique»? Où se trouve ce site?

4 **Thèmes** Par groupes de trois, choisissez un des quatre thèmes présentés et considérez ses origines. Qui sont les personnes impliquées? Ensuite, expliquez pourquoi cet élément culturel est toujours courant. Quelle est son importance aujourd'hui? Quelles idées, valeurs et attitudes sont liées à ce thème? Présentez vos résultats à la classe.

A C T I V I T É S

I CAN identify and reflect on cultural products and practices of New Aquitaine and Occitanie.

Leçon 10A

La routine

faire sa toilette *to wash up*
se brosser les cheveux/dents *to brush one's hair/teeth*
se coiffer *to do one's hair*
se coucher *to go to bed*
se déshabiller *to undress*
s'endormir *to go to sleep, to fall asleep*
s'habiller *to get dressed*
se laver (les mains) *to wash oneself (one's hands)*
se lever *to get up, to get out of bed*
se maquiller *to put on makeup*
prendre une douche *to take a shower*
se raser *to shave oneself*
se regarder *to look at oneself*
se réveiller *to wake up*
se sécher *to dry oneself*
un réveil *alarm clock*

Le corps

la bouche *mouth*
un bras *arm*
le coeur *heart*
le corps *body*
le cou *neck*
un doigt *finger*
un doigt de pied *toe*
le dos *back*
un genou (genoux pl.) *knee (knees)*
la gorge *throat*
une jambe *leg*
une joue *cheek*
le nez *nose*
un oeil (yeux pl.) *eye (eyes)*
une oreille *ear*
un orteil *toe*
la peau *skin*
un pied *foot*
la poitrine *chest*
la taille *waist*
la tête *head*
le ventre *stomach*
le visage *face*

Dans la salle de bains

une brosse (à cheveux, à dents) *brush (hairbrush, toothbrush)*
la crème à raser *shaving cream*
le dentifrice *toothpaste*
le maquillage *makeup*
une pantoufle *slipper*
un peigne *comb*
un rasoir *razor*
le savon *soap*
une serviette (de bain) *(bath) towel*
le shampooing *shampoo*

Expressions utiles

See p. 375.

Verbes pronominaux

s'amuser *to play, to have fun*
s'appeler *to be called*
s'arrêter *to stop*
s'asseoir *to sit down*
se dépêcher *to hurry*
se détendre *to relax*
se disputer (avec) *to argue (with)*
s'énerver *to get worked up, to become upset*
s'ennuyer *to get bored*
s'entendre bien (avec) *to get along well (with)*
s'inquiéter *to worry*
s'intéresser (à) *to be interested (in)*
se mettre à *to begin to*
se mettre en colère *to become angry*
s'occuper (de) *to take care of, to keep oneself busy*
se préparer *to get ready*
se promener *to take a walk*
se rendre compte *to realize*
se reposer *to rest*
se souvenir (de) *to remember*
se tromper *to be mistaken*
se trouver *to be located*

Leçon 10B

La santé

aller aux urgences/à la pharmacie *to go to the emergency room/ to the pharmacy*
avoir mal *to have an ache*
avoir mal au coeur *to feel nauseous*
enfler *to swell*
éternuer *to sneeze*
être en bonne/mauvaise santé *to be in good/bad health*
éviter de *to avoid*
faire mal *to hurt*
faire une piqûre *to give a shot*
fumer *to smoke*
guérir *to get better*
se blesser *to hurt oneself*
se casser (la jambe/le bras) *to break one's (leg/arm)*
se faire mal (à la jambe, au bras...) *to hurt one's (leg, arm...)*
se fouler la cheville *to twist/sprain one's ankle*
se porter mal/mieux *to be ill/better*
se sentir *to feel*
tomber/être malade *to get/to be sick*
tousser *to cough*
une allergie *allergy*
une aspirine *aspirin*
une blessure *injury, wound*
un(e) dentiste *dentist*
une douleur *pain*
la fièvre (avoir de la fièvre) *fever (to have a fever)*
la grippe *flu*
un infirmier/une infirmière *nurse*
un médicament (contre/pour) *medication (to prevent/for)*
une ordonnance *prescription*
un(e) patient(e) *patient*
un(e) pharmacien(ne) *pharmacist*
une pilule *pill*
un rhume *cold*
la salle des urgences *emergency room*
un symptôme *symptom*
déprimé(e) *depressed*
enceinte *pregnant*
grave *serious*
sain(e) *healthy*

La forme

être en pleine forme *to be in good shape*
faire de l'exercice *to exercise*
garder la ligne *to stay slim*

Expressions utiles

See p. 393.

The pronouns *y* and *en*

y *there; it*
en *some; any; (replaces prepositional phrases beginning with **de**)*
Il y en a *There are (some)*

🔊 Communicative Goals: Review

I CAN discuss daily routines and personal hygiene.
- Describe what you did this morning to get ready for the day.

I CAN talk about illness, injury, and healthcare.
- Write an encouraging email to a friend who is recovering from an illness.

I CAN investigate healthcare in francophone communities.
- Describe a francophone cultural product or practice related to healthcare and compare the perspectives around it to attitudes in your own culture.

La technologie

Communicative Goals

You will learn how to:

- Discuss electronics and vehicles
- Express reciprocal actions
- Investigate technology in francophone communities

Pour commencer

- Qu'est-ce qu'il y a sur la photo?
  a. des ordinateurs   b. des smartphones
  c. des logiciels
- Comment est-ce que vous restez en contact avec vos amis? Et votre famille?
- Quelles technologies utilisez-vous tous les jours?
- Que faites-vous avec ces technologies?

Leçon 11A

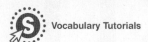

Vocabulary Tutorials

Le son et l'image

Vocabulaire

s'abonner (à)	*to follow; to subscribe (to)*
(to) allumer	*to turn on*
brancher	*to plug in, to connect*
composer (un numéro)	*to dial (a number)*
démarrer	*to start up*
effacer	*to erase*
enregistrer	*to record*
éteindre	*to turn off*
être connecté(e) (avec)	*to be connected (to)*
être en ligne (avec)	*to be online/on the phone (with)*
faire défiler	*to scroll*
fermer	*to close; to shut off*
fonctionner/marcher	*to function, to work*
imprimer	*to print*
recharger	*to charge*
sauvegarder	*to save*
surfer sur Internet	*to surf the Internet*
télécharger	*to download*
un appareil photo (numérique)	*(digital) camera*
une batterie faible/déchargée	*low/dead battery*
une chaîne (de télévision)	*(television) channel*
une clé/une prise USB	*USB drive/port*
un e-mail	*e-mail*
un fichier	*file*
un identifiant/ un mot de passe	*username/ password*
un jeu vidéo (jeux vidéo *pl.*)	*video game(s)*
un lien	*link*
un logiciel	*software, program*
une page d'accueil	*home page*
un réseau (social)	*(social) network*
un site Internet/web	*web site*
un smartphone	*smartphone*
un texto/SMS	*text message*

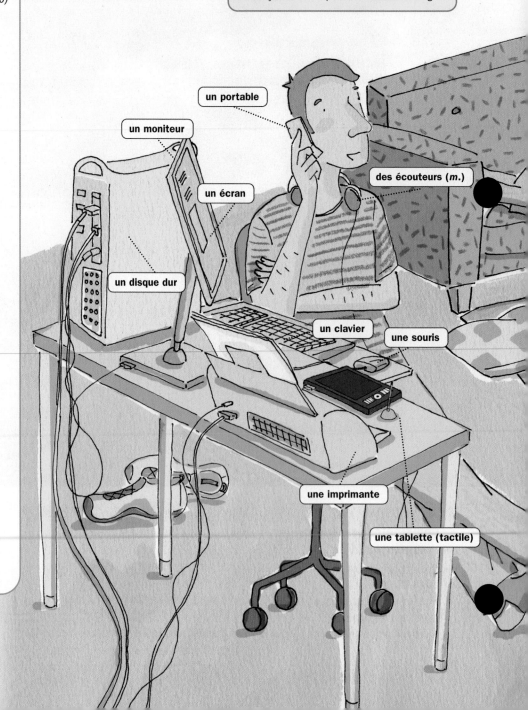

un portable

un moniteur

des écouteurs (*m.*)

un écran

un disque dur

un clavier

une souris

une imprimante

une tablette (tactile)

Mise en pratique

1 **Écoutez** Écoutez la conversation entre Jérôme et l'employée d'une boutique informatique-photo. Ensuite, complétez les phrases suivantes.

1. Jérôme a pris des photos avec...
   a. une tablette.
   b. un smartphone.
   c. un appareil photo.

2. Jérôme voudrait (*would like*)...
   a. imprimer et envoyer ses photos.
   b. sauvegarder ses photos sur son disque dur.
   c. effacer ses photos.

3. Jérôme n'a pas... pour regarder ses photos.
   a. de télécommande adaptée
   b. de logiciel adapté
   c. de mot de passe adapté

4. Jérôme peut sélectionner les photos...
   a. par un clic de la souris.
   b. sur l'écran tactile.
   c. avec le clavier.

5. L'employée propose à Jérôme...
   a. de faire fonctionner le logiciel.
   b. de sauvegarder les photos sur une clé USB.
   c. d'utiliser une imprimante noir et blanc.

6. Pour envoyer les photos, Jérôme doit...
   a. aller sur un site Internet.
   b. utiliser un logiciel spécial.
   c. les envoyer par e-mail.

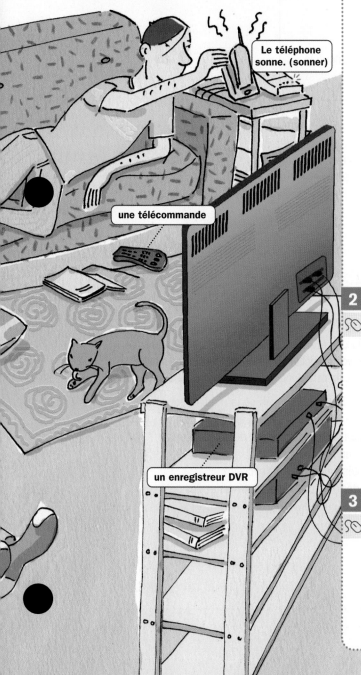

Le téléphone sonne. (sonner)

une télécommande

un enregistreur DVR

2 **Association** Faites correspondre les activités de la colonne de gauche aux objets correspondants de la colonne de droite.

1. enregistrer un match télévisé   a. une batterie déchargée
2. protéger ses e-mails   b. un appareil photo
3. parler avec un ami à tout moment   c. un mot de passe
4. jouer sur l'ordinateur   d. un jeu vidéo
5. cliquer sur un lien   e. un enregistreur DVR
6. écouter de la musique   f. un portable
7. recharger   g. des écouteurs
8. prendre des photos   h. une souris

3 **Chassez l'intrus** Choisissez le mot ou l'expression qui ne va pas avec les autres.

1. un lien, une page d'accueil, un site web, un texto
2. sonner, démarrer, un portable, un smartphone
3. une souris, un clavier, un moniteur, une chaîne de télévision
4. brancher, démarrer, sonner, allumer
5. un fichier, sauvegarder, une télécommande, effacer
6. un site web, être en ligne, télécharger, composer

CONTEXTES

Communication

4 **Qui fait quoi?** Avec un(e) partenaire, formez des questions à partir de la liste d'expressions et de mots suivants. Ensuite, à tour de rôle, posez vos questions à votre partenaire afin d'en savoir plus sur ses habitudes par rapport à la technologie.

> **MODÈLE**
>
> **Étudiant(e) 1:** *À qui est-ce que tu envoies des e-mails?*
>
> **Étudiant(e) 2:** *J'envoie des e-mails à mes professeurs pour les devoirs et à mes amis qui sont loin d'ici.*

A	B	C
à qui	toi	être en ligne
combien de	tes parents	télécharger
comment	tes grands-parents	un e-mail
où	ton professeur de français	un texto
pour qui	ta sœur	un site web
pourquoi	tes amis	recharger
quand	les autres étudiants	un appareil photo numérique
quel(le)(s)	les enfants	un jeu vidéo

5 **Mots croisés** Votre professeur va vous donner, à vous et à votre partenaire, une grille de mots croisés (*crossword puzzle*) incomplète. Votre partenaire a les mots qui vous manquent, et vice versa. Donnez-lui une définition et des exemples pour compléter la grille. Attention! N'utilisez pas le mot recherché.

> **MODÈLE**
>
> **Étudiant(e) 1:** *Horizontalement (Across), le numéro 1, c'est ce que tu fais pour mettre ton fichier Internet sur ton disque dur.*
>
> **Étudiant(e) 2:** *Télécharger!*

6 **La technologie d'hier et d'aujourd'hui**
Avec un(e) partenaire, imaginez que vous ayez (*are having*) une conversation avec une personne célèbre du passé. Vous parlez de l'évolution de la technologie et, bien sûr, cette personne est choquée de voir (*see*) les appareils électroniques du 21e siècle (*century*).

- Choisissez trois ou quatre appareils différents.
- Demandez/Donnez une définition pour chaque objet.
- Demandez/Expliquez comment utiliser chaque appareil.
- Demandez quels sont les points positifs et négatifs de chaque appareil, et expliquez-les.

7 **La médiathèque** Travaillez avec un(e) partenaire pour créer une brochure pour une médiathèque. Ensuite, présentez votre brochure à la classe. Utilisez les mots et les expressions de cette leçon et mentionnez ces informations:

- nom, adresse et horaires de la médiathèque
- nombre et type d'appareils électroniques
- description des services et des collections de différents médias
- activités interdites (*not allowed*)
- liste des services gratuites (*free*) et des services payants (*paid*) avec leurs prix

---

I CAN describe communication methods and electronics.

Les sons et les lettres 🔊 Ⓢ Pronunciation Tutorial
Record & Compare

Final consonants

You already learned that final consonants are usually silent, except for the letters **c**, **r**, **f**, and **l**.

avec	**hive**r	**che**f	**hôte**l

You've probably noticed other exceptions to this rule. Often, such exceptions are words borrowed from other languages. These final consonants are pronounced.

Latin	*English*	*Inuit*	*Latin*
forum	**sno**b	**anora**k	**ga**z

Numbers, geographical directions, and proper names are common exceptions.

cinq	**su**d	**Agnè**s	**Maghre**b

Some words with identical spellings are pronounced differently to distinguish between meanings or parts of speech.

fils = *son*	**fil**s̶ = *threads*
tous (pronoun) = *everyone*	**tou**s̶ (adjective) = *all*

The word **plus** can have three different pronunciations.

plus̶ **de** (silent s)　　**plus que** (s sound)　　**plus‿ou moins** (z sound in liaison)

🗣 **Prononcez** Répétez les mots suivants à voix haute.

1. cap	4. club	7. strict	10. Alfred
2. six	5. slip	8. avril	11. bifteck
3. truc	6. actif	9. index	12. bus

🗣 **Articulez** Répétez les phrases suivantes à voix haute.

1. Leur fils est gentil, mais il est très snob.
2. Au restaurant, nous avons tous pris du bifteck.
3. Le sept août, David assiste au forum sur le Maghreb.
4. Alex et Ludovic jouent au tennis dans un club de sport.
5. Prosper prend le bus pour aller à l'est de la ville.

🗣 **Dictons** Répétez les dictons à voix haute.

Un pour tous, tous pour un![2]

Plus on boit, plus on a soif.[1]

[1] The more you drink, the thirstier you are.

[2] All for one and one for all!

ROMAN-PHOTO

C'est qui, Cyberhomme?

Video: *Roman-photo*
Record & Compare

PERSONNAGES

Amina

David

Rachid

Sandrine

Valérie

Chez David et Rachid...

RACHID Dis donc, David! Un peu de silence. Je n'arrive pas à travailler!

DAVID Qu'est-ce que tu dis?

RACHID Je dis que je ne peux pas me concentrer! La télé est allumée, tu ne la regardes même pas, et en même temps, la chaîne stéréo fonctionne et tu ne l'écoutes pas!

DAVID Oh, désolé, Rachid.

RACHID Ah, on arrive enfin à s'entendre parler et à s'entendre réfléchir! À quoi est-ce que tu joues?

DAVID Un jeu vidéo génial!

RACHID Tu n'étudies pas? Tu n'avais pas une dissertation à faire? Lundi, c'est dans deux jours!

DAVID Okay. Je la commence.

Au café...

SANDRINE Tu as un autre e-mail de Cyberhomme? Qu'est-ce qu'il dit?

AMINA Oh, il est super gentil, écoute: «Chère Technofemme, je ne sais pas comment te dire combien j'adore lire tes messages. On s'entend si bien et on a beaucoup de choses en commun. J'ai l'impression que toi et moi, on peut tout se dire.»

Chez David et Rachid...

DAVID Et voilà! J'ai fini ma dissert', Rachid.

RACHID Bravo!

DAVID Maintenant, je l'imprime.

RACHID N'oublie pas de la sauvegarder.

DAVID Oh, non!

RACHID Tu n'as pas sauvegardé?

DAVID Si, mais... Attends... le logiciel redémarre. Ce n'est pas vrai! Il a effacé les quatre derniers paragraphes! Oh non!

RACHID Téléphone à Amina. C'est une pro de l'informatique. Peut-être qu'elle peut retrouver la dernière version de ton fichier.

DAVID Au secours, Amina! J'ai besoin de tes talents.

Un peu plus tard...

AMINA Ça y est, David. Voilà ta dissertation.

DAVID Tu me sauves la vie!

AMINA Ce n'était pas grand-chose, mais tu sais, David, il faut sauvegarder au moins toutes les cinq minutes pour ne pas avoir de problème.

DAVID Oui. C'est idiot de ma part.

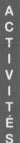

A C T I V I T É S

1 **Vrai ou faux?** Indiquez si les phrases sont vraies ou fausses.

1. David regarde la télévision avec beaucoup d'attention.
2. David sauvegarde ses documents toutes les cinq minutes.
3. Amina sait beaucoup de choses à propos de la technologie.
4. Amina et Cyberhomme décident de se rencontrer.

2 **Questions** Répondez aux questions par des phrases complètes.

1. Pourquoi Rachid se met-il en colère?
2. Est-ce qu'Amina s'entend bien avec Cyberhomme?
3. Que pense Valérie de la possibilité d'un rendez-vous avec Cyberhomme?
4. Qu'est-ce que Rachid fait pendant que David joue au jeu vidéo et écrit sa dissertation?

Amina découvre l'identité de son ami virtuel.

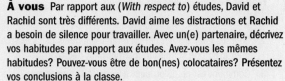

SANDRINE Il est adorable, ton Cyberhomme! Continue! Est-ce qu'il veut te rencontrer en personne?

VALÉRIE Qui vas-tu rencontrer, Amina? Qui est ce Cyberhomme?

SANDRINE Amina l'a connu sur Internet. Ils s'écrivent depuis longtemps, n'est-ce pas, Amina?

AMINA Oui, mais comme je te l'ai déjà dit, je ne sais pas si c'est une bonne idée de se rencontrer en personne. S'écrire des e-mails, c'est une chose; se donner rendez-vous, ça peut être dangereux.

VALÉRIE Amina a raison, Sandrine. On ne sait jamais.

SANDRINE Mais il est si charmant et tellement romantique...

RACHID Merci, Amina. Tu me sauves la vie aussi. Peut-être que maintenant je vais pouvoir me concentrer.

AMINA Ah? Et tu travailles sur quoi? Ce n'est pas possible!... C'est toi, Cyberhomme?!

RACHID Et toi, tu es Technofemme?!

DAVID Évidemment, tu me l'as dit toi-même: Amina est une pro de l'informatique.

Expressions utiles

Expressing how you communicate with others

- **On arrive enfin à s'entendre parler!**
  We can finally hear each other speak!
- **On s'entend si bien.**
  We get along so well.
- **On peut tout se dire.**
  We can tell each other everything.
- **Ils s'écrivent depuis longtemps.**
  They've been writing to each other for quite a while.
- **S'écrire des e-mails, c'est une chose; se donner rendez-vous, ça peut être dangereux.**
  Writing each other e-mails, that's one thing; arranging to meet, that can be dangerous.

Additional vocabulary

- **se rencontrer**
  to meet each other
- **On ne sait jamais.**
  You/One never know(s).
- **Au secours!**
  Help!
- **C'est idiot de ma part.**
  It's stupid of me.
- **une dissertation**
  paper
- **pas grand-chose**
  not much
- **une chaîne stéréo**
  stereo system

---

3 **Réfléchissez** Répondez aux questions.

1. Aimez-vous écoutez de la musique pendant que vous travaillez, ou est-ce que vous avez besoin de silence pour vous concentrer?

2. Avez-vous des ami(e)s que vous avez connu(e)s sur Internet? Vous êtes-vous déjà rencontré(e)s en personne? Expliquez.

3. Pourquoi est-ce qu'Amina hésite à rencontrer Cyberhomme en personne? Comparez son point de vue aux attitudes présentes dans votre culture.

4 **À vous** Par rapport aux (*With respect to*) études, David et Rachid sont très différents. David aime les distractions et Rachid a besoin de silence pour travailler. Avec un(e) partenaire, décrivez vos habitudes par rapport aux études. Avez-vous les mêmes habitudes? Pouvez-vous être de bon(nes) colocataires? Présentez vos conclusions à la classe.

I CAN understand short conversations about technology.

A C T I V I T É S

CULTURE À LA LOUPE

La technologie et les Français

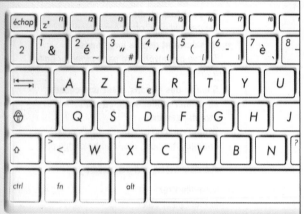

un clavier AZERTY

Connexions

Le clavier AZERTY est utilisé en France, en Belgique et dans certains pays africains. Son nom vient des six premières lettres des touches (*keys*). Ce clavier donne un accès facile aux lettres accentuées de la langue française, ainsi qu'à certains caractères supplémentaires comme le symbole euro.

- Quels autres types de claviers existent? Quels facteurs influencent son choix de clavier? Expliquez.

Pendant les années 1980, la technologie a connu une grande évolution. En France, cette révolution technologique a commencé par l'invention du Minitel, développé par France Télécom, l'ancienne° compagnie nationale française de téléphone, au début des années 1980. Le Minitel peut être considéré comme le prédécesseur d'Internet. Aujourdhui, la plupart° des Français sont équipés chez eux d'un ordinateur et d'une connexion haut débit°. Les Français ont le choix, pour ce haut débit, entre la connexion par câble, l'ADSL° ou la fibre optique. L'autre manière° de se connecter à Internet, bien sûr, est avec son smartphone ou sa tablette. Tout ce dont on a besoin est un abonnement° avec un opérateur téléphonique français ou international. On peut ensuite accéder à l'Internet grâce au réseau mobile en 3G/4G ou à un des «hotspots» de wi-fi gratuit qui existent dans beaucoup de cafés, parcs, gares et autres lieux publics.

En ce qui concerne les autres appareils électroniques à la mode, on note une augmentation des achats° de consoles de jeux vidéo, de tablettes tactiles, d'appareils photos numériques et de produits périphériques° pour les ordinateurs, comme les imprimantes et les écouteurs. Mais l'appareil qui a connu le plus grand succès en France, c'est sans doute le téléphone portable. Aujourd'hui, presque tous les Français en possèdent un.

ancienne *former* **plupart** *majority* **haut débit** *high-speed* **ADSL** *DSL* **ceux** *those* **manière** *way*
abonnement *subscription* **achats** *purchases* **périphériques** *periphal*

A C T I V I T É S

1 Répondez Répondez aux questions.

1. Quelle invention française est le prédécesseur d'Internet?
2. Pour les Français qui ont un ordinateur, quels choix existent pour avoir une connexion Internet haut débit?
3. Comment est-ce qu'on peut accéder à l'Internet avec son smartphone?
4. Quel appareil a connu le plus grand succès en France?

2 Considérez Répondez aux questions.

1. Pensez-vous que l'accès à une connexion Internet est une nécessité absolue? Expliquez.
2. Est-ce qu'il y a beaucoup de «hotspots» de wi-fi gratuit dans votre communauté? Trouvez des informations pour votre pays et comparez-les aux chiffres pour d'autres pays francophones.
3. Quelles situations et valeurs pourraient (*might*) expliquer la présence (ou l'absence) des points d'accès wi-fi gratuit dans une communauté?

STRATÉGIE

The purpose of a text

When you are faced with an unfamiliar text, it is important to determine the writer's purpose. If you are reading an editorial in a newspaper, for example, you know that the journalist's objective is to persuade you of his or her point of view. Identifying the purpose of a text will help you better comprehend its meaning. Scan the **Portrait** article on this page. Is the author expressing an opinion? What might the purpose of the article be?

LE MONDE FRANCOPHONE

Quelques stations de radio francophones

Voici quelques radios francophones en ligne.

En Afrique

Africa 1 radio africaine qui propose des actualités et beaucoup de musique africaine (africaradio.com)

En Belgique

Classic 21 radio pour les jeunes qui passe° de la musique rock et propose des emplois° pour les étudiants (rtbf.be/classic21)

En France

NRJ radio privée nationale pour les jeunes qui passe tous les grands tubes° (nrj.fr)

En Suisse

Fréquence Banane radio universitaire de Lausanne (frequencebanane.ch)

passe *plays* **emplois** *jobs* **tubes** *hits*

PORTRAIT

La fusée Ariane

Après la Seconde Guerre mondiale°, la conquête de l'espace° s'est amplifiée. Les Russes et les Américains progressent très rapidement dans leurs programmes spatiaux, ce qui leur donne accès à de nouvelles perspectives, principalement dans les domaines de la physique et de l'astronomie. En Europe, le premier programme spatial, le programme Europa, n'a pas bien marché et a été abandonné. En 1973, afin de ne pas dépendre des autres puissances spatiales pour mettre des satellites en orbite, l'Agence spatiale européenne, sur la base de travaux de scientifiques français, a proposé un nouveau programme spatial, le projet Ariane, qui a eu, lui, un succès considérable. La fusée° Ariane est un lanceur° civil européen de satellites: la première fusée du programme, Ariane 1, a été lancée en 1979 depuis la base de Kourou, en Guyane française, une région d'outre-mer° située en Amérique du Sud. Elle transporte des satellites commerciaux dans l'espace. Depuis, il y a eu plusieurs générations de fusées. Fin 2016, Ariane 5 a connu un nouveau succès et a placé sur orbite deux satellites de télécommunication destinés à l'Inde et à l'Australie. En décembre 2014, l'Agence spatiale européen a pris la décision de fabriquer l'Ariane 6 avec l'intention de remplacer progressivement l'Ariane 5. En 2017, l'entreprise ArianeGroupe a commencé la phase de production du nouveau lanceur.

Seconde Guerre mondiale *World War II* **espace** *space* **fusée** *rocket* **lanceur** *launcher* **outre-mer** *overseas*

---

3 **Complétez** Complétez les phrases d'après les textes.

1. La radio privée nationale française destinée aux jeunes s'appelle _____.

2. En Suisse, beaucoup d'étudiants apprécient la radio _____.

3. Le premier programme spatial européen s'appelait _____.

4. La fusée Ariane est le _____ européen.

4 **À vous...** Avec un(e) partenaire, choisissez une des stations de radio présentées dans **Le monde francophone** et écoutez-la pendant quelques heures. Réfléchissez sur votre compréhension de la langue française et considérez vos progrès jusqu'à maintenant. Quels objectifs espérez-vous atteindre d'ici à la fin du semestre? Partagez vos pensées avec la classe.

A C T I V I T É S

I CAN identify and reflect on cultural products and practices related to technology.

STRUCTURES

11A.1 Prepositions with the infinitive  Grammar Tutorial

Point de départ Infinitive constructions, where the first verb is conjugated and the second verb is an infinitive, are common in French.

CONJUGATED VERB   INFINITIVE

Vous **pouvez**   **fermer** le document.
You can   *close the document.*

- Some conjugated verbs are followed directly by an infinitive. Others are followed by the preposition **à** or **de** before the infinitive.

verbs followed directly by infinitive	verbs followed by à before infinitive		verbs followed by de before infinitive	
adorer	aider à		arrêter de	*to stop*
aimer	s'amuser à	*to pass time by*	décider de	*to decide to*
aller	apprendre à		éviter de	
détester	arriver à	*to manage to*	finir de	
devoir	commencer à		s'occuper de	*to take care of, to see to*
espérer	continuer à		oublier de	
pouvoir	hésiter à	*to hesitate to*	permettre de	
préférer	se préparer à		refuser de	*to refuse to*
savoir	réussir à		rêver de	*to dream about/of*
vouloir			venir de	*to have just*

Nous **allons manger** à midi.
We are going to eat at noon.

Elle **a appris à conduire** une voiture.
She learned to drive a car.

Il **rêve de visiter** l'Afrique.
He dreams of visiting Africa.

- Place object pronouns before infinitives. Unlike definite articles, they do not contract with the prepositions **à** and **de**.

J'ai décidé de les télécharger.
I decided to download them.

Il **est arrivé à lui donner** l'argent.
He managed to give him the money.

N'**oublie** pas **de l'éteindre.**
Don't forget to turn it off.

Elle **continue à t'envoyer** des e-mails?
Does she continue to send you e-mails?

- The infinitive is also used after the prepositions **pour** and **sans**.

Nous sommes venus **pour t'aider.**
We came to help you.

Elle part **sans manger.**
She's leaving without eating.

Il a téléphoné **pour dire** bonjour.
He called to say hello.

Ne fermez pas le fichier **sans le sauvegarder.**
Don't close the file without saving it.

Essayez! Décidez s'il faut ou non une préposition. S'il en faut une, choisissez entre **à** et **de**.

1. Tu sais __Ø__ cuisiner.
2. Commencez _____ travailler.
3. Tu veux _____ goûter la soupe?
4. Allez-vous vous occuper _____ vos chiens?
5. J'espère _____ avoir mon diplôme cette année.
6. Elles vont _____ revenir.
7. Je finis _____ mettre la table.
8. Il hésite _____ me poser la question.
9. Marc continue _____ lui parler.
10. Arrête _____ m'énerver!

Football? Jeux? Musique? Films et séries?

Vous avez toujours rêvé de posséder un ordinateur comme ça. Vous vouliez l'acheter, et vous venez de l'allumer. Maintenant, vous commencez à vous rendre compte de ses possibilités. N'hésitez pas à en profiter. En tout confort.

Identifiez Quels verbes trouvez-vous devant un infinitif dans le texte de cette publicité (*ad*)? Lesquels (*Which ones*) prennent une préposition? Quelle préposition?

 Questions À tour de rôle avec un(e) partenaire, posez-vous ces questions.

1. As-tu toujours rêvé de posséder quelque chose? De faire quelque chose? Explique.

2. Que veux-tu acheter en ce moment? Pourquoi?

3. D'habitude, qu'hésites-tu à faire?

4. La technologie peut-elle vraiment apporter le confort?

5. Qu'as-tu commencé à faire grâce à (*thanks to*) la technologie? Qu'as-tu arrêté de faire à cause de la technologie?

6. Y a-t-il quelqu'un dans ta famille qui évite d'utiliser la technologie? Qui? Pourquoi?

STRUCTURES

Mise en pratique

1 **Les vacances** Paul veut voyager cet été. Il vous raconte ses problèmes. Complétez le paragraphe avec les prépositions **à** ou **de**, si nécessaire.

Je n'arrive pas (1) _____ décider où partir en vacances. Je veux (2) _____ visiter un pays chaud et ensoleillé (*sunny*). J'espère (3) _____ trouver des billets d'avion pour la Martinique. Cet après-midi, je me suis amusé (4) _____ regarder les prix des billets d'avion sur Internet. Je n'ai pas réussi (5) _____ trouver un bon tarif (*fare*). Je vais continuer (6) _____ chercher. J'hésite (7) _____ payer plein tarif mais je refuse (8) _____ voyager en stand-by.

2 **Questionnaire** Vous cherchez un travail d'été. Complétez les questions avec les prépositions **à** ou **de**, quand c'est nécessaire.

1. Vous savez _____ parler plusieurs langues?
2. Vous acceptez _____ voyager souvent?
3. Vous n'hésitez pas _____ travailler tard?
4. Vous oubliez _____ répondre au téléphone?
5. Vous pouvez _____ travailler le week-end?
6. Vous commencez _____ travailler immédiatement?
7. Vous préférez _____ communiquer par e-mail?
8. Vous oubliez _____ recharger votre portable?

3 **Le week-end dernier** Sophie et ses copains ont fait beaucoup de choses le week-end dernier. Regardez les illustrations et dites ce qu'ils (*what they*) ont fait.

▶ **MODÈLE**

J'ai décidé de conduire.

je / décider

1. nous / devoir   **2.** elles / apprendre   **3.** André / refuser   **4.** vous / aider

_____

5. tu / s'amuser   **6.** mes cousins / éviter   **7.** Sébastien / continuer   **8.** il / finir

_____

Communication

4 **Assemblez** Avez-vous eu de bonnes ou de mauvaises expériences avec la technologie? À tour de rôle, avec un(e) partenaire, assemblez les éléments des colonnes pour créer des phrases logiques.

MODÈLE

Étudiant(e) 1: *Je déteste télécharger des logiciels.*
Étudiant(e) 2: *Chez moi, ma mère n'arrive pas à envoyer des e-mails.*

A	B	C	D
mère		aimer	composer
mon père		arriver	effacer
mon frère		décider	envoyer
ma sœur		détester	éteindre
mes copains		hésiter	être en ligne
mon petit ami	(ne pas)	oublier	fermer
ma petite amie		refuser	brancher
notre prof		réussir	ouvrir
nous		savoir	sauvegarder
?		?	télécharger

5 **Les voyages** Vous et votre partenaire bavardez sur le web. Utilisez ces éléments pour vous poser des questions. Prenez des notes, puis partagez vos réponses les plus intéressantes avec la classe.

MODÈLE

aimer / faire des voyage
Étudiant(e) 1: *Aimes-tu faire des voyages?*
Étudiant(e) 2: *Oui, j'aime faire des voyages. J'aime faire la connaissance de beaucoup de personnes.*

1. rêver / aller au Japon
2. vouloir / visiter des pays lointains (*faraway*)
3. préférer / voyager avec un groupe ou seul(e)
4. commencer / lire des articles de blog
5. réussir / trouver des jeux vidéo bon marché
6. aimer / rencontrer des amis sur le web
7. hésiter / visiter un pays où on n'a pas de wi-fi
8. apprendre / programmer des sites web
9. s'occuper / brancher des écouteurs

6 **Une pub** Par groupes de trois, préparez une publicité pour École-dinateur, une école qui enseigne l'informatique aux technophobes. Utilisez le plus de verbes possible de la liste avec un infinitif.

MODÈLE

Rêvez-vous d'écrire des e-mails? Continuez-vous à travailler comme vos grands-parents? Alors...

s'abonner	apprendre	éviter	oublier	rêver
aimer	arriver	espérer	refuser	savoir
s'amuser	continuer	hésiter	réussir	vouloir

I CAN express complex actions.

STRUCTURES

11A.2

Reciprocal reflexives  Grammar Tutorial

Point de départ In **Leçon 10A**, you learned that reflexive verbs indicate that the subject of a sentence does the action to itself. Reciprocal reflexives, on the other hand, express a shared or reciprocal action between two or more people or things. In this context, the pronoun means *(to) each other* or *(to) one another*.

Il **se regarde** dans le miroir.
He looks at himself in the mirror.

Alain et Diane **se regardent**.
Alain and Diane look at each other.

Common reciprocal verbs

s'adorer	*to adore one another*	**s'entendre bien**	*to get along well (with one another)*
s'aider	*to help one another*		
s'aimer (bien)	*to love (like) one another*	**se parler**	*to speak to one another*
se connaître	*to know one another*	**se quitter**	*to leave one another*
se dire	*to tell one another*	**se regarder**	*to look at one another*
se donner	*to give one another*	**se rencontrer**	*to meet one another (make an acquaintance)*
s'écrire	*to write one another*		
s'embrasser	*to kiss one another*	**se retrouver**	*to meet one another (planned)*
		se téléphoner	*to phone one another*

> **Boîte à outils**
>
> The pronouns **nous**, **vous**, and **se** are used to reflect reciprocal actions.

Annick et Joël **s'écrivent** tous les jours.
Annick and Joël write one another every day.

Vous **vous donnez** souvent rendez-vous le lundi?
Do you often arrange to meet each other on Mondays?

Nous **nous retrouvons** devant le métro à midi.
We're meeting each other in front of the subway at noon.

Vous embrassez-vous devant vos parents?
Do you kiss each other in front of your parents?

- The past participle of a reciprocal verb agrees with the subject only when the subject is also the direct object of the verb.

DIRECT OBJECT
Marie a aidé **son frère**.
Marie helped her brother.

DIRECT OBJECT → AGREEMENT
Marie et son frère **se** sont **aidés**.
Marie and her brother helped each other.

DIRECT OBJECT
Son frère a aidé **Marie**.
Her brother helped Marie.

INDIRECT OBJECT
Régine a parlé à **Sophie**.
Régine spoke to Sophie.

INDIRECT OBJECT → NO AGREEMENT
Régine et Sophie **se** sont **parlé**.
Régine and Sophie spoke to each other.

INDIRECT OBJECT
Sophie a parlé à **Régine**.
Sophie spoke to Régine.

Essayez! **Donnez les formes correctes des verbes.**

1. (s'embrasser) nous _nous embrassons_
2. (se quitter) vous _____
3. (se rencontrer) ils _____
4. (se dire) nous _____
5. (se parler) elles _____
6. (se retrouver) ils _____
7. (se regarder) vous _____
8. (s'aider) nous _____

Le français vivant

MIEUX CHERCHER ▪ MIEUX COMMUNIQUER ▪ MIEUX JOUER

▪ POUR MIEUX S'ENTENDRE ▪

Avec le smartphone, je cherche l'heure de mes cours.
Nous nous retrouvons entre amis.

Nous nous écrivons.
Nous nous entendons mieux.
Avec ce téléphone, c'est facile de se parler.

Identifiez Quels verbes réciproques avez-vous trouvés dans la publicité (*ad*)?

 Questions À tour de rôle avec un(e) partenaire, posez-vous ces questions.

 1. Tes amis et toi, vous écrivez-vous avec un téléphone? Comment vous écrivez-vous?

2. Penses-tu que les gens s'entendent mieux grâce à (*thanks to*) la technologie? Pourquoi?

3. Quels gadgets technologiques utilises-tu pour communiquer avec tes amis? Pourquoi les utilises-tu?

4. Quels gadgets technologiques utilisaient tes grands-parents pour communiquer avec leurs amis? Pourquoi les utilisaient-ils?

5. Quelles applications de ton portable utilises-tu le plus souvent?

STRUCTURES

Mise en pratique

1 **L'amour réciproque** Employez des verbes réciproques pour raconter l'histoire d'amour de Laure et d'Habib.

> **MODÈLE**
> Laure retrouve Habib tous les jours. Habib retrouve Laure tous les jours.
>
> *Laure et Habib se retrouvent tous les jours.*

1. Laure connaît bien Habib. Habib connaît bien Laure.
2. Elle le regarde amoureusement. Il la regarde amoureusement.
3. Laure écrit des e-mails à Habib. Habib écrit des e-mails à Laure.
4. Elle lui téléphone tous les soirs. Il lui téléphone tous les soirs.
5. Elle lui dit tous ses secrets. Il lui dit tous ses secrets.
6. Laure aime beaucoup Habib. Habib aime beaucoup Laure.

2 **Souvenir** Les étudiants de votre classe se retrouvent pour fêter leur réunion. Employez l'imparfait.

> **MODÈLE**
> Marie et moi / s'aider souvent
>
> *Marie et moi, nous nous aidions souvent.*

1. Marc et toi / se regarder en cours
2. Anne et Mouna / se téléphoner
3. François et moi / s'écrire deux fois par semaine
4. Paul et toi / s'entendre bien
5. Luc et Sylvie / s'adorer
6. Patrick et moi / se retrouver après les cours
7. Alisha et Malik / ne pas se connaître bien
8. Agnès et moi / se parler à la cantine
9. Félix et toi / se donner parfois des cadeaux

3 **Une rencontre** Regardez les illustrations. Qu'est-ce que ces personnages ont fait?

ils

> ▶ **MODÈLE**
>
> *Ils se sont rencontrés.*

1. Arnaud et moi

2. vous

3. elles

4. nous

Communication

4 **Curieux** Pensez à deux amis qui sont amoureux. Votre partenaire va vous poser beaucoup de questions pour tout savoir sur leur relation. Répondez à ses questions.

MODÈLE

Étudiant(e) 1: Est-ce qu'ils se regardent tout le temps?
Étudiant(e) 2: Non, ils ne se regardent pas tout le temps, mais ils n'arrêtent pas de se téléphoner!

s'adorer	se retrouver	régulièrement
s'aimer	se téléphoner	souvent
s'écrire	bien	tout le temps
s'embrasser	mal	tous les jours
s'entendre	quelquefois	?

5 **Un rendez-vous** Avec un(e) partenaire, posez-vous des questions sur la dernière fois que vous êtes sorti(e) avec quelqu'un. Partagez vos réponses les plus intéressantes avec la classe.

MODÈLE

à quelle heure / se donner rendez-vous
Étudiant(e) 1: À quelle heure est-ce que vous vous êtes donné rendez-vous?
Étudiant(e) 2: Nous nous sommes donné rendez-vous à sept heures.

1. où / se retrouver
2. longtemps / se parler
3. se regarder / amoureusement
4. s'entendre / bien
5. à quelle heure / se quitter
6. s'embrasser / avant de se quitter
7. plus tard / se téléphoner
8. s'écrire des textos / souvent

6 **On se quitte** Julie a reçu (*received*) cette lettre de son petit ami Sébastien. Elle ne comprend pas du tout, mais elle doit lui répondre. Avec un(e) partenaire, employez des verbes réciproques pour écrire la réponse.

> Chère Julie,
> Nous devons nous quitter, ma chérie.
> Pourquoi sommes-nous encore ensemble? Nous ne nous sommes pas vraiment aimés. Nous nous disputons tout le temps et nous ne nous parlons pas assez. Soyons réalistes. Je te quitte et j'espère que tu comprends.
> Sébastien

I CAN describe reciprocal actions.

Révision

1 **À deux** Que peuvent faire deux personnes avec chacun (*each one*) de ces objets? Avec un(e) partenaire, répondez à tour de rôle et employez des verbes réciproques.

> **MODÈLE** un appareil photo numérique
>
> *Avec un appareil photo numérique, deux personnes peuvent s'envoyer des photos tout de suite.*

- un portable
- du papier et un stylo
- un ordinateur
- un réseau social
- un enregistreur DVR
- une tablette

2 **La communication** Votre professeur va vous donner une feuille d'activités. Circulez dans la classe pour interviewer vos camarades. Comment communiquent-ils avec leurs familles et leurs amis? Pour chaque question, parlez avec des camarades différents qui doivent justifier leurs réponses.

> **MODÈLE**
>
> **Étudiant(e) 1:** *Tes amis et toi, vous écrivez-vous plus de cinq textos par jour?*
> **Étudiant(e) 2:** *Oui, parfois nous nous écrivons dix textos.*
> **Étudiant(e) 1:** *Pourquoi vous écrivez-vous tellement souvent?*

Activité	Oui	Non
1. s'écrire plus de cinq textos par jour	Jules	Corinne
2. s'envoyer des lettres par la poste		
3. se téléphoner le week-end		
4. se parler dans les couloirs		
5. se retrouver au resto U		
6. se donner rendez-vous		
7. se rencontrer sur Internet		
8. bien s'entendre		

3 **Dimanche au parc** Ces personnes sont allées au parc dimanche dernier. Avec un(e) partenaire, décrivez à tour de rôle leurs activités. Employez des verbes réciproques.

4 **Leur rencontre** Comment ces couples se sont-ils rencontrés? Choisissez une image et inventez une histoire courte pour le couple. Votre partenaire doit deviner l'image que vous décrivez. Utilisez les verbes donnés (*given*) plus des verbes réciproques.

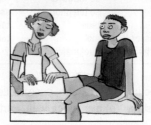

1. venir de

3. continuer à

2. commencer à

4. rêver de

5 **Les bonnes relations** Parlez avec deux camarades. Que faut-il faire pour maintenir de bonnes relations avec ses amis ou sa famille? À tour de rôle, utilisez les verbes de la liste pour donner des conseils (*advice*).

> **MODÈLE**
>
> **Étudiant(e) 1:** *Dans une bonne relation, deux personnes peuvent tout se dire.*
> **Étudiant(e) 2:** *Oui, et elles apprennent à se connaître.*

s'adorer	se connaître	hésiter à
s'aider	se dire	oublier de
apprendre à	s'embrasser	pouvoir
arrêter de	espérer	refuser de
commencer à	éviter de	savoir

6 **Rencontre sur Internet** Votre professeur va vous donner, à vous et à votre partenaire, une feuille d'illustrations sur la rencontre sur Internet d'Amandine et de Gilles. Attention! Ne regardez pas la feuille de votre partenaire.

Le Zapping

1 Préparation Répondez aux questions.

1. Est-ce que vous écoutez de la musique sur votre smartphone? Quelles applications utilisez-vous?

2. La musique d'aujourd'hui est-elle différente de la musique d'il y a 25 ans? Expliquez.

Le smartphone musical

SmartFaust est une invention du Grame, le centre national de création musicale de Lyon. C'est une série de treize applications numériques° qu'on peut télécharger gratuitement° sur son smartphone. Ensuite, on ouvre chaque application et on bouge° son smartphone pour faire de la musique.

L'avantage de SmartFaust, c'est que tout le monde peut l'utiliser pour créer des sons. Les membres du public° peuvent donc participer directement à une création musicale au lieu de° rester de simples spectateurs silencieux. Donc, si° un jour, vous allez à un concert de SmartFaust, n'oubliez surtout pas de garder votre smartphone allumé, au lieu de l'éteindre!

numérique *digital* **télécharger gratuitement** *download for free* **bouge** *move* **public** *audience* **au lieu de** *instead of* **si** *if* **vont de pair** *go hand in hand*

Reportage d'AFP

Innovation musicale et technologie vont de pair°.

Vocabulaire utile

des instruments (m.) traditionnels	*traditional instruments*
un(e) compositeur/ compositrice	*composer*
un genre de musique	*style of music*
un langage	*language*
générer un son	*to make a sound*
(re)produire de la musique	*to (re)produce music*

2 Compréhension Répondez aux questions.

1. Que font les personnes dans la vidéo?

2. Pourquoi avait-on besoin d'un nouveau langage musicale pour créer SmartFaust?

3 Conversation Avec un(e) partenaire, répondez aux questions.

1. Est-ce que vous pensez que la musique faite avec SmartFaust est de la vraie musique? Expliquez.

2. Est-ce que vous voulez essayer d'utiliser SmartFaust, peut-être avec vos amis? Pourquoi ou pourquoi pas?

4 Réflexion Répondez aux questions.

1. Quelles applications utilisez-vous pour la création artistique? Comparez-les aux applications SmartFaust.

2. Comparez la musique dans la vidéo à la musique contemporaine de votre communauté.

5 Application Trouvez en ligne trois applications pour faire de la musique avec votre mobile ou tablette. Comparez leurs fonctionnalités et interfaces, puis présentez-les à la classe. Ensuite, par groupes de trois, faites une œuvre numérique utilisant l'une des applications recherchées. Jouez-la pour la classe et discutez du processus créatif.

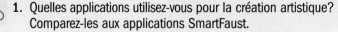
I CAN identify and reflect on attitudes around music and technology.

Leçon **11B**

 Vocabulary Tutorials

En voiture!

Vocabulaire

arrêter (de faire quelque chose)	to stop (doing something)
attacher	to buckle
avoir un accident	to have/to be in an accident
dépasser	to go over; to pass
freiner	to brake
se garer	to park
offrir	to offer, to give something
ouvrir	to open
rentrer (dans)	to hit (another car)
réparer	to repair
tomber en panne	to break down
vérifier (l'huile/ la pression des pneus)	to check (the oil/ the air pressure)
l'embrayage (*m.*)	clutch
les freins (*m.*)	brakes
l'huile (*f.*)	oil
un pare-chocs (pare-chocs *pl.*)	bumper
un réservoir d'essence	gas tank
un rétroviseur	rearview mirror
une roue (de secours)	(emergency) tire
un voyant (d'essence/ d'huile)	(gas/oil) warning light
une amende	fine
une autoroute	highway
la limitation de vitesse	speed limit
un parking	parking lot
un permis de conduire	driver's license
une rue	street

une station-service

libre-service

un coffre

une voiture

Il fait le plein d'essence (f.).

un volant

un capot

une ceinture de sécurité

un moteur

un mécanicien (mécanicienne f.)

une portière

un pneu crevé

Mise en pratique

Coup de main

The verbs **ouvrir** and **offrir** are irregular. Although they end in **-ir**, they use the endings of regular -er verbs in the present tense. The verbs **couvrir** (*to cover*), **découvrir** (*to discover*), and **souffrir** (*to suffer*) use the same endings as **ouvrir** and **offrir**. See the Verb Conjugation Tables appendix for all their forms.

un agent de police/un policier (policière f.)

les essuie-glaces (m.)

un pare-brise (pare-brise pl.)

la circulation

les phares (m.)

1 **Écoutez** Madeleine a eu une mauvaise journée. Écoutez son histoire, ensuite indiquez si les phrases suivantes sont **vraies** ou **fausses**.

	Vrai	Faux
Madeleine...		
1. a oublié son permis de conduire.	☐	☐
2. a dépassé la limitation de vitesse.	☐	☐
3. a fait le plein avant d'aller à la fac.	☐	☐
4. a attaché sa ceinture de sécurité.	☐	☐
5. s'est garée à l'université.	☐	☐
6. conduisait quand un policier l'a arrêtée.	☐	☐
Sa voiture...		
7. a redémarré.	☐	☐
8. avait un pneu crevé.	☐	☐
9. n'avait pas d'essence.	☐	☐
10. était en panne.	☐	☐

2 **Les correspondances** Choisissez l'élément de la liste **B** qui convient le mieux à chaque verbe de la liste **A**.

A	B
1. ____ dépasser	a. les freins
2. ____ tomber en panne	b. la limitation de vitesse
3. ____ freiner	c. la ceinture de sécurité
4. ____ faire le plein	d. une voiture
5. ____ réparer une voiture	e. l'essence
6. ____ se garer	f. un parking
7. ____ attacher	g. un mécanicien
8. ____ vérifier la pression	h. les pneus

3 **Complétez** Complétez les phrases suivantes avec le bon mot de vocabulaire pour faire une phrase logique.

1. La personne qui répare une voiture est un _____.
2. Il faut _____ le capot de la voiture pour vérifier l'huile.
3. On met de l'essence dans le _____.
4. Le _____ est un document officiel qui vous autorise à conduire.
5. On utilise les _____ pour voir (*see*) quand on conduit la nuit.
6. On utilise les _____ pour voir à travers (*through*) le pare-brise quand il pleut.
7. Le _____ sert à diriger la voiture.
8. Vous utilisez le _____ pour voir la circulation derrière vous.
9. La personne qui peut donner une amende est un _____.
10. On peut ranger ses valises dans le _____ de la voiture.
11. On utilise les _____ quand on veut s'arrêter.
12. Quand il y a beaucoup de voitures sur la route, il y a de la _____.

CONTEXTES

Communication

4 **Conversez** Interviewez un(e) camarade de classe. Partagez ses réponses les plus intéressantes avec la classe.

1. As-tu une voiture? De quelle sorte? Tes parents te l'ont-ils offerte?
2. À quel âge as-tu obtenu (*obtained*) ton permis de conduire? Comment s'est passé l'examen?
3. Sais-tu comment changer un pneu crevé? En as-tu déjà changé un?
4. Ta voiture est-elle tombée en panne récemment? Qui l'a réparée?
5. Respectes-tu la limitation de vitesse sur l'autoroute? Et tes amis?
6. As-tu déjà été arrêté(e) par un policier? Pour quelle(s) raison(s)?
7. Combien de fois par mois fais-tu le plein (d'essence)? Combien paies-tu à chaque fois?
8. À quelle occasion offre-t-on une voiture à un(e) adolescent(e)?
9. Qu'as-tu découvert pendant ton dernier voyage en voiture?
10. As-tu eu des problèmes de pare-chocs récemment? Et des problèmes d'essuie-glaces?

5 **Sept différences** Votre professeur va vous donner, à vous et à votre partenaire, deux feuilles d'activités différentes. À tour de rôle, posez-vous des questions pour trouver les sept différences entre vos dessins. Attention! Ne regardez pas la feuille de votre partenaire.

MODÈLE

Étudiant(e) 1: *Ma voiture est blanche. De quelle couleur est ta voiture?*

Étudiant(e) 2: *Oh! Ma voiture est noire.*

6 **Chez le mécanicien** Travaillez avec un(e) camarade de classe pour présenter un dialogue. Jouez les rôles d'un(e) client(e) et d'un(e) mécanicien(ne).

Le/La client(e)...

- explique le problème qu'il/qu'elle a.
- donne quelques détails sur les problèmes qu'il/qu'elle a eus dans le passé.
- négocie le prix et la date à laquelle il/elle peut venir chercher la voiture.

Le/La mécanicien(ne)...

- demande quand le problème a commencé et s'il y en a d'autres.
- explique le problème et donne le prix des réparations.
- accepte les conditions du/de la client(e).

7 **Écriture** Écrivez un paragraphe à propos (*about*) d'un accident de la circulation. Suivez les instructions.

- Parlez d'un accident (voiture, moto, vélo) que vous avez eu récemment. Si vous n'avez jamais eu d'accident, inventez-en un.
- Décrivez ce qui s'est passé avant, pendant et après.
- Donnez des détails.
- Comparez votre paragraphe avec celui (*that*) d'un(e) camarade de classe.

I CAN talk about driving, vehicle maintenance, and traffic.

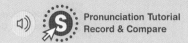

Les sons et les lettres

Pronunciation Tutorial
Record & Compare

The letter x

The letter **x** in French is sometimes pronounced -ks, like the x in the English word *axe*.

| taxi | expliquer | mexicain | texte |

Unlike English, some French words begin with a *ks-* sound.

| xylophone | xénon | xénophile | Xavière |

The letters **ex-** followed by a vowel are often pronounced like the English word *eggs*.

| exemple | examen | exil | exact |

Sometimes an **x** is pronounced s, as in the following numbers.

| soixante | six | dix |

An **x** is pronounced z in a liaison. Otherwise, an **x** at the end of a word is usually silent.

| deux enfants | six éléphants | mieux | curieux |

Prononcez Répétez les mots suivants à voix haute.

1. fax
2. eux
3. dix
4. prix
5. jeux
6. index
7. excuser
8. exercice
9. orageux
10. expression
11. contexte
12. sérieux

Articulez Répétez les phrases suivantes à voix haute.

1. Les amoureux sont devenus époux.
2. Soixante-dix euros! La note (*bill*) du taxi est exorbitante!
3. Alexandre est nerveux parce qu'il a deux examens.
4. Xavier explore le vieux quartier d'Aix-en-Provence.
5. Le professeur explique l'exercice aux étudiants exceptionnels.

Dictons Répétez les dictons à voix haute.

Les belles plumes font les beaux oiseaux.[2]

Les beaux esprits se rencontrent.[1]

[1] Great minds think alike.

[2] Beautiful feathers make beautiful birds.

ROMAN-PHOTO

La panne

Video: *Roman-photo*
Record & Compare

PERSONNAGES

Amina

Garagiste

Rachid

Sandrine

Valérie

À la station-service...

GARAGISTE Elle est belle, votre voiture! Elle est de quelle année?

RACHID Elle est de 2005.

GARAGISTE Je vérifie l'huile ou la pression des pneus?

RACHID Non, merci ça va. Je suis un peu pressé en fait. Au revoir.

Au P'tit Bistrot...

SANDRINE Ton Cyberhomme, c'est Rachid! Quelle coïncidence!

AMINA C'est incroyable, non? Je savais qu'il habitait à Aix, mais...

VALÉRIE Une vraie petite histoire d'amour, comme dans les films!

SANDRINE C'est exactement ce que je me disais!

AMINA Rachid arrive dans quelques minutes. Est-ce que cette couleur va avec ma jupe?

SANDRINE Vous l'avez entendue? Elle doit être amoureuse.

AMINA Arrête de dire des bêtises.

RACHID Oh non!!

AMINA Qu'est-ce qu'il y a? Un problème?

RACHID Je ne sais pas, j'ai un voyant qui s'est allumé.

AMINA Allons à une station-service.

RACHID Oui... c'est une bonne idée.

De retour à la station-service...

GARAGISTE Ah! Vous êtes de retour. Mais que se passe-t-il? Je peux vous aider?

RACHID J'espère. Il y a quelque chose qui ne va pas, peut-être avec le moteur, regardez, ce voyant est allumé.

GARAGISTE Ah, ça? C'est l'huile. Je m'en occupe tout de suite.

GARAGISTE Vous pouvez redémarrer? Et voilà.

RACHID Parfait. Au revoir. Bonne journée.

GARAGISTE Bonne route!

ACTIVITÉS

1 **Vrai ou faux?** Indiquez si les affirmations suivantes sont vraies ou fausses.

1. Amina savait que Cyberhomme habitait à Aix.
2. Sandrine trouve l'histoire de Rachid et d'Amina très romantique.
3. Amina ouvre la portière de la voiture.
4. Le premier problème que Rachid rencontre, c'est une panne d'essence.

2 **Qui?** Indiquez la personne décrite dans chaque phrase: Rachid, Amina, Sandrine, Valérie ou le garagiste.

1. Cette personne va suivre les conseils (*advice*) du garagiste la prochaine fois.
2. Cette personne sort avec Rachid pour la première fois.
3. Cette personne est très heureuse pour Amina et Rachid.
4. Cette personne vérifie l'huile dans la voiture.
5. Cette personne compare l'histoire de Rachid et d'Amina à une histoire d'amour dans un film.

Amina sort avec Rachid pour la première fois.

SANDRINE Oh, regarde, il lui offre des fleurs.

RACHID Bonjour, Amina. Tiens, c'est pour toi.

AMINA Bonjour, Rachid. Oh, merci, c'est très gentil.

RACHID Tu es très belle aujourd'hui.

AMINA Merci.

RACHID Attends, laisse-moi t'ouvrir la portière.

AMINA Merci.

RACHID N'oublie pas d'attacher ta ceinture.

AMINA Oui, bien sûr.

AMINA Heureusement, ce n'était pas bien grave. À quelle heure est notre réservation?

RACHID Oh! C'est pas vrai!

AMINA Qu'est-ce que c'était?

RACHID On a un pneu crevé.

AMINA Oh, non!!

Expressions utiles

Talking about dating

- **Il lui offre des fleurs.**
  He's offering/giving her flowers.

- **Attends, laisse-moi t'ouvrir la portière.**
  Wait, let me open the (car) door for you.

Talking about cars

- **N'oublie pas d'attacher ta ceinture.**
  Don't forget to fasten your seatbelt.

- **J'ai un voyant qui s'est allumé.**
  A warning light came on.

- **Il y a quelque chose qui ne va pas.**
  There's something wrong.

Additional vocabulary

- **incroyable**
  incredible

---

3 **Réfléchissez** Répondez aux questions.

1. Quand vous avez un rendez-vous, comment est-ce que vous y allez? En voiture? En train?

2. Comparez votre dernier rendez-vous à celui de Rachid et d'Amina.

3. Mettez-vous à la place d'Amina ou de Rachid. Comparez votre attitude à la leur (*theirs*). Est-ce qu'il y aura un deuxième rendez-vous?

4 **Écrivez** Qu'est-ce qui se passe pour Amina et Rachid après le deuxième incident? Utilisez votre imagination et écrivez un paragraphe qui raconte ce qu'ils ont fait. Est-ce que quelqu'un d'autre les aide? Amina est-elle fâchée? Y aura-t-il (*Will there be*) un deuxième rendez-vous pour Cyberhomme et Technofemme?

I CAN understand short conversations about car trouble.

LECTURE CULTURELLE

Video: *Flash culture*

CULTURE À LA LOUPE

Les voitures

la Twingo

STRATÉGIE

Jotting down notes

As you read a text, you will find it helpful to jot down your thoughts and questions about it. You can write them either in the margins of the reading or in a separate notebook. If you make it a point to jot ideas down as you read, you will come up with questions, make connections, and draw conclusions about the text. When you return to the text later, your notes will reinforce what you understood as well as remind you of what you should revisit.

En général, les voitures en France sont beaucoup plus petites que les voitures qu'on trouve aux États-Unis. Les voitures minuscules ont beaucoup de succès en France, surtout dans les villes. La Twingo, du constructeur automobile français Renault, est la voiture «citadine°» la plus vendue du monde. Dans l'ensemble°, les Français utilisent moins leurs voitures que les Américains. Il n'est pas rare qu'un couple ou une famille possède une seule voiture. Dans les grandes villes, beaucoup de gens se déplacent° à pied ou utilisent les transports en commun°. Dans les villages ou à la campagne, les gens utilisent un peu plus fréquemment leurs voitures. Pour de longs voyages, pourtant°, ils ont tendance, plus que les Américains, à laisser leurs voitures chez eux et à prendre le train ou l'avion.

Il y a plusieurs raisons qui expliquent ces différences. D'abord, l'essence est plus chère en France qu'aux États-Unis. Il vaut donc mieux avoir une petite voiture économique qui ne consomme pas beaucoup d'essence, ou prendre les transports en commun quand c'est possible. En plus, les rues des villes françaises sont beaucoup moins larges. Au centre-ville, beaucoup de rues sont piétonnes° et d'autres sont si petites qu'il est parfois difficile de passer, même pour une petite voiture. Les rues en dehors° des villes sont souvent plus larges. Il y a aussi de gros problèmes de parking dans la majorité des villes françaises. Il y a peu de places de parking et elles sont en général assez petites. Il est donc nécessaire de faire un créneau° pour se garer et plus la voiture est petite, plus° on a de chance de le réussir.

citadine *urban* **Dans l'ensemble** *By and large* **se déplacent** *get around* **transports en commun** *public transportation* **pourtant** *however* **piétonnes** *reserved for pedestrians* **en dehors** *outside* **faire un créneau** *parallel park* **plus..., plus...** *the more..., the more...*

ACTIVITÉS

1 **Complétez** Complétez chaque phrase, d'après le texte.

1. Les voitures en France sont en général plus _____ qu'aux États-Unis.

2. La Twingo, du constructeur automobile français _____, est la voiture «citadine» la plus vendue du monde.

3. Beaucoup de Français prennent le train ou l'avion pour _____.

4. Pour les Français, il vaut mieux avoir une petite voiture économique parce que _____ coûte cher en France.

2 **Réfléchissez** Répondez aux questions.

1. Comment vous déplacez-vous, en général? Utilisez-vous les transports en commun? Expliquez.

2. Y a-t-il beaucoup de places de parking dans votre ville? Savez-vous faire un créneau?

3. À votre avis, pourquoi les voitures américaines sont-elles assez grandes, comparées aux voitures européennes?

4. Quels facteurs influencent les tendances en France en ce qui concerne les voitures? Contrastez la situation des Français à la vôtre.

Les voitures les plus populaires en France par nombre d'immatriculations°

Peugeot 208 II	19.114
Renault Clio V	13.000
Citroën C3 III	10.885
Peugeot 3008 II	10.195
Peugeot 2008 II	9.344

immatriculations *registrations*   SOURCE: Auto Moto

Le constructeur automobile Citroën

La marque° Citroën est une marque de voitures française créée° en 1919 par **André Citroën**, ingénieur et industriel français. La marque est réputée pour son utilisation de technologies d'avant-garde et pour ses innovations dans le domaine de l'automobile. Le premier véhicule construit par Citroën, la voiture type A, a été la première voiture européenne construite en série°. En 1924, Citroën a utilisé la première carrosserie° entièrement en acier° d'Europe. Puis, dans les années 1930, Citroën a inventé la traction avant°. Parmi les modèles de voiture les plus vendus de la marque Citroën, on compte la 2CV, ou «deux chevaux», un modèle bon marché et très apprécié des jeunes dans les années 1970 et 1980. En 1976, Citroën a fusionné° avec un autre grand constructeur automobile français, Peugeot, pour former le groupe PSA Peugeot-Citroën.

marque *make* **créée** *created* **construite en série** *mass-produced* **carrosserie** *body* **acier** *steel* **traction avant** *front-wheel drive* **a fusionné** *merged*

LE MONDE FRANCOPHONE

Conduire une voiture

Voici quelques informations utiles.

En France Il n'existe pas de carrefours° avec quatre panneaux° de stop.

En France, en Belgique et en Suisse Il est interdit d'utiliser un téléphone portable quand on conduit et on n'a pas le droit de tourner à droite quand le feu° est rouge.

À l'île Maurice et aux Seychelles Faites attention! On conduit à gauche.

En Suisse Pour conduire sur l'autoroute, il est nécessaire d'acheter une vignette° et de la mettre sur son pare-brise. On peut l'acheter à la poste ou dans les stations-service et elle est valable° un an.

Dans l'Union européenne Le permis de conduire d'un pays de l'Union européenne est valable dans tous les autres pays de l'Union.

- Comparez ces informations à la réglementation routière dans votre pays.

carrefours *intersections* **panneaux** *signs* **feu** *traffic light* **vignette** *sticker* **valable** *valid*

🎧 MUSIQUE À FOND

Massilia Sound System

Lieu de naissance: Marseille, France
Métier: groupe de musique

Ce groupe de reggae français a commencé à jouer en 1984. Ils sont connus pour chanter des thèmes français avec le rythme jamaïcain. Ils chantent aussi en occitan ou langue d'oc.

Go to **vhlcentral.com** to find out more about **Massilia Sound System**.

---

3 Répondez Répondez par des phrases complètes.

1. Quelles sont les caractéristiques de la marque Citroën?
2. Quelle est une des innovations de la marque Citroën?
3. Quel modèle de voiture Citroën a eu beaucoup de succès?
4. Qu'a fait la compagnie Citroën en 1976?
5. Que faut-il avoir pour conduire sur l'autoroute en Suisse?

4 À vous... Quelle est votre voiture préférée? Pourquoi? Avec un(e) partenaire, discutez de ce sujet et soyez prêt(e)s à expliquer vos raisons au reste de la classe.

ACTIVITÉS

I CAN identify and reflect on cultural products and practices related to vehicles.

STRUCTURES

11B.1

Le conditionnel Grammar Tutorial

Point de départ The conditional expresses what you *would* do or what *would* happen under certain circumstances.

> Sans réservation, nous ne mangerions pas avant minuit!

> Y aurait-il une autre station-service près d'ici?

À noter

Review the **imparfait** endings you learned in **Leçon 8A**. The **conditionnel** has the same endings as the **imparfait**.

Conditional of regular verbs			
	parler	**réussir**	**attendre**
je/j'	parlerais	réussirais	attendrais
tu	parlerais	réussirais	attendrais
il/elle/on	parlerait	réussirait	attendrait
nous	parlerions	réussirions	attendrions
vous	parleriez	réussiriez	attendriez
ils/elles	parleraient	réussiraient	attendraient

- Note that you form the conditional of **-er** and **-ir** verbs by adding the conditional endings to the infinitive. The conditional endings are the same as those of the **imparfait**. To form the conditional of **-re** verbs, drop the final **-e** and add the endings.

  Nous **voyagerions** cet été.   Tu ne **sortirais** pas.   Ils **attendraient** Luc.
  We'd travel this summer.   *You wouldn't go out.*   *They would wait for Luc.*

- Note the conditional forms of most spelling-change **-er** verbs:

present form of je	+r	conditional forms
j'achète	achèter-	j'achèterais
je nettoie	nettoier-	je nettoierais
je paie/paye	paier-/payer-	je paierais/payerais
je m'appelle	m'appeller-	je m'appellerais

  Tu te **lèverais** si tôt?   Vous **essaieriez** de vous garer.
  Would you get up that early?   *You would try to park.*

  Je n'**achèterais** pas cette voiture.   Il **nettoierait** le pare-brise.
  I would not buy this car.   *He would clean the windshield.*

- The conditional of **-er** verbs with an **é** before the infinitive ending follows the same pattern as that of regular **-er** verbs.

  Elle **répéterait** ses questions.   Elles **considéreraient** le pour et le contre.
  She would repeat her questions.   *They'd consider the pros and cons.*

- Although the conditional endings are the same for all verbs, some verbs use irregular stems.

Irregular verbs in the conditional		
infinitive	stem	conditional forms
aller	ir-	j'irais
avoir	aur-	j'aurais
devoir	devr-	je devrais
envoyer	enverr-	j'enverrais
être	ser-	je serais
faire	fer-	je ferais
mourir	mourr-	je mourrais
pouvoir	pourr-	je pourrais
savoir	saur-	je saurais
venir	viendr-	je viendrais
vouloir	voudr-	je voudrais

Vous **auriez** de longues vacances.
You would have a long vacation.

Nous **irions** en Tunisie.
We'd go to Tunisia.

Il **enverrait** des e-mails.
He would send e-mails.

Tu le **saurais** dans une semaine.
You would know it in a week.

Elles y **seraient** plus heureuses.
They'd be happier there.

Je **ferais** le plein pour toi.
I would fill the tank for you.

- The verbs **devenir, maintenir, retenir, revenir,** and **tenir** are patterned after **venir** in the conditional, just as they are in the present tense.

Elle **viendrait** en voiture
cette fois.
She would come by car this time.

Ils **tiendraient** le capot pendant que tu
regardes le moteur.
They'd hold up the hood while you look at the engine.

Nous **reviendrions** bientôt.
We would come back soon.

Tu **deviendrais** architecte un jour?
Would you become an architect one day?

- The conditional forms of **il y a, il faut,** and **il pleut** are, respectively, **il y aurait, il faudrait,** and **il pleuvrait.**

Il **faudrait** apporter le parapluie.
We'd need to bring the umbrella.

Quand **pleuvrait**-il dans ce pays?
When would it rain in this country?

Essayez! **Indiquez la forme correcte du conditionnel de ces verbes.**

1. je (perdre, devoir, venir) _____ *perdrais, devrais, viendrais* _____
2. tu (vouloir, aller, essayer) _____
3. Michel (dire, prendre, savoir) _____
4. nous (préférer, nettoyer, faire) _____
5. vous (être, pouvoir, avoir) _____
6. elles (dire, espérer, amener) _____
7. je (boire, choisir, essuyer) _____
8. il (tenir, se lever, envoyer) _____

STRUCTURES

Mise en pratique

1 **Changer de vie** Alexandre parle à son ami de ce qu'il aimerait changer dans sa vie. Complétez ses phrases avec les formes correctes du conditionnel.

MODÈLE

J' _étudierais_ (étudier) tous les week-ends.

1. Ma petite amie et moi _____ (faire) des études dans la même (*same*) ville.
2. Je _____ (vendre) ma vieille voiture.
3. Nous _____ (acheter) une Porsche.
4. Je _____ (travailler) bien.
5. Nos amis nous _____ (rendre) souvent visite.
6. Quelqu'un _____ (nettoyer) la maison.
7. Je n' _____ (avoir) pas de problèmes d'argent.
8. Ma petite ami et moi, nous _____ (pouvoir) nous retrouver tous les jours.
9. Tous mes cours _____ (être) très faciles.

2 **Les professeurs** Que feraient ces personnes si elles étaient profs de français?

MODÈLE tu / donner / examen / difficile
Tu donnerais des examens difficiles.

1. Marc / donner / devoirs
2. vous / répondre / à / questions / étudiants
3. nous / permettre / à / étudiants / de / manger / en classe
4. tu / parler / français / tout le temps
5. tes parents / boire / café / classe
6. nous / montrer / films / français
7. je / enseigner / chansons françaises / étudiants
8. Guillaume et Robert / être / gentil / avec / étudiants

3 **Sur une île** Vous découvrez une île (*island*) et vous y emmenez un groupe de personnes et leurs familles. Assemblez les éléments des colonnes pour faire des phrases avec le conditionnel. Quels rôles joueraient ces personnes?

MODÈLE

Le professeur enseignerait les mathématiques aux enfants.

A	B	C
agent de police	construire	cartes
agent de voyages	découvrir	disputes
chauffeur	enseigner	enfants
dentiste	s'occuper de	logement
hôtelier/hôtelière	organiser	nourriture
infirmier/infirmière	parler	problèmes
mécanicien(ne)	préparer	réunions
professeur	servir	transports
serveur/serveuse	trouver	urgences
?	?	?

Communication

4 **Une grosse fortune** Avec un(e) partenaire, parlez de la façon dont (*the way in which*) vous dépenseriez l'argent si quelqu'un vous laissait une grosse fortune. Posez-vous ces questions à tour de rôle.

1. Partirais-tu en voyage? Où irais-tu?
2. Quelle profession choisirais-tu?
3. Où habiterais-tu?
4. Qu'est-ce que tu achèterais? À tes amis? À ta famille?
5. Donnerais-tu de l'argent à des œuvres de charité (*charities*)? Auxquelles (*To which ones*)?
6. Qu'est-ce qui changerait dans ta vie quotidienne (*daily*)?

5 **Sans ça...** Par groupes de trois, dites ce qui (*what*) changerait dans le monde sans ces choses.

> **MODÈLE** sans écoles?
> *Les étudiants n'apprendraient pas.*

- sans voitures?
- sans ordinateurs?
- sans télévisions?
- sans avions?
- sans téléphones?
- ?

6 **Le tour de la France** Vous aimeriez visiter la France avec un(e) partenaire. Regardez la carte et discutez de l'itinéraire. Où commenceriez-vous? Que visiteriez-vous? Utilisez ces idées et trouvez-en d'autres.

> **MODÈLE**
> *Nous commencerions à Paris.*

- les plages de la Côte d'Azur
- les randonnées dans le Centre
- le ski dans les Alpes
- les musées à Paris
- les châteaux (*castles*) de la Loire

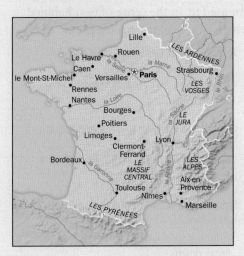

I CAN express actions based on certain circumstances.

STRUCTURES

11B.2

Uses of *le conditionnel*; *Si clauses*

 Grammar Tutorial

Uses of *le conditionnel*

- Use the conditional to make a polite request, soften a demand, or express what someone *could* or *should* do.

Je **voudrais** acheter une nouvelle imprimante.
I would like to buy a new printer.

Pourriez-vous nous dire où elles sont?
Could you tell us where they are?

Tu **devrais** dormir jusqu'à onze heures.
You should sleep until 11 o'clock.

Nous **aimerions** recevoir un salaire élevé.
We would like to receive a high salary.

Tu pourrais t'arrêter à la station-service?

Vous devriez faire plus attention au voyant d'huile.

- To express what someone said or thought would happen in the future at a past moment in time, use a past tense verb before **que** and the **conditionnel** after it.

Guillaume a dit qu'il **arriverait** vers midi.
Guillaume said that he would arrive around noon.

Nous pensions que tu **ferais** tes devoirs.
We thought that you would do your homework.

Je savais que Lucie **reviendrait** dans deux jours.
I knew that Lucie would come back in two days.

Mes parents ont expliqué qu'ils ne **pourraient** pas les aider.
My parents explained that they would not be able to help them.

- Unlike French, in English *would* can also mean *used to*, in the sense of past habitual action. To express past habitual actions in French, you must use the **imparfait**.

Je **travaillais** pour une compagnie à Paris tous les étés.
I would (used to) work for a company in Paris every summer.

but Je **travaillerais** seulement pour une compagnie à Paris.
I would work only for a company in Paris.

Ils **attendaient** le week-end pour surfer sur Internet.
They'd (used to) wait for the weekend to surf the Internet.

but Ils **attendraient** bien le week-end, mais ils sont trop impatients.
They'd wait for the weekend, but they're too impatient.

Avec la vieille voiture, nous **tombions** en panne.
With the old car, we would (used to) break down.

but Sans un bon moteur, nous **tomberions** en panne.
Without a good engine, we would break down.

Si clauses

- **Si** (*If*) clauses describe a condition or event upon which another condition or event depends. Sentences with **si** clauses consist of a **si** clause and a main (or result) clause.

> Si je faisais une robe,
> elle serait laide.

> Si j'échouais, ma mère
> se mettrait en colère.

- **Si** clauses can speculate or hypothesize about a current event or condition. They express what *would happen* if an event or condition *were* to *occur*. This is called a contrary-to-fact situation. In such instances, the verb in the **si** clause is in the **imparfait** while the verb in the main clause is in the conditional. Either clause can come first.

  Si j'**étais** chez moi, je lui **enverrais** un e-mail.
  If I were home, I'd send her an e-mail.

  Vous **partiriez** souvent en vacances si vous **aviez** de l'argent.
  You would go on vacation often if you had money.

  Si tu **avais** ton permis, tu **pourrais** conduire.
  If you had your license, you could drive.

  Nous ne **grossirions** pas si nous **mangions** moins.
  We wouldn't put on weight if we ate less.

- Note that **si** and **il/ils** contract to become **s'il** and **s'ils**, respectively.

  Nous **marcherions s'il** ne **pleuvait** pas.
  We'd walk if it weren't raining.

  S'ils faisaient le plein d'essence, ils **iraient** plus loin.
  If they filled the tank, they'd go farther.

- Use a **si** clause alone with the **imparfait** to make a suggestion or to express a wish.

  Si nous **faisions** des projets pour le week-end?
  What about making plans for the weekend?

  Ah! Si elle **obtenait** un meilleur travail!
  Oh! If only she got a better job!

Essayez! **Complétez les phrases avec la forme correcte des verbes.**

1. Si on visitait la Tunisie, on _____ (aller) admirer les ruines.
2. Vous _____ (être) plus heureux si vous faisiez vos devoirs.
3. Si tu _____ (avoir) la grippe, tu devrais aller chez le médecin.
4. Si elles avaient un million d'euros, que _____-elles (faire)?
5. Mes parents me _____ (rendre) visite ce week-end s'ils avaient le temps.
6. J'_____ (écrire) au président si j'avais son adresse.
7. Si nous lisions, nous _____ (savoir) les réponses.
8. Il _____ (avoir) le temps s'il ne regardait pas la télé.

STRUCTURES

Mise en pratique

1 **Questions** Votre voiture est tombée en panne et vous la laissez chez un(e) mécanicien(ne), à qui vous posez des questions. Indiquez ses réponses.

> **MODÈLE** Quand est-ce que vous pourriez commencer? (vous / être pressé(e) / je / pouvoir commencer demain)
>
> *Si vous étiez pressé(e), je pourrais commencer demain.*

1. Les pneus sont neufs (*new*). Ne devriez-vous pas vérifier leur pression? (pneus / être usés (*worn*) / je / vérifier leur pression)

2. Auriez-vous besoin de mon numéro de fax? (je / avoir un fax / je / prendre votre numéro)

3. Quand est-ce que je pourrais reprendre ma voiture? (nous / ne pas fermer le week-end / vous / pouvoir / la reprendre samedi)

4. Pourriez-vous m'appeler au bureau lundi? (je / ne pas pouvoir / finir / secrétaire / vous appeler)

2 **Et si...** D'abord, complétez les questions. Ensuite, employez le conditionnel pour y répondre. Comparez vos réponses aux réponses d'un(e) partenaire.

> **MODÈLE** Que ferais-tu si... tu / être malade?
>
> *Que ferais-tu si tu étais malade? Si j'étais malade, je dormirais toute la journée.*

Situation 1: Que ferais-tu si...

1. tu / être fatigué(e)?
2. il / pleuvoir?
3. il / faire beau?
4. tu / ne pas réussir à tes examens?

Situation 2: Que feraient tes parents si...

1. tu / quitter l'université?
2. tu / choisir de devenir avocat(e)?
3. tu / partir habiter en France?
4. tu / vouloir se marier (*to marry*) très jeune?

3 **Des réactions** Dites ce que (*what*) vous aimeriez, devriez, pourriez ou voudriez faire dans ces circonstances.

> **MODÈLE** Vous vous rendez compte que votre petit(e) ami(e) et vous ne vous aimez plus.
>
> *Nous devrions nous quitter.*

1. Vous n'avez pas de devoirs ce week-end.
2. Votre ami(e) organise une fête sans rien vous dire.
3. Vos parents ne vous téléphonent pas pendant un mois.
4. Le prof de français vous donne une mauvaise note.
5. Vous tombez malade.
6. Votre voiture tombe en panne.
7. Vous n'êtes pas en bonne forme.
8. Vous pouvez aller n'importe où (*anywhere*) pour les vacances.

Communication

4 **L'imagination** Par groupes de trois, choisissez un de ces sujets et préparez un paragraphe par écrit. Ensuite, lisez votre paragraphe à la classe. Vos camarades décident quel groupe est le gagnant (*winner*).

- Si je pouvais devenir invisible, ...
- Si j'étais un extraterrestre à New York, ...
- Si j'inventais une machine, ...
- Si j'étais une célébrité, ...
- Si nous pouvions prendre des vacances sur Mars, ...

5 **Le portefeuille** Vos camarades de classe trouvent un portefeuille (*wallet*) plein d'argent. Par groupes de quatre, parlez d'abord avec un(e) de vos camarades pour deviner ce que (*what*) feraient les deux autres. Ensuite, rejoignez-les pour comparer vos prédictions.

MODÈLE

Étudiant(e) 1: *Si vous trouviez le portefeuille, vous le donneriez à la police.*
Étudiant(e) 2: *Oui, mais nous garderions l'argent pour aller dans un bon restaurant.*

6 **Interview** Par groupes de trois, préparez cinq questions pour un(e) candidat(e) à la présidence des États-Unis. Ensuite, jouez les rôles de l'interviewer et du/de la candidat(e). Alternez les rôles.

MODÈLE

Étudiant(e) 1: *Que feriez-vous au sujet de la sécurité informatique?*
Étudiant(e) 2: *Alors, si j'étais président(e), nous...*

7 **Ma voiture** Vous voulez une voiture mais vous devez d'abord convaincre (*convince*) votre père de vous en acheter une. Il vous pose des questions. Avec un(e) partenaire, préparez cette conversation. Alternez les rôles.

MODÈLE

Étudiant(e) 1: *Si je t'achetais une voiture, est-ce que tu conduirais prudemment?*
Étudiant(e) 2: *Oui, je ne dépasserais pas la limitation de vitesse.*

I CAN hypothesize and speculate about current and future conditions.

Révision

1 Du changement

Avec un(e) partenaire, observez ces bureaux. Faites une liste d'au minimum huit changements que les employés feraient s'ils en avaient les moyens (*means*).

MODÈLE

Étudiant(e) 1: *Si ces gens pouvaient changer quelque chose, ils achèteraient de nouveaux ordinateurs.*
Étudiant(e) 2: *Si les affaires allaient mieux, ils déménageraient.*

2 Si j'étais…

Par groupes de quatre, discutez et faites votre propre (*own*) portrait à travers (*through*) ces occupations. Comparez vos réponses et présentez le portrait d'un(e) camarade à la classe.

MODÈLE

Étudiant(e) 1: *Si j'étais journaliste, j'écrirais sur la vie politique.*
Étudiant(e) 2: *Si je travaillais comme chauffeur, je conduirais tout le temps sur l'autoroute.*

architecte	chauffeur	médecin
artiste	homme/femme	musicien(ne)
athlète	d'affaires	professeur
avocat(e)	journaliste	propriétaire

3 Je la vendrais…

Pour quelles raisons seriez-vous prêt(e)s à vendre votre voiture? Par groupes de trois, donnez chacun(e) (*each one*) au minimum deux raisons positives et deux raisons négatives.

MODÈLE

Étudiant(e) 1: *Je la vendrais si les freins ne marchaient pas.*
Étudiant(e) 2: *Moi, je vendrais ma voiture si je déménageais à Paris, où les transports en commun sont excellents.*

4 Au travail

Observez ces personnes et écrivez une phrase avec *si* pour expliquer leur situation. Ensuite, lisez les phrases à votre partenaire, qui doit deviner de quelles images vous parlez.

MODÈLE

Si elle dormait mieux la nuit, elle ne serait pas fatiguée pendant la journée.

1.   3.

2.   4.

5 Soyons polis!

Avec un(e) partenaire, inventez un dialogue entre un(e) mécanicien(ne) et son assistant(e). Le/La mécanicien(ne) demande méchamment plusieurs services à l'assistant(e), qui refuse. Le/La mécanicien(ne) réitère alors ses demandes, mais plus poliment, et l'assistant(e) accepte.

MODÈLE

Étudiant(e) 1: *Apportez-moi le téléphone!*
Étudiant(e) 2: *Si vous me parliez gentiment, je vous apporterais le téléphone.*
Étudiant(e) 1: *Pourriez-vous m'apporter le téléphone, s'il vous plaît?*
Étudiant(e) 2: *Avec plaisir!*

6 Causes et effets

Votre professeur va vous donner, à vous et à votre partenaire, deux feuilles d'activités différentes sur des causes et leurs effets. Attention! Ne regardez pas la feuille de votre partenaire.

Écriture

STRATÉGIE

Listing key words

Once you have determined the purpose for a piece of writing and identified your audience, it is helpful to make a list of key words you can use while writing. If you were to write a description of your campus, for example, you would probably need a list of prepositions that describe location, such as **devant**, **à côté de**, and **derrière**. Likewise, a list of descriptive adjectives would be useful if you were writing about the people and places of your childhood.

By preparing a list of potential words ahead of time, you will find it easier to avoid using the dictionary while writing your first draft. You will probably also learn a few new words in French while preparing your list of key words.

Listing useful vocabulary is also a valuable organizational strategy since the act of brainstorming key words will help you form ideas about your topic. In addition, a list of key words can help you avoid redundancy when you write.

If you were going to write a composition about your communication habits with your friends, what French words would be the most helpful to you? Jot a few of them down and compare your list with a partner's. Did you choose the same words? Would you choose any different or additional words, based on what your partner wrote?

Thème

Écrire une dissertation

Écrivez une dissertation pour décrire vos préférences et vos habitudes en ce qui concerne (*regarding*) les moyens (*means*) de communication d'hier et d'aujourd'hui.

- Quel est votre moyen de communication préféré (e-mail, téléphone, lettre,...)? Pourquoi?

- En général, comment communiquez-vous avec les gens que vous connaissez? Pourquoi? Avez-vous toujours communiqué avec eux de cette manière (*in this way*)?

- Communiquez-vous avec tout le monde de la même manière ou cela dépend-il des personnes? Par exemple, restez-vous en contact avec vos grands-parents de la même manière qu'avec votre professeur de français? Expliquez.

- Comment restez-vous en contact avec les membres de votre famille? Et avec vos amis et vos camarades de classe?

- Communiquez-vous avec certaines personnes tous les jours? Avec qui? Comment?

Avant de commencer, faites une liste des personnes avec qui vous communiquez régulièrement et donnez le moyen de communication que vous avez utilisé dans le passé et que vous utilisez aujourd'hui. Utilisez aussi votre liste de mots-clés comme point de départ pour votre dissertation.

I CAN write an essay.

Panorama

la promenade des Anglais à Nice

Provence-Alpes-Côte d'Azur

Provence-Alpes-Côte d'Azur (PACA) est une région
dans le sud-est° de la France. Elle contient°
des vestiges romains importants, et dès° le 12ᵉ
siècle° les comtes° de Provence y soutiennent°
la création artistique et culturelle. Aujourd'hui, la
région est non seulement connue pour sa fierté
identitaire et ses artisans, mais également pour
ses plages, où une grande partie de la population
française part en vacances en été.

Personnes célèbres

▶ **Nostradamus,** astrologue et médecin
(1503–1566)

▶ **Surya Bonaly,** athlète olympique (1973–)

La Corse

La Corse est une collectivité française située au
sud de la France dans la mer Méditerranée. Cette
île°, qui a connu des invasions récurrentes au
cours de son histoire, est française depuis 1796. La
deuxième moitié° du 20ᵉ siècle a été marquée par
des violences indépendantistes, et en 2017, une
nouvelle génération d'autonomistes-indépendantistes,
qui espère l'autonomie totale, a gagné les élections
territoriales. Cette île est célèbre pour sa tradition
musicale et pour ses viandes, fromages et miels°.

Personnes célèbres

▶ **Pasquale Paoli,** homme politique
et philosophe, (1725–1807)

▶ **Tino Rossi,** chanteur, (1907–1983)

sud-est *southeast* **contient** *contains* **dès** *starting in* **siècle** *century*
comtes *counts* **soutiennent** *support* **île** *island* **moitié** *half* **miels** *honey*

LA FRANCE

L'ITALIE

LES ALPES

Gap

la Durance

le Rhône

PROVENCE-ALPES-
CÔTE D'AZUR (PACA)

Avignon

Arles
LA
CAMARGUE

la Durance   le Verdon

MONACO

Grasse   Nice
Antibes
Cannes

Aix-en-Provence

Marseille

Toulon

Les îles d'Hyères

le Var

LA MER

MÉDITERRANÉE

0   80 miles
0   80 kilomètres

Bastia
Calvi
Corte
CORSE
Ajaccio
Porto-Vecchio
Bonifacio

LA
SARDAIGNE

le palais des Papes° à Avignon

les falaises° de Bonifacio

ACTIVITÉS

1 **Les informations** Complétez les phrases.

1. Provence-Alpes-Côte d'Azur contient des
_____ importants.

2. En été, beaucoup de Français visitent _____
de Provence-Alpes-Côte d'Azur.

3. La Corse est célèbre pour sa tradition _____
et sa gastronomie.

4. _____ est un homme politique et
philosophe corse.

2 **Assimilez** Répondez aux questions.

1. Quels événements, personnes historiques ou traditions
provençaux et corses connaissez-vous déjà?

2. En quoi le fait (*fact*) d'être une île influence-t-il l'histoire
et la culture corses?

3. Quels facteurs provoquent la formation d'un mouvement
autonomiste, en général et dans le cas de la Corse?

4. Comment est-ce que les traditions artistiques et culturelles
subsistent-elles (*persist*) au cours du temps?

⊙ Les destinations

La réserve naturelle de Scandola

La réserve naturelle de Scandola en Corse a été l'un des premiers sites français à être classé réserve du patrimoine° naturel terrestre et marin. La réserve fait partie° d'un ancien complexe volcanique connu au niveau international pour sa biodiversité. Des scientifiques viennent y étudier le corail° rouge, des espèces marines qui ont disparu ailleurs° dans la Méditerranée, et des espèces inconnues jusqu'à présent. La réserve abrite° aussi une population importante de balbuzards pêcheurs°, une espèce de rapace° qui a été très menacée dans les années 1970.

Les arts

Le festival de Cannes

Chaque année depuis 1946, au mois de mai, de nombreux acteurs, réalisateurs° et journalistes viennent à Cannes, sur la Côte d'Azur, pour le Festival International du Film. Avec la présence de plus de 4.000 journalistes et de nombreux pays représentés, c'est la manifestation cinématographique annuelle la plus médiatisée°. Après deux semaines de projections, de fêtes, d'expositions et de concerts, le jury international du festival choisit le meilleur d'une vingtaine de films présentés en compétition officielle.

Les personnages

Napoléon Bonaparte

Né en 1769 à Ajaccio en Corse, Napoléon Bonaparte devient général à un très jeune âge. Ses succès militaires l'ont rendu° très populaire en France, ce qui lui a permis d'organiser un coup d'État en 1799. Il s'est déclaré Empereur en 1804. Pendant son règne°, il a fondé plusieurs institutions qui forment la base de la société française d'aujourd'hui: la Banque de France, le Code civil et le système éducatif, entre d'autres. Il a aussi cherché à conquérir° l'Europe. Il a obtenu de grandes victoires, mais en 1815, il subit° son ultime défaite à la bataille de Waterloo. Il est capturé et expatrié° à l'île d'Elbe où il meurt en 1821.

Les traditions

Grasse, France

La ville de Grasse, sur la Côte d'Azur, est le centre de la parfumerie° française. Cette «capitale mondiale du parfum» cultive les fleurs depuis le Moyen Âge°: violette, lavande, rose, plantes aromatiques, etc. Au 19e siècle, ses parfumeurs, comme Molinard, ont conquis° les marchés du monde grâce à° la fabrication industrielle.

INCROYABLE MAIS VRAI!

Tous les cow-boys ne sont pas américains. En Camargue, la confrérie° des gardians° perpétue depuis 1512 les traditions des cow-boys français. C'est dans le sud que cohabitent les chevaux blancs camarguais, des taureaux° noirs et des flamants° roses. Montés sur° des chevaux blancs, les gardians gardent les taureaux noirs.

patrimoine *heritage* **fait partie** *is part* **corail** *coral* **ailleurs** *elsewhere* **abrite** *shelters* **balbuzards pêcheurs** *osprey* **rapace** *bird of prey* **réalisateurs** *filmmakers* **médiatisée** *publicized* **ont rendu** *made* **règne** *reign* **conquérir** *to conquer* **subit** *suffers* **expatrié** *exiled* **parfumerie** *perfume industry* **Moyen Âge** *Middle Ages* **ont conquis** *conquered* **grâce à** *thanks to* **confrérie** *brotherhood* **gardians** *herdsmen* **taureaux** *bulls* **flamants** *flamingos* **Montés sur** *Riding*

---

3 **Vous avez compris?** Répondez aux questions par des phrases complètes.

1. Pourquoi est-ce que la réserve naturelle Scandola est connue au niveau international?
2. Qui assiste au festival de Cannes?
3. Qu'est-ce qui a permis à Napoléon Bonaparte d'organiser un coup d'État?
4. Pourquoi est-ce que la ville de Grasse est connue?

4 **Les villes** Choisissez une des villes principales de Provence-Alpes-Côte d'Azur ou de la Corse et recherchez des informations sur son climat, sa géographie, son histoire, ses habitants, ses spécialités gastronomiques et culturelles, etc. Ensuite, comparez cette ville à votre ville ou à une autre ville dans votre pays. Présentez vos idées à la classe.

ACTIVITÉS

I CAN identify and reflect on cultural products and practices of Provence, the French Riviera, and Corsica.

Leçon 11A

L'ordinateur

un clavier *keyboard*
une clé/une prise USB *USB drive/port*
un disque dur *hard drive*
un écran *screen*
un e-mail *e-mail*
un fichier *file*
un identifiant/un mot de passe *username/password*
une imprimante *printer*
un jeu vidéo (jeux vidéo pl.) *video game(s)*
un logiciel *software, program*
un moniteur *monitor*
une page d'accueil *home page*
un site Internet/web *web site*
une souris *mouse*
s'abonner (à) *to follow; to subscribe (to)*
brancher *to plug in, to connect*
démarrer *to start up*
être connecté(e) (avec) *to be connected (to)*
être en ligne (avec) *to be online/on the phone (with)*
imprimer *to print*
sauvegarder *to save*
surfer sur Internet *to surf the Internet*
télécharger *to download*

L'électronique

un appareil photo (numérique) *(digital) camera*
une batterie faible/déchargée *low/dead battery*
une chaîne (de télévision) *(television) channel*
des écouteurs (m.) *headphones*
un enregistreur DVR *DVR*
un lien *link*
un portable *cell phone*
un réseau (social) *(social) network*
un smartphone *smartphone*
une tablette (tactile) *tablet computer*
une télécommande *remote control*
un texto/SMS *text message*

allumer *to turn on*
composer (un numéro) *to dial (a number)*
effacer *to erase*
enregistrer *to record*
éteindre *to turn off*
fermer *to close; to shut off*
fonctionner/marcher *to work; to function*
recharger *to charge*
sonner *to ring*

Expressions utiles

See p. 415.

Prepositions with the infinitive

See p. 418.

Verbes pronominaux réciproques

s'adorer *to adore one another*
s'aider *to help one another*
s'aimer (bien) *to love (like) one another*
se connaître *to know one another*
se dire *to tell one another*
se donner *to give one another*
s'écrire *to write one another*
s'embrasser *to kiss one another*
s'entendre bien (avec) *to get along well (with one another)*
se parler *to speak to one another*
se quitter *to leave one another*
se regarder *to look at one another*
se rencontrer *to meet one another (make an acquaintance)*
se retrouver *to meet one another (planned)*
se téléphoner *to phone one another*

Leçon 11B

La voiture

arrêter (de faire quelque chose) *to stop (doing something)*
attacher sa ceinture de sécurité (f.) *to buckle one's seatbelt*
avoir un accident *to have/to be in an accident*
dépasser *to go over; to pass*
faire le plein *to fill the tank*
freiner *to brake*
se garer *to park*
rentrer (dans) *to hit (another car)*
réparer *to repair*
tomber en panne *to break down*
vérifier (l'huile/la pression des pneus) *to check (the oil/the air pressure)*
un capot *hood*
un coffre *trunk*
l'embrayage (m.) *clutch*
l'essence (f.) *gas*
un essuie-glace (des essuie-glaces) *windshield wiper(s)*
les freins (m.) *brakes*
l'huile (f.) *oil*
un moteur *engine*
un pare-brise (pare-brise pl.) *windshield*
un pare-chocs (pare-chocs pl.) *bumper*
les phares (m.) *headlights*
un pneu (crevé) *(flat) tire*
une portière *car door*
un réservoir d'essence *gas tank*
un rétroviseur *rearview mirror*
une roue (de secours) *(emergency) tire*
une voiture *car*
un volant *steering wheel*
un voyant d'essence/d'huile *(gas/oil) warning light*
un agent de police/un(e) policier/policière *police officer*
une amende *fine*
une autoroute *highway*
la circulation *traffic*

la limitation de vitesse *speed limit*
un(e) mécanicien(ne) *mechanic*
un parking *parking lot*
un permis de conduire *driver's license*
une rue *street*
une station-service *service station*

Verbes

couvrir *to cover*
découvrir *to discover*
offrir *to offer, to give something*
ouvrir *to open*
souffrir *to suffer*

Expressions utiles

See p. 433.

🔗 Communicative Goals: Review

I CAN describe communication methods, electronics, and vehicles.
- Write a paragraph about what the world might be like without electronics and cars.

I CAN express reciprocal actions.
- Write a list of five ways you keep in touch with your friends and family.

I CAN investigate technology and vehicles in francophone communities.
- Describe a francophone cultural product or practice related to technology and compare the perspectives around it to attitudes in your own culture.

En ville

Communicative Goals

You will learn how to:

- Talk about errands and places around town
- Talk about what will happen in the future
- Investigate city life in francophone communities

Pour commencer

- Qu'est-ce que cet homme a dans la main?
- Où est-il?
- Quel temps fait-il?
- Que fait-il?

Leçon 12A

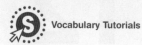
Les courses

Vocabulaire

accompagner	to accompany
avoir un compte bancaire	to have a bank account
déposer de l'argent	to deposit money
emprunter	to borrow
payer avec une carte de crédit	to pay with a credit card
payer en liquide	to pay in cash
payer par chèque	to pay by check
remplir un formulaire	to fill out a form
retirer de l'argent	to withdraw money
signer	to sign
une adresse	address
une carte postale	postcard
une enveloppe	envelope
un timbre	stamp
une boutique	boutique, store
une brasserie	restaurant
un commissariat de police	police station
une laverie	laundromat
une mairie	town/city hall; mayor's office
un compte de chèques	checking account
un compte d'épargne	savings account
une dépense	expenditure, expense
des pièces de monnaie/ de la monnaie	coins/change
fermé(e)	closed
ouvert(e)	open

une papeterie

une bijouterie

un bureau de poste

un colis

une boîte aux lettres

Elle poste une lettre. (poster)

un marchand de journaux

Mise en pratique

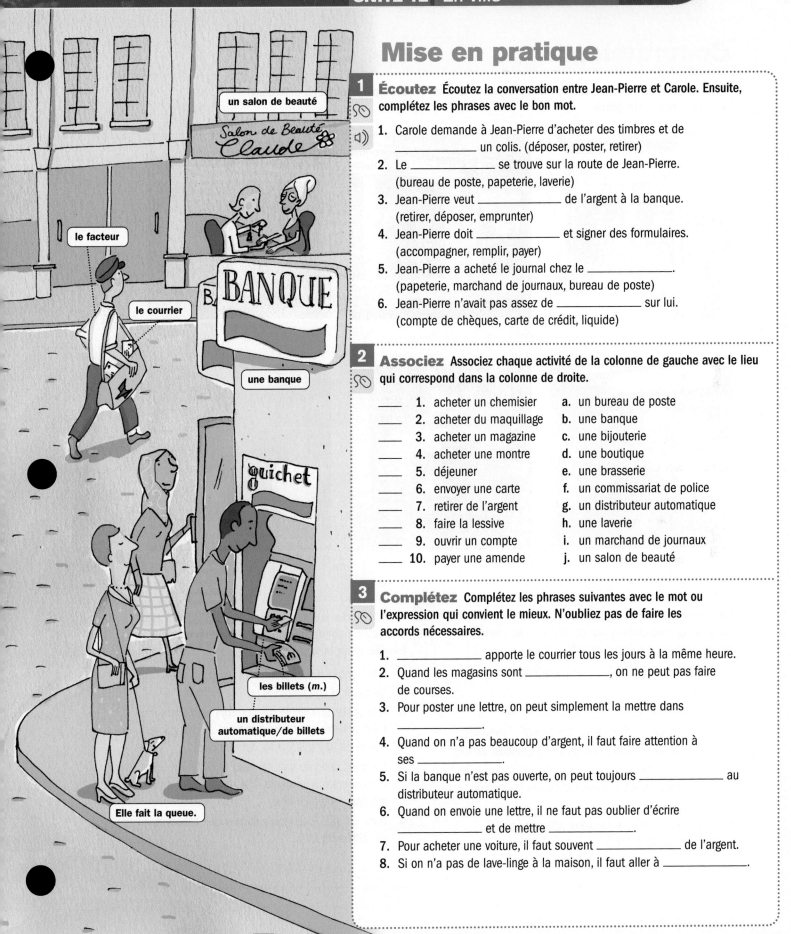

un salon de beauté

Salon de Beauté Claude

le facteur

le courrier

BANQUE

une banque

guichet

les billets (m.)

un distributeur automatique/de billets

Elle fait la queue.

1 Écoutez Écoutez la conversation entre Jean-Pierre et Carole. Ensuite, complétez les phrases avec le bon mot.

1. Carole demande à Jean-Pierre d'acheter des timbres et de _____ un colis. (déposer, poster, retirer)
2. Le _____ se trouve sur la route de Jean-Pierre. (bureau de poste, papeterie, laverie)
3. Jean-Pierre veut _____ de l'argent à la banque. (retirer, déposer, emprunter)
4. Jean-Pierre doit _____ et signer des formulaires. (accompagner, remplir, payer)
5. Jean-Pierre a acheté le journal chez le _____. (papeterie, marchand de journaux, bureau de poste)
6. Jean-Pierre n'avait pas assez de _____ sur lui. (compte de chèques, carte de crédit, liquide)

2 Associez Associez chaque activité de la colonne de gauche avec le lieu qui correspond dans la colonne de droite.

____	1. acheter un chemisier	a. un bureau de poste
____	2. acheter du maquillage	b. une banque
____	3. acheter un magazine	c. une bijouterie
____	4. acheter une montre	d. une boutique
____	5. déjeuner	e. une brasserie
____	6. envoyer une carte	f. un commissariat de police
____	7. retirer de l'argent	g. un distributeur automatique
____	8. faire la lessive	h. une laverie
____	9. ouvrir un compte	i. un marchand de journaux
____	10. payer une amende	j. un salon de beauté

3 Complétez Complétez les phrases suivantes avec le mot ou l'expression qui convient le mieux. N'oubliez pas de faire les accords nécessaires.

1. _____ apporte le courrier tous les jours à la même heure.
2. Quand les magasins sont _____, on ne peut pas faire de courses.
3. Pour poster une lettre, on peut simplement la mettre dans _____.
4. Quand on n'a pas beaucoup d'argent, il faut faire attention à ses _____.
5. Si la banque n'est pas ouverte, on peut toujours _____ au distributeur automatique.
6. Quand on envoie une lettre, il ne faut pas oublier d'écrire _____ et de mettre _____.
7. Pour acheter une voiture, il faut souvent _____ de l'argent.
8. Si on n'a pas de lave-linge à la maison, il faut aller à _____.

Communication

4 **Décrivez** À tour de rôle, choisissez une image et décrivez-la. Votre partenaire doit déterminer de quelle image vous parlez.

1.

2.

3.

4.

5.

6.

5 **Répondez** Avec un(e) partenaire, posez les questions suivantes et répondez-y à tour de rôle. Ensuite, comparez vos réponses avec celles d'un autre groupe.

1. Vas-tu souvent au bureau de poste? Pour quoi faire?
2. Quel genre de courses fais-tu le week-end?
3. Où est-ce que tu fais souvent la queue? Pourquoi?
4. Y a-t-il une laverie près de chez toi? Combien de fois par mois y vas-tu?
5. Comment préfères-tu payer tes achats (*purchases*)? Pourquoi?
6. Combien de fois par semaine utilises-tu un distributeur de billets?

6 **À vous de jouer** Par petits groupes, choisissez une des situations suivantes et écrivez un dialogue. Ensuite, jouez la scène.

1. À la banque, un(e) étudiant(e) veut ouvrir un compte bancaire et connaître les services offerts.
2. À la poste, une vieille dame (*lady*) veut envoyer un colis, acheter des timbres et faire un changement d'adresse. Il y a la queue derrière elle.
3. Dans un salon de beauté, deux femmes discutent de leurs courses à la mairie, à la papeterie et chez le marchand de journaux.
4. Dans un café, des étudiants font des achats en ligne sur différents sites.

I CAN talk about errands and places around town.

Les sons et les lettres

The letter h

You already know that the letter **h** is silent in French, and you are familiar with many French words that begin with an **h muet**. In such words, the letter **h** is treated as if it were a vowel. For example, the articles **le** and **la** become **l'** and there is a liaison between the final consonant of a preceding word and the vowel following the **h**.

l'heure   l'homme   des hôtels   des hommes

Some words begin with an **h aspiré**. In such words, the **h** is still silent, but it is not treated like a vowel. Words beginning with **h aspiré**, like these you've already learned, are not preceded by **l'** and there is no liaison.

la honte   les haricots verts   le huit mars   les hors-d'œuvre

Words that begin with an **h aspiré** are normally indicated in dictionaries by some kind of symbol, usually an asterisk (*).

Prononcez Répétez les mots suivants à voix haute.

1. le hall
2. la hi-fi
3. l'humeur
4. la honte
5. le héron
6. l'horloge
7. l'horizon
8. le hippie
9. l'hilarité
10. la Hongrie
11. l'hélicoptère
12. les hamburgers
13. les hiéroglyphes
14. les hors-d'œuvre
15. les hippopotames
16. l'hiver

Articulez Répétez les phrases suivantes à voix haute.

1. Hélène joue de la harpe.
2. Hier, Honorine est allée à l'hôpital.
3. Le hamster d'Hervé s'appelle Henri.
4. La Havane est la capitale de Cuba.
5. L'anniversaire d'Héloïse est le huit mars.
6. Le hockey et le hand-ball sont mes sports préférés.

Dictons Répétez les dictons à voix haute.

La honte n'est pas d'être inférieur à l'adversaire, c'est d'être inférieur à soi-même.[1]

L'heure, c'est l'heure; avant l'heure, c'est pas l'heure; après l'heure, c'est plus l'heure.[2]

[1] Shame is not being inferior to an adversary; it's being inferior to oneself.

[2] On time is on time; before the hour is not on time; after the hour is no longer on time.

ROMAN-PHOTO

On fait des courses

Video: *Roman-photo*
Record & Compare

PERSONNAGES

Amina

David

Employée

Rachid

Sandrine

À la charcuterie...

EMPLOYÉE Bonjour, Mademoiselle, Monsieur. Qu'est-ce que je vous sers?

RACHID Bonjour, Madame, quatre tranches de pâté et de la salade de carottes pour deux personnes, s'il vous plaît.

EMPLOYÉE Et avec ça?

RACHID Deux tranches de jambon, s'il vous plaît.

RACHID Vous prenez les cartes de crédit?

EMPLOYÉE Ah désolée, Monsieur, nous n'acceptons que les paiements en liquide ou par chèque.

RACHID Amina, je viens de m'apercevoir que je n'ai pas de liquide sur moi!

AMINA Ce n'est pas grave, j'en ai assez. Tiens.

Dans la rue...

RACHID Merci, chérie. Passons à la banque avant d'aller au parc.

AMINA Mais nous sommes samedi midi, la banque est fermée.

RACHID Peut-être, mais il y a toujours le distributeur automatique.

AMINA Bon d'accord... J'ai quelques courses à faire plus tard cet après-midi. Tu veux m'accompagner?

Dans une autre partie de la ville...

DAVID Tu aimes la cuisine alsacienne?

SANDRINE Oui, j'adore la choucroute!

DAVID Tu veux aller à la brasserie La Petite France? C'est moi qui t'invite.

SANDRINE D'accord, avec plaisir.

DAVID Excellent! Avant d'y aller, il faut trouver un distributeur automatique.

SANDRINE Il y en a un à côté de la banque.

Au distributeur automatique...

SANDRINE Eh regarde qui fait la queue!

RACHID Tiens, salut, qu'est-ce que vous faites de beau, vous deux?

SANDRINE On va à la brasserie. Vous voulez venir avec nous?

AMINA Non non! Euh... je veux dire... Rachid et moi, on va faire un pique-nique dans le parc.

RACHID Oui, et après ça, Amina a des courses importantes à faire.

SANDRINE Je comprends, pas de problème... David et moi, nous avons aussi des choses à faire cet après-midi.

ACTIVITÉS

1 **Vrai ou faux?** Indiquez si les affirmations suivantes sont vraies ou fausses.

1. À la charcuterie, Rachid paie par carte.
2. Amina doit aller à la poste pour acheter des timbres.
3. David et Rachid vont retirer de l'argent.
4. Amina et Rachid vont à la brasserie.
5. Amina va faire ses courses après le pique-nique.

2 **Complétez** Complétez les phrases suivantes.

1. La charcuterie accepte les paiements en liquide et _____.
2. Amina veut aller à la poste, à la boutique de vêtements et à la _____.
3. À côté de la banque, il y a un _____.
4. Amina paie avec des pièces de monnaie et des _____.
5. Amina a des _____ à faire cet après-midi.

Amina et Rachid préparent un pique-nique.

RACHID Volontiers. Où est-ce que tu vas?

AMINA Je dois aller à la poste pour acheter des timbres et envoyer quelques cartes postales, et puis je voudrais aller à la bijouterie. J'ai reçu un e-mail de la bijouterie qui vend les bijoux que je fais. Regarde.

RACHID Très joli!

AMINA Oui, tu aimes? Et après ça, je dois passer à la boutique Olivia où l'on vend mes vêtements.

RACHID Tu vends aussi des vêtements dans une boutique?

AMINA Oui, mes créations! J'étudie le stylisme de mode, tu ne t'en souviens pas?

RACHID Si, bien sûr, mais... Tu as vraiment du talent.

AMINA Alors! On n'a plus besoin de chercher un Cyberhomme?

SANDRINE Pour le moment, je ne cherche personne. David est super.

DAVID De quoi parlez-vous?

SANDRINE Oh, rien d'important.

RACHID Bon, Amina. On y va?

AMINA Oui. Passez un bon après-midi.

SANDRINE Vous aussi.

---

3 **Considérez** Répondez aux questions.

1. Quand vous faites les courses, comment est-ce que vous payez vos achats, d'habitude? Par carte? En liquide? Comparez vos expériences dans les petits commerces à celle de Rachid à la charcuterie.

2. Quand vous sortez en couple, qui paie? Est-ce que vous avez l'habitude de sortir avec un autre couple ou en groupe? Y a-t-il des croyances et coutumes qui influencent ces pratiques? Comment?

4 **À vous!** Que se passe-t-il au pique-nique ou à la brasserie? Avec un(e) camarade de classe, écrivez une conversation entre Amina et Sandrine ou Rachid et David, dans laquelle elles/ils se racontent ce qu'ils ont fait. Qu'ont-ils mangé? Se sont-ils amusés? Était-ce romantique? Jouez la scène devant la classe.

I CAN understand short conversations about errands.

A C T I V I T É S

LECTURE CULTURELLE

Video: *Flash culture*

Les petits commerces

Dans beaucoup de pays francophones, on fait toujours les courses chez les petits commerçants, même° s'il est plus pratique d'aller au supermarché. On allie° modernité et tradition: on fait souvent les courses une fois par semaine au supermarché mais quand on a plus de temps, on se rend° dans les petits commerces où on achète des produits plus authentiques et parfois plus proches° de son domicile°.

Pour le fromage, par exemple, on va à la fromagerie ou à la crémerie; pour la viande, on va à la boucherie; pour le poisson, à la poissonnerie. Dans les épiceries de quartier, on trouve aussi toutes sortes de produits, par exemple des fruits et des légumes, des produits frais°, des boîtes de conserve°, des produits surgelés°, etc. Les épiceries fines se spécialisent dans les produits de luxe et parfois, dans les plats préparés.

En France, la boulangerie reste le petit commerce le plus fréquenté. Le pain artisanal, les croissants et les brioches ont aussi un goût° bien différent des produits industriels. Chaque quartier, chaque village a au minimum une boulangerie. Dans certaines rues des grandes villes françaises (Paris, Lyon, Marseille, Bordeaux, etc.) il y en a parfois quatre ou cinq proches les unes des autres. Les pâtisseries aussi sont très nombreuses°.

Les petits commerces ont survécu° en France grâce à° une volonté° politique. Pour les sauvegarder°, les pouvoirs° publics des années 1980 ont limité les autorisations de constructions des supermarchés et hypermarchés dans la périphérie° des villes. Malgré° cela, les supermarchés se sont intégrés dans les villes au cours des années. Aujourd'hui, les petits commerces sont menacés par les prix plus intéressants des supermarchés et la hausse° des achats en ligne. Donc, une fois de plus, les pouvoirs publics ont relancé° leurs efforts afin de° les sauver parce que c'est la présence des petits commerces qui donne vie aux centres-villes et aux quartiers.

même *even* **allie** *combines* **se rend** *goes* **proches** *close* **domicile** *home* **frais** *fresh* **boîtes de conserve** *canned goods* **surgelés** *frozen* **goût** *flavor* **nombreuses** *numerous* **survécu** *survived* **grâce à** *thanks to* **volonté** *will* **sauvegarder** *save* **pouvoirs** *authorities* **périphérie** *outskirts* **Malgré** *Despite* **hausse** *rise* **relancé** *renewed* **afin de** *in order to*

STRATÉGIE

Summarizing a text

Summarizing a text in your own words can help you comprehend it better. Before summarizing a text, you might find it helpful to skim it and jot down a few notes about its general meaning. You can then read the text again, writing down the important details. Your notes will help you summarize what you have read. If the text is particularly long, you may want to subdivide it into smaller segments so that you can summarize it more easily.

ACTIVITÉS

1 **Compréhension** Complétez les phrases.

1. Dans beaucoup de pays francophones, on fait les courses au supermarché ou chez _____.

2. Pour acheter du fromage, on peut aller à la fromagerie ou à _____.

3. Le _____ des boulangeries a un goût très différent des produits industriels.

4. Les petits commerces français ont survécu grâce à _____.

2 **Considérez** Répondez aux questions.

1. Où est-ce que vous faites les courses? Quels petits commerces existent dans votre communauté?

2. À votre, avis, est-ce qu'il est important d'avoir des petits commerçants dans une communauté? Pourquoi ou pourquoi pas?

3. Comparez la volonté politique qui préserve les petits commerces en France aux attitudes et initiatives dans votre communauté.

4. Comment est-ce que les attitudes et valeurs d'une communauté influencent son environnement entrepreneurial?

Critères les plus influents dans le choix des magasins alimentaires

1. la proximité
2. les prix
3. les choix
4. le parking
5. la rapidité

Et vous? Quels facteurs considérez-vous les plus importants dans le choix des magasins alimentaires?

LE MONDE FRANCOPHONE

Où faire des courses?

Voici quelques endroits où faire des courses.

En Afrique du Nord les souks, quartiers des vieilles villes où il y a une grande concentration de magasins et de stands

En Côte d'Ivoire le marché de Cocody à Abidjan où on trouve des tissus° et des objets locaux

À la Martinique le grand marché de Fort-de-France, un marché couvert°, ouvert tous les jours, qui offre toutes sortes de produits

À Montréal la ville souterraine°, un district du centre-ville où il y a de nombreux centres commerciaux reliés° entre eux par des tunnels

À Paris le marché aux puces° de Saint-Ouen où on trouve des antiquités et des objets divers

À Tahiti le marché couvert de Papeete où on offre des produits pour les touristes et pour les Tahitiens

tissus *fabrics* **couvert** *covered* **souterraine** *underground* **reliés** *connected* **marché aux puces** *flea market*

Le «Spiderman» français

Alain Robert, surnommé° le «Spiderman» français, découvre l'escalade° quand il est enfant et devient un des meilleurs grimpeurs° de falaises° du monde. Dès l'adolescence, il pratique le solo intégral en escalade: c'est un style d'escalade libre et en solitaire sans aucun système de sécurité (pas de corde°, pas d'équipements de protection spécialisés). Au début des années 90, il est médiatisé et admiré par le monde de l'escalade. Malgré° deux accidents qui l'ont laissé invalide à 60%°, avec des problèmes de vertige°, il commence sa carrière de grimpeur «urbain» et escalade son premier gratte-ciel° à Chicago, en 1994. Depuis, il a escaladé près de 100 gratte-ciel et autres structures du monde, dont la tour Eiffel à Paris, le Golden Gate Bridge à San Francisco et la Burj Khalifa, la plus grande tour au monde (823 mètres), à Dubaï. En 1997, il a été arrêté par la police pendant son ascension de l'un des plus grands bâtiments du monde, les tours Petronas en Malaisie. Parfois en costume de Spiderman, mais toujours sans corde et à mains nues°, Alain Robert fait souvent des escalades pour collecter des dons° et il attire° parfois des milliers de spectateurs. Sur sa page Facebook ou son site web, on peut suivre ses engagements et ses exploits: il est entré dans le livre Guinness des Records en 2012 pour la plus rapide ascension de l'Aspire Tower au Qatar. Il assure que «l'escalade est une passion», «une philosophie de vie».

surnommé *nicknamed* **escalade** *climbing* **grimpeurs** *climbers* **falaises** *cliffs* **corde** *rope* **Malgré** *In spite of* **invalide à 60%** *60% disabled* **vertiges** *vertigo* **gratte-ciel** *skyscraper* **nues** *bare* **dons** *charitable donations* **attire** *attracts*

---

3 **Vrai ou faux?** Indiquez si les phrases sont vraies ou fausses. Corrigez les phrases fausses.

1. Alain Robert escalade des bâtiments urbains.
2. Alain Robert escalade avec une corde et des équipements de protection spécialisés.
3. À Montréal, il y a un quartier souterrain.
4. Il y a des souks dans les marchés d'Abidjan.

4 **Le marchandage** En Afrique du Nord, il est très courant de marchander ou de discuter avec un vendeur pour obtenir un meilleur prix. Avez-vous déjà eu l'occasion de marchander? Où? Quand? Qu'avez-vous acheté? Avez-vous obtenu un bon prix? Discutez de ce sujet avec un(e) partenaire.

A C T I V I T É S

I CAN identify and reflect on cultural products and practices related to small businesses.

STRUCTURES

12A.1 Voir, recevoir, and *apercevoir*  Grammar Tutorial

Je m'aperçois que je n'ai pas d'argent.

On vous a vus devant le distributeur!

The verb *voir* (to see)

je vois	nous voyons
tu vois	vous voyez
il/elle/on voit	ils/elles voient

Nous **voyons** le nouveau commissariat de police.
We see the new police station.

Tu **vois** les cartes postales sur la table?
Do you see the postcards on the table?

- **Voir** takes **avoir** as an auxiliary verb in the **passé composé**, and its past participle is **vu**.

Tu **as vu** le nouveau facteur?
Did you see the new mailman?

Ils **ont vu** *Un air de famille* en DVD.
They saw Un air de famille on DVD.

- The **conditionnel** of **voir** is formed with the stem **verr-**.

S'ils pouvaient, ils **verraient** le film ce week-end.
If they could, they would see the film this weekend.

Elle **verrait** mieux si elle portait des lunettes.
She would see better if she wore glasses.

- The verb **revoir** (*to see again*) is derived from **voir** and is conjugated in the same way.

Au revoir!

On se **revoit** mercredi ou jeudi?
Will we see each other again Wednesday or Thursday?

On a **revu** nos camarades à la papeterie.
We saw our classmates again at the stationery store.

🔧 Boîte à outils

You can use the expression **aller voir** to mean *to go see/visit*.

On va voir les ruines.
We're going to see (visit) the ruins.

Se voir can be used either reflexively or reciprocally.

Je me vois dans le miroir.
(reflexive)

Dorian et Lise se voient.
(reciprocal)

- In **Leçon 9A**, you learned to conjugate **devoir**. **Recevoir** and **apercevoir** are conjugated similarly.

	recevoir *(to receive)*	**apercevoir** *(to catch sight of, to see)*
je/j'	reçois	aperçois
tu	reçois	aperçois
il/elle/on	reçoit	aperçoit
nous	recevons	apercevons
vous	recevez	apercevez
ils/elles	reçoivent	aperçoivent

Je **reçois** une lettre de
  mon copain.
I receive a letter from my friend.

Les criminels **aperçoivent**
  le policier.
The criminals see the police officer.

Vous **recevez** le courrier à la même
  heure tous les après-midi.
*You receive the mail at the same
  time every afternoon.*

Le chien **aperçoit** le facteur quand
  il s'approche.
*The dog sees the mailman when
  he approaches.*

- **Recevoir** and **apercevoir** take **avoir** as the auxiliary verb in the **passé composé**. Their past participles are, respectively, **reçu** and **aperçu**.

Guillaume **a reçu** une
  carte postale.
Guillaume received a postcard.

J'**ai aperçu** un distributeur
  automatique.
I saw an ATM.

- The **conditionnel** of **recevoir** and **apercevoir** is formed with the stems **recevr-** and **apercevr-**, respectively.

Nous **recevrions** des colis
  si elle nous en envoyait.
*We would receive packages if
  she sent us some.*

D'ici, on **apercevrait** le bureau
  de poste.
*From here, you would catch
  sight of the post office.*

- The verb **s'apercevoir** (**de**) means *to notice* or *to realize*.

Elle **s'est aperçue** qu'il fallait
  faire la queue.
*She realized it was necessary to
  wait in line.*

Nous **nous sommes aperçus**
  du problème hier.
*We noticed the problem
  yesterday.*

Essayez! **Donnez la forme appropriée du verbe au présent.**

voir
1. tu _____vois_____
2. vous _____
3. elle _____
4. elles _____

recevoir
5. il _____reçoit_____
6. nous _____
7. ils _____
8. je _____

apercevoir
9. vous _____apercevez_____
10. tu _____
11. elles _____
12. Houda _____

STRUCTURES

Mise en pratique

1 **À la Martinique** Alain et Chantal sont en vacances. Que disent-ils? Utilisez le présent de l'indicatif du verbe **voir**.

MODÈLE

tu / voir / la plage et la mer
Tu vois la plage et la mer.

1. je / voir / couleurs / merveilleux
2. Chantal / voir / énorme / poisson
3. ils / voir / que / marché aux fruits / fermer / tôt
4. nous / voir / le Carnaval / balcon de l'hôtel
5. tu / voir / enfants / dans / parc
6. vous / voir / boutique de vêtements
7. on / voir / le marchand / à côté de / bijouterie

2 **Recevoir ou apercevoir?** Vous parlez avec un(e) ami(e) de votre vie sur le campus. Complétez les phrases avec les verbes appropriés au présent.

1. De sa chambre, mon ami Marc _____ le campus.
2. Mon camarade de chambre et moi, nous ne _____ pas de visites pendant la semaine.
3. Tu _____ parfois le facteur passer en voiture.
4. Ma petite amie et sa sœur _____ souvent des colis de leurs parents.
5. Quelquefois, je/j' _____ mes profs au supermarché.
6. Ton meilleur ami et toi, vous _____ souvent des amis le week-end.
7. Mon amie Fabienne _____ beaucoup de cadeaux pour son anniversaire.
8. Malik et moi, nous _____ le bureau de poste de la bibliothèque.

3 **Revoir** Alain et Chantal ont beaucoup aimé leur séjour à la Martinique et ils disent à une amie qu'ils ont déjà vu ces endroits et qu'ils les reverraient volontiers.

MODÈLE

Nous avons vu la montagne Pelée et nous la reverrions volontiers.

la montagne Pelée (nous)

1. des poissons tropicaux

2. la forêt tropicale (je) 3. le marché (Alain) 4. les plages (vous)

Communication

4 **Curieux!** Avec un(e) partenaire, posez-vous ces questions à tour de rôle. Prenez des notes, puis partagez vos réponses les plus intéressantes avec la classe.

1. Reçois-tu souvent des lettres? De qui? Quand?

2. As-tu vu un bon film récemment? Quel film?

3. Tes parents recevaient-ils souvent des amis quand tu étais petit(e)? Aimais-tu leurs amis?

4. Voyais-tu tes camarades pendant les vacances d'été? Pourquoi?

5. Qu'aperçois-tu de ta chambre? Que préférerais-tu apercevoir?

6. Est-ce que tu as reçu beaucoup de cadeaux pour Noël? De qui?

7. D'habitude, quand est-ce que tu vois tes cousins?

8. Reçois-tu toujours de bonnes notes? Dans quels cours?

9. Que ferais-tu si tu apercevais un crime sur le campus?

5 **Assemblez** Achetez-vous sur Internet? Avec un(e) partenaire, assemblez les éléments des colonnes pour raconter vos expériences. Utilisez les verbes **voir**, **recevoir**, **apercevoir** et **s'apercevoir** dans votre conversation.

MODÈLE

Étudiant(e) 1: *Je commande parfois des livres sur Internet. Une fois, je n'ai pas reçu mes livres!*
Étudiant(e) 2: *Mon père adore acheter sur Internet. Il voit souvent des objets qui l'intéressent.*

A	B	C
je	apercevoir	billets d'avion
tu	s'apercevoir	billets de concert
un(e) ami(e)	commander	CD
nous	poster	DVD
vous	recevoir	livres
tes parents	voir	vêtements
?	?	?

6 **Enquête** Votre professeur va vous donner une feuille d'activités. Circulez dans la classe et demandez à vos camarades s'ils connaissent quelqu'un qui pratique chaque activité de la liste. S'ils répondent par l'affirmative, demandez-leur qui est la personne et écrivez la réponse. Ensuite, présentez vos réponses à la classe.

MODÈLE

Étudiant(e) 1: *Connais-tu quelqu'un qui reçoit rarement des e-mails?*
Étudiant(e) 2: *Oui, mon frère aîné reçoit très peu d'e-mails.*

Activités	Nom	Réponses
1. recevoir / rarement / e-mails	Quang	son frère aîné
2. s'inquiéter / quand / ne pas / recevoir / e-mails		
3. apercevoir / e-mail bizarre / le / ouvrir		

I CAN describe what people see and experience.

12A.2 **Negative/affirmative expressions** Grammar Tutorial

Point de départ In **Leçon 2A**, you learned how to negate verbs with **ne... pas**, which is used to make a general negation. In French, as in English, you can also use a variety of expressions that add a more specific meaning to the negation.

À noter

In the **Leçon 8B Roman-photo**, you learned the negative expression **ne... pas encore** (*not yet*). It works the same way as the negative expressions in this lesson.

Boîte à outils

The expression **ne... que** does not really express negation although it contains **ne**. Therefore, you use an indefinite article rather than **de** after this expression.

Je n'ai qu'un compte de chèques.
I only have one checking account.

Use **de** in all other negative constructions.

Il n'y a plus de billets dans le distributeur.
There aren't any more bills in the ATM.

Personne ne poste de lettre le dimanche.
No one mails letters on Sundays.

- The other negative expressions are also made up of two parts: **ne** and a second negative word. The verb is placed between these two parts.

Negative expressions			
ne... aucun(e)	*none (not any)*	**ne... plus**	*no more (not anymore)*
ne... jamais	*never (not ever)*	**ne... que**	*only*
ne... ni... ni	*neither... nor*	**ne... rien**	*nothing (not anything)*
ne... personne	*nobody, no one*		

Je **n'**ai **aucune** envie de manger.
I have no desire to eat.

Le bureau de poste **n'**est **jamais** ouvert.
The post office is never open.

Elle **ne** parle à **personne**.
She doesn't talk to anyone.

Il **n'**a **plus** faim.
He's not hungry anymore.

Ils **n'**ont **que** des timbres de la poste aérienne.
They only have airmail stamps.

Le facteur **n'**avait **rien** pour nous.
The mailman had nothing for us.

- To negate the expression **il y a**, place **n'** before **y** and the second negative word after the form of **avoir**.

Il **n'**y a **aucune** banque près d'ici?
Aren't there any banks nearby?

Il **n'**y avait **rien** sur mon compte.
There wasn't anything in my account.

- The negative words **personne** and **rien** can be the subject of a verb, in which case they are placed before a third-person singular verb with **ne** following them.

Personne n'était là.
No one was there.

Rien n'est arrivé dans le courrier.
Nothing arrived in the mail.

- Note that **aucun(e)** can be either an adjective or a pronoun. Therefore, it must agree with the noun it modifies or replaces. It is always used in the singular.

Tu **ne** trouves **aucune boîte aux lettres**?
Can't you find any mailboxes?

Il **n'**a choisi **aucun** de ces pulls?
Didn't he pick any of these sweaters?

Je **n'**en trouve **aucune** par ici.
I can't find any around here.

Non, il **n'**en a aimé **aucun**.
No, he didn't like any of them.

- **Jamais, personne, plus,** and **rien** can be doubled up with **ne**.

Elle **ne** parle **jamais** à **personne**.
She never talks to anyone.

Elle **ne** dit **jamais rien**.
She never says anything.

Il **n'**y a **plus personne** ici.
There isn't anyone here anymore.

Il **n'**y a **plus rien** ici.
There isn't anything here anymore.

- To say *neither... nor*, you use three negative words: **ne... ni... ni**. Note that partitive and indefinite articles are usually omitted.

Le facteur **n'**est **ni** sympa **ni** sociable.
The mailman is neither nice
nor sociable.

Je **n'**ai **ni** frères **ni** sœurs.
I have neither brothers
nor sisters.

- Note that in the **passé composé**, the words **jamais**, **plus**, and **rien** are placed between the auxiliary verb and the past participle. **Aucun(e)**, **personne**, and **que** follow the past participle.

Elle **n'**est **jamais** revenue.
She's never returned.

Nous **n'**avons **plus** emprunté d'argent.
We haven't borrowed money anymore.

Je **n'**ai **rien** dit aujourd'hui.
I didn't say anything today.

Vous **n'**avez signé **aucun** papier.
You didn't sign any papers.

Il **n'**a parlé à **personne**.
He didn't speak to anyone.

Ils **n'**en ont posté **que** deux.
They only mailed two.

- These expressions can be used in affirmative phrases. Note that when **jamais** is not accompanied by **ne**, it can mean *ever*.

jamais	*ever*
quelque chose	*something*

quelqu'un	*someone*
toujours	*always; still*

As-tu **jamais** été à cette brasserie?
Have you ever been to that brasserie?

Il y a **quelqu'un**?
Is someone there?

Vous cherchez **quelque chose**?
Are you looking for something?

Il est **toujours** aussi réservé?
Is he still so reserved?

- Note that **personne**, **quelque chose**, **quelqu'un**, and **rien** can be modified with an adjective after **de**.

Nous cherchons **quelque chose de joli**.
We're looking for something pretty.

Ce n'est **rien de nouveau**.
It's nothing new.

Il y a **quelqu'un de généreux** dans ta famille?
Is there anyone generous in your family?

Je ne connais **personne de plus intelligent** que lui.
I don't know anyone more intelligent than him.

Boîte à outils

Some expressions, when used in questions, often result in a logical negative expression in the answer.

quelqu'un (*someone*) →
ne... personne (*no one*)

quelquefois / toujours (*sometimes / always*) →
ne... jamais (*never*)

quelque chose / tout (*something / everything*) →
ne... rien (*nothing*)

toujours (*still*) → **ne... plus** (*anymore*)

déjà (*already*) → **ne... pas encore** (*not yet*)

Essayez! **Choisissez l'expression correcte.**

1. (Jamais / Personne) ne trouve cet homme agréable.
2. Je ne veux (rien / jamais) faire aujourd'hui.
3. Y a-t-il (quelqu'un / personne) à la banque?
4. Je n'ai reçu (pas de / aucun) colis.
5. Il n'y avait (ne / ni) lettres ni colis dans la boîte aux lettres.
6. Il n'y a (plus / aucun) d'argent à la banque?
7. Jérôme ne va (toujours / jamais) à la poste.
8. Le facteur n'arrive (toujours / qu') à trois heures.

STRUCTURES

Mise en pratique

1 **Les jumelles** Olivia et Anaïs sont des jumelles (*twin sisters*) bien différentes. Expliquez comment.

MODÈLE

Olivia est toujours heureuse.
Anaïs n'est jamais heureuse.

1. Olivia rit tout le temps.
2. Olivia remarque (*notes*) tout.
3. Olivia voit encore ses amies d'enfance.
4. Olivia aime le chocolat et la glace.
5. Olivia connaît beaucoup de monde.
6. Olivia reçoit beaucoup de colis.
7. Olivia est toujours étudiante.

2 **À la banque** Vous voulez ouvrir un nouveau compte et vous posez des questions au banquier. Écrivez ses réponses à la forme négative.

MODÈLE

La banque ferme-t-elle à midi? (jamais)
Non, la banque ne ferme jamais à midi.

1. La banque est-elle ouverte le samedi? (jamais)
2. Peut-on ouvrir un compte sans papier d'identité? (personne)
3. Avez-vous des distributeurs automatiques dans les supermarchés? (aucun)
4. Pour retirer de l'argent, avons-nous encore besoin de remplir ce document? (plus)
5. Avez-vous des billets et des pièces dans vos distributeurs automatiques? (que)
6. Est-ce que tout le monde peut retirer de l'argent de mon compte bancaire? (personne)

3 **Pas exactement** Tristan exagère souvent. Il a écrit cet e-mail et vous lui répondez pour dire que les choses ne sont pas arrivées exactement comme ça. Mettez toutes ses phrases à la forme négative dans votre réponse.

MODÈLE

Tu n'es pas arrivé tard à la banque...

> Je suis arrivé tard à la banque. Quelqu'un m'a ouvert la porte. J'ai regardé les affiches et les brochures. J'ai demandé quelque chose. Il y avait encore beaucoup d'argent sur mon compte. Je vais souvent revenir dans cette banque.

Communication

4 **De mauvaise humeur** Aujourd'hui, Anne-Marie est très négative. Elle répond négativement à toutes les questions. Avec un(e) partenaire, jouez les rôles d'Anne-Marie et de son amie. Rajoutez (*Add*) deux lignes supplémentaires de dialogue à la fin.

MODÈLE

tu / sortir avec quelqu'un en ce moment
Étudiant(e) 1: *Est-ce que tu sors avec quelqu'un en ce moment?*
Étudiant(e) 2: *Non, je ne sors avec personne.*

1. tu / faire quelque chose ce soir

2. tes parents / déjà venir chez toi le week-end

3. ton frère / avoir encore sa vieille voiture

4. tes amis et toi / aller toujours au Canada en été

5. quelqu'un / habiter dans ta maison cet été

6. tu / prendre quelquefois des vacances

7. ?

8. ?

5 **Activités dangereuses** Avec un(e) partenaire, faites une liste de dix activités dangereuses. Ensuite, travaillez avec un autre groupe et demandez à vos camarades s'ils pratiquent ces activités. Répondent-ils toujours par des phrases négatives?

MODÈLE

Étudiant(e) 1: *Fais-tu du jogging la nuit?*
Étudiant(e) 2: *Non! Je ne fais jamais de jogging la nuit.*

6 **Quel désastre!** En vacances, vous vous apercevez que votre valise a disparu (*disappeared*). Préparez un dialogue entre vous et deux employés à l'aéroport. Faites une liste de choses que vous avez perdues et expliquez ce dont (*what*) vous avez besoin. Utilisez les expressions de la liste.

jamais	ne... que	quelqu'un
ne... aucun(e)	ne... rien	rien
ne... ni... ni...	quelque chose	toujours
ne... plus		

I CAN affirm or negate specific information.

SYNTHÈSE

Révision

1 **Je ne vais jamais…** Votre professeur va vous donner une feuille d'activités. Circulez dans la classe pour trouver un(e) camarade différent(e) qui fait ses courses à ces endroits. Où ne vont-ils jamais? Où ne vont-ils plus? Justifiez toutes vos réponses.

MODÈLE

Étudiant(e) 1: *Vas-tu à la laverie?*
Étudiant(e) 2: *Non, je n'y vais plus parce que j'ai acheté un lave-linge. Mais, je vais toujours à la banque le lundi.*

Endroit	Nom
1. banque	Yvonne
2. bijouterie	
3. boutique de vêtements	
4. cybercafé	
5. laverie	

2 **Le courrier** Avec un(e) partenaire, préparez six questions pour interviewer vos camarades. Que reçoivent-ils dans leur courrier? Qu'envoient-ils? Utilisez les expressions négatives et les verbes **recevoir** et **envoyer**. Ensuite, par groupes de quatre, posez vos questions et écrivez les réponses.

MODÈLE

Étudiant(e) 1: *Est-ce que tu ne reçois que des lettres dans ton courrier?*
Étudiant(e) 2: *Non, je reçois des cadeaux parfois, mais je n'en envoie jamais.*

3 **Au village** Vous visitez un petit village pour la première fois. Malheureusement, tout y est fermé. Vous posez des questions à un(e) habitant(e) sur les endroits de la liste et il/elle vous répond par des expressions négatives. Préparez le dialogue avec un(e) partenaire, puis jouez la scène pour la classe.

MODÈLE

Étudiant(e) 1: *À quelle heure le bureau de poste ouvre-t-il aujourd'hui?*
Étudiant(e) 2: *Malheureusement, le bureau de poste n'existe plus, Monsieur!*

banque	laverie
bureau de poste	mairie
commissariat de police	salon de beauté

4 **Vrai ou faux?** Par groupes de quatre, travaillez avec un(e) partenaire pour préparer huit phrases au sujet des deux autres partenaires de votre groupe. Essayez de deviner ce qu'ils/elles (*what they*) ont fait et n'ont pas fait. Dans vos phrases, utilisez le passé composé et les expressions négatives indiquées. Ensuite, lisez les phrases à vos deux camarades, qui vont essayer de deviner si elles sont vraies ou fausses.

MODÈLE

Étudiant(e) 1: *Tu n'es jamais allée dans le bureau du prof.*
Étudiant(e) 2: *C'est faux. J'ai dû y aller hier pour lui poser une question.*

- ne... aucun(e)
- ne... jamais
- ne... personne
- ne... plus
- ne... que
- ne... rien

5 **Au secours!** Avec un(e) partenaire, préparez un dialogue pour représenter la scène de cette illustration. Utilisez le verbe **voir** et des expressions négatives et affirmatives.

6 **Dix ans plus tard** Votre professeur va vous donner, à vous et à votre partenaire, deux plans d'une ville. Attention! Ne regardez pas la feuille de votre partenaire.

MODÈLE

Étudiant(e) 1: *Il y a dix ans, la laverie avait beaucoup de clients.*
Étudiant(e) 2: *Aujourd'hui, il n'y a personne dans la laverie.*

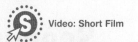
Léo est un jeune homme romantique et galant°, mais il est fauché°. Alice est une jeune Parisienne, féministe et indépendante. Ils se retrouvent pour leur premier rendez-vous. Très vite, ils entrent dans un jeu à propos de qui va payer l'addition. Puisque Léo n'a pas d'argent, comment va-t-il s'en sortir°?

galant *gentlemanly* **fauché** *broke* **s'en sortir** *to work it out*

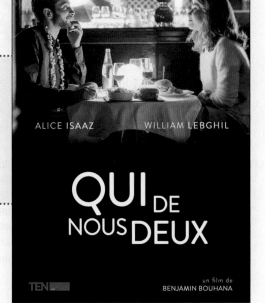

ALICE ISAAZ   WILLIAM LEBGHIL

QUI DE NOUS DEUX

TEN   *un film de*
BENJAMIN BOUHANA

Préparation

1 **Réponses** Répondez aux questions.

1. Quand vous sortez en ville, où allez-vous, d'habitude? Que faites-vous?

2. Quand vous sortez au restaurant en couple, qui paie l'addition? Expliquez.

2 **Définitions** Associez ces situations ou déclarations avec des expressions du vocabulaire.

1. Je vous invite, ça me fait plaisir! _____

2. Je n'avais que des problèmes à l'époque, tout allait mal. _____

3. Samir et Marc disent que rien n'est cassé (*broken*) et qu'ils peuvent tout réparer. _____

4. Vous décidez de l'emmener dans un restaurant très cher pour l'impressionner (*impress*). _____

5. Ah! Je dis toujours ce qu'il ne faut pas! _____

3 **Complétez** Utilisez le vocabulaire du film pour compléter ces phrases.

1. David est très enthousiaste et positif, il aime absolument tout. Il _____ pour un rien!

2. Est-ce que ce restaurant a un _____? Je veux y laisser mon sac et ma veste.

3. Les enfants sont petits, nous allons leur installer une _____ dans le jardin.

4. Voici vos boissons, des olives et des _____. Est-ce que vous désirez autre chose?

5. Vous ne payez jamais l'addition. Je n'ai jamais vu de gens aussi _____ que vous!

Vocabulaire du court métrage

une balançoire	*swing*
brûler	*to burn*
des cacahouètes (f.)	*peanuts*
un coup de fil	*phone call*
s'emballer	*to get carried away*
s'engueuler (fam.)	*to have a fight*
un forfait	*plan*
un matelas	*mattress*
la moutarde au miel	*honey mustard*
radin	*stingy*
le sang	*blood*
un vestiaire	*coat check*

Expressions utiles

Ce n'est pas grave.	*It's not a big deal.*
C'est la bonne.	*She's the one.*
C'est pour moi.	*It's on me.*
C'était bidon.	*That was crap.*
Je suis la reine des gaffes.	*I'm the queen of blunders.*
J'étais en galère.	*I was having a hard time.*
On fait chacun on tour.	*We take turns.*
Vous sortez le grand jeu.	*You're going all out.*

Scènes

LÉO En fait, j'étais en galère, c'était un soir tard, j'étais dans la rue, et, j'avais absolument besoin de passer un coup de fil, mais comme j'ai un forfait bloqué... C'est à dire qu'un forfait bloqué, c'est euh... genre au bout d'une heure, ben, t'es bloqué, quoi, tu peux plus appeler. Enfin bref, elle est arrivée de nulle part, et elle m'a prêté son téléphone, et il s'est passé un truc.

FLEURISTE C'est pour une demande en mariage?

LÉO Ah non! C'est notre premier rendez-vous.

FLEURISTE Alors, ben, on a ça. Cinquante roses. Mais avec ça, vous sortez le grand jeu.

LÉO Ah oui, il est magnifique. C'est combien?

FLEURISTE Cent vingt euros.

ALICE Elles ont même brûlé° leurs soutiens-gorge° avec Simone de Beauvoir.

LÉO Oui, mais, euh, enfin, moi, je respecte, hein, la parité, le féminisme, les soutiens-gorge qui brûlent et tout, moi je trouve ça super.

ALICE Mais alors, on fait chacun à son tour. Une fois toi, une fois moi, comme ça, la prochaine fois, c'est à moi.

LÉO Oui, très bien, faisons chacun son tour. Tu peux même tout payer si tu veux. Non, je déconne°. Non, mais faisons ça, chacun son tour, ça marche.

LÉO Ça donne faim, la lutte°.

ALICE Oui. Alors, tiens. Vas-y, commence par celui-là.

LÉO Ah oui, ah oui! C'est incroyable, ça.

ALICE C'est mon préféré. Ce qui fait la différence, tu vois, c'est la moutarde au miel. Et celle-ci, enfin, moi, je la trouve juste dingue°, quoi.

LÉO Mais, merci beaucoup, c'est gentil. L'intention...

ALICE Bon ben, dommage, hein. Ce n'est pas grave. Tu prends juste la surprise!

LÉO Ah, je n'avais pas vu!

ALICE La petite surprise.

LÉO La petite surprise. Bon ben, du coup c'est à moi de... c'est à moi.

LÉO Alice, veux-tu m'épouser?

ALICE Quoi?

LÉO Elle a dit oui! Elle a dit oui, c'est formidable! C'est le plus beau jour de ma vie! Elle a dit oui! Merci! Merci à tous, c'est trop cool! Elle a dit oui! Elle a dit oui! C'est ma femme! Prenez-nous en photo, allez-y! On va avoir un chien! On va aller chez DomExpo, c'est superbe! Vas-y, souris un peu.

brûlé *burnt* **soutiens-gorge** *bras* **je déconne** *I'm kidding* **lutte** *fight* **dingue** *unbelievable*

Analyse

4 **Compréhension** Indiquez si ces déclarations au sujet de Léo sont **vraies** ou **fausses**, d'après le film.

	Vrai	Faux
1. Léo a déjà rencontré Alice une fois.	☐	☐
2. Il demande des conseils à la fleuriste.	☐	☐
3. Il achète plusieurs roses, mais n'en donne qu'une à Alice.	☐	☐
4. Quand Alice veut aller au restaurant, il dit qu'il n'a pas faim parce qu'il ne veut pas dépenser d'argent.	☐	☐
5. Il a assez d'argent pour payer les boissons au café.	☐	☐
6. Il pense que prendre un taxi est une bonne idée.	☐	☐

5 **Conversation** Avec un(e) partenaire, répondez aux questions sur le film.

1. Est-ce que Léo achèterait le bouquet de roses s'il avait 120 euros à dépenser?
2. Pourquoi est-ce qu'Alice sourit quand Léo laisse un pourboire au vestiaire du restaurant?
3. Est-ce qu'Alice est contente quand Léo fait sa demande en mariage?
4. Est-ce qu'Alice comprend et apprécie ce que Léo fait pour ne pas payer l'addition au restaurant?

6 **Réflexion** Répondez aux questions.

1. Pourquoi est-ce que l'égalité entre les hommes et les femmes est importante pour Alice?
2. Que penseriez-vous si vous étiez à la place d'Alice? Comparez son attitude à la vôtre (*yours*).
3. Quelles activités gratuites existent dans votre communauté? Faites une liste.
4. Est-ce que vous considérez ces possibilités quand vous sortez? Expliquez.

7 **Application** Par groupe de trois, préparez une conversation dans laquelle Léo et Alice racontent leur premier rendez-vous à un(e) bon(ne) ami(e). Utilisez les notes et questions ci-dessous comme guide.

- Choisissez le ton de la conversation: Est-ce une conversation plutôt amusante, intéressante, surprenante, énervante, etc.?
- Pensez à la personnalité de Léo et à celle d'Alice, à leurs milieux (*backgrounds*) d'origine et à leur conversation pour expliquer leurs comportements pendant cette soirée.
- Expliquez pourquoi et à quel moment Alice décide d'entrer dans le jeu.
- Pensez à la réaction de leur ami(e): Quelles questions pose-t-il/elle et que pense-t-il/elle de cette histoire?

I CAN identify and reflect on attitudes around dating.

Leçon 12B

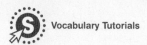
Vocabulary Tutorials

Où se trouve...?

Vocabulaire

continuer	to continue
se déplacer	to move (change location)
suivre	to follow
tourner	to turn
traverser	to cross
un angle	corner
une avenue	avenue
un bâtiment	building
un boulevard	boulevard
un chemin	way; path
un coin	corner
des indications (f.)	directions
un office du tourisme	tourist office
au bout (de)	at the end (of)
au coin (de)	at the corner (of)
autour (de)	around
jusqu'à	until
(tout) près (de)	(very) close (to)
tout droit	straight ahead

un pont

Elle monte les escaliers. (monter)

une statue

Il descend les escaliers. (descendre)

une fontaine

OUEST NORD SUD EST

Il est perdu. (perdue f.)

Elle s'oriente. (s'orienter)

Mise en pratique

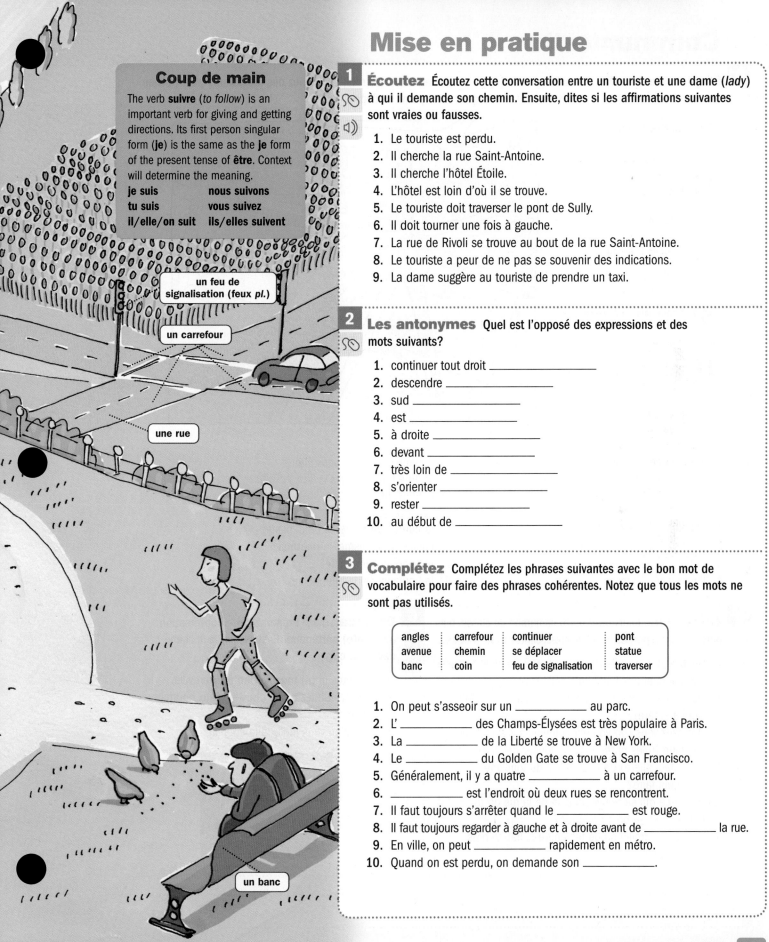

Coup de main

The verb **suivre** (*to follow*) is an important verb for giving and getting directions. Its first person singular form (**je**) is the same as the **je** form of the present tense of **être**. Context will determine the meaning.

je suis	**nous suivons**
tu suis	**vous suivez**
il/elle/on suit	**ils/elles suivent**

un feu de signalisation (feux *pl.*)

un carrefour

une rue

un banc

1 **Écoutez** Écoutez cette conversation entre un touriste et une dame (*lady*) à qui il demande son chemin. Ensuite, dites si les affirmations suivantes sont vraies ou fausses.

1. Le touriste est perdu.
2. Il cherche la rue Saint-Antoine.
3. Il cherche l'hôtel Étoile.
4. L'hôtel est loin d'où il se trouve.
5. Le touriste doit traverser le pont de Sully.
6. Il doit tourner une fois à gauche.
7. La rue de Rivoli se trouve au bout de la rue Saint-Antoine.
8. Le touriste a peur de ne pas se souvenir des indications.
9. La dame suggère au touriste de prendre un taxi.

2 **Les antonymes** Quel est l'opposé des expressions et des mots suivants?

1. continuer tout droit _____
2. descendre _____
3. sud _____
4. est _____
5. à droite _____
6. devant _____
7. très loin de _____
8. s'orienter _____
9. rester _____
10. au début de _____

3 **Complétez** Complétez les phrases suivantes avec le bon mot de vocabulaire pour faire des phrases cohérentes. Notez que tous les mots ne sont pas utilisés.

angles	carrefour	continuer	pont
avenue	chemin	se déplacer	statue
banc	coin	feu de signalisation	traverser

1. On peut s'asseoir sur un _____ au parc.
2. L' _____ des Champs-Élysées est très populaire à Paris.
3. La _____ de la Liberté se trouve à New York.
4. Le _____ du Golden Gate se trouve à San Francisco.
5. Généralement, il y a quatre _____ à un carrefour.
6. _____ est l'endroit où deux rues se rencontrent.
7. Il faut toujours s'arrêter quand le _____ est rouge.
8. Il faut toujours regarder à gauche et à droite avant de _____ la rue.
9. En ville, on peut _____ rapidement en métro.
10. Quand on est perdu, on demande son _____.

CONTEXTES

Communication

4 **Le plan de la ville** Travaillez avec un(e) partenaire et, à tour de rôle, demandez des indications pour pouvoir vous rendre (*to get*) aux endroits de la liste. Indiquez votre point de départ.

 Café de la Gare

 Boulangerie Le Pain Chaud

 H Hôpital St-Jean

 i Office du tourisme

 Épicerie Bresson

 Bureau de poste

 Pharmacie La Molière

 Banque

 U Université Joseph Fourier

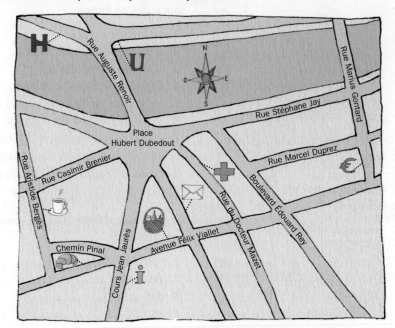

MODÈLE

la boulangerie Le Pain Chaud, le bureau de poste
Étudiant(e) 1: *Excusez-moi, où se trouve la boulangerie Le Pain Chaud, s'il vous plaît?*
Étudiant(e) 2: *Du bureau de poste, suivez le boulevard jusqu'à l'avenue Félix Viallet, ensuite prenez à droite, continuez tout droit, la boulangerie est à droite, juste après le cours Jean Jaurès.*

1. l'hôpital, la pharmacie
2. le café, l'office du tourisme
3. la banque, le bureau de poste
4. l'université, l'épicerie

5. le bureau de poste, la boulangerie
6. l'office du tourisme, la pharmacie
7. la banque, l'université
8. la boulangerie, la pharmacie

5 **Conversez** Interviewez un(e) camarade de classe, puis partagez ses réponses les plus intéressantes avec la classe.

1. Quelles statues célèbres connais-tu? Connais-tu aussi des ponts et des bâtiments célèbres?
2. Quand t'es-tu perdu(e) pour la dernière fois? Où? Qui t'a aidé(e)?
3. Obéissez-vous (*Do you obey*) toujours aux règles de conduite (*rules of the road*)? Donnez des exemples.
4. Es-tu déjà allé(e) dans un office du tourisme? Pour quoi faire?
5. Qu'est-ce qui se trouve au coin de la rue où tu habites? Et au bout de la rue?
6. Qui, de ta famille ou de tes ami(e)s, habite près de chez toi?

6 **En vacances** Préparez cette conversation avec un(e) partenaire. Ensuite, jouez la scène devant la classe.

- Vous êtes un(e) touriste perdu(e) en ville.
- Vous demandez où se trouvent deux endroits différents.
- Quelqu'un vous indique le chemin.

I CAN ask for and give directions.

Les sons et les lettres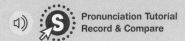

Les majuscules et les minuscules

Some of the rules governing capitalization are the same in French as they are in English. However, many words that are capitalized in English are not capitalized in French. For example, the French pronoun **je** is never capitalized except when it is the first word in a sentence.

Aujourd'hui, je vais au marché.   **Today, I am going to the market.**

Days of the week, months, and geographical terms are not capitalized in French.

Qu'est-ce que tu fais lundi après-midi?   **Mon anniversaire, c'est le 14 octobre.**
Cette ville est sur la mer Méditerranée. **Il habite 5 rue de la Paix.**

Languages are not capitalized in French, nor are adjectives of nationality. However, if the word is a noun that refers to a person or people of a particular nationality, it is capitalized.

Tu apprends le français.   **C'est une voiture allemande.**
You are learning French.   *It's a German car.*

Elle s'est mariée avec un Italien.   **Les Français adorent le foot.**
She married an Italian.   *The French love soccer.*

As a general rule, you should write capital letters with their accents. Diacritical marks can change the meaning of words, so not including them can create ambiguities.

LES AVOCATS SERONT JUGÉS.   **LES AVOCATS SERONT JUGES.**
Lawyers will be judged.   *Lawyers will be the judges.*

Corrigez Corrigez la capitalisation des mots suivants.

1. MAI
2. QUÉBEC
3. VENDREDI
4. ALLEMAND
5. L'OCÉAN PACIFIQUE
6. LE BOULEVARD ST-MICHEL

Écrivez Écrivez correctement les phrases en utilisant les minuscules et les majuscules.

1. LE LUNDI ET LE MERCREDI, J'AI MON COURS D'ITALIEN.
2. CHARLES BAUDELAIRE ÉTAIT UN POÈTE FRANÇAIS.
3. LES AMÉRICAINS AIMENT BEAUCOUP LE LAC MICHIGAN.
4. UN MONUMENT SE TROUVE SUR L'AVENUE DES CHAMPS-ÉLYSÉES.

Dictons Répétez les dictons à voix haute.

> Si le Français est "tout yeux", l'Anglais est "tout oreilles."[2]

> La France, c'est le français quand il est bien écrit.[1]

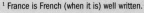

[1] France is French (when it is) well written.
[2] If the Frenchman is all eyes, the Englishman is all ears.

Chercher son chemin

 Video: *Roman-photo*
Record & Compare

PERSONNAGES

Amina

David

M. Hulot

Rachid

Sandrine

Stéphane

Touriste

Au kiosque de M. Hulot...

M. HULOT Bonjour, Monsieur.

TOURISTE Bonjour.

M. HULOT Trois euros, s'il vous plaît.

TOURISTE Je n'ai pas de monnaie.

M. HULOT Voici cinq, six, sept euros qui font dix. Merci.

TOURISTE Excusez-moi, où est le bureau de poste, s'il vous plaît?

M. HULOT Euh... c'est par là... Ah... non... euh... voyons... vous prenez cette rue, là et... euh, non non... je ne sais pas vraiment comment vous expliquer... Attendez, vous voyez le café qui est juste là? Il y aura certainement quelqu'un qui saura vous dire comment y aller.

TOURISTE Ah, merci, Monsieur, au revoir!

Au P'tit Bistrot...

SANDRINE Qu'est-ce que vous allez faire le week-end prochain?

RACHID Je pense que nous irons faire une randonnée à la Sainte-Victoire.

AMINA Oui, j'espère qu'il fera beau!

DAVID S'il ne pleut pas, nous irons au concert en plein air de Pauline Ester. C'est la chanteuse préférée de Sandrine, n'est-ce pas, chérie?

DAVID Non! À droite!

RACHID Non, à gauche! Puis, vous continuez tout droit, vous traversez le cours Mirabeau et c'est juste là, en face de la fontaine de La Rotonde, à côté de la gare.

DAVID Non, c'est à côté de l'office du tourisme.

TOURISTE Euh merci, je... je vais le trouver tout seul. Au revoir.

TOUS Bonne journée, Monsieur.

À la terrasse...

STÉPHANE Bonjour, je peux vous aider?

TOURISTE J'espère que oui.

STÉPHANE Vous êtes perdu?

TOURISTE Exactement. Je cherche le bureau de poste.

ACTIVITÉS

1 **Questions** Répondez aux questions.

1. Qu'est-ce que Rachid et Amina vont faire ce week-end?

2. Qu'est-ce que Sandrine et David vont faire ce week-end?

3. Comment est-ce que le touriste se sent quand il sort du P'tit Bistrot?

4. Quels points de repères (*landmarks*) Stéphane donne-t-il au touriste?

5. Qui avait raison, à votre avis, David ou Rachid?

2 **Comment y aller?** Remettez les indications pour aller du P'tit Bistrot au bureau de poste dans l'ordre. Écrivez un **X** à côté de l'indication que l'on ne doit pas suivre.

a. _____ Suivez le cours Mirabeau jusqu'à la fontaine.

b. _____ Le bureau de poste se trouve derrière la fontaine.

c. _____ Tournez à gauche.

d. _____ Tournez à droite au feu rouge.

e. _____ Prenez cette rue à gauche jusqu'au boulevard principal.

Un touriste se perd à Aix... heureusement, il y a Stéphane!

SANDRINE Absolument! «Oui, je l'adore, c'est mon amour, mon trésor...»

AMINA Pauline Ester! Tu aimes la musique des années quatre-vingt-dix?

SANDRINE Pas tous les styles de musique, mais Pauline Ester, oui.

AMINA Comme on dit, les goûts et les couleurs, ça ne se discute pas!

RACHID Tu n'aimes pas Pauline Ester, mon cœur?

TOURISTE Excusez-moi, est-ce que vous savez où se trouve le bureau de poste, s'il vous plaît?

RACHID Oui, ce n'est pas loin d'ici. Vous descendez la rue, juste là, ensuite vous continuez jusqu'au feu rouge et vous tournez à gauche.

STÉPHANE Le bureau de poste? C'est très simple.

TOURISTE Ah bon! C'est loin d'ici?

STÉPHANE Non, pas du tout. C'est tout près. Vous prenez cette rue, là, à gauche. Vous continuez jusqu'au cours Mirabeau. Vous le connaissez?

TOURISTE Non, je ne suis pas d'ici.

STÉPHANE Bon... Le cours Mirabeau, c'est le boulevard principal de la ville.

STÉPHANE Alors, une fois que vous serez sur le cours Mirabeau, vous tournerez à gauche et suivrez le cours jusqu'à La Rotonde. Vous la verrez... Il y a une grande fontaine. Derrière la fontaine, vous trouverez le bureau de poste, et voilà!

TOURISTE Merci beaucoup.

STÉPHANE De rien. Au revoir!

Expressions utiles

Giving directions

- **Attendez, vous voyez le café qui est juste là?**
  Wait, do you see the café right over there?

- **Il y aura certainement quelqu'un qui saura vous dire comment y aller.**
  There'll definitely be someone there who will know how to tell you how to get there.

- **Vous tournerez à gauche et suivrez le cours jusqu'à La Rotonde.**
  You'll turn left and follow the street until the Rotunda.

- **Vous la verrez.**
  You'll see it.

- **Derrière la fontaine, vous trouverez le bureau de poste.**
  Behind the fountain you'll find the post office.

Talking about the weekend

- **Je pense que nous irons faire une randonnée.**
  I think we'll go for a hike.

- **J'espère qu'il fera beau!**
  I hope it will be nice/the weather will be good!

- **Nous irons au concert en plein air.**
  We'll go to the outdoor concert.

Additional vocabulary

- **voyons**
  let's see

- **le boulevard principal**
  the main street/principal thoroughfare

---

3 **Considérez** Répondez aux questions.

1. Avez-vous déjà donné des indications à un(e) touriste? Est-ce que cette personne s'est orientée facilement? Comparez cette expérience à la situation du touriste dans l'épisode.

2. Est-ce que vous demandez des indications quand vous êtes perdu(e)? Sinon, comment vous orientez-vous?

3. Quelles croyances et valeurs influencent les interactions entre les touristes et les locaux d'une communauté?

4 **Pauline Ester** Connaissez-vous la musique de Pauline Ester? Regardez le clip pour «Oui, je l'adore» en ligne. Pensez-vous que la musique de Pauline Ester est appréciée aujourd'hui? Connaissez-vous des personnes qui aiment la musique des années 1990? Choisissez un(e) autre artiste francophone des années 1990, et comparez son style aux chansons de Pauline Ester.

I CAN understand short conversations about directions.

ACTIVITÉS

CULTURE À LA LOUPE

Villes et villages

Quand on regarde le plan d'un village, d'une petite ville ou celui d'un quartier dans une grande ville, on remarque qu'il y a souvent une place au centre, autour de laquelle° la vie urbaine s'organise. C'est un peu comme «le cœur» de la ville ou du quartier.

Sur la place principale des villes et villages français, on trouve souvent une église. Il peut aussi y avoir l'hôtel de ville (la mairie), ainsi que° d'autres bâtiments administratifs comme la poste, le commissariat de police ou l'office du tourisme.

Autour de cette grande place se trouve le centre-ville où beaucoup de gens vont pour faire leurs courses dans les magasins ou pour se détendre dans un café, restaurant ou cinéma. Parfois, on y trouve aussi un musée ou un théâtre. La place principale peut être piétonne° ou ouverte à la circulation, mais dans les deux cas, elle est souvent très animée°.

En général, cette place est bien entretenue° et décorée d'une fontaine, d'un parterre de fleurs° ou d'une statue. La majorité des rues principales de la ville ou du quartier y sont connectées. Le nom de cette place reflète ce qui s'y trouve, par exemple place de l'Église, place de la Mairie ou place de la Comédie. Les rues, elles, portent souvent le nom d'un écrivain ou d'un personnage célèbre de l'histoire de France, par exemple rue Victor Hugo ou avenue du général de Gaulle. Au centre-ville, les rues sont souvent très étroites et beaucoup sont à sens unique°.

laquelle *which* **ainsi que** *as well as* **piétonne** *pedestrian* **animée** *busy* **entretenue** *cared for*
parterre de fleurs *flower bed* **à sens unique** *one-way*

STRATÉGIE

Previously learned grammar and vocabulary

As you read, remember to identify and take advantage of previously learned grammar and vocabulary. Doing so has two advantages. First, concepts and words that you have already learned function as clues for understanding new or unfamiliar ones. Second, by identifying known grammar and vocabulary, you recycle and thereby retain them better for future reference.

Communautés

Quelques grandes villes francophones, comme Paris, Québec et Rabat, sont divisées en arrondissements: des subdivisions administratives. En France, on peut déterminer dans quel arrondissement se trouve une certaine addresse par les trois dernières chiffres du code postal. Par exemple, **75011** indique le onzième arrondissement de Paris.

- Est-ce qu'il y a des subdivisions administratives dans les grandes villes de votre pays? Comparez les quartiers de votre ville aux arrondissements d'une ville francophone.

A C T I V I T É S

1 Complétez Complétez les phrases d'après le texte.

1. Il y a _____ au centre de la majorité des petites villes françaises.

2. Les _____ sont réservées exclusivement aux piétons (*pedestrians*).

3. _____ détermine souvent le nom d'une place.

4. Les rues du centre-ville sont souvent _____.

5. Les grandes villes françaises sont parfois divisées en _____.

2 Réfléchissez Répondez aux questions.

1. Comment est-ce que votre ville est organisée? Y a-t-il une place principale? Y a-t-il des rues piétonnes ou des rues à sens unique?

2. Comparez le centre-ville chez vous aux centres-villes français. Est-il bien entretenu? Quels bâtiments y a-t-il? Qu'est-ce qu'on y (*there*) fait?

3. Comment les idées et attitudes du public influencent-elles la vie urbaine d'une communauté? Donnez des exemples.

4. Comment est-ce que le centre urbain d'une ville reflète les valeurs et les traditions d'une communauté?

Quelques agglomérations° du monde par population

Kinshasa	13.250.000
Paris	12.700.000
Alger	7.800.000
Abidjan	4.700.000
Casablanca	4.300.000
Montréal	4.100.000
Yaoundé	4.100.000

agglomération *urban area*

PORTRAIT

Le baron Haussmann

En 1853, Napoléon III demande au baron Georges Eugène Haussmann (1809–1891) de moderniser Paris. Le baron imagine alors un programme de transformation de la ville entière°. Il en est le premier vrai urbaniste. Il multiplie sa surface par deux. Pour améliorer° la circulation, il ouvre de larges avenues et des boulevards, comme le boulevard Haussmann, qu'il borde° d'immeubles bourgeois. Il crée de grands carrefours, comme l'Étoile ou la place de la Concorde, et de nombreux parcs et jardins. Plus de 600 km d'égouts° sont construits. Parce qu'il a aussi détruit beaucoup de bâtiments historiques, les Français ont longtemps détesté le baron Haussmann. Pourtant°, son influence a été remarquable.

entière *entire* **améliorer** *improve* **borde** *lines with* **égouts** *sewers*
Pourtant *However*

LE MONDE FRANCOPHONE

Le centre des villes

Les places centrales reflètent le cœur des centres-villes.

En Belgique

La Grand-Place à Bruxelles est bordée de superbes bâtiments ornés aux riches architectures néo-gothiques et baroques du 17ᵉ siècle. Énorme, elle est considérée comme une des plus belles places du monde.

Au Maroc

La place Djemaa El Fna à Marrakesh est immense et débordante° d'activités. Et quelles activités! On y trouve des acrobates, des charmeurs de serpents, des danseurs, des groupes de musique, des conteurs° et beaucoup de restaurants ambulants°.

Ces deux places sont inscrites° au patrimoine mondial° de l'UNESCO.

débordante *overflowing* **conteurs** *storytellers* **restaurants ambulants** *food stalls* **inscrites** *registered* **patrimoine mondial** *world heritage*

♫ MUSIQUE À FOND

Liz Van Deuq

Lieu d'origine: Nevers, France
Métier: musicienne-interprète

Piquante et décalée, elle se produit dans des spectacles piano-solo, où humour, funk et rock se mélangent.

Go to **vhlcentral.com** to find out more about **Liz Van Deuq** and her music.

---

3 **Complétez** Donnez une suite logique à chaque phrase.

1. En 1853, Napoléon III demande à Haussmann...
2. Pour améliorer la circulation dans Paris, le baron Haussmann a créé...
3. Les Français ont longtemps détesté le baron Haussmann...
4. La Grand-Place est bordée de bâtiments ornés aux riches architectures...

4 **Une école de langues** Vous et un(e) partenaire dirigez une école de langues située en plein centre-ville. Préparez une petite présentation de votre école où vous expliquez où elle se situe, les choses à faire au centre-ville, etc. Vos camarades ont-ils envie de s'y inscrire (*enroll*)?

A C T I V I T É S

I CAN identify and reflect on cultural products and practices related to city planning.

STRUCTURES

12B.1

Le futur simple Grammar Tutorial

Point de départ In **Leçon 4A**, you learned to use **aller** + [*infinitive*] to express actions that are going to happen in the immediate future (**le futur proche**). You will now learn the future tense to say what *will happen.*

- The future uses the same verb stems as the conditional.

Future tense of regular verbs			
	parler	**réussir**	**attendre**
je/j'	parlerai	réussirai	attendrai
tu	parleras	réussiras	attendras
il/elle/on	parlera	réussira	attendra
nous	parlerons	réussirons	attendrons
vous	parlerez	réussirez	attendrez
ils/elles	parleront	réussiront	attendront

Au Québec, nous **parlerons** français.
In Quebec, we will speak French.

Je **suivrai** le chemin autour du parc.
I'll follow the path around the park.

- The same patterns that you learned for forming the conditional of spelling-change **-er** verbs also apply to the future.

Vous m'**emmènerez** avec vous?
Will you take me with you?

Tu **répéteras** les indications?
Will you repeat the directions?

Nous **achèterons** une maison dans deux ans.
We'll buy a house in two years.

Mes parents t'**appelleront** demain.
My parents will call you tomorrow.

- The same irregular stems you learned for the conditional are used for the future.

J'**irai** chez toi, mais pas aujourd'hui.
I'll go to your house, but not today.

Elles **feront** du vélo ce week-end.
They'll go bike-riding this weekend.

Vous **viendrez** par le petit chemin.
You'll come down the small path.

À l'angle, tu **devras** tourner à gauche.
At the corner, you'll have to turn left.

- In **Leçon 11B**, you learned how to use **si** clauses to express contrary-to-fact situations.

Si + [*imparfait*] ▶ **conditionnel**

Si clauses can also express conditions or events that are possible or likely to occur. In such instances, the **si** clause is in the present while the main clause uses the **futur** or **futur proche.**

Si + [*present tense*] ▶ **futur / futur proche**

Si je **tombe** en panne, je **trouverai** une station-service.
If I break down, I'll find a service station.

Si vous **réparez** la voiture, vous **allez éviter** l'amende.
If you repair the car, you're going to avoid the fine.

Si tu **continues** tout droit, tu **arriveras** au pont.
If you continue straight ahead, you will arrive at the bridge.

Nous **verrons** la statue si nous **traversons** la rue.
We'll see the statue if we cross the street.

> **À noter**
>
> See **Leçon 11B** for the explanation of how to form the conditional of spelling-change verbs and for the list of verbs with irregular conditional stems.

> Je te rendrai l'argent dès que je passerai au distributeur.

> Quand vous serez dans le café, quelqu'un pourra vous aider.

- In English, you use the present tense after words like *when* or *as soon as* even if you're talking about an action that takes place in the future. However, in French, you use the future tense after **quand** or **dès que** (*as soon as*) if the clause describes an event that will happen in the future.

Il **enverra** les e-mails **quand il aura** le temps.
He will send the e-mails when he has time.

Je **posterai** les lettres **dès que** **je pourrai**.
I will mail the letters as soon as I can.

Quand j'**arriverai** à Lyon, je **prendrai** un taxi pour aller à l'hôtel.
When I arrive in Lyons, I'll take a taxi to go to the hotel.

Dès qu'on **finira** nos études, on **voyagera**.
As soon as we finish our studies, we'll travel.

- If a clause with **quand** or **dès que** does not describe a future action, another tense may be used for the verb.

Quand avez-vous fait vos valises?
When did you pack your bags?

Il me téléphone **dès qu'il arrive**.
He calls me as soon as he arrives.

- The words **le futur** and **l'avenir** (*m.*) both mean *future*. Use the first word when referring to the grammatical future; use the second word when referring to events that haven't occurred yet.

On étudie **le futur** en cours.
We're studying the future (tense) in class.

Je parlerai de **mon avenir** au prof.
I'll speak to the professor about my future.

Essayez! **Conjuguez ces verbes au futur.**

1. je/j' (aller, vouloir, savoir) ___irai, voudrai, saurai___

2. tu (suivre, pouvoir, tourner) _____

3. Marc (venir, être, ouvrir) _____

4. nous (avoir, devoir, choisir) _____

5. vous (recevoir, tenir, aller) _____

6. elles (vouloir, faire, être) _____

7. je/j' (devenir, dire, envoyer) _____

8. elle (aller, avoir, continuer) _____

STRUCTURES

Mise en pratique

1 **Projets** Cécile et ses amis parlent de leurs projets (*plans*) d'avenir. Employez le futur pour refaire leurs phrases.

> **MODÈLE**
>
> Je vais chercher une belle maison.
> *Je chercherai une belle maison.*

1. Je vais finir mes études.
2. Philippe va me dire où trouver un travail.
3. Tu vas gagner beaucoup d'argent.
4. Mes amis vont habiter près de chez moi.
5. Mon petit ami et moi, nous allons acheter un chien.
6. Vous allez nous rendre visite de temps en temps.

2 **Plus tard** Aurélien parle de ses projets (*plans*) et des projets de sa famille et de ses amis. Mettez les verbes au futur.

> **MODÈLE**
>
> dès que / je / avoir / le bac / je / aller / à l'université
> *Dès que j'aurai le bac, j'irai à l'université.*

1. quand / je / être / à l'université / ma sœur et moi / habiter ensemble
2. quand / ma sœur / étudier plus / elle / réussir
3. quand / mes parents / être / à la retraite / je / emprunter pour payer mes études
4. dès que / vous / finir vos études / vous / contacter / employeurs
5. quand / tu / travailler / tu / acheter une voiture
6. quand / nous / trouver / nouveau travail / nous / ne plus lire / les annonces (*want ads*)

3 **Si...** Finissez ces phrases. Employez le futur des verbes de la liste dans toutes vos réponses.

> **MODÈLE**
>
> Si mon ami(e) ne me téléphone pas ce soir, ...
> *Si mon amie ne me téléphone pas ce soir, je ne serai pas très content.*

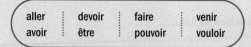

aller	devoir	faire	venir
avoir	être	pouvoir	vouloir

1. Si on m'invite à une fête samedi soir, ...
2. Si mes parents me donnent $100, ...
3. Si mon ami(e) me prête sa voiture, ...
4. Si le temps est mauvais, ...
5. Si je suis fatigué(e) vendredi, ...
6. Si ma famille me rend visite, ...

Communication

4 **Faites des projets** Travaillez avec un(e) camarade de classe pour faire des projets (*plans*) pour ces événements qui auront lieu dans l'avenir.

MODÈLE

Étudiant(e) 1: *Après l'université, je chercherai un travail à San Diego. J'enseignerai dans un lycée.*
Étudiant(e) 2: *Moi, après l'université, j'irai en Europe. Je travaillerai comme serveuse dans un café.*

1. Samedi soir: Décidez où vous irez et comment vous y arriverez.

2. Les prochaines vacances: Parlez de ce que (*what*) vous ferez. Que visiterez-vous?

3. Votre prochain anniversaire: Quel âge aurez-vous? Que ferez-vous? Avec qui ferez-vous la fête?

4. À 65 ans: Où serez-vous? Que ferez-vous? Avec qui partagerez-vous votre vie?

5 **Content(e)** Votre professeur va vous donner une feuille d'activités. Circulez dans la classe pour trouver une réponse affirmative et une réponse négative à chaque question. Justifiez toutes vos réponses.

MODÈLE

Étudiant(e) 1: *Est-ce que tu seras plus content(e) quand tu auras du temps libre?*
Étudiant(e) 2: *Oui, je serai plus content(e) dès que j'aurai du temps libre, parce que je ferai plus souvent de la gym.*

6 **Partir très loin** Vous et votre partenaire avez décidé de prendre des vacances très loin de chez vous. Regardez les photos et choisissez deux endroits où vous voulez aller, puis comparez-les. Utilisez ces questions pour vous guider. Ensuite, présentez vos réponses à la classe.

- Qu'apporterez-vous?
- Quand partirez-vous?
- Que ferez-vous?
- Comment vous détendrez-vous? (*relax*)
- Combien de temps y resterez-vous?
- Quand rentrerez-vous?

7 **Un autre monde** Vous espérez devenir homme ou femme politique à l'avenir. Que ferez-vous pour changer le monde? Précisez au moins (*at least*) cinq choses qui seront différentes. Avec un(e) partenaire, discutez de ce sujet à tour de rôle.

MODÈLE

Si je deviens homme/femme politique, il n'y aura plus d'enfants pauvres.

8 **Des prédictions** Par groupes de quatre, jouez le rôle d'un(e) voyant(e) (*fortune teller*) qui peut prédire (*predict*) l'avenir. Donnez des prédictions pour chaque personne de votre groupe. Les autres personnes vous poseront des questions.

MODÈLE

Étudiant(e) 1: *Je pense que tu deviendras médecin.*
Étudiant(e) 2: *Quand est-ce que je finirai mes études?*

I CAN say what will happen in the future.

STRUCTURES

12B.2

Relative pronouns *qui, que, dont, où* Grammar Tutorial

Point de départ Relative pronouns combine two sentences into one, more complex
sentence. The second phrase gives more information about a noun that both sentences
have in common. In English, relative pronouns can be omitted, but the relative pronoun in
French cannot be.

Vous traversez **l'avenue**.
You are crossing the avenue.

Je connais bien **l'avenue**.
I know the avenue well.

Vous traversez l'avenue **que** je connais bien.
You are crossing the avenue that I know well.

C'est Pauline Ester
qui chante ça?

Je ne vois pas la
fontaine dont il parle.

Relative pronouns

qui	*who, that, which*	**dont**	*of which, of whom*
que	*that, which*	**où**	*where*

Boîte à outils

The pronoun **qui** does not
drop the **i** before another
vowel sound.

**La femme qui ouvre la
porte est ma mère.**

**Je préfère le café qui est
au coin de cette rue.**

- Use **qui** if the noun in common is the subject of the second phrase. Since **qui** is the
subject, it is followed by a conjugated verb.

COMMON
NOUN

SUBJECT

Nous écoutons **le prof**.
We listen to the professor.

Le prof parle vite.
The professor speaks fast.

Nous écoutons le prof **qui** parle vite.
We listen to the professor who speaks fast.

COMMON
NOUN

SUBJECT

Les étudiantes vont au **café**.
The students go to the café.

Le café se trouve près de la fac.
The café is near the university.

Les étudiantes vont au café **qui** se trouve près de la fac.
The students go to the café that is near the university.

À noter

As the last set of sample
sentences on this page
shows, the relative clause
antecedent is not always
the final noun in the first
sentence.

COMMON
NOUN

SUBJECT

Ta cousine travaille beaucoup.
Your cousin works a lot.

Ta cousine habite à Boston.
Your cousin lives in Boston.

Ta cousine **qui** habite à Boston
travaille beaucoup.
*Your cousin who lives in
Boston works a lot.*

- Use **que** if the noun in common is the direct object in the second phrase. If **que** is followed by the **passé composé**, the past participle should agree in gender and number with the noun that **que** represents.

COMMON NOUN   DIRECT OBJECT

J'apporte **les CD**.   J'ai acheté **les CD** hier.
I'm bringing the CDs.   *I bought the CDs yesterday.*

J'apporte les CD **que** j'ai acheté**s** hier.
I'm bringing the CDs (that) I bought yesterday.

COMMON NOUN   DIRECT OBJECT

Stéphanie arrive bientôt.   Samir a retrouvé **Stéphanie** à la gare.
Stéphanie arrives soon.   *Samir met Stéphanie at the train station.*

Stéphanie, **que** Samir a retrouv**ée** à la gare, arrive bientôt.
Stéphanie, whom Samir met at the train station, arrives soon.

- Use **dont**, meaning *that* or *of which*, after the noun in common if it is the object of the preposition **de** in the second phrase. There is never agreement of the past participle in the **passé composé** with **dont**.

COMMON NOUN   OBJECT OF PREPOSITION DE

Voici **l'huile**.   Tu m'as parlé **de l'huile**.
Here's the oil.   *You talked to me about the oil.*

Voici l'huile **dont** tu m'as parlé.
Here's the oil (that) you talked to me about.

- Use **où**, meaning *where*, *when*, or *in which*, if the noun in common is a place or a period of time.

COMMON NOUN   PERIOD OF TIME

Venez me parler à **ce moment-là**.   Vous arrivez à **ce moment-là**.
Come speak with me at that time.   *You arrive at that time.*

Venez me parler au moment **où** vous arrivez.
Come speak with me at the time (when) you arrive.

Essayez!   **Complétez les phrases avec qui, que, dont, où.**

1. La France est le pays _____que_____ j'aime le plus.
2. Tu te souviens du jour _____ tu as fait ma connaissance?
3. Rocamadour est le village _____ mes amis m'ont parlé.
4. C'est la voiture _____ vous avez louée?
5. Voici l'enveloppe _____ tu as besoin.
6. Vous connaissez l'autoroute _____ descend à Montpellier?
7. On passe devant la fac _____ j'ai fait mes études.
8. Je reconnais le mécanicien _____ a réparé ma voiture.

STRUCTURES

Mise en pratique

1 **Des publicités** Complétez les phrases pour ces publicités de boutiques qui viennent d'ouvrir en ville. Employez les pronoms relatifs **où**, **dont**, **qui** ou **que**.

MODÈLE

Nous avons des bracelets ___qui___ sont vraiment élégants.

1. Il y a des soldes sur les dictionnaires _____ vous avez besoin.

2. Il y a des montres _____ ne sont pas chères.

3. Nous avons des sacs à dos _____ sont légers (*light*) mais solides.

4. Regardez notre site web _____ nous avons des photos de notre magasin.

5. Nous avons les nouveaux CD _____ vous désirez.

6. Nos produits, _____ sont de la meilleure qualité, sont aussi parfaits comme cadeaux.

7. Nous avons tous les vêtements _____ vous avez besoin pour l'école.

8. Venez dans notre boutique _____ vous allez trouver tous les objets _____ vous cherchez.

2 **À mon avis...** La grand-mère d'Édith parle de la technologie avec sa petite-fille. Assemblez les deux phrases avec **où**, **dont**, **qui** ou **que** pour faire une seule phrase.

1. Je ne sais pas utiliser Skype avec tes cousins. Tu vois tes cousins à Noël.

2. J'aime bien lire les e-mails. Tu m'envoies des e-mails.

3. Tu devras réparer ton ordinateur un jour.
   Tu auras de l'argent un jour.

4. Tu m'as donné un portable. Je n'utilise pas ce portable.

5. Je ne peux pas allumer le poste de télévision. Le poste de télévision est dans ma chambre.

6. J'ai visité le site web. On parle de ton université sur ce site.

7. Explique-moi comment sauvegarder ces documents. J'ai besoin de ces documents.

8. Je voudrais aller au magasin. Tu as acheté ton appareil photo dans ce magasin.

3 **Les choses que je préfère** Marianne parle des choses qu'elle préfère. Utilisez les pronoms relatifs pour écrire ses phrases. Présentez vos phrases à la classe.

1. Marc est l'ami... (qui, dont)

2. «Chez Henri», c'est le restaurant... (où, que)

3. Ce CD est le cadeau... (que, qui)

4. Ma sœur est la personne... (dont, que)

5. Paris est la ville... (où, dont)

6. L'acteur/L'actrice... (qui, que)

7. Les livres... (dont, que)

8. J'aimerais sortir avec une personne... (qui, que)

Communication

4 **Des opinions** Avec un(e) partenaire, donnez votre opinion sur ces thèmes. Utilisez les pronoms relatifs **qui**, **que**, **dont** et **où**. Ensuite, partagez vos réponses les plus intéressantes avec la classe.

MODÈLE

le printemps / saison
Étudiant(e) 1: *Le printemps est la saison que je préfère parce que j'aime les fleurs.*
Étudiant(e) 2: *L'hiver est la saison que moi, je préfère, parce que j'aime la neige.*

1. le petit-déjeuner / repas
2. surfer sur Internet / passe-temps
3. mon/ma camarade de chambre / personne
4. le samedi / jour
5. la chimie / cours
6. la France / pays
7. Brad Pitt / acteur
8. ? / ?

5 **Des endroits intéressants** Par groupes de trois, organisez un voyage. Parlez des endroits qui vous intéressent et expliquez pourquoi vous voulez y aller. Utilisez des pronoms relatifs dans vos réponses, puis partagez votre itinéraire avec la classe.

MODÈLE

Allons à Bruxelles où nous pouvons acheter des chocolats délicieux.

6 **Chère Madame** Avec un(e) partenaire, écrivez une lettre à votre professeur où vous lui expliquez pourquoi vous n'avez pas fini votre devoir. Utilisez des pronoms relatifs et le vocabulaire de cette leçon.

Chère Madame,

Je suis désolé(e), mais je n'ai pas fini mon devoir.

La bibliothèque où...

7 **Mes préférences** Avec un(e) partenaire, parlez de vos préférences dans chaque catégorie ci-dessous (*below*). Donnez des raisons pour vos choix (*choices*). Utilisez les pronoms relatifs **qui**, **que**, **dont** et **où** dans vos descriptions.

MODÈLE

mon film préféré
Le film que j'aime le plus, c'est Pirates des Caraïbes. Johnny Depp, qui joue dans ce film, est super!

1. mon film préféré
2. mon roman (*novel*) préféré
3. mon chanteur/ma chanteuse préféré(e)
4. la meilleure ville pour aller en vacances

I CAN express complex information.

Révision

1 **Mes stratégies** Avec un(e) partenaire, faites une liste de dix stratégies pour bien mener (*to lead*) votre prochaine année universitaire. Utilisez **quand** ou **dès que**.

MODÈLE

Étudiant(e) 1: *Dès qu'un cours deviendra trop difficile, j'irai parler au prof.*
Étudiant(e) 2: *Quand je serai trop fatiguée, je dormirai au moins sept heures par nuit.*

2 **La visite de Québec** Avec un(e) partenaire, vous visitez la ville de Québec. Préparez un itinéraire où vous vous arrêterez souvent pour visiter ou acheter quelque chose, manger, boire, etc. Soyez prêt(e)s à présenter votre itinéraire à la classe.

MODÈLE

Étudiant(e) 1: *Le matin, nous prendrons le petit-déjeuner dans l'hôtel.*
Étudiant(e) 2: *Ensuite, nous irons visiter le musée de la Civilisation.*

Québec vous attend!

Visitez:
> le château Frontenac   > la terrasse Dufferin
> le musée de la Civilisation   > la basilique Notre
> le musée de l'Amérique   Dame-de-Québec
  française et beaucoup plus!

3 **C'est l'histoire de…** Avec un(e) partenaire, commentez ces titres de films français et imaginez les histoires. Utilisez des pronoms relatifs. Ensuite, découvrez les vraies histoires sur Internet et travaillez avec un autre groupe pour comparer toutes les histoires.

MODÈLE

Étudiant(e) 1: *C'est l'histoire d'un homme qui…*
Étudiant(e) 2: *… et que la police cherche…*

- *Le Dernier métro*
- *Les Visiteurs*
- *Toto le héros*
- *La Chèvre* (goat)
- *L'Argent de poche* (pocket)
- *Le Professionnel*

4 **La leçon de conduite** Vous êtes moniteur/monitrice (*instructor*) et c'est la première leçon de conduite (*driving*) que prend votre partenaire. Inventez une scène où il/elle découvre la voiture et où vous lui expliquez la fonction des différents accessoires. Utilisez plusieurs pronoms relatifs dans votre dialogue.

MODÈLE

Étudiant(e) 1: *Et ça, c'est le bouton qu'on utilise pour freiner?*
Étudiant(e) 2: *Mais non! C'est le bouton qui sert à allumer les phares que tu dois utiliser la nuit.*

5 **Des prévisions météo** Avec un(e) partenaire, parlez des prévisions météo pour le week-end prochain. Chacun (*Each one*) doit faire cinq prévisions et dire ce qu'on (*what one*) peut faire par ce temps. Soyez prêt(e)s à parler de vos prévisions et des possibilités pour le week-end à la classe.

MODÈLE

Étudiant(e) 1: *Samedi, il fera beau dans le nord. On pourra faire une promenade.*
Étudiant(e) 2: *Dimanche, il pleuvra dans l'ouest. On devra passer la journée dans l'appartement.*

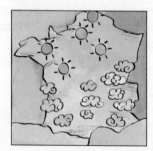
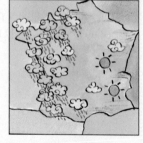

samedi   **dimanche**

6 **La vie de Gaëlle et de Jean-Georges** Votre professeur va vous donner, à vous et à votre partenaire, deux feuilles d'activités différentes sur l'avenir de Gaëlle et de Jean-Georges. Attention! Ne regardez pas la feuille de votre partenaire.

MODÈLE

Étudiant(e) 1: *Jean-Georges et Gaëlle finiront leurs études au lycée.*
Étudiant(e) 2: *Ensuite, …*

Écriture

Using linking words

You can make your writing more sophisticated by using linking words to connect simple sentences or ideas in order to create more complex sentences. Consider these passages that illustrate this effect:

Without linking words

Aujourd'hui, j'ai fait beaucoup de courses. Je suis allé à la poste. J'ai fait la queue pendant une demi-heure. J'ai acheté des timbres. J'ai aussi posté un colis. Je suis allé à la banque. La banque est rue Girardeau. J'ai perdu ma carte de crédit hier. Je devais aussi retirer de l'argent. Je suis allé à la brasserie pour déjeuner avec un ami. Cet ami s'appelle Marc. Je suis rentré à la maison. Ma mère rentrait du travail.

With linking words

Aujourd'hui, j'ai fait beaucoup de courses. D'abord, je suis allé à la poste où j'ai fait la queue pendant une demi-heure. J'ai acheté des timbres et j'ai aussi posté un colis. Après, je suis allé à la banque qui est rue Girardeau, parce que j'ai perdu ma carte de crédit hier et parce que je devais aussi retirer de l'argent. Ensuite, je suis allé à la brasserie pour déjeuner avec un ami qui s'appelle Marc. Finalement, je suis rentré à la maison alors que ma mère rentrait du travail.

Linking words			
alors	*then*	mais	*but*
alors que	*as*	ou	*or*
après	*then, after that*	où	*where*
d'abord	*first*	parce que	*because*
donc	*so*	pendant (que)	*while*
dont	*of which*	(et) puis	*(and) then*
enfin	*finally*	puisque	*since*
ensuite	*then, after that*	quand	*when*
et	*and*	que	*that, which*
finalement	*finally*	qui	*who, that*

Thème

Faire la description d'un nouveau commerce

Avec des amis, vous allez ouvrir un commerce (*business*) dans le quartier de votre université. Vous voulez créer quelque chose d'original qui n'existe pas encore et qui sera très utile aux étudiants: un endroit où ils pourront faire plusieurs choses en même temps (par exemple, une laverie/salon de coiffure). Préparez une description détaillée de votre idée et de ce que (*what*) votre commerce proposera comme services. Utilisez votre imagination et les questions suivantes comme point de départ de votre description.

- Quel sera le nom du commerce?

- Quel type de commerce voulez-vous ouvrir?

- Quels seront les produits (*products*) que vous vendrez? Quels seront les prix? Donnez quelques détails sur l'activité commerciale.

- Où se trouvera le commerce?

- Comment sera l'intérieur du commerce (style, décoration, etc.)?

- Quels seront ses jours et heures d'ouverture (*business hours*)?

- En quoi consistera l'originalité de votre commerce? Expliquez pourquoi votre commerce sera unique et donnez les raisons pour lesquelles (*which*) des étudiants le fréquenteront.

I CAN write a new business proposal.

Panorama

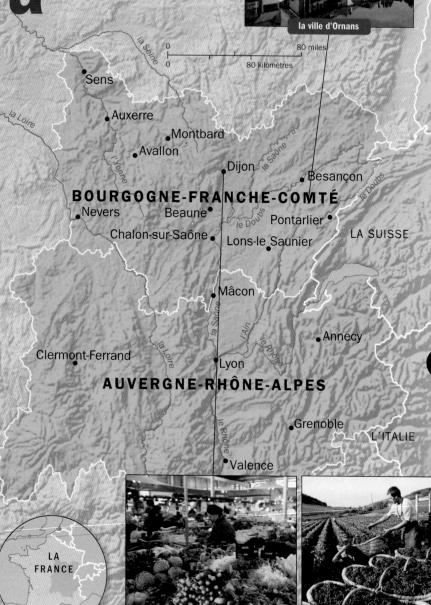

la ville d'Ornans

La Bourgogne-Franche-Comté

La Bourgogne-Franche-Comté est une région dans l'est de la France, bordée à l'est par la Suisse. La Franche-Comté, région historique le long de la Suisse, est connue pour ses fromages, qui sont fabriqués à partir du° lait des vaches qui broutent° dans ses pâtures° de montagne. À l'ouest, les vignobles° de Bourgogne proposent le plus grand nombre d'appellations° d'origine en France. La région est aussi renommée° pour ses moutardes, notamment de Dijon et de Beaune.

Personnes célèbres

▶ **Gustave Eiffel,** ingénieur
(la tour Eiffel) (1832–1923)

▶ **Colette,** écrivaine (1873–1954)

L'Auvergne-Rhône-Alpes

La région Auvergne-Rhône-Alpes se situe dans l'est de la France, à côté de la Suisse et de l'Italie. Sa population hétérogène regroupe différentes traditions, langues et valeurs. Ses villes principales sont Lyon, Grenoble et Clermont-Ferrand.

Personnes célèbres

▶ **Antoine de Saint-Exupéry,** écrivain,
auteur du *Petit Prince* (1900–1944)

▶ **Blaise Pascal,** (1623–1662)
inventeur et mathématicien

à partir du *from* **broutent** *graze* **pâtures** *pastures* **vignobles** *vineyards* **appellations** *geographical indications* **renommée** *renowned*

LA FRANCE

un marché à Dijon

les vendanges° en Bourgogne

ACTIVITÉS

1 **Les informations** Complétez les phrases.

1. La Bourgogne est connue pour ses _____ et propose le plus grand nombre d'appellations d'origine en France.

2. _____ de Bourgogne, notamment de Dijon et de Beaune, sont renommées mondialement.

3. _____ de Franche-Comté sont fabriqués avec du lait de vache.

4. La région Auvergne-Rhône-Alpes est à côté de la Suisse et de _____ .

2 **Assimilez** Répondez aux questions.

1. Comment est-ce que les paysages (*landscapes*) et la géographie de Bourgogne-Franche-Comté influencent-ils sa gastronomie?

2. Avez-vous déjà essayé des produits gastronomiques de la Bourgogne-Franche-Comté? Lesquels? Quels produits originaires de votre pays sont connus mondialement?

3. Comment est-ce que la popularité des produits locaux influencent-elle les attitudes et valeurs d'une communauté?

⊳ La gastronomie
La raclette et la fondue

La Savoie, dans la région Auvergne-Rhône-Alpes, est très riche en fromages et deux de ses spécialités sont à base de fromage. Pour la raclette, on met du fromage à raclette sur un appareil° pour le faire fondre°. Chaque personne racle° ensuite du fromage dans son assiette et le mange avec des pommes de terre et de la charcuterie°. La fondue est un mélange° de fromages fondus°. Avec un bâton°, on trempe° un morceau de pain dans le mélange. Ne le laissez pas tomber!

Les destinations
Grenoble

La ville de Grenoble, dans la région Auvergne-Rhône-Alpes, est surnommée «Capitale des Alpes» et «Ville Technologique». Située à la porte des Alpes, elle donne accès aux grandes stations de ski alpin et est le premier centre de recherche en France, après Paris. Le synchrotron de Grenoble, un des plus grands accélérateurs de particules du monde, permet d'étudier la matière°. Grenoble est également° une ville universitaire, avec quatre universités et 65.000 étudiants.

⊳ L'architecture
Les toits de Bourgogne

Les toits° en tuiles vernissées° multicolores sont typiques de la Bourgogne. Inspirés de l'architecture flamande° et d'Europe centrale, ils forment des dessins géométriques. Le plus célèbre bâtiment est l'Hôtel-Dieu° de Beaune, construit en 1443 pour accueillir° les pauvres et les victimes de la guerre° de 100 ans (1337–1443). Aujourd'hui, l'Hôtel-Dieu organise la plus célèbre vente aux enchères° de vins du monde.

Les gens
Louis Pasteur (1822–1895)

Louis Pasteur est né à Dole, en Franche-Comté. Il découvre que les fermentations sont dues à des micro-organismes spécifiques. Dans ses recherches sur les maladies contagieuses, il montre la relation entre le microbe et l'apparition d'une maladie. Cette découverte° a des applications dans le monde hospitalier et industriel avec les méthodes de désinfection, de stérilisation et de pasteurisation. Le vaccin contre la rage° est aussi une de ses inventions. L'Institut Pasteur est créé à Paris en 1888. Aujourd'hui, il a des filiales° sur cinq continents.

INCROYABLE MAIS VRAI!

Au Moyen Âge, les escargots servaient à la fabrication de sirops contre la toux. La recette bourguignonne (beurre, ail, persil°) est popularisée au 19e siècle. En France, on consomme jusqu'à 16.000 tonnes d'escargots par an. L'escargot aide à lutter contre° le mauvais cholestérol et les maladies cardio-vasculaires.

appareil *machine* **fondre** *to melt* **racle** *scrapes* **charcuterie** *cured meats* **mélange** *mix* **fondus** *melted* **bâton** *stick* **trempe** *dips* **matière** *matter* **également** *also* **toits** *roofs* **tuiles vernissées** *glazed tiles* **flamande** *Flemish* **Hôtel-Dieu** *Hospital* **accueillir** *take care of* **guerre** *war* **vente aux enchères** *auction* **découverte** *discovery* **rage** *rabies* **filiales** *branches* **persil** *parsley* **lutter contre** *fight against*

---

3 | **Vous avez compris?** Répondez aux questions.

1. Avec quoi est-ce qu'on mange la raclette?
2. Qu'est-ce que les chercheurs viennent étudier à Grenoble?
3. Quel style d'architecture a influencé les toits de Bourgogne?
4. Qu'est-ce que Louis Pasteur montre dans ses recherches sur les maladies contagieuses?
5. Avec quoi sont préparés les escargots de Bourgogne?

4 | **Les Parcs naturels régionaux** Par groupes de trois, faites des recherches sur un des parcs naturels régionaux de la Bourgogne-Franche-Comté. Où se trouve-t-il? Quels sont ses éléments géographiques et naturels? Quels programmes ou actions sociales, écologiques ou de conservation existent dans le parc? Ensuite, choisissez un parc naturel dans votre communauté ou région et comparez-le avec le PNR que vous avez recherché. Présentez vos résultats à la classe.

I CAN identify and reflect on cultural products and practices of Eastern France.

ACTIVITÉS

Lecture

Audio:
Reading

Avant la lecture

STRATÉGIE

Visualizing

Visualizing is creating mental pictures as you read a text. You can use the writer's words but also your own imagination to form pictures in your mind. This helps you understand the text because you are looking beyond the words and creating images. Through the images, you can recall what you've read. Visualizing also makes reading a more personal experience.

Examinez le texte

Pour chaque vers que vous lisez du poème, faites-vous une image mentale. Quand vous aurez fini le poème, comparez vos images mentales au dessin sur ces pages.

À propos de l'auteur
Jacques Charpentreau (1928–2016)

Jacques Charpentreau a été à la fois un enseignant° et un poète. Il a travaillé toute sa vie comme instituteur° et professeur de français à Paris, tout en restant° très actif dans le domaine de la poésie. Il a ainsi dirigé plusieurs collections de poésie pour diverses maisons d'édition° et a produit lui-même une variété d'œuvres°: surtout des recueils° de poésie, des contes et des nouvelles°, mais aussi des dictionnaires, des traductions poétiques, des pamphlets ou des essais. Charpentreau a reçu différents prix littéraires au cours de sa carrière et ses poèmes ont souvent été mis en musique. Sa poésie est agréable à lire, rythmée et harmonieuse, et plusieurs de ses poèmes sont devenus des classiques que l'on étudie dans les écoles françaises et à l'étranger.

enseignant *teacher* **instituteur** *elementary school teacher* **tout en restant** *while remaining* **maisons d'édition** *publishers* **œuvres** *works* **recueils** *collections* **nouvelles** *short stories*

Suppositions
Jacques Charpentreau

1 Si la Tour Eiffel montait
Moins haut que le bout de son nez,
Si l'Arc de Triomphe était
Un peu moins lourd à porter,
5 Si l'Opéra se pliait°,
Si la Seine se roulait°,
Si les ponts se dégonflaient°,
Si tous les gens se tassaient°
Un peu plus dans le métro,
10 Si l'on retirait des rues
Les guéridons° des bistrots,
Les obèses, les ventrus°,
Les porteurs de grands chapeaux,
Si l'on ôtait° les autos,
15 Si l'on rasait les barbus°,
Si l'on comptait les kilos
À deux cents grammes pas plus,
Si Montmartre se tassait,
Si les trop gros maigrissaient,
20 Si les tours° rapetissaient°,
Si le Louvre s'envolait°,
Si l'on rentrait les oreilles,
Avec des Si l'on mettrait
Paris dans une bouteille.

Après la lecture

Vrai ou faux? Indiquez si les phrases sont **vraies** ou **fausses**. Citez le texte pour justifier vos réponses.

	Vrai	Faux
L'auteur dit...		
1. que la Tour Eiffel devrait être moins lourde.	☐	☐
2. que l'Arc de Triomphe devrait être plus léger.	☐	☐
3. qu'il devrait y avoir plus de ponts sur la Seine.	☐	☐
4. que les gens devraient arrêter de prendre le métro.	☐	☐
5. qu'on devrait enlever (*remove*) les guéridons des rues.	☐	☐
6. qu'on devrait enlever les voitures.	☐	☐
7. qu'un kilo devrait faire la moitié (*half*).	☐	☐
8. que les gens trop gros devraient maigrir.	☐	☐
9. que les tours devraient être plus grandes.	☐	☐
10. que le Louvre a des oreilles.	☐	☐

Question de taille Le poème évoque l'idée que la réalité pourrait être modifiée à travers trois images principales: aller plus haut, disparaître et rapetisser. Faites une liste de tous les changements en rapport avec ces idées qui sont mentionnés dans le texte et classez-les selon ces trois grandes catégories. Est-ce qu'il y a des changements qu'on ne peut classer dans aucune (*none*) de ces catégories? Si oui, lesquels?

À votre tour Écrivez un poème de cinq ou six phrases, dans le même style que le poème *Suppositions*, sur un thème de votre choix. Utilisez une ou deux image(s) de votre invention et essayez d'évoquer à la fois des petits détails de la vie quotidienne et des thèmes plus larges.

se pliait *bent* **se roulait** *rolled* **se dégonflaient** *deflated* **se tassaient** *piled up* **guéridons** *pedestal tables* **ventrus** *potbellied* **ôtait** *removed* **barbus** *bearded men* **tours** *towers* **rapetissaient** *shrank* **s'envolait** *flew away*

I CAN interpret a poem.

Leçon 12A

À la banque

avoir un compte bancaire *to have a bank account*
déposer de l'argent *to deposit money*
emprunter *to borrow*
payer avec une carte de crédit *to pay with a credit card*
payer en liquide *to pay in cash*
payer par chèque *to pay by check*
retirer de l'argent *to withdraw money*
les billets (m.) *bills, notes*
un compte de chèques *checking account*
un compte d'épargne *savings account*
une dépense *expenditure, expense*
un distributeur automatique/de billets *ATM*
les pièces de monnaie (f.)/de la monnaie *coins/change*

En ville

accompagner *to accompany*
faire la queue *to wait in line*
remplir un formulaire *to fill out a form*
signer *to sign*
une banque *bank*
une bijouterie *jewelry store*
une boutique *boutique, store*
une brasserie *café, restaurant*
un bureau de poste *post office*
une laverie *laundromat*
un marchand de journaux *newsstand*
une papeterie *stationery store*
un salon de beauté *beauty salon*
un commissariat de police *police station*
une mairie *town/city hall; mayor's office*
fermé(e) *closed*
ouvert(e) *open*

À la poste

poster une lettre *to mail a letter*
une adresse *address*
une boîte aux lettres *mailbox*
une carte postale *postcard*
un colis *package*
le courrier *mail*
une enveloppe *envelope*
un facteur *mailman*
un timbre *stamp*

Expressions utiles

See p. 455.

La négation

jamais *never; ever*
ne... aucun(e) *none (not any)*
ne... jamais *never (not ever)*
ne... ni... ni... *neither... nor*
ne... personne *nobody, no one*
ne... plus *no more (not anymore)*
ne... que *only*
ne... rien *nothing (not anything)*
pas (de) *no, none*
personne *no one*
quelque chose *something*
quelqu'un *someone*
rien *nothing*
toujours *always; still*

Verbes

apercevoir *to catch sight of, to see*
s'apercevoir *to notice; to realize*
recevoir *to receive*
voir *to see*

Leçon 12B

Retrouver son chemin

continuer *to continue*
se déplacer *to move (change location)*
descendre *to go/come down*
être perdu(e) *to be lost*
monter *to go up/come up*
s'orienter *to get one's bearings*
suivre *to follow*
tourner *to turn*
traverser *to cross*
un angle *corner*
une avenue *avenue*
un banc *bench*
un bâtiment *building*
un boulevard *boulevard*
un carrefour *intersection*
un chemin *way; path*
un coin *corner*
des indications (f.) *directions*
un feu de signalisation (feux pl.) *traffic light(s)*
une fontaine *fountain*
un office du tourisme *tourist office*
un pont *bridge*
une rue *street*
une statue *statue*
est *east*
nord *north*
ouest *west*
sud *south*

Pour donner des indications

au bout (de) *at the end (of)*
au coin (de) *at the corner (of)*
autour (de) *around*
jusqu'à *until*
(tout) près (de) *(very) close (to)*
tout droit *straight ahead*

Expressions utiles

See p. 475.

Vocabulaire supplémentaire

dès que *as soon as*
quand *when*

Pronoms relatifs

dont *of which, of whom*
où *where*
que *that, which*
qui *who, that, which*

Le futur simple

See pp. 478–479.

🔊 Communicative Goals: Review

I CAN talk about errands and places around town.
- Write a list of three errands you need to get done, then write out directions for getting to each place.

I CAN discuss the future.
- Describe three things you will achieve next year.

I CAN investigate city life in francophone communities.
- Describe a francophone cultural product or practice related to city life and compare the perspectives around it to attitudes in your own culture.

L'espace vert

Communicative Goals

You will learn how to:

- Talk about the environment
- Express feelings, doubt, opinions, and urgency
- Investigate nature and environmentalism in francophone communities

Pour commencer

- Où est-ce que cette photo a été prise?
  a. en ville   b. à la campagne   c. à la plage
- Qu'est-ce qu'il y a sur la photo?
  a. des plantes   b. des animaux
  c. des étoiles
- Qu'est-ce qu'on pourrait faire ici?
  a. du vélo   b. un pique-nique   c. les courses

Leçon 13A

Vocabulary Tutorials

Sauvons la planète!

Vocabulaire

abolir	to abolish
améliorer	to improve
développer	to develop
gaspiller	to waste
préserver	to preserve
prévenir l'incendie	to prevent fires
proposer une solution	to propose a solution
sauver la planète	to save the planet
une catastrophe	catastrophe
un danger	danger, threat
des déchets toxiques (m.)	toxic waste
l'effet de serre (m.)	greenhouse effect
le gaspillage	waste
un glissement de terrain	landslide
une population croissante	growing population
le réchauffement de la Terre	global warming
la surpopulation	overpopulation
le trou dans la couche d'ozone	hole in the ozone layer
une usine	factory
l'écologie (f.)	ecology
un emballage en plastique	plastic wrapping/packaging
l'environnement (m.)	environment
un espace	space, area
un produit	product
la protection	protection
écologique	ecological
en plein air	outdoor, open-air
pur(e)	pure
un gouvernement	government
une loi	law

le ramassage des ordures (f.)

Elle recycle. (recycler)

le recyclage

interdire

Ils ont pollué. (polluer)

Mise en pratique

1 **Écoutez** Écoutez l'annonce radio suivante. Ensuite, complétez les phrases avec le mot ou l'expression qui convient le mieux.

1. C'est l'annonce radio...
   a. d'un groupe d'étudiants.
   b. d'une entreprise commerciale.
   c. d'une agence écologiste.
2. La protection de l'environnement, c'est l'affaire...
   a. de tous.
   b. du gouvernement.
   c. des centres de recyclage.
3. L'annonce dit qu'on peut recycler...
   a. les emballages en plastique et en papier.
   b. les boîtes de conserve.
   c. les bouteilles en plastique.
4. Pour les déchets toxiques, il y a...
   a. le ramassage des ordures.
   b. le centre de recyclage.
   c. l'effet de serre.
5. Pour ne pas gaspiller l'eau, on peut...
   a. acheter des produits écologiques.
   b. développer les incendies.
   c. prendre des douches plus courtes.

2 **Complétez** Complétez les phrases suivantes avec le mot ou l'expression qui convient le mieux pour parler de l'environnement. N'oubliez pas les accords.

1. Nous avons trois poubelles différentes pour pouvoir _____.
2. _____ contribue au réchauffement de la Terre.
3. _____ produisent près de 80% de l'énergie en France.
4. Les pluies ont provoqué _____. À présent, la route est fermée.
5. Chez moi, _____ des ordures se fait tous les lundis.
6. L'accident à l'usine chimique a provoqué un _____.

3 **Composez** Utilisez les éléments de chaque colonne pour former six phrases cohérentes au sujet de l'environnement. Vous pouvez composer des phrases affirmatives ou négatives.

Les gens	Les actions	Les éléments
vous	développer	l'eau
on	gaspiller	le covoiturage
les gens	polluer	l'énergie solaire
les politiciens	préserver	l'environnement
les entreprises	proposer	la planète
les centrales nucléaires	sauver	la Terre

Communication

4 **Décrivez** À tour de rôle, choisissez une image et décrivez-la. Donnez autant de détails et d'informations que possible. Votre partenaire doit déterminer de quelle image vous parlez.

1.

2.

3.

4.

5 **À vous de jouer** Par petits groupes, préparez une conversation au sujet d'une des situations suivantes. Ensuite jouez la scène devant la classe.

- Un(e) employé(e) du centre de recyclage local vient dans votre université pour expliquer aux étudiants un nouveau système de recyclage. De nombreux étudiants posent des questions.
- Un groupe d'écologistes rencontre le patron d'une entreprise accusée de polluer la rivière (*river*) locale.
- Le ministre de l'environnement donne une conférence de presse au sujet d'une nouvelle loi sur la protection de l'environnement.
- Votre colocataire oublie systématiquement de recycler les emballages. Vous avez une conversation animée avec lui/elle.

6 **L'article** Vous êtes journaliste et vous devez écrire un article pour le journal local au sujet de la pollution. Vous en expliquez les causes et les conséquences sur l'environnement. Vous suggérez aussi des solutions pour améliorer la situation.

MODÈLE

Les dangers de la pollution chimique
Les usines chimiques de notre région polluent! C'est une catastrophe pour notre environnement. Il faut leur interdire de fonctionner jusqu'à ce qu'elles améliorent leurs systèmes de recyclage...

I CAN talk about environmental problems and solutions.

Les sons et les lettres

 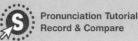 Pronunciation Tutorial
Record & Compare

Les liaisons obligatoires et les liaisons interdites

Rules for making liaisons are complex and have many exceptions. Generally, a liaison is made between pronouns and between a pronoun and a verb that begins with a vowel or vowel sound.

vous en avez   **nous habitons**   **ils aiment**   **elles arrivent**

Make liaisons between articles, numbers, or the verb **est** and a noun or adjective that begins with a vowel or a vowel sound.

un éléphant   **les amis**   **dix hommes** (z)   **Roger est enchanté.**

There is a liaison after many single-syllable adverbs, conjunctions, and prepositions.

très intéressant   **chez eux**   **quand elle** (t)   **quand on décidera** (t)

Many expressions have obligatory liaisons that may or may not follow these rules.

C'est-à-dire...   **Comment allez-vous?**   **plus ou moins**   **avant-hier**

Never make a liaison before or after the conjunction **et** or between a noun and a verb that follows it. Likewise, do not make a liaison between a singular noun and an adjective that follows it.

un garçon et une fille   **Gilbert adore le football.**   **un cours intéressant**

There is no liaison before **h aspiré** or before the word **oui** and before numbers.

un hamburger   **les héros**   **un oui et un non**   **mes onze animaux**

Prononcez Répétez les mots suivants à voix haute.

1. les héros   2. mon petit ami   3. un pays africain   4. les onze étages

Articulez Répétez les phrases suivantes à voix haute.

1. Ils en veulent onze.
2. Vous vous êtes bien amusés hier soir?
3. Cristelle et Albert habitent en Angleterre.
4. Quand est-ce que Charles a acheté ces objets?

Dictons Répétez les dictons à voix haute.

Les murs ont des oreilles.[2]

Deux avis valent mieux qu'un.[1]

[1] Two heads are better than one.
(lit. *Two opinions are better than one.*)

[2] The walls have ears.

ROMAN-PHOTO

Une idée de génie

Video: *Roman-photo*
Record & Compare

PERSONNAGES

Amina

David

Rachid

Sandrine

Stéphane

Valérie

Au P'tit Bistrot...

VALÉRIE Stéphane, mon chéri, tu peux porter ces bouteilles en verre à recycler, s'il te plaît?

STÉPHANE Oui, bien sûr, maman.

VALÉRIE Oh, et puis, ces emballages en plastique aussi.

STÉPHANE Oui, je m'en occupe tout de suite.

RACHID ET AMINA Bonjour, Madame Forestier!

VALÉRIE Bonjour à vous deux.

AMINA Où est Michèle?

VALÉRIE Je n'en sais rien.

RACHID Mais elle ne travaille pas aujourd'hui?

VALÉRIE Non, elle ne vient ni aujourd'hui, ni demain, ni la semaine prochaine.

AMINA Elle est en vacances?

VALÉRIE Elle a démissionné.

RACHID Mais pourquoi?

AMINA Ça ne nous regarde pas!

VALÉRIE Oh, ça va, je peux vous le dire. Michèle voulait un autre travail.

RACHID Quelle sorte de travail?

VALÉRIE Plus celui-ci... Elle voulait une augmentation, ce n'était pas possible.

DAVID Madame Forestier, vous avez entendu la nouvelle? Je rentre aux États-Unis.

VALÉRIE Tu repars aux États-Unis?

DAVID Dans trois semaines.

VALÉRIE Il te reste très peu de temps à Aix, alors!

SANDRINE Oui. On sait.

DAVID Il faut que nous passions le reste de mon séjour de bonne humeur, hein?

RACHID Ah, mais vraiment, tout le monde a l'air triste aujourd'hui!

AMINA Oui. Pensons à quelque chose pour améliorer la situation. Tu as une idée?

RACHID Oui, peut-être.

AMINA Dis-moi! (*Il lui parle à l'oreille.*) Excellente idée!

RACHID Tu crois? Tu es sûre? Bon... Écoutez, j'ai une idée.

DAVID C'est quoi, ton idée?

RACHID Tout le monde a l'air triste aujourd'hui. Si on allait au mont Sainte-Victoire ce week-end. Ça vous dit?

DAVID Oui! J'aimerais bien y aller. J'adore dessiner en plein air.

A C T I V I T É S

1 **Vrai ou faux?** Indiquez si chaque phrase est vraie ou fausse.

1. Stéphane va apporter les bouteilles et les emballages à recycler.
2. Valérie explique que Michèle est en vacances.
3. David dit qu'il part la semaine prochaine.
4. Sandrine a l'idée d'aller à la montagne Sainte-Victoire ce week-end.
5. Ils décident de passer le week-end tous ensemble.

2 **Répondez** Répondez aux questions suivantes par des phrases complètes.

1. Comment va Sandrine aujourd'hui?
2. Où est-ce qu'Amina croit (*believe*) que Michèle est?
3. Pourquoi Rachid veut-il aller à la montagne Sainte-Victoire?
4. À votre avis, qu'est-ce que David a appris après avoir lu le journal?

Rachid propose une excursion en montagne.

DAVID Bonjour, tout le monde. Vous avez lu le journal ce matin? Il faut que je vous parle de cet article sur la pollution. J'ai appris beaucoup de choses au sujet des pluies acides, du trou dans la couche d'ozone, de l'effet de serre...

AMINA Oh, David, la barbe.

RACHID Allez, assieds-toi et déjeune avec nous.

Un peu plus tard...

RACHID Ton concert est dans une semaine, n'est-ce pas Sandrine?

SANDRINE Oui.

RACHID Qu'est-ce que tu vas chanter?

SANDRINE Écoute, Rachid, je n'ai pas vraiment envie de parler de ça.

SANDRINE Oui, peut-être...

AMINA Allez! Ça nous fera du bien! Adieu pollution de la ville. À nous, l'air pur de la campagne! Qu'en penses-tu, Sandrine?

SANDRINE Bon, d'accord.

AMINA Super! Et vous, Madame Forestier? Vous et Stéphane avez besoin de vous reposer aussi, vous devez absolument venir avec nous!

VALÉRIE En effet, je crois que c'est une excellente idée!

---

3 **Considérez** Répondez aux questions.

1. Qu'est-ce que David a lu dans le journal ce matin? Quels problèmes environnementaux sont courants (*current*) dans les médias de votre communauté? Est-ce que vous en discutez avec vos ami(e)s? Comparez votre situation à celle de David.

2. Est-ce que vous avez l'habitude d'aller passer du temps dans la nature quand vous êtes de mauvaise humeur? Où allez-vous? Quelles valeurs et croyances influencent cette pratique? Expliquez.

4 **Écrivez** Imaginez comment se passera le week-end du groupe d'amis à la montagne Sainte-Victoire. Composez un paragraphe qui explique comment ils vont y aller, ce qu'ils y feront, s'ils s'amuseront...

I CAN understand conversations about emotions, opinions, and suggestions.

L'écologie

une manifestation° des Verts

Le mouvement écologique a commencé en France dans les années 1970, mais ne s'est réellement développé que dans les années 1980. Ce sont surtout les crises majeures comme le nuage de Tchernobyl en 1986, la destruction de la couche d'ozone, l'effet de serre et les marées noires° qui ont réveillé la conscience écologique des Français. Le désir de préserver la qualité de la vie et les espaces naturels s'est développé en même temps.

Aujourd'hui, l'environnement n'est pas le seul sujet d'inquiétude° des Français. En général, la sécurité, l'emploi, la baisse des revenus° et l'avenir des retraites les préoccupent° plus. Pourtant, le parti écologiste Europe Écologie Les Verts est un parti de gauche important, ayant pour but° de créer une nouvelle culture du pouvoir et de la responsabilité en ce qui concerne l'environnement.

De manière générale, les problèmes liés à° l'environnement qui retiennent° le plus l'attention des Français sont la pollution atmosphérique des villes, la pollution de l'eau, le réchauffement climatique et la disparition d'espèces animales. Pour l'opinion publique, le plus urgent à régler° est l'émission des gaz à effet de serre. La plupart des° Français souhaitent que la France tienne° les engagements pris dans le cadre° de la COP21, une conférence internationale sur le climat qui a eu lieu à Paris en 2015 et qui avait cet objectif pour but principal. Ils souhaitent aussi une transition vers des énergies plus propres et sont favorables à la loi sur la transition énergétique votée en 2015. Cette loi, entre autres, favorise le développement des énergies renouvelables et la réduction de la part du nucléaire dans la production d'énergie.

marées noires *oil spills* **inquiétude** *concern* **baisse des revenus** *lowering of incomes* **préoccupent** *worry* **but** *goal* **liés à** *linked to* **retiennent** *hold* **régler** *solve*
La plupart des *Most* **tienne** *keep* **cadre** *framework* **manifestation** *demonstration*

A C T I V I T É S

1 Complétez Complétez les phrases.

1. Les crises majeures comme le nuage de Tchernobyl et la destruction de la couche d'ozone ont réveillé _____ des Français.

2. _____ n'est pas la seule préoccupation des Français.

3. _____ est un parti écologiste important.

4. La plupart des Français pensent qu'il est important de tenir les engagements pris à la _____.

5. La France a voté une loi en 2015 sur _____.

2 Réfléchissez Répondez aux questions.

1. Quels problèmes écologiques vous inquiètent le plus? Pourquoi?

2. Y a-t-il un parti politique écologiste dans votre pays? Comparez-le au parti Europe Écologie Les Verts.

3. Comment est-ce que les croyances et les valeurs d'une communauté influencent ses mouvements écologiques?

4. À votre avis, est-ce qu'il faut faire attention aux problèmes écologiques locaux, ou bien est-il plus important d'examiner les problèmes nationaux et gloaux?

L'avenir de la planète

Les Français sont-ils optimistes ou pessimistes pour l'avenir de la planète?

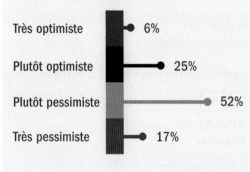

Très optimiste — 6%

Plutôt optimiste — 25%

Plutôt pessimiste — 52%

Très pessimiste — 17%

SOURCE: Harris interactive

LE MONDE FRANCOPHONE

Des réponses

Voici deux exemples de réponses aux inquiétudes sur l'environnement.

En Suisse

Le tunnel ferroviaire° du Gothard, au cœur des Alpes suisses, est le plus long tunnel du monde (57 kilomètres). Il est opérationnel depuis 2016 et permet l'accroissement° du trafic ferroviaire et décongestionne° le trafic routier°. L'objectif est de réduire la pollution.

Dans l'Océan Indien

Les espèces° exotiques envahissantes° créent des dégâts° écologiques importants qui ont un impact sur la biodiversité et sur la santé humaine. Des experts se sont réunis à Mayotte pour réfléchir à ce problème. Ils venaient de toutes les îles francophones environnantes° de l'Océan Indien.

ferroviaire *railroad* **accroissement** *increase* **décongestionner** *relieve*
routier *highway* **espèces** *species* **envahissantes** *invasive*
dégâts *damages* **environnantes** *surrounding*

PORTRAIT

L'énergie nucléaire

En France, l'électricité d'origine nucléaire est la principale énergie produite et consommée: en effet, le nucléaire produit 75% de l'électricité. C'est EDF (Électricité de France) qui a construit les premières centrales du pays dans les années 1950. La production d'énergie d'origine nucléaire est plus largement développée à partir de 1974, au lendemain du premier choc pétrolier°. Aujourd'hui, le pays possède 57 réacteurs et une usine de traitement°, Areva NC, située à La Hague, dans le nord-ouest du pays. Les déchets radioactifs de France, d'Europe et d'Asie y sont traités°. La France est un exemple de réussite en ce qui concerne l'énergie nucléaire, mais sa population est inquiète. L'explosion de Tchernobyl en 1986 a démontré les risques d'accidents dans les centrales. Dix pour cent des déchets, dits «à vie longue»,

ne sont pas traitables° et deviennent un problème de santé publique. C'est pourquoi le rôle des énergies renouvelables ne peut donc qu'augmenter à l'avenir. Ces «énergies propres», ou «énergies vertes», proviennent° de sources que la nature renouvelle en permanence: elles sont inépuisables° à l'échelle° du temps humain. Elles sont issues de plusieurs grandes sources naturelles comme le soleil (solaire), l'eau (hydraulique), le vent (éolienne°) ou encore la terre (géothermique).

choc pétrolier *oil crisis* **usine de traitement** *treatment plant* **traités** *treated*
ne sont pas traitables *are not treatable* **proviennent** *come from*
inépuisables *inexhaustible* **à l'échelle** *on the scale* **éolienne** *wind power*

---

3 **Répondez** Répondez aux questions.

1. En France, quelle quantité d'électricité le nucléaire produit-il?
2. Qui a construit les premières centrales françaises?
3. Quel type de déchets est-ce qu'Areva NC traite?
4. Les Français sont-ils contents du nucléaire? Expliquez.
5. Qu'est-ce qui crée des dégâts écologiques dans les îles de l'Océan Indien?

4 **Le recyclage** Quelles réglementations existent dans votre communauté en ce qui concerne le recyclage? Est-ce que vous recyclez toutes les bouteilles et tous les emballages que vous utilisez? Faites une liste de trois difficultés qui font obstacle au recyclage dans votre communauté, puis écrivez une lettre à un(e) représentant(e) du gouvernement local dans laquelle vous offrez des solutions.

A C T I V I T É S

I CAN identify and reflect on cultural products and practices related to the environment.

STRUCTURES

13A.1

The interrogative pronoun *lequel* and demonstrative pronouns

 Grammar Tutorial

Point de départ The interrogative pronoun **lequel** (*which one*) and its different forms ask a question about a person or thing previously mentioned. They replace the forms of the adjective **quel** + [*noun*].

Quel produit choisirez-vous?	**Lequel** choisirez-vous?
Which product will you choose?	*Which one will you choose?*

- The interrogative pronoun agrees in gender and number with the noun to which it refers.

	singular	plural
masculine	**lequel**	**lesquels**
feminine	**laquelle**	**lesquelles**

Quelle solution proposeraient-ils?	**Laquelle** proposeraient-ils?
Which solution would they propose?	*Which one would they propose?*

Quelles lois abolira-t-il?	**Lesquelles** abolira-t-il?
Which laws will he abolish?	*Which ones will he abolish?*

- Place the form of **lequel** wherever you would place **quel(le)(s)** + [*noun*] in a question.

Dans **quel emballage** l'envoie-t-il?	Dans **lequel** l'envoie-t-il?
In which package is he sending it?	*In which one is he sending it?*

Pour **quel gouvernement** travaillez-vous?	Pour **lequel** travaillez-vous?
For which government do you work?	*For which one do you work?*

- Remember that past participles agree with preceding direct objects.

Laquelle avez-vous **choisie**?	**Lesquels** as-tu **faits**?
Which one did you choose?	*Which ones did you do?*

- Forms of **lequel** contract with the prepositions **à** and **de**.

à + form of *lequel*		
	singular	**plural**
masculine	**auquel**	**auxquels**
feminine	**à laquelle**	**auxquelles**

de + form of *lequel*		
	singular	**plural**
masculine	**duquel**	**desquels**
feminine	**de laquelle**	**desquelles**

Auxquels vous intéressez-vous?	Vous parlez **duquel**?
Which ones interest you?	*Which one are you talking about?*

Michèle avait ses raisons? Lesquelles?

Les meilleures idées sont toujours celles de Rachid.

Demonstrative pronouns

- In **Leçon 6A**, you learned how to use demonstrative adjectives. Demonstrative *pronouns* refer to a person or thing that has already been mentioned. Examples of English demonstrative pronouns include *this one* and *those*.

La voiture qui coûte moins cher est plus dangereuse pour l'environnement.
The car that costs less is more dangerous for the environment.

Celle qui coûte moins cher est plus dangereuse pour l'environnement.
The one that costs less is more dangerous for the environment.

Les produits que tu développes sont très importants.
The products that you're developing are very important.

Ceux que tu développes sont très importants.
The ones that you're developing are very important.

- Demonstrative pronouns agree in number and gender with the noun to which they refer.

		singular		plural	
masculine	**celui**	*this one; that one; the one*	**ceux**	*these; those; the ones*
feminine	**celle**	*this one; that one; the one*	**celles**	*these; those; the ones*

Demonstrative pronouns

- Demonstrative pronouns must be followed by one of three constructions: **-ci** or **-là**, a relative clause, or a prepositional phrase.

-ci; -là	**Quels emballages? Ceux-ci?** *Which packages? These here?*	**Quelle bouteille? Celle-là, en verre?** *Which bottle? The glass one there?*
relative clause	**Quelle femme? Celle qui parle?** *Which woman? The one who is talking?*	**Henri Rouet? C'est celui qu'on a entendu à la radio.** *Henri Rouet? He's the one we heard on the radio.*
prepositional phrase	**Quel problème? Celui de l'effet de serre?** *What problem? The one with the greenhouse effect?*	**Ces sacs coûtent plus cher que ceux en papier.** *Those bags cost more than the paper ones.*

Essayez! **Refaites les questions avec des formes de lequel.**

1. Pour quelle compagnie travaillez-vous? _Pour laquelle travaillez-vous?_
2. Quel timbre préférez-vous? _____
3. Quels pays t'intéressent? _____
4. Quelles usines polluent? _____

Choisissez le bon pronom démonstratif.

5. Le recyclage du plastique coûte plus cher que (celle / (celui)) du verre.
6. Les espaces verts sont (ceux / celles) dont on a le plus besoin en ville.
7. Les ordures les plus sales sont (ceux / celles) des industries.
8. Quel sac préfères-tu: (ceux / celui)-ci?

STRUCTURES

Mise en pratique

1 **Au bureau** Hubert parle à ses collègues. Complétez ses phrases avec une forme du pronom interrogatif **lequel**.

1. J'ai deux stylos. _____ veux-tu emprunter?
2. Voici la liste des entreprises. À _____ devons-nous téléphoner?
3. Avez-vous contacté les employés avec _____ il faut travailler?
4. Sais-tu le nom des stages _____ tu as assisté?
5. _____ de ces lettres avez-vous lues?
6. Je suis allé dans plusieurs bureaux. _____ parlez-vous?

2 **Répétez** Vous rencontrez M. Dupont pendant un dîner où il y a beaucoup de bruit (*noise*). Il vous pose des questions, mais il n'entend pas vos réponses. Avec un(e) partenaire, alternez les rôles.

MODÈLE

examen / avoir réussi
Quel examen avez-vous réussi? Lequel avez-vous réussi?

1. produit / s'intéresser à
2. e-mail / avoir envoyé
3. solution / avoir trouvé pour améliorer les espaces verts
4. déchets / être les plus toxiques
5. lois / devoir suivre
6. domaine (*area*) de l'environnement / se spécialiser dans

3 **Le marché aux puces** Vous êtes au marché aux puces (*flea market*) pour trouver des cadeaux. Complétez les phrases avec des pronoms démonstratifs.

1. Ce magnifique vase bleu, je pense que c'est _____ que maman voulait.
2. Ces deux jolis sacs: _____ est pour Sylvie et _____ est pour Soraya.
3. Cette casquette rouge est pour moi. Elle ressemble à _____ de Françoise.
4. Il y avait des boîtes pleines de livres anciens. _____ que j'ai achetés étaient les plus beaux.
5. J'adore ces deux affiches. _____ est pour Julien et _____ est pour André.
6. Nous allons acheter un nouveau vélo. _____ de Julien est trop vieux!
7. Tu aimes ces bottes-ci ou préfères-tu _____ -là?
8. Ces pulls coûtent trop cher! _____ que Stéphane a choisis sont mieux.

4 **Entretien** Camille doit passer un entretien et elle parle à sa copine Alice. Ajoutez des pronoms démonstratifs avec **-ci** et **-là**.

CAMILLE Qu'est-ce que je peux mettre pour cet entretien? J'ai plusieurs tailleurs sympas.

ALICE Ces deux tailleurs gris font sérieux. Tu devrais plutôt mettre (1) _____. Il est élégant et classique.

CAMILLE Et comme chemisier, qu'est-ce que je mets?

ALICE (2) _____ est joli, mais (3) _____ ira mieux avec le style de ton tailleur.

CAMILLE Tu penses que je devrais mettre ces chaussures-ci ou (4) _____?

ALICE (5) _____ sont très à la mode mais (6) _____ sont plus classiques.

Communication

5 **Définitions** À tour de rôle, donnez la définition d'une de ces expressions à votre partenaire, qui va déterminer de quelle expression vous parlez. Utilisez **celui qui, celle qui, ceux qui** ou **celles qui**.

MODÈLE

un pollueur

Étudiant(e) 1: *C'est celui qui laisse des papiers dans la rue.*
Étudiant(e) 2: *C'est un pollueur.*

- les déchets toxiques
- un(e) écologiste
- un écoproduit
- l'énergie solaire
- une loi
- la pluie acide
- une usine
- les voitures hybrides

6 **La pollution** Que pensent vos camarades de la pollution? Posez ces questions à un(e) partenaire. Ensuite, présentez les réponses à la classe. Utilisez **celui, celle, ceux** ou **celles**.

1. Quelles voitures polluent le moins: les voitures hybrides ou les voitures de sport? Lesquelles préfères-tu?

2. Connais-tu quelqu'un qui fait régulièrement du covoiturage? Qui? Pourquoi le fait-il/elle?

3. Les emballages en plastique polluent-ils plus que ceux en papier? Pourquoi?

4. Est-ce que ceux qui recyclent leurs déchets aident à préserver la nature? Pourquoi?

5. Quelles usines sont mauvaises pour l'environnement? Pourquoi?

6. À votre avis, le gouvernement doit-il passer des lois pour arrêter le gaspillage? Quelles sortes de lois?

7. Quelles solutions proposez-vous pour sauver la planète?

8. Parmi (*Among*) les pays industrialisés, lesquels polluent le plus? Lesquels polluent le moins?

7 **Enquête** Votre professeur va vous donner une feuille d'activités. Circulez dans la classe et parlez à des camarades différent(e)s pour trouver qui fait quoi. Demandez des détails.

MODÈLE

Étudiant(e) 1: *Écoutes-tu de la musique?*
Étudiant(e) 2: *Oui.*
Étudiant(e) 1: *Laquelle aimes-tu?*
Étudiant(e) 2: *J'écoute toujours de la musique classique.*

Activité	Nom	Réponse
1. écouter de la musique	Delphine	musique classique
2. avoir des passe-temps		
3. bien s'entendre avec des membres de sa famille		
4. s'intéresser aux livres		
5. travailler avec d'autres étudiant(e)s		

I CAN discuss nearby people and things.

STRUCTURES

13A.2

The subjunctive (Part 1) Ⓢ Grammar Tutorial
Introduction, regular verbs, and impersonal expressions

Point de départ With the exception of commands and the conditional, the verb forms you have learned have been in the indicative mood. The indicative is used to state facts and to express actions or states that the speaker considers real and definite. In contrast, the subjunctive mood expresses the speaker's subjective attitudes toward events and actions or states the speaker's views as uncertain or hypothetical.

Present subjunctive of one-stem verbs			
	parler	**finir**	**attendre**
que je/j'	parle	finisse	attende
que tu	parles	finisses	attendes
qu'il/elle/on	parle	finisse	attende
que nous	parlions	finissions	attendions
que vous	parliez	finissiez	attendiez
qu'ils/elles	parlent	finissent	attendent

- The **je**, **tu**, **il/elle/on**, and **ils/elles** forms of the three verb types form the subjunctive the same way. They add the subjunctive endings to the stem of the **ils/elles** form of the present indicative.

INFINITIVE	PRESENT INDICATIVE OF ILS/ELLES	PRESENT SUBJUNCTIVE
parler	**parlent**	**que je parle**
finir	**finissent**	**que je finisse**
attendre	**attendent**	**que j'attende**

Il est nécessaire qu'on **évite** le gaspillage.
It is necessary that we avoid waste.

Il est important que tu **réfléchisses** aux dangers.
It is important that you think about the dangers.

Il faut qu'elles **finissent** leurs devoirs.
They must finish their homework.

Il est essentiel que je **vende** ma voiture.
It is essential that I sell my car.

Il est bon qu'il **attende** à l'école.
It's good that he's waiting at school.

Il est nécessaire qu'elle **maigrisse** vite.
It's necessary that she lose weight quickly.

- The **nous** and **vous** forms of the present subjunctive are the same as those of the **imparfait**.

Il vaut mieux que nous **préservions** l'environnement.
It is better that we preserve the environment.

Il est essentiel que vous **trouviez** un meilleur travail.
It is essential that you find a better job.

Il faut que nous **commencions**.
It is necessary that we start.

Il est bon que vous **réfléchissiez.**
It is good that you're thinking.

Il est essentiel que nous lui **parlions** tout de suite.
It is essential that we talk to him immediately.

Il est dommage que vous n'**étudiiez** pas l'allemand.
It's a shame that you don't study German.

🔧 Boîte à outils

English also uses the subjunctive. It used to be very common, but now survives mostly in expressions such as *if I were you* and *be that as it may.*

À noter

Remember that verbs ending in -**ier** have a double **i** in the **nous** and **vous** forms of the present subjunctive: **étudiiez**, **skiions**, etc. You learned this in **Leçon 8A** with the **imparfait**.

- The verbs on the preceding page are called one-stem verbs because the same stem is used for all the endings. Two-stem verbs have a different stem for **nous** and **vous**, but their forms are still identical to those of the **imparfait**.

Present subjunctive of two-stem verbs				
	acheter	**venir**	**prendre**	**boire**
que je/j'	achète	vienne	prenne	boive
que tu	achètes	viennes	prennes	boives
qu'il/elle/on	achète	vienne	prenne	boive
que nous	achetions	venions	prenions	buvions
que vous	achetiez	veniez	preniez	buviez
qu'ils/elles	achètent	viennent	prennent	boivent

Il est important que nous ne **buvions** pas de vin.
It's important that we not drink wine.

Il faut que vous **preniez** votre médicament.
You must take your medicine.

- The subjunctive is usually used in complex sentences that consist of a main clause and a subordinate clause. The main clause contains a verb or expression that triggers the subjunctive. The word **que** connects the two clauses.

- These impersonal expressions of opinion are often followed by clauses in the subjunctive. They are followed by the infinitive, without **que**, if no person or thing is specified. Add **de** before the infinitive after expressions with **être**.

Il est bon que...	*It is good that...*	**Il est indispensable que...**	*It is essential that...*
Il est dommage que...	*It is a shame that...*	**Il est nécessaire que...**	*It is necessary that...*
Il est essentiel que...	*It is essential that...*	**Il est possible que...**	*It is possible that...*
Il est important que...	*It is important that...*	**Il faut que...**	*One must... / It is necessary that...*
		Il vaut mieux que...	*It is better that...*

Il est important qu'on réduise le gaspillage.
It is important that we reduce waste.

but

Il est important de réduire le gaspillage.
It is important to reduce waste.

Il faut qu'on ferme l'usine.
We must close the factory.

but

Il faut fermer l'usine.
The factory must be closed.

Il vaut mieux qu'on achète des produits écologiques.
It's better that we buy ecological products.

but

Il vaut mieux acheter des produits écologiques.
It's better to buy ecological products.

Essayez! Indiquez la forme correcte du présent du subjonctif de ces verbes.

1. (améliorer) que j' ___améliore___
2. (maigrir) que tu _____
3. (dire) qu'elle _____
4. (attendre) que nous _____

5. (revenir) que nous _____
6. (apprendre) que vous _____
7. (répéter) qu'ils _____
8. (choisir) qu'on _____

STRUCTURES

Mise en pratique

1 **Prévenir et améliorer** Complétez ces phrases avec la forme correcte des verbes au présent du subjonctif.

1. Il est essentiel que je _____ (recycler).
2. Il est important que nous _____ (réduire) la pollution.
3. Il faut que le gouvernement _____ (interdire) les voitures polluantes (*polluting*).
4. Il vaut mieux que vous _____ (améliorer) les transports en commun (*public transportation*).
5. Il est possible que les pays _____ (prendre) des mesures pour réduire les déchets toxiques.
6. Il est indispensable que tu _____ (boire) de l'eau pure.
7. Il est bon que vous _____ (proposer) des solutions pour préserver la nature.
8. Il est dommage qu'on _____ (gaspiller) de l'eau.

2 **Sur le campus** Quelles règles les étudiants qui habitent sur le campus doivent-ils suivre? Transformez ces phrases avec **il faut** et le présent du subjonctif.

MODÈLE

Vous devez vous coucher avant minuit.
Il faut que vous vous couchiez avant minuit.

1. Le matin, vous devez vous lever à sept heures.
2. Ils doivent fermer leur porte avant de partir.
3. Tu dois prendre le bus au coin de la rue.
4. Je dois déjeuner au resto U à midi.
5. Nous devons rentrer tôt pendant la semaine.
6. Elle doit travailler pour payer ses études.
7. Nous devons étudier à la bibliothèque.
8. On doit se coucher avant minuit.

3 **Éviter une catastrophe** Que devons-nous faire pour préserver notre planète? Faites des phrases avec des expressions impersonnelles.

MODÈLE

Il est essentiel que tu évites le gaspillage.

A	B	C
je/j'	améliorer	les écoproduits
tu	développer	les emballages
on	éviter	le gaspillage
nous	préserver	les glissements de terrain
vous	prévenir	les industries propres
le président	recycler	la nature
les pays	sauver	la pollution
?	trouver	le ramassage des ordures

Communication

4 **Oui ou non?** Vous discutez avec un(e) partenaire des problèmes de l'environnement. À tour de rôle, dites si vous êtes d'accord ou non, puis partagez vos idées avec la classe.

MODÈLE

Étudiant(e) 1: *Il faut que les pays industrialisés réduisent les émissions de gaz à effet de serre.*
Étudiant(e) 2: *C'est vrai, il faut qu'ils réduisent les émissions de gaz à effet de serre.*

1. Il est nécessaire que tu recycles les bouteilles.
2. Il est dommage que les étudiants prennent le bus pour aller à la fac.
3. Il est bon qu'on développe des énergies propres.
4. Il est essentiel qu'on signe le protocole de Kyoto.
5. Il est indispensable que nous évitions le gaspillage.
6. Il faut que les pays développent de nouvelles technologies pour réduire les émissions toxiques.

5 **Les opinions** Vous discutez avec un(e) partenaire des problèmes de pollution. À tour de rôle, répondez à ces questions. Justifiez vos réponses, et partagez vos idées avec la classe.

MODÈLE

Étudiant(e) 1: *Faut-il que nous préservions l'environnement?*
Étudiant(e) 2: *Oui, il faut que nous préservions l'environnement pour éviter le réchauffement de la Terre.*

1. Est-il important qu'on s'intéresse à l'écologie?
2. Faut-il qu'on évite de gaspiller?
3. Est-il essentiel que nous construisions des centrales nucléaires?
4. Vaut-il mieux que j'utilise des bacs (*bins*) à recyclage pour le ramassage des ordures?
5. Est-il indispensable qu'on prévienne les incendies?
6. Est-il possible qu'on développe l'énergie solaire?

6 **L'écologie** Par groupes de quatre, regardez les deux photos et parlez des problèmes écologiques qu'elles évoquent. Ensuite, préparez par écrit une liste de solutions. Comparez votre liste avec celles de la classe.

MODÈLE

Étudiant(e) 1: *Aujourd'hui, il y a trop de pollution.*
Étudiant(e) 2: *Il faut qu'on développe l'énergie solaire.*

I CAN say what is necessary, urgent, or important.

SYNTHÈSE

Révision

---

1 Des solutions Avec un(e) partenaire, décrivez ces problèmes et donnez des solutions. Utilisez le présent du subjonctif et un pronom démonstratif pour chaque photo. Présentez vos solutions à la classe.

> **MODÈLE**
>
> **Étudiant(e) 1:** *Cette eau est sale.*
> **Étudiant(e) 2:** *Il faut que celui qui a pollué cette eau paie une grosse amende.*

1.

2.

3.

4.

---

2 Attention! Vous habitez un village où les autorités veulent construire un grand aéroport. Avec un(e) partenaire, écrivez une lettre aux responsables où vous expliquez vos inquiétudes (*worries*). Utilisez des expressions impersonnelles, puis lisez la lettre à la classe.

---

3 Lequel? Avec un(e) partenaire, imaginez un dialogue entre le chef (*head*) d'un organisme qui défend l'environnement et un(e) collègue qui demande des précisions. Alternez les rôles.

> **MODÈLE**
>
> **Étudiant(e) 1:** *Vous appellerez le journaliste, s'il vous plaît?*
> **Étudiant(e) 2:** *Oui, mais lequel?*
> **Étudiant(e) 1:** *Celui qui est venu hier après-midi.*

accompagner un visiteur	envoyer des colis
appeler des clients	laisser un message à
chercher un numéro	un(e) employé(e)
de téléphone	prendre un rendez-vous

---

4 Si... Avec un(e) partenaire, observez ces scènes et lisez les phrases. Pour chaque scène, faites trois phrases au présent du subjonctif, puis présentez-les à la classe.

> **MODÈLE**
>
> **Étudiant(e) 1:** *Si l'eau est sale, il ne faut pas que les gens mangent les poissons.*
> **Étudiant(e) 2:** *Oui, il faut qu'ils les achètent à la poissonnerie.*

1. **Si l'eau est sale,...**

2. **S'il tombe une pluie acide,...**

3. **S'il y a un nuage de pollution,...**

4. **S'il y a un glissement de terrain,...**

---

5 Les plaintes Par groupes de trois, interviewez vos camarades à tour de rôle. Que vous suggèrent-ils de faire quand vous vous plaignez (*complain*) d'une de ces personnes? Écrivez d'abord vos plaintes (*complaints*) et puis les réponses de vos camarades.

> **MODÈLE**
>
> **Étudiant(e) 1:** *Mon médecin ne s'intéresse pas à mes problèmes.*
> **Étudiant(e) 2:** *Il est important que tu lui écrives une lettre.*

- vos parents
- votre professeur
- votre camarade de chambre
- un(e) serveur/serveuse
- un(e) patron(ne) (*boss*)
- un médecin

---

6 Non, Solange! Votre professeur va vous donner, à vous et à votre partenaire, deux feuilles d'activités différentes sur les mauvaises habitudes de Solange. Attention! Ne regardez pas la feuille de votre partenaire.

> **MODÈLE**
>
> **Étudiant(e) 1:** *Il est dommage que Solange conduise une voiture qui pollue.*
> **Étudiant(e) 2:** *Il faut qu'elle conduise une voiture plus écologique.*

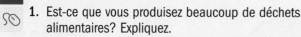

Video: *Le Zapping*

1 Préparation Répondez aux questions.

1. Est-ce que vous produisez beaucoup de déchets alimentaires? Expliquez.

2. Quels sortes d'aliments produisent le plus de déchets? Expliquez.

Des poules pour l'environnement

Depuis quelques années, des villes et communautés de France proposent à des familles d'adopter des poules pour réduire leurs déchets alimentaires, sachant° qu'en moyenne, un Français produit environ 570 kilogrammes de déchets par an. Les poules sont pratiquement omnivores et peuvent manger de tout: des épluchures de légumes ou de fruits, des restes de fromages ou de jambon, ou encore les coquilles° des fruits de mer.

Pour recevoir des poules, il faut juste avoir un jardin assez grand pour pouvoir y installer un poulailler. On met aussi toujours les poules deux par deux, car° une poule qui vit toute seule s'ennuie. Et en échange, on récolte° aussi des œufs tout frais°!

sachant *knowing* **coquilles** *shells* **car** *since* **récolte** *pick up* **frais** *fresh*

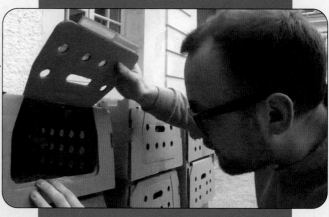

On vient chercher les poules.

Vocabulaire utile

un animal de compagnie	*pet*
une cour	*courtyard*
des déchets (m.) alimentaires	*food waste*
une épluchure	*peel*
un perchoir	*perch*
pondre (des œufs)	*to lay (eggs)*
une poule (pondeuse)	*laying hen*
un poulailler	*chicken coop*

2 Compréhension Répondez aux questions.

1. D'après la vidéo, quelles sont les conditions nécessaires pour recevoir des poules avec ce programme?

2. Combien de déchets alimentaires est-ce qu'une poule peut consommer par an?

3 Conversation Avec un(e) partenaire, répondez aux questions.

1. Pensez-vous qu'utiliser des poules pour consommer les déchets est une bonne idée? Expliquez.

2. Est-ce que vous connaissez d'autres projets qui utilisent les animaux pour améliorer l'environnement?

4 Réflexion Répondez aux questions.

1. Est-ce que vous produisez beaucoup de déchets alimentaires? Expliquez.

2. Comment est-ce que les valeurs d'une communauté influencent ses habitudes alimentaires?

5 Application Écrivez une proposition détaillée dans laquelle vous offrez une solution au problème des déchets alimentaires dans votre communauté. Comparez votre projet à l'initiative présentée dans la vidéo. Ensuite, par groupes de trois, discutez des solutions que vous avez proposées, et votez pour la meilleure idée.

I CAN identify and reflect on attitudes toward food waste.

Leçon 13B

 Vocabulary Tutorials

En pleine nature

Vocabulaire

chasser	to hunt
jeter	to throw away
un animal	animal
un bois	woods
un champ	field
une côte	coast
un désert	desert
un fleuve	river
une forêt (tropicale)	(tropical) forest
la jungle	jungle
la nature	nature
une région	region
une rivière	river
un sentier	path
un volcan	volcano
la chasse	hunting
le déboisement	deforestation
l'écotourisme (m.)	ecotourism
une espèce (menacée)	(endangered) species
l'extinction (f.)	extinction
la préservation	protection
une ressource naturelle	natural resource
le sauvetage des habitats	habitat preservation

le ciel

un arbre

une plante

Ils font un pique-nique. (faire)

un écureuil

une vache

l'herbe (f.)

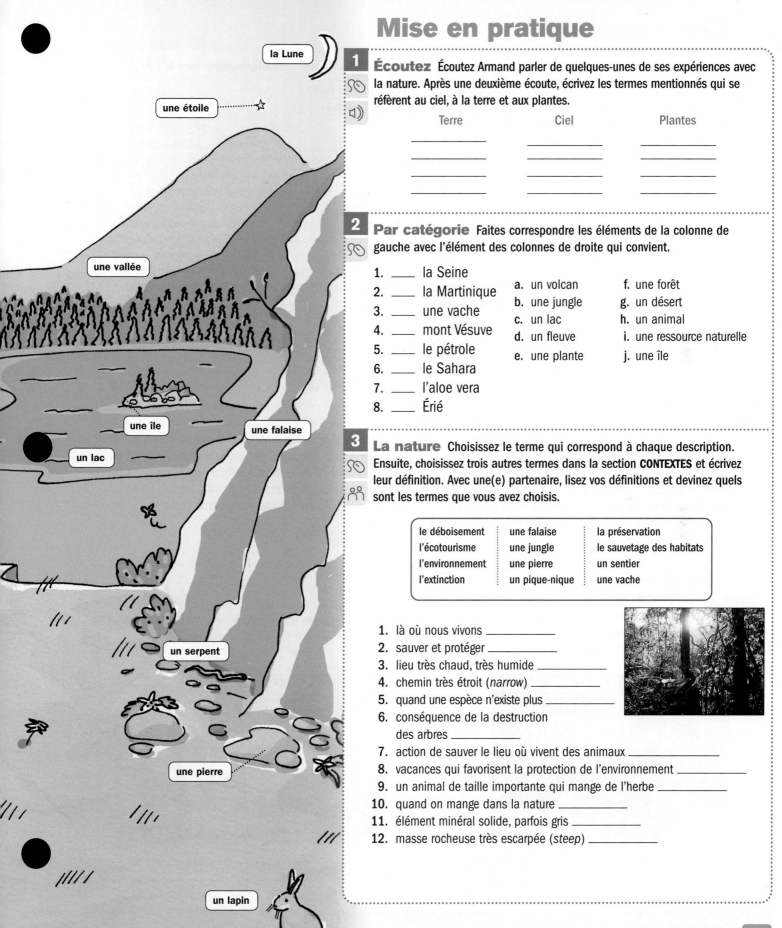

la Lune

une étoile

une vallée

une île

une falaise

un lac

un serpent

une pierre

un lapin

Mise en pratique

1 Écoutez Écoutez Armand parler de quelques-unes de ses expériences avec la nature. Après une deuxième écoute, écrivez les termes mentionnés qui se réfèrent au ciel, à la terre et aux plantes.

Terre	Ciel	Plantes
_____	_____	_____
_____	_____	_____
_____	_____	_____
_____	_____	_____

2 Par catégorie Faites correspondre les éléments de la colonne de gauche avec l'élément des colonnes de droite qui convient.

1. ____ la Seine
2. ____ la Martinique
3. ____ une vache
4. ____ mont Vésuve
5. ____ le pétrole
6. ____ le Sahara
7. ____ l'aloe vera
8. ____ Érié

a. un volcan **f.** une forêt
b. une jungle **g.** un désert
c. un lac **h.** un animal
d. un fleuve **i.** une ressource naturelle
e. une plante **j.** une île

3 La nature Choisissez le terme qui correspond à chaque description. Ensuite, choisissez trois autres termes dans la section **CONTEXTES** et écrivez leur définition. Avec une(e) partenaire, lisez vos définitions et devinez quels sont les termes que vous avez choisis.

le déboisement	une falaise	la préservation
l'écotourisme	une jungle	le sauvetage des habitats
l'environnement	une pierre	un sentier
l'extinction	un pique-nique	une vache

1. là où nous vivons _____
2. sauver et protéger _____
3. lieu très chaud, très humide _____
4. chemin très étroit (*narrow*) _____
5. quand une espèce n'existe plus _____
6. conséquence de la destruction des arbres _____
7. action de sauver le lieu où vivent des animaux _____
8. vacances qui favorisent la protection de l'environnement _____
9. un animal de taille importante qui mange de l'herbe _____
10. quand on mange dans la nature _____
11. élément minéral solide, parfois gris _____
12. masse rocheuse très escarpée (*steep*) _____

CONTEXTES

Communication

4 **Conversez** Interviewez un(e) camarade de classe, puis partagez ses réponses les plus intéressantes avec la classe.

1. As-tu déjà fait de l'écotourisme? Où? Sinon, où as-tu envie d'essayer d'en faire?
2. Aimes-tu les pique-niques? Quand en as-tu fait un pour la dernière fois? Avec qui?
3. Quelles activités aimes-tu pratiquer dans la nature?
4. As-tu déjà visité une forêt? Laquelle?
5. Connais-tu un lac? Quand y es-tu allé(e)? Qu'est-ce que tu y as fait?
6. Es-tu déjà allé(e) dans un désert? Lequel?
7. Es-tu déjà allé(e) sur une île? Laquelle? Comment as-tu passé le temps?
8. Quelles sont les régions du monde que tu veux visiter? Pour quelle(s) raison(s)?
9. Si tu étais un animal, lequel serais-tu? Pourquoi?
10. Quand tu regardes le ciel, que trouves-tu de beau? Pourquoi?

5 **La nature et moi** Écrivez un paragraphe dans lequel vous racontez vos expériences avec la nature. Ensuite, à tour de rôle, lisez votre description à votre partenaire et comparez vos paragraphes.

- Choisissez au minimum deux lieux naturels différents.
- Utilisez un minimum de huit mots de vocabulaire de **CONTEXTES**.
- Faites votre description avec le plus de détails possible.
- Expliquez ce que vous aimez ou ce que vous n'aimez pas à propos de chaque lieu.

6 **Les écologistes** Vous faites partie d'un club d'écologistes à l'université. Avec deux camarades de classe et les informations suivantes, préparez une brochure pour informer les étudiants du campus d'un grave problème écologique. Présentez ensuite votre brochure au reste de la classe. Quel groupe a présenté le problème le plus sérieux? Quel groupe a proposé les solutions les plus originales?

- le nom de votre club
- la situation géographique du problème écologique
- la description du problème
- les causes du problème
- les conséquences du problème
- les solutions possibles au problème

7 **À la radio** Vous travaillez pour le ministère du Tourisme d'un pays francophone et devez préparer un texte qui sera lu à la radio. L'objectif de ce message est de faire la promotion de ce pays pour son écotourisme. Décrivez la nature et les activités offertes. Utilisez les mots que vous avez appris dans la section **CONTEXTES**.

> **MODÈLE**
>
> *Venez découvrir la beauté de l'île de Madagascar. Chaque région vous offre des sentiers qui permettent d'admirer des plantes rares ou des arbres magnifiques et de rencontrer des animaux extraordinaires... À Madagascar, la nature est unique, préservée. Le charme et l'exotisme sont ici!*

I CAN discuss nature.

Les sons et les lettres

Pronunciation Tutorial
Record & Compare

Homophones

Many French words sound alike, but are spelled differently. As you have already learned, sometimes the only difference between two words is a diacritical mark. Other words that sound alike have more obvious differences in spelling.

a / à   **ou / où**   **sont / son**   **en / an**

Several forms of a single verb may sound alike. To tell which form is being used, listen for the subject or words that indicate tense.

je parle   **tu** parles   **ils** parlent

vous parlez   **j'ai** parlé   **je vais** parler

Many words that sound alike are different parts of speech. Use context to tell them apart.

VERB	POSSESSIVE ADJECTIVE	PREPOSITION	NOUN
Ils sont **belges.**	**C'est** son **mari.**	**Tu vas** en **France?**	**Il a un** an.

You may encounter multiple spellings of words that sound alike. Again, context is the key to understanding which word is being used.

je peux *I can*   **elle** peut *she can*   **peu** *a little, few*

le foie *liver*   **la** foi *faith*   **une** fois *one time*

haut *high*   **l'**eau *water*   **au** *at, to, in the*

🖐 **Prononcez** Répétez les paires de mots suivants à voix haute.

1. ce	se	4. foi	fois	7. au	eau	10. lis	lit
2. leur	leurs	5. ces	ses	8. peut	peu	11. quelle	qu'elle
3. né	nez	6. vert	verre	9. où	ou	12. c'est	s'est

🖐 **Choisissez** Choisissez le mot qui convient à chaque phrase.

1. Je (lis / lit) le journal tous les jours.
2. Son chien est sous le (lis / lit).
3. Corinne est (née / nez) à Paris.
4. Elle a mal au (née / nez).

🖐 **Jeux de mots** Répétez les jeux de mots à voix haute.

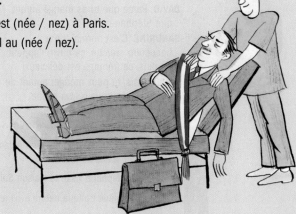

Mon père est maire, mon frère est masseur.[2]

Le ver vert va vers le verre.[1]

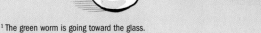

[1] The green worm is going toward the glass.

[2] My father is a mayor, my brother is a masseur.

ROMAN-PHOTO

La randonnée

 Video: *Roman-photo*
Record & Compare

PERSONNAGES

Amina

David

Guide

Rachid

Sandrine

Stéphane

Valérie

À la montagne...

DAVID Que c'est beau!

VALÉRIE C'est la première fois que tu viens à la montagne Sainte-Victoire?

DAVID Non, en fait, je viens assez souvent pour dessiner, mais malheureusement c'est peut-être la dernière fois. C'est dommage que j'aie si peu de temps.

SANDRINE Je préférerais qu'on parle d'autre chose.

AMINA Elle a raison, nous sommes venus ici pour passer un bon moment.

STÉPHANE Tiens, et si on essayait de trouver des serpents?

AMINA Des serpents ici?

RACHID Ne t'inquiète pas, ma chérie. Par précaution, je suggère que tu restes près de moi.

RACHID Mais il ne faut pas que tu sois aussi anxieuse.

SANDRINE C'est romantique ici, n'est-ce pas?

DAVID Comment? Euh, oui, enfin...

VALÉRIE Avant de commencer notre randonnée, je propose qu'on visite la Maison Sainte-Victoire.

AMINA Bonne idée. Allons-y!

Après le pique-nique...

DAVID Mais tu avais faim, Sandrine!

SANDRINE Oui. Pourquoi?

DAVID Parce que tu as mangé autant que Stéphane!

SANDRINE C'est normal, on a beaucoup marché, ça ouvre l'appétit. En plus, ce fromage est délicieux!

DAVID Mais, tu peux manger autant de fromage que tu veux, ma chérie.

Stéphane laisse tomber une serviette...

VALÉRIE Stéphane! Mais qu'est-ce que tu jettes par terre? Il est essentiel qu'on laisse cet endroit propre!

STÉPHANE Oh, ne t'inquiète pas, maman. J'allais mettre ça à la poubelle plus tard.

SANDRINE David, j'aimerais que tu fasses un portrait de moi, ici, à la montagne. Ça te dit?

DAVID Peut-être un peu plus tard... Cette montagne est tellement belle!

VALÉRIE David, tu es comme Cézanne. Il venait ici tous les jours pour dessiner. La montagne Sainte-Victoire était un de ses sujets favoris.

A C T I V I T É S

1 **Vrai ou faux?** Indiquez si les affirmations suivantes sont vraies ou fausses.

1. Stéphane visite la Maison Sainte-Victoire souvent.

2. Valérie traite la nature avec respect.

3. Sandrine mange beaucoup au pique-nique.

4. David est triste de devoir bientôt retourner aux États-Unis.

5. David est très romantique.

6. Stéphane laisse Rachid et Amina tranquilles.

2 **À vous!** Vous êtes à la montagne Sainte-Victoire avec des amis. À l'entrée du parc, il y a une liste de règles (*rules*) à suivre pour protéger la nature. Avec un(e) camarade de classe, imaginez quelles sont ces règles et composez cette liste. Qu'est-ce qu'il faut faire si vous faites un pique-nique? Une randonnée? Quelles sont les activités interdites? Présentez votre liste à la classe.

Les amis se promènent à la montagne Sainte-Victoire.

À la Maison Sainte-Victoire

GUIDE Mesdames, Messieurs, bonjour et bienvenue. C'est votre première visite de la Maison Sainte-Victoire?

STÉPHANE Pour moi, oui.

GUIDE La Maison Sainte-Victoire a été construite après l'incendie de 1989.

DAVID Un incendie?

GUIDE Oui, celui qui a détruit une très grande partie de la forêt.

GUIDE Maintenant, la montagne est un espace protégé.

DAVID Protégé? Comment?

GUIDE Eh bien, nous nous occupons de la gestion de la montagne et de la forêt. Notre mission est la préservation de la nature, le sauvetage des habitats naturels et la prévention des incendies. Je vous fais visiter le musée?

VALÉRIE Oui, volontiers!

RACHID Tiens, chérie.

AMINA Merci, elle est très belle cette fleur.

RACHID Oui, mais toi, tu es encore plus belle. Tu es plus belle que toutes les fleurs de la nature réunies!

AMINA Rachid...

RACHID Chut! Ne dis rien... Stéphane! Laisse-nous tranquilles.

3 **Considérez** Répondez aux questions.

1. Aimez-vous passer du temps dans la nature? Qu'est-ce que vous y faites? Quels facteurs influencent nos expériences du monde naturel?

2. Si quelqu'un jetait un emballage en plastique par terre devant vous, qu'est-ce que vous diriez à cette personne?

3. Quelles valeurs influencent notre comportement (*behavior*) en ce qui concerne le monde naturel? D'où viennent ces valeurs?

4 **Écrivez** Valérie dit que David est comme Paul Cézanne, le peintre postimpressionniste qui a passé presque toute sa vie à Aix. Cherchez en ligne des images de ses œuvres connues, et choisissez un paysage à analyser. Où se trouve ce site? Aimeriez-vous le visiter? Quels éléments naturels y sont présents? Quelles caractéristiques ont inspiré Cézanne quand il a choisi ce site comme sujet? Écrivez huit phrases.

A C T I V I T É S

I CAN understand short conversations about nature and the outdoors.

LECTURE CULTURELLE

Video: *Flash culture*

perroquet°, Guadeloupe

CULTURE À LA LOUPE

Les parcs nationaux

le parc de la Vanoise

STRATÉGIE

Being aware of the reading process

The reading strategies you have learned are part of a larger process to help you become a smarter and more efficient reader, in French and in general. The individual strategies are important, but don't forget to look at the big picture; you'll learn more if you remember how the strategies all work together.

Le gouvernement français protège et gère° dix parcs nationaux. Tous offrent des sentiers de randonnée et la possibilité de découvrir la nature avec de l'écotourisme guidé. Ce sont aussi souvent des endroits où les visiteurs peuvent pratiquer différentes activités sportives. Par exemple, on peut faire des sports d'hiver dans cinq des sept parcs de montagnes et dans leurs nombreux sommets° et glaciers.

Les Cévennes, parc national dans le sud de la France, est connu pour la diversité de sa flore°, mais on y trouve aussi des montagnes et des plateaux. La Vanoise, un parc de haute montagne dans les Alpes, a été le premier parc créé° en France, en 1963. Avec ses 107 lacs et sa vingtaine° de glaciers, c'est une réserve naturelle où le bouquetin° est protégé. Deux autres parcs, les Écrins et le Mercantour, sont aussi situés dans la région des Alpes. Toujours dans les parcs montagneux, le parc national des Pyrénées est composé de six vallées principales qui sont riches en forêts, cascades° et autres formations naturelles. C'est un refuge pour de nombreuses espèces menacées, comme l'ours° et l'aigle royal°.

Quand il fait beau l'été, le parc marin de Port-Cros, composé d'îles méditerranéennes, est idéal pour les activités aquatiques. Aux Antilles°, il fait chaud et humide toute l'année dans le parc national de la Guadeloupe. Les paysages° de ce parc sont très variés: il y a la forêt tropicale, un volcan et des paysages maritimes. Ouverts depuis 2012 seulement, le parc national le plus récent est le Parc national des Calanques, dans le sud de la France.

gère *manages* **sommets** *summits* **flore** *plants* **créé** *created* **vingtaine** *about twenty* **bouquetin** *ibex, a type of wild goat* **cascades** *waterfalls* **ours** *bear* **aigle royal** *golden eagle* **Antilles** *the French West Indies* **paysages** *landscapes* **perroquet** *parrot*

ACTIVITÉS

1 **Répondez** Répondez aux questions.

1. Combien de parcs nationaux français y a-t-il?
2. Quel parc est situé sur des îles méditerranéennes?
3. Quels sont deux animaux qu'on peut trouver dans les Pyrénées?
4. Quels sont trois types de paysages du parc de la Guadeloupe?
5. Comment est le climat dans le parc national de la Guadeloupe?

2 **Réfléchissez** Répondez aux questions.

1. Quel type de paysage trouvez-vous le plus beau? Expliquez.
2. Avez-vous déjà fait de l'écotourisme? Si oui, où? Quelles activités aimez-vous faire dans la nature?
3. Combien de parcs nationaux y a-t-il dans votre pays? Qui protège ces sites naturels?
4. Comparez les territoires protégés dans votre pays aux zones de protection en France. Quelles réglementations assurent la préservation de ces parcs?

Année de création des parcs nationaux de France

1963	→ Parc national de la Vanoise
1963	→ Parc national de Port-Cros
1967	→ Parc national des Pyrénées
1970	→ Parc national des Cévennes
1973	→ Parc national des Écrins
1979	→ Parc national du Mercantour
1989	→ Parc national de la Guadeloupe
2007	→ Parc amazonien de Guyane
2007	→ Parc national de la Réunion
2012	→ Parc national des Calanques
2019	→ Parc national de forêts

LE MONDE FRANCOPHONE

Grands sites naturels

Voici deux exemples d'espaces naturels remarquables du monde francophone.

Au Sénégal Le parc national du Niokolo Koba est l'une des réserves naturelles les plus vastes d'Afrique de l'Ouest. Situé le long° des rives° de la Gambie, forêts et savanes abritent° une faune d'une grande richesse: des lions, des chimpanzés, des éléphants et de très nombreux° oiseaux et reptiles. Cet écosystème est classé au Patrimoine° mondial de l'UNESCO.

Aux Seychelles L'atoll Aldabra abrite la plus grande population de tortues° géantes du monde (152.000). Elles sont encore plus grosses que les tortues des Galapagos: elles peuvent atteindre° 1,2 mètre et 300 kilogrammes. L'atoll, qui comprend° quatre grandes îles de corail, est un autre site du Patrimoine mondial depuis 1982.

le long *along* **rives** *riverbanks* **abritent** *shelter* **nombreux** *numerous* **Patrimoine** *Heritage* **tortues** *tortoises* **atteindre** *reach* **comprend** *encompasses*

PORTRAIT

Madagascar

Madagascar, ancienne colonie française et membre de l'Organisation internationale de la francophonie, est la cinquième plus grande île du monde. Avec plus de 20 parcs nationaux et réserves naturelles, c'est un paradis pour l'écotourisme. Madagascar (avec plus de 24 millions d'habitants) est située à 400 km à l'est du Mozambique, dans l'océan Indien.

Sa faune et sa flore sont exceptionnelles, avec 250.000 espèces différentes, dont plus de 90% sont uniques au monde. Ses mangroves, rivières, lacs et récifs coralliens° offrent des milieux écologiques variés et ses forêts abritent° 90% des lémuriens° du monde. Caméléons, tortues terrestres°, tortues de mer° et baleines à bosse° sont aussi typiques de l'île.

récifs coralliens *coral reefs* **abritent** *provide a habitat for* **lémuriens** *lemurs* **tortues terrestres** *tortoises* **tortues de mer** *sea turtles* **baleines à bosse** *humpback whales*

🎧 MUSIQUE À FOND

Patricia Kaas

Lieu d'origine: Forbach, France
Métier: chanteuse–actrice

Elle est très connue en France et dans les pays germanophones, et ses albums sont commercialisés dans plus de 40 pays.

Go to **vhlcentral.com** to find out more about **Patricia Kaas** and her music.

---

3 **Complétez** Complétez les phrases.

1. Madagascar est une grande _____ dans l'océan Indien.
2. Madagascar est un paradis pour _____.
3. À Madagascar, la majorité des espèces sont _____.
4. Ses forêts abritent 90% des _____ du monde.
5. _____ au Sénégal est une des réserves naturelles les plus vastes d'Afrique de l'Ouest.

4 **À la découverte** Vous et deux partenaires voulez visiter ensemble plusieurs pays francophones et découvrir la nature. Quelles destinations choisissez-vous? Comparez les activités qui vous intéressent et les endroits que vous voulez visiter. Présentez votre itinéraire à la classe.

A C T I V I T É S

I CAN identify and reflect on cultural products and practices related to national parks.

13B.1

The subjunctive (Part 2)

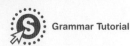 Grammar Tutorial

Will and emotion, irregular subjunctive forms

À noter

See **Leçon 13A** for an introduction to the subjunctive and the structure of clauses containing verbs in the subjunctive.

- Use the subjunctive with verbs and expressions of will and emotion. Verbs and expressions of will are often used when someone wants to influence the actions of other people. Verbs and expressions of emotion express someone's feelings or attitude.

Je suggère que tu restes près de moi.

Je propose qu'on visite la Maison Sainte-Victoire.

- When the main clause contains an expression of will or emotion and the subordinate clause has a different subject, the subjunctive is required.

MAIN CLAUSE VERB OF WILL	CONNECTOR	SUBORDINATE CLAUSE SUBJUNCTIVE
Mes parents exigent	**que**	**je dorme** huit heures.
My parents demand	*that*	*I sleep eight hours.*

EXPRESSION OF EMOTION	CONNECTOR	SUBJUNCTIVE
Tu es triste	**que**	**Sophie ne vienne pas** avec nous.
You are sad	*that*	*Sophie isn't coming with us.*

VERB OF WILL	CONNECTOR	SUBJUNCTIVE
Je préfère	**que**	**tu travailles** ce soir.
I prefer	*that*	*you work tonight.*

EXPRESSION OF EMOTION	CONNECTOR	SUBJUNCTIVE
Elle est heureuse	**que**	**tu finisses** tes études.
She is happy	*that*	*you're finishing your studies.*

- Here are some verbs and expressions of will commonly followed by the subjunctive.

Verbs of will			
demander que...	to ask that...	**recommander que...**	to recommend that...
désirer que...	to want/ desire that...	**souhaiter que...**	to wish that...
exiger que...	to demand that...	**suggérer que...**	to suggest that...
préférer que...	to prefer that...		
proposer que...	to propose that...	**vouloir que...**	to want that...

Mon père **recommande que** nous **dînions** au restaurant français.

My father recommends that we have dinner at the French restaurant.

Le gouvernement **exige qu'**on **recycle** les produits en plastique.

The government demands that we recycle plastic products.

- These are some verbs and expressions of emotion followed by the subjunctive.

Verbs and expressions of emotion			
aimer que...	to like that...	être heureux / heureuse que...	to be happy that...
avoir peur que...	to be afraid that...	être surpris(e) que...	to be surprised that...
être content(e) que...	to be glad that...	être triste que...	to be sad that...
être désolé(e) que...	to be sorry that...	regretter que...	to regret that...
être furieux / furieuse que...	to be furious that...		

Martine est **surprise que** Thomas **arrive** demain.
Martine is surprised that Thomas is arriving tomorrow.

Nous sommes **furieux que** les gens **jettent** des ordures dans la rivière.
We're furious that people throw trash in the river.

Boîte à outils

The is no future form of the subjunctive, so use the present subjunctive even when expressing an action that is going to take place in the future. The context will clarify the meaning.

Elle est contente que tu prennes des cours de musique l'année prochaine.
She's glad that you're taking music classes next year.

- In English, the word *that* introducing the subordinate clause may be omitted. In French, never omit **que** between the two clauses.

Ils sont heureux **que** j'arrive.
They're happy (that) I'm arriving.

Elle préfère **que** tu partes.
She prefers (that) you leave.

- If the subject doesn't change, use the infinitive with expressions of will and emotion. In the case of **avoir peur**, **regretter**, and expressions with **être**, add **de** before the infinitive.

Tu souhaites faire un pique-nique?
Do you wish to have a picnic?

Nous sommes tristes d'apprendre la mauvaise nouvelle.
We're sad to learn the bad news.

- Some verbs have irregular subjunctive forms.

	avoir	être	faire
Present subjunctive of *avoir, être, faire*			
que je/j'	aie	sois	fasse
que tu	aies	sois	fasses
qu'il/elle/on	ait	soit	fasse
que nous	ayons	soyons	fassions
que vous	ayez	soyez	fassiez
qu'ils/elles	aient	soient	fassent

Elle veut que je **fasse** le lit.
She wants me to make the bed.

Tu es désolé qu'elle **soit** loin.
You are sorry that she is far away.

Essayez! **Indiquez les formes correctes du présent du subjonctif des verbes.**

1. que je ___sois___ (être)
2. qu'il _____ (faire)
3. que vous _____ (être)
4. que leur enfant _____ (avoir)
5. qu'elle _____ (faire)
6. que nous _____ (faire)
7. qu'ils _____ (avoir)
8. que tu _____ (être)

Mise en pratique

1 **Des réactions** Que devraient faire les personnages sur les illustrations? Employez ces expressions pour donner vos réactions.

vous (proposer que)

▶ **MODÈLE**

Je propose que vous mangiez quelque chose.

acheter une décapotable (*convertible*)	faire une fête
boire de l'eau	garder le secret
me donner de l'argent	manger quelque chose
	trouver des amis

1. tu (suggérer que)

_____

2. mes voisins (vouloir que)

_____

3. vous (exiger que)

_____

4. Yves (souhaiter que)

_____

5. elle (recommander que)

_____

6. tu (désirer que)

_____

2 **Des opinions** Complétez ces phrases avec le présent du subjonctif. Ensuite, comparez vos réponses avec celles d'un(e) partenaire.

1. Nous sommes furieux que les examens...

2. Notre prof exige que...

3. Nous aimons que le prof...

4. Je propose que... le vendredi.

5. Les étudiants veulent que les cours...

6. Je recommande que... tous les jours.

7. C'est triste que cette université...

8. Nous préférons que le resto U...

9. Mes ami(e)s suggèrent que...

10. Je souhaite que...

Communication

3 **Enquête** Comparez vos idées sur la nature et l'environnement avec celles d'un(e) partenaire. Posez-vous ces questions, puis partagez vos réponses les plus intéressantes avec la classe.

1. Que suggères-tu qu'on fasse pour protéger les forêts tropicales?
2. Vaut-il mieux qu'on ne chasse plus? Pourquoi?
3. Que recommandes-tu qu'on fasse pour arrêter la pollution?
4. Comment souhaites-tu que nous préservions nos ressources naturelles?
5. Quels produits recommandes-tu qu'on développe?
6. Quel problème écologique veux-tu qu'on traite tout de suite?
7. Que proposes-tu qu'on fasse pour sauver les espèces menacées?
8. Est-il important qu'on arrête le déboisement? Pourquoi?

4 **Mme Quefège** Mme Quefège donne des conseils (*advice*) à la radio. Pensez à une difficulté que vous avez et préparez par écrit un paragraphe que vous lui lirez. Elle va vous faire des recommandations. Avec un(e) partenaire, alternez les rôles pour jouer la scène.

MODÈLE

Étudiant(e) 1: *Ma petite amie fait constamment ses devoirs et elle ne quitte plus son appartement.*
Étudiant(e) 2: *Je suis désolée qu'elle n'arrête pas de travailler. Si elle ne quitte toujours pas l'appartement ce week-end, je suggère que vous écriviez à ses parents.*

5 **Il faut que...** À tour de rôle, donnez des conseils à votre partenaire pour chacune (*each one*) de ces situations. Utilisez des expressions de volonté et d'opinion avec le subjonctif.

- Il/Elle voyage en Europe pour la première fois.
- Il/Elle a un mauvais rhume.
- Il/Elle veut rester en forme.
- Il/Elle ne respecte pas la nature.

6 **Les habitats naturels** Par groupes de trois, préparez le texte pour cette affiche où vous expliquez ce qu'on doit faire pour sauver les habitats naturels. Utilisez des verbes au présent du subjonctif.

I CAN express emotions and attitudes.

STRUCTURES

13B.2

The subjunctive (Part 3)

S Grammar Tutorial

Verbs of doubt, disbelief, and uncertainty;
more irregular subjunctive forms

The verb *croire*

The verb *croire* (to believe)	
je crois	nous croyons
tu crois	vous croyez
il/elle/on croit	ils/elles croient

Les touristes **croient** que
la forêt est en danger.
*The tourists believe that
the forest is in danger.*

Tu **crois** que l'extinction des espèces
menacées est imminente?
*Do you think that the extinction of
endangered species is imminent?*

- **Croire** takes **avoir** as an auxiliary verb in the **passé composé**, and its past participle is **cru**. In the **passé composé**, **croire** can mean *thought*.

J'**ai cru** qu'il y était.
I thought he was there.

Vous **avez cru** à son histoire?
Did you believe his story?

- The **futur simple** and **conditionnel** of **croire** are formed with the stem **croir-**.

Nous le **croirons** si nous le voyons.
We will believe it if we see it.

On **croirait** que c'est une tragédie.
One would think it's a tragedy.

The subjunctive

- The subjunctive is used in a subordinate clause when there is a change of subject and the main clause implies doubt, disbelief, or uncertainty.

MAIN CLAUSE	CONNECTOR	SUBORDINATE CLAUSE
Je doute	**que**	la rivière **soit** propre.
I doubt	*that*	*the river is clean.*

Expressions of doubt, disbelief, and uncertainty			
douter que...	to doubt that...	Il est impossible que...	It is impossible that...
ne pas croire que...	not to believe that...	Il n'est pas certain que...	It is uncertain that...
ne pas penser que...	not to think that...	Il n'est pas sûr que...	It is not sure that...
Il est douteux que...	It is doubtful that...	Il n'est pas vrai que...	It is untrue that...

Il n'est pas sûr qu'il y **ait**
un problème.
*It's not sure that there is
a problem.*

Je ne crois pas qu'on **fasse**
une randonnée sur le volcan.
*I don't believe that we're
hiking on the volcano.*

Il n'est pas vrai que Julie **sorte** avec
Ahmed.
*It's not true that Julie is going out
with Ahmed.*

Vous ne pensez pas qu'il y **ait** un sentier
là-bas?
Don't you think there's a path over there?

- The indicative is used in a subordinate clause when the main clause expresses certainty.

Expressions of certainty			
croire que...	*to believe that...*	**Il est clair que...**	*It is clear that...*
penser que...	*to think that...*	**Il est évident que...**	*It is obvious that...*
savoir que...	*to know that...*		
Il est certain que...	*It is certain that...*	**Il est sûr que...**	*It is sure that...*
		Il est vrai que...	*It is true that...*

On **sait que** l'histoire **finit** mal.
We know the story ends badly.

Il est certain qu'elle **comprend**.
It is certain that she understands.

- Sometimes a speaker may opt to use the subjunctive in a question to indicate that he or she feels doubtful or uncertain of an affirmative response.

Crois-tu que cette loi **soit** juste pour tout le monde?
Do you believe that this law is just for everybody?

Est-il vrai que vous **partiez** déjà en vacances?
Is it true that you're already leaving on vacation?

- Here are more verbs that are irregular in the subjunctive.

Present subjunctive of *aller, pouvoir, savoir, vouloir*				
	aller	**pouvoir**	**savoir**	**vouloir**
que je/j'	aille	puisse	sache	veuille
que tu	ailles	puisses	saches	veuilles
qu'il/elle/on	aille	puisse	sache	veuille
que nous	allions	puissions	sachions	voulions
que vous	alliez	puissiez	sachiez	vouliez
qu'ils/elles	aillent	puissent	sachent	veuillent

Je doute qu'on **aille** au théâtre ce soir.
I doubt we'll go to the theater tonight.

Il n'est pas sûr qu'on **puisse** voir les acteurs.
It's not sure that we'll be able to see the actors.

Ma copine ne croit pas qu'il **sache** l'adresse.
My friend doesn't think he knows the address.

Nous doutons qu'ils **veuillent** faire de l'écotourisme.
We doubt they want to do ecotourism.

Essayez! Choisissez la forme correcte du verbe.

1. Il est douteux que le guide (sait / sache) où est le champ.
2. Il est certain qu'elle (sait / sache) nager.
3. Nous doutons que vous (voulez / vouliez) recycler.
4. Ne crois-tu pas qu'Anne (va / aille) au Maroc seule?
5. Est-il vrai que les Français (font / fassent) de l'écotourisme?
6. Je ne crois pas qu'on (peut / puisse) nager dans ce lac.
7. Tu penses que l'énergie solaire (peut / puisse) sauver la planète.
8. Il n'est pas certain qu'ils (peuvent / puissent) chasser.

STRUCTURES

Mise en pratique

1 **Fort-de-France** Vous discutez de vos projets (*plans*) avec votre ami(e) martiniquais(e). Complétez les phrases avec les formes correctes du présent de l'indicatif ou du subjonctif.

1. Je crois que Fort-de-France _____ (être) plus loin de Paris que de New York.

2. Il n'est pas certain que je _____ (venir) à Fort-de-France cet été.

3. Il n'est pas sûr que nous _____ (partir) en croisière (*cruise*) ensemble.

4. Il est clair que nous _____ (ne pas partir) sans toi.

5. Nous savons que ce voyage _____ (aller) t'intéresser.

6. Il est douteux que le ski alpin _____ (être) un sport populaire ici.

2 **Le Tour de France** Maxime veut participer un jour au Tour de France. Employez des expressions de doute et de certitude pour lui dire ce que vous pensez de ses bonnes et de ses mauvaises habitudes.

▶ **MODÈLE**

Je ne crois pas que tu puisses dormir jusqu'à midi!

ne pas croire que...	Il faut que...
douter que...	penser que...
Il est clair que...	recommander que...
Il est essentiel que...	suggérer que...

1.   2.   3.

4.   5.   6.

3 **Camarade pénible** Vous faites une présentation sur la Martinique devant la classe. Un(e) camarade critique toutes vos idées. Avec un(e) partenaire, jouez la scène.

MODÈLE

Étudiant(e) 1: *Le carnaval martiniquais est populaire.*
Étudiant(e) 2: *Je doute qu'il soit populaire.*

1. Les ressources naturelles sont protégées.

2. Tout le monde va se promener dans la forêt.

3. Les Martiniquais font des pique-niques tous les jours.

4. L'île a de belles plages.

5. Les enfants y font des randonnées.

6. On y boit des jus de fruits délicieux.

Communication

4 **Assemblez** Imaginez que vous ayez l'occasion de faire un séjour aux Antilles françaises. À tour de rôle avec un(e) partenaire, assemblez les éléments de chaque colonne pour parler de ces vacances.

MODÈLE

Il n'est pas certain que nous allions visiter une plantation.

A	B	C
Il est certain que	je/j'	être content(e)(s)
Il n'est pas certain que	tu	faire des excursions
Il est évident que	mon copain	faire beau temps
Il est impossible que	ma sœur	faire du bateau
Il est vrai que	mon frère	jouer sur la plage
Il n'est pas sûr que	nous	pouvoir parler créole
Je doute que	les touristes	visiter une plantation
Je crois que	mes parents	?
Je ne crois pas que	?	
?		

5 **Voyage en Afrique centrale** Vous voulez visiter ces endroits en Afrique centrale. Avec un(e) partenaire, préparez un dialogue dans lequel vous utilisez des expressions de doute et de certitude. Ensuite, échangez les rôles.

MODÈLE

Étudiant(e) 1: *Il est clair qu'on doit visiter Kribi, au Cameroun. Il y a beaucoup de plages.*
Étudiant(e) 2: *Je doute que nous en ayons le temps. Il vaut mieux que nous visitions le marché, au Gabon.*

la forêt de Dzanga-Sangha (République centrafricaine)
le lac Kivu (Rwanda)
les marchés (Gabon)
le parc national de Lobéké (Cameroun)
le parc national de l'Ivindo (Congo)
les plages de Kribi (Cameroun)

6 **L'avenir** Vous et votre partenaire parlez de vos doutes et de vos certitudes à propos de l'avenir. À tour de rôle, complétez ces phrases pour décrire comment vous envisagez (*envision*) l'avenir.

1. Je doute que...
2. Il est sûr que...
3. Il n'est pas certain que...
4. Il est impossible que...
5. Je ne crois pas que...
6. Je sais que...

7 **Je doute** Votre partenaire veut mieux vous connaître. Écrivez cinq phrases qui vous décrivent: quatre fausses et une vraie. Votre partenaire doit deviner laquelle est vraie et justifier sa réponse. Ensuite, alternez les rôles.

MODÈLE

Étudiant(e) 1: *Je finis toujours mes devoirs avant de me coucher.*
Étudiant(e) 2: *Je doute que tu finisses tes devoirs avant de te coucher, parce que tu as toujours beaucoup de devoirs.*

I CAN express feelings of doubt, disbelief, and uncertainty.

Révision

1 Des changements Avec un(e) partenaire, observez ces endroits et dites, à tour de rôle, ce que vous aimeriez qu'il y ait pour améliorer la situation. Ensuite, comparez vos phrases à celles d'un autre groupe.

MODÈLE

Étudiant(e) 1: *Je préférerais qu'il y ait de l'eau dans cette rivière.*
Étudiant(e) 2: *J'aimerais mieux qu'il y ait de l'herbe.*

1.

2.

3.

4.

2 Visite de votre région Interviewez vos camarades. Que recommandent-ils à des visiteurs qui ne connaissent pas votre région? Écrivez leurs réponses, puis comparez vos résultats à ceux d'un autre groupe. Utilisez ces expressions.

MODÈLE

Étudiant(e) 1: *Que devraient faire les visiteurs de cette région?*
Étudiant(e) 2: *Je recommande qu'ils visitent les musées du centre-ville. Il serait bon qu'ils assistent aussi à un match de baseball.*

il est bon que	proposer que
il est indispensable que	recommander que
il faut que	suggérer que
?	?

3 Mes activités Faites la liste de quatre activités qui protègent l'environnement, une à laquelle vous participez et trois auxquelles vous ne participez pas. Donnez cette liste à deux de vos camarades, qui devineront celle à laquelle vous participez. Utilisez les verbes **croire** et **penser**. Ensuite, présentez vos discussions à la classe.

4 Je ne pense pas Que pensent vos camarades de ces affirmations? Par groupes de quatre, trouvez au moins une personne qui soit d'accord avec chaque phrase et une qui ne soit pas d'accord. Utilisez des expressions de doute et de certitude. Ensuite, présentez vos arguments à la classe.

MODÈLE On lit moins à cause de la télévision.

Étudiant(e) 1: *Penses-tu qu'on lise moins à cause de la télévision?*
Étudiant(e) 2: *Non, je ne crois pas que ce soit vrai. Il est clair que les gens achètent toujours beaucoup de livres.*

- Le réchauffement de la Terre n'est pas vraiment un problème.
- L'écotourisme n'est qu'une mode passagère (*temporary*).
- Personne n'aime chasser aujourd'hui.
- Les humains peuvent sauver la planète.
- L'extinction des espèces va s'arrêter dans l'avenir.

5 Échange d'opinions Avec un(e) partenaire, imaginez une conversation entre un chasseur (*hunter*) et un défenseur de la nature. Préparez un dialogue où les deux se font des suggestions. Ensuite, jouez votre dialogue pour la classe.

MODÈLE

Étudiant(e) 1: *Il est dommage que vous disiez que les chasseurs n'aiment pas la nature.*
Étudiant(e) 2: *Je souhaite que vous respectiez plus les animaux.*

6 La maman de Carine Votre professeur va vous donner, à vous et à votre partenaire, deux feuilles d'activités différentes sur Carine et sa mère. Attention! Ne regardez pas la feuille de votre partenaire.

MODÈLE

Étudiant(e) 1: *Si Carine prend l'avion,…*
Étudiant(e) 2: *… sa mère veut qu'elle l'appelle de l'aéroport.*

Écriture

STRATÉGIE

Considering audience and purpose

Writing always has a purpose. During the planning stages, you must determine to whom you are addressing the piece and what you want to express to your reader. Once you have defined both your audience and your purpose, you will be able to decide which genre, vocabulary, and grammatical structures will best serve your composition.

Let's say you want to share your thoughts on local traffic problems. Your audience can be either the local government or the community. You could choose to write a newspaper article, a letter to the editor, or a letter to the city's governing board. You should first ask yourself these questions:

1. Are you going to comment on traffic problems in general, or are you going to point out several specific problems?

2. Are you intending to register a complaint?

3. Are you simply intending to inform others and increase public awareness of the problems?

4. Are you hoping to persuade others to adopt your point of view?

5. Are you hoping to inspire others to take concrete actions?

The answers to these questions will help you establish the purpose of your writing and determine your audience. Of course, your writing can have more than one purpose. For example, you may intend for your writing to both inform others of a problem and inspire them to take action.

Thème

Écrire une lettre ou un article

Vous allez écrire au sujet d'un problème de l'environnement qui est important pour vous.

1. Choisissez d'abord le problème dont vous voulez parler. Vous pouvez choisir un problème local (par exemple, le ramassage des ordures sur votre campus) ou bien un problème mondial comme la surpopulation.

2. Décidez qui sera votre public: Voulez-vous écrire une lettre à un(e) ami(e), à un membre du gouvernement, à une association universitaire, etc.? Préférez-vous écrire un article pour un journal ou pour un magazine?

3. Identifiez le but de votre lettre ou article: Voulez-vous simplement informer votre public ou allez-vous aussi donner votre opinion personnelle?

4. Préparez une courte introduction, puis présentez le problème que vous avez choisi, de façon logique.

5. Si vous avez choisi d'exprimer votre opinion personnelle, justifiez-la pour essayer de persuader votre (vos) lecteur(s) que vous avez raison.

6. Préparez la conclusion de votre lettre ou article.

I CAN write a letter or article.

Panorama

le Vieux Lille

Le Grand Est

La région Grand Est regroupe les anciennes régions Champagne-Ardenne, Alsace et Lorraine. À l'ouest, on trouve les célèbres vignobles° de la Champagne, l'unique lieu au monde dont le vin blanc pétillant° peut être appelé «champagne». La forêt des Ardennes, au nord, s'étend° jusqu'en Belgique et Allemagne. À l'est, les influences germaniques se ressentent° toujours dans la langue, l'architecture et la gastronomie de l'Alsace et de la Lorraine.

Personnes célèbres

▶ **Albert Uderzo,** dessinateur et scénariste de BD°, co-créateur de la série *Astérix* (1927–2020)

▶ **Albert Schweitzer,** médecin, prix Nobel de la paix en 1952 (1875–1965)

Les Hauts-de-France

Située dans le nord-est de la France, à côté de la Belgique, les Hauts-de-France est une région qui regroupe les anciennes régions de Nord-Pas-de-Calais et de Picardie. Sa ville capitale, Lille, située à côté de la frontière belge, est l'une des zones urbaines les plus peuplées de France et Belgique. Le cap° Gris-Nez, situé près de la ville de Calais, sur la Manche°, marque l'endroit français le plus proche de la Grande-Bretagne, à 30km de distance.

Personnes célèbres

▶ **Camille Claudel,** sculptrice (1864–1943)

▶ **Dany Boon,** acteur (1966–)

vignobles *vineyards* **pétillant** *sparkling* **s'étend** *stretches* **se ressentent** *are felt* **dessinateur et scénariste de BD** *cartoonist* **cap** *cape* **la Manche** *English Channel* **paysage chempenois** *Champagne landscape*

le paysage champenois° près de Reims

dans les Vosges

Dunkerque · Calais · Boulogne-sur-Mer · Lille · Valenciennes · Amiens · Saint-Quentin · Beauvais · Compiègne · Soissons · Sedan · Reims · Verdun · Metz · Châlons-en-Champagne · Bar-le-Duc · Nancy · Strasbourg · Troyes · Épinal · Chaumont · Colmar · Langres · Mulhouse

HAUTS-DE-FRANCE · **GRAND EST** · **LA FRANCE**

la Meuse · la Somme · l'Oise · la Seine · la Moselle · le Rhin

0 — 80 miles
0 — 80 kilomètres

ACTIVITÉS

1 **Les informations** Complétez les phrases.

1. La région _____ regroupe les anciennes régions Champagne-Ardenne, Alsace et Lorraine.

2. La forêt des _____ s'étend jusqu'en Belgique et Allemagne.

3. Les influences _____ se ressentent dans la langue, l'architecture et la gastronomie de l'Alsace et de la Lorraine.

4. _____, ville capitale des Hauts-de-France, est l'une des zones urbaines les plus peuplées de la France et de la Belgique.

2 **Assimilez** Répondez aux questions.

1. Le champagne est unique à la Champagne. Quels produits sont uniques à votre communauté ou votre pays? Quels sont d'autres produits uniques à la France? Comparez-les.

2. Comment est-ce que la proximité à d'autres pays affecte la culture d'une région? Expliquez.

3. Faites des recherches sur l'une des personnes célèbres du Grand Est ou des Hauts-de-France et présentez-la à la classe.

Les traditions

Les géants° du Nord

D'origine médiévale, les géants sont des mannequins° gigantesques portés° par une ou plusieurs personnes pendant les fêtes et les célébrations locales du Nord de la France. Fortement liés° à l'identité d'une ville, d'un quartier ou d'une association, ils représentent des héros historiques ou légendaires, des personnages locaux, des métiers ou des animaux. Chaque géant a sa vie: il naît, il se marie, il a des enfants. Et cette vie de citoyen° modèle sert d'exemple à sa communauté.

▷ L'histoire

Jeanne d'Arc

Jeanne d'Arc est née en 1412, en Lorraine dans le Grand Est, dans une famille de paysans°. En 1429, quand la France est en guerre contre l'Angleterre, Jeanne d'Arc décide de partir au combat pour libérer son pays. Elle prend la tête° d'une armée et libère la ville d'Orléans des Anglais. Cette victoire permet de sacrer° Charles VII roi de France. Plus tard, Jeanne d'Arc perd ses alliés° pour des raisons politiques. Vendue aux Anglais, elle est condamnée pour hérésie. Elle est exécutée à Rouen, en 1431. En 1920, l'Église catholique la canonise.

Les destinations

Strasbourg

Strasbourg, chef-lieu° du Grand Est, est le siège° du Conseil de l'Europe depuis 1949 et du Parlement européen depuis 1979. Le Conseil de l'Europe est responsable de la promotion des valeurs démocratiques et des droits de l'homme°, de l'identité culturelle européenne et de la recherche de solutions° aux problèmes de société. Les membres du Parlement sont élus° dans chaque pays de l'Union européenne. Le Parlement contribue à l'élaboration de la législation européenne et à la gestion de l'Europe.

La société

Un mélange de cultures

L'Alsace, région historique dans Le Grand Est, a été enrichie° par de multiples courants° historiques et culturels grâce à sa position entre la France et l'Allemagne et le fait qu'elle a fait partie de chaque pays à différentes périodes de l'histoire. La langue alsacienne vient d'un dialecte germanique et l'allemand est maintenant enseigné dans les écoles primaires. Les Alsaciens bénéficient aussi des lois° sociales allemandes. Le mélange° des cultures est visible à Noël avec des traditions allemandes et françaises (le sapin de Noël, la Saint Nicolas, les marchés).

INCROYABLE MAIS VRAI!

La région Hauts-de-France est la terre des cathédrales. La cathédrale d'Amiens, considérée un chef d'œuvre° du style gothique, est la plus vaste de France. Elle est assez grande pour contenir deux fois Notre Dame de Paris! Dans le Grand Est, la cathédrale la plus célèbre est celle de Reims, où 25 rois° de France ont été sacrés° entre 1223–1825.

géants *giants* **mannequins** *models* **portés** *carried*
liés *linked* **citoyen** *citizen* **paysans** *peasants*
prend la tête *takes the lead* **sacrer** *crown* **alliés** *allies*
chef-lieu *regional seat of government* **siège** *headquarters*
droits de l'homme *human rights* **recherche de solutions**
finding solutions **élus** *elected* **enrichie** *enriched*
courants *trends, movements* **lois** *laws* **mélange** *mix*
chef d'oeuvre *masterpiece* **rois** *kings* **sacrés** *crowned*

---

3 **Vous avez compris?** Répondez aux questions.

1. Qu'est-ce que les géants du Nord représentent?
2. Que permet la victoire de Jeanne d'Arc?
3. Le Conseil de l'Europe est responsable de quoi?
4. Quand est-ce que le mélange de cultures allemande et française est visible en Alsace?
5. Où est-ce que les rois (*kings*) de France sont sacrés (*crowned*) entre 1027 et 1825 ?

4 **La société traditionnelle** Faites des recherches sur l'Écomusée d'Alsace. Qu'est-ce que c'est? Quelle est son histoire? Quel est son rôle dans la préservation de la culture alsacienne? Comment est-ce que les Alsaciens participent aux différents projets du musée? Comparez l'écomusée avec un musée ou un projet similaire dans votre région ou dans votre pays, puis présentez vos idées à la classe.

A C T I V I T É S

I CAN identify and reflect on cultural products and practices of northeast France.

Lecture

(S) Audio: Reading

Avant la lecture

STRATÉGIE

Recognizing chronological order

Recognizing the chronological order of events is key to understanding the cause and effect relationship between them. When you are able to establish the chronological chain of events, you will easily be able to follow the plot. In order to be more aware of the order of events, you may find it helpful to prepare a numbered list of the events as you read.

Examinez le texte

D'abord, regardez la forme du texte. Quel genre de texte est-ce? Puis, regardez les illustrations. Qu'y a-t-il sur ces illustrations? Qui sont les personnages de l'histoire (*story*)? Que font les insectes dans la première illustration? Et dans la deuxième?

À propos de l'auteur
Jean de La Fontaine (1621–1695)

Jean de La Fontaine est un auteur et un poète français très connu du dix-septième siècle. Né à Château-Thierry, à l'est de Paris, il a passé toute son enfance à la campagne avant de devenir avocat et de s'installer à Paris. C'est dans la capitale qu'il a rencontré des écrivains célèbres et qu'il a décidé d'écrire. Il est l'auteur de poèmes, de nouvelles en vers° et de contes°, mais il est connu surtout pour ses fables, considérées comme des chefs-d'œuvre° de la littérature française. Au total, La Fontaine a publié 12 livres de fables dans lesquels il a créé des histoires autour de concepts fondamentaux de la morale qu'il a empruntés principalement aux fables d'Ésope. Les fables de La Fontaine, avec leurs animaux et leurs histoires assez simples, étaient, pour lui, une manière° subtile de critiquer la société contemporaine et la nature humaine. Deux de ses fables les plus connues sont *La Cigale et la Fourmi* et *Le Corbeau et le Renard*.

nouvelles en vers *short stories in verse* **contes** *tales* **chefs-d'œuvre** *masterpieces*
manière *manner, way*

La Cigale et

1   La Cigale°, ayant° chanté
    Tout l'été,
    Se trouva fort dépourvue°
    Quand la bise fut venue°:
5   Pas un seul petit morceau
    De mouche° ou de vermisseau°.
    Elle alla crier° famine
    Chez la Fourmi° sa voisine,
    La priant° de lui prêter
10 Quelque grain pour subsister°
    Jusqu'à la saison nouvelle.
    «Je vous paierai, lui dit-elle,
    Avant l'Oût°, foi d'animal°,
    Intérêt et principal.»
15 La Fourmi n'est pas prêteuse°;
    C'est là son moindre défaut°.
    «Que faisiez-vous au temps chaud?
    Dit-elle à cette emprunteuse°.
    —Nuit et jour à tout venant°
20 Je chantais, ne vous déplaise°.
    —Vous chantiez? j'en suis fort aise°.
    Eh bien! dansez maintenant.»

la Fourmi

de Jean
de La Fontaine

Cigale *Cicada* **ayant** *having* **Se trouva fort dépourvue** *Found itself left without a thing* **la bise**
fut venue *the cold winds of winter arrived* **mouche** *fly* **vermisseau** *small worm* **alla crier** *went*
crying **Fourmi** *Ant* **La priant** *Begging her* **subsister** *survive* **Oût** *August* **foi d'animal** *on my word*
as an animal **n'est pas prêteuse** *doesn't like lending things* **moindre défaut** *the least of her faults*
emprunteuse *borrower* **à tout venant** *all the time* **ne vous déplaise** *if you please* **fort aise** *delighted*

Après la lecture

Répondez Répondez aux questions par des
phrases complètes.

1. Qu'est-ce que la Cigale a fait tout l'été?
   _____

2. Quel personnage de la fable a beaucoup travaillé
   pendant l'été?
   _____

3. Pourquoi la Cigale n'a-t-elle rien à manger quand
   l'hiver arrive?
   _____

4. Que fait la Cigale quand elle a faim?
   _____

5. Que fera la Cigale si la Fourmi lui donne à manger?
   _____

6. Qu'est-ce que la Fourmi demande à la Cigale?
   _____

7. Quel est le moindre défaut de la Fourmi?
   _____

8. La Fourmi va-t-elle donner quelque chose à manger
   à la Cigale? Expliquez.
   _____

Un résumé Écrivez un résumé (*summary*) de la fable
de La Fontaine. Regardez le texte et prenez des notes sur
ce qui se passe aux différents moments de l'histoire. Faites
aussi une liste des mots importants que vous ne connaissez
pas et trouvez-leur des synonymes que vous pourrez utiliser
dans votre résumé. Par exemple, vous connaissez déjà le
mot «vent», synonyme de «bise».

La morale de la fable Comme les fables en
général, *La Cigale et la Fourmi* a une morale, mais La Fontaine
ne la donne pas explicitement. À votre avis, quelle est la
morale de cette fable? Êtes-vous d'accord avec cette morale?
Discutez de ces questions par petits groupes.

Les fables Connaissiez-vous déjà l'histoire de cette fable?
Connaissez-vous d'autres fables, comme celles du Grec Ésope,
de l'Américain James Thurber, de l'Allemand Gotthold Lessing
ou de l'Espagnol Félix Maria Samaniego? Que pensez-vous des
fables en général? Aimez-vous les lire? À quoi servent-elles?
Quels thèmes trouve-t-on souvent dans les fables? Quels
animaux sont souvent utilisés? Discutez de ces questions
par petits groupes.

I CAN identify and reflect on the message of a fable.

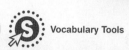 Vocabulary Tools

Leçon 13A

La nature

un espace *space, area*
en plein air *outdoor, open-air*
pur(e) *pure*

L'écologie

améliorer *to improve*
développer *to develop*
gaspiller *to waste*
polluer *to pollute*
préserver *to preserve*
prévenir l'incendie *to prevent fires*
proposer une solution *to propose a solution*
recycler *to recycle*
sauver la planète *to save the planet*
une catastrophe *catastrophe*
une centrale nucléaire *nuclear power plant*
le covoiturage *carpooling*
un danger *danger, threat*
des déchets toxiques (m.) *toxic waste*
l'écologie (f.) *ecology*
l'effet de serre (m.) *greenhouse effect*
un emballage en plastique *plastic wrapping/packaging*
l'énergie nucléaire (f.) *nuclear energy*
l'énergie solaire (f.) *solar energy*
l'environnement (m.) *environment*
le gaspillage *waste*
un glissement de terrain *landslide*
un nuage de pollution *pollution cloud*
la pluie acide *acid rain*
la pollution *pollution*
une population croissante *growing population*
un produit *product*
la protection *protection*
le ramassage des ordures *garbage collection*
le réchauffement de la Terre *global warming*
le recyclage *recycling*
la surpopulation *overpopulation*
le trou dans la couche d'ozone *hole in the ozone layer*
une usine *factory*
écologique *ecological*

Les lois et les règlements

abolir *to abolish*
interdire *to forbid, to prohibit*
un gouvernement *government*
une loi *law*

Expressions utiles

See p. 499.

Vocabulaire supplémentaire

lequel *which one (m. sing.)*
lesquels *which ones (m. pl.)*
laquelle *which one (f. sing.)*
lesquelles *which ones (f. pl.)*

Pronoms démonstratifs

See p. 503.

Impersonal expressions

Il est bon que... *It is good that...*
Il est dommage que... *It is a shame that...*
Il est essentiel que... *It is essential that...*
Il est important que... *It is important that...*
Il est indispensable que... *It is essential that...*
Il est nécessaire que... *It is necessary that...*
Il est possible que... *It is possible that...*
Il faut que... *One must... / It is necessary that...*
Il vaut mieux que... *It is better that...*

Leçon 13B

La nature

une espèce (menacée) *(endangered) species*
la nature *nature*
un pique-nique *picnic*
une région *region*
une ressource naturelle *natural resource*
un arbre *tree*
un bois *woods*
un champ *field*
le ciel *sky*
une côte *coast*
un désert *desert*
une étoile *star*
une falaise *cliff*
un fleuve *river*
une forêt (tropicale) *(tropical) forest*
l'herbe (f.) *grass*
une île *island*
la jungle *jungle*
un lac *lake*
la Lune *moon*
une pierre *stone*
une plante *plant*
une rivière *river*
un sentier *path*
une vallée *valley*
un volcan *volcano*

L'écologie

chasser *to hunt*
jeter *to throw away*
la chasse *hunting*
le déboisement *deforestation*
l'écotourisme (m.) *ecotourism*
l'extinction (f.) *extinction*
la préservation *protection*
le sauvetage des habitats *habitat preservation*

Les animaux

un animal *animal*
un écureuil *squirrel*
un lapin *rabbit*
un serpent *snake*
une vache *cow*

Expressions utiles

See p. 517.

Verbs of will

demander que... *to ask that...*
désirer que... *to want/desire that...*
exiger que... *to demand that...*
préférer que... *to prefer that...*
proposer que... *to propose that...*
recommander que... *to recommend that...*
souhaiter que... *to wish that...*
suggérer que... *to suggest that...*
vouloir que... *to want that...*

Verbs and expressions of emotion

aimer que... *to like that...*
avoir peur que... *to be afraid that...*
être content(e) que... *to be glad that...*
être désolé(e) que... *to be sorry that...*
être furieux /furieuse que... *to be furious that...*
être heureux /heureuse que... *to be happy that...*
être surpris(e) que... *to be surprised that...*
être triste que... *to be sad that...*
regretter que... *to regret that...*

Expressions of doubt and certainty

douter que... *to doubt that...*
ne pas croire que... *not to believe that...*
ne pas penser que... *not to think that...*
Il est douteux que... *It is doubtful that...*
Il est impossible que... *It is impossible that...*
Il n'est pas certain que... *It is uncertain that...*
Il n'est pas sûr que... *It is not sure that...*
Il n'est pas vrai que... *It is untrue that...*

croire

See p. 524.

🔖 Communicative Goals: Review

I CAN talk about pollution and the environment.
- Write a list of five actions your community can take to protect the environment and reduce pollution.

I CAN express feelings, including doubt, opinions, and urgency.
- Write a letter to a friend expressing your feelings about pollution and its environmental impact.

I CAN investigate environmental preservation in francophone communities.
- Describe a francophone cultural product or practice related to the environment and compare the perspectives around it to attitudes in your own culture.

Le monde francophone

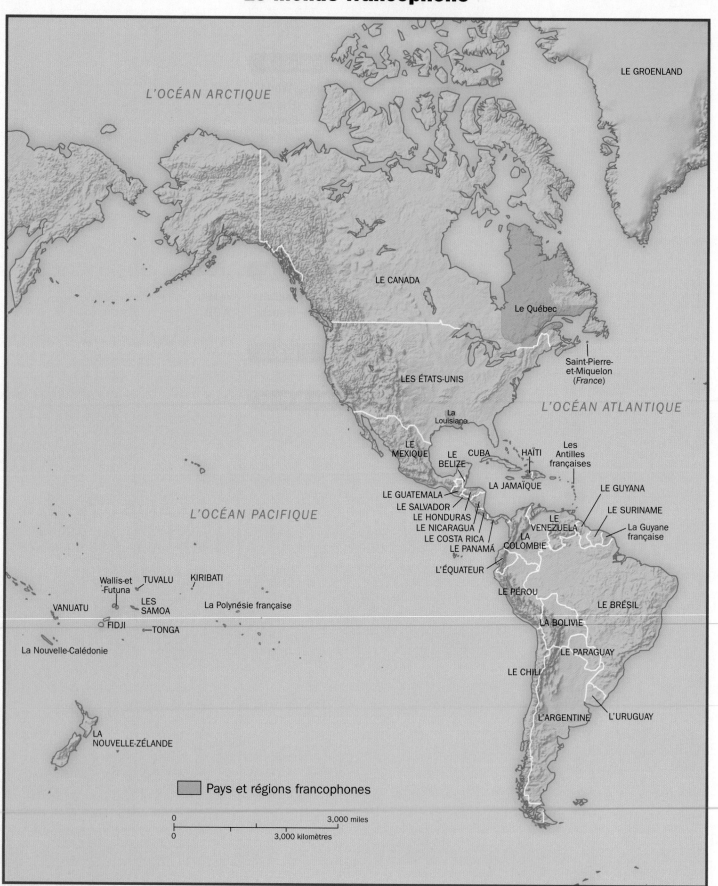

L'OCÉAN ARCTIQUE

LE GROENLAND

LE CANADA

Le Québec

Saint-Pierre-
et-Miquelon
(*France*)

LES ÉTATS-UNIS

L'OCÉAN ATLANTIQUE

La
Louisiane

L'OCÉAN PACIFIQUE

LE
MEXIQUE

LE
BELIZE

CUBA

HAÏTI

Les
Antilles
françaises

LA JAMAÏQUE

LE GUYANA

LE GUATEMALA

LE SALVADOR

LE HONDURAS

LE NICARAGUA

LE COSTA RICA

LE PANAMÁ

LE SURINAME

LE
VENEZUELA

La Guyane
française

LA
COLOMBIE

L'ÉQUATEUR

Wallis-et
-Futuna

TUVALU

KIRIBATI

VANUATU

LES
SAMOA

La Polynésie française

LE PÉROU

LE BRÉSIL

FIDJI

TONGA

LA BOLIVIE

La Nouvelle-Calédonie

LE PARAGUAY

LE CHILI

L'ARGENTINE

L'URUGUAY

LA
NOUVELLE-ZÉLANDE

Pays et régions francophones

0   3,000 miles

0   3,000 kilomètres

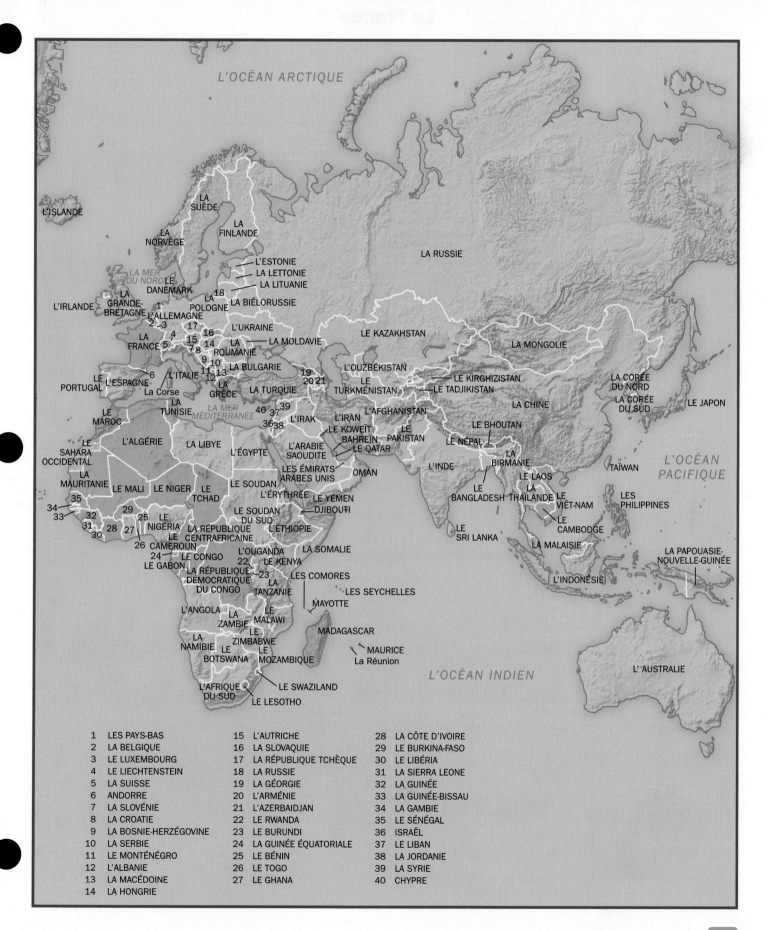

L'OCÉAN ARCTIQUE

L'ISLANDE

LA SUÈDE
LA NORVÈGE
LA FINLANDE
LA RUSSIE

LA MER DU NORD
L'ESTONIE
LA LETTONIE
LA LITUANIE
LE DANEMARK
18
LA BIÉLORUSSIE
LA POLOGNE
L'IRLANDE
LA GRANDE-BRETAGNE
1
L'ALLEMAGNE
2 3
L'UKRAINE
LE KAZAKHSTAN
LA MONGOLIE
17
LA FRANCE
4 16
15 14
7 8
9 10
11 13
12
LA MOLDAVIE
LA ROUMANIE
LA BULGARIE
19
20 21
L'OUZBÉKISTAN
LE KIRGHIZISTAN
LA CORÉE DU NORD
6 L'ITALIE
LE TURKMÉNISTAN
LE TADJIKISTAN
LE PORTUGAL L'ESPAGNE
La Corse
LA GRÈCE
LA TURQUIE
LA CHINE
LA CORÉE DU SUD
LE JAPON
LA TUNISIE
LA MER MÉDITERRANÉE
40 39
37
36 38
L'IRAK
L'IRAN
L'AFGHANISTAN
LE MAROC
LE BHOUTAN
TAÏWAN
L'OCÉAN PACIFIQUE
LE SAHARA OCCIDENTAL
L'ALGÉRIE
LA LIBYE
L'ÉGYPTE
L'ARABIE SAOUDITE
LE KOWEÏT
BAHREÏN
LE QATAR
LE PAKISTAN
LE NÉPAL
LA BIRMANIE
LA MAURITANIE
LE MALI
LE NIGER
LE TCHAD
LE SOUDAN
LES ÉMIRATS ARABES UNIS
OMAN
L'INDE
LE LAOS
35
34
33
32
29
25
LE NIGÉRIA
LA RÉPUBLIQUE CENTRAFRICAINE
L'ÉRYTHRÉE
LE SOUDAN DU SUD
LE YÉMEN
DJIBOUTI
L'ÉTHIOPIE
LE BANGLADESH
LA THAÏLANDE
LE VIÊT-NAM
LES PHILIPPINES
31
28 27
30
26
LE CAMEROUN
24
LE GABON
LE CONGO
L'OUGANDA
22
LE KENYA
LA SOMALIE
LE SRI LANKA
LA MALAISIE
LE CAMBODGE
LA PAPOUASIE-NOUVELLE-GUINÉE
LA RÉPUBLIQUE DÉMOCRATIQUE DU CONGO
23
LE BURUNDI
LA TANZANIE
LES COMORES
LES SEYCHELLES
L'INDONÉSIE
L'ANGOLA
LA ZAMBIE
LE MALAWI
MAYOTTE
LA NAMIBIE
LE ZIMBABWE
LE BOTSWANA
LE MOZAMBIQUE
MADAGASCAR
MAURICE
La Réunion
L'OCÉAN INDIEN
L'AUSTRALIE
L'AFRIQUE DU SUD
LE SWAZILAND
LE LESOTHO

1	LES PAYS-BAS	15	L'AUTRICHE	28	LA CÔTE D'IVOIRE
2	LA BELGIQUE	16	LA SLOVAQUIE	29	LE BURKINA-FASO
3	LE LUXEMBOURG	17	LA RÉPUBLIQUE TCHÈQUE	30	LE LIBÉRIA
4	LE LIECHTENSTEIN	18	LA RUSSIE	31	LA SIERRA LEONE
5	LA SUISSE	19	LA GÉORGIE	32	LA GUINÉE
6	ANDORRE	20	L'ARMÉNIE	33	LA GUINÉE-BISSAU
7	LA SLOVÉNIE	21	L'AZERBAIDJAN	34	LA GAMBIE
8	LA CROATIE	22	LE RWANDA	35	LE SÉNÉGAL
9	LA BOSNIE-HERZÉGOVINE	23	LE BURUNDI	36	ISRAËL
10	LA SERBIE	24	LA GUINÉE ÉQUATORIALE	37	LE LIBAN
11	LE MONTÉNÉGRO	25	LE BÉNIN	38	LA JORDANIE
12	L'ALBANIE	26	LE TOGO	39	LA SYRIE
13	LA MACÉDOINE	27	LE GHANA	40	CHYPRE
14	LA HONGRIE				

La France

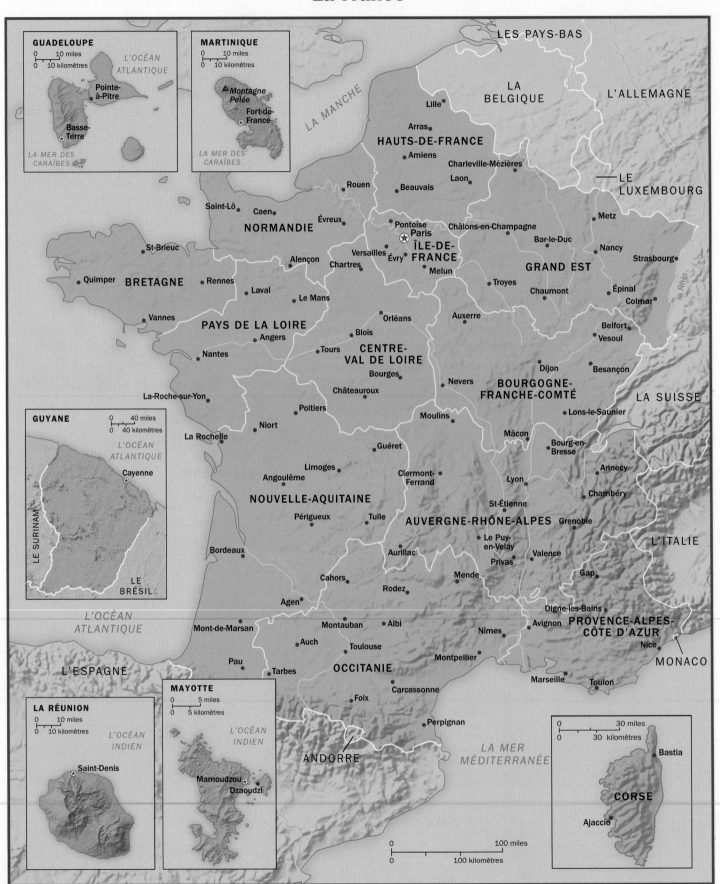

GUADELOUPE
0   10 miles
0   10 kilomètres
L'OCÉAN ATLANTIQUE
Pointe-à-Pitre
Basse-Terre
LA MER DES CARAÏBES

MARTINIQUE
0   10 miles
0   10 kilomètres
Montagne Pelée
Fort-de-France
LA MER DES CARAÏBES

LES PAYS-BAS
LA MANCHE
LA BELGIQUE
L'ALLEMAGNE
Lille
Arras
HAUTS-DE-FRANCE
Amiens
Charleville-Mézières
Laon
LE LUXEMBOURG
Rouen
Beauvais
Saint-Lô
Caen
NORMANDIE
Évreux
Metz
Pontoise
Châlons-en-Champagne
Bar-le-Duc
Nancy
Paris
Versailles
ÎLE-DE-FRANCE
Évry
Strasbourg
St-Brieuc
Chartres
Melun
GRAND EST
Quimper
BRETAGNE
Rennes
Alençon
Troyes
Chaumont
Épinal
Colmar
Laval
Le Mans
le Rhin
Vannes
PAYS DE LA LOIRE
Orléans
Auxerre
Belfort
Vesoul
Angers
Blois
CENTRE-VAL DE LOIRE
Nantes
Tours
Dijon
Besançon
Bourges
Nevers
BOURGOGNE-FRANCHE-COMTÉ
La-Roche-sur-Yon
Châteauroux
LA SUISSE

GUYANE
0   40 miles
0   40 kilomètres
L'OCÉAN ATLANTIQUE
LE SURINAM
Cayenne
LE BRÉSIL

Poitiers
Moulins
Lons-le-Saunier
Niort
Mâcon
Bourg-en-Bresse
La Rochelle
Guéret
Annecy
Limoges
Lyon
Chambéry
Angoulême
Clermont-Ferrand
St-Étienne
Grenoble
NOUVELLE-AQUITAINE
L'ITALIE
Périgueux
Tulle
AUVERGNE-RHÔNE-ALPES
Le Puy-en-Velay
Valence
Bordeaux
Aurillac
Privas
Gap
Cahors
Mende
Rodez
Digne-les-Bains
Agen
L'OCÉAN ATLANTIQUE
Montauban
Albi
Avignon
PROVENCE-ALPES-CÔTE D'AZUR
Mont-de-Marsan
Nîmes
Nice
Auch
Toulouse
MONACO
Pau
Montpellier
L'ESPAGNE
Tarbes
OCCITANIE
Marseille
Toulon
Carcassonne

MAYOTTE
0   5 miles
0   5 kilomètres
L'OCÉAN INDIEN
Mamoudzou
Dzaoudzi

LA RÉUNION
0   10 miles
0   10 kilomètres
L'OCÉAN INDIEN
Saint-Denis

Foix
Perpignan
ANDORRE
LA MER MÉDITERRANÉE

0   30 miles
0   30 kilomètres
Bastia
CORSE
Ajaccio

0   100 miles
0   100 kilomètres

L'Europe

0   500 miles
0   500 kilomètres

☐ Pays francophones

LA MER DE BARENTS

LA MER DE NORVÈGE

L'ISLANDE
Reykjavik

LA SUÈDE

LA FINLANDE

LA NORVÈGE

Helsinki

LA RUSSIE

Oslo

Stockholm

L'ESTONIE

Tallinn

Moscou

LA MER DU NORD

LE DANEMARK

LA MER BALTIQUE

Copenhague

Riga

LA LETTONIE

LA LITUANIE

Vilnius

Minsk

LA RUSSIE

LA BIÉLORUSSIE

L'IRLANDE
Dublin

LA GRANDE-BRETAGNE

LES PAYS-BAYS

Berlin

Varsovie

Kiev

La Haye

Londres

Bruxelles

L'ALLEMAGNE

LA POLOGNE

L'UKRAINE

LA BELGIQUE

Luxembourg

Prague

LA RÉPUBLIQUE TCHÈQUE

LA SLOVAQUIE

LA MOLDAVIE

L'OCÉAN ATLANTIQUE

Paris

LE LUXEMBOURG

LE LIECHTENSTEIN

Bratislava

Vienne

Budapest

Chisinau

Berne

L'AUTRICHE

LA HONGRIE

LA ROUMANIE

LA MER NOIRE

LA FRANCE

LA SUISSE

Ljubljana

Zagreb

Belgrade

Bucarest

LA SLOVÉNIE

LA CROATIE

LA BOSNIE-HERZÉGOVINE

LA SERBIE

Monte Carlo

Sarajevo

LA BULGARIE

LE PORTUGAL

ANDORRE

Andorre-la-Vieille

MONACO

L'ITALIE

Podgorica

Sofia

Skopje

LE MONTÉNÉGRO

LA MACÉDOINE

LA TURQUIE

La Corse

Rome

Tirana

Madrid

L'ALBANIE

Lisbonne

L'ESPAGNE

LA GRÈCE

La Sardaigne

La Sicile

Athènes

Nicosie

CHYPRE

MALTE

La Valette

LA MER MÉDITERRANÉE

LE MAROC

L'ALGÉRIE

LA TUNISIE

LA LIBYE

L'ÉGYPTE

A-5

L'Afrique

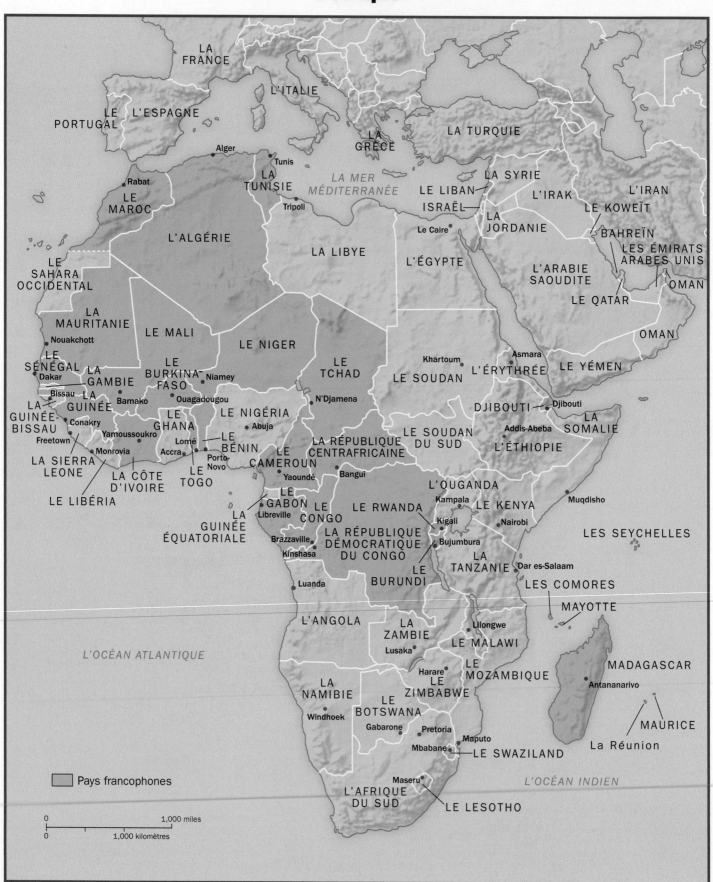

LA FRANCE

L'ITALIE

LE PORTUGAL

L'ESPAGNE

LA GRÈCE

LA TURQUIE

Alger

Tunis

LA MER MÉDITERRANÉE

LA SYRIE

L'IRAN

Rabat

LE MAROC

LA TUNISIE

LE LIBAN

L'IRAK

LE KOWEÏT

Tripoli

ISRAËL

LA JORDANIE

BAHREÏN

LES ÉMIRATS ARABES UNIS

L'ALGÉRIE

LA LIBYE

Le Caire

L'ÉGYPTE

L'ARABIE SAOUDITE

OMAN

LE SAHARA OCCIDENTAL

LE QATAR

OMAN

LA MAURITANIE

Nouakchott

LE MALI

LE NIGER

Khartoum

Asmara

LE YÉMEN

LE SÉNÉGAL

LA GAMBIE

LE BURKINA-FASO

Niamey

LE TCHAD

LE SOUDAN

L'ÉRYTHRÉE

Dakar

Bissau

Bamako

Ouagadougou

N'Djamena

DJIBOUTI

Djibouti

LA GUINÉE

LA GUINÉE-BISSAU

Conakry

LE NIGÉRIA

Addis-Abeba

LA SOMALIE

Yamoussoukro

LE GHANA

Abuja

LA RÉPUBLIQUE CENTRAFRICAINE

LE SOUDAN DU SUD

L'ÉTHIOPIE

Freetown

Lomé

LE BÉNIN

Accra

Porto-Novo

LE CAMEROUN

LA SIERRA LEONE

LA CÔTE D'IVOIRE

LE TOGO

Yaoundé

Bangui

L'OUGANDA

LE LIBÉRIA

Monrovia

LE GABON

Libreville

LE CONGO

LE RWANDA

Kampala

LE KENYA

Muqdisho

LA GUINÉE ÉQUATORIALE

Kigali

Nairobi

LES SEYCHELLES

Brazzaville

Kinshasa

LA RÉPUBLIQUE DÉMOCRATIQUE DU CONGO

Bujumbura

LA TANZANIE

Dar es-Salaam

Luanda

LE BURUNDI

LES COMORES

MAYOTTE

L'ANGOLA

LA ZAMBIE

Lilongwe

L'OCÉAN ATLANTIQUE

Lusaka

LE MALAWI

MADAGASCAR

Harare

LE MOZAMBIQUE

Antananarivo

LA NAMIBIE

LE ZIMBABWE

Windhoek

LE BOTSWANA

MAURICE

Gabarone

Pretoria

Maputo

La Réunion

Mbabane

LE SWAZILAND

Pays francophones

Maseru

L'OCÉAN INDIEN

L'AFRIQUE DU SUD

LE LESOTHO

0   1,000 miles

0   1,000 kilomètres

L'Amérique du Nord et du Sud

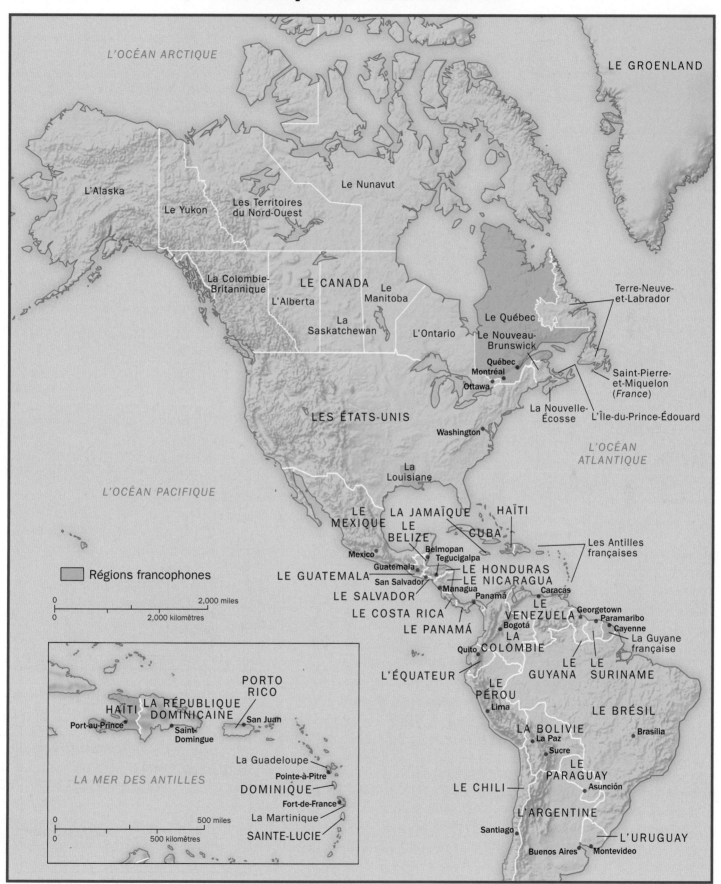

L'OCÉAN ARCTIQUE

LE GROENLAND

L'Alaska

Le Nunavut

Le Yukon

Les Territoires
du Nord-Ouest

La Colombie-
Britannique

LE CANADA

L'Alberta

Le Manitoba

Terre-Neuve-
et-Labrador

La
Saskatchewan

L'Ontario

Le Québec

Le Nouveau-
Brunswick

Québec

Montréal

Saint-Pierre-
et-Miquelon
(France)

Ottawa

La Nouvelle-
Écosse

L'Île-du-Prince-Édouard

LES ÉTATS-UNIS

Washington

L'OCÉAN
ATLANTIQUE

L'OCÉAN PACIFIQUE

La
Louisiane

LE
MEXIQUE

LA JAMAÏQUE

LE
BELIZE

HAÏTI

CUBA

Les Antilles
françaises

Mexico

Belmopan

Tegucigalpa

Régions francophones

LE GUATEMALA

Guatemala

San Salvador

LE HONDURAS

LE NICARAGUA

Managua

Caracas

LE SALVADOR

LE COSTA RICA

Panamá

Bogotá

LE
VENEZUELA

Georgetown

Paramaribo

Cayenne

0   2,000 miles

LE PANAMÁ

Quito

LA
COLOMBIE

LE
GUYANA

LE
SURINAME

La Guyane
française

0   2,000 kilomètres

L'ÉQUATEUR

LE
PÉROU

LE BRÉSIL

Lima

PORTO
RICO

LA BOLIVIE

Brasilia

La Paz

HAÏTI

LA RÉPUBLIQUE
DOMINICAINE

San Juan

Sucre

Port-au-Prince

Saint-
Domingue

LE
PARAGUAY

LE CHILI

Asunción

La Guadeloupe

L'ARGENTINE

L'URUGUAY

LA MER DES ANTILLES

Pointe-à-Pitre

DOMINIQUE

Santiago

Fort-de-France

Buenos Aires

Montevideo

La Martinique

0   500 miles

0   500 kilomètres

SAINTE-LUCIE

L'Asie et l'Océanie

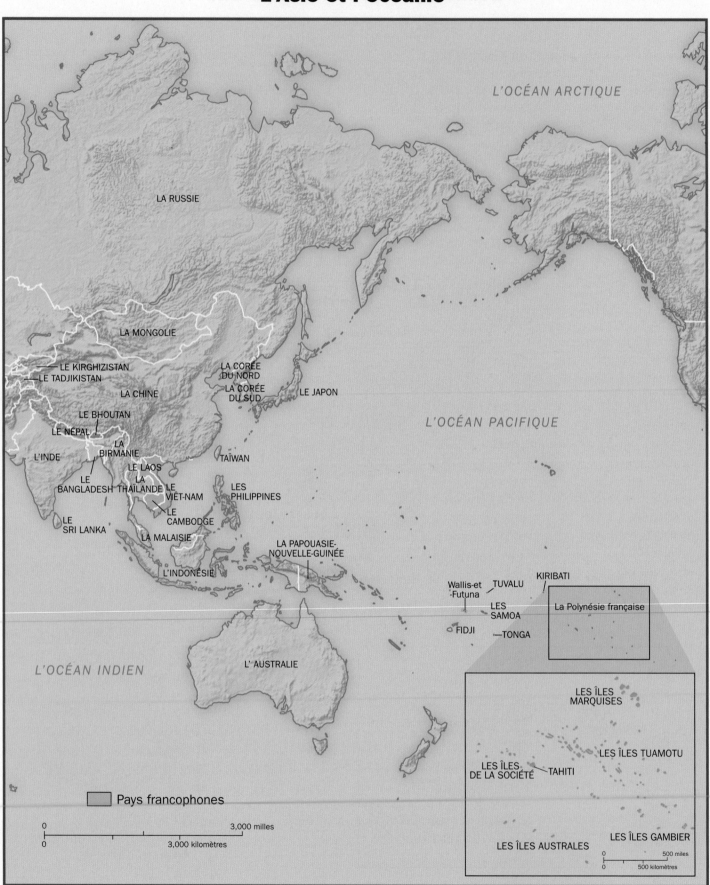

L'OCÉAN ARCTIQUE

LA RUSSIE

LA MONGOLIE

LE KIRGHIZISTAN
LE TADJIKISTAN

LA CHINE

LA CORÉE
DU NORD
LA CORÉE
DU SUD

LE JAPON

LE BHOUTAN
LE NÉPAL

L'OCÉAN PACIFIQUE

L'INDE

LA
BIRMANIE

LE LAOS
LA
THAÏLANDE

LE
VIÊT-NAM

TAÏWAN

LE
BANGLADESH

LE
CAMBODGE

LES
PHILIPPINES

LE
SRI LANKA

LA MALAISIE

LA PAPOUASIE-
NOUVELLE-GUINÉE

L'INDONÉSIE

Wallis-et-
Futuna

TUVALU

KIRIBATI

La Polynésie française

LES
SAMOA

FIDJI

TONGA

L'OCÉAN INDIEN

L'AUSTRALIE

LES ÎLES
MARQUISES

LES ÎLES
DE LA SOCIÉTÉ

TAHITI

LES ÎLES TUAMOTU

Pays francophones

0	3,000 milles
0	3,000 kilomètres

LES ÎLES AUSTRALES

LES ÎLES GAMBIER

0	500 miles
0	500 kilomètres

Verb Conjugation Tables

Each verb in this list is followed by a model verb conjugated according to the same pattern. The number in parentheses indicates where in the verb tables you can find the conjugated forms of the model verb. Reminder: All reflexive (pronominal) verbs use **être** as their auxiliary verb in the **passé composé**. The infinitives of reflexive verbs begin with **se (s')**.

* = This verb, unlike its model, takes **être** in the **passé composé**.
† = This verb, unlike its model, takes **avoir** in the **passé composé**.
In the tables you will find the infinitive, past participles, and all the forms of each model verb you have learned.

abolir like finir (2)
aborder like parler (1)
abriter like parler (1)
accepter like parler (1)
accompagner like parler (1)
accueillir like ouvrir (31)
acheter (7)
adorer like parler (1)
afficher like parler (1)
aider like parler (1)
aimer like parler (1)
aller (13); **p.c.** with **être**
allumer like parler (1)
améliorer like parler (1)
amener like acheter (7)
animer like parler (1)
apercevoir like recevoir (36)
appeler (8)
applaudir like finir (2)
apporter like parler (1)
apprendre like prendre (35)
arrêter like parler (1)
arriver* like parler (1)
assister like parler (1)
attacher like parler (1)
attendre like vendre (3)
attirer like parler (1)
avoir (4)
balayer like essayer (10)
bavarder like parler (1)
boire (15)
bricoler like parler (1)
bronzer like parler (1)
célébrer like préférer (12)
chanter like parler (1)
chasser like parler (1)

chercher like parler (1)
choisir like finir (2)
classer like parler (1)
commander like parler (1)
commencer (9)
composer like parler (1)
comprendre like prendre (35)
compter like parler (1)
conduire (16)
connaître (17)
consacrer like parler (1)
considérer like préférer (12)
construire like conduire (16)
continuer like parler (1)
courir (18)
coûter like parler (1)
couvrir like ouvrir (31)
croire (19)
cuisiner like parler (1)
danser like parler (1)
débarrasser like parler (1)
décider like parler (1)
découvrir like ouvrir (31)
décrire like écrire (22)
décrocher like parler (1)
déjeuner like parler (1)
demander like parler (1)
démarrer like parler (1)
déménager like manger (11)
démissionner like parler (1)
dépasser like parler (1)
dépendre like vendre (3)
dépenser like parler (1)
déposer like parler (1)
descendre* like vendre (3)
désirer like parler (1)

dessiner like parler (1)
détester like parler (1)
détruire like conduire (16)
développer like parler (1)
devenir like venir (41)
devoir (20)
dîner like parler (1)
dire (21)
diriger like parler (1)
discuter like parler (1)
divorcer like commencer (9)
donner like parler (1)
dormir† like partir (32)
douter like parler (1)
durer like parler (1)
échapper like parler (1)
échouer like parler (1)
écouter like parler (1)
écrire (22)
effacer like commencer (9)
embaucher like parler (1)
emménager like manger (11)
emmener like acheter (7)
employer like essayer (10)
emprunter like parler (1)
enfermer like parler (1)
enfler like parler (1)
enlever like acheter (7)
enregistrer like parler (1)
enseigner like parler (1)
entendre like vendre (3)
entourer like parler (1)
entrer* like parler (1)
entretenir like tenir (40)
envahir like finir (2)
envoyer like essayer (10)

épouser like parler (1)
espérer like préférer (12)
essayer (10)
essuyer like essayer (10)
éteindre (24)
éternuer like parler (1)
étrangler like parler (1)
être (5)
étudier like parler (1)
éviter like parler (1)
exiger like manger (11)
expliquer like parler (1)
explorer like parler (1)
faire (25)
falloir (26)
fermer like parler (1)
fêter like parler (1)
finir (2)
fonctionner like parler (1)
fonder like parler (1)
freiner like parler (1)
fréquenter like parler (1)
fumer like parler (1)
gagner like parler (1)
garder like parler (1)
garer like parler (1)
gaspiller like parler (1)
goûter like parler (1)
graver like parler (1)
grossir like finir (2)
guérir like finir (2)
habiter like parler (1)
imprimer like parler (1)
indiquer like parler (1)
interdire like dire (21)
inviter like parler (1)

jeter like appeler (8)
jouer like parler (1)
laisser like parler (1)
laver like parler (1)
lire (27)
loger like manger (11)
louer like parler (1)
lutter like parler (1)
maigrir like finir (2)
maintenir like tenir (40)
manger (11)
marcher like parler (1)
mêler like préférer (12)
mener like parler (1)
mettre (28)
monter* like parler (1)
montrer like parler (1)
mourir (29); p.c. with être
nager like manger (11)
naître (30); p.c. with être
nettoyer like essayer (10)
noter like parler (1)
obtenir like tenir (40)
offrir like ouvrir (31)
organiser like parler (1)
oublier like parler (1)
ouvrir (31)
parler (1)
partager like manger (11)
partir (32); p.c. with être
passer like parler (1)
patienter like parler (1)
patiner like parler (1)
payer like essayer (10)
penser like parler (1)
perdre like vendre (3)
permettre like mettre (28)
pleuvoir (33)
plonger like manger (11)
polluer like parler (1)
porter like parler (1)
poser like parler (1)
posséder like préférer (12)
poster like parler (1)
pouvoir (34)
pratiquer like parler (1)
préférer (12)

prélever like parler (1)
prendre (35)
préparer like parler (1)
présenter like parler (1)
préserver like parler (1)
prêter like parler (1)
prévenir like tenir (40)
produire like conduire (16)
profiter like parler (1)
promettre like mettre (28)
proposer like parler (1)
protéger like préférer (12)
provenir like venir (41)
publier like parler (1)
quitter like parler (1)
raccrocher like parler (1)
ranger like manger (11)
réaliser like parler (1)
recevoir (36)
recommander like parler (1)
reconnaître like connaître (17)
recycler like parler (1)
réduire like conduire (16)
réfléchir like finir (2)
regarder like parler (1)
régner like préférer (12)
remplacer like parler (1)
remplir like finir (2)
rencontrer like parler (1)
rendre like vendre (3)
rentrer* like parler (1)
renvoyer like essayer (10)
réparer like parler (1)
repasser like parler (1)
répéter like préférer (12)
repeupler like parler (1)
répondre like vendre (3)
réserver like parler (1)
rester* like parler (1)
retenir like tenir (40)
retirer like parler (1)
retourner* like parler (1)
retrouver like parler (1)
réussir like finir (2)
revenir like venir (41)

revoir like voir (42)
rire (37)
rouler like parler (1)
salir like finir (2)
s'amuser like se laver (6)
s'asseoir (14)
sauvegarder like parler (1)
sauver like parler (1)
savoir (38)
se brosser like se laver (6)
se coiffer like se laver (6)
se composer like se laver (6)
se connecter like se laver (6)
se coucher like se laver (6)
se croiser like se laver (6)
se dépêcher like se laver (6)
se déplacer* like commencer (9)
se déshabiller like se laver (6)
se détendre* like vendre (3)
se disputer like se laver (6)
se fouler like se laver (6)
se laver (6)
se lever* like acheter (7)
se maquiller like se laver (6)
se marier like se laver (6)
s'embrasser like se laver (6)
s'endormir like partir (32)
s'énerver like se laver (6)
s'ennuyer* like essayer (10)
sentir† like parter (32)
se promener* like acheter (7)
se rappeler* like appeler (8)
se raser like se laver (6)
se rebeller like se laver (6)
se réconcilier like se laver (6)
se relever* like acheter (7)
se reposer like se laver (6)
se réveiller like se laver (6)
servir† like partir (32)

se sécher* like préférer (12)
se souvenir like venir (41)
se tromper like se laver (6)
s'excuser like se laver (6)
s'habiller like se laver (6)
signer like parler (1)
s'inquiéter* like préférer (12)
s'installer like se laver (6)
s'intéresser like se laver (6)
skier like parler (1)
s'occuper like se laver (6)
sonner like parler (1)
s'orienter like se laver (6)
sortir like partir (32)
souffrir like ouvrir (31)
souhaiter like parler (1)
sourire like rire (37)
subvenir† like venir (41)
suffire like lire (27)
suggérer like préférer (12)
suivre (39)
surfer like parler (1)
surprendre like prendre (35)
télécharger like parler (1)
téléphoner like parler (1)
tenir (40)
tomber* like parler (1)
tourner like parler (1)
tousser like parler (1)
traduire like conduire (16)
travailler like parler (1)
traverser like parler (1)
trouver like parler (1)
tuer like parler (1)
utiliser like parler (1)
valoir like falloir (26)
vendre (3)
venir (41); p.c. with être
vérifier like parler (1)
visiter like parler (1)
vivre like suivre (39)
voir (42)
vouloir (43)
voyager like manger (11)

Regular verbs

Infinitive		INDICATIVE				CONDITIONAL	SUBJUNCTIVE	IMPERATIVE
Past participle	**Subject Pronouns**	**Present**	**Passé composé**	**Imperfect**	**Future**	**Present**	**Present**	
1 parler	je (j')	parle	ai parlé	parlais	parlerai	parlerais	parle	
(to speak)	tu	parles	as parlé	parlais	parleras	parlerais	parles	parle
	il/elle/on	parle	a parlé	parlait	parlera	parlerait	parle	
parlé	nous	parlons	avons parlé	parlions	parlerons	parlerions	parlions	parlons
	vous	parlez	avez parlé	parliez	parlerez	parleriez	parliez	parlez
	ils/elles	parlent	ont parlé	parlaient	parleront	parleraient	parlent	
2 finir	je (j')	finis	ai fini	finissais	finirai	finirais	finisse	
(to finish)	tu	finis	as fini	finissais	finiras	finirais	finisses	finis
	il/elle/on	finit	a fini	finissait	finira	finirait	finisse	
fini	nous	finissons	avons fini	finissions	finirons	finirions	finissions	finissons
	vous	finissez	avez fini	finissiez	finirez	finiriez	finissiez	finissez
	ils/elles	finissent	ont fini	finissaient	finiront	finiraient	finissent	
3 vendre	je (j')	vends	ai vendu	vendais	vendrai	vendrais	vende	
(to sell)	tu	vends	as vendu	vendais	vendras	vendrais	vendes	vends
	il/elle/on	vend	a vendu	vendait	vendra	vendrait	vende	
vendu	nous	vendons	avons vendu	vendions	vendrons	vendrions	vendions	vendons
	vous	vendez	avez vendu	vendiez	vendrez	vendriez	vendiez	vendez
	ils/elles	vendent	ont vendu	vendaient	vendront	vendraient	vendent	

Auxiliary verbs: *avoir* and *être*

Infinitive		INDICATIVE				CONDITIONAL	SUBJUNCTIVE	IMPERATIVE
Past participle	Subject Pronouns	Present	Passé composé	Imperfect	Future	Present	Present	
4 avoir	j'	ai	ai eu	avais	aurai	aurais	aie	
(to have)	tu	as	as eu	avais	auras	aurais	aies	aie
	il/elle/on	a	a eu	avait	aura	aurait	ait	
eu	nous	avons	avons eu	avions	aurons	aurions	ayons	ayons
	vous	avez	avez eu	aviez	aurez	auriez	ayez	ayez
	ils/elles	ont	ont eu	avaient	auront	auraient	aient	
5 être	je (j')	suis	ai été	étais	serai	serais	sois	
(to be)	tu	es	as été	étais	seras	serais	sois	sois
	il/elle/on	est	a été	était	sera	serait	soit	
été	nous	sommes	avons été	étions	serons	serions	soyons	soyons
	vous	êtes	avez été	étiez	serez	seriez	soyez	soyez
	ils/elles	sont	ont été	étaient	seront	seraient	soient	

Reflexive (Pronominal)

Infinitive		INDICATIVE				CONDITIONAL	SUBJUNCTIVE	IMPERATIVE
Past participle	Subject Pronouns	Present	Passé composé	Imperfect	Future	Present	Present	
6 se laver	je	me lave	me suis lavé(e)	me lavais	me laverai	me laverais	me lave	
(to wash oneself)	tu	te laves	t'es lavé(e)	te lavais	te laveras	te laverais	te laves	lave-toi
	il/elle/on	se lave	s'est lavé(e)	se lavait	se lavera	se laverait	se lave	
lavé	nous	nous lavons	nous sommes lavé(e)s	nous lavions	nous laverons	nous laverions	nous lavions	lavons-nous
	vous	vous lavez	vous êtes lavé(e)s	vous laviez	vous laverez	vous laveriez	vous laviez	lavez-vous
	ils/elles	se lavent	se sont lavé(e)s	se lavaient	se laveront	se laveraient	se lavent	

Verbs with spelling changes

Infinitive / Past participle	Subject Pronouns	INDICATIVE Present	INDICATIVE Passé composé	INDICATIVE Imperfect	INDICATIVE Future	CONDITIONAL Present	SUBJUNCTIVE Present	IMPERATIVE
7 acheter (to buy)	j'	achète	ai acheté	achetais	achèterai	achèterais	achète	
	tu	achètes	as acheté	achetais	achèteras	achèterais	achètes	achète
	il/elle/on	achète	a acheté	achetait	achètera	achèterait	achète	
acheté	nous	achetons	avons acheté	achetions	achèterons	achèterions	achetions	achetons
	vous	achetez	avez acheté	achetiez	achèterez	achèteriez	achetiez	achetez
	ils/elles	achètent	ont acheté	achetaient	achèteront	achèteraient	achètent	
8 appeler (to call)	j'	appelle	ai appelé	appelais	appellerai	appellerais	appelle	
	tu	appelles	as appelé	appelais	appelleras	appellerais	appelles	appelle
	il/elle/on	appelle	a appelé	appelait	appellera	appellerait	appelle	
appelé	nous	appelons	avons appelé	appelions	appellerons	appellerions	appelions	appelons
	vous	appelez	avez appelé	appeliez	appellerez	appelleriez	appeliez	appelez
	ils/elles	appellent	ont appelé	appelaient	appelleront	appelleraient	appellent	
9 commencer (to begin)	je (j')	commence	ai commencé	commençais	commencerai	commencerais	commence	
	tu	commences	as commencé	commençais	commenceras	commencerais	commences	commence
	il/elle/on	commence	a commencé	commençait	commencera	commencerait	commence	
commencé	nous	commençons	avons commencé	commencions	commencerons	commencerions	commencions	commençons
	vous	commencez	avez commencé	commenciez	commencerez	commenceriez	commenciez	commencez
	ils/elles	commencent	ont commencé	commençaient	commenceront	commenceraient	commencent	
10 essayer (to try)	j'	essaie	ai essayé	essayais	essaierai	essaierais	essaie	
	tu	essaies	as essayé	essayais	essaieras	essaierais	essaies	essaie
	il/elle/on	essaie	a essayé	essayait	essaiera	essaierait	essaie	
essayé	nous	essayons	avons essayé	essayions	essaierons	essaierions	essayions	essayons
	vous	essayez	avez essayé	essayiez	essaierez	essaieriez	essayiez	essayez
	ils/elles	essayent	ont essayé	essayaient	essaieront	essaieraient	essaient	
11 manger (to eat)	je (j')	mange	ai mangé	mangeais	mangerai	mangerais	mange	
	tu	manges	as mangé	mangeais	mangeras	mangerais	manges	mange
	il/elle/on	mange	a mangé	mangeait	mangera	mangerait	mange	
mangé	nous	mangeons	avons mangé	mangions	mangerons	mangerions	mangions	mangeons
	vous	mangez	avez mangé	mangiez	mangerez	mangeriez	mangiez	mangez
	ils/elles	mangent	ont mangé	mangeaient	mangeront	mangeraient	mangent	
12 préférer (to prefer)	je (j')	préfère	ai préféré	préférais	préférerai	préférerais	préfère	
	tu	préfères	as préféré	préférais	préféreras	préférerais	préfères	préfère
	il/elle/on	préfère	a préféré	préférait	préférera	préférerait	préfère	
préféré	nous	préférons	avons préféré	préférions	préférerons	préférerions	préférions	préférons
	vous	préférez	avez préféré	préfériez	préférerez	préféreriez	préfériez	préférez
	ils/elles	préfèrent	ont préféré	préféraient	préféreront	préféreraient	préfèrent	

Irregular verbs

Infinitive		INDICATIVE				CONDITIONAL	SUBJUNCTIVE	IMPERATIVE
Past participle	Subject Pronouns	Present	Passé composé	Imperfect	Future	Present	Present	
13 aller	je (j')	vais	suis allé(e)	allais	irai	irais	aille	
(to go)	tu	vas	es allé(e)	allais	iras	irais	ailles	va
	il/elle/on	va	est allé(e)	allait	ira	irait	aille	
allé	nous	allons	sommes allé(e)s	allions	irons	irions	allions	allons
	vous	allez	êtes allé(e)s	alliez	irez	iriez	alliez	allez
	ils/elles	vont	sont allé(e)s	allaient	iront	iraient	aillent	
14 s'asseoir	je	m'assieds	me suis assis(e)	m'asseyais	m'assiérai	m'assiérais	m'asseye	
(to sit down,	tu	t'assieds	t'es assis(e)	t'asseyais	t'assiéras	t'assiérais	t'asseyes	assieds-toi
to be seated)	il/elle/on	s'assied	s'est assis(e)	s'asseyait	s'assiéra	s'assiérait	s'asseye	
assis	nous	nous asseyons	nous sommes assis(e)s	nous asseyions	nous assiérons	nous assiérions	nous asseyions	asseyons-nous
	vous	vous asseyez	vous êtes assis(e)s	vous asseyiez	vous assiérez	vous assiériez	vous asseyiez	asseyez-vous
	ils/elles	s'asseyent	se sont assis(e)s	s'asseyaient	s'assiéront	s'assiéraient	s'asseyent	
15 boire	je (j')	bois	ai bu	buvais	boirai	boirais	boive	
(to drink)	tu	bois	as bu	buvais	boiras	boirais	boives	bois
	il/elle/on	boit	a bu	buvait	boira	boirait	boive	
bu	nous	buvons	avons bu	buvions	boirons	boirions	buvions	buvons
	vous	buvez	avez bu	buviez	boirez	boiriez	buviez	buvez
	ils/elles	boivent	ont bu	buvaient	boiront	boiraient	boivent	
16 conduire	je (j')	conduis	ai conduit	conduisais	conduirai	conduirais	conduise	
(to drive; to lead)	tu	conduis	as conduit	conduisais	conduiras	conduirais	conduises	conduis
	il/elle/on	conduit	a conduit	conduisait	conduira	conduirait	conduise	
conduit	nous	conduisons	avons conduit	conduisions	conduirons	conduirions	conduisions	conduisons
	vous	conduisez	avez conduit	conduisiez	conduirez	conduiriez	conduisiez	conduisez
	ils/elles	conduisent	ont conduit	conduisaient	conduiront	conduiraient	conduisent	
17 connaître	je (j')	connais	ai connu	connaissais	connaîtrai	connaîtrais	connaisse	
(to know, to be	tu	connais	as connu	connaissais	connaîtras	connaîtrais	connaisses	connais
acquainted with)	il/elle/on	connaît	a connu	connaissait	connaîtra	connaîtrait	connaisse	
	nous	connaissons	avons connu	connaissions	connaîtrons	connaîtrions	connaissions	connaissons
connu	vous	connaissez	avez connu	connaissiez	connaîtrez	connaîtriez	connaissiez	connaissez
	ils/elles	connaissent	ont connu	connaissaient	connaîtront	connaîtraient	connaissent	
18 courir	je (j')	cours	ai couru	courais	courrai	courrais	coure	
(to run)	tu	cours	as couru	courais	courras	courrais	coures	cours
	il/elle/on	court	a couru	courait	courra	courrait	coure	
couru	nous	courons	avons couru	courions	courrons	courrions	courions	courons
	vous	courez	avez couru	couriez	courrez	courriez	couriez	courez
	ils/elles	courent	ont couru	couraient	courront	courraient	courent	
19 croire	je (j')	crois	ai cru	croyais	croirai	croirais	croie	
(to believe)	tu	crois	as cru	croyais	croiras	croirais	croies	crois
	il/elle/on	croit	a cru	croyait	croira	croirait	croie	
cru	nous	croyons	avons cru	croyions	croirons	croirions	croyions	croyons
	vous	croyez	avez cru	croyiez	croirez	croiriez	croyiez	croyez
	ils/elles	croient	ont cru	croyaient	croiront	croiraient	croient	

Irregular verbs (continued)

Infinitive		INDICATIVE				CONDITIONAL	SUBJUNCTIVE	IMPERATIVE
Past participle	Subject Pronouns	Present	Passé composé	Imperfect	Future	Present	Present	
20 devoir	je (j')	dois	ai dû	devais	devrai	devrais	doive	
(to have to;	tu	dois	as dû	devais	devras	devrais	doives	dois
to owe)	il/elle/on	doit	a dû	devait	devra	devrait	doive	
	nous	devons	avons dû	devions	devrons	devrions	devions	devons
dû	vous	devez	avez dû	deviez	devrez	devriez	deviez	devez
	ils/elles	doivent	ont dû	devaient	devront	devraient	doivent	
21 dire	je (j')	dis	ai dit	disais	dirai	dirais	dise	
(to say, to tell)	tu	dis	as dit	disais	diras	dirais	dises	dis
	il/elle/on	dit	a dit	disait	dira	dirait	dise	
dit	nous	disons	avons dit	disions	dirons	dirions	disions	disons
	vous	dites	avez dit	disiez	direz	diriez	disiez	dites
	ils/elles	disent	ont dit	disaient	diront	diraient	disent	
22 écrire	j'	écris	ai écrit	écrivais	écrirai	écrirais	écrive	
(to write)	tu	écris	as écrit	écrivais	écriras	écrirais	écrives	écris
	il/elle/on	écrit	a écrit	écrivait	écrira	écrirait	écrive	
écrit	nous	écrivons	avons écrit	écrivions	écrirons	écririons	écrivions	écrivons
	vous	écrivez	avez écrit	écriviez	écrirez	écririez	écriviez	écrivez
	ils/elles	écrivent	ont écrit	écrivaient	écriront	écriraient	écrivent	
23 envoyer	j'	envoie	ai envoyé	envoyais	enverrai	enverrais	envoie	
(to send)	tu	envoies	as envoyé	envoyais	enverras	enverrais	envoies	envoie
	il/elle/on	envoie	a envoyé	envoyait	enverra	enverrait	envoie	
envoyé	nous	envoyons	avons envoyé	envoyions	enverrons	enverrions	envoyions	envoyons
	vous	envoyez	avez envoyé	envoyiez	enverrez	enverriez	envoyiez	envoyez
	ils/elles	envoient	ont envoyé	envoyaient	enverront	enverraient	envoient	
24 éteindre	j'	éteins	ai éteint	éteignais	éteindrai	éteindrais	éteigne	
(to turn off)	tu	éteins	as éteint	éteignais	éteindras	éteindrais	éteignes	éteins
	il/elle/on	éteint	a éteint	éteignait	éteindra	éteindrait	éteigne	
éteint	nous	éteignons	avons éteint	éteignions	éteindrons	éteindrions	éteignions	éteignons
	vous	éteignez	avez éteint	éteigniez	éteindrez	éteindriez	éteigniez	éteignez
	ils/elles	éteignent	ont éteint	éteignaient	éteindront	éteindraient	éteignent	
25 faire	je (j')	fais	ai fait	faisais	ferai	ferais	fasse	
(to do; to make)	tu	fais	as fait	faisais	feras	ferais	fasses	fais
	il/elle/on	fait	a fait	faisait	fera	ferait	fasse	
fait	nous	faisons	avons fait	faisions	ferons	ferions	fassions	faisons
	vous	faites	avez fait	faisiez	ferez	feriez	fassiez	faites
	ils/elles	font	ont fait	faisaient	feront	feraient	fassent	
26 falloir	il	faut	a fallu	fallait	faudra	faudrait	faille	
(to be necessary)								
fallu								

Infinitive	INDICATIVE					CONDITIONAL	SUBJUNCTIVE	IMPERATIVE
Past participle	Subject Pronouns	Present	Passé composé	Imperfect	Future	Present	Present	
27 lire	je (j')	lis	ai lu	lisais	lirai	lirais	lise	
(to read)	tu	lis	as lu	lisais	liras	lirais	lises	lis
	il/elle/on	lit	a lu	lisait	lira	lirait	lise	
lu	nous	lisons	avons lu	lisions	lirons	lirions	lisions	lisons
	vous	lisez	avez lu	lisiez	lirez	liriez	lisiez	lisez
	ils/elles	lisent	ont lu	lisaient	liront	liraient	lisent	
28 mettre	je (j')	mets	ai mis	mettais	mettrai	mettrais	mette	
(to put)	tu	mets	as mis	mettais	mettras	mettrais	mettes	mets
	il/elle/on	met	a mis	mettait	mettra	mettrait	mette	
mis	nous	mettons	avons mis	mettions	mettrons	mettrions	mettions	mettons
	vous	mettez	avez mis	mettiez	mettrez	mettriez	mettiez	mettez
	ils/elles	mettent	ont mis	mettaient	mettront	mettraient	mettent	
29 mourir	je	meurs	suis mort(e)	mourais	mourrai	mourrais	meure	
(to die)	tu	meurs	es mort(e)	mourais	mourras	mourrais	meures	meurs
	il/elle/on	meurt	est mort(e)	mourait	mourra	mourrait	meure	
mort	nous	mourons	sommes mort(e)s	mourions	mourrons	mourrions	mourions	mourons
	vous	mourez	êtes mort(e)s	mouriez	mourrez	mourriez	mouriez	mourez
	ils/elles	meurent	sont mort(e)s	mouraient	mourront	mourraient	meurent	
30 naître	je	nais	suis né(e)	naissais	naîtrai	naîtrais	naisse	
(to be born)	tu	nais	es né(e)	naissais	naîtras	naîtrais	naisses	nais
	il/elle/on	naît	est né(e)	naissait	naîtra	naîtrait	naisse	
né	nous	naissons	sommes né(e)s	naissions	naîtrons	naîtrions	naissions	naissons
	vous	naissez	êtes né(e)s	naissiez	naîtrez	naîtriez	naissiez	naissez
	ils/elles	naissent	sont né(e)s	naissaient	naîtront	naîtraient	naissent	
31 ouvrir	j'	ouvre	ai ouvert	ouvrais	ouvrirai	ouvrirais	ouvre	
(to open)	tu	ouvres	as ouvert	ouvrais	ouvriras	ouvrirais	ouvres	ouvre
	il/elle/on	ouvre	a ouvert	ouvrait	ouvrira	ouvrirait	ouvre	
ouvert	nous	ouvrons	avons ouvert	ouvrions	ouvrirons	ouvririons	ouvrions	ouvrons
	vous	ouvrez	avez ouvert	ouvriez	ouvrirez	ouvririez	ouvriez	ouvrez
	ils/elles	ouvrent	ont ouvert	ouvraient	ouvriront	ouvriraient	ouvrent	
32 partir	je	pars	suis parti(e)	partais	partirai	partirais	parte	
(to leave)	tu	pars	es parti(e)	partais	partiras	partirais	partes	pars
	il/elle/on	part	est parti(e)	partait	partira	partirait	parte	
parti	nous	partons	sommes parti(e)s	partions	partirons	partirions	partions	partons
	vous	partez	êtes parti(e)(s)	partiez	partirez	partiriez	partiez	partez
	ils/elles	partent	sont parti(e)s	partaient	partiront	partiraient	partent	
33 pleuvoir	il	pleut	a plu	pleuvait	pleuvra	pleuvrait	pleuve	
(to rain)								
plu								

Irregular verbs (continued)

Infinitive	INDICATIVE					CONDITIONAL	SUBJUNCTIVE	IMPERATIVE
Past participle	Subject Pronouns	Present	Passé composé	Imperfect	Future	Present	Present	
34 pouvoir	je (j')	peux	ai pu	pouvais	pourrai	pourrais	puisse	
(to be able)	tu	peux	as pu	pouvais	pourras	pourrais	puisses	
	il/elle/on	peut	a pu	pouvait	pourra	pourrait	puisse	
pu	nous	pouvons	avons pu	pouvions	pourrons	pourrions	puissions	
	vous	pouvez	avez pu	pouviez	pourrez	pourriez	puissiez	
	ils/elles	peuvent	ont pu	pouvaient	pourront	pourraient	puissent	
35 prendre	je (j')	prends	ai pris	prenais	prendrai	prendrais	prenne	
(to take)	tu	prends	as pris	prenais	prendras	prendrais	prennes	prends
	il/elle/on	prend	a pris	prenait	prendra	prendrait	prenne	
pris	nous	prenons	avons pris	prenions	prendrons	prendrions	prenions	prenons
	vous	prenez	avez pris	preniez	prendrez	prendriez	preniez	prenez
	ils/elles	prennent	ont pris	prenaient	prendront	prendraient	prennent	
36 recevoir	je (j')	reçois	ai reçu	recevais	recevrai	recevrais	reçoive	
(to receive)	tu	reçois	as reçu	recevais	recevras	recevrais	reçoives	reçois
	il/elle/on	reçoit	a reçu	recevait	recevra	recevrait	reçoive	
reçu	nous	recevons	avons reçu	recevions	recevrons	recevrions	recevions	recevons
	vous	recevez	avez reçu	receviez	recevrez	recevriez	receviez	recevez
	ils/elles	reçoivent	ont reçu	recevaient	recevront	recevraient	reçoivent	
37 rire	je (j')	ris	ai ri	riais	rirai	rirais	rie	
(to laugh)	tu	ris	as ri	riais	riras	rirais	ries	ris
	il/elle/on	rit	a ri	riait	rira	rirait	rie	
ri	nous	rions	avons ri	riions	rirons	ririons	riions	rions
	vous	riez	avez ri	riiez	rirez	ririez	riiez	riez
	ils/elles	rient	ont ri	riaient	riront	riraient	rient	
38 savoir	je (j')	sais	ai su	savais	saurai	saurais	sache	
(to know)	tu	sais	as su	savais	sauras	saurais	saches	sache
	il/elle/on	sait	a su	savait	saura	saurait	sache	
su	nous	savons	avons su	savions	saurons	saurions	sachions	sachons
	vous	savez	avez su	saviez	saurez	sauriez	sachiez	sachez
	ils/elles	savent	ont su	savaient	sauront	sauraient	sachent	
39 suivre	je (j')	suis	ai suivi	suivais	suivrai	suivrais	suive	
(to follow)	tu	suis	as suivi	suivais	suivras	suivrais	suives	suis
	il/elle/on	suit	a suivi	suivait	suivra	suivrait	suive	
suivi	nous	suivons	avons suivi	suivions	suivrons	suivrions	suivions	suivons
	vous	suivez	avez suivi	suiviez	suivrez	suivriez	suiviez	suivez
	ils/elles	suivent	ont suivi	suivaient	suivront	suivraient	suivent	
40 tenir	je (j')	tiens	ai tenu	tenais	tiendrai	tiendrais	tienne	
(to hold)	tu	tiens	as tenu	tenais	tiendras	tiendrais	tiennes	tiens
	il/elle/on	tient	a tenu	tenait	tiendra	tiendrait	tienne	
tenu	nous	tenons	avons tenu	tenions	tiendrons	tiendrions	tenions	tenons
	vous	tenez	avez tenu	teniez	tiendrez	tiendriez	teniez	tenez
	ils/elles	tiennent	ont tenu	tenaient	tiendront	tiendraient	tiennent	

Infinitive		INDICATIVE				CONDITIONAL	SUBJUNCTIVE	IMPERATIVE
Past participle	Subject Pronouns	Present	Passé composé	Imperfect	Future	Present	Present	
41 venir	je	viens	suis venu(e)	venais	viendrai	viendrais	vienne	
(to come)	tu	viens	es venu(e)	venais	viendras	viendrais	viennes	viens
	il/elle/on	vient	est venu(e)	venait	viendra	viendrait	vienne	
venu	nous	venons	sommes venu(e)s	venions	viendrons	viendrions	venions	venons
	vous	venez	êtes venu(e)(s)	veniez	viendrez	viendriez	veniez	venez
	ils/elles	viennent	sont venu(e)s	venaient	viendront	viendraient	viennent	
42 voir	je (j')	vois	ai vu	voyais	verrai	verrais	voie	
(to see)	tu	vois	as vu	voyais	verras	verrais	voies	vois
	il/elle/on	voit	a vu	voyait	verra	verrait	voie	
vu	nous	voyons	avons vu	voyions	verrons	verrions	voyions	voyons
	vous	voyez	avez vu	voyiez	verrez	verriez	voyiez	voyez
	ils/elles	voient	ont vu	voyaient	verront	verraient	voient	
43 vouloir	je (j')	veux	ai voulu	voulais	voudrai	voudrais	veuille	
(to want, to wish)	tu	veux	as voulu	voulais	voudras	voudrais	veuilles	veuille
	il/elle/on	veut	a voulu	voulait	voudra	voudrait	veuille	
voulu	nous	voulons	avons voulu	voulions	voudrons	voudrions	voulions	veuillons
	vous	voulez	avez voulu	vouliez	voudrez	voudriez	vouliez	veuillez
	ils/elles	veulent	ont voulu	voulaient	voudront	voudraient	veuillent	

Guide to Vocabulary

Abbreviations used in this glossary

adj.	adjective	*form.*	formal	*p.p.*	past participle
adv.	adverb	*imp.*	imperative	*pl.*	plural
art.	article	*indef.*	indefinite	*poss.*	possessive
comp.	comparative	*interj.*	interjection	*prep.*	preposition
conj.	conjunction	*interr.*	interrogative	*pron.*	pronoun
def.	definite	*inv.*	invariable	*refl.*	reflexive
dem.	demonstrative	*i.o.*	indirect object	*rel.*	relative
disj.	disjunctive	*m.*	masculine	*sing.*	singular
d.o.	direct object	*n.*	noun	*sub.*	subject
f.	feminine	*obj.*	object	*super.*	superlative
fam.	familiar	*part.*	partitive	*v.*	verb

French-English

A

à *prep.* at; in; to 4
  À bientôt. See you soon. 1
  à condition que on the condition that, provided that
  à côté de *prep.* next to 3
  À demain. See you tomorrow. 1
  à droite (de) *prep.* to the right (of) 3
  à gauche (de) *prep.* to the left (of) 3
  à ... heure(s) at ... (o'clock) 4
  à la radio on the radio
  à la télé(vision) on television
  à l'automne in the fall 5
  à l'étranger abroad, overseas 7
  à mi-temps part-time (*job*)
  à moins que unless
  à plein temps full-time (*job*)
  À plus tard. See you later. 1
  À quelle heure? What time?; When? 2
  À qui? To whom? 4
  À table! Dinner is ready! 9
  à temps partiel part-time (*job*)
  À tout à l'heure. See you later. 1
  au bout (de) *prep.* at the end (of) 12
  au contraire on the contrary
  au fait by the way 3
  au printemps in the spring 5
  Au revoir. Good-bye. 1
  au secours help 11
  au sujet de on the subject of, about 13

abolir *v.* to abolish 13
abonner *v.* to follow, to subscribe 11
  s'abonner *v.* to follow, to subscribe to 11
absolument *adv.* absolutely 8
accident *m.* accident 11
  avoir un accident to have/to be in an accident 11
accompagner *v.* to accompany 12
acheter *v.* to buy 5
acteur *m.* actor 1
actif/active *adj.* active 3
activement *adv.* actively 8
actrice *f.* actress 1
addition *f.* check, bill 4
adieu farewell 13
adolescence *f.* adolescence 6
adorer *v.* to love, to adore 2
  J'adore... I love... 2
  s'adorer *v.* to adore one another 11
adresse *f.* address 12
aérobic *m.* aerobics 5
  faire de l'aérobic *v.* to do aerobics 5
aéroport *m.* airport 7
affaires *f., pl.* business 3
affiche *f.* poster 8
afficher *v.* to post
âge *m.* age 6
  âge adulte *m.* adulthood 6
agence de voyages *f.* travel agency 7
agent *m.* officer; agent 11
  agent de police *m.* police officer 11
  agent de voyages *m.* travel agent 7
  agent immobilier *m.* real estate agent
agréable *adj.* pleasant 1
agriculteur/agricultrice *m., f.* farmer

aider (à) *v.* to help (*to do something*) 5
  s'aider *v.* to help one another 11
aie (avoir) *imp. v.* have 7
ail *m.* garlic 9
aimer *v.* to like 2
  aimer mieux to prefer 2
  aimer que... to like that... 13
  J'aime bien... I really like... 2
  Je n'aime pas tellement... I don't like ... very much 2
  s'aimer (bien) *v.* to love (like) one another 11
aîné(e) *adj.* elder 3
algérien(ne) *adj.* Algerian 1
aliment *m.* food item 9
Allemagne *f.* Germany 7
allemand(e) *adj.* German 1
aller *v.* to go 4
  aller à la pêche to go fishing 5
  aller aux urgences to go to the emergency room 10
  aller avec to go with 6
  aller-retour *adj.* round-trip 7
  Allons-y! Let's go! 2
  billet aller-retour *m.* round-trip ticket 7
  Ça va? What's up?; How are things? 1
  Comment allez-vous? *form.* How are you? 1
  Comment vas-tu? *fam.* How are you? 1
  Je m'en vais. I'm leaving. 8
  Je vais bien/mal. I am doing well/badly. 1
  J'y vais. I'm going/coming. 8
  Nous y allons. We're going/coming. 9
allergie *f.* allergy 10
allô (*on the phone*) hello 1
allumer *v.* to turn on 11
  s'allumer *v.* to light up 11

alors *adv.* so, then; at that moment 2

améliorer *v.* to improve

amende *f.* fine 11

amener *v.* to bring (*someone*) 5

américain(e) *adj.* American 1
football américain *m.* football 5

ami(e) *m., f.* friend 1
petit(e) ami(e) *m., f.* boyfriend/girlfriend 1

amitié *f.* friendship 6

amour *m.* love 6

amoureux/amoureuse *adj.* in love 6
tomber amoureux/amoureuse *v.* to fall in love 6

amusant(e) *adj.* fun 1

s'amuser *v.* to play; to have fun 10
s'amuser à *v.* to pass time by 11

an *m.* year 2

ancien(ne) *adj.* ancient, old; former

ange *m.* angel 1

anglais(e) *adj.* English 1

angle *m.* corner 12

Angleterre *f.* England 7

animal *m.* animal 13

année *f.* year 2
cette année this year 2

anniversaire *m.* birthday 5
C'est quand l'anniversaire de ... ? When is ...'s birthday? 5
C'est quand ton/votre anniversaire? When is your birthday? 5

annuler (une réservation) *v.* to cancel (a reservation) 7

anorak *m.* ski jacket, parka 6

antipathique *adj.* unpleasant 3

août *m.* August 5

apercevoir *v.* to see, to catch sight of 12
s'apercevoir *v.* to notice; to realize 12

aperçu (apercevoir) *p.p.* seen, caught sight of 12

appareil *m.* (on the phone) telephone
appareil (électrique/ménager) *m.* (electrical/household) appliance 8
appareil photo (numérique) *m.* (digital) camera 11
C'est M./Mme/Mlle ... à l'appareil. It's Mr./Mrs./Miss ... on the phone.
Qui est à l'appareil? Who's calling, please?

appartement *m.* apartment 7

appeler *v.* to call
s'appeler *v.* to be named, to be called 10

Comment t'appelles-tu? *fam.* What is your name? 1

Comment vous appelez-vous? *form.* What is your name? 1

Je m'appelle... My name is... 1

applaudir *v.* to applaud

applaudissement *m.* applause

apporter *v.* to bring (*something*) 4

apprendre (à) *v.* to teach; to learn (*to do something*) 4

appris (apprendre) *p.p., adj.* learned 6

après (que) *adv.* after 2

après-demain *adv.* day after tomorrow 2

après-midi *m.* afternoon 2
cet après-midi this afternoon 2
de l'après-midi in the afternoon 2
demain après-midi *adv.* tomorrow afternoon 2
hier après-midi *adv.* yesterday afternoon 2

arbre *m.* tree 13

architecte *m., f.* architect 3

architecture *f.* architecture 2

argent *m.* money 12
dépenser de l'argent *v.* to spend money 4
déposer de l'argent *v.* to deposit money 12
retirer de l'argent *v.* to withdraw money 12

armoire *f.* armoire, wardrobe 8

arrêt d'autobus (de bus) *m.* bus stop 7

arrêter (de faire quelque chose) *v.* to stop (doing something) 11
s'arrêter *v.* to stop 10

arrivée *f.* arrival 7

arriver (à) *v.* to arrive; to manage (*to do something*) 2

art *m.* art 2
beaux-arts *m., pl.* fine arts

artiste *m., f.* artist 3

ascenseur *m.* elevator 7

aspirateur *m.* vacuum cleaner 8
passer l'aspirateur to vacuum 8

aspirine *f.* aspirin 10

s'asseoir *v.* to sit down 10

Asseyez-vous! (s'asseoir) *imp. v.* Have a seat! 10

assez *adv.* (*before adjective or adverb*) pretty; quite 8
assez (de) (*before noun*) enough (of) 4
pas assez (de) not enough (of) 4

assiette *f.* plate 9

assis (s'asseoir) *p.p., adj.* (*used as past participle*) sat down; (*used as adjective*) sitting, seated 10

assister à *v.* to attend 2

assurance (maladie/vie) *f.* (health/life) insurance

athlète *m., f.* athlete 3

attacher *v.* to attach 11
attacher sa ceinture de sécurité to buckle one's seatbelt 11

attendre *v.* to wait 6

attention *f.* attention 5
faire attention (à) *v.* to pay attention (to) 5

au (à + le) *prep.* to/at the 4

auberge de jeunesse *f.* youth hostel 7

aubergine *f.* eggplant 9

aucun(e) *adj.* no; *pron.* none 10
ne... aucun(e) none, not any 12

augmentation (de salaire) *f.* raise (in salary)

aujourd'hui *adv.* today 2

auquel (à + lequel) *pron., m., sing.* which one

aussi *adv.* too, as well; as 1
aussi ... que (*used with an adjective*) as ... as 9
Moi aussi. Me too. 1

autant de ... que *adv.* (*used with noun to express quantity*) as much/as many ... as 13

auteur/femme auteur *m., f.* author

autobus *m.* bus 7
arrêt d'autobus (de bus) *m.* bus stop 7
prendre un autobus to take a bus 7

automne *m.* fall 5
à l'automne in the fall 5

autoroute *f.* highway 11

autour (de) *prep.* around 12

autrefois *adv.* in the past 8

aux (à + les) to/at the 4

auxquelles (à + lesquelles) *pron., f., pl.* which ones

auxquels (à + lesquels) *pron., m., pl.* which ones

avance *f.* advance 2
en avance *adv.* early 2

avant (de/que) *adv.* before 7

avant-hier *adv.* day before yesterday 7

avec *prep.* with 1
Avec qui? With whom? 4

aventure *f.* adventure
film d'aventures *m.* adventure film

avenue *f.* avenue 12

avion *m.* airplane 7
prendre un avion *v.* to take a plane 7

avocat(e) *m., f.* lawyer 3
avoir *v.* to have 2
  aie *imp. v.* have 7
  avoir besoin (de) to need (*something*) 2
  avoir chaud to be hot 2
  avoir de la chance to be lucky 2
  avoir envie (de) to feel like (*doing something*) 2
  avoir faim to be hungry 4
  avoir froid to be cold 2
  avoir honte (de) to be ashamed (of) 2
  avoir l'air to look like, seem 2
  avoir mal to have an ache 10
  avoir mal au cœur to feel nauseated 10
  avoir peur (de/que) to be afraid (of/that) 2
  avoir raison to be right 2
  avoir soif to be thirsty 4
  avoir sommeil to be sleepy 2
  avoir tort to be wrong 2
  avoir un accident to have/to be in an accident 11
  avoir un compte bancaire to have a bank account 12
  en avoir marre to be fed up 3
avril *m.* April 5
ayez (avoir) *imp. v.* have 7
ayons (avoir) *imp. v.* let's have 7

B

bac(calauréat) *m.* an important exam taken by high-school students in France 2
baguette *f.* baguette 4
baignoire *f.* bathtub 8
bain *m.* bath 6
  salle de bains *f.* bathroom 8
balai *m.* broom 8
balayer *v.* to sweep 8
balcon *m.* balcony 8
banane *f.* banana 9
banc *m.* bench 12
bancaire *adj.* banking 12
  avoir un compte bancaire *v.* to have a bank account 12
bande dessinée (B.D.) *f.* comic strip 5
banlieue *f.* suburbs 4
banque *f.* bank 12
banquier/banquière *m., f.* banker
barbant adj., **barbe** *f.* drag 3
baseball *m.* baseball 5
basket(-ball) *m.* basketball 5
baskets *f., pl.* tennis shoes 6
bateau *m.* boat 7
  prendre un bateau *v.* to take a boat 7

bateau-mouche *m.* riverboat 7
bâtiment *m.* building 12
batterie *f.* drums
batterie *f.* battery 11
  batterie faible/déchargée low/dead battery 11
bavarder *v.* to chat 4
beau (belle) *adj.* handsome; beautiful 3
  faire quelque chose de beau *v.* to be up to something interesting 12
  Il fait beau. The weather is nice. 5
beaucoup (de) *adv.* a lot (of) 4
  Merci (beaucoup). Thank you (very much). 1
beau-frère *m.* brother-in-law 3
beau-père *m.* father-in-law; stepfather 3
beaux-arts *m., pl.* fine arts
belge *adj.* Belgian 7
Belgique *f.* Belgium 7
belle *adj., f.* (*feminine form of* **beau**) beautiful 3
belle-mère *f.* mother-in-law; stepmother 3
belle-sœur *f.* sister-in-law 3
besoin *m.* need 2
  avoir besoin (de) to need (*something*) 2
beurre *m.* butter 4
bibliothèque *f.* library 1
bien *adv.* well 7
  bien sûr *adv.* of course 2
  Je vais bien. I am doing well. 1
  Très bien. Very well. 1
bientôt *adv.* soon 1
  À bientôt. See you soon. 1
bienvenu(e) *adj.* welcome 1
bière *f.* beer 6
bijouterie *f.* jewelry store 12
billet *m.* (*travel*) ticket 7; (*money*) bills, notes 12
  billet aller-retour *m.* round-trip ticket 7
biologie *f.* biology 2
biscuit *m.* cookie 6
blague *f.* joke 2
blanc(he) *adj.* white 6
se blesser *v.* to hurt oneself 10
blessure f. injury, wound 10
bleu(e) *adj.* blue 3
blond(e) *adj.* blonde 3
blouson *m.* jacket 6
bœuf *m.* beef 9
boire *v.* to drink 4
bois *m.* woods 13
boisson (gazeuse) *f.* (carbonated) drink/beverage 4

boîte *f.* box; can 9
  boîte aux lettres *f.* mailbox 12
  boîte de conserve *f.* can (of food) 9
  boîte de nuit *f.* nightclub 4
bol *m.* bowl 9
bon(ne) *adj.* kind; good 3
  bon marché *adj.* inexpensive 6
  Il fait bon. The weather is good/warm. 5
bonbon *m.* candy 6
bonheur *m.* happiness 6
Bonjour. Good morning.; Hello. 1
Bonsoir. Good evening.; Hello. 1
bouche *f.* mouth 10
boucherie *f.* butcher's shop 9
boulangerie *f.* bread shop, bakery 9
boulevard *m.* boulevard 12
  suivre un boulevard *v.* to follow a boulevard 12
bourse *f.* scholarship, grant 2
bout *m.* end 12
  au bout (de) *prep.* at the end (of) 12
bouteille (de) *f.* bottle (of) 4
boutique *f.* boutique, store 12
brancher *v.* to plug in, to connect 11
bras *m.* arm 10
brasserie *f.* café; restaurant 12
Brésil *m.* Brazil 7
brésilien(ne) *adj.* Brazilian 7
bricoler *v.* to tinker; to do odd jobs 5
brillant(e) *adj.* brilliant 1
bronzer *v.* to tan 6
brosse (à cheveux/à dents) *f.* (hair/tooth)brush 10
se brosser (les cheveux/les dents) *v.* to brush one's (hair/teeth) 9
brun(e) *adj.* (*hair*) dark 3
bu (boire) *p.p.* drunk 6
bureau *m.* desk; office 1
  bureau de poste *m.* post office 12
bus *m.* bus 7
  arrêt d'autobus (de bus) *m.* bus stop 7
  prendre un bus *v.* to take a bus 7

C

ça *pron.* that; this; it 1
  Ça dépend. It depends. 4
  Ça ne nous regarde pas. That has nothing to do with us.; That is none of our business. 13
  Ça suffit. That's enough. 5

Ça te dit? Does that appeal to you? 13
Ça va? What's up?; How are things? 1
ça veut dire that is to say 10
Comme ci, comme ça. So-so. 1
cadeau *m.* gift 6
   paquet cadeau wrapped gift 6
cadet(te) *adj.* younger 3
cadre/femme cadre *m., f.* executive
café *m.* café; coffee 1
   terrasse de café *f.* café terrace 4
   cuillère à café *f.* teaspoon 9
cafetière *f.* coffeemaker 8
cahier *m.* notebook 1
calculatrice *f.* calculator 1
calme *adj.* calm 1; *m.* calm 1
camarade *m., f.* friend 1
   camarade de chambre *m., f.* roommate 1
   camarade de classe *m., f.* classmate 1
campagne *f.* country(side) 7
   pain de campagne *m.* country-style bread 4
   pâté (de campagne) *m.* pâté, meat spread 9
camping *m.* camping 5
   faire du camping *v.* to go camping 5
Canada *m.* Canada 7
canadien(ne) *adj.* Canadian 1
canapé *m.* couch 8
candidat(e) *m., f.* candidate; applicant
cantine *f.* cafeteria 9
capitale *f.* capital 7
capot *m.* hood 11
carafe (d'eau) *f.* pitcher (of water) 9
carotte *f.* carrot 9
carrefour *m.* intersection 12
carrière *f.* career
carte f. map 1; menu 9; card 12
   payer avec une carte de crédit to pay with a credit card 12
   carte postale *f.* postcard 12
   cartes *f. pl. (playing)* cards 5
casquette *f. (baseball)* cap 6
se casser *v.* to break 10
catastrophe *f.* catastrophe 13
cave *f.* basement, cellar 8
ce *dem. adj., m., sing.* this; that 6
   ce matin this morning 2
   ce mois-ci this month 2
   Ce n'est pas grave. It's no big deal. 6
   ce soir this evening 2
   ce sont... those are... 1
   ce week-end this weekend 2

ceinture *f.* belt 6
   attacher sa ceinture de sécurité *v.* to buckle one's seatbelt 11
célèbre *adj.* famous
célébrer *v.* to celebrate 5
célibataire *adj.* single 3
celle *pron., f., sing.* this one; that one; the one 13
celles *pron., f., pl.* these; those; the ones 13
celui *pron., m., sing.* this one; that one; the one 13
cent *m.* one hundred 3
   cent mille *m.* one hundred thousand 5
   cent un *m.* one hundred one 5
   cinq cents *m.* five hundred 5
centième *adj.* hundredth 7
centrale nucléaire *f.* nuclear power plant 13
centre commercial *m.* shopping center, mall 4
centre-ville *m.* city/town center, downtown 4
certain(e) *adj.* certain 9
   Il est certain que... It is certain that... 13
   Il n'est pas certain que... It is uncertain that... 13
ces *dem. adj., m., f., pl.* these; those 6
c'est... it/that is... 1
   C'est de la part de qui? On behalf of whom?
   C'est le 1er (premier) octobre. It is October 1st. 5
   C'est M./Mme/Mlle ... (à l'appareil). It's Mr./Mrs./Miss ... (on the phone).
   C'est quand l'anniversaire de... ? When is ...'s birthday? 5
   C'est quand ton/votre anniversaire? When is your birthday? 5
   Qu'est-ce que c'est? What is it? 1
cet *dem. adj., m., sing.* this; that 6
   cet après-midi this afternoon 2
cette *dem. adj., f., sing.* this; that 6
   cette année this year 2
   cette semaine this week 2
ceux *pron., m., pl.* these; those; the ones 13
chaîne (de télévision) *f.* (television) channel 11
chaise *f.* chair 1
chambre *f.* bedroom 8
   chambre (individuelle) *f.* (single) room 7
   camarade de chambre *m., f.* roommate 1

champ *m.* field 13
champagne *m.* champagne 6
champignon *m.* mushroom 9
chance *f.* luck 2
   avoir de la chance *v.* to be lucky 2
chanson *f.* song
chanter *v.* to sing 5
chanteur/chanteuse *m., f.* singer 1
chapeau *m.* hat 6
chaque *adj.* each 6
charcuterie *f.* delicatessen 9
charmant(e) *adj.* charming 1
chasse *f.* hunt 13
chasser *v.* to hunt 13
chat *m.* cat 3
châtain *adj. (hair)* brown 3
chaud *m.* heat 2
   avoir chaud *v.* to be hot 2
   Il fait chaud. *(weather)* It is hot. 5
chauffeur de taxi/de camion *m.* taxi/truck driver
chaussette *f.* sock 6
chaussure *f.* shoe 6
chef d'entreprise *m.* head of a company
chef-d'œuvre *m.* masterpiece
chemin *m.* path; way 12
   suivre un chemin *v.* to follow a path 12
chemise (à manches courtes/longues) *f.* (short-/long-sleeved) shirt 6
chemisier *m.* blouse 6
chèque *m.* check 12
   compte de chèques *m.* checking account 12
   payer par chèque *v.* to pay by check 12
cher/chère *adj.* expensive 6
chercher *v.* to look for 2
   chercher un/du travail to look for work 12
chercheur/chercheuse *m., f.* researcher
chéri(e) *adj.* dear, beloved, darling 2
cheval *m.* horse 5
   faire du cheval *v.* to go horseback riding 5
cheveux *m., pl.* hair 9
   brosse à cheveux *f.* hairbrush 10
   cheveux blonds blond hair 3
   cheveux châtains brown hair 3
   se brosser les cheveux *v.* to brush one's hair 9
cheville *f.* ankle 10
   se fouler la cheville *v.* to twist/sprain one's ankle 10
chez *prep.* at *(someone's)* house 3, at *(a place)* 3

passer chez quelqu'un *v.* to stop by someone's house 4

chic *adj.* chic 4

chien *m.* dog 3

chimie *f.* chemistry 2

Chine *f.* China 7

chinois(e) *adj.* Chinese 7

chocolat (chaud) *m.* (hot) chocolate 4

chœur *m.* choir, chorus

choisir *v.* to choose 7

chômage *m.* unemployment
être au chômage *v.* to be unemployed

chômeur/chômeuse *m., f.* unemployed person

chose *f.* thing 1
quelque chose *m.* something; anything 4

chrysanthèmes *m., pl.* chrysanthemums 9

chut shh

-ci *(used with demonstrative adjective* ce *and noun or with demonstrative pronoun* celui*)* here 6
ce mois-ci this month 2

ciel *m.* sky 13

cinéma (ciné) *m.* movie theater, movies 4

cinq *m.* five 1

cinquante *m.* fifty 1

cinquième *adj.* fifth 7

circulation *f.* traffic 11

clair(e) *adj.* clear 13
Il est clair que... It is clear that... 13

classe *f.* *(group of students)* class 1
camarade de classe *m., f.* classmate 1
salle de classe *f.* classroom 1

clavier *m.* keyboard 11

clé *f.* key 7
clé/prise *f.* **USB** USB drive/ port 11

client(e) *m., f.* client; guest 7

cœur *m.* heart 10
avoir mal au cœur to feel nauseated 10

coffre *m.* trunk 11

se coiffer *v.* to do one's hair 10

coiffeur/coiffeuse *m., f.* hairdresser 3

coin *m.* corner 12

colis *m.* package 12

colocataire *m., f.* roommate (in an apartment) 1

Combien (de)... ? *adv.* How much/many... ? 1
Combien coûte... ? How much is... ? 4

combiné *m.* receiver

comédie (musicale) *f.* comedy (musical)

commander *v.* to order 9

comme *adv.* how; like, as 2
Comme ci, comme ça. So-so. 1

commencer (à) *v.* to begin *(to do something)* 2

comment *adv.* how 4
Comment? *adv.* What? 4
Comment allez-vous? *form.* How are you? 1
Comment t'appelles-tu? *fam.* What is your name? 1
Comment vas-tu? *fam.* How are you? 1
Comment vous appelez-vous? *form.* What is your name? 1

commerçant(e) *m., f.* shop-keeper 9

commissariat de police *m.* police station 12

commode *f.* dresser, chest of drawers 8

complet (complète) *adj.* full (no vacancies) 7

composer (un numéro) *v.* to dial (a number) 11

compositeur *m.* composer

comprendre *v.* to understand 4

compris (comprendre) *p.p., adj.* understood; included 6

comptable *m., f.* accountant

compte *m.* account *(at a bank)* 12
avoir un compte bancaire *v.* to have a bank account 12
compte de chèques *m.* checking account 12
compte d'épargne *m.* savings account 12
se rendre compte *v.* to realize 10

compter sur quelqu'un *v.* to count on someone 8

concert *m.* concert

condition *f.* condition
à condition que on the condition that..., provided that...

conduire *v.* to drive 6

conduit (conduire) *p.p., adj.* driven 6

confiture *f.* jam 9

congé *m.* day off 7
jour de congé *m.* day off 7
prendre un congé *v.* to take time off

congélateur *m.* freezer 8

connaissance *f.* acquaintance 5
faire la connaissance de *v.* to meet *(someone)* 5

connaître *v.* to know, to be familiar with 8
se connaître *v.* to know one another 11

connecté(e) *adj.* connected 11
être connecté(e) avec quelqu'un *v.* to be online with someone 7, 11

connu (connaître) *p.p., adj.* known; famous 8

conseil *m.* advice

conseiller/conseillère *m., f.* consultant; advisor

considérer *v.* to consider 5

constamment *adv.* constantly 8

construire *v.* to build, to construct 6

conte *m.* tale

content(e) *adj.* happy
être content(e) que... *v.* to be happy that... 13

continuer (à) *v.* to continue (doing something) 12

contraire *adj.* contrary
au contraire on the contrary

copain/copine *m., f.* friend 1

corbeille (à papier) *f.* wastebasket 1

corps *m.* body 10

costume *m.* (man's) suit 6

côte *f.* coast 13

coton *m.* cotton 12

cou *m.* neck 10

couche d'ozone *f.* ozone layer 13
trou dans la couche d'ozone *m.* hole in the ozone layer 13

se coucher *v.* to go to bed 10

couleur *f.* color 6
De quelle couleur... ? What color... ? 6

couloir *m.* hallway 8

couple *m.* couple 6

courage *m.* courage

courageux/courageuse *adj.* courageous, brave 3

couramment *adv.* fluently 8

courir *v.* to run 5

courrier *m.* mail 12

cours *m.* class, course 2

course *f.* errand 9
faire les courses *v.* to go (grocery) shopping 9

court(e) *adj.* short 3
chemise à manches courtes *f.* short-sleeved shirt 6

couru (courir) *p.p.* run 6

cousin(e) *m., f.* cousin 3

couteau *m.* knife 9

coûter *v.* to cost 4
Combien coûte... ? How much is... ? 4

couvert (couvrir) *p.p.* covered 11
couverture *f.* blanket 8
couvrir *v.* to cover 11
covoiturage *m.* carpooling 13
cravate *f.* tie 6
crayon *m.* pencil 1
crème *f.* cream 9
  crème à raser *f.* shaving cream 10
crêpe *f.* crêpe 5
crevé(e) *adj.* deflated; blown up 11
  pneu crevé *m.* flat tire 11
critique *f.* review; criticism
croire (que) *v.* to believe (that) 13
  ne pas croire que... to not believe that... 13
croissant *m.* croissant 4
croissant(e) *adj.* growing 13
  population croissante *f.* growing population 13
cru (croire) *p.p.* believed 13
cruel/cruelle *adj.* cruel 3
cuillère (à soupe/à café) *f.* spoon (soupspoon/teaspoon) 9
cuir *m.* leather 12
cuisine *f.* cooking; kitchen 5
  faire la cuisine *v.* to cook 5
cuisiner *v.* to cook 9
cuisinier/cuisinière *m., f.* cook
cuisinière *f.* stove 8
curieux/curieuse *adj.* curious 3
curriculum vitæ (C.V.) *m.* résumé

D

d'abord *adv.* first 7
d'accord *(tag question)* all right? 2; *(in statement)* okay 2
  être d'accord to be in agreement 2
danger *m.* danger, threat 13
dangereux/dangereuse *adj.* dangerous 11
dans *prep.* in 3
danse *f.* dance
danser *v.* to dance 4
danseur/danseuse *m., f.* dancer
date *f.* date 5
  Quelle est la date? What is the date? 5
d'autres *m., f.* others 4
de/d' *prep.* of 3; from 1
  de l'après-midi in the afternoon 2
  de laquelle *pron., f., sing.* which one 13
  De quelle couleur... ? What color... ? 6

De rien. You're welcome. 1
de taille moyenne medium-sized 3
de temps en temps *adv.* from time to time 8
débarrasser la table *v.* to clear the table 8
déboisement *m.* deforestation 13
début *m.* beginning; debut
décembre *m.* December 5
déchets toxiques *m., pl.* toxic waste 13
décider (de) *v.* to decide (*to do something*) 11
découvert (découvrir) *p.p.* discovered 11
découvrir *v.* to discover 11
décrire *v.* to describe 7
décrocher *v.* to pick up
décrit (décrire) *p.p., adj.* described 7
degrés *m., pl.* (*temperature*) degrees 5
  Il fait ... degrés. (*to describe weather*) It is ... degrees. 5
déjà *adv.* already 5
déjeuner *m.* lunch 9; *v.* to eat lunch 4
de l' *part. art., m., f., sing.* some 4
de la *part. art., f., sing.* some 4
délicieux/délicieuse delicious 8
demain *adv.* tomorrow 2
  À demain. See you tomorrow. 1
  après-demain *adv.* day after tomorrow 2
  demain matin/après-midi/ soir *adv.* tomorrow morning/ afternoon/evening 2
demander (à) *v.* to ask (*someone*), to make a request (*of someone*) 6
  demander que... *v.* to ask that... 13
démarrer *v.* to start up 11
déménager *v.* to move out 8
demie half 2
  et demie half past ... (o'clock) 2
demi-frère *m.* half-brother, stepbrother 3
demi-sœur *f.* half-sister, stepsister 3
démissionner *v.* to resign
dent *f.* tooth 9
  brosse à dents *f.* toothbrush 10
  se brosser les dents *v.* to brush one's teeth 9
dentifrice *m.* toothpaste 10
dentiste *m., f.* dentist 3
départ *m.* departure 7
dépasser *v.* to go over; to pass 11

dépense *f.* expenditure, expense 12
dépenser *v.* to spend 4
  dépenser de l'argent *v.* to spend money 4
se déplacer *v.* to move, to change location 12
déposer de l'argent *v.* to deposit money 12
déprimé(e) *adj.* depressed 10
depuis *adv.* since; for 9
dernier/dernière *adj.* last 2
dernièrement *adv.* lastly, finally 8
derrière *prep.* behind 3
des *part. art., m., f., pl.* some 4
des (de + les) *m., f., pl.* of the 3
dès que *adv.* as soon as 12
désagréable *adj.* unpleasant 1
descendre *v.* to go down; to take down 6
désert *m.* desert 13
se déshabiller *v.* to undress 10
désirer (que) *v.* to want (that), to desire 5
désolé(e) *adj.* sorry 6
  être désolé(e) que... to be sorry that... 13
desquelles (de + lesquelles) *pron., f., pl.* which ones 13
desquels (de + lesquels) *pron., m., pl.* which ones 13
dessert *m.* dessert 6
dessin animé *m.* cartoon
dessiner *v.* to draw 2
se détendre *v.* to relax 10
détester *v.* to hate 2
  Je déteste... I hate... 2
détruire *v.* to destroy 6
détruit (détruire) *p.p., adj.* destroyed 6
deux *m.* two 1
deuxième *adj.* second 7
devant *prep.* in front of 3
développer *v.* to develop 13
devenir *v.* to become 9
devoir *v.* to have to; must 9
devoirs *m., pl.* homework 2
d'habitude *adv.* usually 8
dictionnaire *m.* dictionary 1
différemment *adv.* differently 8
différence *f.* difference 1
différent(e) *adj.* different 1
difficile *adj.* difficult 1
dimanche *m.* Sunday 2
dîner *m.* dinner 9; *v.* to have dinner 2
diplôme *m.* diploma, degree 2
dire *v.* to say 7
  Ça te/vous dit? Does that appeal to you? 13
  ça veut dire that is to say 10

veut dire *v.* means, signifies 9
se dire *v.* to tell one another 11
diriger *v.* to manage
discret/discrète *adj.* discreet; unassuming 3
discuter *v.* discuss 6
se disputer (avec) *v.* to argue (with) 10
disque dur *m.* hard drive 11
dissertation *f.* essay 11
distributeur automatique/de billets *m.* ATM 12
dit (dire) *p.p., adj.* said 7
divorce *m.* divorce 6
divorcé(e) *adj.* divorced 3
divorcer *v.* to divorce 3
dix *m.* ten 1
dix-huit *m.* eighteen 1
dixième adj. tenth 7
dix-neuf *m.* nineteen 1
dix-sept *m.* seventeen 1
documentaire *m.* documentary
doigt *m.* finger 10
doigt de pied *m.* toe 10
domaine *m.* field
dommage *m.* harm 13
Il est dommage que... It's a shame that... 13
donc *conj.* therefore 7
donner (à) *v.* to give (*to someone*) 2
se donner *v.* to give one another 11
dont *rel. pron.* of which; of whom; that 11
dormir *v.* to sleep 5
dos *m.* back 10
sac à dos *m.* backpack 1
douane *f.* customs 7
douche *f.* shower 8
prendre une douche *v.* to take a shower 10
doué(e) *adj.* talented, gifted
douleur *f.* pain 10
douter (que) *v.* to doubt (that) 13
douteux/douteuse *adj.* doubtful 13
Il est douteux que... It is doubtful that... 13
doux/douce *adj.* sweet; soft 3
douze *m.* twelve 1
dramaturge *m.* playwright
drame (psychologique) *m.* (psychological) drama
draps *m., pl.* sheets 8
droit *m.* law 2
droite *f.* the right (side) 3
à droite de *prep.* to the right of 3
drôle *adj.* funny 3
du *part. art., m., sing.* some 4

du (de + le) *m., sing.* of the 3
dû (devoir) *p.p., adj. (used with infinitive)* had to; *(used with noun)* due, owed 9
duquel (de + lequel) *pron., m., sing.* which one

E

eau (minérale) *f.* (mineral) water 4
carafe d'eau *f.* pitcher of water 9
écharpe *f.* scarf 6
échecs *m., pl.* chess 5
échouer *v.* to fail 2
éclair *m.* éclair 4
école *f.* school 2
écologie *f.* ecology 13
écologique *adj.* ecological 13
économie *f.* economics 2
écotourisme *m.* ecotourism 13
écouter *v.* to listen (to) 2
écouteurs *m.* headphones 11
écran *m.* screen 11
écrire *v.* to write 7
s'écrire *v.* to write one another 11
écrivain(e) *m., f.* writer
écrit (écrire) *p.p., adj.* written 7
écureuil *m.* squirrel 13
éducation physique *f.* physical education 2
effacer *v.* to erase 11
effet de serre *m.* greenhouse effect 13
égaler *v.* to equal 3
église *f.* church 4
égoïste *adj.* selfish 1
Eh! *interj.* Hey! 2
électrique *adj.* electric 8
appareil électrique/ménager *m.* electrical/household appliance 8
électricien/électricienne *m., f.* electrician
élégant(e) *adj.* elegant 1
élevé *adj.* high
élève *m., f.* pupil, student 1
elle *pron., f.* she; it 1; her 3
elle est... she/it is... 1
elles *pron., f.* they 1; them 3
elles sont... they are... 1
e-mail *m.* e-mail 11
emballage (en plastique) *m.* (plastic) wrapping/packaging 13
embaucher *v.* to hire
s'embrasser *v.* to kiss one another 11
embrayage *m. (automobile)* clutch 11

émission (de télévision) *f.* (television) program
emménager *v.* to move in 8
emmener *v.* to take (*someone*) 5
emploi *m.* job
emploi à mi-temps/à temps partiel *m.* part-time job
emploi à plein temps *m.* full-time job
employé(e) *m., f.* employee 25
employer *v.* to use 5
emprunter *v.* to borrow 12
en *prep.* in 3
en avance early 2
en avoir marre to be fed up 6
en effet indeed; in fact 13
en été in the summer 5
en face (de) *prep.* facing, across (from) 3
en fait in fact 7
en général *adv.* in general 8
en hiver in the winter 5
en plein air in fresh air 13
en retard late 2
en tout cas in any case 6
en vacances on vacation 7
être en ligne to be online 11
en *pron.* some of it/them; about it/them; of it/them; from it/them 10
Je vous en prie. *form.* Please.; You're welcome. 1
Qu'en penses-tu? What do you think about that? 13
enceinte *adj.* pregnant 10
Enchanté(e). Delighted. 1
encore *adv.* again; still 3
s'endormir *v.* to fall asleep, to go to sleep 10
endroit *m.* place 4
énergie (nucléaire/solaire) *f.* (nuclear/solar) energy 13
s'énerver *v.* to get worked up, to become upset 10
enfance *f.* childhood 6
enfant *m., f.* child 3
enfin *adv.* finally, at last 7
enfler *v.* to swell 10
enlever la poussière *v.* to dust 8
s'ennuyer *v.* to get bored 10
ennuyeux/ennuyeuse *adj.* boring 3
énorme *adj.* enormous, huge 2
enregistrer *v.* to record 11
enregistreur DVR *m.* DVR 11
enseigner *v.* to teach 2
ensemble *adv.* together 6
ensuite *adv.* then, next 7
entendre *v.* to hear 6
s'entendre bien (avec) *v.* to get along well (with one another) 10

entracte *m.* intermission

entre *prep.* between 3

entrée *f.* appetizer, starter 9

entreprise *f.* firm, business

entrer *v.* to enter 7

entretien: passer un entretien to have an interview

enveloppe *f.* envelope 12

envie *f.* desire, envy 2

  avoir envie (de) to feel like (*doing something*) 2

environnement *m.* environment 13

envoyer (à) *v.* to send (*to someone*) 5

épargne *f.* savings 12

  compte d'épargne *m.* savings account 12

épicerie *f.* grocery store 4

épouser *v.* to marry 3

épouvantable *adj.* dreadful 5

  Il fait un temps épouvantable The weather is dreadful. 5

époux/épouse *m., f.* husband/ wife 3

équipe *f.* team 5

escalier *m.* staircase 8

escargot *m.* escargot, snail 9

espace *m.* space 13

Espagne *f.* Spain 7

espagnol(e) *adj.* Spanish 1

espèce (menacée) *f.* (endangered) species 13

espérer *v.* to hope 5

essayer *v.* to try 5

essence *f.* gas 11

  réservoir d'essence *m.* gas tank 11

  voyant d'essence *m.* gas warning light 11

essentiel(le) *adj.* essential 13

  Il est essentiel que... It is essential that... 13

essuie-glace *m.* (**essuie-glaces** *pl.*) windshield wiper(s) 11

essuyer (la vaiselle/la table) *v.* to wipe (the dishes/ the table) 8

est *m.* east 12

Est-ce que... ? (*used in forming questions*) 2

et *conj.* and 1

  Et toi? *fam.* And you? 1

  Et vous? *form.* And you? 1

étage *m.* floor 7

étagère *f.* shelf 8

étape *f.* stage 6

état civil *m.* marital status 6

États-Unis *m., pl.* the United States 7

été *m.* summer 5

  en été in the summer 5

été (être) *p.p.* been 6

éteindre *v.* to turn off 11

éternuer *v.* to sneeze 10

étoile *f.* star 13

étranger/étrangère *adj.* foreign 2

  langues étrangères *f., pl.* foreign languages 2

étranger *m.* (*places that are*) abroad, overseas 7

  à l'étranger abroad, overseas 7

étrangler *v.* to strangle

être *v.* to be 1

  être bien/mal payé(e) to be well/badly paid

  être connecté(e) avec quelqu'un to be online with someone 7, 11

  être en ligne avec to be online with 11

  être en pleine forme to be in good shape 10

études (supérieures) *f., pl.* studies; (higher) education 2

étudiant(e) *m., f.* student 1

étudier *v.* to study 2

eu (avoir) *p.p.* had 6

eux *disj. pron., m., pl.* they, them 3

évidemment *adv.* obviously, evidently; of course 8

évident(e) *adj.* evident, obvious 13

  Il est évident que... It is evident that... 13

évier *m.* sink 8

éviter (de) *v.* to avoid (*doing something*) 10

exactement *adv.* exactly 9

examen *m.* exam; test 1

  être reçu(e) à un examen *v.* to pass an exam 2

  passer un examen *v.* to take an exam 2

Excuse-moi. *fam.* Excuse me. 1

Excusez-moi. *form.* Excuse me. 1

exercice *m.* exercise 10

  faire de l'exercice *v.* to exercise 10

exigeant(e) *adj.* demanding

  profession (exigeante) *f.* a (demanding) profession

exiger (que) *v.* to demand (that) 13

expérience (professionnelle) *f.* (professional) experience

expliquer *v.* to explain 2

explorer *v.* to explore 4

exposition *f.* exhibit

extinction *f.* extinction 13

F

facile *adj.* easy 2

facilement *adv.* easily 8

facteur *m.* mailman 12

faculté *f.* university; faculty 1

faible *adj.* weak 3

faim *f.* hunger 4

  avoir faim *v.* to be hungry 4

faire *v.* to do; to make 5

  faire attention (à) *v.* to pay attention (to) 5

  faire de l'aérobic *v.* to do aerobics 5

  faire de la gym *v.* to work out 5

  faire de la musique *v.* to play music

  faire de la peinture *v.* to paint

  faire de la planche à voile *v.* to go windsurfing 5

  faire de l'exercice *v.* to exercise 10

  faire des projets *v.* to make plans

  faire du camping *v.* to go camping 5

  faire du cheval *v.* to go horseback riding 5

  faire du jogging *v.* to go jogging 5

  faire du shopping *v.* to go shopping 7

  faire du ski *v.* to go skiing 5

  faire du sport *v.* to do sports 5

  faire du vélo *v.* to go bike riding 5

  faire la connaissance de *v.* to meet (*someone*) for the first time 5

  faire la cuisine *v.* to cook 5

  faire la fête *v.* to party 6

  faire la lessive *v.* to do the laundry 8

  faire la poussière *v.* to dust 8

  faire la queue *v.* to wait in line 12

  faire la vaiselle *v.* to do the dishes 8

  faire le lit *v.* to make the bed 8

  faire le ménage *v.* to do the housework 8

  faire le plein *v.* to fill the tank 11

  faire les courses *v.* to run errands 9

  faire les musées *v.* to go to museums

faire les valises *v.* to pack one's bags 7

faire mal *v.* to hurt 10

faire quelque chose de beau *v.* to be up to something interesting 12

faire plaisir à quelqu'un *v.* to please someone

faire sa toilette *v.* to wash up 10

faire une piqûre *v.* to give a shot 10

faire une promenade *v.* to go for a walk 5

faire une randonnée *v.* to go for a hike 5

faire un séjour *v.* to spend time (*somewhere*) 7

faire un tour (en voiture) *v.* to go for a walk (drive) 5

faire visiter *v.* to give a tour 8

fait (faire) *p.p., adj.* done; made 6

falaise *f.* cliff 13

faut (falloir) *v.* (*used with infinitive*) is necessary to... 5

Il a fallu... It was necessary to... 6

Il fallait... One had to... 8

Il faut que... One must.../It is necessary that... 13

fallu (falloir) *p.p.* (*used with infinitive*) had to... 6

Il a fallu... It was necessary to... 6

famille *f.* family 3

fatigué(e) *adj.* tired 3

fauteuil *m.* armchair 8

favori/favorite *adj.* favorite 3

félicitations congratulations

femme *f.* woman; wife 1

femme au foyer housewife

femme auteur author

femme cadre executive

femme d'affaires businesswoman

femme peintre painter

femme politique politician

femme pompier firefighter

fenêtre *f.* window 1

fer à repasser *m.* iron 8

férié(e) *adj.* holiday 6

jour férié *m.* holiday 6

fermé(e) *adj.* closed 12

fermer *v.* to close; to shut off 11

festival (festivals pl.) *m.* festival

fête *f.* party 6; celebration 6

faire la fête *v.* to party 6

fêter *v.* to celebrate 6

feu de signalisation *m.* traffic light 12

feuille de papier *f.* sheet of paper 1

feuilleton *m.* soap opera

février *m.* February 5

fiancé(e) *adj.* engaged 3

fiancé(e) *m., f.* fiancé 6

fichier *m.* file 11

fier/fière *adj.* proud 3

fièvre *f.* fever 10

avoir de la fièvre *v.* to have a fever 10

fille *f.* girl; daughter 1

film (d'aventures, d'horreur, de science-fiction, policier) *m.* (adventure, horror, science-fiction, crime) film

fils *m.* son 3

fin *f.* end

finalement *adv.* finally 7

fini (finir) *p.p., adj.* finished, done, over 7

finir (de) *v.* to finish (*doing something*) 7

fleur *f.* flower 8

fleuve *m.* river 13

fois *f.* time 8

une fois *adv.* once 8

deux fois *adv.* twice 8

fonctionner *v.* to work, to function 11

fontaine *f.* fountain 12

foot(ball) *m.* soccer 5

football américain *m.* football 5

forêt (tropicale) *f.* (tropical) forest 13

formation *f.* education; training

forme *f.* shape; form 10

être en pleine forme *v.* to be in good shape 10

formidable *adj.* great 7

formulaire *m.* form 12

remplir un formulaire to fill out a form 12

fort(e) *adj.* strong 3

fou/folle *adj.* crazy 3

se fouler (la cheville) *v.* to twist/to sprain one's (ankle) 10

four (à micro-ondes) *m.* (microwave) oven 8

fourchette *f.* fork 9

frais/fraîche *adj.* fresh; cool 5

Il fait frais. (*weather*) It is cool. 5

fraise *f.* strawberry 9

français(e) *adj.* French 1

France *f.* France 7

franchement *adv.* frankly, honestly 8

freiner *v.* to brake 11

freins *m., pl.* brakes 11

fréquenter *v.* to frequent; to visit 4

frère *m.* brother 3

beau-frère *m.* brother-in-law 3

demi-frère *m.* half-brother, stepbrother 3

frigo *m.* refrigerator 8

frisé(e) *adj.* curly 3

frites *f., pl.* French fries 4

froid *m.* cold 2

avoir froid to be cold 2

Il fait froid. (*weather*) It is cold. 5

fromage *m.* cheese 4

fruit *m.* fruit 9

fruits de mer *m., pl.* seafood 9

fumer *v.* to smoke 10

funérailles *f., pl.* funeral 9

furieux/furieuse *adj.* furious 13

être furieux/furieuse que... *v.* to be furious that... 13

G

gagner *v.* to win 5; to earn

gant *m.* glove 6

garage *m.* garage 8

garanti(e) *adj.* guaranteed 5

garçon *m.* boy 1

garder la ligne *v.* to stay slim 10

gare (routière) *f.* train station (bus station) 7

se garer *v.* to park 11

gaspillage *m.* waste 13

gaspiller *v.* to waste 13

gâteau *m.* cake 6

gauche *f.* the left (side) 3

à gauche (de) *prep.* to the left (of) 3

gazeux/gazeuse *adj.* carbonated, fizzy 4

boisson gazeuse *f.* carbonated drink/beverage 4

généreux/généreuse *adj.* generous 3

génial(e) *adj.* great 3

genou *m.* knee 10

genre *m.* genre

gens *m., pl.* people 7

gentil/gentille *adj.* nice 3

gentiment *adv.* nicely 8

géographie *f.* geography 2

gérant(e) *m., f.* manager

gestion *f.* business administration 2

glace *f.* ice cream 6

glaçon *m.* ice cube 6

glissement de terrain *m.* landslide 13

golf *m.* golf 5

gorge *f.* throat 10

goûter *m.* afternoon snack 9; *v.* to taste 9

gouvernement *m.* government 13

grand(e) *adj.* big 3

　grand magasin *m.* department store 4

grand-mère *f.* grandmother 3

grand-père *m.* grandfather 3

grands-parents *m., pl.* grandparents 3

gratin *m.* gratin 9

gratuit(e) *adj.* free

grave *adj.* serious 10

　Ce n'est pas grave. It's okay.; No problem. 6

grille-pain *m.* toaster 8

grippe *f.* flu 10

gris(e) *adj.* gray 6

gros(se) *adj.* fat 3

grossir *v.* to gain weight 7

guérir *v.* to get better 10

guitare *f.* guitar

gym *f.* exercise 5

　faire de la gym *v.* to work out 5

gymnase *m.* gym 4

H

s'habiller *v.* to dress 10

habitat *m.* habitat 13

　sauvetage des habitats *m.* habitat preservation 13

habiter (à) *v.* to live (in/at) 2

haricots verts *m., pl.* green beans 9

Hein? *interj.* Huh?; Right? 3

herbe *f.* grass 13

hésiter (à) *v.* to hesitate (*to do something*) 11

heure(s) *f.* hour, o'clock; time 2

　à ... heure(s) at ... (o'clock) 4

　À quelle heure? What time?; When? 2

　À tout à l'heure. See you later. 1

　Quelle heure avez-vous? *form.* What time do you have? 2

　Quelle heure est-il? What time is it? 2

heureusement *adv.* fortunately 8

heureux/heureuse *adj.* happy 3

　être heureux/heureuse que... to be happy that... 13

hier (matin/après-midi/soir) *adv.* yesterday (morning/afternoon/evening) 7

　avant-hier *adv.* day before yesterday 7

histoire *f.* history; story 2

hiver *m.* winter 5

　en hiver in the winter 5

homme *m.* man 1

　homme d'affaires *m.* businessman 3

　homme politique *m.* politician

honnête *adj.* honest

honte *f.* shame 2

　avoir honte (de) *v.* to be ashamed (of) 2

hôpital *m.* hospital 4

horloge *f.* clock 1

hors-d'œuvre *m.* hors d'œuvre, appetizer 9

hôte/hôtesse *m., f.* host 6

hôtel *m.* hotel 7

hôtelier/hôtelière *m., f.* hotel keeper 7

huile *f.* oil 9

　huile *f.* (automobile) oil 11

　huile d'olive *f.* olive oil 9

　vérifier l'huile to check the oil 11

　voyant d'huile *m.* oil warning light 11

huit *m.* eight 1

huitième *adj.* eighth 7

humeur *f.* mood 8

　être de bonne/mauvaise humeur *v.* to be in a good/bad mood 8

I

ici *adv.* here 1

idée *f.* idea 3

identifiant *m.* username 11

il *sub. pron.* he; it 1

　il est... he/it is... 1

　Il n'y a pas de quoi. It's nothing.; You're welcome. 1

　Il vaut mieux que... It is better that... 13

　Il faut (falloir) *v.* (*used with infinitive*) It is necessary to... 6

　Il a fallu... It was necessary to... 6

　Il fallait... One had to... 8

　Il faut (que)... One must.../It is necessary that... 13

il y a there is/are 1

　il y a eu there was/were 6

　il y avait there was/were 8

　Qu'est-ce qu'il y a? What is it?; What's wrong? 1

Y a-t-il... ? Is/Are there... ? 2

il y a... (*used with an expression of time*) ... ago 9

île *f.* island 13

ils *sub. pron., m., pl.* they 1

　ils sont... they are... 1

immeuble *m.* building 8

impatient(e) *adj.* impatient 1

imperméable *m.* rain jacket 5

important(e) *adj.* important 1

　Il est important que... It is important that... 13

impossible *adj.* impossible 13

　Il est impossible que... It is impossible that... 13

imprimante *f.* printer 11

imprimer *v.* to print 11

incendie *m.* fire 13

　prévenir l'incendie to prevent a fire 13

incroyable *adj.* incredible 11

indépendamment *adv.* independently 8

indépendant(e) *adj.* independent 1

indications *f.* directions 12

indiquer *v.* to indicate 5

indispensable *adj.* essential, indispensable 13

　Il est indispensable que... It is essential that... 13

individuel(le) *adj.* single, individual 7

　chambre individuelle *f.* single (hotel) room 7

infirmier/infirmière *m., f.* nurse 10

informations (infos) *f., pl.* news

informatique *f.* computer science 2

ingénieur *m.* engineer 3

inquiet/inquiète *adj.* worried 3

s'inquiéter *v.* to worry 10

instrument *m.* instrument 1

intellectuel(le) *adj.* intellectual 3

intelligent(e) *adj.* intelligent 1

interdire *v.* to forbid, to prohibit 13

intéressant(e) *adj.* interesting 1

s'intéresser (à) *v.* to be interested in 10

inutile *adj.* useless 2

invité(e) *m., f.* guest 6

inviter *v.* to invite 4

irlandais(e) *adj.* Irish 7

Irlande *f.* Ireland 7

Italie *f.* Italy 7

italien(ne) *adj.* Italian 1

J

jaloux/jalouse *adj.* jealous 3
jamais *adv.* never 5
  ne... jamais never, not ever 12
jambe *f.* leg 10
jambon *m.* ham 4
janvier *m.* January 5
Japon *m.* Japan 7
japonais(e) *adj.* Japanese 1
jardin *m.* garden; yard 8
jaune *adj.* yellow 6
je/j' *sub. pron.* I 1
  Je vous en prie. *form.* Please.; You're welcome. 1
jean *m., sing.* jeans 6
jeter *v.* to throw away 13
jeu *m.* game 5
  jeu télévisé *m.* game show
  jeu vidéo (des jeux vidéo) *m.* video game(s) 11
jeudi *m.* Thursday 2
jeune *adj.* young 3
  jeunes mariés *m., pl.* newlyweds 6
jeunesse *f.* youth 6
  auberge de jeunesse *f.* youth hostel 7
jogging *m.* jogging 5
  faire du jogging *v.* to go jogging 5
joli(e) *adj.* handsome; beautiful 3
joue *f.* cheek 10
jouer (à/de) *v.* to play (*a sport/a musical instrument*) 5
  jouer un rôle *v.* to play a role
joueur/joueuse *m., f.* player 5
jour *m.* day 2
  jour de congé *m.* day off 7
  jour férié *m.* holiday 6
  Quel jour sommes-nous? What day is it? 2
journal *m.* newspaper; journal 7
journaliste *m., f.* journalist 3
journée *f.* day 2
juillet *m.* July 5
juin *m.* June 5
jungle *f.* jungle 13
jupe *f.* skirt 6
jus (d'orange/de pomme) *m.* (orange/apple) juice 4
jusqu'à (ce que) *prep.* until 12
juste *adv.* just; right 3
  juste à côté right next door 3

K

kilo(gramme) *m.* kilo(gram) 9
kiosque *m.* kiosk 4

L

l' *def. art., m., f. sing.* the 1; *d.o. pron., m., f.* him; her; it 7
la *def. art., f. sing.* the 1; *d.o. pron., f.* her; it 7
là(-bas) *(over)* there 1
-là *(used with demonstrative adjective* **ce** *and noun or with demonstrative pronoun* **celui***)* there 6
lac *m.* lake 13
laid(e) *adj.* ugly 3
laine *f.* wool 12
laisser *v.* to let, to allow 11
  laisser tranquille *v.* to leave alone 10
  laisser un message *v.* to leave a message
  laisser un pourboire *v.* to leave a tip 4
lait *m.* milk 4
laitue *f.* lettuce 9
lampe *f.* lamp 8
langues (étrangères) *f., pl.* (foreign) languages 2
lapin *m.* rabbit 13
laquelle *pron., f., sing.* which one 13
  à laquelle *pron., f., sing.* which one 13
  de laquelle *pron., f., sing.* which one 13
large *adj.* loose; big 6
lavabo *m.* bathroom sink 8
lave-linge *m.* washing machine 8
laver *v.* to wash 8
se laver (les mains) *v.* to wash oneself (one's hands) 10
laverie *f.* laundromat 12
lave-vaisselle *m.* dishwasher 8
le *def. art., m. sing.* the 1; *d.o. pron.* him; it 7
légume *m.* vegetable 9
lent(e) *adj.* slow 3
lequel *pron., m., sing.* which one 13
  auquel (à + lequel) *pron., m., sing.* which one 13
  duquel (de + lequel) *pron., m., sing.* which one 13
les *def. art., m., f., pl.* the 1; *d.o. pron., m., f., pl.* them 7
lesquelles *pron., f., pl.* which ones 13
  auxquelles (à + lesquelles) *pron., f., pl.* which ones 13
  desquelles (de + lesquelles) *pron., f., pl.* which ones 13
lesquels *pron., m., pl.* which ones 13

auxquels (à + lesquels) *pron., m., pl.* which ones 13
desquels (de + lesquels) *pron., m., pl.* which ones 13
lessive *f.* laundry 8
  faire la lessive *v.* to do the laundry 8
lettre *f.* letter 12
  boîte aux lettres *f.* mailbox 12
  lettre de motivation *f.* letter of application
  lettre de recommandation *f.* letter of recommendation, reference letter
lettres *f., pl.* humanities 2
leur *i.o. pron., m., f., pl.* them 6
leur(s) *poss. adj., m., f.* their 3
se lever *v.* to get up, to get out of bed 10
librairie *f.* bookstore 1
libre *adj.* available 7
lien *m.* link 11
lieu *m.* place 4
ligne *f.* figure, shape 10
  garder la ligne *v.* to stay slim 10
limitation de vitesse *f.* speed limit 11
limonade *f.* lemon soda 4
linge *m.* laundry 8
  lave-linge *m.* washing machine 8
  sèche-linge *m.* clothes dryer 8
liquide *m.* cash (*money*) 12
  payer en liquide *v.* to pay in cash 12
lire *v.* to read 7
lit *m.* bed 7
  faire le lit *v.* to make the bed 8
littéraire *adj.* literary
littérature *f.* literature 1
livre *m.* book 1
logement *m.* housing 8
logiciel *m.* software, program 11
loi *f.* law 13
loin de *prep.* far from 3
loisir *m.* leisure activity 5
long(ue) *adj.* long 3
  chemise à manches longues *f.* long-sleeved shirt 6
longtemps *adv.* a long time 5
louer *v.* to rent 8
loyer *m.* rent 8
lu (lire) *p.p.* read 7
lui *pron., sing.* he 1; him 3; *i.o. pron.* (*attached to imperative*) to him/her 9
l'un(e) à l'autre to one another 11
l'un(e) l'autre one another 11
lundi *m.* Monday 2
Lune *f.* moon 13

lunettes (de soleil) *f., pl.* (sun)glasses 6
lycée *m.* high school 1
lycéen(ne) *m., f.* high school student 2

M

ma *poss. adj., f., sing.* my 3
Madame *f.* Ma'am; Mrs. 1
Mademoiselle *f.* Miss 1
magasin *m.* store 4
  grand magasin *m.* department store 4
magazine *m.* magazine
mai *m.* May 5
maigrir *v.* to lose weight 7
maillot de bain *m.* swimsuit, bathing suit 6
main *f.* hand 5
  sac à main *m.* purse, handbag 6
maintenant *adv.* now 5
maintenir *v.* to maintain 9
mairie *f.* town/city hall; mayor's office 12
mais *conj.* but 1
  mais non (but) of course not; no 2
maison *f.* house 4
  rentrer à la maison *v.* to return home 2
mal *adv.* badly 7
  Je vais mal. I am doing badly. 1
  le plus mal *super. adv.* the worst 9
  se porter mal *v.* to be doing badly 10
mal *m.* illness; ache, pain 10
  avoir mal *v.* to have an ache 10
  avoir mal au cœur *v.* to feel nauseated 10
  faire mal *v.* to hurt 10
malade *adj.* sick, ill 10
  tomber malade *v.* to get sick 10
maladie *f.* illness
  assurance maladie *f.* health insurance
malheureusement *adv.* unfortunately 2
malheureux/malheureuse *adj.* unhappy 3
manche *f.* sleeve 6
  chemise à manches courtes/ longues *f.* short-/long-sleeved shirt 6
manger *v.* to eat 2
  salle à manger *f.* dining room 8
manteau *m.* coat 6
maquillage *m.* makeup 10

se maquiller *v.* to put on makeup 10
marchand de journaux *m.* newsstand 12
marché *m.* market 4
  bon marché *adj.* inexpensive 6
marcher *v.* to walk (*person*) 5; to work (*thing*) 11
mardi *m.* Tuesday 2
mari *m.* husband 3
mariage *m.* marriage; wedding (*ceremony*) 6
marié(e) *adj.* married 3
mariés *m., pl.* married couple 6
  jeunes mariés *m., pl.* newlyweds 6
marocain(e) *adj.* Moroccan 1
marron *adj., inv.* (not for hair) brown 3
mars *m.* March 5
martiniquais(e) *adj.* from Martinique 1
match *m.* game 5
mathématiques (maths) *f., pl.* mathematics 2
matin *m.* morning 2
  ce matin *adv.* this morning 2
  demain matin *adv.* tomorrow morning 2
  hier matin *adv.* yesterday morning 7
matinée *f.* morning 2
mauvais(e) *adj.* bad 3
  Il fait mauvais. The weather is bad. 5
  le/la plus mauvais(e) *super. adj.* the worst 9
mayonnaise *f.* mayonnaise 9
me/m' *pron., sing.* me; myself 6
mec *m.* guy 10
mécanicien *m.* mechanic 11
mécanicienne *f.* mechanic 11
méchant(e) *adj.* mean 3
médecin *m.* doctor 3
médicament (contre/pour) *m.* medication (against/for) 10
meilleur(e) *comp. adj.* better 9
  le/la meilleur(e) *super. adj.* the best 9
membre *m.* member
même *adj.* even 5; same
-même(s) *pron.* -self/-selves 6
menacé(e) *adj.* endangered 13
  espèce menacée *f.* endangered species 13
ménage *m.* housework 8
  faire le ménage *v.* to do housework 8
ménager/ménagère *adj.* household 8
  appareil ménager *m.* household appliance 8

tâche ménagère *f.* household chore 8
mention *f.* distinction
menu *m.* menu 9
mer *f.* sea 7
Merci (beaucoup). Thank you (very much). 1
mercredi *m.* Wednesday 2
mère *f.* mother 3
  belle-mère *f.* mother-in-law; stepmother 3
mes *poss. adj., m., f., pl.* my 3
message *m.* message
  laisser un message *v.* to leave a message
météo *f.* weather
métier *m.* profession
métro *m.* subway 7
  station de métro *f.* subway station 7
metteur en scène *m.* director (*of a play*)
mettre *v.* to put, to place 6
  mettre la table to set the table 8
  se mettre *v.* to put (*something*) on (yourself) 10
  se mettre à *v.* to begin to 10
se mettre en colère *v.* to become angry 10
meuble *m.* piece of furniture 8
mexicain(e) *adj.* Mexican 1
Mexique *m.* Mexico 7
Miam! *interj.* Yum! 5
micro-onde *m.* microwave oven 8
  four à micro-ondes *m.* microwave oven 8
midi *m.* noon 2
  après-midi *m.* afternoon 2
mieux *comp. adv.* better 9
  aimer mieux *v.* to prefer 2
  le mieux *super. adv.* the best 9
  se porter mieux *v.* to be doing better 10
mille *m.* one thousand 5
  cent mille *m.* one hundred thousand 5
million, un *m.* one million 5
  deux millions *m.* two million 5
minuit *m.* midnight 2
miroir *m.* mirror 8
mis (mettre) *p.p.* put, placed 6
mode *f.* fashion 2
modeste *adj.* modest
moi *disj. pron., sing.* I, me 3; *pron.* (*attached to an imperative*) to me, to myself 9
  Moi aussi. Me too. 1
  Moi non plus. Me neither. 2
moins *adv.* before ... (o'clock) 2
moins (de) *adv.* less (of); fewer 4

le/la moins *super. adv.* (*used with verb or adverb*) the least 9
le moins de... (*used with noun to express quantity*) the least... 13
moins de... que... (*used with noun to express quantity*) less... than... 13
mois *m.* month 2
ce mois-ci this month 2
moment *m.* moment 1
mon *poss. adj., m., sing.* my 3
monde *m.* world 7
moniteur *m.* monitor 11
monnaie *f.* change, coins; money 12
Monsieur *m.* Sir; Mr. 1
montagne *f.* mountain 4
monter *v.* to go up, to come up; to get in/on 7
montre *f.* watch 1
montrer (à) *v.* to show (*to someone*) 6
morceau (de) *m.* piece, bit (of) 4
mort *f.* death 6
mort (mourir) *p.p., adj.* (*as past participle*) died; (*as adjective*) dead 7
mot de passe *m.* password 11
moteur *m.* engine 11
mourir *v.* to die 7
moutarde *f.* mustard 9
moyen(ne) *adj.* medium 3
de taille moyenne of medium height 3
mur *m.* wall 8
musée *m.* museum 4
faire les musées *v.* to go to museums
musical(e) *adj.* musical
comédie musicale *f.* musical
musicien(ne) *m., f.* musician 3
musique: faire de la musique *v.* to play music

<h2>N</h2>

nager *v.* to swim 4
naïf/naïve *adj.* naïve 3
naissance *f.* birth 6
naître *v.* to be born 7
nappe *f.* tablecloth 9
nationalité *f.* nationality 1
Je suis de nationalité... I am of ... nationality. 1
Quelle est ta nationalité? *fam.* What is your nationality? 1
Quelle est votre nationalité? *fam., pl., form.* What is your nationality? 1
nature *f.* nature 13
naturel(le) *adj.* natural 13

ressource naturelle *f.* natural resource 13
né (naître) *p.p., adj.* born 7
ne/n' no, not 1
ne... aucun(e) none, not any 12
ne... jamais never, not ever 12
ne... ni... ni... neither... nor... 12
ne... pas no, not 2
ne... personne nobody, no one 12
ne... plus no more, not anymore 12
ne... que only 12
ne... rien nothing, not anything 12
N'est-ce pas? (*tag question*) Isn't it? 2
nécessaire *adj.* necessary 13
Il est nécessaire que... It is necessary that... 13
neiger *v.* to snow 5
Il neige. It is snowing. 5
nerveusement *adv.* nervously 8
nerveux/nerveuse *adj.* nervous 3
nettoyer *v.* to clean 5
neuf *m.* nine 1
neuvième *adj.* ninth 7
neveu *m.* nephew 3
nez *m.* nose 10
ni nor 12
ne... ni... ni... neither... nor 12
nièce *f.* niece 3
niveau *m.* level
noir(e) *adj.* black 3
non no 2
mais non (but) of course not; no 2
nord *m.* north 12
nos *poss. adj., m., f., pl.* our 3
note *f.* (*academics*) grade 2
notre *poss. adj., m., f., sing.* our 3
nourriture *f.* food, sustenance 9
nous *pron.* we 1; us 3; ourselves 10
nouveau/nouvelle *adj.* new 3
nouvelles *f., pl.* news
novembre *m.* November 5
nuage de pollution *m.* pollution cloud 13
nuageux/nuageuse *adj.* cloudy 5
Le temps est nuageux. It is cloudy. 5
nucléaire *adj.* nuclear 13
centrale nucléaire *f.* nuclear plant 13
énergie nucléaire *f.* nuclear energy 13

nuit *f.* night 2
boîte de nuit *f.* nightclub 4
nul(le) *adj.* useless 2
numéro *m.* (telephone) number 11
composer un numéro *v.* to dial a number 11
recomposer un numéro *v.* to redial a number 11

<h2>O</h2>

objet *m.* object 1
obtenir *v.* to get, to obtain
occupé(e) *adj.* busy 1
s'occuper (de) *v.* to take care (*of something*), to see to 10
octobre m. October 5
œil (les yeux) *m.* eye (eyes) 10
œuf *m.* egg 9
œuvre *f.* artwork, piece of art
chef-d'œuvre *m.* masterpiece
hors-d'œuvre *m.* hors d'œuvre, starter 9
offert (offrir) *p.p.* offered 11
office du tourisme *m.* tourist office 12
offrir *v.* to offer 11
oignon *m.* onion 9
oiseau *m.* bird 3
olive *f.* olive 9
huile d'olive *f.* olive oil 9
omelette *f.* omelet 5
on *sub. pron., sing.* one (we) 1
On y va. Let's go. 10
oncle *m.* uncle 3
onze *m.* eleven 1
onzième *adj.* eleventh 7
opéra *m.* opera
optimiste *adj.* optimistic 1
orageux/orageuse *adj.* stormy 5
Le temps est orageux. It is stormy. 5
orange *adj. inv.* orange 6; *f.* orange 9
orchestre *m.* orchestra
ordinateur *m.* computer 1
ordonnance *f.* prescription 10
ordures *f., pl.* trash 13
ramassage des ordures *m.* garbage collection 13
oreille *f.* ear 10
oreiller *m.* pillow 8
organiser (une fête) *v.* to organize/to plan (a party) 6
s'orienter *v.* to get one's bearings 12
origine *f.* heritage 1
Je suis d'origine... I am of... heritage. 1
orteil *m.* toe 10
ou or 3

où *adv., rel. pron.* where 4
ouais *adv.* yeah 2
oublier (de) *v.* to forget (*to do something*) 2
ouest *m.* west 12
oui *adv.* yes 2
ouvert (ouvrir) *p.p., adj.* (*as past participle*) opened; (*as adjective*) open 11
ouvrier/ouvrière *m., f.* worker, laborer
ouvrir *v.* to open 11
ozone *m.* ozone 13
 trou dans la couche d'ozone *m.* hole in the ozone layer 13

P

page d'accueil *f.* home page 11
pain (de campagne) *m.* (country-style) bread 4
panne *f.* breakdown, malfunction 11
 tomber en panne *v.* to break down 11
pantalon *m., sing.* pants 6
pantoufle *f.* slipper 10
papeterie *f.* stationery store 12
papier *m.* paper 1
 corbeille à papier *f.* wastebasket 1
 feuille de papier *f.* sheet of paper 1
paquet cadeau *m.* wrapped gift 6
par *prep.* by 3
 par jour/semaine/mois/an per day/week/month/year 5
parapluie *m.* umbrella 5
parc *m.* park 4
parce que *conj.* because 2
Pardon. Pardon (me). 1
Pardon? What? 4
pare-brise *m.* windshield 11
pare-chocs *m.* bumper 11
parents *m., pl.* parents 3
paresseux/paresseuse *adj.* lazy 3
parfait(e) *adj.* perfect 4
parfois *adv.* sometimes 5
parking *m.* parking lot 11
parler (à) *v.* to speak (to) 6
 parler (au téléphone) *v.* to speak (on the phone) 2
 se parler *v.* to speak to one another 11
partager *v.* to share 2
partir *v.* to leave 5
 partir en vacances *v.* to go on vacation 7
pas (de) *adv.* no, none 12

ne... pas no, not 2
pas de problème no problem 12
pas du tout not at all 2
pas encore not yet 8
Pas mal. Not badly. 1
passager/passagère *m., f.* passenger 7
passeport *m.* passport 7
passer *v.* to pass by; to spend time 7
 passer chez quelqu'un *v.* to stop by someone's house 4
 passer l'aspirateur *v.* to vacuum 8
 passer un examen *v.* to take an exam 2
passe-temps *m.* pastime, hobby 5
pâté (de campagne) *m.* pâté, meat spread 9
pâtes *f., pl.* pasta 9
patiemment *adv.* patiently 8
patient(e) *m., f.* patient 10; *adj.* patient 1
patienter *v.* to wait (*on the phone*), to be on hold
patiner *v.* to skate 4
pâtisserie *f.* pastry shop, bakery 9
patron(ne) *m., f.* boss 25
pauvre *adj.* poor 3
payé (payer) *p.p., adj.* paid
 être bien/mal payé(e) *v.* to be well/badly paid
payer *v.* to pay 5
 payer avec une carte de crédit *v.* to pay with a credit card 12
 payer en liquide *v.* to pay in cash 12
 payer par chèque *v.* to pay by check 12
pays *m.* country 7
peau *f.* skin 10
pêche *f.* fishing 5; peach 9
 aller à la pêche *v.* to go fishing 5
peigne *m.* comb 10
peintre/femme peintre *m., f.* painter
peinture *f.* painting
pendant (que) *prep.* during, while 7
 pendant (*with time expression*) *prep.* for 9
pénible *adj.* tiresome 3
penser (que) *v.* to think (that) 2
 ne pas penser que... to not think that... 13
 Qu'en penses-tu? What do you think about that? 13

perdre *v.* to lose 6
 perdre son temps *v.* to lose/to waste time 6
perdu *p.p., adj.* lost 12
 être perdu(e) to be lost 12
père *m.* father 3
 beau-père *m.* father-in-law; stepfather 3
permettre (de) *v.* to allow (*to do something*) 6
permis *m.* permit; license 11
 permis de conduire *m.* driver's license 11
permis (permettre) *p.p., adj.* permitted, allowed 6
personnage (principal) *m.* (main) character
personne *f.* person 1; *pron.* no one 12
 ne... personne nobody, no one 12
pessimiste *adj.* pessimistic 1
petit(e) *adj.* small 3; short (*stature*) 3
 petit(e) ami(e) *m., f.* boyfriend/girlfriend 1
petit-déjeuner *m.* breakfast 9
petite-fille *f.* granddaughter 3
petit-fils *m.* grandson 3
petits-enfants *m., pl.* grandchildren 3
petits pois *m., pl.* peas 9
peu (de) *adv.* little; not much (of) 2
peur *f.* fear 2
 avoir peur (de/que) *v.* to be afraid (of/that) 2
peut-être *adv.* maybe, perhaps 2
phares *m., pl.* headlights 11
pharmacie *f.* pharmacy 10
pharmacien(ne) *m., f.* pharmacist 10
philosophie *f.* philosophy 2
photo(graphie) *f.* photo(graph) 3
physique *f.* physics 2
piano *m.* piano
pièce *f.* room 8
pièce de théâtre *f.* play
pièces de monnaie *f., pl.* change 12
pied *m.* foot 10
pierre *f.* stone 13
pilule *f.* pill 10
pique-nique *m.* picnic 13
piqûre *f.* shot, injection 10
 faire une piqûre *v.* to give a shot 10
pire *comp. adj.* worse 9
 le/la pire *super. adj.* the worst 9
piscine *f.* pool 4
placard *m.* closet; cupboard 8
place *f.* square; place 4; *f.* seat

plage *f.* beach 7
plaisir *m.* pleasure, enjoyment
  faire plaisir à quelqu'un *v.* to please someone
plan *m.* map 7
  utiliser un plan *v.* to use a map 7
planche à voile *f.* windsurfing 5
  faire de la planche à voile *v.* to go windsurfing 5
planète *f.* planet 13
  sauver la planète *v.* to save the planet 13
plante *f.* plant 13
plastique *m.* plastic 13
  emballage en plastique *m.* plastic wrapping/packaging 13
plat (principal) *m.* (main) dish 9
plein air *m.* outdoor, open-air 13
pleine forme *f.* good shape, good state of health 10
  être en pleine forme *v.* to be in good shape 10
pleurer *v.* to cry
pleuvoir *v.* to rain 5
  Il pleut. It is raining. 5
plombier *m.* plumber
plu (pleuvoir) *p.p.* rained 6
pluie acide *f.* acid rain 13
plus *adv.* (used in comparatives, superlatives, and expressions of quantity) more 4
  le/la plus ... *super. adv.* (used with adjective) the most 9
  le/la plus mauvais(e) *super. adj.* the worst 9
  le plus *super. adv.* (used with verb or adverb) the most 9
  le plus de... (used with noun to express quantity) the most... 13
  le plus mal *super. adv.* the worst 9
  plus... que (used with adjective) more... than 9
  plus de more of 4
  plus de... que (used with noun to express quantity) more... than 13
  plus mal *comp. adv.* worse 9
  plus mauvais(e) *comp. adj.* worse 9
plus *adv.* no more, not anymore 12
  ne... plus no more, not anymore 12
plusieurs *adj.* several 4
plutôt *adv.* rather 2
pneu (crevé) *m.* (flat) tire 11
  vérifier la pression des pneus *v.* to check the tire pressure 11
poème *m.* poem
poète/poétesse *m., f.* poet
point *m.* (punctuation mark) period 11
poire *f.* pear 9

poisson *m.* fish 3
poissonnerie *f.* fish shop 9
poitrine *f.* chest 10
poivre *m.* (spice) pepper 9
poivron *m.* (vegetable) pepper 9
poli(e) *adj.* polite 1
police *f.* police 11
  agent de police *m.* police officer 11
  commissariat de police *m.* police station 12
policier *m.* police officer 11
  film policier *m.* detective film
policière *f.* police officer 11
poliment *adv.* politely 8
politique *adj.* political 2
  femme politique *f.* politician
  homme politique *m.* politician
  sciences politiques (sciences po) *f., pl.* political science 2
polluer *v.* to pollute 13
pollution *f.* pollution 13
  nuage de pollution *m.* pollution cloud 13
pomme *f.* apple 9
pomme de terre *f.* potato 9
pompier/femme pompier *m., f.* firefighter
pont *m.* bridge 12
population croissante *f.* growing population 13
porc *m.* pork 9
portable *m.* cell phone 11
porte *f.* door 1
porter *v.* to wear 6
  se porter mal/mieux *v.* to be ill/better 10
portière *f.* car door 11
portrait *m.* portrait 5
poser une question (à) *v.* to ask (someone) a question 6
posséder *v.* to possess, to own 5
possible *adj.* possible
  Il est possible que... It is possible that... 13
poste *f.* postal service; post office 12
  bureau de poste *m.* post office 12
poste *m.* position
poster une lettre *v.* to mail a letter 12
postuler *v.* to apply
poulet *m.* chicken 9
pour *prep.* for 5
  pour qui? for whom? 4
  pour rien for no reason 4
  pour que so that
pourboire *m.* tip 4
  laisser un pourboire *v.* to leave a tip 4

pourquoi? *adv.* why? 2
poussière *f.* dust 8
  enlever/faire la poussière *v.* to dust 8
pouvoir *v.* to be able to; can 9
pratiquer *v.* to practice 5
préféré(e) *adj.* favorite, preferred 2
préférer (que) *v.* to prefer (that) 5
premier *m.* the first (day of the month) 5
  C'est le 1ᵉʳ (premier) octobre. It is October first. 5
premier/première *adj.* first 2
prendre *v.* to take 4; to have 4
  prendre sa retraite *v.* to retire 6
  prendre un train/avion/taxi/autobus/bateau *v.* to take a train/plane/taxi/bus/boat 7
  prendre un congé *v.* to take time off
  prendre une douche *v.* to take a shower 10
  prendre (un) rendez-vous *v.* to make an appointment
préparer *v.* to prepare (for) 2
  se préparer (à) *v.* to get ready; to prepare (to do something) 10
près (de) *prep.* close (to), near 3
  tout près (de) very close (to) 12
présenter *v.* to present, to introduce
  Je te présente... *fam.* I would like to introduce... to you. 1
  Je vous présente... *fam., form.* I would like to introduce... to you. 1
préservation *f.* protection 13
préserver *v.* to preserve 13
presque *adv.* almost 2
pressé(e) *adj.* hurried 9
pression *f.* pressure 11
  vérifier la pression des pneus to check the tire pressure 11
prêt(e) *adj.* ready 3
prêter (à) *v.* to lend (to someone) 6
prévenir l'incendie *v.* to prevent a fire 13
principal(e) *adj.* main, principal 9
  personnage principal *m.* main character
  plat principal *m.* main dish 9
printemps *m.* spring 5
  au printemps in the spring 5
pris (prendre) *p.p., adj.* taken 6
prise/clé *f.* **USB** USB drive/port 11

prix *m.* price 4
problème *m.* problem 1
prochain(e) *adj.* next 2
produire *v.* to produce 6
produit *m.* product 13
produit (produire) *p.p., adj.*
produced 6
professeur *m.* teacher,
professor 1
profession (exigeante) *f.*
(demanding) profession
professionnel(le) *adj.*
professional
expérience professionnelle *f.*
professional experience
profiter (de) *v.* to take advantage
(of); to enjoy
programme *m.* program
projet *m.* project
faire des projets *v.* to make
plans
promenade *f.* walk, stroll 5
faire une promenade *v.* to go
for a walk 5
se promener *v.* to take a walk 10
promettre *v.* to promise 6
promis (promettre) *p.p., adj.*
promised 6
promotion *f.* promotion
proposer (que) *v.* to propose
(that) 13
proposer une solution *v.* to
propose a solution 13
propre *adj.* clean 8
propriétaire *m., f.* owner 3;
landlord/landlady 3
protection *f.* protection 13
protéger *v.* to protect 5
psychologie *f.* psychology 2
psychologique *adj.*
psychological
psychologue *m., f.* psychologist
pu (pouvoir) *p.p.* (*used with
infinitive*) was able to 9
publicité (pub) *f.* advertisement
publier *v.* to publish
puis *adv.* then 7
pull *m.* sweater 6
pur(e) *adj.* pure 13

Q

quand *adv.* when 4
**C'est quand l'anniversaire
de ... ?** When is ...'s birthday? 5
**C'est quand ton/votre
anniversaire?** When is your
birthday? 5
quarante *m.* forty 1
quart *m.* quarter 2
et quart a quarter after...
(o'clock) 2

quartier *m.* area, neighborhood 8
quatorze *m.* fourteen 1
quatre *m.* four 1
quatre-vingts *m.* eighty 3
quatre-vingt-dix *m.* ninety 3
quatrième *adj.* fourth 7
que/qu' *rel. pron.* that; which 11;
conj. than 9, 13
plus/moins ... que (*used with
adjective*) more/less ... than 9
plus/moins de ... que (*used
with noun to express quantity*)
more/less ... than 13
que/qu'...? *interr. pron.* what? 4
Qu'en penses-tu? What do
you think about that? 13
Qu'est-ce que c'est? What
is it? 1
Qu'est-ce qu'il y a? What is
it?; What's wrong? 1
que *adv.* only 12
ne... que only 12
québécois(e) *adj.* from Quebec 1
quel(le)(s)? *interr. adj.* which? 4;
what? 4
À quelle heure? What time?;
When? 2
Quelle est la date? What is
the date? 5
Quelle est ta nationalité?
fam. What is your nationality? 1
Quelle est votre nationalité?
form. What is your
nationality? 1
Quelle heure avez-vous?
form. What time do you have? 2
Quelle heure est-il? What
time is it? 2
Quel jour sommes-nous?
What day is it? 2
Quelle température fait-il?
(*weather*) What is the
temperature? 5
Quel temps fait-il? What is
the weather like? 5
quelqu'un *pron.* someone 12
quelque chose *m.* something;
anything 4
Quelque chose ne va pas.
Something's not right. 5
quelquefois *adv.* sometimes 8
quelques *adj.* some 4
question *f.* question 6
poser une question (à) to ask
(*someone*) a question 6
queue *f.* line 12
faire la queue *v.* to wait in
line 12
qui? *interr. pron.* who? 4;
whom? 4; *rel. pron.* who, that 11
à qui? to whom? 4
avec qui? with whom? 4

C'est de la part de qui? On
behalf of whom?
Qui est à l'appareil? Who's
calling, please?
Qui est-ce? Who is it? 1
quinze *m.* fifteen 1
quitter (la maison) *v.* to leave
(the house) 4
se quitter *v.* to leave one
another 11
Ne quittez pas. Please hold.
quoi? *interr. pron.* what? 1
Il n'y a pas de quoi. It's
nothing.; You're welcome. 1
quoi que ce soit whatever
it may be

R

raccrocher *v.* to hang up
radio *f.* radio
à la radio on the radio
raide *adj.* straight 3
raison *f.* reason; right 2
avoir raison *v.* to be right 2
ramassage des ordures *m.*
garbage collection 13
randonnée *f.* hike 5
faire une randonnée *v.* to go
for a hike 5
ranger *v.* to tidy up, to put away 8
rapide *adj.* fast 3
rapidement *adv.* rapidly 8
rarement *adv.* rarely 5
se raser *v.* to shave oneself 10
rasoir *m.* razor 10
ravissant(e) *adj.* beautiful;
delightful
réalisateur/réalisatrice *m., f.*
director (*of a movie*)
récent(e) *adj.* recent
réception *f.* reception desk 7
recevoir *v.* to receive 12
recharger *v.* to charge 11
réchauffement de la Terre *m.*
global warming 13
rechercher *v.* to search for, to
look for
recommandation *f.*
recommendation
recommander (que) *v.* to
recommend (that) 13
recomposer (un numéro) *v.* to
redial (a number) 11
reconnaître *v.* to recognize 8
reconnu (reconnaître) *p.p., adj.*
recognized 8
reçu *m.* receipt 12
reçu (recevoir) *p.p.,*
adj. received 7
être reçu(e) à un examen
to pass an exam 2

recyclage *m.* recycling 13
recycler *v.* to recycle 13
redémarrer *v.* to restart, to start again 11
réduire *v.* to reduce 6
réduit (réduire) *p.p.,* *adj.* reduced 6
référence *f.* reference
réfléchir (à) *v.* to think (about), to reflect (on) 7
refuser (de) *v.* to refuse (*to do something*) 11
regarder *v.* to watch 2
  Ça ne nous regarde pas. That has nothing to do with us.; That is none of our business. 13
  se regarder *v.* to look at oneself; to look at each other 10
régime *m.* diet 10
  être au régime *v.* to be on a diet 9
région *f.* region 13
regretter (que) *v.* to regret (that) 13
se relever *v.* to get up again 10
remplir (un formulaire) *v.* to fill out (a form) 12
rencontrer *v.* to meet 2
  se rencontrer *v.* to meet one another; to make each other's acquaintance 11
rendez-vous *m.* date; appointment 6
  prendre (un) rendez-vous *v.* to make an appointment
rendre (à) *v.* to give back, to return (to) 6
  rendre visite (à) *v.* to visit 6
  se rendre compte *v.* to realize 10
rentrer (à la maison) *v.* to return (home) 2
  rentrer (dans) *v.* to hit (*another car*) 11
renvoyer *v.* to dismiss, to let go
réparer *v.* to repair 11
repartir *v.* to go back
repas *m.* meal 9
repasser *v.* to take again
  repasser (le linge) *v.* to iron (the laundry) 8
  fer à repasser *m.* iron 8
répéter *v.* to repeat; to rehearse 5
répondre (à) *v.* to respond, to answer (to) 6
se reposer *v.* to rest 10
réseau (social) *m.* (social) network 11
réservation *f.* reservation 7
  annuler une réservation *v.* to cancel a reservation 7

réservé(e) *adj.* reserved 1
réserver *v.* to reserve 7
réservoir d'essence *m.* gas tank 11
résidence *f.* residence 8
ressource naturelle *f.* natural resource 13
restaurant *m.* restaurant 4
  restaurant universitaire (resto U) *m.* university cafeteria 2
rester *v.* to stay 7
résultat *m.* result 2
retenir *v.* to keep, to retain 9
retirer (de l'argent) *v.* to withdraw (money) 12
retourner *v.* to return 7
retraite *f.* retirement 6
  prendre sa retraite *v.* to retire 6
retraité(e) *m., f.* retired person
retrouver *v.* to find (again); to meet up with 2
  se retrouver *v.* to meet one another (*as planned*) 11
rétroviseur *m.* rear-view mirror 11
réunion *f.* meeting
réussir (à) *v.* to succeed (*in doing something*) 7
réussite *f.* success
réveil *m.* alarm clock 10
se réveiller *v.* to wake up 10
revenir *v.* to come back 9
rêver (de) *v.* to dream (about/of) 11
revoir *v.* to see again
  Au revoir. Good-bye. 1
revu (revoir) *p.p.* seen again
rez-de-chaussée *m.* ground floor 7
rhume *m.* cold 10
ri (rire) *p.p.* laughed 6
rideau *m.* curtain 8
rien *m.* nothing 12
  De rien. You're welcome. 1
  ne... rien nothing, not anything 12
  ne servir à rien *v.* to be good for nothing 9
rire *v.* to laugh 6
rivière *f.* river 13
riz *m.* rice 9
robe *f.* dress 6
rôle *m.* role 13
  jouer un rôle *v.* to play a role
roman *m.* novel
rose *adj.* pink 6
roue (de secours) *f.* (emergency) tire 11
rouge *adj.* red 6

rouler en voiture *v.* to ride in a car 7
rue *f.* street 11
  suivre une rue *v.* to follow a street 12

S

sa *poss. adj., f., sing.* his; her; its 3
sac *m.* bag 1
  sac à dos *m.* backpack 1
  sac à main *m.* purse, handbag 6
sain(e) *adj.* healthy 10
saison *f.* season 5
salade *f.* salad 9
salaire (élevé/modeste) *m.* (high/low) salary
  augmentation de salaire *f.* raise in salary
sale *adj.* dirty 8
salir *v.* to soil, to make dirty 8
salle *f.* room 8
  salle à manger *f.* dining room 8
  salle de bains *f.* bathroom 8
  salle de classe *f.* classroom 1
  salle de séjour *f.* living/family room 8
salon *m.* formal living room, sitting room 8
  salon de beauté *m.* beauty salon 12
Salut! Hi!; Bye! 1
samedi *m.* Saturday 2
sandwich *m.* sandwich 4
sans *prep.* without 8
  sans que *conj.* without
santé *f.* health 10
  être en bonne/mauvaise santé *v.* to be in good/bad health 10
saucisse *f.* sausage 9
sauvegarder *v.* to save 11
sauver (la planète) *v.* to save (the planet) 13
sauvetage des habitats *m.* habitat preservation 13
savoir *v.* to know (*facts*), to know how to do something 8
  savoir (que) *v.* to know (that) 13
  Je n'en sais rien. I don't know anything about it. 13
savon *m.* soap 10
sciences *f., pl.* science 2
  sciences politiques (sciences po) *f., pl.* political science 2
sculpture *f.* sculpture
sculpteur/sculptrice *m., f.* sculptor

se/s' *pron., sing., pl. (used with reflexive verb)* himself; herself; itself; 10 *(used with reciprocal verb)* each other 11

séance *f.* show; screening

sèche-linge *m.* clothes dryer 8

se sécher *v.* to dry oneself 10

secours *m.* help 11
   Au secours! Help! 11

sécurité *f.* security; safety

attacher sa ceinture de sécurité *v.* to buckle one's seatbelt 11

seize *m.* sixteen 1

séjour *m.* stay 7
   faire un séjour *v.* to spend time *(somewhere)* 7
   salle de séjour *f.* living room 8

sel *m.* salt 9

semaine *f.* week 2
   cette semaine this week 2

sénégalais(e) *adj.* Senegalese 1

sentier *m.* path 13

sentir *v.* to feel; to smell; to sense 5
   se sentir *v.* to feel 10

séparé(e) *adj.* separated 3

sept *m.* seven 1

septembre *m.* September 5

septième *adj.* seventh 7

sérieux/sérieuse *adj.* serious 3

serpent *m.* snake 13

serre *f.* greenhouse 13
   effet de serre *m.* greenhouse effect 13

serré(e) *adj.* tight 6

serveur/serveuse *m., f.* server 4

serviette *f.* napkin 9
   serviette (de bain) *f.* (bath) towel 10

servir *v.* to serve 5

ses *poss. adj., m., f., pl.* his; her; its 3

seulement *adv.* only 8

shampooing *m.* shampoo 10

shopping *m.* shopping 7
   faire du shopping *v.* to go shopping 7

short *m., sing.* shorts 6

si *conj.* if 11

si *adv. (when contradicting a negative statement or question)* yes 2

signer *v.* to sign 12

S'il te plaît. *fam.* Please. 1

S'il vous plaît. *form.* Please. 1

sincère *adj.* sincere 1

site Internet/web *m.* web site 11

six *m.* six 1

sixième *adj.* sixth 7

ski *m.* skiing 5
   faire du ski *v.* to go skiing 5
   station de ski *f.* ski resort 7

skier *v.* to ski 5

smartphone *m.* smartphone 11

SMS *m.* text message 11

sociable *adj.* sociable 1

sociologie *f.* sociology 1

sœur *f.* sister 3
   belle-sœur *f.* sister-in-law 3
   demi-sœur *f.* half-sister, stepsister 3

soie *f.* silk 12

soif *f.* thirst 4
   avoir soif *v.* to be thirsty 4

soir *m.* evening 2
   ce soir *adv.* this evening 2
   demain soir *adv.* tomorrow evening 2
   du soir *adv.* in the evening 2
   hier soir *adv.* yesterday evening 7

soirée *f.* evening 2

sois (être) *imp. v.* be 7

soixante *m.* sixty 1

soixante-dix *m.* seventy 3

solaire *adj.* solar 13
   énergie solaire *f.* solar energy 13

soldes *f., pl.* sales 6

soleil *m.* sun 5
   Il fait (du) soleil. It is sunny. 5

solution *f.* solution 13
   proposer une solution *v.* to propose a solution 13

sommeil *m.* sleep 2
   avoir sommeil *v.* to be sleepy 2

son *poss. adj., m., sing.* his; her; its 3

sonner *v.* to ring 11

sorte *f.* sort, kind

sortie *f.* exit 7

sortir *v.* to go out, to leave 5; to take out 8
   sortir la/les poubelle(s) *v.* to take out the trash 8

soudain *adv.* suddenly 8

souffrir *v.* to suffer 11

souffert (souffrir) *p.p.* suffered 11

souhaiter (que) *v.* to wish (that) 13

soupe *f.* soup 4
   cuillère à soupe *f.* soupspoon 9

sourire *v.* to smile 6; *m.* smile 12

souris *f.* mouse 11

sous *prep.* under 3

sous-sol *m.* basement 8

sous-vêtement *m.* underwear 6

se souvenir (de) *v.* to remember 10

souvent *adv.* often 5

soyez (être) *imp. v.* be 7

soyons (être) *imp. v.* let's be 7

spécialiste *m., f.* specialist

spectacle *m.* show 5

spectateur/spectatrice *m., f.* spectator

sport *m.* sport(s) 5
   faire du sport *v.* to do sports 5

sportif/sportive *adj.* athletic 3

stade *m.* stadium 5

stage *m.* internship; professional training

station (de métro) *f.* (subway) station 7

station de ski *f.* ski resort 7

station-service *f.* service station 11

statue *f.* statue 12

steak *m.* steak 9

studio *m.* studio *(apartment)* 8

stylisme m. de mode *f.* fashion design 2

stylo *m.* pen 1

su (savoir) *p.p.* known 8

sucre *m.* sugar 4

sud *m.* south 12

suggérer (que) *v.* to suggest (that) 13

sujet *m.* subject 13
   au sujet de on the subject of; about 13

suisse *adj.* Swiss 1

Suisse *f.* Switzerland 7

suivre (un chemin/une rue/un boulevard) *v.* to follow (a path/a street/a boulevard) 12

supermarché *m.* supermarket 9

sur *prep.* on 3

sûr(e) *adj.* sure, certain 9
   bien sûr of course 2
   Il est sûr que... It is sure that... 13
   Il n'est pas sûr que... It is not sure that... 13

surfer sur Internet *v.* to surf the Internet 11

surpopulation *f.* overpopulation 13

surpris (surprendre) *p.p., adj.* surprised 6
   être surpris(e) que... *v.* to be surprised that... 13
   faire une surprise à quelqu'un *v.* to surprise someone 6

surtout *adv.* especially; above all 2

sympa(thique) *adj.* nice 1

symptôme *m.* symptom 10

syndicat *m.* (trade) union

T

ta *poss. adj., f., sing.* your 3
table *f.* table 1
　À table! Let's eat! Food is ready! 9
　débarrasser la table *v.* to clear the table 8
　mettre la table *v.* to set the table 8
tableau *m.* blackboard; picture 1; *m.* painting
tablette (tactile) *f.* tablet computer 11
tâche ménagère *f.* household chore 8
taille *f.* size; waist 6
　de taille moyenne of medium height 3
tailleur *m.* (*woman's*) suit; tailor 6
tante *f.* aunt 3
tapis *m.* rug 8
tard *adv.* late 2
　À plus tard. See you later. 1
tarte *f.* pie; tart 9
tasse (de) *f.* cup (of) 4
taxi *m.* taxi 7
　prendre un taxi *v.* to take a taxi 7
te/t' *pron., sing., fam.* you 7; yourself 10
tee-shirt *m.* tee shirt 6
télécarte *f.* phone card
télécharger *v.* to download 11
télécommande *f.* remote control
téléphone *m.* telephone 2
　parler au téléphone *v.* to speak on the phone 2
téléphoner (à) *v.* to telephone (*someone*) 2
　se téléphoner *v.* to phone one another 11
téléphonique *adj.* (*related to the*) telephone 12
télévision *f.* television 1
　à la télé(vision) on television
　chaîne de télévision *f.* television channel 11
tellement *adv.* so much 2
　Je n'aime pas tellement... I don't like... very much. 2
température *f.* temperature 5
　Quelle température fait-il? What is the temperature? 5
temps *m., sing.* weather 5
　Il fait un temps épouvantable The weather is dreadful. 5
　Le temps est nuageux. It is cloudy. 5

Le temps est orageux. It is stormy. 5
　Quel temps fait-il? What is the weather like? 5
temps *m., sing.* time 5
　de temps en temps *adv.* from time to time 8
　emploi à mi-temps/à temps partiel *m.* part-time job
　emploi à plein temps *m.* full-time job
　temps libre *m.* free time 5
Tenez! (tenir) *imp. v.* Here! 9
tenir *v.* to hold 9
tennis *m.* tennis 5
terrasse (de café) *f.* (café) terrace/outdoor seating 4
Terre *f.* Earth 13
　réchauffement de la Terre *m.* global warming 13
tes *poss. adj., m., f., pl.* your 3
tête *f.* head 10
texto *m.* text message 11
thé *m.* tea 4
théâtre *m.* theater
thon *m.* tuna 9
ticket de bus/métro *m.* bus/subway ticket 7
Tiens! (tenir) *imp. v.* Here! 9
timbre *m.* stamp 12
timide *adj.* shy 1
tiret *m.* (*punctuation mark*) dash; hyphen 11
tiroir *m.* drawer 8
toi *disj. pron., sing., fam.* you 3; *refl. pron., sing., fam.* (*attached to imperative*) yourself 10
　toi non plus you neither 2
toilette *f.* washing up, grooming 10
　faire sa toilette to wash up 10
toilettes *f., pl.* restroom(s) 8
tomate *f.* tomato 9
tomber *v.* to fall 7
　tomber amoureux/amoureuse *v.* to fall in love 6
　tomber en panne *v.* to break down 11
　tomber/être malade *v.* to get/be sick 10
　tomber sur quelqu'un *v.* to run into someone 7
ton *poss. adj., m., sing.* your 3
tort *m.* wrong; harm 2
　avoir tort *v.* to be wrong 2
tôt *adv.* early 2
toujours *adv.* always 8
tour *m.* tour 5
　faire un tour (en voiture) *v.* to go for a walk (drive) 5
tourisme *m.* tourism 12

office du tourisme *m.* tourist office 12
tourner *v.* to turn 12
　se tourner *v.* to turn (oneself) around 10
tousser *v.* to cough 10
tout *m., sing.* all 4
　tous les (used before noun) all the... 4
　tous les jours *adv.* every day 8
　toute la *f., sing.* (*used before noun*) all the... 4
　toutes les *f., pl.* (*used before noun*) all the... 4
　tout le *m., sing.* (*used before noun*) all the... 4
　tout le monde everyone 9
tout(e) *adv.* (*before adjective or adverb*) very, really 3
　À tout à l'heure. See you later. 1
　tout à coup suddenly 7
　tout à fait absolutely; completely 12
　tout de suite right away 7
　tout droit straight ahead 12
　tout d'un coup *adv.* all of a sudden 8
　tout près (de) really close by, really close (to) 3
toxique *adj.* toxic 13
　déchets toxiques *m., pl.* toxic waste 13
trac *m.* stage fright
traduire *v.* to translate 6
traduit (traduire) *p.p., adj.* translated 6
tragédie *f.* tragedy
train *m.* train 7
tranche *f.* slice 9
tranquille *adj.* calm, serene 10
　laisser tranquille *v.* to leave alone 10
travail *m.* work 12
　chercher un/du travail *v.* to look for work 12
　trouver un/du travail *v.* to find a job
travailler *v.* to work 2
travailleur/travailleuse *adj.* hard-working 3
traverser *v.* to cross 12
treize *m.* thirteen 1
trente *m.* thirty 1
très *adv.* (*before adjective or adverb*) very, really 8
　Très bien. Very well. 1
triste *adj.* sad 3
　être triste que... *v.* to be sad that... 13
trois *m.* three 1
troisième *adj.* third 7

se tromper (de) *v.* to be mistaken (about) 10

trop (de) *adv.* too many/much (of) 4

tropical(e) *adj.* tropical 13
  forêt tropicale *f.* tropical forest 13

trou (dans la couche d'ozone) *m.* hole (in the ozone layer) 13

troupe *f.* company, troupe

trouver *v.* to find; to think 2
  trouver un/du travail *v.* to find a job
  se trouver *v.* to be located 10

truc *m.* thing 7

tu *sub. pron., sing., fam.* you 1

U

un *m.* (*number*) one 1

un(e) *indef. art.* a; an 1

universitaire *adj.* (*related to the*) university 1
  restaurant universitaire (resto U) *m.* university cafeteria 2

université *f.* university 1

urgences *f., pl.* emergency room 10
  aller aux urgences *v.* to go to the emergency room 10

usine *f.* factory 13

utile *adj.* useful 2

utiliser (un plan) *v.* use (a map) 7

V

vacances *f., pl.* vacation 7
  partir en vacances *v.* to go on vacation 7

vache *f.* cow 13

vaisselle *f.* dishes 8
  faire la vaisselle *v.* to do the dishes 8
  lave-vaisselle *m.* dishwasher 8

valise *f.* suitcase 7
  faire les valises *v.* to pack one's bags 7

vallée *f.* valley 13

variétés *f., pl.* popular music

vaut (valoir) *v.*
  Il vaut mieux que It is better that 13

vélo *m.* bicycle 5
  faire du vélo *v.* to go bike riding 5

velours *m.* velvet 12

vendeur/vendeuse *m., f.* seller 6

vendre *v.* to sell 6

vendredi *m.* Friday 2

venir *v.* to come 9

venir de *v.* (*used with an infinitive*) to have just 9

vent *m.* wind 5
  Il fait du vent. It is windy. 5

ventre *m.* stomach 10

vérifier (l'huile/la pression des pneus) *v.* to check (the oil/the tire pressure) 11

véritable *adj.* true, real 12

verre (de) *m.* glass (of) 4

vers *adv.* about 2

vert(e) *adj.* green 3
  haricots verts *m., pl.* green beans 9

vêtements *m., pl.* clothing 6
  sous-vêtement *m.* underwear 6

vétérinaire *m., f.* veterinarian

veuf/veuve *adj.* widowed 3

veut dire (vouloir dire) *v.* means, signifies 9

viande *f.* meat 9

vie *f.* life 6
  assurance vie *f.* life insurance

vieille *adj., f.* (*feminine form of vieux*) old 3

vieillesse *f.* old age 6

vietnamien(ne) *adj.* Vietnamese 1

vieux/vieille *adj.* old 3

ville *f.* city; town 4

vin *m.* wine 6

vingt *m.* twenty 1

vingtième *adj.* twentieth 7

violet(te) *adj.* purple; violet 6

violon *m.* violin

visage *m.* face 10

visite *f.* visit 6
  rendre visite (à) *v.* to visit (*a person or people*) 6

visiter *v.* to visit (*a place*) 2
  faire visiter *v.* to give a tour 8

vite *adv.* quickly 1; quick, hurry 4

vitesse *f.* speed 11

voici here is/are 1

voilà there is/are 1

voir *v.* to see 12

voisin(e) *m., f.* neighbor 3

voiture *f.* car 11
  faire un tour en voiture *v.* to go for a drive 5
  rouler en voiture *v.* to ride in a car 7

vol *m.* flight 7

volant *m.* steering wheel 11

volcan *m.* volcano 13

volley(-ball) *m.* volleyball 5

volontiers *adv.* willingly 10

vos *poss. adj., m., f., pl.* your 3

votre *poss. adj., m., f., sing.* your 3

vouloir *v.* to want; to mean (*with* **dire**) 9
  ça veut dire that is to say 10
  veut dire *v.* means, signifies 9
  vouloir (que) *v.* to want (that) 13

voulu (vouloir) *p.p., adj.* (*used with infinitive*) wanted to... ; (*used with noun*) planned to/for 9

vous *pron., sing., pl., fam., form.* you 1; *d.o. pron.* you 7; yourself, yourselves 10

voyage *m.* trip 7
  agence de voyages *f.* travel agency 7
  agent de voyages *m.* travel agent 7

voyager *v.* to travel 2

voyant (d'essence/d'huile) *m.* (gas/oil) warning light 11

vrai(e) *adj.* true; real 3
  Il est vrai que... It is true that... 13
  Il n'est pas vrai que... It is untrue that... 13

vraiment *adv.* really, truly 5

vu (voir) *p.p.* seen 12

W

W.-C. *m., pl.* restroom(s) 8

week-end *m.* weekend 2
  ce week-end *this weekend* 2

Y

y *pron.* there; at (*a place*) 10
  j'y vais I'm going/coming 8
  nous y allons we're going/coming 9
  on y va let's go 10
  Y a-t-il... ? Is/Are there... ? 2

yaourt *m.* yogurt 9

yeux (œil) *m., pl.* eyes 3

Z

zéro *m.* zero 1

zut *interj.* darn 6

English-French

A

a **un(e)** *indef. art.* 1
able: to be able to **pouvoir** *v.* 9
abolish **abolir** *v.* 13
about **vers** *adv.* 2
abroad **à l'étranger** 7
absolutely **absolument** *adv.* 8;
  tout à fait *adv.* 6
accident **accident** *m.* 10
  to have/to be in an accident
  avoir un accident *v.* 11
accompany **accompagner** *v.* 12
account (*at a bank*) **compte** *m.* 12
  checking account **compte** *m.*
  de chèques 12
  to have a bank account **avoir**
  un compte bancaire *v.* 12
accountant **comptable** *m., f.*
acid rain **pluie acide** *f.* 13
acquaintance **connaissance** *f.* 5
across from **en face de** *prep.* 3
active **actif/active** *adj.* 3
actively **activement** *adv.* 8
actor **acteur/actrice** *m., f.* 1
address **adresse** *f.* 12
administration: business
  administration **gestion** *f.* 2
adolescence **adolescence** *f.* 6
adore **adorer** 2
  I love... **J'adore...** 2
  to adore one another
  s'adorer *v.* 11
adulthood **âge adulte** *m.* 6
adventure **aventure** *f.*
  adventure film **film** *m.*
  d'aventures
advertisement **publicité (pub)** *f.*
advice **conseil** *m.*
advisor **conseiller/conseillère**
  m., f.
aerobics **aérobic** *m.* 5
  to do aerobics **faire de**
  l'aérobic *v.* 5
afraid: to be afraid of/that **avoir**
  peur de/que *v.* 13
after **après (que)** *adv.* 7
afternoon **après-midi** *m.* 2
  ... (o'clock) in the afternoon
  ... heure(s) de l'après-midi 2
afternoon snack **goûter** *m.* 9
again **encore** *adv.* 3
age **âge** *m.* 6
agent: travel agent **agent de**
  voyages *m.* 7

real estate agent **agent**
  immobilier *m.*
ago (*with an expression of time*)
  il y a... 9
agree: to agree (with) **être**
  d'accord (avec) *v.* 2
airport **aéroport** *m.* 7
alarm clock **réveil** *m.* 10
Algerian **algérien(ne)** *adj.* 1
all **tout** *m., sing.* 4
  all of a sudden **soudain** *adv.* 8;
  tout à coup *adv.*; **tout d'un**
  coup *adv.* 7
  all right? (*tag question*)
  d'accord? 2
allergy **allergie** *f.* 10
allow (*to do something*) **laisser** *v.*
  11; **permettre (de)** *v.* 6
allowed **permis (permettre)**
  p.p., adj. 6
all the... (*agrees with noun that*
  follows) **tout le...** *m., sing;*
  toute la... *f., sing;* **tous les...**
  m., pl.; **toutes les...** *f., pl.* 4
almost **presque** *adv.* 5
a lot (of) **beaucoup (de)** *adv.* 4
alone: to leave alone **laisser**
  tranquille *v.* 10
already **déjà** *adv.* 3
always **toujours** *adv.* 8
American **américain(e)** *adj.* 1
an **un(e)** *indef. art.* 1
ancient (*placed after noun*)
  ancien(ne) *adj.*
and **et** *conj.* 1
  And you? **Et toi?,** *fam.;* **Et**
  vous? *form.* 1
angel **ange** *m.* 1
angry: to become angry
  s'énerver *v.* 10; **se mettre**
  en colère *v.* 10
animal **animal** *m.* 13
ankle **cheville** *f.* 10
apartment **appartement** *m.* 7
appetizer **entrée** *f.* 9;
  hors-d'œuvre *m.* 9
applaud **applaudir** *v.*
applause **applaudissement** *m.*
apple **pomme** *f.* 9
appliance **appareil** *m.* 8
  electrical/household appliance
  appareil *m.* **électrique/**
  ménager 8
applicant **candidat(e)** *m., f.*
apply **postuler** *v.*
appointment **rendez-vous** *m.*
  to make an appointment
  prendre (un) rendez-vous *v.*

April **avril** *m.* 5
architect **architecte** *m., f.* 3
architecture **architecture** *f.* 2
Are there... ? **Y a-t-il... ?** 2
area **quartier** *m.* 8
argue (with) **se disputer**
  (avec) *v.* 10
arm **bras** *m.* 10
armchair **fauteuil** *m.* 8
armoire **armoire** *f.* 8
around **autour (de)** *prep.* 12
arrival **arrivée** *f.* 7
arrive **arriver (à)** *v.* 2
art **art** *m.* 2
  artwork, piece of art **œuvre** *f.*
  fine arts **beaux-arts** *m., pl.*
artist **artiste** *m., f.* 3
as (*like*) **comme** *adv.* 6
  as ... as (*used with adjective to*
  compare) **aussi ... que** 9
  as much ... as (*used with noun*
  to express comparative quan-
  tity) **autant de ... que** 13
  as soon as **dès que** *adv.* 12
ashamed: to be ashamed of
  avoir honte de *v.* 2
ask **demander** *v.* 2
  to ask (*someone*) **demander**
  (à) *v.* 6
  to ask (*someone*) a question
  poser une question (à) *v.* 6
  to ask that... **demander**
  que... 13
aspirin **aspirine** *f.* 10
at **à** *prep.* 4
  at ... (o'clock) **à ... heure(s)** 4
  at the doctor's office **chez le**
  médecin *prep.* 2
  at (someone's) house **chez...**
  prep. 2
  at the end (of) **au bout (de)**
  prep. 12
  at last **enfin** *adv.* 11
athlete **athlète** *m., f.* 3
ATM **distributeur** *m.* **automa-**
  tique/de billets *m.* 12
attend **assister à** *v.* 2
August **août** *m.* 5
aunt **tante** *f.* 3
author **auteur/femme auteur**
  m., f.
autumn **automne** *m.* 5
  in autumn **à l'automne** 5
available (free) **libre** *adj.* 7
avenue **avenue** *f.* 12
avoid **éviter de** *v.* 10

B

back **dos** *m.* 10
backpack **sac à dos** *m.* 1
bad **mauvais(e)** *adj.* 3
  to be in a bad mood **être de mauvaise humeur** 8
  to be in bad health **être en mauvaise santé** 10
badly **mal** *adv.* 7
  I am doing badly. **Je vais mal.** 1
  to be doing badly **se porter mal** *v.* 10
baguette **baguette** *f.* 4
bakery **boulangerie** *f.* 9
balcony **balcon** *m.* 8
banana **banane** *f.* 9
bank **banque** *f.* 12
  to have a bank account **avoir un compte bancaire** *v.* 12
banker **banquier/banquière** *m., f.*
banking **bancaire** *adj.* 12
baseball **baseball** *m.* 5
baseball cap **casquette** *f.* 6
basement **sous-sol** *m.;* **cave** *f.* 8
basketball **basket(-ball)** *m.* 5
bath **bain** *m.* 6
bathing suit **maillot de bain** *m.* 6
bathroom **salle de bains** *f.* 8
bathtub **baignoire** *f.* 8
battery **batterie** *f.* 11
  low/dead battery **batterie** *f.* **faible/déchargée** 11
be **être** *v.* 1
  sois (être) *imp. v.* 7;
  soyez (être) *imp. v.* 7
beach **plage** *f.* 7
beans **haricots** *m., pl.* 9
  green beans **haricots verts** *m., pl.* 9
bearings: to get one's bearings **s'orienter** *v.* 12
beautiful **beau (belle)** *adj.* 3
beauty salon **salon** *m.* **de beauté** 12
because **parce que** *conj.* 2
become **devenir** *v.* 9
bed **lit** *m.* 7
  to go to bed **se coucher** *v.* 10
bedroom **chambre** *f.* 8
beef **bœuf** *m.* 9
been **été (être)** *p.p.* 6
beer **bière** *f.* 6
before **avant (de/que)** *adv.* 7
  before (o'clock) **moins** *adv.* 2
begin (to do something) **commencer (à)** *v.* 2; **se mettre à** *v.* 10

beginning **début** *m.*
behind **derrière** *prep.* 3
Belgian **belge** *adj.* 7
Belgium **Belgique** *f.* 7
believe (that) **croire (que)** *v.* 13
believed **cru (croire)** *p.p.* 13
belt **ceinture** *f.* 6
  to buckle one's seatbelt **attacher sa ceinture de sécurité** *v.* 11
bench **banc** *m.* 12
best: the best **le mieux** *super. adv.* 9; **le/la meilleur(e)** *super. adj.* 9
better **meilleur(e)** *comp. adj.;* **mieux** *comp. adv.* 9
  It is better that... **Il vaut mieux que/qu'...** 13
  to be doing better **se porter mieux** *v.* 10
  to get better (from illness) **guérir** *v.* 10
between **entre** *prep.* 3
beverage (carbonated) **boisson** *f.* **(gazeuse)** 4
bicycle **vélo** *m.* 5
  to go bike riding **faire du vélo** *v.* 5
big **grand(e)** *adj.* 3; (clothing) **large** *adj.* 6
bill (in a restaurant) **addition** *f.* 4
bills (money) **billets** *m., pl.* 12
biology **biologie** *f.* 2
bird **oiseau** *m.* 3
birth **naissance** *f.* 6
birthday **anniversaire** *m.* 5
bit (of) **morceau (de)** *m.* 4
black **noir(e)** *adj.* 3
blackboard **tableau** *m.* 1
blanket **couverture** *f.* 8
blonde **blond(e)** *adj.* 3
blouse **chemisier** *m.* 6
blue **bleu(e)** *adj.* 3
boat **bateau** *m.* 7
body **corps** *m.* 10
book **livre** *m.* 1
bookstore **librairie** *f.* 1
bored: to get bored **s'ennuyer** *v.* 10
boring **ennuyeux/ennuyeuse** *adj.* 3
born: to be born **naître** *v.* 7; **né (naître)** *p.p., adj.* 7
borrow **emprunter** *v.* 12
bottle (of) **bouteille (de)** *f.* 4
boulevard **boulevard** *m.* 12
boutique **boutique** *f.* 12
bowl **bol** *m.* 9
box **boîte** *f.* 9
boy **garçon** *m.* 1
boyfriend **petit ami** *m.* 1

brake **freiner** *v.* 11
brakes **freins** *m., pl.* 11
brave **courageux/courageuse** *adj.* 3
Brazil **Brésil** *m.* 7
Brazilian **brésilien(ne)** *adj.* 7
bread **pain** *m.* 4
  country-style bread **pain** *m.* **de campagne** 4
bread shop **boulangerie** *f.* 9
break **se casser** *v.* 10
breakdown **panne** *f.* 11
break down **tomber en panne** *v.* 11
break up (to leave one another) **se quitter** *v.* 11
breakfast **petit-déjeuner** *m.* 9
bridge **pont** *m.* 12
brilliant **brillant(e)** *adj.* 1
bring (a person) **amener** *v.* 5; (a thing) **apporter** *v.* 4
broom **balai** *m.* 8
brother **frère** *m.* 3
brother-in-law **beau-frère** *m.* 3
brown **marron** *adj., inv.* 3
  brown (hair) **châtain** *adj.* 3
brush (hair/tooth) **brosse** *f.* **(à cheveux/à dents)** 10
  to brush one's hair/teeth **se brosser les cheveux/les dents** *v.* 9
buckle: to buckle one's seatbelt **attacher sa ceinture de sécurité** *v.* 11
build **construire** *v.* 6
building **bâtiment** *m.* 12; **immeuble** *m.* 8
bumper **pare-chocs** *m.* 11
bus **autobus** *m.* 7
bus stop **arrêt d'autobus (de bus)** *m.* 7
business (profession) **affaires** *f., pl.* 3; (company) **entreprise** *f.*
business administration **gestion** *f.* 2
businessman **homme d'affaires** *m.* 3
businesswoman **femme d'affaires** *f.* 3
busy **occupé(e)** *adj.* 1
but **mais** *conj.* 1
butcher's shop **boucherie** *f.* 9
butter **beurre** *m.* 4
buy **acheter** *v.* 5
by **par** *prep.* 3
Bye! **Salut!** *fam.* 1

C

cabinet **placard** *m.* 8
café **café** *m.* 1; **brasserie** *f.* 12

café terrace **terrasse** f.
de café 4
cafeteria **cantine** f. 9
cake **gâteau** m. 6
calculator **calculatrice** f. 1
call **appeler** v.
calm **calme** adj. 1; **calme** m. 1
camera **appareil photo** m. 11
  digital camera **appareil photo**
  m. **numérique** 11
camping **camping** m. 5
  to go camping **faire du**
  camping v. 5
can (of food) **boîte**
  (de conserve) f. 9
Canada **Canada** m. 7
Canadian **canadien(ne)** adj. 1
cancel (a reservation) **annuler**
  (une réservation) v. 7
candidate **candidat(e)** m., f.
candy **bonbon** m. 6
cap: baseball cap **casquette** f. 6
capital **capitale** f. 7
car **voiture** f. 11
  to ride in a car **rouler en**
  voiture v. 7
carbonated drink/beverage
  boisson f. **gazeuse** 4
card (letter) **carte postale** f. 12;
  credit card **carte** f. **de**
  crédit 12
  to pay with a credit card
  payer avec une carte de
  crédit v. 12
  cards (playing) **cartes** f. 5
career **carrière** f.
carpooling **covoiturage** m. 13
carrot **carotte** f. 9
cartoon **dessin animé** m.
case: in any case **en tout cas** 6
cash **liquide** m. 12
  to pay in cash **payer en**
  liquide v. 12
cat **chat** m. 3
catastrophe **catastrophe** f. 13
catch sight of **apercevoir** v. 12
celebrate **célébrer** v. 5; **fêter** v. 6
celebration **fête** f. 6
cellar **cave** f. 8
cell phone **portable** m. 11
center: city/town center
  centre-ville m. 4
certain **certain(e)** adj. 9;
  sûr(e) adj. 13
  It is certain that... **Il est**
  certain que... 13
  It is uncertain that... **Il n'est**
  pas certain que... 13
chair **chaise** f. 1
champagne **champagne** m. 6
change (coins) **(pièces** f. pl. **de)**
  monnaie 12

channel (television) **chaîne** f.
  (de télévision) 11
character **personnage** m.
  main character **personnage**
  principal m.
charge **recharger** v. 11
charming **charmant(e)** adj. 1
chat **bavarder** v. 4
check **chèque** m. 12; (bill)
  addition f. 4
  to pay by check **payer par**
  chèque v. 12;
  to check (the oil/the air
  pressure) **vérifier (l'huile/la**
  pression des pneus) v. 11
checking account **compte** m.
  de chèques 12
cheek **joue** f. 10
cheese **fromage** m. 4
chemistry **chimie** f. 2
chess **échecs** m., pl. 5
chest **poitrine** f. 10
  chest of drawers
  commode f. 8
chic **chic** adj. 4
chicken **poulet** m. 9
child **enfant** m., f. 3
childhood **enfance** f. 6
China **Chine** f. 7
Chinese **chinois(e)** adj. 7
choir **chœur** m.
choose **choisir** v. 7
chorus **chœur** m.
chrysanthemums
  chrysanthèmes m., pl. 9
church **église** f. 4
city **ville** f. 4
city hall **mairie** f. 12
city/town center **centre-ville** m. 4
class (group of students) **classe**
  f. 1; (course) **cours** m. 2
classmate **camarade de classe**
  m., f. 1
classroom **salle** f. **de classe** 1
clean **nettoyer** v. 5; **propre**
  adj. 8
clear **clair(e)** adj. 13
  It is clear that... **Il est clair**
  que... 13
  to clear the table **débarrasser**
  la table 8
client **client(e)** m., f. 7
cliff **falaise** f. 13
clock **horloge** f. 1
  alarm clock **réveil** m. 10
close (to) **près (de)** prep. 3
  very close (to) **tout près**
  (de) 12
close **fermer** v. 11
closed **fermé(e)** adj. 12
closet **placard** m. 8
clothes dryer **sèche-linge** m. 8
clothing **vêtements** m., pl. 6

cloudy **nuageux/nua-**
  geuse adj. 5
  It is cloudy. **Le temps est**
  nuageux. 5
clutch **embrayage** m. 11
coast **côte** f. 13
coat **manteau** m. 6
coffee **café** m. 1
coffeemaker **cafetière** f. 8
coins **pièces** f. pl. **de**
  monnaie 12
cold **froid** m. 2
  (weather) It is cold. **Il fait**
  froid. 5
  to be cold **avoir froid** v. 2
cold **rhume** m. 10
color **couleur** f. 6
  What color is... ? **De quelle**
  couleur est... ? 6
comb **peigne** m. 10
come **venir** v. 7
come back **revenir** v. 9
comedy **comédie** f.
comic strip **bande dessinée**
  (B.D.) f. 5
company (troop) **troupe** f.
completely **tout à fait** adv. 6
composer **compositeur** m.
computer **ordinateur** m. 1
computer science
  informatique f. 2
concert **concert** m.
congratulations **félicitations**
connect **brancher** v. 11
consider **considérer** v. 5
constantly **constamment** adv. 8
construct **construire** v. 6
consultant **conseiller/**
  conseillère m., f.
continue (doing something)
  continuer (à) v. 12
cook **cuisiner** v. 9; **faire la cui-**
  sine v. 5; **cuisinier/**
  cuisinière m., f.
cookie **biscuit** m. 6
cooking **cuisine** f. 5
cool: (weather) It is cool. **Il fait**
  frais. 5
corner **angle** m. 12; **coin** m. 12
cost **coûter** v. 4
cotton **coton** m. 6
couch **canapé** m. 8
cough **tousser** v. 10
count (on someone) **compter**
  (sur quelqu'un) v. 8
country **pays** m. 7
  country(side) **campagne** f. 7
country-style **de campagne**
  adj. 4
couple **couple** m. 6
courage **courage** m.
courageous **courageux/**
  courageuse adj. 3

course **cours** *m.* 2
cousin **cousin(e)** *m., f.* 3
cover **couvrir** *v.* 11
covered **couvert (couvrir)** *p.p.* 11
cow **vache** *f.* 13
crazy **fou/folle** *adj.* 3
cream **crème** *f.* 9
credit card **carte** *f.* **de crédit** 12
   to pay with a credit card **payer avec une carte de crédit** *v.* 12
crêpe **crêpe** *f.* 5
crime film **film policier** *m.*
croissant **croissant** *m.* 4
cross **traverser** *v.* 12
cruel **cruel/cruelle** *adj.* 3
cry **pleurer** *v.*
cup (of) **tasse (de)** *f.* 4
cupboard **placard** *m.* 8
curious **curieux/curieuse** *adj.* 3
curly **frisé(e)** *adj.* 3
currency **monnaie** *f.* 12
curtain **rideau** *m.* 8
customs **douane** *f.* 7

D

dance **danse** *f.*
   to dance **danser** *v.* 4
danger **danger** *m.* 13
dangerous **dangereux/dangereuse** *adj.* 11
dark (*hair*) **brun(e)** *adj.* 3
darling **chéri(e)** *adj.* 2
darn **zut** 11
dash (*punctuation mark*) **tiret** *m.* 11
date (*day, month, year*) **date** *f.* 5; (*meeting*) **rendez-vous** *m.* 6
   to make a date **prendre (un) rendez-vous** *v.*
daughter **fille** *f.* 1
day **jour** *m.* 2; **journée** *f.* 2
   day after tomorrow **après-demain** *adv.* 2
   day before yesterday **avant-hier** *adv.* 7
   day off **congé** *m.*, **jour** *m.* **de congé** 7
dear **cher/chère** *adj.* 2
death **mort** *f.* 6
December **décembre** *m.* 5
decide (*to do something*) **décider (de)** *v.* 11
deforestation **déboisement** *m.* 13
degree **diplôme** *m.* 2
degrees (*temperature*) **degrés** *m., pl.* 5

It is... degrees. **Il fait... degrés.** 5
delicatessen **charcuterie** *f.* 9
delicious **délicieux/délicieuse** *adj.* 4
Delighted. **Enchanté(e).** *p.p., adj.* 1
demand (that) **exiger (que)** *v.* 13
demanding **exigeant(e)** *adj.*
   demanding profession **profession** *f.* **exigeante**
dentist **dentiste** *m., f.* 3
department store **grand magasin** *m.* 4
departure **départ** *m.* 7
deposit: to deposit money **déposer de l'argent** *v.* 12
depressed **déprimé(e)** *adj.* 10
describe **décrire** *v.* 7
described **décrit (décrire)** *p.p., adj.* 7
desert **désert** *m.* 13
design (fashion) **stylisme (de mode)** *m.* 2
desire **envie** *f.* 2, **désirer** *v.* 5
desk **bureau** *m.* 1
dessert **dessert** *m.* 6
destroy **détruire** *v.* 6
destroyed **détruit (détruire)** *p.p., adj.* 6
detective film **film policier** *m.*
detest **détester** *v.* 2
   I hate... **Je déteste...** 2
develop **développer** *v.* 13
dial (a number) **composer (un numéro)** *v.* 11
dictionary **dictionnaire** *m.* 1
die **mourir** *v.* 7
died **mort (mourir)** *p.p., adj.* 7
diet **régime** *m.* 10
   to be on a diet **être au régime** 9
difference **différence** *f.* 1
different **différent(e)** *adj.* 1
differently **différemment** *adv.* 8
difficult **difficile** *adj.* 1
digital camera **appareil photo** *m.* **numérique** 11
dining room **salle à manger** *f.* 8
dinner **dîner** *m.* 9
   to have dinner **dîner** *v.* 2
Dinner is ready! **À table!** 9
diploma **diplôme** *m.* 2
directions **indications** *f.* 12
director (*movie*) **réalisateur/réalisatrice** *m., f.*; (*play/show*) **metteur en scène** *m.*
dirty **sale** *adj.* 8
discover **découvrir** *v.* 11

discovered **découvert (découvrir)** *p.p.* 11
discreet **discret/discrète** *adj.* 3
discuss **discuter** *v.* 11
dish (*food*) **plat** *m.* 9
   to do the dishes **faire la vaisselle** *v.* 8
dishwasher **lave-vaisselle** *m.* 8
dismiss **renvoyer** *v.*
distinction **mention** *f.*
divorce **divorce** *m.* 6
   to divorce **divorcer** *v.* 3
divorced **divorcé(e)** *p.p., adj.* 3
do (*make*) **faire** *v.* 5
   to do odd jobs **bricoler** *v.* 5
doctor **médecin** *m.* 3
documentary **documentaire** *m.*
dog **chien** *m.* 3
done **fait (faire)** *p.p., adj.* 6
door (*building*) **porte** *f.* 1; (*automobile*) **portière** *f.* 11
doubt (that)... **douter (que)...** *v.* 13
doubtful **douteux/douteuse** *adj.* 13
   It is doubtful that... **Il est douteux que...** 13
download **télécharger** *v.* 11
downtown **centre-ville** *m.* 4
drag **barbant** *adj.* 3; **barbe** *f.* 3
drape **rideau** *m.* 8
draw **dessiner** *v.* 2
drawer **tiroir** *m.* 8
dreadful **épouvantable** *adj.* 5
dream (about/of) **rêver (de)** *v.* 11
dress **robe** *f.* 6
   to dress **s'habiller** *v.* 10
dresser **commode** *f.* 8
drink (carbonated) **boisson** *f.* **(gazeuse)** 4
   to drink **boire** *v.* 4
drive **conduire** *v.* 6
   to go for a drive **faire un tour en voiture** 5
driven **conduit (conduire)** *p.p.* 6
driver (taxi/truck) **chauffeur (de taxi/de camion)** *m.*
driver's license **permis** *m.* **de conduire** 11
drums **batterie** *f.*
drunk **bu (boire)** *p.p.* 6
dryer (*clothes*) **sèche-linge** *m.* 8
dry oneself **se sécher** *v.* 10
due **dû(e) (devoir)** *adj.* 9
during **pendant** *prep.* 7
dust **enlever/faire la poussière** *v.* 8
DVR **enregistreur DVR** *m.* 11

E

each **chaque** *adj.* 6
ear **oreille** *f.* 10
early **en avance** *adv.* 2; **tôt**
 adv. 2
earn **gagner** *v.*
Earth **Terre** *f.* 13
easily **facilement** *adv.* 8
east **est** *m.* 12
easy **facile** *adj.* 2
eat **manger** *v.* 2
 to eat lunch **déjeuner** *v.* 4
éclair **éclair** *m.* 4
ecological **écologique** *adj.* 13
ecology **écologie** *f.* 13
economics **économie** *f.* 2
ecotourism **écotourisme** *m.* 13
education **formation** *f.*
effect: in effect **en effet** 13
egg **œuf** *m.* 9
eight **huit** *m.* 1
eighteen **dix-huit** *m.* 1
eighth **huitième** *adj.* 7
eighty **quatre-vingts** *m.* 3
eighty-one **quatre-vingt-un** *m.* 3
elder **aîné(e)** *adj.* 3
electric **électrique** *adj.* 8
 electrical appliance **appareil**
 m. **électrique** 8
electrician **électricien/**
 électricienne *m., f.*
elegant **élégant(e)** *adj.* 1
elevator **ascenseur** *m.* 7
eleven **onze** *m.* 1
eleventh **onzième** *adj.* 7
e-mail **e-mail** *m.* 11
emergency room **urgences**
 f., pl. 10
 to go to the emergency room
 aller aux urgences *v.* 10
end **fin** *f.*
endangered **menacé(e)** *adj.* 13
 endangered species **espèce** *f.*
 menacée 13
engaged **fiancé(e)** *adj.* 3
engine **moteur** *m.* 11
engineer **ingénieur** *m.* 3
England **Angleterre** *f.* 7
English **anglais(e)** *adj.* 1
enormous **énorme** *adj.* 2
enough (of) **assez (de)** *adv.* 4
 not enough (of) **pas assez**
 (de) 4
enter **entrer** *v.* 7
envelope **enveloppe** *f.* 12
environment **environnement**
 m. 13
equal **égaler** *v.* 3
erase **effacer** *v.* 11
errand **course** *f.* 9
escargot **escargot** *m.* 9

especially **surtout** *adv.* 2
essay **dissertation** *f.* 11
essential **essentiel(le)** *adj.* 13
 It is essential that… **Il est**
 essentiel/indispensable
 que… 13
even **même** *adv.* 5
evening **soir** *m.*; **soirée** *f.* 2
 … (o'clock) in the evening
 … **heures du soir** 2
every day **tous les jours** *adv.* 8
everyone **tout le monde** *m.* 9
evident **évident(e)** *adj.* 13
 It is evident that… **Il est**
 évident que… 13
evidently **évidemment** *adv.* 8
exactly **exactement** *adv.* 9
exam **examen** *m.* 1
Excuse me. **Excuse-moi.** *fam.* 1;
 Excusez-moi. *form.* 1
executive **cadre/femme cadre**
 m., f.
exercise **exercice** *m.* 10
 to exercise **faire de**
 l'exercice *v.* 10
exhibit **exposition** *f.*
exit **sortie** *f.* 7
expenditure **dépense** *f.* 12
expensive **cher/chère** *adj.* 6
explain **expliquer** *v.* 2
explore **explorer** *v.* 4
extinction **extinction** *f.* 13
eye (eyes) **œil (yeux)** *m.* 10

F

face **visage** *m.* 10
facing **en face (de)** *prep.* 3
fact: in fact **en fait** 7
factory **usine** *f.* 13
fail **échouer** *v.* 2
fall **automne** *m.* 5
 in the fall **à l'automne** 5
 to fall **tomber** *v.* 7
 to fall asleep **s'endormir**
 v. 10
 to fall in love **tomber**
 amoureux/amoureuse *v.* 6
family **famille** *f.* 3
famous **célèbre** *adj.*; **connu**
 (connaître) *p.p., adj.* 8
far (from) **loin (de)** *prep.* 3
farewell **adieu** *m.* 13
farmer **agriculteur/**
 agricultrice *m., f.*
fashion **mode** *f.* 2
 fashion design **stylisme**
 de mode *m.* 2
fast **rapide** *adj.* 3; **vite** *adv.* 8
fat **gros(se)** *adj.* 3
father **père** *m.* 3
father-in-law **beau-père** *m.* 3

favorite **favori/favorite** *adj.* 3;
 préféré(e) *adj.* 2
fear **peur** *f.* 2
 to fear that **avoir peur que**
 v. 13
February **février** *m.* 5
fed up: to be fed up **en avoir**
 marre *v.* 3
feel (to sense) **sentir** *v.* 5; (state
 of being) **se sentir** *v.* 10
 to feel like (doing something)
 avoir envie (de) 2
 to feel nauseated **avoir mal au**
 cœur 10
festival (festivals) **festival**
 (festivals) *m.*
fever **fièvre** *f.* 10
 to have a fever **avoir de la**
 fièvre *v.* 10
fiancé **fiancé(e)** *m., f.* 6
field (terrain) **champ** *m.* 13;
 (of study) **domaine** *m.*
fifteen **quinze** *m.* 1
fifth **cinquième** *adj.* 7
fifty **cinquante** *m.* 1
figure (physique) **ligne** *f.* 10
file **fichier** *m.* 11
fill: to fill out a form **remplir un**
 formulaire *v.* 12
 to fill the tank **faire le**
 plein *v.* 11
film **film** *m.*
 adventure/crime film **film** *m.*
 d'aventures/policier
finally **enfin** *adv.* 7; **finalement**
 adv. 7; **dernièrement** *adv.* 8
find (a job) **trouver (un/du**
 travail) *v.*
 to find again **retrouver** *v.* 2
fine **amende** *f.* 11
fine arts **beaux-arts** *m., pl.*
finger **doigt** *m.* 10
finish (doing something) **finir (de)**
 v. 11
fire **incendie** *m.* 13
firefighter **pompier/femme**
 pompier *m., f.*
firm (business) **entreprise** *f.*
first **d'abord** *adv.* 7; **premier/**
 première *adj.* 2; **premier** *m.* 5
 It is October 1st **C'est le 1er**
 (premier) octobre. 5
fish **poisson** *m.* 3
fishing **pêche** *f.* 5
 to go fishing **aller à la**
 pêche *v.* 5
fish shop **poissonnerie** *f.* 9
five **cinq** *m.* 1
flat tire **pneu** *m.* **crevé** 11
flight (air travel) **vol** *m.* 7
floor **étage** *m.* 7
flower **fleur** *f.* 8

flu **grippe** *f.* 10
fluently **couramment** *adv.* 8
follow (a path/a street/a boulevard) **suivre (un chemin/une rue/un boulevard)** *v.* 12
   to follow, to subscribe (to) **s'abonner (à)** *v.* 11
food **nourriture** *f.* 9
food item **aliment** *m.* 9
foot **pied** *m.* 10
football **football américain** *m.* 5
for **pour** *prep.* 5; **pendant** *prep.* 9
   For whom? **Pour qui?** 4
forbid **interdire** *v.* 13
foreign **étranger/étrangère** *adj.* 2
   foreign languages **langues** *f., pl.* **étrangères** 2
forest **forêt** *f.* 13
   tropical forest **forêt tropicale** *f.* 13
forget (to do something) **oublier (de)** *v.* 2
fork **fourchette** *f.* 9
form **formulaire** *m.* 12
former (placed before noun) **ancien(ne)** *adj.*
fortunately **heureusement** *adv.* 8
forty **quarante** *m.* 1
fountain **fontaine** *f.* 12
four **quatre** *m.* 1
fourteen **quatorze** *m.* 1
fourth **quatrième** *adj.* 7
France **France** *f.* 7
frankly **franchement** *adv.* 8
free (at no cost) **gratuit(e)** *adj.*
   free time **temps libre** *m.* 5
freezer **congélateur** *m.* 8
French **français(e)** *adj.* 1
French fries **frites** *f., pl.* 4
frequent (to visit regularly) **fréquenter** *v.* 4
fresh **frais/fraîche** *adj.* 5
Friday **vendredi** *m.* 2
friend **ami(e)** *m., f.* 1; **copain/copine** *m., f.* 1
friendship **amitié** *f.* 6
from **de/d'** *prep.* 1
   from time to time **de temps en temps** *adv.* 8
front: in front of **devant** *prep.* 3
fruit **fruit** *m.* 9
full (no vacancies) **complet (complète)** *adj.* 7
full-time job **emploi** *m.* **à plein temps**
fun **amusant(e)** *adj.* 1
   to have fun (doing something) **s'amuser (à)** *v.* 11
funeral **funérailles** *f., pl.* 9
funny **drôle** *adj.* 3

furious **furieux/furieuse** *adj.* 13
   to be furious that… **être furieux/furieuse que…** *v.* 13

G

gain: gain weight **grossir** *v.* 7
game (amusement) **jeu** *m.* 5; (sports) **match** *m.* 5
game show **jeu télévisé** *m.*
garage **garage** *m.* 8
garbage **ordures** *f., pl.* 13
garbage collection **ramassage** *m.* **des ordures** 13
garden **jardin** *m.* 8
garlic **ail** *m.* 9
gas **essence** *f.* 11
gas tank **réservoir d'essence** *m.* 11
gas warning light **voyant** *m.* **d'essence** 11
generally **en général** *adv.* 8
generous **généreux/généreuse** *adj.* 3
genre **genre** *m.*
gentle **doux/douce** *adj.* 3
geography **géographie** *f.* 2
German **allemand(e)** *adj.* 1
Germany **Allemagne** *f.* 7
get (to obtain) **obtenir** *v.*
get along well (with) **s'entendre bien (avec)** *v.* 10
get up **se lever** *v.* 10
   get up again **se relever** *v.* 10
gift **cadeau** *m.* 6
   wrapped gift **paquet cadeau** *m.* 6
gifted **doué(e)** *adj.*
girl **fille** *f.* 1
girlfriend **petite amie** *f.* 1
give (to someone) **donner (à)** *v.* 2
   to give a shot **faire une piqûre** *v.* 10
   to give a tour **faire visiter** *v.* 8
   to give back **rendre (à)** *v.* 6
   to give one another **se donner** *v.* 11
glass (of) **verre (de)** *m.* 4
glasses **lunettes** *f., pl.* 6
   sunglasses **lunettes de soleil** *f., pl.* 6
global warming **réchauffement** *m.* **de la Terre** 13
glove **gant** *m.* 6
go **aller** *v.* 4
   I'm going. **J'y vais.** 8
   Let's go! **Allons-y!** 4; **On y va!** 10
   to go back **repartir** *v.*
   to go down **descendre** *v.* 6
   to go out **sortir** *v.* 7
   to go over **dépasser** *v.* 11
   to go up **monter** *v.* 7

   to go with **aller avec** *v.* 6
golf **golf** *m.* 5
good **bon(ne)** *adj.* 3
   Good evening. **Bonsoir.** 1
   Good morning. **Bonjour.** 1
   to be good for nothing **ne servir à rien** *v.* 9
   to be in a good mood **être de bonne humeur** *v.* 8
   to be in good health **être en bonne santé** *v.* 10
   to be in good shape **être en pleine forme** *v.* 10
   to be up to something interesting **faire quelque chose de beau** *v.* 12
Good-bye. **Au revoir.** 1
government **gouvernement** *m.* 13
grade (academics) **note** *f.* 2
grandchildren **petits-enfants** *m., pl.* 3
granddaughter **petite-fille** *f.* 3
grandfather **grand-père** *m.* 3
grandmother **grand-mère** *f.* 3
grandparents **grands-parents** *m., pl.* 3
grandson **petit-fils** *m.* 3
grant **bourse** *f.* 2
grass **herbe** *f.* 13
gratin **gratin** *m.* 9
gray **gris(e)** *adj.* 6
great **formidable** *adj.* 7; **génial(e)** *adj.* 3
green **vert(e)** *adj.* 3
green beans **haricots verts** *m., pl.* 9
greenhouse **serre** *f.* 13
   greenhouse effect **effet de serre** *m.* 13
grocery store **épicerie** *f.* 4
groom: to groom oneself (in the morning) **faire sa toilette** *v.* 10
ground floor **rez-de-chaussée** *m.* 7
growing population **population** *f.* **croissante** 13
guaranteed **garanti(e)** *p.p., adj.* 5
guest **invité(e)** *m., f.* 6; **client(e)** *m., f.* 7
guitar **guitare** *f.*
guy **mec** *m.* 10
gym **gymnase** *m.* 4

H

habitat **habitat** *m.* 13
   habitat preservation **sauvetage des habitats** *m.* 13
had **eu (avoir)** *p.p.* 6
   had to **dû (devoir)** *p.p.* 9

hair **cheveux** *m., pl.* 9
  to brush one's hair **se brosser les cheveux** *v.* 9
  to do one's hair **se coiffer** *v.* 9
hairbrush **brosse** *f.* **à cheveux** 10
hairdresser **coiffeur/coiffeuse** *m., f.* 3
half **demie** *f.* 2
  half past … (o'clock) **… et demie** 2
half-brother **demi-frère** *m.* 3
half-sister **demi-sœur** *f.* 3
half-time job **emploi** *m.* **à mi-temps**
hallway **couloir** *m.* 8
ham **jambon** *m.* 4
hand **main** *f.* 5
handbag **sac à main** *m.* 6
handsome **beau** *adj.* 3
hang up **raccrocher** *v.*
happiness **bonheur** *m.* 6
happy **heureux/heureuse** *adj.* 3; **content(e)**
  to be happy that… **être content(e) que…** *v.* 13; **être heureux/heureuse que…** *v.* 13
hard drive **disque (dur)** *m.* 11
hard-working **travailleur/ travailleuse** *adj.* 3
hat **chapeau** *m.* 6
hate **détester** *v.* 2
  I hate… **Je déteste…** 2
have **avoir** *v.* 2; **aie (avoir)** *imp., v.* 7; **ayez (avoir)** *imp. v.* 7; **prendre** *v.* 4
  to have an ache **avoir mal** *v.* 10
  to have to (*must*) **devoir** *v.* 9
he **il** *sub. pron.* 1
head (*body part*) **tête** *f.* 10; (*of a company*) **chef** *m.* **d'entreprise**
headache: to have a headache **avoir mal à la tête** *v.* 10
headlights **phares** *m., pl.* 11
headphones **des écouteurs** (*m.*) 11
health **santé** *f.* 10
  to be in good health **être en bonne santé** *v.* 10
health insurance **assurance** *f.* **maladie**
healthy **sain(e)** *adj.* 10
hear **entendre** *v.* 6
heart **cœur** *m.* 10
heat **chaud** *m.* 2
hello (*on the phone*) **allô** 1; (*in the evening*) **Bonsoir.** 1; (*in the morning or afternoon*) **Bonjour.** 1
help **au secours** 11

to help (*to do something*) **aider (à)** *v.* 5
  to help one another **s'aider** *v.* 11
her **la/l'** *d.o. pron.* 7; **lui** *i.o. pron.* 6; (*attached to an imperative*) **-lui** *i.o. pron.* 9
her **sa** *poss. adj., f., sing.* 3; **ses** *poss. adj., m., f., pl.* 3; **son** *poss. adj., m., sing.* 3
Here! **Tenez!** *form., imp. v.* 9; **Tiens!** *fam., imp., v.* 9
here **ici** *adv.* 1; (*used with demonstrative adjective* ce *and noun or with demonstrative pronoun* celui); **-ci** 6;
  Here is… **Voici…** 1
heritage: I am of… heritage. **Je suis d'origine…** 1
herself (*used with reflexive verb*) **se/s'** *pron.* 10
hesitate (*to do something*) **hésiter (à)** *v.* 11
Hey! **Eh!** *interj.* 2
Hi! **Salut!** *fam.* 1
high **élevé(e)** *adj.*
high school **lycée** *m.* 1
  high school student **lycéen(ne)** *m., f.* 2
higher education **études supérieures** *f., pl.* 2
highway **autoroute** *f.* 11
hike **randonnée** *f.* 5
  to go for a hike **faire une randonnée** *v.* 5
him **lui** *i.o. pron.* 6; **le/l'** *d.o. pron.* 7; (*attached to imperative*) **-lui** *i.o. pron.* 9
himself (*used with reflexive verb*) **se/s'** *pron.* 10
hire **embaucher** *v.*
his **sa** *poss. adj., f., sing.* 3; **ses** *poss. adj., m., f., pl.* 3; **son** *poss. adj., m., sing.* 3
history **histoire** *f.* 2
hit (*another car*) **rentrer (dans)** *v.* 11
hold **tenir** *v.* 9
  to be on hold **patienter** *v.*
hole in the ozone layer **trou dans la couche d'ozone** *m.* 13
holiday **jour férié** *m.* 6; **férié(e)** *adj.* 6
home (*house*) **maison** *f.* 4
  at (someone's) home **chez… prep.** 4
home page **page d'accueil** *f.* 11
homework **devoirs** *m., pl.* 2
honest **honnête** *adj.*
honestly **franchement** *adv.* 8
hood **capot** *m.* 11
hope **espérer** *v.* 5

hors d'œuvre **hors-d'œuvre** *m.* 9
horse **cheval** *m.* 5
  to go horseback riding **faire du cheval** *v.* 5
hospital **hôpital** *m.* 4
host **hôte/hôtesse** *m., f.* 6
hot **chaud** *m.* 2
  (*weather*) It is hot. **Il fait chaud.** 5
  to be hot **avoir chaud** *v.* 2
hot chocolate **chocolat chaud** *m.* 4
hotel **hôtel** *m.* 7
  (single) hotel room **chambre** *f.* **(individuelle)** 7
hotel keeper **hôtelier/ hôtelière** *m., f.* 7
hour **heure** *f.* 2
house **maison** *f.* 4
  at (someone's) house **chez… prep.** 2
  to leave the house **quitter la maison** *v.* 4
  to stop by someone's house **passer chez quelqu'un** *v.* 4
household **ménager/ménagère** *adj.* 8
household appliance **appareil** *m.* **ménager** 8
household chore **tâche ménagère** *f.* 8
housewife **femme au foyer** *f.*
housework: to do the housework **faire le ménage** *v.* 8
housing **logement** *m.* 8
how **comme** *adv.* 2; **comment?** *interr. adv.* 4
  How are you? **Comment allez-vous?** *form.* 1; **Comment vas-tu?** *fam.* 1
  How many/How much (of)? **Combien (de)?** 1
  How much is… ? **Combien coûte… ?** 4
huge **énorme** *adj.* 2
Huh? **Hein?** *interj.* 3
humanities **lettres** *f., pl.* 2
hundred: one hundred **cent** *m.* 5
  five hundred **cinq cents** *m.* 5
  one hundred one **cent un** *m.* 5
  one hundred thousand **cent mille** *m.* 5
hundredth **centième** *adj.* 7
hunger **faim** *f.* 4
hungry: to be hungry **avoir faim** *v.* 4
hunt **chasse** *f.* 13
  to hunt **chasser** *v.* 13
hurried **pressé(e)** *adj.* 9
hurry **se dépêcher** *v.* 10
hurt **faire mal** *v.* 10

to hurt oneself **se blesser** *v.* 10
husband **mari** *m.;* **époux** *m.* 3
hyphen (*punctuation mark*)
  tiret *m.* 11

I

I **je** *sub. pron.* 1; **moi** *disj. pron.,*
  sing. 3
ice cream **glace** *f.* 6
ice cube **glaçon** *m.* 6
idea **idée** *f.* 3
if **si** *conj.* 11
ill: to become ill **tomber**
  malade *v.* 10
illness **maladie** *f.*
immediately **tout de suite**
  adv. 4
impatient **impatient(e)** *adj.* 1
important **important(e)** *adj.* 1
  It is important that… **Il est**
  important que… 13
impossible **impossible** *adj.* 13
  It is impossible that… **Il est**
  impossible que… 13
improve **améliorer** *v.*
in **dans** *prep.* 3; **en** *prep.* 3; **à**
  prep. 4
included **compris (comprendre)**
  p.p., adj. 6
incredible **incroyable** *adj.* 11
independent **indépendant(e)**
  adj. 1
independently **indépendam-**
  ment *adv.* 8
indicate **indiquer** *v.* 5
indispensable **indispensable**
  adj. 13
inexpensive **bon marché** *adj.* 6
injection **piqûre** *f.* 10
  to give an injection **faire une**
  piqûre *v.* 10
injury **blessure** *f.* 10
instrument **instrument** *m.* 1
insurance (health/life) **assurance**
  f. **(maladie/vie)**
intellectual **intellectuel(le)** *adj.* 3
intelligent **intelligent(e)** *adj.* 1
interested: to be interested (in)
  s'intéresser (à) *v.* 10
interesting **intéressant(e)** *adj.* 1
intermission **entracte** *m.*
internship **stage** *m.*
intersection **carrefour** *m.* 12
interview: to have an
  interview **passer un entretien**
introduce **présenter** *v.* 1
  I would like to introduce (*name*)
  to you. **Je te présente…**
  fam. 1
  I would like to introduce (*name*)
  to you. **Je vous présente…**
  form. 1

invite **inviter** *v.* 4
Ireland **Irlande** *f.* 7
Irish **irlandais(e)** *adj.* 7
iron **fer à repasser** *m.* 8
  to iron (the laundry) **repasser**
  (le linge) *v.* 8
isn't it? (*tag question*) **n'est-ce**
  pas? 2
island **île** *f.* 13
Italian **italien(ne)** *adj.* 1
Italy **Italie** *f.* 7
it: It depends. **Ça dépend.** 4
  It is… **C'est…** 1
itself (*used with reflexive verb*)
  se/s' *pron.* 10

J

jacket **blouson** *m.* 6
jam **confiture** *f.* 9
January **janvier** *m.* 5
Japan **Japon** *m.* 7
Japanese **japonais(e)** *adj.* 1
jealous **jaloux/jalouse** *adj.* 3
jeans **jean** *m. sing.* 6
jewelry store **bijouterie** *f.* 12
jogging **jogging** *m.* 5
  to go jogging **faire du**
  jogging *v.* 5
joke **blague** *f.* 2
journalist **journaliste** *m., f.* 3
juice (orange/apple) **jus** *m.*
  (d'orange/de pomme) 4
July **juillet** *m.* 5
June **juin** *m.* 5
jungle **jungle** *f.* 13
just (*barely*) **juste** *adv.* 3

K

keep **retenir** *v.* 9
key **clé** *f.* 7
keyboard **clavier** *m.* 11
kilo(gram) **kilo(gramme)** *m.* 9
kind **bon(ne)** *adj.* 3
kiosk **kiosque** *m.* 4
kiss one another **s'embrasser**
  v. 11
kitchen **cuisine** *f.* 8
knee **genou** *m.* 10
knife **couteau** *m.* 9
know (*as a fact*) **savoir** *v.* 8; (*to*
  be familiar with) **connaître** *v.* 8
  to know one another **se**
  connaître *v.* 11
  I don't know anything about
  it. **Je n'en sais rien.** 13
  to know that… **savoir**
  que… 13
known (*as a fact*) **su (savoir)**
  p.p. 8; (*famous*) **connu**
  (connaître) *p.p., adj.* 8

L

laborer **ouvrier/ouvrière** *m., f.*
lake **lac** *m.* 13
lamp **lampe** *f.* 8
landlord **propriétaire** *m.* 3
landslide **glissement de**
  terrain *m.* 13
language **langue** *f.* 2
  foreign languages **langues** *f.,*
  pl. **étrangères** 2
last **dernier/dernière** *adj.* 2
lastly **dernièrement** *adv.* 8
late (*when something happens late*)
  en retard *adv.* 2; (*in the evening,*
  etc.) **tard** *adv.* 2
laugh **rire** *v.* 6
laughed **ri (rire)** *p.p.* 6
laundromat **laverie** *f.* 12
laundry: to do the laundry **faire**
  la lessive *v.* 8
law (*academic discipline*) **droit** *m.*
  2; (*ordinance or rule*) **loi** *f.* 13
lawyer **avocat(e)** *m., f.* 3
lay off (*let go from a job*)
  renvoyer *v.*
lazy **paresseux/paresseuse**
  adj. 3
learned **appris (apprendre)** *p.p.* 6
least **moins** 9
  the least… (*used with adjective*)
  le/la moins… *super. adv.* 9
  the least… (*used with noun to*
  express quantity) **le moins**
  de… 13
  the least… (*used with verb or*
  adverb) **le moins…** *super. adv.* 9
leather **cuir** *m.* 6
leave **partir** *v.* 5; **quitter** *v.* 4
  to leave alone **laisser**
  tranquille *v.* 10
  to leave one another **se quitter**
  v. 11
  I'm leaving. **Je m'en vais.** 8
left: to the left (of) **à gauche**
  (de) *prep.* 3
leg **jambe** *f.* 10
leisure activity **loisir** *m.* 5
lemon soda **limonade** *f.* 4
lend (*to someone*) **prêter (à)** *v.* 6
less **moins** *adv.* 4
  less of … (*used with noun to*
  express quantity) **moins de…** 4
  less … than (*used with noun*
  to compare quantities) **moins**
  de… que 13
  less … than (*used with adjective*
  to compare qualities) **moins…**
  que 9
let **laisser** *v.* 11
  to let go (*to fire or lay off*)
  renvoyer *v.*

Let's go! **Allons-y!** 4; **On y va!** 10
letter **lettre** f. 12
  letter of application **lettre** f. **de motivation**
  letter of recommendation/reference **lettre** f. **de recommandation**
lettuce **laitue** f. 9
level **niveau** m.
library **bibliothèque** f. 1
license: driver's license **permis** m. **de conduire** 11
life **vie** f. 6
life insurance **assurance** f. **vie**
light: warning light (automobile) **voyant** m. 11
  oil/gas warning light **voyant** m. **d'huile/d'essence** 11
  to light up **s'allumer** v. 11
like (as) **comme** adv. 6; to like **aimer** v. 2
  I don't like … very much. **Je n'aime pas tellement…** 2
  I really like… **J'aime bien…** 2
  to like one another **s'aimer bien** v. 11
  to like that… **aimer que…** v. 13
line **queue** f. 12
  to wait in line **faire la queue** v. 12
link **lien** m. 11
listen (to) **écouter** v. 2
literary **littéraire** adj.
literature **littérature** f. 1
little (not much) (of) **peu (de)** adv. 4
live (in) **habiter (à)** v. 2
living room (informal room) **salle de séjour** f. 8; (formal room) **salon** m. 8
located: to be located **se trouver** v. 10
long **long(ue)** adj. 3
  a long time **longtemps** adv. 5
look (at one another) **se regarder** v. 11; (at oneself) **se regarder** v. 10
look for **chercher** v. 2
  to look for work **chercher du/un travail** 12
look like **avoir l'air** v. 2
loose (clothing) **large** adj. 6
lose: to lose (time) **perdre (son temps)** v. 6
  to lose weight **maigrir** v. 7
lost: to be lost **être perdu(e)** v. 11
lot: a lot of **beaucoup de** adv. 4
love **amour** m. 6
  to love **adorer** v. 2

I love… **J'adore…** 2
  to love one another **s'aimer** v. 11
  to be in love **être amoureux/amoureuse** v. 6
luck **chance** f. 2
  to be lucky **avoir de la chance** v. 2
lunch **déjeuner** m. 9
  to eat lunch **déjeuner** v. 4

M

ma'am **Madame.** f. 1
machine: answering machine **répondeur** m. 11
mad: to get mad **s'énerver** v. 10
made **fait (faire)** p.p., adj. 6
magazine **magazine** m.
mail **courrier** m. 12
mailbox **boîte** f. **aux lettres** 12
mailman **facteur** m. 12
main character **personnage principal** m.
main dish **plat (principal)** m. 9
maintain **maintenir** v. 9
make **faire** v. 5
make up **se réconcilier** v.
makeup **maquillage** m. 10
  to put on makeup **se maquiller** v. 10
malfunction **panne** f. 11
man **homme** m. 1
manage (in business) **diriger** v.; (to do something) **arriver à** v. 2
manager **gérant(e)** m., f.
many (of) **beaucoup (de)** adv. 4
  How many (of)? **Combien (de)?** 1
map (of a city) **plan** m. 7; (of the world) **carte** f. 1
March **mars** m. 5
marital status **état civil** m. 6
market **marché** m. 4
marriage **mariage** m. 6
married **marié(e)** adj. 3
  married couple **mariés** m., pl. 6
marry **épouser** v. 3
Martinique: from Martinique **martiniquais(e)** adj. 1
masterpiece **chef-d'œuvre** m.
mathematics **mathématiques (maths)** f., pl. 2
May **mai** m. 5
maybe **peut-être** adv. 2
mayonnaise **mayonnaise** f. 9
mayor's office **mairie** f. 12
me **moi** disj. pron., sing. 3; (attached to imperative) **-moi** pron. 9; **me/m'** i.o. pron. 6; **me/m'** d.o. pron. 7

Me too. **Moi aussi.** 1
Me neither. **Moi non plus.** 2
meal **repas** m. 9
mean **méchant(e)** adj. 3
means: that means **ça veut dire** v. 9
meat **viande** f. 9
mechanic **mécanicien/mécanicienne** m., f. 11
medication (against/for) **médicament (contre/pour)** m., f. 10
medium-sized **de taille moyenne** adj. 3
meet (to encounter, to run into) **rencontrer** v. 2; (to make the acquaintance of/meet someone for the first time) **faire la connaissance de** v. 5, **se rencontrer** v. 11; (planned encounter) **se retrouver** v. 11
meeting **réunion** f.; **rendez-vous** m. 6
member **membre** m.
menu **menu** m. 9; **carte** f. 9
message **message** m.
  to leave a message **laisser un message** v.
Mexican **mexicain(e)** adj. 1
Mexico **Mexique** m. 7
microwave oven **four à micro-ondes** m. 8
midnight **minuit** m. 2
milk **lait** m. 4
mineral water **eau** f. **minérale** 4
mirror **miroir** m. 8
Miss **Mademoiselle** f. 1
mistaken: to be mistaken (about something) **se tromper (de)** v. 10
modest **modeste** adj.
moment **moment** m. 1
Monday **lundi** m. 2
money **argent** m. 12; (currency) **monnaie** f. 12
  to deposit money **déposer de l'argent** v. 12
monitor **moniteur** m. 11
month **mois** m. 2
  this month **ce mois-ci** 2
moon **Lune** f. 13
more **plus** adv. 4
  more of **plus de** 4
  more … than (used with noun to compare quantities) **plus de… que** 13
  more … than (used with adjective to compare qualities) **plus… que** 9

morning **matin** *m.* 2; **matinée** *f.* 2
  this morning **ce matin** 2
Moroccan **marocain(e)** *adj.* 1
most **plus** 9
  the most... *(used with adjective)* **le/la plus...** *super. adv.* 9
  the most... *(used with noun to express quantity)* **le plus de...** 13
  the most... *(used with verb or adverb)* **le plus...** *super. adv.* 9
mother **mère** *f.* 3
mother-in-law **belle-mère** *f.* 3
mountain **montagne** *f.* 4
mouse **souris** *f.* 11
mouth **bouche** *f.* 10
move *(to get around)* **se déplacer** *v.* 12
  to move in **emménager** *v.* 8
  to move out **déménager** *v.* 8
movie **film** *m.*
  adventure/horror/science-fiction/crime movie **film** *m.* **d'aventures/d'horreur/de science-fiction/policier**
movie theater **cinéma (ciné)** *m.* 4
much (as much ... as) *(used with noun to express quantity)* **autant de ... que** *adv.* 13
  How much *(of something)?* **Combien (de)?** 1
  How much is... ? **Combien coûte... ?** 4
museum **musée** *m.* 4
  to go to museums **faire les musées** *v.*
mushroom **champignon** *m.* 9
music: to play music **faire de la musique**
musical **comédie** *f.* **musicale; musical(e)** *adj.*
musician **musicien(ne)** *m., f.* 3
must *(to have to)* **devoir** *v.* 9
  One must **Il faut...** 5
mustard **moutarde** *f.* 9
my **ma** *poss. adj., f., sing.* 3; **mes** *poss. adj., m., f., pl.* 3; **mon** *poss. adj., m., sing.* 3
myself **me/m'** *pron., sing.* 10; *(attached to an imperative)* **-moi** *pron.* 9

naïve **naïf (naïve)** *adj.* 3
name: My name is... **Je m'appelle...** 1
named: to be named **s'appeler** *v.* 10

napkin **serviette** *f.* 9
nationality **nationalité** *f.*
  I am of ... nationality. **Je suis de nationalité...** 1
natural **naturel(le)** *adj.* 13
natural resource **ressource naturelle** *f.* 13
nature **nature** *f.* 13
nauseated: to feel nauseated **avoir mal au cœur** *v.* 10
near (to) **près (de)** *prep.* 3
  very near (to) **tout près (de)** 12
necessary **nécessaire** *adj.* 13
  It was necessary... *(followed by infinitive or subjunctive)* **Il a fallu...** 6
  It is necessary... *(followed by infinitive or subjunctive)* **Il faut que...** 5
  It is necessary that... *(followed by subjunctive)* **Il est nécessaire que/qu'...** 13
neck **cou** *m.* 10
need **besoin** *m.* 2
  to need **avoir besoin (de)** *v.* 2
neighbor **voisin(e)** *m., f.* 3
neighborhood **quartier** *m.* 8
neither... nor **ne... ni... ni...** *conj.* 12
nephew **neveu** *m.* 3
network **réseau** *m.* 11
nervous **nerveux/nerveuse** *adj.* 3
nervously **nerveusement** *adv.* 8
never **jamais** *adv.* 5; **ne... jamais** *adv.* 12
new **nouveau/nouvelle** *adj.* 3
newlyweds **jeunes mariés** *m., pl.* 6
news **informations (infos)** *f., pl*; **nouvelles** *f., pl.*
newspaper **journal** *m.* 7
newsstand **marchand de journaux** *m.* 12
next **ensuite** *adv.* 7; **prochain(e)** *adj.* 2
  next to **à côté de** *prep.* 3
nice **gentil/gentille** *adj.* 3; **sympa(thique)** *adj.* 1
nicely **gentiment** *adv.* 8
niece **nièce** *f.* 3
night **nuit** *f.* 2
nightclub **boîte (de nuit)** *f.* 4
nine **neuf** *m.* 1
nine hundred **neuf cents** *m.* 5
nineteen **dix-neuf** *m.* 1
ninety **quatre-vingt-dix** *m.* 3
ninth **neuvième** *adj.* 7
no *(at beginning of statement to indicate disagreement)* **(mais) non** 2; **aucun(e)** *adj.* 10

no more **ne... plus** 12
no problem **pas de problème** 12
no reason **pour rien** 4
no, none **pas (de)** 12
nobody **ne... personne** 12
none (not any) **ne... aucun(e)** 12
noon **midi** *m.* 2
no one **personne** *pron.* 12
north **nord** *m.* 12
nose **nez** *m.* 10
not **ne... pas** 2
  not at all **pas du tout** *adv.* 2
  Not badly. **Pas mal.** 1
  to not believe that **ne pas croire que** *v.* 13
  to not think that **ne pas penser que** *v.* 13
  not yet **pas encore** *adv.* 8
notebook **cahier** *m.* 1
notes **billets** *m., pl.* 11
nothing **rien** *indef. pron.* 12
  It's nothing. **Il n'y a pas de quoi.** 1
notice **s'apercevoir** *v.* 12
novel **roman** *m.*
November **novembre** *m.* 5
now **maintenant** *adv.* 5
nuclear **nucléaire** *adj.* 13
nuclear energy **énergie nucléaire** *f.* 13
nuclear power plant **centrale nucléaire** *f.* 13
nurse **infirmier/infirmière** *m., f.* 10

object **objet** *m.* 1
obtain **obtenir** *v.*
obvious **évident(e)** *adj.* 13
  It is obvious that... **Il est évident que...** 13
obviously **évidemment** *adv.* 8
o'clock: It's... (o'clock). **Il est... heure(s).** 2
  at ... (o'clock) **à ... heure(s)** 4
October **octobre** *m.* 5
of **de/d'** *prep.* 3
  of medium height **de taille moyenne** *adj.* 3
  of the **des (de + les)** 3
  of the **du (de + le)** 3
  of which, of whom **dont** *rel. pron.* 11
of course **bien sûr** *adv.*; **évidemment** *adv.* 2
  of course not *(at beginning of statement to indicate disagreement)* **(mais) non** 2
offer **offrir** *v.* 11

offered **offert (offrir)** *p.p.* 11
office **bureau** *m.* 4
  at the doctor's office **chez le
  médecin** *prep.* 2
often **souvent** *adv.* 5
oil **huile** *f.* 9
  automobile oil **huile** *f.* 11
  oil warning light **voyant** *m.*
  d'huile 11
  olive oil **huile** *f.* **d'olive** 9
  to check the oil **vérifier
  l'huile** *v.* 11
okay **d'accord** 2
old **vieux/vieille** *adj.; (placed
  after noun)* **ancien(ne)** *adj.* 3
old age **vieillesse** *f.* 6
olive **olive** *f.* 9
olive oil **huile** *f.* **d'olive** 9
omelette **omelette** *f.* 5
on **sur** *prep.* 3
  On behalf of whom? **C'est de
  la part de qui?**
  on the condition that… **à
  condition que**
  on television **à la télé(vision)**
  on the contrary **au contraire**
  on the radio **à la radio**
  on the subject of **au sujet
  de** 13
  on vacation **en vacances** 7
once **une fois** *adv.* 8
one **un** *m.* 1
  one **on** *sub. pron., sing.* 1
  one another **l'un(e) à
  l'autre** 11
  one another **l'un(e)
  l'autre** 11
  one had to… **il fallait…** 8
  One must… **Il faut que/
  qu'…** 13
  One must… **Il faut…** *(followed
  by infinitive or subjunctive)* 5
  one million **un million** *m.* 5
  one million *(things)* **un million
  de…** 5
onion **oignon** *m.* 9
online **en ligne** 11
  to be online **être en ligne**
  v. 11
  to be online (with someone)
  **être connecté(e) (avec
  quelqu'un)** *v.* 7, 11
only **ne… que** 12; seulement
  adv. 8
open **ouvrir** *v.* 11; **ouvert(e)**
  adj. 11
opened **ouvert (ouvrir)** *p.p.* 11
opera **opéra** *m.*
optimistic **optimiste** *adj.* 1
or **ou** 3

orange **orange** *f.* 9; **orange** *inv.
  adj.* 6
orchestra **orchestre** *m.*
order **commander** *v.* 9
orient oneself **s'orienter** *v.* 12
others **d'autres** 4
our **nos** *poss. adj., m., f., pl.* 3;
  notre *poss. adj., m., f., sing.* 3
outdoor *(open-air)* **plein air** 13
outdoor seating **terrasse de
  café** *f.* 4
over **fini** *adj., p.p.* 7
overpopulation **surpopulation**
  f. 13
overseas **à l'étranger** *adv.* 7
over there **là-bas** *adv.* 1
owed **dû (devoir)** *p.p., adj.* 9
own **posséder** *v.* 5
owner **propriétaire** *m., f.* 3
ozone **ozone** *m.* 13
  hole in the ozone layer
  **trou dans la couche
  d'ozone** *m.* 13

P

pack: to pack one's bags **faire les
  valises** 7
package **colis** *m.* 12
paid **payé (payer)** *p.p., adj.*
  to be well/badly paid **être bien/
  mal payé(e)**
pain **douleur** *f.* 10
paint **faire de la peinture** *v.*
painter **peintre/femme peintre**
  m., f.
painting **peinture** *f.;* **tableau**
  m. 1
pants **pantalon** *m., sing.* 6
paper **papier** *m.* 1
Pardon *(me)*. **Pardon.** 1
parents **parents** *m., pl.* 3
park **parc** *m.* 4
  to park **se garer** *v.* 11
parka **anorak** *m.* 6
parking lot **parking** *m.* 11
part-time job **emploi** *m.* **à mi-
  temps/à temps partiel** *m*
party **fête** *f.* 6
  to party **faire la fête** *v.* 6
pass **dépasser** *v.* 11;
  pas-ser *v.* 7
  to pass an exam **être reçu(e)
  à un examen** *v.* 2
passenger **passager/passagère**
  m., f. 7
passport **passeport** *m.* 7
password **mot de passe** *m.* 11
past: in the past **autrefois** *adv.* 8
pasta **pâtes** *f., pl.* 9
pastime **passe-temps** *m.* 5

pastry shop **pâtisserie** *f.* 9
pâté **pâté (de campagne)** *m.* 9
path **sentier** *m.* 13; **chemin** *m.* 12
patient **patient(e)** *adj.* 1
patiently **patiemment** *adv.* 8
pay **payer** *v.* 5
  to pay by check **payer par
  chèque** *v.* 12
  to pay in cash **payer en
  liquide** *v.* 12
  to pay with a credit card **payer
  avec une carte de
  crédit** *v.* 12
  to pay attention (to) **faire
  attention (à)** *v.* 5
peach **pêche** *f.* 9
pear **poire** *f.* 9
peas **petits pois** *m., pl.* 9
pen **stylo** *m.* 1
pencil **crayon** *m.* 1
people **gens** *m., pl.* 7
pepper *(spice)* **poivre** *m.* 9;
  (vegetable) **poivron** *m.* 9
per day/week/month/year
  **par jour/semaine/mois/
  an** 5
perfect **parfait(e)** *adj.* 2
perhaps **peut-être** *adv.* 2
period *(punctuation mark)* **point**
  m. 11
permit **permis** *m.* 11
permitted **permis (permettre)**
  p.p., adj. 6
person **personne** *f.* 1
pessimistic **pessimiste** *adj.* 1
pharmacist **pharmacien(ne)**
  m., f. 10
pharmacy **pharmacie** *f.* 10
philosophy **philosophie** *f.* 2
phone card **télécarte** *f.*
phone one another **se
  téléphoner** *v.* 11
photo(graph) **photo(graphie)**
  f. 3
physical education **éducation
  physique** *f.* 2
physics **physique** *f.* 2
piano **piano** *m.*
pick up **décrocher** *v.*
picnic **pique-nique** *m.* 13
picture **tableau** *m.* 1
pie **tarte** *f.* 9
piece (of) **morceau (de)** *m.* 4
  piece of furniture **meuble** *m.* 8
pill **pilule** *f.* 10
pillow **oreiller** *m.* 8
pink **rose** *adj.* 6
pitcher (of water) **carafe (d'eau)**
  f. 9
place **endroit** *m.* 4; **lieu** *m.* 4

plan: to plan a party **organiser une fête** *v.* 6

planet **planète** *f.* 13

plans: to make plans **faire des projets** *v.*

plant **plante** *f.* 13

plastic **plastique** *m.* 13

plastic wrapping **emballage en plastique** *m.* 13

plate **assiette** *f.* 9

play **pièce de théâtre** *f.*

play **s'amuser** *v.* 10; (*a sport/a musical instrument*) **jouer (à/de)** *v.* 5

to play sports **faire du sport, pratiquer** *v.* 5

to play a role **jouer un rôle** *v.*

player **joueur/joueuse** *m., f.* 5

playwright **dramaturge** *m.*

pleasant **agréable** *adj.* 1

please: to please someone **faire plaisir à quelqu'un** *v.*

Please. **S'il te plaît.** *fam.* 1

Please. **S'il vous plaît.** *form.* 1

Please. **Je vous en prie.** *form.* 1

Please hold. **Ne quittez pas.**

plug in **brancher** *v.* 11

plumber **plombier** *m.*

poem **poème** *m.*

poet **poète/poétesse** *m., f.*

police **police** *f.* 11

police officer **agent de police** *m.* 11; **policier** *m.* 11; **policière** *f.* 11

police station **commissariat de police** *m.* 12

polite **poli(e)** *adj.* 1

politely **poliment** *adv.* 8

political science **sciences politiques (sciences po)** *f., pl.* 2

politician **homme/femme politique** *m., f.*

pollute **polluer** *v.* 13

pollution **pollution** *f.* 13

pollution cloud **nuage de pollution** *m.* 13

pool **piscine** *f.* 4

poor **pauvre** *adj.* 3

popular music **variétés** *f., pl.*

population **population** *f.* 13

growing population **population** *f.* **croissante** 13

pork **porc** *m.* 9

portrait **portrait** *m.* 5

position (*job*) **poste** *m.*

possess (*to own*) **posséder** *v.* 5

possible **possible** *adj.*

It is possible that... **Il est possible que...** 13

post **afficher** *v.*

post office **bureau de poste** *m.* 12

postal service **poste** *f.* 12

postcard **carte postale** *f.* 12

poster **affiche** *f.* 8

potato **pomme de terre** *f.* 9

practice **pratiquer** *v.* 5

prefer **aimer mieux** *v.* 2; **préférer (que)** *v.* 5

pregnant **enceinte** *adj.* 10

prepare (for) **préparer** *v.* 2

to prepare (*to do something*) **se préparer (à)** *v.* 10

prescription **ordonnance** *f.* 10

present **présenter** *v.*

preservation: habitat preservation **sauvetage des habitats** *m.* 13

preserve **préserver** *v.* 13

pressure **pression** *f.* 11

to check the tire pressure **vérifier la pression des pneus** *v.* 11

pretty **joli(e)** *adj.* 3; (*before an adjective or adverb*) **assez** *adv.* 8

prevent: to prevent a fire **prévenir l'incendie** *v.* 13

price **prix** *m.* 4

principal **principal(e)** *adj.* 12

print **imprimer** *v.* 11

printer **imprimante** *f.* 11

problem **problème** *m.* 1

produce **produire** *v.* 6

produced **produit (produire)** *p.p., adj.* 6

product **produit** *m.* 13

profession **métier** *m.*; **profession** *f.*

demanding profession **profession** *f.* **exigeante**

professional **professionnel(le)** *adj.*

professional experience **expérience professionnelle** *f.*

professor **professeur** *m.* 1

program **programme** *m.*; (*software*) **logiciel** *m.* 11; (*television*) **émission** *f.* **de télévision**

prohibit **interdire** *v.* 13

project **projet** *m.*

promise **promettre** *v.* 6

promised **promis (promettre)** *p.p., adj.* 6

promotion **promotion** *f.*

propose that... **proposer que...** *v.* 13

to propose a solution **proposer une solution** *v.* 13

protect **protéger** *v.* 5

protection **préservation** *f.* 13; **protection** *f.* 13

proud **fier/fière** *adj.* 3

psychological **psychologique** *adj.*

psychological drama **drame psychologique** *m.*

psychology **psychologie** *f.* 2

psychologist **psychologue** *m., f.*

publish **publier** *v.*

pure **pur(e)** *adj.* 13

purple **violet(te)** *adj.* 6

purse **sac à main** *m.* 6

put **mettre** *v.* 6

to put (on) (oneself) **se mettre** *v.* 10

to put away **ranger** *v.* 8

to put on makeup **se maquiller** *v.* 10

put **mis (mettre)** *p.p.* 6

Q

quarter **quart** *m.* 2

a quarter after ... (o'clock) **... et quart** 2

Quebec: from Quebec **québécois(e)** *adj.* 1

question **question** *f.* 6

to ask (someone) a question **poser une question (à)** *v.* 6

quick **vite** *adv.* 4

quickly **vite** *adv.* 1

quite (*before an adjective or adverb*) **assez** *adv.* 8

R

rabbit **lapin** *m.* 13

rain **pleuvoir** *v.* 5

acid rain **pluie** *f.* **acide** 13

It is raining. **Il pleut.** 5

It was raining. **Il pleuvait.** 8

rain forest **forêt tropicale** *f.* 13

rain jacket **imperméable** *m.* 5

rained **plu (pleuvoir)** *p.p.* 6

raise (in salary) **augmentation (de salaire)** *f.*

rapidly **rapidement** *adv.* 8

rarely **rarement** *adv.* 5

rather **plutôt** *adv.* 1

ravishing **ravissant(e)** *adj.*

razor **rasoir** *m.* 10

read **lire** *v.* 7

read **lu (lire)** *p.p., adj.* 7

ready **prêt(e)** *adj.* 3

real (*true*) **vrai(e)** *adj.*; **véritable** *adj.* 3

real estate agent **agent immobilier** *m., f.*

realize **se rendre compte** v. 10

really **vraiment** adv. 5; *(before adjective or adverb)* **tout(e)** adv. 3; *(before adjective or adverb)* **très** adv. 8

really close by **tout près** 3

rear-view mirror **rétroviseur** m. 11

reason **raison** f. 2

receive **recevoir** v. 12

received **reçu (recevoir)** p.p., adj. 12

receiver **combiné** m.

recent **récent(e)** adj.

reception desk **réception** f. 7

recognize **reconnaître** v. 8

recognized **reconnu (reconnaître)** p.p., adj. 8

recommend that… **recommander que…** v. 13

recommendation **recommandation** f.

record **enregistrer** v. 11

recycle **recycler** v. 13

recycling **recyclage** m. 13

red **rouge** adj. 6

redial **recomposer (un numéro)** v. 11

reduce **réduire** v. 6

reduced **réduit (réduire)** p.p., adj. 6

reference **référence** f.

reflect (on) **réfléchir (à)** v. 7

refrigerator **frigo** m. 8

refuse (to do something) **refuser (de)** v. 11

region **région** f. 13

regret that… **regretter que…** 13

relax **se détendre** v. 10

remember **se souvenir (de)** v. 10

remote control **télécommande** f.

rent **loyer** m. 8

to rent **louer** v. 8

repair **réparer** v. 11

repeat **répéter** v. 5

research **rechercher** v.

researcher **chercheur/ chercheuse** m., f.

reservation **réservation** f. 7

to cancel a reservation **annuler une réservation** 7

reserve **réserver** v. 7

reserved **réservé(e)** adj. 1

residence **résidence** f. 8

resign **démissionner** v.

resort (ski) **station** f. **(de ski)** 7

respond **répondre (à)** v. 6

rest **se reposer** v. 10

restart **redémarrer** v. 11

restaurant **restaurant** m. 4

restroom(s) **toilettes** f., pl. 8; **W.-C.** m., pl.

result **résultat** m. 2

résumé **curriculum vitæ (C.V.)** m.

retake (a test) **repasser** v.

retire **prendre sa retraite** v. 6

retired person **retraité(e)** m., f.

retirement **retraite** f. 6

return **retourner** v. 7

to return (home) **rentrer (à la maison)** v. 2

review (*criticism*) **critique** f.

rice **riz** m. 9

ride: to go horseback riding **faire du cheval** v. 5

to ride in a car **rouler en voiture** v. 7

right **juste** adv. 3

to the right (of) **à droite (de)** prep. 3

to be right **avoir raison** 2

right away **tout de suite** 7

right next door **juste à côté** 3

ring **sonner** v. 11

river **fleuve** m. 13; **rivière** f. 13

riverboat **bateau-mouche** m. 7

role **rôle** m. 13

room **pièce** f. 8; **salle** f. 8

bedroom **chambre** f. 7

classroom **salle** f. **de classe** 1

dining room **salle** f. **à manger** 8

single hotel room **chambre** f. **individuelle** 7

roommate **camarade de chambre** m., f. 1

(*in an apartment*) **colocataire** m., f. 1

round-trip **aller-retour** adj. 7

round-trip ticket **billet** m. **aller-retour** 7

rug **tapis** m. 8

run **courir** v. 5; **couru (courir)** p.p., adj. 6

to run into someone **tomber sur quelqu'un** v. 7

S

sad **triste** adj. 3

to be sad that… **être triste que…** v. 13

safety **sécurité** f. 11

said **dit (dire)** p.p., adj. 7

salad **salade** f. 9

salary (a high, low) **salaire (élevé, modeste)** m.

sales **soldes** f., pl. 6

salon: beauty salon **salon** m. **de beauté** 12

salt **sel** m. 9

sandwich **sandwich** m. 4

sat (down) **assis (s'asseoir)** p.p. 10

Saturday **samedi** m. 2

sausage **saucisse** f. 9

save **sauvegarder** v. 11

save the planet **sauver la planète** v. 13

savings **épargne** f. 12

savings account **compte d'épargne** m. 12

say **dire** v. 7

scarf **écharpe** f. 6

scholarship **bourse** f. 2

school **école** f. 2

science **sciences** f., pl. 2

political science **sciences politiques (sciences po)** f., pl. 2

screen **écran** m. 11

screening **séance** f.

sculpture **sculpture** f.

sculptor **sculpteur/ sculptrice** m., f.

sea **mer** f. 7

seafood **fruits de mer** m., pl. 9

search for **chercher** v. 2

to search for work **chercher du travail** v. 12

season **saison** f. 5

seat **place** f.

seatbelt **ceinture de sécurité** f. 11

to buckle one's seatbelt **attacher sa ceinture de sécurité** v. 11

seated **assis(e)** p.p., adj. 10

second **deuxième** adj. 7

security **sécurité** f. 11

see **voir** v. 12; (*catch sight of*) **apercevoir** v. 12

to see again **revoir** v. 12

See you later. **À plus tard.** 1

See you later. **À tout à l'heure.** 1

See you soon. **À bientôt.** 1

See you tomorrow. **À demain.** 1

seem **avoir l'air** v. 2

seen **aperçu (apercevoir)** p.p. 12; **vu (voir)** p.p. 12

seen again **revu (revoir)** p.p. 12

self/-selves **même(s)** pron. 6

selfish **égoïste** adj. 1

sell **vendre** v. 6

seller **vendeur/vendeuse** m., f. 6

send **envoyer** v. 5

to send (*to someone*) **envoyer (à)** v. 6

to send a letter **poster une lettre** 12

Senegalese **sénégalais(e)** *adj.* 1
sense **sentir** *v.* 5
separated **séparé(e)** *adj.* 3
September **septembre** *m.* 5
serious **grave** *adj.* 10; **sérieux/
  sérieuse** *adj.* 3
serve **servir** *v.* 5
server **serveur/serveuse** *m., f.* 4
service station **station-service**
  f. 11
set the table **mettre la table** *v.* 8
seven **sept** *m.* 1
seven hundred **sept cents** *m.* 5
seventeen **dix-sept** *m.* 1
seventh **septième** *adj.* 7
seventy **soixante-dix** *m.* 3
several **plusieurs** *adj.* 4
shame **honte** *f.* 2
  It's a shame that... **Il est
  dommage que...** 13
shampoo **shampooing** *m.* 10
shape (*state of health*)
  forme *f.* 10
share **partager** *v.* 2
shave (oneself) **se raser** *v.* 10
shaving cream **crème à
  raser** *f.* 10
she **elle** *pron.* 1
sheet of paper **feuille de papier**
  f. 1
sheets **draps** *m., pl.* 8
shelf **étagère** *f.* 8
shh **chut**
shirt (short-/long-sleeved)
  **chemise (à manches
  courtes/longues)** *f.* 6
shoe **chaussure** *f.* 6
shopkeeper **commerçant(e)**
  m., f. 9
shopping **shopping** *m.* 7
  to go shopping **faire du
  shopping** *v.* 7
  to go (grocery) shopping **faire
  les courses** *v.* 9
shopping center **centre
  commercial** *m.* 4
short **court(e)** *adj.* 3; (*stature*) **petit(e)** 3
shorts **short** *m.* 6
shot (*injection*) **piqûre** *f.* 10
  to give a shot **faire une piqûre**
  v. 10
show **spectacle** *m.* 5; (*movie or
  theater*) **séance** *f.*
  to show (*to someone*) **montrer
  (à)** *v.* 6
shower **douche** *f.* 8
shut off **fermer** *v.* 11
shy **timide** *adj.* 1
sick: to get/be sick **tomber/être
  malade** *v.* 10
sign **signer** *v.* 12

silk **soie** *f.* 6
since **depuis** *adv.* 9
sincere **sincère** *adj.* 1
sing **chanter** *v.* 5
singer **chanteur/chanteuse**
  m., f. 1
single (*marital status*) **célibataire**
  adj. 3
  single hotel room **chambre** *f.*
  individuelle 7
sink **évier** *m.* 8; (*bathroom*)
  lavabo *m.* 8
sir **Monsieur** *m.* 1
sister **sœur** *f.* 3
sister-in-law **belle-sœur** *f.* 3
sit down **s'asseoir** *v.* 10
sitting **assis(e)** *adj.* 10
six **six** *m.* 1
six hundred **six cents** *m.* 5
sixteen **seize** *m.* 1
sixth **sixième** *adj.* 7
sixty **soixante** *m.* 1
size **taille** *f.* 6
skate **patiner** *v.* 4
ski **skier** *v.* 5; **faire du ski** 5
skiing **ski** *m.* 5
ski jacket **anorak** *m.* 6
ski resort **station** *f.* **de ski** 7
skin **peau** *f.* 10
skirt **jupe** *f.* 6
sky **ciel** *m.* 13
sleep **sommeil** *m.* 2
  to sleep **dormir** *v.* 5
  to be sleepy **avoir sommeil** *v.* 2
sleeve **manche** *f.* 6
slice **tranche** *f.* 9
slipper **pantoufle** *f.* 10
slow **lent(e)** *adj.* 3
small **petit(e)** *adj.* 3
smartphone **smartphone** *m.* 11
smell **sentir** *v.* 5
smile **sourire** *m.* 6
  to smile **sourire** *v.* 6
smoke **fumer** *v.* 10
snack (afternoon) **goûter** *m.* 9
snake **serpent** *m.* 13
sneeze **éternuer** *v.* 10
snow **neiger** *v.* 5
  It is snowing. **Il neige.** 5
  It was snowing... **Il
  neigeait...** 8
so **si** 11; **alors** *adv.* 1
  so that **pour que**
soap **savon** *m.* 10
soap opera **feuilleton** *m.*
soccer **foot(ball)** *m.* 5
sociable **sociable** *adj.* 1
social network **réseau social** *m.*
  11
sociology **sociologie** *f.* 1
sock **chaussette** *f.* 6
software **logiciel** *m.* 11

soil (*to make dirty*) **salir** *v.* 8
solar **solaire** *adj.* 13
solar energy **énergie solaire**
  f. 13
solution **solution** *f.* 13
some **de l'** *part. art., m., f., sing.* 4
  some **de la** *part. art., f., sing.* 4
  some **des** *part. art., m., f., pl.* 4
  some **du** *part. art., m., sing.* 4
  some **quelques** *adj.* 4
  some (of it/them) **en** *pron.* 10
someone **quelqu'un** *pron.* 12
something **quelque chose** *m.* 4
  Something's not right.
  Quelque chose ne va pas. 5
sometimes **parfois** *adv.* 5;
  quelquefois *adv.* 8
son **fils** *m.* 3
song **chanson** *f.*
sorry **désolé(e)** 11
  to be sorry that... **être
  désolé(e) que...** *v.* 13
sort **sorte** *f.*
So-so. **Comme ci, comme ça.** 1
soup **soupe** *f.* 4
soupspoon **cuillère à soupe** *f.* 9
south **sud** *m.* 12
space **espace** *m.* 13
Spain **Espagne** *f.* 7
Spanish **espagnol(e)** *adj.* 1
speak (on the phone) **parler
  (au téléphone)** *v.* 2
  to speak (to) **parler (à)** *v.* 6
  to speak to one another **se parler** *v.* 11
specialist **spécialiste** *m., f.*
species **espèce** *f.* 13
  endangered species **espèce** *f.*
  menacée 13
spectator **spectateur/
  spectatrice** *m., f.*
speed **vitesse** *f.* 11
speed limit **limitation de
  vitesse** *f.* 11
spend **dépenser** *v.* 4
  to spend money **dépenser de
  l'argent** 4
  to spend time **passer** *v.* 7
  to spend time (*somewhere*)
  faire un séjour 7
spoon **cuillère** *f.* 9
sport(s) **sport** *m.* 5
  to play sports **faire du sport**
  v. 5
sporty **sportif/sportive** *adj.* 3
sprain one's ankle **se fouler la
  cheville** 10
spring **printemps** *m.* 5
  in the spring **au printemps** 5
square (*place*) **place** *f.* 4
squirrel **écureuil** *m.* 13
stadium **stade** *m.* 5

stage (*phase*) **étape** *f.* 6
stage fright **trac** *m.*
staircase **escalier** *m.* 8
stamp **timbre** *m.* 12
star **étoile** *f.* 13
starter **entrée** *f.* 9
start up **démarrer** *v.* 11
station **gare** *f.* 7; **station** *f.* 7
   bus station **gare routière** *f.* 7
   subway station **station** *f.* **de
   métro** 7
   train station **gare** *f.* 7;
stationery store **papeterie** *f.* 12
statue **statue** *f.* 12
stay **séjour** *m.* 7; **rester** *v.* 7
   to stay slim **garder la ligne**
   v. 10
steak **steak** *m.* 9
steering wheel **volant** *m.* 11
stepbrother **demi-frère** *m.* 3
stepfather **beau-père** *m.* 3
stepmother **belle-mère** *f.* 3
stepsister **demi-sœur** *f.* 3
still **encore** *adv.* 3
stomach **ventre** *m.* 10
   to have a stomach ache **avoir
   mal au ventre** *v.* 10
stone **pierre** *f.* 13
stop (doing something) **arrêter
   (de faire quelque chose)** *v.*;
   stop (oneself) **s'arrêter** *v.* 10
   to stop by someone's house
   passer chez quelqu'un *v.* 4
   bus stop **arrêt d'autobus (de
   bus)** *m.* 7
store **magasin** *m.*; **boutique** *f.* 12
   grocery store **épicerie** *f.* 4
stormy **orageux/orageuse** *adj.* 5
   It is stormy. **Le temps est
   orageux.** 5
story **histoire** *f.* 2
stove **cuisinière** *f.* 8
straight **raide** *adj.* 3
   straight ahead **tout
   droit** *adv.* 12
strangle **étrangler** *v.*
strawberry **fraise** *f.* 9
street **rue** *f.* 11
   to follow a street **suivre une
   rue** *v.* 12
strong **fort(e)** *adj.* 3
student **étudiant(e)** *m., f.* 1;
   élève *m., f.* 1
   high school student
   lycéen(ne) *m., f.* 2
studies **études** *f.* 2
studio (*apartment*) **studio** *m.* 8
study **étudier** *v.* 2
subscribe (to) **s'abonner (à)** *v.* 11
suburbs **banlieue** *f.* 4
subway **métro** *m.* 7
subway station **station** *f.* **de

métro 7
succeed (in doing something)
   réussir (à) *v.* 7
success **réussite** *f.*
suddenly **soudain** *adv.* 8; **tout à
coup** *adv.* 7.; **tout d'un coup**
   adv. 8
suffer **souffrir** *v.* 11
suffered **souffert (souffrir)**
   p.p. 11
sugar **sucre** *m.* 4
suggest (that) **suggérer
   (que)** *v.* 13
suit (*man's*) **costume** *m.* 6;
   (*woman's*) **tailleur** *m.* 6
suitcase **valise** *f.* 7
summer **été** *m.* 5
   in the summer **en été** 5
sun **soleil** *m.* 5
   It is sunny. **Il fait (du)
   soleil.** 5
Sunday **dimanche** *m.* 2
sunglasses **lunettes de soleil**
   f., pl. 6
supermarket **supermarché** *m.* 9
sure **sûr(e)** 9
   It is sure that… **Il est sûr
   que…** 13
   It is unsure that… **Il n'est
   pas sûr que…** 13
surf on the Internet **surfer sur
   Internet** 11
surprise (someone) **faire une
   surprise (à quelqu'un)** *v.* 6
surprised **surpris (surprendre)**
   p.p., adj. 6
   to be surprised that… **être
   surpris(e) que…** *v.* 13
sweater **pull** *m.* 6
sweep **balayer** *v.* 8
swell **enfler** *v.* 10
swim **nager** *v.* 4
swimsuit **maillot de bain** *m.* 6
Swiss **suisse** *adj.* 1
Switzerland **Suisse** *f.* 7
symptom **symptôme** *m.* 10

T

table **table** *f.* 1
   to clear the table **débarrasser
   la table** *v.* 8
tablecloth **nappe** *f.* 9
tablet computer **tablette (tactile)** *f.* 11
take **prendre** *v.* 4
   to take a shower **prendre une
   douche** 10
   to take a train (plane, taxi, bus,
   boat) **prendre un train (un
   avion, un taxi, un autobus,
   un bateau)** *v.* 7

to take a walk **se promener**
   v. 10
to take advantage of **profiter
   de** *v.*
to take an exam **passer un
   examen** *v.* 2
to take care (of something)
   s'occuper (de) *v.* 10
to take out the trash **sortir la/
   les poubelle(s)** *v.* 8
to take time off **prendre un
   congé** *v.*
to take (*someone*) **emmener**
   v. 5
taken **pris (prendre)** *p.p., adj.* 6
tale **conte** *m.*
talented (*gifted*) **doué(e)** *adj.*
tan **bronzer** *v.* 6
tart **tarte** *f.* 9
taste **goûter** *v.* 9
taxi **taxi** *m.* 7
tea **thé** *m.* 4
teach **enseigner** *v.* 2
   to teach (*to do something*)
   apprendre (à) *v.* 4
teacher **professeur** *m.* 1
team **équipe** *f.* 5
teaspoon **cuillère à café** *f.* 9
tee shirt **tee-shirt** *m.* 6
teeth **dents** *f., pl.* 9
   to brush one's teeth **se brosser les dents** *v.* 9
telephone **appareil** *m.*
   to telephone (*someone*)
   téléphoner (à) *v.* 2
   It's Mr./Mrs./Miss … (on the
   phone). **C'est M./Mme/
   Mlle … (à l'appareil).**
television **télévision** *f.* 1
   television channel **chaîne** *f.*
   de télévision 11
   television program **émission**
   f. **de télévision**
tell one another **se dire** *v.* 11
temperature **température** *f.* 5
ten **dix** *m.* 1
tennis **tennis** *m.* 5
   tennis shoes **baskets** *f., pl.* 6
tenth **dixième** *adj.* 7
terrace (*café*) **terrasse** *f.* **de café** 4
test **examen** *m.* 1
text message **SMS/texto** *m.* 11
than **que/qu'** *conj.* 9, 13
thank: Thank you (very
   much). **Merci (beaucoup).** 1
that **ce/c', ça** 1; **que** *rel.*
   pron. 11
   Is that… **? Est-ce… ?** 2
   That's enough. **Ça suffit.** 5
   That has nothing to do with us.
   That is none of our business.
   Ça ne nous regarde pas. 13

that is... **c'est...** 1

that is to say **ça veut dire** 10

theater **théâtre** m.

their **leur(s)** poss. adj., m., f. 3

them **les** d.o. pron. 7, **leur** i.o. pron., m., f., pl. 6

then **ensuite** adv. 7, **puis** adv. 7, **puis** 4; **alors** adv. 7

there **là** 1; **y** pron. 10

Is there... **? Y a-t-il... ?** 2

over there **là-bas** adv. 1

(over) there (used with demonstrative adjective ce and noun or with demonstrative pronoun celui) **-là** 6

There is/There are... **Il y a...** 1

There is/There are.... **Voilà...** 1

There was... **Il y a eu...** 6; **Il y avait...** 8

therefore **donc** conj. 7

these/those **ces** dem. adj., m., f., pl. 6

these/those **celles** pron., f., pl. 13

these/those **ceux** pron., m., pl. 13

they **ils** sub. pron., m. 1; **elles** sub. and disj. pron., f. 1; **eux** disj. pron., pl. 3

thing **chose** f. 1, **truc** m. 7

think (about) **réfléchir (à)** v. 7

to think (that) **penser (que)** v. 2

third **troisième** adj. 7

thirst **soif** f. 4

to be thirsty **avoir soif** v. 4

thirteen **treize** m. 1

thirty **trente** m. 1

thirty-first **trente et unième** adj. 7

this/that **ce** dem. adj., m., sing. 6; **cet** dem. adj., m., sing. 6; **cette** dem. adj., f., sing. 6

this afternoon **cet après-midi** 2

this evening **ce soir** 2

this one/that one **celle** pron., f., sing. 13; **celui** pron., m., sing. 13

this week **cette semaine** 2

this weekend **ce week-end** 2

this year **cette année** 2

those are... **ce sont...** 1

thousand: one thousand **mille** m. 5

one hundred thousand **cent mille** m. 5

threat **danger** m. 13

three **trois** m. 1

three hundred **trois cents** m. 5

throat **gorge** f. 10

throw away **jeter** v. 13

Thursday **jeudi** m. 2

ticket **billet** m. 7

round-trip ticket **billet** m. **aller-retour** 7

bus/subway ticket **ticket de bus/de métro** m. 7

tie **cravate** f. 6

tight **serré(e)** adj. 6

time (occurence) **fois** f.; (general sense) **temps** m., sing. 5

a long time **longtemps** adv. 5

free time **temps libre** m. 5

from time to time **de temps en temps** adv. 8

to waste time **perdre son temps** v. 6

tinker **bricoler** v. 5

tip **pourboire** m. 4

to leave a tip **laisser un pourboire** v. 4

tire **pneu** m. 11

flat tire **pneu** m. **crevé** 11

(emergency) tire **roue (de secours)** f. 11

to check the tire pressure **vérifier la pression des pneus** v. 11

tired **fatigué(e)** adj. 3

tiresome **pénible** adj. 3

to **à** prep. 4; **au (à + le)** 4; **aux (à + les)** 4

toaster **grille-pain** m. 8

today **aujourd'hui** adv. 2

toe **orteil** m. 10; **doigt de pied** m. 10

together **ensemble** adv. 6

tomato **tomate** f. 9

tomorrow (morning, afternoon, evening) **demain (matin, après-midi, soir)** adv. 2

day after tomorrow **après-demain** adv. 2

too **aussi** adv. 1

too many/much (of) **trop (de)** 4

tooth **dent** f. 9

to brush one's teeth **se brosser les dents** v. 9

toothbrush **brosse** f. **à dents** 10

toothpaste **dentifrice** m. 10

tour **tour** m. 5

tourism **tourisme** m. 12

tourist office **office du tourisme** m. 12

towel (bath) **serviette (de bain)** f. 10

town **ville** f. 4

town hall **mairie** f. 12

toxic **toxique** adj. 13

toxic waste **déchets toxiques** m., pl. 13

traffic **circulation** f. 11

traffic light **feu de signalisation** m. 12

tragedy **tragédie** f.

train **train** m. 7

train station **gare** f. 7;

training **formation** f.

translate **traduire** v. 6

translated **traduit (traduire)** p.p., adj. 6

trash **ordures** f., pl. 13

travel **voyager** v. 2

travel agency **agence de voyages** f. 7

travel agent **agent de voyages** m. 7

tree **arbre** m. 13

trip **voyage** m. 7

troop (company) **troupe** f.

tropical **tropical(e)** adj. 13

tropical forest **forêt tropicale** f. 13

true **vrai(e)** adj. 3; **véritable** adj. 6

It is true that... **Il est vrai que...** 13

It is untrue that... **Il n'est pas vrai que...** 13

trunk **coffre** m. 11

try **essayer** v. 5

Tuesday **mardi** m. 2

tuna **thon** m. 9

turn **tourner** v. 12

to turn off **éteindre** v. 11

to turn on **allumer** v. 11

to turn (oneself) around **se tourner** v. 10

twelve **douze** m. 1

twentieth **vingtième** adj. 7

twenty **vingt** m. 1

twenty-first **vingt et unième** adj. 7

twenty-second **vingt-deuxième** adj. 7

twice **deux fois** adv. 8

twist one's ankle **se fouler la cheville** v. 10

two **deux** m. 1

two hundred **deux cents** m. 5

two million **deux millions** m. 5

type **genre** m.

U

ugly **laid(e)** adj. 3

umbrella **parapluie** m. 5

uncle **oncle** m. 3

under **sous** prep. 3

understand **comprendre** v. 4

understood **compris (comprendre)** p.p., adj. 6

underwear **sous-vêtement** m. 6

undress **se déshabiller** v. 10

unemployed person **chômeur/chômeuse** m., f.

to be unemployed **être au chômage** v.

unemployment **chômage** m.

unfortunately **malheureusement** adv. 2

unhappy **malheureux/malheureuse** adj. 3

union **syndicat** m.

United States **États-Unis** *m., pl.* 7
university **faculté** *f.* 1; **université** *f.* 1
university cafeteria **restaurant universitaire (resto U)** *m.* 2
unless **à moins que** *conj.*
unpleasant **antipathique** *adj.* 3; **désagréable** *adj.* 1
until **jusqu'à** *prep.* 12; **jusqu'à ce que** *conj.*
upset: to become upset **s'énerver** *v.* 10
us **nous** *i.o. pron.* 6; **nous** *d.o. pron.* 7
USB drive/port **clé/prise** *f.* **USB** 11
use **employer** *v.* 5
  to use a map **utiliser un plan** *v.* 7
useful **utile** *adj.* 2
useless **inutile** *adj.* 2; **nul(le)** *adj.* 2
username **identifiant** *m.* 11
usually **d'habitude** *adv.* 8

V

vacation **vacances** *f., pl.* 7
  vacation day **jour de congé** *m.* 7
vacuum **aspirateur** *m.* 8
  to vacuum **passer l'aspirateur** *v.* 8
valley **vallée** *f.* 13
vegetable **légume** *m.* 9
velvet **velours** *m.* 6
very (before adjective) **tout(e)** *adv.* 3; (before adverb) **très** *adv.* 8
  Very well. **Très bien.** 1
veterinarian **vétérinaire** *m., f.*
video game(s) **jeu vidéo (des jeux vidéo)** *m.* 11
Vietnamese **vietnamien(ne)** *adj.* 1
violet **violet(te)** *adj.* 6
violin **violon** *m.*
visit **visite** *f.* 6
  to visit (a place) **visiter** *v.* 2; (a person or people) **rendre visite (à)** *v.* 6; (to visit regularly) **fréquenter** *v.* 4
volcano **volcan** *m.* 13
volleyball **volley(-ball)** *m.* 5

W

waist **taille** *f.* 6
wait **attendre** *v.* 6
  to wait (on the phone) **patienter** *v.*
  to wait in line **faire la queue** *v.* 12
wake up **se réveiller** *v.* 10
walk **promenade** *f.* 5; **marcher** *v.* 5
  to go for a walk **faire une promenade** 5; **faire un tour** 5
wall **mur** *m.* 8
want **désirer** *v.* 5; **vouloir** *v.* 9
wardrobe **armoire** *f.* 8
warming: global warming **réchauffement de la Terre** *m.* 13
warning light (gas/oil) **voyant** *m.* **(d'essence/d'huile)** 11
wash **laver** *v.* 8
  to wash oneself (one's hands) **se laver (les mains)** *v.* 10
  to wash up (in the morning) **faire sa toilette** *v.* 10
washing machine **lave-linge** *m.* 8
waste **gaspillage** *m.* 13; **gaspiller** *v.* 13
wastebasket **corbeille (à papier)** *f.* 1
watch **montre** *f.* 1; **regarder** *v.* 2
water **eau** *f.* 4
  mineral water **eau** *f.* **minérale** 4
way (by the way) **au fait** 3; (path) **chemin** *m.* 12
we **nous** *pron.* 1
weak **faible** *adj.* 3
wear **porter** *v.* 6
weather **temps** *m., sing.* 5; **météo** *f.*
  The weather is bad. **Il fait mauvais.** 5
  The weather is dreadful. **Il fait un temps épouvantable.** 5
  The weather is good/warm. **Il fait bon.** 5
  The weather is nice. **Il fait beau.** 5
web site **site Internet/web** *m.* 11
wedding **mariage** *m.* 6
Wednesday **mercredi** *m.* 2
weekend **week-end** *m.* 2
  this weekend **ce week-end** *m.* 2
welcome **bienvenu(e)** *adj.* 1
  You're welcome. **Il n'y a pas de quoi.** 1
well **bien** *adv.* 7
  I am doing well/badly. **Je vais bien/mal.** 1
west **ouest** *m.* 12
What? **Comment?** *adv.* 4; **Pardon?** 4; **Quoi?** 1 *interr. pron.* 4

What day is it? **Quel jour sommes-nous?** 2
What do you think about that? **Qu'en penses-tu?** 13
What is it? **Qu'est-ce que c'est?** *prep.* 1
What is the date? **Quelle est la date?** 5
What is the temperature? **Quelle température fait-il?** 5
What is the weather like? **Quel temps fait-il?** 5
What is your name? **Comment t'appelles-tu?** *fam.* 1
What is your name? **Comment vous appelez-vous?** *form.* 1
What is your nationality? **Quelle est ta nationalité?** *sing., fam.* 1
What is your nationality? **Quelle est votre nationalité?** *sing., pl., fam., form.* 1
What time? **À quelle heure?** 2
What time do you have? **Quelle heure avez-vous?** *form.* 2
What time is it? **Quelle heure est-il?** 2
What's up? **Ça va?** 1
whatever it may be **quoi que ce soit**
What's wrong? **Qu'est-ce qu'il y a?** 1
when **quand** *adv.* 4
  When is …'s birthday? **C'est quand l'anniversaire de …?** 5
  When is your birthday? **C'est quand ton/votre anniversaire?** 5
where **où** *adv., rel. pron.* 4
which? **quel(le)(s)?** *adj.* 4
  which one **à laquelle** *pron., f., sing.* 13
  which one **auquel (à + lequel)** *pron., m., sing.* 13
  which one **de laquelle** *pron., f., sing.* 13
  which one **duquel (de + lequel)** *pron., m., sing.* 13
  which one **laquelle** *pron., f., sing.* 13
  which one **lequel** *pron., m., sing.* 13
  which ones **auxquelles (à + lesquelles)** *pron., f., pl.* 13
  which ones **auxquels (à + lesquels)** *pron., m., pl.* 13
  which ones **desquelles (de + lesquelles)** *pron., f., pl.* 13

which ones **desquels (de + lesquels)** *pron., m., pl.* 13

which ones **lesquelles** *pron., f., pl.* 13

which ones **lesquels** *pron., m., pl.* 13

while **pendant que** *prep.* 7

white **blanc(he)** *adj.* 6

who? **qui?** *interr. pron.* 4; **qui** *rel. pron.* 11

Who is it? **Qui est-ce?** 1

Who's calling, please? **Qui est à l'appareil?**

whom? **qui?** *interr.* 4

For whom? **Pour qui?** 4

To whom? **À qui?** 4

why? **pourquoi?** *adv.* 2, 4

widowed **veuf/veuve** *adj.* 3

wife **femme** *f.* 1; **épouse** *f.* 3

willingly **volontiers** *adv.* 10

win **gagner** *v.* 5

wind **vent** *m.* 5

It is windy. **Il fait du vent.** 5

window **fenêtre** *f.* 1

windshield **pare-brise** *m.* 11

windshield wiper(s) **essuie-glace (essuie-glaces** *pl.)* m. 11

windsurfing **planche à voile** *v.* 5

to go windsurfing **faire de la planche à voile** *v.* 5

wine **vin** *m.* 6

winter **hiver** *m.* 5

in the winter **en hiver** 5

wipe (the dishes/the table) **essuyer (la vaisselle/la table)** *v.* 8

wish that… **souhaiter que…** *v.* 13

with **avec** *prep.* 1

with whom? **avec qui?** 4

withdraw money **retirer de l'argent** *v.* 12

without **sans** *prep.* 8; **sans que** *conj.* 5

woman **femme** *f.* 1

woods **bois** *m.* 13

wool **laine** *f.* 6

work **travail** *m.* 12

to work **travailler** *v.* 2; **marcher** *v.* 11; **fonctionner** *v.* 11

work out **faire de la gym** *v.* 5

worker **ouvrier/ouvrière** *m., f.*

world **monde** *m.* 7

worried **inquiet/inquiète** *adj.* 3

worry **s'inquiéter** *v.* 10

worse **pire** *comp. adj.* 9; **plus mal** *comp. adv.* 9; **plus mauvais(e)** *comp. adj.* 9

worst: the worst **le plus mal** *super. adv.* 9; **le/la pire** *super. adj.* 9; **le/la plus mauvais(e)** *super. adj.* 9

wound **blessure** *f.* 10

wounded: to get wounded **se blesser** *v.* 10

write **écrire** *v.* 7

to write one another **s'écrire** *v.* 11

writer **écrivain(e)** *m., f.*

written **écrit (écrire)** *p.p., adj.* 7

wrong **tort** *m.* 2

to be wrong **avoir tort** *v.* 2

Y

yeah **ouais** 2

year **an** *m.* 2; **année** *f.* 2

yellow **jaune** *adj.* 6

yes **oui** 2; *(when contradicting a negative statement)* **si** 2

yesterday (morning/afternoon evening) **hier (matin/après-midi/soir)** *adv.* 7

day before yesterday **avant-hier** *adv.* 7

yogurt **yaourt** *m.* 9

you **toi** *disj. pron., sing., fam.* 3; **tu** *sub. pron., sing., fam.* 1; **vous** *pron., sing., pl., fam., form.* 1

you neither **toi non plus** 2

You're welcome. **De rien.** 1

young **jeune** *adj.* 3

younger **cadet(te)** *adj.* 3

your **ta** *poss. adj., f., sing.* 3; **tes** *poss. adj., m., f., pl.* 3; **ton** *poss. adj., m., sing.* 3; **vos** *poss. adj., m., f., pl.* 3; **votre** *poss. adj., m., f., sing.* 3;

yourself **te/t'** *refl. pron., sing., fam.* 10; **toi** *refl. pron., sing., fam.* 10; **vous** *refl. pron., form.* 10

youth **jeunesse** *f.* 6

youth hostel **auberge de jeunesse** *f.* 7

Yum! **Miam!** *interj.* 5

Z

zero **zéro** *m.* 1

Index

CREDITS

Every effort has been made to trace the copyright holders of the works published herein. If proper copyright acknowledgment has not been made, please contact the publisher and we will correct the information in future printings.

Photography and Art Credits

All images © by Vista Higher Learning unless otherwise noted.

Cover: Antonino Bartuccio/Sime/eStock Photo.

Front Matter (SE): iii: Photolibrary; **xxix:** Petr Z/Shutterstock.

Front Matter (IAE): IAE-32: Mike Flippo/Shutterstock.

Unit 1: 1: Jupiterimages/Photolibrary/Getty Images; **4:** (t) Pascal Pernix; (b) Rossy Llano; **8:** (t) Anne Loubet; (b) Paula Díez; **9:** Olga Buiacova/123RF; **13:** (t) LdF/iStockphoto; (mtl) Martín Bernetti; (mtr) Joana Lopes/123RF; (mbl) Rawpixel/Fotolia; (mbr) Sami Sert/iStockphoto; (bl) WavebreakmediaMicro/Fotolia; (br) Laura Stevens; **15:** (l) Anne Loubet; (r) Terex/Fotolia; **22:** Rossy Llano; **26:** (l) Andrew Bayda/Fotolia; (r) Huang Zheng/Shutterstock; **27:** (t) Charles Platiau/Reuters/Newscom; (b) Chelsea Lauren/WireImage/Getty Images; **28:** (all) Anne Loubet; **29:** (tl) Thaporn942/Fotolia; (tr, bl) VHL; (br) Masson/Shutterstock; **30:** (tl) Erik Pendzich/Alamy; (tm) BillionPhotos/Fotolia; (tr) Hongqi Zhang/Alamy; (bl) Niko Guido/iStockphoto; (bm) Michal Kowalski/Shutterstock; (br) Demidoff/Fotolia; **31:** (tl) Dfree/Shutterstock; (tm) Erik Pendzich/Alamy; (tr) José Luis Pelaez/Media Bakery; (bl) Anne Loubet; (bml) Odilon Dimier/Media Bakery; (bmr) Martín Bernetti; (br) Colleen Cahill/Media Bakery; **33:** (all) VHL; **36:** (tl, tr, mtr, mbr, bl, br) Anne Loubet; (mtl) Robert Lerich/Fotolia; (mbl) Rossy Llano; **37:** Odua Images/Fotolia; **38:** (t) Courtesy of the International Organisation of La Francophonie; (m) Jack Guez/AFP/Getty Images; (b) DPA Picture Alliance /Alamy; **39:** (tl) Rossy Llano; (tr) Frederic/Fotolia; (ml) Brent Hofacker/Shutterstock; (mr) Courtesy of the International Organisation of La Francophonie; (b) Eddy Lemaistre/Corbis Sport/Getty Images.

Unit 2: 41: PeopleImages/E+/Getty Images; **48:** (l) Pascal Pernix; (r) Martín Bernetti; **49:** Kristi Blokhin/Shutterstock; **62:** (l) Martín Bernetti; (r) Peter Muller/Cultura/Getty Images; **66:** (l) Pascal Pernix; (r) Anne Loubet; **67:** (t) Pascal Pernix; (m) David Schaffer/Media Bakery; (b) Benaroch/Sipa/Newscom; **68:** (all) VHL; **69:** (bl) Paula Díez; (tr) JGI/Jamie Grill/Media Bakery; (tl, br) Anne Loubet; **77:** (t) Astarot/Fotolia; (b) VHL; **78:** (tl) Bettmann/Getty Images; (bl) Antoine Gyori/Corbis/Getty Images; (m) Martine Coquilleau/Fotolia; (r) Daniel Haller/iStockphoto; **79:** (tl) David Gregs/Alamy; (tr, ml, b) Anne Loubet; (mr) Caroline Beecham/iStockphoto.

Unit 3: 81: Imgorthand/E+/Getty Images; **88:** Jupiterimages/Media Bakery; **89:** (l) Alix William/SIPA/Newscom; (r) Nuccio DiNuzzo/TNS/Newscom; **90:** (l) Martín Bernetti; (r) Ingram Publishing/Alamy; **93:** (t) Tomasz Trojanowski/Shutterstock; (ml) Brian McEntire/iStockphoto; (mm) Anna Lurye/Shutterstock; (mr) Rjgrant/iStockphoto/Getty Images; (bl) Linda Kloosterhof/iStockphoto; (bm) Dmitry Pistrov/Shutterstock; (br) Oliveromg/Shutterstock; **96:** (tl, br) Martín Bernetti; (tm) Dmitry Kutlayev/iStockphoto; (tr) Zentilia/Fotolia; (bl) AHBE/Fotolia; (bml) VHL; (bmr) Anne Loubet; **97:** (l) Corbis/Veer; (r) Drew Myers/Corbis; **98:** Bowden Images/iStockphoto; **101:** (l) Martín Bernetti; (m, r) Anne Loubet; **102:** (t) Anne Loubet; (ml) Hemera Technologies/AbleStock/Getty Images; (mml) JackF/Fotolia; (mmr) Paula Díez; (mr) Vstock/Alamy; (bl) Martín Bernetti; (bml) Photolibrary; (bmr) Keith Levit Photography/Photolibrary; (br) Anne Loubet; **106:** (l) Mark Leibowitz/AGE Fotostock; (r) Hybrid Images/Corbis; **107:** (tl) Album/Oronoz/Newscom; (tr) Xavier Collin/Celebrity Monitor/Newscom; (bl) Julien Reynaud/APS-Medias/Sipa/Newscom; (br) Panoramic/ZUMA Press/Newscom; **109:** (t) VHL; (m) Nigel Riches/Media Bakery; (b) Anne Loubet; **111:** (t, br) Martín Bernetti; (ml) David Lee/Alamy; (mml) AKF/Fotolia; (mmr) Yay Micro/AGE Fotostock; (mbl) Photofriday/Shutterstock; (mbr) F9photos/Shutterstock; (mr) Igor Tarasov/Fotolia; (bl) Creative Jen Designs/Shutterstock; **114:** (tl) Valua Vitaly/Shutterstock; (tm) Roy Hsu/Media Bakery; (tr) Don Mason/Getty Images; (bl) Simon Kolton/Alamy; (bml) Ariel Skelley/Blend Images/Getty Images; (bmr) Jacek Chabraszewski/iStockphoto; (br) Sergei Telegin/Shutterstock; **116:** Anne Loubet; **117:** Paula Díez; **118:** (t) Keleny/123RF; (m) Simona Dumitru/Alamy; (b) Marta Perez/EFE/Newscom; **119:** (ml) Erik Tham/Alamy; (mr) *Portrait of Jean Jacques Rousseau* by Edouard Lacretelle. Gianni Dagli Orti/Shutterstock; (tl) Franky DeMeyer/iStockphoto; (tr) Dave Bartruff/Danita Delimont/Alamy; (b) Nicole Paton/Shutterstock.

Unit 4: 121: Patrizi/E+/Getty Images; 124: (t) Anne Loubet; (b) Martín Bernetti; 128: (l) Vincent Besnault/Photographer's Choice/ Getty Images; (r) Directphoto Collection/Alamy; 129: (t) Foc Kan/WireImage/Getty Images; (b) Romuald Meigneux/SIPA/Newscom; 133: David Hughes/Photolibrary; 141: Pascal Pernix; 142: Anne Loubet; 146: (t) Carlos S. Pereyra/AGE Fotostock; (b) Anne Loubet; 147: (t) Yadid Levy/Alamy; (m) Hadynyah/iStockphoto; (b) Audiogram; 149: (t) Artem Varnitsin/Fotolia; (b) Picsfive/123RF; 153: (t) Mdlart/Shutterstock; (bl) Elena Elisseeva/Shutterstock; (bml) Karen Sarraga/Shutterstock; (bmr) B and E Dudzinscy/Shutterstock; (br) Monkey Business Images/Shutterstock; 157: Manuel333/Shutterstock; 158: (t) Carlos Sanchez Pereyra/123RF; (bl) Yoan Valat/EPA/ Shutterstock; (br) Peter Spiro/iStockphoto; 159: (tl) Mike Blake/Reuters; (tr) Grafxcom/iStockphoto; (ml) Rubens Abboud/Alamy; (mr) Perry Mastrovito/First Light/Media Bakery; (b) Richard T. Nowitz/Corbis Documentary/Getty Images.

Unit 5: 161: Cavan Images/Offset; 164: Martín Bernetti; 168: (l) Michael Sohn/AP Images; (r) Liewig Christian/Corbis Sport/Getty Images; 169: (t) Marco Iacobucci EPP/Shutterstock; (b) Arko Datta/Reuters; 182: Ron Koeberer/Cavan Images; 186: (l) Anne Loubet; (r) Jessica Beets; 187: (tl) Anne Loubet; (tr) Reuters; (b) Tony Barson/Getty Images; 189: Argalis/iStockphoto; 197: Pascal Pernix; 198: (t) Idealink Photography/Alamy; (bl) Abdelhak Senna/AFP/Getty Images; (bm) A. Anwar Sacca/Fotolia; (br) Nik Wheeler/ Getty Images; 199: (tl) Stephen Lloyd Morocco/Alamy; (tr) Ulf Andersen/Getty Images; (ml) Paul Springett B/Alamy; (mr) Romilly Lockyer/The Image Bank/Getty Images; (b) Frans Lemmens/Corbis/Getty Images.

Unit 6: 201: Peter Cade/Stone/Getty Images; 208: (l) Fadi Al-barghouthy/123RF; (r) Vespasian/Alamy; 209: (t) Mal Langsdon/Reuters; (b) Trevor Pearson/Alamy; 210: Rachel Distler; 211: (all) Paula Díez; 223: (t) Ben Blankenburg/Corbis; (ml) Hemera Technologies/ Photos.com/Getty Images; (mr) David Muscroft/Purestock/SuperStock; (b) Ablestock.com/Getty Images; 228: Poree-Wyters/ABACA/ Newscom; 229: (t) Evening Standard/Hulton Archive/Getty Images; (m) Graylock/MCT/Newscom; (b) Ian Gavan/ZUMA Press/ Newscom; 233: Anne Loubet; 237: Anne Loubet; 239: Frazer Harrison/Getty Images; 240: (t) Camille Moirenc/hemis.fr/Alamy; (bl) CS2/Charlie Steffens/WENN/Newscom; (bm) Authors Image/Alamy; (br) Jalvarezg/Fotolia; 241: (tl) Morandi Bruno/ZUMA Press/ Newscom; (tr) Sadaka Edmond/SIPA/Newscom; (ml) Seyllou/AFP/Getty Images; (mr) Nic Bothma/EPA/Shutterstock; (b) Anton Ivanov/Shutterstock; 242: (tl) ATB/ATP/WENN/Newscom; (bl) SA Terli/Anadolu Agency/Getty Images; (m) Anthony Asael/Corbis Documentary/Getty Images; (r) MJ Photography/Alamy; 243: (tl) SFM Titti Soldati/Alamy; (tr) Werner Forman Archive/Heritage Image Partnership Ltd/Alamy; (ml) Per-Anders Pettersson/Corbis Documentary/Getty Images; (mr) Philippe Giraud/Corbis Sport/ Getty Images; (b) Gerard Lacz Images/SuperStock.

Unit 7: 245: Michele Westmorland/Corbis Documentary/Getty Images; 248: Pab Map/Fotolia; 252: (t) Stratol/iStockphoto/Getty Images; (b) Kirstin Scholtz/World Surf League/Getty Images; 253: (l) Zonesix/Shutterstock; (r) *Danseuses bleues* (c. 1890), Edgar Degas. Musée d'Orsay, Paris, France. Hervé Lewnadowski/RMN-Grand Palais/Art Resource, NY; 266: Martín Bernetti; 270: (l) Oliverouge 3/Shutterstock; (r) Leungchopan/Shutterstock; 271: (t) Johner Images/Alamy; (b) Kambou Sia/AFP/Getty Images; 273: Donald Nausbaum/Getty Images; 281: Pascal Pernix; 282: (tl) Pictures From History/Newscom; (tr) Saiko3p/Shutterstock; (bl) The AGE/ Fairfax Media/Getty Images; (br) Melba Photo Agency/Alamy; 283: (tl) *Femmes de Tahiti* (1891), Paul Gauguin. Oil on canvas, 69 x 91.5 cm. Musée d'Orsay, Paris, France. Photo Josse/Leemage/Corbis Historical/Getty Images; (tr) Neftali77/Deposit Photos; (ml) Rafael Ben-Ari/123RF; (mr) AS Food Studio/Shutterstock; (b) Ashit Desai/Getty Images; 284: Thierry Le Fouille/ZUMA Press/ Newscom; 285: (tl) Christopher Salerno/Alamy; (tr) Gabriel Barathieu/Biosphoto/Alamy; (ml) Patrick Forget/Sagaphoto/AGE Fotostock; (mr) Philippe Giraud/Sygma/Getty Images; (b) David Sanger/Photodisc/Getty Images.

Unit 8: 287: RoBeDeRo/E+/Getty Images; 294: (l) Fotokate/iStockphoto; (r) Anne Loubet; 295: Vlad G/Shutterstock; 307: Paula Díez; 308: MikeShamoi/iStockphoto; 312: (l) Anne Loubet; (r) Pascal Pernix; 313: (t) David Redfern/Redferns/Getty Images; (b) Axelle Woussen/Bauergriffin/Newscom; 319: 290712/Fotolia; 320: (t) Stockshot/Alamy; (bl) Ben Blankenburg/Corbis; (bml, bmr) Martín Bernetti; (br) Uwe Umstätter/Media Bakery; 322: (tr) Martín Bernetti; (l, br) Anne Loubet; 323: Anne Loubet; 324: (left col: t) Philip and Elizabeth De Bay/Corbis Historical/Getty Images; (left col: b) Pascal Le Segretain/Getty Images; (left col: m) Keystone Pictures USA/ZUMA Press/Newscom; (t) Jeremy Reddington/Shutterstock; (bl) Abadesign/Shutterstock; (br) Pascal Pernix; 325: (tl) Tom Delano; (tr) Images of France/Alamy; (ml) Pichetw/Shutterstock; (mr) Anne Loubet; (b) Benjamin Herzoq/Fotolia; 326: (left col: t) Bettmann/Getty Images; (left col: b) Hulton-Deutsch Collection/Corbis/Getty Images; (t) Dean Conger/Corbis Historical/Getty Images; (bl) Daniel Joubert/Reuters; (br) Dianne Maire/iStockphoto; 327: (tl) Demid Borodin/iStockphoto; (tr) Alain Jocard/AFP/ Getty Images; (ml) Daniel Joubert/Reuters; (mr) James Warren/iStockphoto; (b) Pikselstock/Shutterstock.

Unit 9: 329: Maskot/Getty Images; 331: Martín Bernetti; 336: (l) Fred Dufour/AFP/Getty Images; (r) Kachelhoffer Clement/Corbis Historical/Getty Images; 337: VHL; 339: (l) Jupiterimages/Stockbyte/Getty Images; (r) Jeffrey M. Frank/Shutterstock; 350: Martín Bernetti; 354: (l) Anne Loubet; (r) Lulu Durand/Shutterstock; 355: (tl) Carlo Bollo/Alamy; (tr) Stockfood Images/FoodCollection/Media Bakery; (b) Stephane Cardinale/Corbis Entertainment/Getty Images; 356: Anne Loubet; 358: (t) Photolibrary; (bl) Jovannig/Fotolia; (bml) Design Pics Inc/Alamy; (bmr) Anne Loubet; (br) MediaPictures.pl/Shutterstock; 361: (t) Dynamic Graphics/Getty Images; (b) Martín Bernetti; 363: (tl) Amy Baron; (tr) Ingram Publishing/Getty Images; (bl) Dan Dalton/Media Bakery; (br) Anne Loubet; 365: Africa Studio/Fotolia; 366: (left col: t) Chris Hellier/Corbis Historical/Getty Images; (left col: b) Hulton-Deutsch Collection/Corbis/Getty Images; (t) Christophe Boisvieux/Getty Images; (bl) David Osborne/Alamy; (br) Dan Moore/iStockphoto; 367: (tl) Janet Dracksdorf; (tr) Leslie Garland Picture Library/Alamy; (ml) Pecold/Fotolia; (mr) Walid Nohra/Shutterstock; (b) Daniel Brechwoldt/iStockphoto.

Text Credits

490: © Jacques Charpentreau, *Mots et Merveilles*. Éditions Saint-Germain-Des-Prés, 1981/cherche midi éditeur, 1981.

Video Credits

19: Tim Hortons; **59**: BETC; **99**: FCR Media; **139**: Next Interactive; **179**: France Télévisions; **219**: Directors: Thibault Lafargue, Romain Lafargue; Production: Elkin communication; Distribution: L'Agence du court métrage; **263**: Tous Les Budgets, un site d'information propose por Cetelem; **305**: Marie Hospital Alexandre Hielard/AFPTV/AFP; **347**: Office du Tourisme de Rennes; **387**: KRYS Group; **427**: Fabienne Bruere, Thomas Bernardi, FD/AFPTV/AFP; **467**: Premium Films; **511**: Guillaume Bonnet/AFPTV/AFP.

About the Authors

Cheryl Tano received her M.A. in Spanish and French from Boston College and also has a Ph.D. in Applied Linguistics with a concentration in Second Language Acquisition from Boston University. She is currently teaching French at Tufts University.

James G. Mitchell received his Ph.D. in Romance Studies with a specialization in Second Language Acquisition from Cornell University (Ithaca, NY). Dr. Mitchell is Professor of French, Italian & Linguistics at Salve Regina University (Newport, RI). He is the author of *Watching in Tongues: Multilingualism on American Television in the 21st Century* (Vernon Press, 2020).

About the Illustrators

Sophie Casson is a French Canadian living in the province of Quebec. Her illustrations have appeared in local and national magazines throughout Canada, as well as in children's books.

Born in Caracas, Venezuela, **Hermann Mejía** studied illustration at the **Instituto de Diseño de Caracas**. Hermann currently lives and works in the United States.

Pere Virgili lives and works in Barcelona, Spain. His illustrations have appeared in textbooks, newspapers, and magazines throughout Spain and Europe.